LE GUIDE DE L'AUTO 2007

Le numéro 1
des Québécois
depuis 41 ans

Rédacteur en chef
Denis Duquet
Journalistes et photographes:
Marc Bouchard, Guy Desjardins, Michel Fayen-Gagnon, Gabriel Gélinas,
Robert Jetté, Sylvain Raymond
Fondateur du Guide de l'auto:
Jacques Duval
Conception et production
L'équipe de LC Média Inc
Coordination éditoriale
Alain Morin
Révision et correction:
Hélène Paraire
Administration et ventes:
Frédéric Couture, Simon Fortin, Jean Lemieux

Les marques de commerce *Le Guide de l'auto*, *Le Guide de l'auto*
Jacques Duval et les marques associées sont la propriété de

4105. Boul Matte, bureau G,
Brossard Qc J4Y 2P4
Tél.: 450-444-5773

Copyright 2006 Tous droits réservés, LC Média Inc.

Site Internet: www.leguidedelauto.net

Catalogage avant publication de Bibliothèque et Archives Canada

Duquet, Denis

Le guide de l'auto

ISSN 0315-9205
ISBN-13: 978-2-89568-321-6
ISBN-10: 2-89568-321-2

1. Automobiles - Achat. 2. Automobiles - Catalogues. I.
Gélinas, Gabriel. II. Titre.

HD9710.A2D8   629.222   C86-030714-X

Remerciements
Les Éditions du Trécarré reconnaissent l'aide financière du gouvernement du
Canada par l'entremise du Programme d'aide au développement de l'industrie de
l'édition (PADIÉ) pour ses activités d'édition. Nous remercions la Société de
développement des entreprises culturelles du Québec (SODEC) du soutien accordé
à notre programme de publication.

ISBN-10: 2-89568-321-2
ISBN-13: 978-2-89568-321-6

Dépôt légal – Bibliothèque et Archives nationales du Québec, 2006

Imprimé au Canada

Éditions du Trécarré
7, chemin Bates
Outremont (Québec) H2V 4V7 Canada
Tel.: 514 849-5259

Distribution au Canada
Messageries ADP
2315, rue de la Province
Longueuil (Québec) J4G 1G4
Téléphone: 450 640-1234
Sans frais: 1 800 771-3022

Denis DUQUET   **Gabriel GÉLINAS**   **Alain MORIN**

Le numéro 1
des Québécois
depuis 41 ans

LE GUIDE DE L'AUTO 2007

ÉDITIONS DU TRÉCARRÉ

Le Guide de l'auto tient à remercier les personnes et les organisations dont les noms suivent et qui ont apporté leur précieuse collaboration à la réalisation de l'édition 2007.

Martine Bélanger
Nancy Belleville
Claudie-Anne Brien
Karine Carrier
François Dubois
Nadia Duchesneau
Gabrielle Goyer
Véronique Lauzon
Kim Malczewski
L'équipe des Éditions Trécarré
L'équipe de Québécor St-Jean
Photographie match des intégrales : Michel-Fayen Gagnon

PARTICIPANTS AUX MATCHS COMPARATIFS :
Marc Bouchard, Jonathan Brunelle, Yves Day, Daniel Duquet, Denis Duquet, Louis Bergeron, Simon Fortin, Yvan Fournier, Eric Harvey, Robert Jetté, Jean-Paul Jodoin, Robert Gariepy, Gabriel Gélinas, Alain Morin, Jonathan Morin, Anik Surprenant

POUR LEUR COLLABORATION, MERCI À :
Henri Adm (Subaru Laval), Johnny et Phil d'Agostino (Auto service Park Royal), André Alarie (Desmeules Hyundai), Bob Austin (Rolls-Royce), Maurice Barchicha (Audi Popular), Barbara Barrett (Jaguar, Land Rover), André Beaucage (Suzuki Canada), Lynda Béliveau, Denis Bellemare (Mercedes-Benz du Canada), Umberto Bonfa (Ferrari Québec), Pierre Boutin (Nissan Canada), Paul Boyer (Des Sources Chrysler), Rick Bye (Porsche Canada), Bob Carlson (Porsche North America), Jo Anne Caza (Mercedes-Benz/Maybach/Smart), Nicole Chambers (Subaru Canada), Doug Clark (Audi Canada), Mario Cloutier (Volkswagen Canada), John Crawford (Bentley Motors), Bob Croft (Hymus Suzuki), Alexandra Cygal (Nissan Canada), Pierre Deschamps (Mazda Canada), Sophie Desmarais (Mitsubishi Canada), Sandy DiFelice (Honda Canada), Alain Desrochers (Mazda Canada), Susan Elliott (Mitsubishi Canada), Larry Futers (Mitsubishi), Richard Gaglewicz (Décarie Motors), Breanna Gaudet (Suzuki Canada), Terry Grant (BMW Laval), Elaine Griffin (Subaru Canada), Rania Guirguis (Mazda Canada), Cristina Guizzardi (Lamborghini), Chad Heard (Volvo Canada), Louis Henry, Christine Hollander (Ford du Canada), Richard Jacobs (Honda Canada), Jan-Äke Jonsson (SAAB Suède), Kerrey Kerr (Daimler-Chrysler Canada), Mike Kurnik (Suzuki Canada), Gabriel Labonté, Daniel Labre (Chrysler Canada), Jules Lacasse (Hyundai Canada), Yves Ladouceur (Kia Canada), Tony LaRocca (General Motors du Canada), Ghyslain Lavallée (garage Roch Lavallée et Fils), Guy Lincourt (Concorde Automobiles), John Lindo (Nissan Canada), Sam Longo (Volvo Laval), Kevin Marcotte (BMW Canada), Gilles Marleau (PMG Technologies), Richard Marsan (Subaru Canada), Dough Mepham (Volvo Canada), Nadia Mereb (Honda Canada), Josée Marin (Hyundai Canada), Tom McPherson (Hyundai Canada), Stéphane Narbonne (Parkway Plaza), Cort Nielsen (Kia Canada), Lise Ouellette (Acura Casavant), Roberto Oruna (Audi Canada), Robert Pagé (General Motors du Canada), Luc Paquette (Hyundai Canada), Antony Paulozza (Pirelli Canada), Marc Perreault (Boom-FM), Jacques Plante (Dupont Ford), Wesley Pratt (Toyota Canada), Normand Primeau (Seitz Communications), Jacynthe Rioux (Arbour Volkswagen), Manon Rivard (Kia Canada), Patrick Saint-Pierre (Volkswagen Canada), Chantal Sauvé (BMW Laval), Paul Seitz (Seitz Communication). Stuart Y. Schorr (Daimler-Chrysler du Canada), John Scotti (John Scotti Auto), Candy Squires (Mercedes-Benz, Québec), François Viau (Groupe Beverly Hils), Kyle Wierzbicki (BMW Canada), Rebecca Wu (Toyota Canada), Greg Young (Mazda Canada), Nezha Ziad (Cité Mitsubishi), Karen Zlatin (Mercedes-Benz Québec)

ET À CES PERSONNES SANS QUI LES MATCHS COMPARATIFS N'AURAIENT PAS EU LIEU :
La famille Couture (Mont St-Bruno), Jacques Guertin (Sanair), famille Kirschhoff (Mégaglisse) et François-Charles Sirois (Trioomph)

MEILLEUR ET PLUS VITE

Si je voulais respecter la tradition, je soulignerais l'arrivée dans notre équipe de Sylvain Raymond et le départ de collaborateurs dont je vous laisse le soin de deviner le nom. Et je profiterais de l'occasion pour remercier toutes les personnes qui ont collaboré à cet ouvrage, et elles sont nombreuses.

Je préfère vous parler d'un phénomène qui a des répercussions énormes sur la composition de l'offre du parc automobile de nos jours. Il s'agit de la rapidité avec laquelle les nouveaux modèles sont développés et mis en production.

Mercedes-Benz s'est vanté pendant longtemps de prendre sept ans pour développer une nouvelle génération de voiture. La nouvelle Classe S arrivait en 1980, il fallait s'attendre à ce que sa remplaçante soit dévoilée sept années plus tard, presque jour pour jour. Selon les ingénieurs de cette marque prestigieuse, ce laps de temps était un minimum pour développer des solutions techniques innovatrices, peaufiner le style et concevoir de nouveaux moteurs. Cette philosophie d'équivalence entre le temps de conception et l'excellence s'est maintenue jusqu'à ce que les constructeurs japonais viennent jouer dans les plates-bandes de Mercedes-Benz et des autres producteurs de voitures de prestige.

Non seulement les nouvelles voitures de prix d'Acura, Lexus, et Infiniti étaient-elles originales en fait de conception mécanique, mais leur fiabilité et leur qualité d'assemblage sont devenues la référence en peu de temps. Et ils ne faisaient que transposer à des voitures de prestige des techniques de développement et de production utilisées sur les modèles de grande diffusion.

Une baisse des ventes des grandes marques européennes a obligé ces dernières à réviser leurs façons de faire. Elles ont réalisé à leur tour qu'il était possible de faire encore mieux en travaillant plus rapidement et avec une meilleure discipline. Dans ce nouveau monde où les nouveaux modèles ont la cote, il est obligatoire de renouveler ses produits le plus rapidement possible. C'est d'ailleurs ce qui se fait de nos jours, et dans tous les créneaux du marché. Les nouvelles méthodes de conception et de développement accélèrent grandement le processus. L'utilisation d'ordinateurs de plus en plus puissants permet de simuler une foule de situations qui nécessitaient autrefois la construction de prototypes et de longes séances d'évaluation sur route. De nos jours, en quelques heures par le biais de super ordinateurs, on en sait plus sans que cela coûte trop cher.

Et les résultats sont impressionnants alors que la qualité des produits, leur fiabilité et leur durabilité sont meilleures que jamais. Et je suis persuadé que ce processus va se continuer de sorte que les voitures qui seront analysées dans le *Guide de l'auto 2012* seront encore meilleures et vendues pour moins cher en fonction de leur qualité.

Tout ce long préambule pour vous dire que la cuvée 2007 des voitures, VUS et camionnettes évaluées dans cet ouvrage présente une qualité jamais atteinte auparavant. Tous les nouveaux modèles ne sont pas parfaits, mais leur plate-forme est plus rigide, leurs moteurs plus propres et plus puissants tandis que le comportement routier gagne en efficacité. Et les ingénieurs ont trouvé le moyen de rendre ces voitures plus efficaces en fait de sécurité. D'ailleurs plusieurs modèles présentés cette année possèdent un capot qui évite les blessures sérieuses aux piétons en cas d'accident.

Un seul regret : que le nombre de voitures dont la consommation est inférieure à neuf litres au 100 km ne soit pas plus élevé. Pourtant, compte tenu de la situation des réserves pétrolières sur la planète, les gens devraient être plus sensibilisés à choisir des voitures plus économiques, pas nécessairement plus puissantes. Mais puisque les constructeurs offrent aux gens les produits qu'ils achètent, nous avons la solution entre nos mains. Il suffit de réclamer des voitures plus économiques en fait de consommation de carburant et nous l'aurons.

En attendant, bonne lecture et bonne route !

Denis Duquet

SOMMAIRE

UN ADN. UNE COMPAGNIE.

LES AMATEURS DE VROUM-VROUM N'ONT JAMAIS ÉTÉ SI BIEN SERVIS. Plus que jamais, Mazda offre une gamme de véhicules axés autant sur les dernières tendances en matière de design que sur les avancées technologiques les plus novatrices. Des véhicules qui ont tous l'ADN d'une voiture sport et qui procurent un plaisir de conduite inégalé. Voilà pourquoi Mazda aujourd'hui est à la fine pointe du dernier cri automobile. Mais un succès comme celui-là n'aurait pas été possible sans l'appui indéfectible de nos concessionnaires. Ce sont eux en effet qui optimisent l'expérience client de nos acheteurs… avant même qu'ils ne prennent la route. Et qui renforcent encore davantage le côté électrisant de nos véhicules dans l'esprit des mordus du volant. Si bien que les conducteurs Mazda sont souvent tentés de faire « vroum-vroum » en s'engageant sur une autoroute ! Alors passez vite chez votre concessionnaire; il se fera un plaisir de vous faire vivre l'expérience Mazda dans ce qu'elle a de plus excitant.

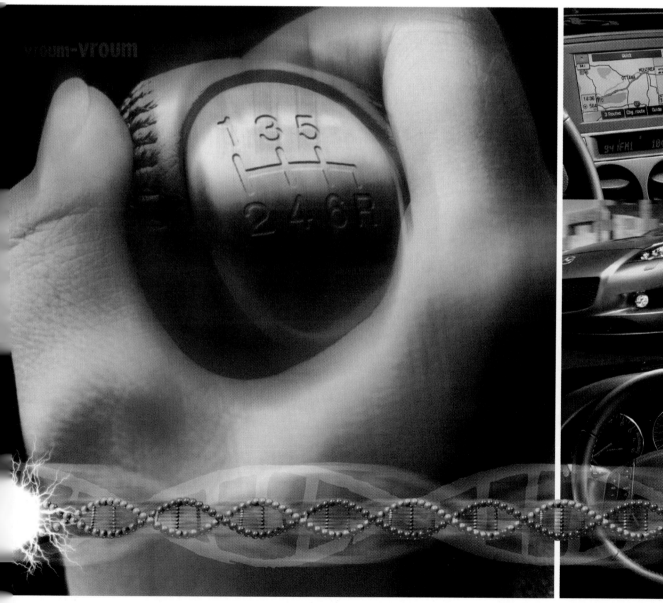

Vous trouverez beaucoup _plus_ chez vos concessionnaires Mazda du Québec.

Pour un concessionnaire près de chez vous, visitez le **www.mazda.ca** ou téléphonez au **1 800 263-4680**.

ACURA

Modèle	Prix
CSX Touring	26,677$
CSX Premium	28,943$
CSX Navi Premium	31,518$
MDX	53,148$
MDX Touring	55,723$
MDX Tech	58,916$
RL	71,585$
RDX	41,000$
RDX technologie	45,000$
TL Base auto	43,260$
TL Dynamic man.	44,290$
TL Navigation auto	46,144$
TL Dynamic navi man	47,174$
TSX auto	38,316$
TSX man	36,977$
TSX Navigation auto	41,200$

ASTON MARTIN

DB9 Coupe man	219,375$
DB9 Coupe auto	225,875$
DB9 volante manuel	237,375$
DB9 volante touchtronic	245,375$
Vanquish	343,825$
Vantage V8	142,775$

AUDI

A3 2.0T man	33,800$
A3 2.0T auto	35,450$
A3 3.2 auto quattro	45,690$
A4 2.0T manu	35,310$
A4 2.0T auto	36,650$
A4 2.0T man quattro	40,890$
A4 2.0T auto quattro	42,230$
A4 2.0T Avant man quattro	42,340$
A4 2.0T Avant auto quattro	43,680$
A4 3.2 man quattro	49,475$
A4 3.2 auto quattro	50,815$
A4 3.2 Avant man quattro	50,925$
A4 3.2 Avant auto quattro	52,265$
S4 avant auto quattro	71,840$
S4 Avant man quattro	73,180$
S4 man quattro	70,390$
S4 auto quattro	71,730$
RS4 man quattro	94,200$
A4 3.0 Cabriolet auto quattro	65,940$
TT	n.d.
A6 3.2 auto quattro	62,700$
A6 3.2 Avant auto quattro	66,200$
A6 4.2 auto quattro	75,600$
A8 4.2 auto quattro	97,190$
A8 L 4.2 auto quattro	101,360$
A8 L W12 auto quattro	170,800$
Q7 3.6 quattro	54,500$
Q7 3.6 auto quattro premium	62,900$
Q7 4.2 auto quattro	68,900$
Q7 4.2 auto quattro premium	79,900$

BENTLEY

Arnage R	306,990$
Arnage T	336,990$
Continental GT coupe	237,990$
Continental Flying Spur	237,990$
Continental GTC	264,990$

BMW

Modèle	Prix
Série 3 323i	36,256$
Série 3 328i	43,600$
Série 3 328Xi	46,100$
Série 3 335i Coupé	51,600$
Série 3 330 Ci	51,912$
Serie 3 330Ci Cabriolet	66,847$
Série 3 330Xi	52,015$
Série 3 330i	49,337$
M3 Cabriolet	87,035$
M3 Coupé	76,632$
Série 5 525i	58,600$
Série 5 525Xi	61,500$
Série 5 530i	67,800$
Série 5 530Xi	70,700$
Série 5 530Xi Touring	72,800$
Série 5 550i	80,958$
M5	118,965$
Série 6 650Ci Cabriolet	114,742$
Série 6 650Ci Coupé	104,442$
M6	n.d.
Série 7 750i	103,515$
Série 7 750Li	110,107$
Série 7 760Li	179,735$
X3 2.5i	46,247$
X3 3.0i	51,706$
X5 3.0i	61,285$
X5 4.4i	74,366$
X5 4.8is	101,146$
Z4 2.5i	n.d.
Z4 3.0i	n.d.
M Roadster	69,900$
M Coupe	68,900$

BUGATTI

Veyron	1,494,300$

BUICK

Allure CX	26,395$
Allure CXL	28,750$
Allure CXS	34,295$
Lucerne CX	31,210$
Lucerne CXL V6	33,570$
Lucerne CXL V8	36,605$
Lucerne CXS	43,080$
Rainier CXL 4RM	48,575$
Rendezvous CX FWD	28,620$
Rendezvous CX Plus FWD	29,960$
Rendezvous CXL FWD	37,550$
Rendezvous CXL Plus FWD	39,070$
Terraza CX FWD	33,025$
Terraza CXL FWD	38,325$

CADILLAC

CTS 2.8L V6	35,780$
CTS 3.6L V6	40,135$
CTS-V	70,670$
DTS	52,935$
DTS Performance	64,765$
Escalade AWD	75,595$
Escalade ESV AWD	78,795$
Escalade EXT AWD	71,495$
XLR	98,295$
XLR-V	113,435$
SRX V6	49,495$
SRX V8	61,495$
STS V6	57,750$
STS V8	71,275$
STS-V	98,265$

CHEVROLET CAMIONS

Avalanche LS 1/2 tonne (2RM)	38,750$
Avalanche LS 1/2 tonne (4RM)	41,995$
Avalanche LT 1/2 tonne (2RM)	39,870$
Avalanche LT 1/2 tonne (4RM)	43,115$
Avalanche LTZ 1/2 tonne (4RM)	53,575$
Colorado LT à cabine classique (2RM)	22,500$
Colorado LT à cabine allongée (2RM)	24,545$
Colorado LT à cabine classique (4RM)	26,195$
Colorado LT à cabine allongée (4RM)	28,240$
Colorado LS à cabine classique (2RM)	20,760$
Colorado LS à cabine allongée (2RM)	22,885$
Colorado LS à cabine classique (4RM)	24,565$
Colorado LS à cabine allongée (4RM)	26,685$
Colorado LT à cabine double (2RM)	27,170$
Colorado LT à cabine double (4RM)	33,570$
Equinox LS (TA)	26,295$
Equinox LS (TI)	29,050$
Equinox LT (TA)	29,045$
Equinox LT (TI)	31,745$
HHR LS	18,995$
HHR LT	21,310$
Silverado LS 1/2 tonne, à cabine classique caisse longue (2RM)	29,750$
Silverado LS 1/2 tonne, à cabine classique caisse longue (4RM)	33,635$
Suburban LS 1/2 tonne (2RM)	46,935$
Suburban LS 1/2 tonne (4RM)	50,255$
Suburban LT 1/2 tonne (2RM)	48,385$
Suburban LT 1/2 tonne (4RM)	51,685$
Suburban LTZ 1/2 tonne (4RM)	63,655$
Tahoe LS (2RM)	43,955$
Tahoe LS (4RM)	47,175$
Tahoe LT (2RM)	45,305$
Tahoe LT (4RM)	48,525$
Tahoe LTZ (4RM)	61,075$
TrailBlazer LS (2RM)	32,065$
TrailBlazer LT (4RM)	39,410$
Trail Blazer LS (2RM)	34,000$
Trail Blazer LT (4RM)	40,915$
Uplander LS	23,880$
Uplander LS allongé	27,125$
Uplander LT	25,620$
Uplander LT allongé	28,280$

CHEVROLET

Aveo 4 portes LT	15,450$
Aveo 4 portes LS	12,950$
Aveo 5 portes LT	15,450$
Aveo 5 portes LS	12,950$
Cobalt LS	14,795$
Cobalt LT	17,250$
Cobalt SS	21,465$
Cobalt SS Supercharged	24,495$
Cobalt LTZ Berline	22,815$
Corvette Coupé	68,330$
Corvette Cabriolet	80,430$
Corvette Z06	90,250$
Impala LT	26,295$
Impala LS	24,995$
Impala LTZ	30,315$
Impala SS	35,325$
Malibu LTZ Berline	30,075$
Malibu LS Berline	19,995$
Malibu LT Berline	22,895$
Malibu SS Berline	30,335$
Malibu Maxx LT	25,695$
Malibu Maxx LTZ	31,495$
Malibu Maxx SS	31,755$
Monte Carlo LS Coupé	24,995$
Monte Carlo LT coupé	28,000$
Monte Carlo SS Supercharged	35,325$
Optra 5 portes LS	14,200$
Optra 5 portes LT	16,925$
Optra LT familiale	18,125$
Optra LS familiale	15,200$

CHRYSLER

300	30,785$
300 AWD	35,565$
300C	44,190$
300C AWD	47,235$
300C SRT-8	51,170$
Aspen	n.d.
Crossfire Coupe	39,995$
Crossfire Limited Coupe	51,900$
Crossfire Limited Convertible	48,050$
Pacifica base FWD	34,440$
Pacifica Limited AWD	45,910$
Pacifica Touring FWD	36,740$
Pacifica Touring AWD	40,835$
PT Cruiser Classic	19,840$
PT Cruiser GT	30,345$
PT Cruiser GT Convertible	33,080$
PT Cruiser Touring	23,835$
PT Cruiser Touring Convertible	28,220$
Sebring	n.d.
Town & Country Limited	45,235$
Town & Country Touring	42,255$

DODGE

Caliber SXT	17,695$
Caliber base	15,995$
Caliber RT FWD	20,695$
Caliber Limited AWD	23,995$
Caravan	27,495$
Caravan Cargo Van	24,720$
Caravan SXT	28,420$
Charger SE	28,090$
Charger SE AWD	31,960$
Charger R/T	38,145$
Charger R/T AWD	40,145$
Charger SRT-8	45,410$
Dakota Club Cab SLT 4x2	28,435$
Dakota Club Cab SLT 4x4	32,120$
Dakota Club Cab ST 4x2	25,210$
Dakota Club Cab ST 4x4	28,780$
Durango Limited	50,245$
Durango SLT	42,540$
Grand Caravan	29,995$
Grand Caravan Cargo Van	25,930$
Grand Caravan SXT	33,490$
Magnum	28,800$
Magnum RT	38,860$
Magnum RT AWD	41,640$
Magnum SXT AWD	35,840$
Magnum SRT8	46,590$
Nitro	n.d.
Ram 1500 cab. Rég SLT 4x2 LWB	29,695$
Ram 1500 cab. Rég SLT 4x2 SWB	29,375$
Ram 1500 cab. Rég SLT 4x4 LWB	38,700$
Ram 1500 cab. Rég SLT 4x4 SWB	36,830$
Ram 1500 LaRamie quad cab ST 4x2	29,970$
Ram 1500 LaRamie quad cab ST 4x4	34,230$
Ram 1500 LaRamie quad cab SWB 4x2	39,805$
Ram 1500 LaRamie reg cab LWB 4x4	43,405$
Ram 1500 cab. Rég ST 4x2 SWB	26,395$
Ram 1500 cab. Rég ST 4x2 LWB	26,715$
Ram 1500 cab. Rég ST 4x4 SWB	33,035$
Ram 1500 cab. Rég ST 4x4 LWB	33,650$
Ram Mega Cab 1500 SLT 4x2	36,385$
Ram Mega Cab 1500 SLT 4x2 LaRamie	41,275$
Viper SRT-10 coupe	127,500$
Viper SRT-10 convertible	128,500$

FERRARI

F430 F1	277,336$
F430 Spider F1	318,536$
599 GTB	n.d.
612 Scaglietti F1	375,806$

FORD

Edge	n.d.
Escape 4X2 XLS man	22,999$
Escape 4X4 XLT V6	31,399$
Escape 4 X 4 Limited	36,499$
Escape Hybrid	33,599$
Escape Hybrid 4WD	36,399$
Expedition XLT	46,799$
Expedition Eddie Bauer	54,699$
Expedition Limited	57,699$
Explorer XLT V6	40,499$
Explorer XLT V8	41,999$
Explorer Eddie Bauer V6	46,599$
Explorer Eddie Bauer V8	48,099$
Explorer Limited V8	51,999$
Explorer Sport Trac 4X2 XLT 4,0	30,599$
Explorer Sport Trac 4X4 XLT 4,6	35,199$
Explorer Sport Trac 4X2 Limited 4,0	33,699$
Explorer Sport Trac 4X4 Limited 4,6	38,299$
Five Hundred SEL FWD	29,699$
Five Hundred SEL AWD	32,099$
Five Hundred Limited FWD	35,499$
Five Hundred Limited AWD	37,899$
Focus ZX3 S	14,799$
Focus ZX3 SE	15,899$
Focus ZX5 SES	18,799$
Focus ZX4 S	14,799$
Focus ZX4 SE	15,899$
Focus ZX4 ST	19,999$
Focus ZXW SE	17,099$
Focus ZXW SES	19,599$
Freestar S	23,299$
Freestar SE	25,999$
Freestar Sport	30,599$
Freestar SEL	33,099$
Freestar Limited	37,799$
Freestyle SEL FWD	32,799$
Freestyle SEL AWD	35,199$
Freestyle Limited AWD	41,799$
Freestyle Limited FWD	38,799$
Fusion SE	22,99$
Fusion SE V6	25,999$
Fusion SEL	25,299$
Fusion SEL V6	28,299$
F150 4X2 XL	22,499$
F150 4X2 XLT	25,299$
F150 4X4 XL	28,999$
F150 4X4 XLT	31,799$
F150 4X2 XL Super Cab	29,099$
F150 4X2 XLT Super Cab	32,299$
F150 4X4 XL Super Cab	33,299$
F150 4X4 XLT Super Cab	36,499$
Mustang Coupé	23,999$
Mustang Convertible	27,999$
Mustang GT Coupé	33,499$
Mustang GT Convertible	37,599$
Ranger 4x2 XL	19,199$
Ranger 4x2 XL Economy	18,299$
Ranger 4x2 XL Supercab	20,399$
Ranger 4x2 Sport super cab	21,299$
Ranger 4x2 XLT Super cab	22,899$
Ranger 4x4 XLT Super cab	27,299$
Ranger 4x4 Sport Super cab	27,299$
Ranger 4x4 STX Super cab	21,899$
Shelby GT500 Coupe	51,999$
Shelby GT500 Convertible	56,099$

GMC

Acadia	n.d.
Canyon SL à cabine classique (2RM)	20,860$
Canyon SL à cabine classique (4RM)	24,760$
Canyon SL à cabine multiplace (2RM)	27,270$
Canyon SLE à cabine classique (2RM)	22,600$
Canyon SLE à cabine classique (4RM)	26,390$
Canyon SLE à cabine multiplace (4RM)	33,765$
Envoy SLE 4 portes (2RM)	32,655$
Envoy SLE 4portes (4RM)	39,960$
Envoy SLT (2RM)	39,630$
Envoy SLT (4RM)	46,110$
Envoy Denali 4 portes (2RM)	44,715$
Envoy Denali 4 portes (4RM)	51,700$
Sierra SL 1/2 tonne, à cabine classique, caisse standard (2RM)	24,900$
Sierra SL 1/2 tonne, à cabine classique, caisse standard (4RM)	28,860$
Sierra SLE 1/2 tonne, à cabine classique, caisse standard (2RM)	29,465$
Sierra SLE 1/2 tonne, à cabine classique, caisse standard (4RM)	33,345$
Yukon Denali 4 portes (TI)	63,590$
Yukon XL Denali 4 portes (TI)	66,170$
Yukon SLE 2RM	44,615$
Yukon SLE 4RM	48,030$
Yukon SLE XL 2RM	47,595$
Yukon SLE XL 4RM	51,110$

Yukon SLT 2RM	50,775$
Yukon SLT 4RM	54,360$
Yukon SLT XL 2RM	53,755$
Yukon SLT XL 4RM	57,440$

HONDA

Accord DX- G auto berline	26,780$
Accord DX- G man berline	25,544$
Accord EX- L coupe	30,385$
Accord EX- L berline	30,385$
Accord LX-G man coupe	28,325$
Accord SE berline	28,325$
Accord Hybrid	39,130$
Accord Hybrid Navi	41,808$
Civic DX auto 2P	18,931$
Civic DX auto 4P	18,725$
Civic LX auto 2P	22,639$
Civic LX man 2P	22,279$
Civic EX auto 4P	24,596$
Civic EX man 2P	24,133$
Civic SI man 4P	26,862$
Civic Hybrid	26,729$
CR-V SE auto	31,415$
CR-V SE man	30,179$
CR-V EX-L auto	35,226$
CR-V EX man	31,724$
CR-V EX auto	32,960$
Element 2RM	26,162$
Element 4RM	31,621$
Honda Fit DX	16,180$
Honda Fit LX	18,380$
Honda Fit Sport	20,780$
Odyssey LX	34,196$
Odyssey EX	37,492$
Odyssey EX-L	40,685$
Odyssey EX-L avec SDA	43,157$
Odyssey Touring	49,028$
Pilot EX	43,157$
Pilot Ex-L	45,835$
Pilot EX-L RES	48,101$
Pilot LX	40,582$
Ridgeline LX V6	36,256$
Ridgeline EX-L V6	40,891$
Ridgeline EX-L Navi	45,732$
S2000	51,809$

HUMMER

H2 SUT	67,085$
H2 SUV	67,180$
H3 SUV	39,995$
H3X	53,420$

HYUNDAI

Accent GS 3 portes	13,495$
Accent GS 3 portes confort	15,195$
Accent GS 3 portes sport	16,195$
Accent GS 3 portes premium	16,695$
Accent GL berline man	14,295$
Accent GL berline auto	15,245$
Accent GL berline confort man	15,595$
Accent GL berline confort auto	16,545$
Accent GLS berline man	16,995$
Accent GLS berline auto	17,945$
Elantra	n.d.
Entourage GL	29,995$
Entourage GL confort	31,995$
Entourage GLS	35,695$
Entourage GLS cuir	37,195$
Santa Fe GL FWD	25,995$
Santa Fe GL FWD auto	27,295$
Santa Fe GL FWD 3,3	28,295$
Santa Fe GL AWD	30,095$
Santa Fe GL FWD Premium	31,295$
Santa Fe GL AWD Premium AWD	33,095$
Santa Fe GLS AWD 5 passagers	34,295$
Santa Fe GLS AWD 7 passagers	35,995$
Sonata GL man	21,995$
Sonata GL auto	23,295$
Sonata GL V6	25,995$
Sonata GLS V6	27,595$
Sonata GLS V6 Premium	28,995$
Tiburon man	21,213$
Tiburon SE auto	24,818$
Tiburon SE man	23,685$
Tiburon Tuscani auto	29,247$
Tiburon Tuscani man 6 rap	29,762$
Tucson GL man	21,195$
Tucson GL clim. man	22,895$
Tucson GL clim. Auto	23,995$
Tucson GL V6 auto	26,395$
Tucson GL AWD V6	28,695$
Tucson GLS AWD V6 auto	30,795$
Azera	35,530$
Azera Confort	38,620$

INFINITI

FX35 base	56,135$
FX45 base	64,581$
G35 berline AWD	44,177$
G35 berline De luxe auto	41,190$
G35 coupé auto	48,410$
G35 coupé sport man	51,912$
M35 Luxe	56,400$
M35X Luxe	59,900$
M35 Luxe Tech	62,900$
M35 Premium	67,400$
M45 Luxe	66,000$
M45 Sport	73,400$
M45 Luxe Ultra Premium	72,200$
Q45	91,052$
QX56	80,546$

JAGUAR

S-Type 3.0	66,224$
S-Type 3.0 sport	68,799$
S-Type 4.2	77,451$
S-Type 4.2 VDP	81,262$
S-Type R	93,107$
XJ8	91,155$
XJ8 L	94,760$
XJ Vanden Plas	99,910$
XJ Super 8	130,450$
XJ Super 8 Portfolio	159,650$
XJR	108,150$
XK cabriolet	113,000$
XK coupé	103,000$
XKR cabriolet	117,600$
XKR coupé	109,000$
X-Type 3.0	47,000$
X-Type 3.0 familliale	51,000$
X-Type Luxe	51,948$
X-Type Sport	54,914$

JEEP

Compass FWD	17,995$
Compass Limited FWD	22,355$
Compass AWD	19,995$
Compass Limited AWD	24,355$
Commander	41,480$
Commander Limited	51,815$
Grand Cherokee Laredo	40,285$
Grand cherokee Limited	50,345$
Grand cherokee Overland	53,770$
Grand cherokee SRT-8	49,570$
Liberty Limited Édition	33,560$
Liberty Sport	29,815$
Patriot	n.d.
Wrangler 2 portes X	19,995$
Wrangler Unlimited X	24,505$
Wrangler 2 portes Sahara	26,445$
Wrangler Unlimited Sahara	28,190$
Wrangler 2 portes Rubicon	28,150$
Wrangler Unlimited Rubicon	29,895$

KIA

Amanti	31,925$	x
Amanti luxe	37,075$	x
Magentis LX	21,895$	x
Magentis LX auto	22,895$	x
Magentis LX V6	23,995$	x
Magentis LX Premium	24,895$	x
Magentis LX V6 Luxe	27,795$	x
Rio EX man	14,003$	x
Rio EX auto	15,033$	x
Rio5 EX man	14,415$	x
Rio5 EX auto	15,445$	x
Rio EX convenience man	15,754$	x
Rio EX convenience auto	16,784$	x
Rio5 EX convenience	16,166$	x
Rio5 EX sport	16,784$	x
Sedona LX	30,380$	x
Sedona EX de luxe	37,487$	x
Sedona EX	32,852$	x
Sedona EX Power	34,397$	x
Sorento LX FWD man	28,732$	x
Sorento LX FWD auto	31,822$	x
Sorento LX 4X4 man	31,822$	x
Sorento LX 4X4 auto	33,243$	x
Sorento LX 4X4 Premium auto	37,796$	x
Sorento EX 4X4 auto	35,664$	x
Sorento LX 4X4 auto luxe	39,856$	x
Spectra LX man	16,475$	x
Spectra LX auto	17,711$	x
Spectra LX convenience man	18,432$	x
Spectra LX convenience auto	19,668$	x
Spectra 5 EX man	17,484$	x
Spectra 5 EX auto	18,720$	x
Spectra 5 EX convenience man	19,668$	x
Sportage LX 2RM man	21,728$	x
Sportage LX 2RM convenience man	23,891$	x

Sportage LX 2RM convenience auto	24,921$	x
Sportage LX 4RM man	25,951$	x
Sportage LX V6 2RM auto	27,022$	x
Sportage LX V6 4RM auto	29,082$	x
Sportage LX V6 luxe 4RM	30,416$	x

LAMBORGHINI

Gallardo	259,860$
Gallardo spyder	289,860$
Murciélago	419,860$
Murciélago spyder	439,860$
Murcielago LP640	445,860$

LAND ROVER

LR3 V6	55,517$
LR3 HSE	70,967$
LR3 SE	63,757$
Range rover HSE	102,897$
Range rover Supercharged	122,467$
Range rover Sport HSE	80,134$
Range rover Sport Supercharged	96,614$

LEXUS

ES 350 Base	42,900$
ES 350 Premium	46,600$
ES 350 Ultra Premium Navi	54,300$
GS 350	59,750$
GS 350 Luxe	62,550$
GS 350 Luxe et Navi	66,550$
GS 350 AWD	66,260$
GS 350 AWD Navi	68,260$
GS 350 AWD Premium Navi	72,760$
GS 430	71,300$
GS 430 Navi	76,300$
GS 430 Premium	82,200$
GS 450h	78,900$
GX 470	68,150$
GX 470 Ultra Premium	76,150$
IS 250	38,000$
IS 250 Premium cuir	43,000$
IS 250 Sport	47,600$
IS 250 AWD	42,000$
IS 250 AWD Premium cuir	46,900$
IS 250 AWD Luxe navi	53,800$
IS 350	49,000$
IS 350 Sport	53,800$
IS 350 Luxe Navi	59,800$
LS 460	n.d.
LX 470	101,400$
RX 350 cuir	51,550$
RX 350 Luxe	54,500$
RX 350 Premium	56,550$
RX 350 Ultra Premium	64,050$
RX 400h Premium	62,250$
RX 400h Ultra Premium	70,700$
SC 430	93,250$
SC 430 Peeble Beach	96,250$

LOTUS

Elise	58,550$

LINCOLN

MKZ	37,499$
MKZ AWD	39,599$
MKX	n.d.
Mark LT Super Crew 4X2	54,499$
Mark LT Super Crew 4X4	54,499$
Navigator	72,999$
Town Car Signature L	65,499$
Town Car Signature Limited	58,499$
Town Car Signature Designer	60,299$

MASERATI

Coupé Cambiocorsa	90,204$	x
Coupé GT	82,297$	x
Gransport LE	107,246$	x
GranSport	101,838$	x
GranSport Spyder	102,897$	x
Spyder GT	126,536$	x
Spyder Cambiocorsa	132,355$	x
Quattroporte	108,511$	x
Quattroporte Sport GT	117,266$	x
Quattroporte Executive GT	121,077$	x

MAYBACH

57	332,500 US
57S	367,000 US
62	382,500 US

MAZDA

Mazda3 berline GS man	19,995$
Mazda3 berline GT man	22,845$
Mazda3 berline GX man	16,795$
Mazda3 Sport GS man	20,995$
Mazda3 Sport GT man	23,395$

Mazda5 GS man	19,995$	
Mazda5 GT man	22,895$	
Mazda6 GS man	24,395$	
Mazda6 GS V6 man	27,095$	
Mazda6 GT man	30,295$	
Mazda6 GT V6 man	33,195$	
Mazda6 Sport GS man	26,295$	
Mazda6 Sport GT man	31,295$	
Mazda6 Sport GS V6 man	28,595$	
Mazda6 Sport GT V6 man	33,795$	
Mazda6 familiale sport GS V6 man	27,895$	
Mazda6 familiale sport GT V6 man	33,995$	
Mazspeed6 man	35,995$	
MX-5 GX man	28,095$	
MX-5 GS man	31,195$	
MX-5 GT man	34,195$	
CX-7 GS	31,995$	
CX-7 GT	35,195$	
CX-9	n.d.	
RX-8 GS	37,195$	
RX-8 GT	40,395$	
Série B Cab. All DS 4L 4X2	27,495$	
Série B Cab. All SE 4L 4X4	27,495$	
Série B Cab. Simple SX 2,3L 4X2	17,995$	
Série B Cab. Simple DS 3L 4X2	22,695$	
Tribute 2RM GX man	24,595$	
Tribute 2RM GS-V6 3L man	29,995$	
Tribute 4RM GX man	27,395$	
Tribute 4RM GS-V6 3L auto	35,595$	
Tribute 4RM GT-V6 3L auto	35,595$	

MERCEDES-BENZ

B200	31,400$	
B200 Turbo	35,400$	
C230 berline	38,400$	
C280 berline	42,800$	
C280 4Matic berline	45,400$	
C350 berline	51,000$	
C350 4Matic berline	53,600$	
E320 Bluetec berline	67,800$	
E350 4Matic berline	74,500$	
E550 4Matic berline	85,000$	
E63 AMG	119,800$	
E350 4Matic familiale	77,300$	
S550 berline	118,500$	
S600 berline	182,000$	
S65 AMG	228,000$	
R350	66,332$	x
R500	78,229$	x
SLK280	60,500$	
SLK350	67,000$	
SLK55 AMG	85,500$	
CLS550	93,200$	
CLS63 AMG	128,000$	
SL550R	133,500$	
SL55 AMG	176,500$	
SL600	180,000$	
SL65 AMG	248,000$	
CLK350 coupe	67,800$	
CLK550 coupe	82,000$	
CLK63 AMG coupe	108,871$	x
CLK350 cabriolet	76,700$	
CLK550 cabriolet	90,900$	
CLK63 AMG cabriolet	118,038$	x
CL500	144,149$	x
CL55 AMG	176,851$	x
CL600	200,026$	x
CL65 AMG	262,135$	x
ML350	58,300$	
ML500	72,800$	
ML63 AMG	96,800$	
G500	111,900$	x
G55 AMG	152,450$	x
GL450	76,500$	

MERCURY

Grand Marquis GS	38,187$	x
Grand Marquis LS Premium	41,138$	x

MINI

Cooper Classic	24,205$	x
Cooper	26,677$	x
Cooper S	31,518$	x
Cooper Cabriolet	32,548$	x
Cooper S cabriolet	37,698$	x

MITSUBISHI

Eclipse GS auto	27,198$
Eclipse GS man	25,998$
Eclipse GT auto	30,998$
Eclipse GT man	29,798$
Eclipse GT Premium auto	35,198$
Eclipse GT Premium man	33,998$
Eclipse Spyder GS auto	33,198$
Eclipse Spyder GS man	31,998$

Eclipse Spyder GT Premium auto	38,198$	
Eclipse Spyder GT Premium man	32,998$	
Endeavor Limited 4RM V6	46,657$	x
Endeavor LS 4RM V6	40,428$	x
Endeavor XLS 4RM V6	42,539$	x
Galant	n.d.	
Lancer ES man	16,478$	x
Lancer Ralliart man	23,461$	x
Lancer OZ Rally man	22,019$	x
Outlander	n.d.	

NISSAN

350Z Performance man 6 rap.	47,584$	x
350Z Touring auto 5 rap.	48,614$	x
350Z Roadster man	55,309$	x
350Z Roadster auto	56,339$	x
Altima 2,5S auto	26,572$	x
Altima 2,5S man	25,542$	x
Altima 3,5S auto	28,529$	x
Altima 3,5SE auto	30,692$	x
Altima 3,5SE man	32,237$	x
Altima 3,5 SE-R auto	37,181$	x
Altima 3,5 SE-R man	38,211$	x
Armada LE	56,133$	x
Armada SE	61,386$	x
Frontier XE 4X2 King Cab auto	26,417$	x
Frontier SE-V6 4X2 King cab. auto	28,683$	x
Frontier SE-V6 4X4 King cab auto	31,979$	x
Frontier LE-V6 4X4 King cab man	36,511$	x
Maxima 3,5 SE (5pl.)	36,998$	
Maxima 3,5 SL (5pl.)	41,498$	
Maxima 3,5 SE	42,498$	
Murano SE AWD	50,056$	x
Murano SL AWD	42,228$	x
Murano SL FWD	40,168$	x
Pathfinder S AWD	38,829$	x
Pathfinder SE AWD	42,640$	x
Pathfinder Off-Road AWD	43,670$	x
Pathfinder LE AWD	48,923$	x
Quest 3,5 S	32,498$	
Quest 3,5 SE	46,998$	
Quest 3,5 SL	36,998$	
Sentra 1,8 auto	n.d.	
Titan LE Crew Cab 4WD	51,086$	x
Titan SE Crew Cab 4WD	46,039$	x
Titan XE Crew Cab 4WD	40,374$	x
Versa S man	14,498$	
Versa S auto	15,498$	
Versa SL man	17,098$	
Versa SL CVT	18,398$	
Xterra S man	34,760$	x
Xterra Off-Road	37,026$	x
Xterra SE	38,880$	x
Xtrail SE FWD	29,610$	x
Xtrail SE AWD auto	32,082$	x
Xtrail XE FWD	27,035$	x
Xtrail XE AWD auto	29,507$	x
Xtrail LE AWD	34,966$	x

PANOZ

Esperante	n.d.

PONTIAC

G6 berline	22,995$
G6 V6	23,695$
G6 GT	28,695$
G6 GTP	32,725$
G6 GT Convertible	35,725$
Grand Prix	25,995$
Grand Prix GT	29,995$
Grand Prix GXP	36,525$
Montana SV6	24,550$
Montana SV6 Uplevel	25,620$
Montana SV6 allongé	27,435$
Montana SV6 allongé Uplevel	28,280$
G5	15,225$
G5 SE	17,680$
G5 GT	21,465$
Solstice	26,495$
Solstice GXP	n.d.
Torrent FWD	26,770$
Torrent Sport FWD	29,460$
Torrent AWD	29,490$
Torrent Sport AWD	32,170$
Vibe	19,950$
Wave	12,950$
Wave 5 portes	15,450$

PORSCHE

911 Carrera coupe	100,700$
911 carrera cabriolet	114,800$
911 Carrera 4 coupe	108,700$
911 Carrera 4 cabriolet	122,800$
911 carrera S coupe	114,800$
911 Carrera S Cabriolet	128,900$

Modèle	Prix	
911 carrera 4S coupe	112,800$	
911 Carrera 4S cabriolet	136,900$	
911 Targa 4	119,100$	
911 Targa 4S	133,200$	
911 GT3	147,300$	
911 Turbo coupé	170,700$	
Boxster	63,600$	
Boxster S	77,300$	
Cayenne	60,100$	
Cayenne S	80,100$	
Cayenne S Titanium Edition	89,800$	
Cayenne Turbo	126,900$	
Cayenne Turbo S	157,000$	
Cayman	69,600$	
Cayman S	83,900$	

ROLLS-ROYCE

Phantom	498,623$	x

SAAB

9-3 berline	34,900$	
9-3 Aero sport	41,900$	
9-3 SportCombi	36,400$	
9-3 Aero SportCombi	43,400$	
9-3 Cabriolet	54,900$	
9-3 Aero cabriolet	59,000$	
9-5 berline manuelle	43,000$	
9-5 berline automatique	44,500$	
9-5 SPortCombi manu.	44,500$	
9-5 SportCombi auto	46,000$	
9-7x	48,900$	
9-7x V8	51,410$	

SATURN

Aura XE	24,990$	
Aura XR	30,985$	
Ion-1 man.	13,995$	
Ion-1 auto.	15,295$	
Ion-2 Berline auto	16,845$	
Ion-2 Coupé auto	17,495$	
Ion-3 man.	18,945$	
Ion-3 auto.	20,245$	
Ion Red Line	22,995$	
Ion Red Line Competitive coupe	26,270$	
Outlook	n.d.	
Relay Base	27,770$	
Relay Value	29,395$	
Relay Uplevel	31,565$	
Sky	31,665$	
Sky RedLine	n.d.	
Vue, 4 cylindres, auto 2RM	24,995$	
Vue, 4 cylindres, man 2RM	23,300$	
Vue, 6 cylindres, auto 2RM	28,225$	
Vue, 6 cylindres, auto 4RM	30,725$	
Vue, Green Line Hybride	28,795$	

SMART

Coupé Pure	16,700$	
Coupé Pulse	18,700$	
Coupé Passion	19,650$	
Cabriolet Pure	19,700$	
Cbriolet Pulse	21,700$	
Cabriolet Passion	22,650$	

SUBARU

B9 Tribeca 5 places	43,255$	x
B9 Tribeca 5 places Limited	46,551$	x
B9 Tribeca 7 places	45,624$	x
B9 Tribeca 7 places Limited	49,435$	x
Forester 2,5 X	26,995$	
Forester 2,5 XT	37,795$	
Forester 2,5 XS de luxe	34,995$	
Forester 2,5 XS	31,295$	
Impreza 2,5i berline	22,995$	
Impreza 2,5i berline édition spéciale	n.d.	
Impreza sport wagon	23,495$	
Impreza sport wagon édition spéciale	24,995$	
Impreza WRX berline	35,495$	
Impreza WRX Sportwagon	35,495$	
Impreza WRX STI	48,995$	
Legacy 2,5i Limited GT auto	36,251$	x
Legacy berline 2,5 GT limited auto	43,049$	x
Legacy berline 2,5i man	28,835$	x
Legacy familliale 2,5 GT Limited man	43,049$	x
Legacy familliale 2,5i Limited	37,796$	x
Outback 2,5i auto	35,221$	x
Outback 2,5i Limited auto	35,221$	x
Outback 3,0 H6	40,165$	x
Outback 3,0 H6 VDC	46,345$	x

SUZUKI

Aerio berline man	18,995$	
Aerio berline auto	20,195$	
SX4 man	15,995$	
SX4 auto	17,095$	
SX4 JX man	18,195$	
SX4 JX auto	19,295$	
SX4 JX AWD man	19,995$	
SX4 JX AWD auto	21,095$	
SX4 JLX AWD man	21,495$	
SX4 JLX AWD auto	22,595$	
Gand Vitara JA man	25,495$	
Gand Vitara JA auto	26,795$	
Grand Vitara JX man	26,895$	
Grand Vitara JX auto	28,195$	
Grand Vitara JLX man	29,495$	
Grand Vitara JLX auto cuir	30,495$	
Swift+ man	13,895$	
Swift+ auto	14,995$	
Swift+ S auto	15,995$	
Swift+ S man	17,095$	
XL-7 (5 places) JX auto	30,380$	x
XL-7 (5 places) JLX auto	31,719$	x
XL-7 (7 places) JX PLUS auto	30,895$	x

TOYOTA

4Runner Limited V6 auto	49,960$	
4Runner Limited V8 auto	52,595$	
4Runner SR5 V6 auto	39,970$	
4Runner SR5 V6 auto Sport	44,790$	
4Runner SR5 V8 auto	46,700$	
Avalon XLS	41,135$	
Avalon XLS Premium	43,820$	
Avalon XLS Premium navi	47,170$	
Camry LE	25,800$	
Camry LE V6	29,400$	
Camry XLE V6	37,425$	
Camry SE auto	26,605$	
Camry SE man	27,950$	
Camry SE V6 auto	32,010$	
Camry Hybride	31,900$	
Camry Solara SE auto	29,200$	
Camry Solara Sport V6 auto	33,400$	
Camry Solara SLE V6 auto	36,975$	
Camry Solara Sport V6 cabriolet auto	36,500$	
Camry Solara SLE V6 cabriolet auto	39,900$	
Corolla CE base man	15,785$	
Corolla CE édition spéciale man	18,855$	
Corolla CE base auto	16,785$	
Corolla CE édition spéciale auto	19,900$	
Corolla Sport man base	21,135$	
Corolla Sport auto base	22,180$	
Corolla LE base	21,900$	
FJ Cruiser V6 man	29,990$	
FJ Cruiser V6 auto	30,990$	
Yaris hatchback CE 3 portes auto	14,725$	
Yaris hatchback CE 3 portes man	13,725$	
Yaris hatchback LE 5 portes auto	15,995$	
Yaris hatchback LE 5 portes man	14,995$	
Yaris hatchback RS 3 portes auto	17,965$	
Yaris hatchback RS 3 portes man	16,965$	
Yaris hatchback RS 5 portes auto	17,695$	
Yaris hatchback RS 5 portes man	18,695$	
Yaris berline auto	15,530$	
Yaris berline man	14,530$	
Highlander V6 4X4 5 pass. Auto	38,470$	
Highlander V6 4X4 7 pass. Auto	39,520$	
Highlander V6 4X4 7 pass. Auto Limited	46,415$	
Highlander Hybride	44,850$	
Highlander Hybride Limited	53,670$	
Matrix auto	18,746$	x
Matrix man	17,716$	x
Matrix XR auto	23,185$	x
Matrix XR man	22,109$	x
Matrix XRS auto	25,835$	
Prius	31,280$	
RAV4 4X4 base	29,300$	
RAV4 4X4 Limited	33,195$	
RAV4 4X4 V6 base	31,800$	
RAV4 4X4 V6 Sport	33,590$	
RAV4 4X4 V6 Limited	36,970$	
Sequoia Limited V8 auto	68,083$	x
Sequoia SR5 V8 auto	59,956$	x
Sienna CE 7 pass. Auto	30,900$	x
Sienna CE 8 pass. Auto	32,177$	x
Sienna CE 7 pass. Ti	36,977$	x
Sienna LE 7 pass. Auto	36,483$	x
Sienna LE 7 pass. Auto cuir	39,382$	x
Sienna LE 7 pass. Ti	41,025$	x
Sienna LE 8 pass. Auto	40,016$	x
Sienna XLE 7 pass. Auto	45,969$	x
Sienna XLE 7 pass. Ti	54,219$	x
Tacoma 4X2 auto	23,635$	
Tacoma 4X2 man	22,635$	
Tacoma 4X2 XRunnerman	31,725$	
Tacoma V6 4X4 auto	30,620$	
Tacoma V6 4X4 man	29,660$	
Tacoma V6 cabine double 4X4 man	32,470$	
Tacoma V6 cabine double 4X4 auto	34,070$	
Tundra V6 4X2	26,790$	x
Tundra V8 4X2 double cab.	38,048$	x
Tundra V8 cabine régulière 4X4	32,012$	x
Tundra V8 access cab 4X4 auto	39,531$	x
Tundra V8 cabine double 4X4 auto	41,591$	x
Tundra V8 Limited 4X4 auto	49,455$	x

VOLKSWAGEN

EOS 2,0T man	36,900$	
EOS 2,0T auto	38,300$	
Rabbit 2,5 3 portes man	19,990$	
Rabbit 2,5 3 portes auto	21,390$	
Rabbit 2,5 5 portes man	20,990$	
Rabbit 2,5 5 portes auto	22,390$	
GTI 2,0T man	29,375$	
GTI 2,0T auto	30,775$	
GTI 2,0T 5 portes man	29,995$	
GTI 2,0T 5 portes auto	31,395$	
Jetta 2,5 man	25,724$	x
Jetta 2,5 auto	27,166$	x
Jetta 2,0T man	28,531$	x
Jetta 2,0T auto	29,664$	x
New Beetle convertible auto	30,776$	x
New Beetle convertible man 1,8 auto	32,218$	x
New Beetle 2,5 auto	25,225$	x
New Beetle 2,5 man	26,667$	x
Passat 2,0T auto	31,050$	
Passat 2,0T man	29,950$	
Passat V6 3.6 auto	44,115$	
Passat V6 3,6 man	42,090$	
Passat V6 3,6 auto 4 motion	44,990$	
Passat wagon 2,0 auto	32,825$	
Passat wagon 2,0 man	31,425$	
Passat wagon VR6 3,6 4Motion auto	47,015$	
Passat wagon VR6 3,6 4Motion man	44,115$	
Touareg 6 cyl.	51,525$	
Touareg 8 cyl.	n.d.	

VOLVO

C30	n.d.	
C70 T5 man	56,495$	
C70 T5 auto	57,995$	
S40 2.4i auto	32,995$	
S40 2.4i man	31,495$	
S40 2.4i auto SR	34,495$	
S40 2.4i man SR	32,995$	
S40 T5 Ti auto SR	41,495$	
S40 T5 auto SR	38,995$	
S40 T5 man	37,495$	
S40 T5 man SR	39,995$	
S60 2.5T Ti auto SR	45,995$	
S60 2.5T auto	40,995$	
S60 2.5T auto SR	42,495$	
S60 R auto SR	62,995$	
S60 R man SR	61,495$	
S60 T5 auto Sr	49,495$	
S60 T5 man SR	47,995$	
S80 Ti auto SR	54,995$	
V50 2.4i auto	34,495$	
V50 2.4i auto SR	35,995$	
V50 2.4i man	32,995$	
V50 2.4i man SR	34,495$	
V50 T5 Ti auto SR	42,995$	
V50 T5 Ti man SR	41,495$	
V50 T5 auto SR	40,495$	
V50 T5 man SR	38,995$	
V70 2.4 auto	40,995$	
V70 2.4 auto SR	42,495$	
V70 2.4 man	39,495$	
V70 2.4 man SR	40,995$	
V70 2.5T Ti auto SR	43,495$	
V70 2.5T auto	42,495$	
V70 R auto SR	63,995$	
V70 R man SR	62,495$	
V70 T5 auto SR	43,995$	
XC70 auto	47,495$	
XC70 auto SR	59,995$	
XC90 3,2 auto 5 places	50,995$	
XC90 3,2 auto SR 5 places	52,495$	
XC90 3,2 auto SR 7 places	56,895$	
XC90 V8 auto SR 5 places	65,695$	
XC90 V8 auto SR 7 places	67,995$	

NOTE: les prix identifiés avec un x sont des prix estimés, soit le prix de 2006 augmenté de 3 %. Il ne s'agit pas d'une liste exhaustive. Pour plus de renseignements, veuillez contacter le concessionnaire.

LA MEILLEURE PLACE POUR

VOIR
COMPARER
MAGASINER

ÉDITION 2007
19 AU 28 JANVIER

ÉDITION 2008
18 AU 27 JANVIER

www.salonautomontreal.com

PALAIS DES CONGRÈS DE MONTRÉAL

CONSOMMATION DE CARBURANT

QUELQUES CHIFFRES INTÉRESSANTS POUR ÉCONOMISER

Les informations qui vont suivre n'ont pas la prétention de vous donner les données les plus complètes en fait de consommation de carburant. La seule source vraiment exhaustive concernant cette information est le recueil annuel <Énerguide> publié par Ressources Canada et qui fait l'inventaire complet de tous les véhicules de tourisme certifiés auprès de Transport Canada. Pour notre part, nous avons colligé quelques données de consommation contenues dans cet ouvrage et les avons regroupées dans les catégories les plus populaires. En plus d'un mini palmarès des super économiques, nous vous présentons les véhicules consommant le moins chez les sous compactes, les compactes, les intermédiaires, les roadsters/cabriolets ainsi que les VUS compacts. Et si vous êtes à la recherche d'une voiture de gros calibre, nous avons réuni les données de quelques véhicules à moteur de forte cylindrée.

Les moyennes qui vous sont transmises dans ces pages sont les moyennes enregistrées lors de nos essais. Vous allez constater qu'elles diffèrent souvent des données gouvernementales ou de celles des constructeurs. Tout simplement parce que le style des essayeurs varie d'un véhicule à l'autre tout comme les conditions de la météo et le profil des trajets empruntés. Nous avons donc regroupé ces données grappillées un peu partout à travers cet ouvrage afin de vous permettre d'avoir un aperçu des variantes en fait de consommation d'une catégorie à l'autre.

Voiture économique

Cette année, nous avons décidé d'inclure le pictogramme d'un pistolet à essence pour vous aider à identifier les véhicules qui consomment peu (moins de 9,0 litres au cent), donc qui sont plus «vert». Curieusement, malgré les prix élevés de l'essence, seulement quelques pictogrammes ont été octroyés. Espérons que nous en retrouverons plus l'an prochain !

LES PLUS ÉCONOMIQUES TOUTES CATÉGORIES

1 SMART
4, 5 L/100 KM

2 HONDA CIVIC HYBRID
4, 5 L/100 KM

3 TOYOTA PRIUS
5.7 l/100 km

4 PONTIAC WAVE
6, 8 l/100 km

5 TOYOTA YARIS
7,6 l/100 km

TABLEAU DE STATISTIQUES

SOUS-COMPACTES

1- SMART	4.5 l/100 km
2- Pontiac Wave	6, 8 l/100 km
3- Chevrolet Aveo	7, 2 l/100 km
4- Toyota Yaris	7,6 l/100 km
5- Honda Fit	7,8 l/100 km
6- Nissan Versa	7,7 l/100 km
7- Kia Rio	8,7 l/100 km
8- Suzuki Swift +	8,7 l/100 km
9- Hyundai Accent	9,0 l/100 km

COMPACTES

1- Honda Civic Hybrid	4, 5 l/100 km
2- Toyota Prius	5, 0 l/100 km
3- Toyota Corolla	7, 1 l/100 km
4- Hyundai Elantra	7,9 l/100 km
5- Chevrolet Cobalt	8, 3 l/100 km
5- Suzuki Aerio	8,3 l/100 km
6- Honda Civic	8,5 l/100 km
7- Chevrolet Optra	8,7 l/100 km
7- Ford Focus	8,7 l/100 km
7- Subaru Impreza	8,7 l/100 km
8- Saturn Ion	9,0 l/100 km
9- Mitsubishi Lancer	9, 1 l/100 km
10- Kia Spectra	9,3 l/100 km

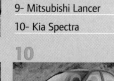

CABRIOLETS ET ROADSTERS

1- Mazda MX5	7,8 l/100 km
2- Pontiac Solstice	10, 0 l/100 km
2- Saturn Sky	10,0 l/100 km
3- New Beetle	10,3 l/100 km
4- Pontiac G6 décapotable	10,8 l/100 km
5- Honda S2000	11,1 l/100 km

TABLEAU DE STATISTIQUES

1
2
3

4
4
5

6
7
8

9
10

INTERMÉDIAIRES

1- Honda Accord hybride	9,2 l/100 km
2- VW Jetta	9,5 l/100 km
3- Suzuki Verona	
Chevrolet Epica	10,1 l/100 km
4- Chevrolet Impala	10,2 l/100 km
4- Kia Magentis	10,2 l/100 km
5- Toyota Camry	10,3 l/100 km
6- Hyundai Sonata	10,5 l/100 km
7- Audi A3	10, 6 l/100 km
8- Subaru Legacy	10,7 l/100 km
9- Ford Fusion 4 cyl	11,4 l/100 km
10- Mercedes-Benz	
Classe C280	11,5 l/100 km

1
2

3
4

4
5

VUS COMPACTS

1- Ford Escape Hybrid	7, 4 l/100 km
2- Toyota Highlander Hybrid	8, 1 l/100 km
3- Honda CR-V (2006)	10,2 l/100 km
4- Hyundai Santa Fe	12,2 l/100 km
4- Kia Sportage (V6)	
Hyundai Tucson (V6)	12, 2 l/100 km
5- Saturn VUE	13, 8 l/100 km

1
2
3
4

5
5
6

7
8
9

10

GROSSES CYLINDRÉES

1- Cadillac Escalade	17, 3 l/100 km
2- Dodge Viper	17,8 l/100 km
3- Infiniti QX56	17,9 l/100 km
4- Land Rover Range	
Rover Sport	18,1 l/100 km
5- Jeep Commander	18,2 l/100 km
5- Lexus LX470	18,2 l/100 km
6- Hummer H2	19,6 l/100 km
7- Bentley Arnage	20,6 l/100 km
8- Ferrari 599 GTB	21,3 l/100 km
9- Lamborghini Murciélago	22,0 l/100 km
10- Bugatti Veyron	24,0 l/100 km

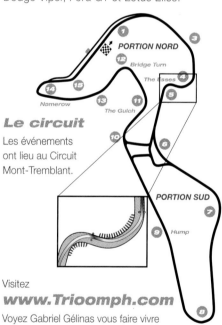

DONNÉES TECHNIQUES

Afin de mieux comprendre les informations chiffrées qui accompagnent chaque essai, voici quelques explications supplémentaires. Le *Guide de l'auto* comprend deux catégories d'essai. La première est rédigée sur quatre pages et analyse plus en profondeur les nouveaux modèles tandis que la deuxième porte surtout sur les véhicules qui n'ont pas subi de changements majeurs.

VERSION

Il s'agit du véhicule testé pour le compte-rendu routier. La fiche présente les données de ce véhicule.

PRIX DE DÉTAIL SUGGÉRÉ

Il s'agit du prix du modèle testé. En raison des options et de divers accessoires, le prix de ce véhicule peut surpasser le barème noté dans la fiche. Lorsque le prix est suivi de (2006), cela signifie que les prix 2007 ne nous avaient pas été communiqués au moment de la rédaction de la fiche technique. Cependant, il y a de bonnes chances que vous trouviez les prix 2007 dans la partie réservée aux prix à la page 10 puisque cette section est la dernière à être imprimée

COFFRE ET RÉSERVOIR

Nous précisons le volume du coffre à bagages et la contenance du réservoir à essence.

COUSSINS DE SÉCURITÉ

Toutes les voitures possèdent au moins deux coussins gonflables à l'avant (frontaux). Plusieurs modèles proposent aussi des coussins latéraux et certains, généralement parmi les plus dispendieux, cachent des coussins qui forment un rideau. Le manque d'espace nous oblige à ne pas tenir compte des coussins pour les genoux ou les jambes ou autre.

DIAMÈTRE DE BRAQUAGE

Diamètre du plus petit cercle que peut suivre un véhicule quand il tourne. Il s'agit d'une donnée très utile si on doit circuler souvent dans des lieux étroits.

CAPACITÉ DE REMORQUAGE

Cette donnée est fort importante pour quiconque désire accrocher une remorque à son véhicule. Cependant, cette donnée varie passablement selon le moteur, la transmission et le nombre de roues motrices. Il faut aussi prendre en considération le fait que la remorque soit équipée ou non de freins. On ne doit jamais se fier uniquement à la donnée inscrite dans la fiche technique et il faut IMPÉRATIVEMENT vérifier avec son concessionnaire avant de faire installer un mécanisme de remorquage.

MOTEUR

Il s'agit du moteur qui équipait notre voiture d'essai. Les autres moteurs qui peuvent équiper le modèle essayé sont mentionnés dans «Gamme en bref». Sont inscrits, pour le moteur principal: la disposition physique des cylindres et leur nombre, le type d'alimentation, la cylindrée, la course et l'alésage, le nombre de soupapes ainsi que la puissance et le couple.

PUISSANCE

Capacité du moteur à faire un travail en un temps donné. La puissance est exprimée en chevaux (ch) suivie, entre parenthèses, de son équivalence internationale en kilowatts (kW). Le régime auquel cette puissance est développée est aussi mentionné.

COUPLE

Capacité d'un moteur à transmettre un mouvement de rotation à un autre objet. Il est toujours exprimé par une force et une distance en livre-pied (lb-pi) suivi, entre parenthèses, de son équivalence internationale en newton-mètre (Nm). Le régime auquel ce couple maximal est généré est aussi mentionné.

MOTEUR ÉLECTRIQUE

Avec la prolifération des véhicules hybride, cette rubrique prend tout son sens. On y mentionne la puissance et le couple du moteur électrique seulement. Il faut, dans certains cas, additionner cette puissance et celle du moteur à essence pour obtenir la puissance totale.

TRANSMISSION

Tout d'abord, nous vous précisons le type de rouage d'entraînement du véhicule essayé. Vous saurez si ce véhicule est une traction (roues motrices à l'avant), une propulsion (roues motrices à l'arrière), une transmission intégrale (passe de deux à quatre roues motrices sans l'intervention du conducteur) ou un 4x4 (passe de deux à quatre roues motrices selon la volonté du conducteur) ou 4RM (toujours en mode 4x4). Ces informations sont suivies du type de boîte de vitesses, manuelle ou automatique, ainsi que du nombre de rapports. Les autres transmissions disponibles sont aussi mentionnées.

ACCÉLÉRATION DE 0 À 100 KM/H

Temps nécessaire, exprimé en seconde, pour atteindre la vitesse de 100 km/h à partir de l'arrêt complet.

REPRISE DE 80 À 120 KM/H

Temps nécessaire, exprimé en seconde, pour passer de 80 à 120 km/h sur une surface rectiligne et horizontale. Cette mesure est réalisée en quatrième rapport avec une boîte de vitesses manuelle. Pour effectuer la même mesure avec une voiture dotée d'une transmission automatique, le levier de vitesses demeure à la position D.

FREINAGE DE 100 À 0 KM/H

Distance franchie par un véhicule pour décélérer d'une vitesse de 100 km/h à l'arrêt complet.

CONSOMMATION (LITRES AU 100 KM)

Cette rubrique montre le résultat de consommation de carburant obtenu lors de nos essais. Étant donné que nous effectuons une batterie de tests (accélérations de 0 à 100 km/h, reprises de 80 à 120 km/h et décélérations de 100 à 0 km/h) et quelquefois durant l'hiver, la consommation est plus élevée qu'en conduite normale. Si, pour diverses raisons, nous n'avons pu obtenir de résultat, nous inscrivons les données fournies par le constructeur. Si, par contre, nous avons une bonne idée de cette consommation sans, toutefois, l'avoir dûment vérifiée, nous inscrivons «estimé»

AUTONOMIE

Selon nos calculs (consommation par rapport à la contenance du réservoir), la distance approximative que l'on peut parcourir avec un plein. Il s'agit d'une donnée théorique et tenter de parcourir le nombre de kilomètres indiqué pourrait mener à la panne sèche!

ÉMISSIONS DE CO2

La société étant de plus en plus sensibilisée aux problèmes dus à la pollution et à l'effet de serre, nous avons décidé d'inclure cette donnée dans nos fiches techniques. Elles proviennent du guide de consommation de carburant (Energuide) publié par Ressources naturelles Canada, un «must» par les temps qui courent.

ÉCHELLE DE PRIX

Le premier prix est celui du modèle de base et le second celui de la version la plus onéreuse. Dans la majorité des cas, ces prix n'incluent pas les accessoires, les taxes et les frais de transport. Certains modèles uniques n'ont qu'un seul prix.

CATÉGORIE

Autrefois, il y avait les grosses autos, les moyennes autos et les petites autos. Aujourd'hui, c'est infiniment plus compliqué et il n'est pas rare qu'un modèle soit disponible en plusieurs configurations différentes. Cette donnée est indiquée pour aider le consommateur à s'y retrouver et ainsi mieux comparer les modèles d'une même catégorie.

GARANTIES

Nous indiquons les deux principales garanties. La première représente la garantie de base, dite «pare-chocs à pare-chocs» pour un maximum d'années et un maximum de kilométrage. Elle se termine à la première des deux limites atteintes. La seconde couvre le groupe motopropulseur: le moteur et les autres éléments des rouages d'entraînement. Cette garantie est souvent plus généreuse que celle de base. Là encore, elle se termine à la première des deux limites atteinte.

DANS LA MÊME CATÉGORIE

Dans cette rubrique, nous répertorions les modèles qui se situent dans la même catégorie que le véhicule essayé. Sont pris en considération différents paramètres tels que le prix, les dimensions et la puissance du moteur. Le bon sens nous aide aussi à l'occasion.

DU NOUVEAU EN 2007

En quelques mots, nous vous indiquons les principales nouvelles caractéristiques du véhicule.

NOS IMPRESSIONS

AGRÉMENT DE CONDUITE

Départage les véhicules ennuyeux et ceux qui nous ont passionnés.

FIABILITÉ

Fiable ou pas? Voilà la question! Indications fournies à la suite de l'évaluation de plusieurs données.

SÉCURITÉ

Cette cote est établie en fonction des qualités de la voiture en matière de sécurité active et passive. La sécurité active est la capacité du véhicule à éviter un accident. La sécurité passive respecte les prescriptions des autorités gouvernementales nord-américaines.

QUALITÉS HIVERNALES

Cote la plus simple à établir et aussi la plus cruciale pour les automobilistes du Québec. Les véhicules à traction intégrale et la plupart des 4x4 sont mieux adaptés, tandis que les grandes sportives doivent patienter pendant cette saison. Cette évaluation tient également compte du dégivreur et du chauffage.

ESPACE INTÉRIEUR

Note l'espace disponible dans l'habitacle et son utilisation prévue par les concepteurs.

CONFORT

L'insonorisation, la suspension, les sièges, l'efficacité de la climatisation, voilà autant d'éléments évalués dans cette catégorie. La meilleure voiture: la plus confortable et, en même temps, facile à piloter.

Dans le but d'alléger les différents textes du *Guide de l'auto*, seul le masculin est utilisé et englobe le féminin.

VÉHICULE D'ESSAI

Version:	Sport
Prix de détail suggéré:	19 995 $
Emp/Lon/Lar/Haut(mm):	2 450/3 999/1 682/1 524
Poids:	1 162 kg
Coffre/Réservoir:	603 à 1 186 litres/41 litres
Coussins de sécurité:	frontaux, latéraux (av.) et rideaux
Suspension avant:	indépendante, jambes de force
Suspension arrière:	essieu rigide, ressorts hélicoïdaux
Freins av./arr.:	disque/tambour (ABS)
Antipatinage/Contrôle de stabilité:	no/non
Direction:	à crémaillère, assistance variable électrique
Diamètre de braquage:	11,6 m
Pneus av./arr.:	P195/55R15
Capacité de remorquage:	non recommandé

MOTORISATION À L'ESSAI

Moteur:	4L de 1,5 litre 16s atmosphérique
Alésage et course:	73,0 mm x 89,4 mm
Puissance:	109 ch (81 kW) à 5 800 tr/min
Couple:	105 lb-pi (142 Nm) à 4 800 tr/min
Rapport poids/puissance:	10,66 kg/ch (14,53 kg/kW)
Système hybride:	aucun
Transmission:	traction, automatique 5 rapports
Accélération 0-100 km/h:	12,2 s
Reprises 80-120 km/h:	10,2 s
Freinage 100-0 km/h:	39,4 m
Vitesse maximale:	n.d.
Consommation (100 km):	ordinaire, 7,8 litres
Autonomie (approximative):	526 km
Émissions de CO_2:	n.d.

GAMME EN BREF

Échelle de prix:	14 980 $ à 19 480 $
Catégorie:	familiale
Historique du modèle:	1ière génération
Garanties:	3 ans/60 000 km, 5 ans/100 000 km
Assemblage:	Greensburg, Indiana, É-U
Autre(s) moteur(s):	aucun
Autre(s) rouage(s):	aucun
Autre(s) transmission(s):	manuelle 5 rapports / auto. mode man. 5 rapports

DANS LA MÊME CATÉGORIE

Chevrolet Aveo - Hyundai Accent - Kia Rio - Nissan Versa - Suzuki Swift+ - Toyota Yaris - Pontiac Wave

DU NOUVEAU EN 2007
nouveau modèle

NOS IMPRESSIONS

Agrément de conduite:	🚗 🚗 🚗 🚗
Fiabilité:	nouveau modèle
Sécurité:	🚗 🚗 🚗 🚗
Qualités hivernales:	🚗 🚗 🚗
Espace intérieur:	🚗 🚗 🚗 🚗
Confort:	🚗 🚗 🚗 ½

LE CHOIX DE L'ÉQUIPE
LX

LES PREMIERS DE CLASSE 2007

SOUS-COMPACTES

EN LICE
Chevrolet Aveo
Honda Fit
Hyundai Accent
Kia Rio
Nissan Versa
Pontiac Wave
SMART
Suzuki Swift +
Toyota Yaris

1 HONDA FIT

2 NISSAN VERSA

3 TOYOTA YARIS

COMPACTES

EN LICE
Acura CSX
Chevrolet Optra
Chevrolet HHR
Chrysler PT Cruiser
Dodge Caliber
Ford Focus
Honda Civic
Hyundai Elantra
Kia Spectra
Mazda3 / Mazda3 Sport
Mercedes-Benz Classe B
Mitsubishi Lancer / Sportback
Nissan Sentra
Pontiac G5
Pontiac Vibe
Saturn ION
Subaru Impreza
Suzuki Aerio
Toyota Corolla
Toyota Matrix
Volkswagen Rabbit
Volkswagen New Beetle / Cabrio

1 MAZDA3 / MAZDA3 SPORT

2 HONDA CIVIC

3 VOLKSWAGEN RABBIT

TOYOTA CAMRY **1**

EN LICE
Chevrolet Malibu
Chrysler Sebring · Ford Fusion
Honda Accord · Hyundai Sonata
Kia Magentis · Lincoln MK Z
Mazda6 · Mitsubishi Galant
Nissan Altima · Pontiac G6
Subaru Legacy / Outback
Toyota Camry
Volkswagen Passat
Volvo S40

MAZDA6 **2**

HYUNDAI SONATA

Ex-aequo

KIA MAGENTIS **3**

CHRYSLER 300C

Ex-aequo

DODGE MAGNUM **1**

TOYOTA AVALON **2**

CHEVROLET IMPALA **3**

EN LICE
Buick Allure · Buick Lucerne
Chevrolet Impala · Chrysler 300C
Dodge Magnum · Ford 500
Hyundai Azera · Kia Amanti
Mercury Grand Marquis
Nissan Maxima
Pontiac Grand Prix · Toyota Avalon

LES PREMIERS DE CLASSE 2007

BERLINES SPORT DE PLUS DE 35 000 $

EN LICE
Acura TL
Audi A4
BMW Série 3
Cadillac CTS / V
Infiniti G35
Infiniti G35 X
Jaguar X-Type
Lexus IS
Mercedes-Benz Classe C
Saab 9-3
Subaru WRX
Volvo S60

1 BMW SÉRIE 3

2 LEXUS IS

3 SUBARU WRX

BERLINES DE LUXE DE MOINS DE 70 000 $

EN LICE
Audi A6
BMW Série 5
Cadillac STS
Jaguar S-Type
Lincoln Town Car
Saab 9-5
Volvo S60

1 BMW SÉRIE 5

2 AUDI A6

3 CADILLAC STS

MERCEDES-BENZ CLASSE S 1

BMW SÉRIE 7 2

INFINITI M45 3

HONDA CIVIC SI 1

EN LICE
Acura TSX
Chevrolet Cobalt SS
Ford Focus ST
Dodge Charger
Honda civic Si
Hyundai Tiburon
Mini Cooper
Mitsubishi Eclipse
Saturn ION Redline
Volkswagen GTI
Jetta GLI

BERLINES ET COUPÉS SPORT
DE MOINS DE 35 000 $

VOLKSWAGEN GTI 2

DODGE CHARGER 3

CABRIOLETS, ROADSTERS ET GT

EN LICE

Audi RS4
Audi TT
BMW Z4
Chrysler Crossfire
Ford Mustang
Honda S2000
Infiniti G35 Coupe
Lotus Elise
Mazda MX-5
Mazda RX-8
Mini Cooper
Mercedes-Benz SLK
Nissan 350 Z
Pontiac Solstice
Saab 9-3 Cabriolet
Saturn Sky
Subaru Impreza WRX Sti
Toyota Solara
VW EOS
VW New Beetle
Volvo C70

1 AUDI RS 4

2 BMW Z4 / M ROADSTER M COUPE

3 AUDI TT

VOITURES SPORT ET CABRIOLETS DE 65 000 $ ET PLUS

EN LICE

Aston Martin DB 9
Aston Martin Vanquish
BMW Série 6
BMW M3
BMW M5
BMW M6
Cadillac XLR
Chevrolet Corvette / Z06
Dodge Viper
Ferrari F430
Ferrari 955
Ferrari 612
Jaguar XK
Lamborghini Gallardo
Lamborghini Murcielago
Lexus SC 430
Maserati Coupe
Mercedes-Benz CLK
Mercedes-Benz SL
Porsche 911
Porsche Boxster
Porsche Cayman

1 FERRARI F430

2 PORSCHE 911

3 BMW M5

Ex-aequo

KIA SORENTO **1**

EN LICE
Acura RDX · BMW X3
Chevrolet Equinox
Ford Escape · Honda CR-V
Hyundai Santa Fe
Hyundai Tucson
Hummer H3
Jeep compass / Jeep Patriot
Jeep Liberty · Jeep Nitro
Kia Sorento · Mazda Tribute
Mitsubishi Outlander
Nissan Xterra
Nissan Xtrail · Saturn VUE
Subaru Forester
Subaru Outback
Suzuki Grand Vitara
Suzuki XL-7
Toyota Highlander
Toyota Rav4

TOYOTA RAV4 **2**

SUBARU FORESTER **3**

MERCEDES-BENZ CLASSE M **1**

EN LICE
Acura MDX · BMW X5
Buick Rainier · Cadillac Escalade
Chevrolet Tahoe · Chevrolet Trailblazer
Chevrolet Suburban · Chrysler Aspen
Dodge Durango · Ford Explorer
Ford Expedition · Lincoln MK X
GMC Envoy · GMC Yukon · Honda Pilot
Hummer H2 · Infiniti FX 35 / FX 45
Infiniti QX56 · Jeep Grand Cherokee
Jeep Commander · Land Rover LR3
Land Rover Range Rover / Sport
Lexus GX 470 · Lexus LX 470
Lexus RX350 / RX 400h
Lincoln MK X
Mercedes-Benz Classe GL
Mercedes-Benz Classe M
Mercedes-Benz Classe R
Mitsubishi Endaevor · Toyota 4Runner
Nissan Armada · Nissan Murano
Nissan Pathfinder · Porsche Cayenne
Toyota Sequoia · Volkswagen Touareg

LEXUS RX350 / RX 400H **2**

CADILLAC ESCALADE **3**

29

LES PREMIERS DE CLASSE 2007

MEILLEURES FOURGONNETTES

EN LICE
Buick Terraza
Chevrolet Uplander
Chrysler Town & Country
Dodge Caravan / Grand Caravan
Ford Freestar
Honda Odyssey
Hyundai Entourage
Kia Sedona
Mazda5
Nissan Quest
Saturn Relay
Toyota Sienna

1 HONDA ODYSSEY

2 TOYOTA SIENNA

3 MAZDA5

MULTISEGMENT

EN LICE
Audi Q7
Cadillac SRX
Chrysler Pacifica
Ford Edge
Ford Freestyle
Honda Element
Infiniti FX35 /FX45
Mazda CX-7
Mercedes-Benz Classe R
Nissan Murano
Saab 9-7X
Subaru Tribeca
Volvo XC70
Volvo XC90

1 MAZDA CX-7

2 MERCEDES-BENZ CLASSE R

3 CADILLAC SRX

VOITURE DE L'ANNÉE

HONDA FIT

CAMIONNETTE ET UTILITAIRE SPORT DE L'ANNÉE

MAZDA CX-7

EN LICE
Acura RDX
Audi Q7
Cadillac Escalade
Chevrolet Silverado
Chevrolet Tahoe
GMC Sierra
GMC Yukon
Chrysler Aspen
Dodge Nitro
Ford Edge
Ford Expedition
Hyundai Santa-Fe
Jeep Patriot
Mazda MX-7
Mercedes-Benz GL
Suzuki XL-7
Toyota FJ Cruiser
Toyota Tundra

Tanné de payer des tickets ?!?
Les contester c'est notre spécialité!!!
514-448-4911
et votre droit !
CONSTAT D'INFRACTION / STATEMENT OF OFFENCE
SERVICE MUNICIPAL
Police
CONSTAT D'INFRACTION
VOIR RENSEIGNEMENTS À L'INTÉRIEUR
www.
SOS TICKET
.CA

Comment conjuguer
PERFORMANCE ET ÉCONOMIE
au futur !

De nos jours, les voitures sport performantes, les VUS et tout autre véhicule qui ne sont pas considérés «vert» par les bien pensants sont mis l'écart. Si ce n'est pas doté de piles à combustible ou d'un moteur hybride, ce véhicule est snobé par une certaine élite. Pour prouver qu'il existe d'autres solutions alternatives toutes aussi valables qui peuvent s'appliquer, même à des voitures de sport, nous avons choisi la SAAB Aero X pour illustrer notre point de vue et décorer notre page couverture. Dévoilée au Salon de Genève en mars 2006, cette suédoise est la preuve que les termes sport et écologie peuvent se conjuguer dans la même phrase.

UNE CULTURE AÉRONAUTIQUE

Mentionnons tout d'abord que Saab est l'acronyme de Svenska Aeroplan Aktiebolaget. Pour ceux dont le suédois n'est pas parfait, ça veut dire Société suédoise d'aéronautique à responsabilité limitée. Comme son nom l'indique si bien, Saab a débuté dans l'aéronautique. D'ailleurs, le nom Aero, utilisé sur plusieurs modèles de production de Saab, représente bien ce passé.

Le concept Aero X emprunte donc beaucoup à l'aéronautique. Les lignes, très fluides, semblent fort aérodynamiques. L'Aero X dégage à la fois une impression de solidité et d'agressivité, de calme et de performances. Sa hauteur totale n'atteint que 1276 mm tandis que sa largeur est de 1918 mm et sa longueur de 4675 mm. Ces dimensions sont pratiquement identiques à celles d'une Ferrari 575 Maranello. Si Enzo Ferrari avait été suédois plutôt qu'italien, l'Aero X serait peut-être la toute dernière création de la marque!

Le toit mobile, en forme de verrière, est un bel exemple d'emprunt à l'aéronautique. Une fois refermé, il donne l'impression d'un cockpit d'avion tout en procurant une visibilité exceptionnelle vers l'avant et les côtés puisqu'il n'y a pas de piliers «A». De plus, la partie supérieure de ce toit est vitrée, assurant de la sorte une

luminosité maximale dans l'habitacle. Ce toit à ouverture motorisée, fabriqué en fibre de carbone, impressionne lorsqu'il se déplace grâce à des mécanismes à charnières, vérins et pistons très sophistiqués.

Un peu à la manière des avions de chasse, ce biplace ne possède pas de portes. Celles-ci font partie de la «verrière» et viennent se positionner de façon à ne pas obstruer le passage lorsqu'on veut s'asseoir ou quitter la voiture. Aucune poignée de porte et moulure ou aucun aileron ne vient perturber la ligne extérieure. À l'arrière, on retrouve un hayon qui s'ouvre et qui donne sur un espace de rangement de bonnes dimensions, compte tenu du format de la voiture. Les plus perspicaces auront remarqué qu'aucun essuie-glace ne balaye l'immense pare-brise. En lieu et place, un traitement hydrophobe, encore une fois emprunté à l'aviation, est appliqué en usine.

Le thème du verre avec illumination par LED est abondamment utilisé. Toutes les lumières extérieures, autant à l'avant qu'à l'arrière, font appel à la technologie LED. Le tableau de bord et la console, encore plus futuristes que la carrosserie, présentent des jauges et

des commandes cachées derrière des panneaux de verre et judicieusement rétroéclairées par LED, à la manière des avions, ce qui donne un effet trois dimensions. Mais ce qui impressionne davantage, c'est le design de l'ensemble. C'est beau, simple et sans doute fonctionnel.

MÉCANIQUE PROPRE

Mais c'est surtout le groupe propulseur pouvant utiliser des carburants fabriqués à partir de ressources renouvelables qui mérite davantage notre attention car, côté mécanique, le Saab Aero X continue d'arpenter le futur.

Le V6 double turbo de 2,8 litres, dérivé de celui utilisé sur la 9-3, carbure au bioéthanol pur. Contrairement aux moteurs actuels qui fonctionnent avec un mélange 85 % éthanol 15 % essence (E85), ce V6 «BioPower» peut rouler avec de l'essence, du E85 mais aussi avec de l'éthanol pur. Ce dernier type d'alimentation n'entraîne aucune augmentation d'émissions de CO_2 dans l'atmosphère en plus de permettre un taux de compression très élevé, soit 12 :1. Les 400 chevaux et les 369 livres-pied de couple disponibles à bas régime (entre 2000 et 5000 tours/minute) devraient assurer des

performances électrisantes. Même si aucun test n'a encore été effectué, les prévisions de Saab parlent d'un 0-100 km/h de 4,9 secondes et d'une vitesse maximale limitée à 250 km/h. Pour gérer efficacement toute cette cavalerie, la traction intégrale a été retenue. La transmission automatique possède sept rapports, avec palettes derrière le volant. Grâce à un embrayage multidisques, le couple varie à l'infini entre les roues avant et arrière. L'Aero X peut aussi compter sur le «Saab Active Chassis». Il s'agit d'une suspension active qui tient compte des accélérations latérales et verticales, ainsi que du roulis. Des freins Brembo de 380 mm, autant à l'avant qu'à l'arrière, s'occupent des décélérations. Les pneus, d'immenses 22 pouces à l'avant et d'encore plus immenses 23 pouces à l'arrière, ont pour mission de visser la voiture au sol, peu importe le tracé. Fait intéressant à noter, les superbes roues ne font pas qu'imiter les ailettes d'un réacteur. Elles sont dessinées pour amener de l'air frais aux deux turbocompresseurs. Malgré toute cette technologie embarquée, le poids de l'Aero X ne devrait pas dépasser les 1500 kilos, grâce à l'utilisation intensive de la fibre de carbone.

À L'UNISSON

À vrai dire, bien que la voiture possède une fiche technique à faire rêver une Cadillac, on retrouve la plupart de ces technologies dans d'autres bagnoles, offertes sur le marché celles-là! Là où l'Aero X se démarque, c'est au chapitre de la fonctionnalité et de la recherche. Le président de Saab, Jan Äke Jonsson, nous a confié qu'au-delà du concept, c'est la somme d'intelligence et d'efforts humains qu'il faut saluer. La verrière à elle seule a demandé des heures et des heures de recherche. Jonsson avouait aussi que ce projet avait créé une belle synergie chez les artisans de Saab, renouvelant ainsi un très fort sentiment d'appartenance à la marque.

L'Aero X est bien plus qu'un simple exercice de designers et d'ingénieurs. Ce concept est peut-être la meilleure incarnation de la voiture de demain: beauté des lignes, légèreté, puissance, consommation moindre et, surtout, pollution zéro.

Alain Morin

LES PROTOTYPES 2007

ALMS ACURA

Les victoires d'Audi dans la série American Le Mans en dérangent plusieurs. En guise de réplique, Porsche a participé à des courses dans la catégorie LMP2 cette année et Acura annonce son intention de s'inscrire à la populaire série et dans cette même catégorie en 2007. Ce sera la première fois en 20 ans, soit depuis sa création, que cette division de Honda s'intéresse à la course automobile de haut niveau. Par contre, à part de dévoiler son intention d'être à la ligne de départ l'an prochain, la direction d'Acura a été avare de commentaires sauf pour nous informer que voiture et moteur seront fabriqués en Amérique.

BERTONE SUAGNÀ

Bertone et Fiat, italiens jusqu'au bout des veines, ont maintes fois collaboré dans le passé. Encore aujourd'hui, il n'est pas rare de voir une Fiat dessinée par Bertone. C'est le cas de cette Bertone Suagnà qui est, en fait, une Fiat Grande Punto. Bien entendu, cette dernière se montre infiniment plus sage sur le plan visuel. La Suagnà est un de ces coupés cabriolets dont le toit de métal se replie comme par magie dans le coffre. Ce toit a été dessiné et construit par CTS (Car Top System), le spécialiste allemand du cabriolet. Les phares sont intégrés dans l'espèce de boomerang.

Cette Buick a été dévoilée avec éclat dans le cadre du Salon international de l'auto de Detroit en janvier 2006 et cette nouvelle venue est appelée à remplacer le Rendezvous au cours de l'année 2007 en tant que modèle 2008. Son empattement sera de 3022 mm et elle sera propulsée par un moteur V6 de 3,6 litres produisant 270 chevaux. Il est couplé à une boîte automatique à six rapports tandis que la suspension arrière est indépendante. La silhouette des ce modèle fera vite oublier celle du Rendezvous qui est dérivé de l'Aztek de triste mémoire. L'habitacle est particulièrement luxueux.

ENCLAVE BUICK

Dire, tout simplement, que cette… chose est monstrueuse n'aiderait en rien l'humanité qui a le droit de savoir la vérité. Castagna, un carrossier de Milan, en Italie, veut, avec ce concept, rendre hommage aux Isotta Fraschini des années 20… Juste pour avoir écrit ça dans son communiqué de presse, Castagna devrait être poursuivi pour manque de jugement grave causant préjudice à l'ensemble de la production automobile mondiale des cent dernières années. Parmi les entreprises les plus lésées, Porsche qui aurait, sans doute involontairement, prêté le châssis de son Cayenne… Castagna a aussi écrit, en toutes lettres à propos de ce concept « *the perfect balance between elegance and sportiness* »…

CASTAGNA
IMPERIAL LANDAULET

CHRYSLER

IMPERIAL

Décidément, le nom Imperial a la cote ces temps-ci. Dans le cas présent, il faut savoir que l'Imperial a été, durant de nombreuses années, la marque haut de gamme de Chrysler. Même si le design de cette Imperial, inspiré des travaux du carrossier LeBaron dans les années 30 et 40, laisse perplexe, il a au moins le mérite de susciter une certaine réflexion sur le passé. Reprenant le châssis de la populaire 300, l'Imperial se veut tout de même beaucoup plus volumineuse. Côté moteur, on retrouve le 5,7 litres Hemi de 340 chevaux. Les roues arrière sont motrices tandis que les pneus de 22 pouces devraient coûter une fortune à remplacer.

CITROEN

C-AIRPLAY

Le C-AirPlay aurait facilement pu s'appeler le C-AirLight ou le C-Air tout court! La lumière et l'air ont été les éléments principaux qui ont présidé au concept final. D'immenses aérateurs amènent le plus d'air frais possible dans l'habitacle. Le toit et les portes sont conçus de manière à illuminer l'intérieur. Le très grand pare-brise contribue à cette luminosité tout en procurant une visibilité hors pair. Les commandes sont ingénieusement dissimulées sous le matériel qui recouvre le siège, entre les deux occupants ou dans le tableau de bord. Certains sites français parlent déjà d'une remplaçante à la mythique 2CV. On se calme le pompon, s.v.p...

Tout à fait objectivement, avouons que cette Citroen C-SportLounge est d'une rare beauté. Cette étude aérodynamique donne de bons résultats puisque le coefficient de friction est de 0,26. Un système électromécanique, placé à l'arrière du toit, projette des jets d'air qui créent un aileron virtuel. Sous la carrosserie, à l'arrière, on retrouve un aileron inversé qui se positionne automatiquement de façon à optimiser la pénétration dans l'air. En cas de freinage d'urgence, cet aileron agit à la manière des aérofreins (ces petits ailerons situés sur les ailes des avions et qui se soulèvent à l'atterrissage). Les portes arrière ouvrent à contre sens.

C-SPORTLOUNGE
CITROEN

Il en a coulé de l'eau dans le fleuve Saint-Laurent depuis que la marque Dacia a quitté le Canada. Par contre, en Europe, ce constructeur est dorénavant contrôlé par Renault qui distribue la gamme Logan dans un réseau parallèle en France et dans certains autres pays de l'ouest de l'Europe. Elle jouit d'une certaine popularité en raison de prix très bas. Pour poursuivre le développement de la gamme, les dirigeants nous proposent la Logan Steppe, un VUS urbain compact utilisant la même mécanique que la berline, soit un moteur quatre cylindres 1,6 litre de 107 CV. On est économique ou on ne l'est pas.

DACIA

LOGAN STEPPE

DAIHATSU
UFE3

Tout d'abord présenté à Genève en 2002, le UFE3 a fait du chemin et il en est désormais à la troisième génération. Conçu pour une consommation minimum, le UFE3 ne mesure que 120 cm de haut et affiche un coefficient de friction de seulement 0,19. Le poids total ne dépasse pas les 440 kilos. Sous la carrosserie se cache un moteur de trois cylindres de 0,6 litre (plus petit que celui d'une Smart!) combiné à deux moteurs électriques. On parle d'une consommation de... 2,1 litres aux cent kilomètres. Dans l'habitacle, on retrouve trois sièges, un à l'avant et deux situés derrière.

DODGE
RAMPAGE

Le Rampage reprend un nom presque connu. En effet, entre 1982 et 1984, Dodge avait créé une sorte de petit pick-up en ajoutant une boîte à l'arrière de ses Omni. Les sièges arrière ainsi que celui du passager se replient sous le plancher à la manière du «Stow 'n Go» déjà vu sur les fourgonnettes Dodge et Chrysler. Les portes arrière coulissent. Curieusement, il s'agit d'une traction (roues avant motrices), ce qui vient à l'encontre de la configuration habituelle d'une camionnette. On retrouve un Hemi sous le capot. Surveillez l'effet de couple dans le volant en accélération!

L'an dernier, *Le Guide de l'auto 2006* présentait, en page couverture, le très beau prototype de la Solstice Coupe. Edag, un consultant en conception de véhicules et en lignes de fabrication, a profité du Salon de Genève pour dévoiler sa version hardtop de la Solstice. À la limite, on pourrait parler d'une familiale. À preuve, Edag avoue même que l'inspiration vient des Pontiac Safari Station Wagon des années 50 et 60. Cette ligne de toit vient combler la plus importante lacune des Solstice, soit le manque de rangement… D'un autre côté, le hardtop enlève la plus belle qualité de la Solstice… son toit rétractable !

SOLSTICE HARDTOP

EDAG

Curieusement, même si Ferrari construit les plus belles voitures de la planète, ses carrosseries rouges sont souvent issues de la technique et de l'ingénierie. Constatant ce fait, Ferrari a décidé de s'ouvrir au monde des designers en organisant un concours à l'échelle mondiale. Au salon de New York, Ferrari dévoilait les vingt lauréats, provenant d'écoles de design très réputées de Détroit, Turin, Tokyo et du Royaume-Uni. Les jeunes designers s'en sont donné à cœur joie pour mériter le premier prix, soit un stage aux studios de dessin de Ferrari ou de Pininfarina. Faisaient partie du jury, un certain Luca di Montezemolo et Jean Todt, respectivement président de Ferrari et directeur général…

FERRARI

FERRARI
GG50

Dévoilée en décembre 2005 au Salon international de Bologne, cette Ferrari pour le moins unique n'a pas connu le rayonnement qu'elle méritait. Et cette Ferrari n'est pas issue des ateliers Ferrari mais de ceux d'Italdesign. En clair, Giorgetto Giugiaro a voulu célébrer ses 50 ans de métier dans le design automobile. Il s'est donc dessiné et fabriqué un cadeau, soit une Ferrari 612 modifiée à son goût et rendue plus pratique avec l'apparition d'un hayon arrière. Vous l'avez deviné, les lettres GG sont les initiales du légendaire designer tandis que le chiffre 50 souligne ses noces d'or à titre de styliste.

FIAT OLTRE

Vous vous souvenez du Lamborghini LM002 (1986 – 1992) ? Le constructeur de voitures super sport s'était aventuré dans le domaine des 4x4 de luxe. Eh bien, Fiat y va aujourd'hui de son interprétation avec un véhicule qui ressemble un peu au LM002. Ce véhicule militaire aurait déjà trouvé preneur auprès de l'armée italienne. Ses dimensions le rapprochent du Hummer H2 et il roule sur des pneus de 26 pouces (allô le total lors du remplacement !). Le moteur est juste un 4 cylindres turbodiesel de 185 chevaux mais de 336 livres-pied de couple à seulement 1 800 tours/minute. La charge utile de l'Oltre est de 3 tonnes. C'est trois Yaris, ça !

Il est plutôt surprenant de constater que Ford ait choisi le Salon de Tokyo pour lancer son concept Equator. C'est que cet Equator préfigure le futur SUV que Ford veut commercialiser sur le marché asiatique. Reprenant les lignes de l'Explorer, l'Equator sera mû par le très répandu V6 3,0 litres Duratec associé à un rouage à quatre roues motrices, semble-t-il très efficace. En fait, ce futur VUS sera nettement axé sur la conduite sportive plutôt que sur l'utilitarisme. Les pneus 255/50R19 ne devraient pas résister longtemps aux impératifs de la construction en série.

EQUATOR

FORD

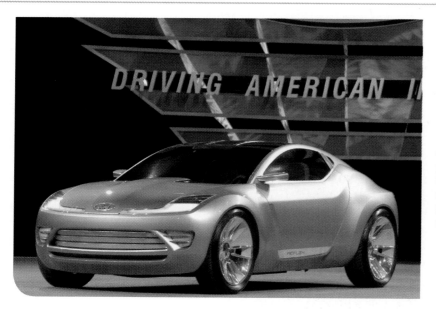

Très jolie, l'œuvre de Thomas Freeman qui, jusqu'à l'an dernier, exerçait ses talents chez Chrysler. Le Reflex tranche littéralement sur la production actuelle de Ford (remarquez que ce n'est pas bien difficile...) et devrait même servir de base aux prochaines réalisations. Le toit est fait de panneaux solaires qui ont pour mission d'alimenter l'éclairage du Reflex. Les portes ouvrent en élytre inversé... c'est-à-dire un peu à la manière de celles de la Lamborghini Murcielago sauf que les pentures sont situées à l'arrière plutôt qu'à l'avant. Mais ce n'est pas important car on ne risque pas de les retrouver sur des modèles de production.

REFLEX

HONDA
W.O.W.

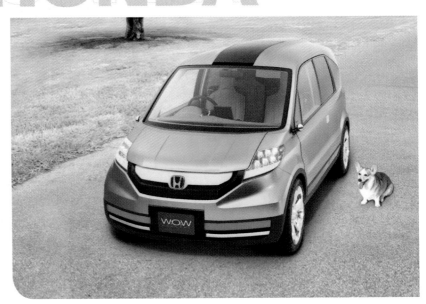

On savait que ça arriverait un jour... Ce qui est le plus surprenant, c'est que ce soit Honda qui en soit le géniteur. Le W.O.W. (pour Wonderful Open-hearted Wagon) est conçu plus pour les animaux que pour les humains... Honda a compris que ces derniers considèrent leurs toutous comme leurs enfants et dépensent sans compter pour eux (juste au Japon, on retrouve plus d'animaux de compagnie que d'enfants!). Le W.O.W contient une niche sous le tableau de bord. La banquette de la deuxième rangée s'abaisse pour permettre le transport d'un ou deux toutous supplémentaires. Des fois, des études en sociologie aideraient pour écrire dans *Le Guide de l'auto*...

HYUNDAI
TALUS

Dans la série des HDC (Hyundai Desing Center), le Talus porte le numéro 9. Ce neuvième concept, très joli, réunit les qualités d'un VUS et d'une voiture sport. Curieusement, le document de presse remis par Hyundai nous laisse deviner que les lignes avant ont été inspirées par un véhicule de production, le nouveau Sante Fe! On retrouve un V8 de 4,6 litres d'environ 340 chevaux. Une transmission automatique à six rapports relaie la puissance aux roues arrière de 22 pouces. Technologiquement, le Talus fait appel au système Night Vision (vision de nuit), à un régulateur de vitesse intelligent et à Internet sans fil.

Vous trouvez ça beau, vous ? Nous aussi ! La partie avant de ce 2+2 reprend certains éléments du Chrysler ME 4-12 de 2005 tandis que l'arrière a un petit quelque chose de Bentley Continental GT, et ses dimensions la rapprochent d'une Cadillac STS. Comme racines, on a déjà vu pire ! Et dire que la Lirica a été dessinée en huit semaines à peine. Côté mécanique, on mentionne seulement un V8 de 90 degrés et des roues arrière motrices. Inovo Design, une firme de design automobile de Turin qui emploie une cinquantaine de personnes, a œuvré avec plusieurs grandes marques dont Nissan et Lancia mais surtout Fiat.

INOVO DESIGN
LIRICA

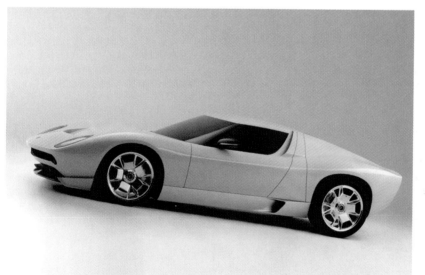

Au Salon de l'auto de Genève de 1966, Lamborghini dévoilait une des plus belles voitures jamais créées, toutes catégories confondues, la Miura. Profitant de la mode des super voitures néo-classiques (Ford GT, Dodge Challenger Concept et Chevrolet Camaro Concept), Lamborghini dévoilait, au dernier Salon de Détroit, ce concept qui se rapproche énormément de l'original. La plate-forme provient de la Gallardo et le moteur pourrait être un V10... Les rumeurs les plus persistantes racontent que la Miura pourrait bien être commercialisée. Si c'est le cas, il devrait se trouver quelqu'un du *Guide de l'auto* pour se porter volontaire pour un essai...

LAMBORGHINI
MIURA CONCEPT

LAND ROVER

LAND E

C'est connu, les concepts dévoilés lors des grands Salons de l'auto sont souvent des fenêtres sur les technologies que maîtrise (ou maîtrisera...) le constructeur. Ce n'est jamais aussi vrai qu'avec le Land Rover Land E. Ce concept étudie diverses applications visant à améliorer la traction sur terrains meubles (une spécialité Land Rover!), à économiser jusqu'à 30 % d'essence et à réduire les émissions de CO2. La plupart de ces technologies de pointe seront disponibles d'ici quelques années sur les Land Rover de production. Le but de ce concept, vous l'aviez remarqué, n'est pas d'impressionner par sa carrosserie. Ici, c'est ce qu'il y a en dessous qui compte!

LOTUS

APX

Difficile de croire qu'il s'agit d'une Lotus! Et pourtant... L'APX (pour Aluminium Performance Crossover) est construit autour d'une nouvelle plateforme nommée VVA (Versatile Vehicle Architecture). Le moteur, un V6 3,0 litres turbocompressé, développe aux alentours de 300 chevaux. Comme d'habitude, Lotus a veillé à ce que le poids de son futur multi-segment (l'APX devrait entrer en production en 2008) ne dépasse pas 1 570 kg. L'utilisation intensive de l'aluminium y est sans aucun doute pour quelque chose! L'APX mesure 470 cm de long, sur un empattement de 270 cm, ce qui le place en compétition avec, disons, un BMW X5.

Le concept Kabura, dévoilé à Detroit en janvier dernier, reprend les lignes de la RX-8. En fait, ce concept se situe, en termes de dimensions, entre ladite RX-8 et la MX-5. Contrairement à la RX-8 qui se veut un 2 + 2, le Kabura est plutôt un 2 + 1. Le siège du passager avant se trouve environ 6 pouces plus avancé que celui du conducteur (on a toutefois dû sacrifier le coffre à gants), tandis que l'unique siège arrière est placé entre les deux. Le nom Kabura pourrait se traduire par «la flèche qui démarre la guerre».

KABURA MAZDA

«i» pour *identity* (identité). «1» pour… première voiture créée en partenariat entre Mazel et H2R. Cette dernière entreprise a réalisé l'étude de la i1 tandis que Mazel l'a construite. Le moteur de ce biplace, un V8 de près de 500 chevaux, placé au centre, alimente les roues arrière de 20 pouces (19 pouces à l'avant) via une transmission manuelle à six rapports. Les deux entreprises espagnoles espèrent bientôt mettre leur joli bolide en production. Dans une ère où seules les grandes sociétés automobiles survivent (et encore…), on voit mal la i1 être produite en série le moindrement importante.

MAZEL i1

MERCEDES-BENZ

F600 HYGENIUS

Mercedes-Benz s'implique beaucoup dans la recherche sur les énergies alternatives (bon, d'accord, ça ne paraît pas sur la Classe G...). Le F600 Hygenius est mû par une pile à combustible combinée à un moteur électrique qui délivrent 115 chevaux pour une consommation de 2,9 litres aux cent kilomètres. Mais c'est davantage le couple total qui impressionne avec ses 258 livres-pied. À basse vitesse, seul le moteur électrique fonctionne, à la manière d'un hybride normal. L'énergie concentrée dans la pile à combustible peut aussi servir à chauffer les porte-verres ou à faire fonctionner tout appareil électrique. Outre le système de propulsion, le F600 regorge d'innovations techniques ou stylistiques.

MINI CONCEPT

GENÈVE

Décidément, chez Mini on ne se complique pas la vie... Les concepts portent le nom du Salon qui les a abrités, tout simplement! À Genève, le stand BMW (propriétaire de Mini) montrait cette Mini de rallye. Entre 1964 et 1967, la Mini a dominé le Rallye de Monte-Carlo, ce qui a inspiré les auteurs de ce concept. 2006 marque aussi le centenaire du créateur de la Mini, Sir Alec Issigonis, décédé en 1988. Les portes et le hayon s'ouvrent sur des pentures à double rotation. Deux boîtes de rangement se trouvent sur les côtés arrière tandis que le coffre est aménagé fort brillamment.

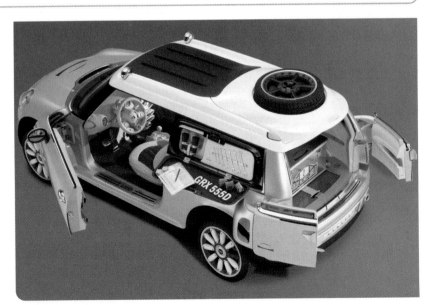

Serait-ce la future EVO ? Le concept X, dévoilé à Genève, autorise les rêves les plus fous. Une chose est sûre, ce design influencera les prochains produits Mitsubishi. Le moteur de cette jolie berline est un quatre cylindres de 2,0 litres turbo compressé. La transmission serait une manuelle à six rapports avec palettes derrière le volant. Alors que le châssis se montre encore plus rigide, plusieurs parties de la carrosserie sont réalisées en aluminium pour réduire le poids, l'ennemi numéro un de la puissance. Bien entendu, l'intégrale est de mise, associée, cette fois, au système intégré S-AWC. Souhaitons que toute cette électronique embarquée puisse être désactivée.

CONCEPT X

MITSUBISHI

Rarement chiche sur les concepts, Mitsubishi débarquait au Salon de Genève avec ce mignon petit véhicule. Bien que la carrosserie et l'habitacle fassent preuve d'originalité, c'est surtout la mécanique qui retient notre attention. Chaque roue est mue par un moteur électrique de 20 kW, ce qui élimine le besoin d'une transmission ou d'un différentiel. D'ailleurs, l'acronyme MIEV représente Mitsubishi In-wheel motor Electric Vehicle. Cette technologie peut être adaptée aux véhicules hybrides plus courants. Avec le MIEV, il est possible de rouler en mode deux roues motrices ou quatre roues motrices. Ah, si Mitsubishi pouvait attirer autant de monde dans ses salles de démonstration que lors des Salons de l'auto…

EZ-MIEV

PIVO

On ne sait trop si ça s'en vient ou si ça s'en va, mais toujours est-il que le Nissan Pivo se veut sans aucun doute le concept le plus flyé de 2006! Dévoilée au Salon de Tokyo, cette espèce de tête d'araignée sur roues est mue par un moteur électrique développé par Nissan. Malgré ses petits 270 cm de longueur hors tout, cette bibitte peut loger trois personnes. La Pivo… pivote! Sur 360 degrés à part ça! On n'a donc plus besoin de reculer dans un espace de stationnement. On fait pivoter l'habitacle et on avance dans l'espace. Flyé mais pas fou!

NISSAN

TERRANAUT

Décidément, c'est l'année Nissan! Le Terranaut est un 4x4 pur et dur propulsé par… on ne sait pas, le document de presse n'en fait pas mention! C'est surtout l'habitacle qui retient notre attention. La partie arrière loge un laboratoire scientifique de haut niveau. Ce laboratoire se situe dans un dôme vitré. Un siège tournant, équipé d'un clavier incorporé permet un accès rapide à toutes les commandes. Conçu pour circuler dans les milieux les plus hostiles, le Terranaut peut résister à des températures extrêmes ou rouler sur toutes les surfaces grâce à ses pneus spéciaux. Franchement, nous le voyons plus sur Mars que sur Terre!

S'inspirant de la moto, Nissan a concocté ce concept fort réussi. Le Urge repose sur un châssis de 350Z, recouvert d'une carrosserie anguleuse fabriquée en aluminium et en fibre de carbone, le poids constituant une priorité. La fiche technique ne fait pas mention du moteur mais on sait que la transmission à six rapports serait séquentielle. Puisque le Urge s'adresse aux jeunes (pour qui tout «urge», sauf mettre son assiette dans le lave-vaisselle…), la technologie est à l'avenant. Téléphone cellulaire activant le démarreur, radio MP3, système de navigation dont l'écran est placé devant le conducteur et un X-Box 360. Bah, on est jeune juste une fois!

URGE NISSAN

Chez les Français, un *break* c'est une familiale… Alors, voici le break sportif Altica! Pare-brise panoramique, toit transparent, capot long et ailes saillantes, l'Altica se montre très aérodynamique. Les phares, à diodes électroluminescentes, possèdent une fonction «de jour» qui génère un halo. Le très large pilier C comporte de petites vitres permettant ainsi une meilleure visibilité arrière. Les portes s'ouvrent en élytre (à la manière d'une Lamborghini Murcielago) et permettent l'accès à un habitacle fort logeable dont le siège du conducteur est fixe. Ce sont le pédalier et le tableau de bord qui s'ajustent!

RENAULT ALTICA

RINSPEED

ZAZEN

Vous trouvez que la partie avant ressemble à celle d'une Porsche? Même si Rinspeed se fait plutôt discret sur son inspiration pour le concept ZaZen, on ne peut nier la ressemblance, d'autant plus que le moteur provient de la toute dernière Porsche Carrera S… Ce concept représente, selon Rinspeed qui n'est jamais à court d'idées flyées, le futur de la voiture sport. Eh ben… Le toit vitré est, en fait, fabriqué d'un matériel nouveau, très léger. Même les composantes de l'habitacle ont subi une cure d'amaigrissement. Si la ligne nous laisse sur notre appétit, les performances, elles, en donnent pour notre argent!

ROLLS-ROYCE

RR101EX

Puisque la Bentley Continental GT connaît un succès monstre, du moins pour cette catégorie, il était prévisible que Rolls-Royce réplique avec un modèle de son cru. Présenté en première mondiale au Salon de Genève en janvier 2006, cet imposant coupé serait une riposte appropriée selon Ian Robertson, le grand patron de cette prestigieuse marque. Elle serait propulsée par le moteur V12 de 6,75 litres de la Phantom et d'une puissance de 460 chevaux. Comme il se doit, tout dans cette voiture est de la meilleure qualité. La RR101EX semble massive et lourde, mais son poids est tout de même raisonnable en raison de l'utilisation d'un châssis "space-frame" en aluminium.

Même si la marque Scion (une Toyota s'adressant aux jeunes) n'est pas distribuée au Canada, rien ne nous empêche de vous en parler! Au Salon de l'auto de New York, Toyota, pardon Scion, dévoilait le Fuse. Ce concept a été dessiné, conçu et assemblé en Californie. Le Fuse présente un habitacle convivial où se mêlent technologies et intimité pour quatre personnes. Deux grands écrans de 10,5 pouces chacun permettent de visionner des films ou de jouer à des jeux vidéo. Côté moteur, on parle d'un quatre cylindres de 2,4 litres. À peine plus long et large qu'une Matrix, le Scion Fuse se montre par contre un peu moins haut.

FUSE SCION

Cette voiture n'est pas foncièrement nouvelle et encore moins un prototype. Mais c'était une excuse comme une autre de vous présenter cette belle photo et de donner des renseignements à propos de ce bolide néerlandais. Cette marque hollandaise fondée par les frères Spyker a cessé d'exister en 1915 pour être ressuscitée en 2000. La C8 Double 12 S est propulsée par un moteur Audi V8 4,2 litres dont la puissance est de 400 chevaux et couplé à une boîte manuelle à six rapports. Selon la configuration, la vitesse de pointe varie entre 300 km/h et 345 km/h. Peu importe le modèle, les Spyker sont fabriquées en aluminium et de plusieurs autres matériaux exotiques.

SPYKER C8 DOUBLE 12 S

57

SUBARU

B5-TPH

Après la Tribeca et sa grille qui inspire les blagues les plus douteuses, voilà que Subaru nous arrivait au Salon de Tokyo avec un très beau concept, le B5-TPH. Les lettres TPH signifient Turbo Parallel Hybrid tandis que le B5... sans doute le code interne, un peu comme B9 accompagne le nom Tribeca. On y retrouve un moteur boxer turbocompressé auquel on a ajouté un moteur électrique de 10 kW. Ce système améliore la puissance à bas régime ainsi que la consommation. Bien entendu, le rouage intégral symétrique est de mise. Le B5-TPH a été développé avec l'aide du conglomérat Fuji Heavy Industries, propriétaire de Subaru.

SUZUKI

P.X.

Après le Mobile Terrace de 2005, Suzuki nous présente une autre version de la fourgonnette du futur. On y retrouve trois rangées de sièges mais c'est surtout la dernière qui mérite notre attention. Entre les deux sièges baquets se trouve une console renfermant une petite table sur laquelle on peut déposer deux verres de champagne. La Maybach a de la concurrence... La rangée de sièges du centre n'est qu'accessoire et se replie lorsqu'elle ne sert pas. Fallait y penser! L'accès à bord promet d'être facile grâce à trois portes de chaque côté. Dire que la longueur totale du P.X. (445 cm) est à peine 1 cm de plus que celle d'une Honda Civic Coupé!

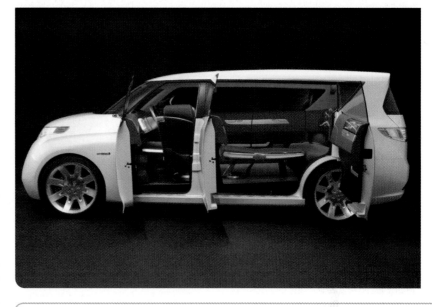

Voici la fourgonnette du futur! Élaboré par deux filiales californiennes de Toyota (Calty Design Research et Advanced Group Strategy), le F3R repousse les frontières des actuelles fourgonnettes. Ses dimensions ressemblent beaucoup à celles d'une Toyota Sienna mais la motorisation n'est pas mentionnée dans le document de presse. Le sigle «hybride», placé sur les côtés du véhicule ne surprend toutefois pas. Les designers devaient composer avec deux concepts, celui de la boîte et du coin. Malgré tout, l'ensemble ne fait pas trop boîte à chaussures. L'habitacle peut se transformer en salon, créant ainsi un lieu de divertissement et, mieux, de socialisation.

F3R

TOYOTA

Comme on dit chez les Perron, Toyota n'y a pas été «avec le dos de la main morte» avec ses concepts cette année! Le i-Swing représente, en fait, une évolution du i-Unit que nous vous présentions dans ces mêmes pages du *Guide de l'auto 2006*. Le i-Unit était déjà l'évolution de deux autres concepts, les p.o.d. (2001) et PM (2003). Le i-Swing 2007 permet une interaction encore plus évoluée entre l'être humain et la machine. Cette chose (ou plutôt chaise?) roule sur deux ou trois roues et propose deux modes (confort et actif) qui lui permettent de s'adapter à son passager. À l'an prochain...

I-SWING

URBAN CRUISER

Après le Land Cruiser et le récent FJ Cruiser, voici le Toyota Urban Cruiser. Dévoilé au Salon de Genève, ce concept reprend les thèmes de la « clarté vibrante » qui ont déjà présidé à l'élaboration des lignes des plus récentes Toyota (Yaris, RAV4, etc.). Comme son nom l'indique, le Urban Cruiser est un 4x4 réservé à la ville… ce qui revient à dire que ses capacités hors route sont limitées (ce n'est pas Toyota qui le dit, mais *Le Guide de l'auto*…) D'autant plus qu'aucun élément mécanique ne semble avoir été attribué à ce joli petit véhicule! Il ne s'agit donc que d'un exercice de style.

TRAMONTANA

Moitié Formule 1, moitié avion de chasse, ce biplace dessiné et produit par la maison Tramontana est l'une des voitures concepts les plus étranges de l'année. Établi à Barcelone en Espagne, ce styliste ne craint pas d'innover et devrait intéresser une clientèle qui a toujours rêvé de piloter une voiture de Formule 1. Inutile de préciser qu'il faut que la température collabore sinon la promenade à bord de cet étrange machin sera courte. Le groupe propulseur est constitué d'un moteur V12 placé longitudinalement en position centrale. Sa puissance est de 700 chevaux et son constructeur annonce une vitesse de pointe de plus de 300 km/h et un temps de moins de quatre secondes pour le 0-100km/h!

Pour la deuxième année consécutive, le Salon de l'auto de Los Angeles, tenu en janvier dernier, tenait son Design Challenge. Ce concours met en compétition les studios de design de différents manufacturiers automobiles de la région de Los Angeles. Cette année, le thème était «Aventures à Los Angeles». Sept équipes ont présenté dix interprétations, toutes plus sautées les unes que les autres. Bien entendu, ces voitures n'existent que sur papier. En voici quatre qui nous ont particulièrement plu… ou étonné!

KIA
SIDEWINDER

Voici la meilleure voiture pour «drifter»! Marc Mainville a créé une voiture très jolie, propulsée par un moteur à turbine alimentée au gaz naturel comprimé. Chaque roue comporterait son moteur électrique. Voilà comment s'amuser tout en respectant l'environnement!

GMC
PAD

C'est cette espèce de grosse chenille sur roues qui a remporté les honneurs du Design Challenge. En fait, il s'agit d'un loft mobile! Les propriétaires de Winnebago vont en tomber de leur chaise!

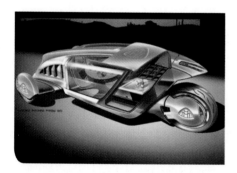

MAYBACH
CALIFORNIA GOURMET TOURER

Wilhelm Maybach, le fondateur de la prestigieuse marque allemande, doit se retourner dans sa tombe. Le California Gourment Tourer est piloté par un système GPS et propose à ses occupants une expérience culinaire surprenante: réfrigérateur, four à micro-ondes, machine à espresso et cellier font partie de l'équipement de base!

HYUNDAI
GREENSPEED GATOR

Le Greenspeed Gator n'est rien de moins qu'un dragster fonctionnant avec la technologie des piles combustibles. Les roues arrière renferment de gigantesques moteurs électriques. Peut-être qu'un jour les courses de la NHRA se feront avec de tels bolides…

HONDA CIVIC EX VS HONDA CIVIC HYBRIDE

Les moteurs hybrides font jaser. Quand le prix de l'essence tente chaque semaine de franchir en hauteur le cap de l'Himalaya, il y a de quoi s'en faire. Et les rouages hybrides représentent une solution susceptible de réduire considérablement les coûts annuels de pétrole de tous les automobilistes.

Mais le débat fait rage. On se questionne encore sur la fiabilité, et la viabilité même de ces rouages qui partagent leur puissance entre un moteur à essence et un moteur électrique. Les interrogations concernant la fiabilité ne trouveront réponse que dans quelques années, mais la guerre des cotes de consommation, qui fait aussi l'objet du débat, est facilement vérifiable.

LUTTE FRATRICIDE

Photos : Denis Duquet/Alain Morin

Pour en avoir le cœur net, le choix s'imposait de lui-même. Il fallait choisir la voiture nommée «voiture de l'année» au Canada, la Honda Civic berline, et la comparer à sa sœur quasi jumelle, qui a remporté aussi l'année dernière le titre de meilleur nouveau véhicule à carburant alternatif. Évidemment, la véritable raison du choix de ces voitures, c'est qu'elles sont identiques, ou presque.

LES NUANCES

Pour réaliser un tel test, il fallait choisir deux voitures dont la vocation et l'équipement se ressemblaient à s'y méprendre. Deux déclinaisons du même modèle s'avéraient donc le choix le plus judicieux.

Pour la version à essence, nous avons opté pour la Civic EX à transmission automatique à 5 rapports. Bien sûr, on pourra nous reprocher d'avoir utilisé la version la plus haut de gamme de la famille. Mais un examen attentif permet de constater qu'elle a à peine plus d'équipements que la version hybride.

Sous son capot, un moteur 1,8 litre à 4 cylindres en ligne, développant 140 chevaux à 6 300 tours/minute. C'est le même moteur qui anime toutes les Civic de la gamme, à l'exception du coupé sport Si. Prix d'achat de cette petite merveille haut de gamme : 23 430 $, selon les prix en vigueur au moment de notre essai.

De son côté, la Hybride utilise une transmission à variation continue pour acheminer aux roues toute la puissance combinée de son moteur à essence et de son moteur électrique. La mécanique à essence a une cylindrée de 1,3 litre, et profite d'une cavalerie de 103 chevaux à 6 000 tours/minutes.

Évidemment, les deux voitures ne sont pas nées égales. La EX dispose de roues de 16 pouces (contre 15 pour sa rivale), d'un toit ouvrant, d'une suspension calibrée légèrement plus sport, et d'une direction assistée électriquement. La Civic hybride compte pour sa part sur

quelques éléments aérodynamiques supplémentaires, comme un becquet sur le coffre et des enjoliveurs de roue à profil antivent. Chose étonnante, elle possède un système de climatisation entièrement automatique, ce qui n'est pas le cas de la EX.

L'EXPÉRIENCE

Pour assurer une comparaison valable, il fallait faire les choses dans les règles de l'art. Les deux voitures devaient donc effectuer le même parcours, dans les mêmes conditions, et idéalement avec les mêmes conducteurs. Il fallait de surcroît qu'elles puissent être testées à la fois dans une zone urbaine de trafic lourd, sur l'autoroute, et dans une zone de route secondaire où les conditions mixtes sont plus exigeantes pour les voitures.

Dès le lever du soleil, nos deux Honda Civic ont amorcé leur épopée en franchissant vaillamment les ponts reliant Montréal à la Rive-Sud. Au total, quatre heures de circulation en pleine heure de pointe, ou en plein centre-ville. Un remerciement tout particulier d'ailleurs pour la patience des automobilistes, et le courage de notre rédacteur en chef qui s'est aventuré dans un cabriolet pour prendre les photos de l'événement. Afin d'assurer l'intégrité de nos données, les deux conducteurs, Alain Morin et moi-même avons périodiquement échangé nos places au volant de l'une ou l'autre des Honda Civic, s'assurant ainsi que le mode de conduite n'influençait pas le résultat.

Une fois sortis de cette congestion, et les deux voitures remplies d'essence à ras bord, nous avons lancé les bolides sur l'autoroute des Cantons de l'Est, en direction de Sherbrooke. Cette fois encore, nous avons échangé les places, et nous sommes contentés de rouler uniquement sur l'autoroute, à vitesse constante et avec la climatisation au réglage moyen, comme le font tous les automobilistes.

Dès la sortie de l'autoroute, second plein de carburant, avant d'amorcer la partie mixte de notre périple, le long des routes secondaires qui relient Sherbrooke à Granby. Au total de cette journée, plus de 322 kilomètres de route, dans des conditions de chaleur au départ, et de pluie quelque part sur le chemin du retour.

HYBRIDE 101

Pour pleinement apprécier la nature du test, il faut bien comprendre le fonctionnement d'un véhicule hybride. Deux technologies (une troisième fera son apparition chez GM de façon plus importante en cours d'année) sont actuellement utilisées par les constructeurs. La plus connue, celle de Toyota, s'appelle Hybrid Synergy Drive. Brièvement résumée, il s'agit de deux moteurs séparés, un à essence et un électrique, qui oeuvrent séparément. Le départ s'effectue uniquement à l'aide du moteur électrique, qui sera rejoint par le moteur à essence le cas échéant.

Chez Honda en revanche, on opte pour la solution contraire. Le IMA (pour Integrated Motor Assist), met lui aussi en scène deux moteurs, un à essence et un électrique.

C'est le type d'union qui fait la différence. Chez Honda, c'est le moteur à essence qui mène, c'est-à-dire que c'est lui qui prend le départ dès que l'on appuie sur la pédale d'accélérateur. En cas de sollicitation plus vive, le moteur électrique viendra lui donner un support, réduisant du même coup la consommation d'essence. Il est cependant impossible de n'utiliser que le moteur électrique pour se mouvoir.

Particularité remarquable, dans les deux cas, lors d'arrêts complets à un feu rouge par exemple, le moteur à essence s'éteint complètement, ne laissant que le plus grisant des silences. Il se rallume dès que le pied quitte la pédale de frein, et est prêt à intervenir immédiatement. En agissant ainsi, on limite les dépenses de carburant inutile en ville, mais on élimine surtout plus de 30 % des émanations polluantes des véhicules.

Dernier détail, et il est majeur, c'est que toutes les motorisations hybrides doivent compter sur un ensemble de batteries pour alimenter leur moteur électrique. Pas question cependant de sortir notre fil de rallonge chaque soir pour brancher la voiture. Les batteries (garanties pour 8 ans par les manufacturiers) se rechargent d'elles-mêmes en utilisant une partie de la puissance inutilisée du moteur à essence lorsque la vitesse de croisière est plus élevée. Mais c'est surtout lors des freinages et des décélérations qu'un système de récupération de l'énergie, associé aux freins, transforme l'énergie du freinage en courant de recharge.

Cette technologie n'est pas sans défauts cependant puisque le freinage de toutes les versions de moteur hybride est moins souple et nécessite une certaine adaptation. Même si la méthode se raffine, on ressent chaque fois sous le pied une vibration nous rappelant l'existence du système. La récupération agit presque comme un frein moteur. L'image la plus simple est probablement celle de la petite dynamo que nous apposions sur nos pneus de bicyclette lorsque nous étions jeunes pour alimenter un phare à l'avant du vélo. Le rôle du système est le même, et la sensation de freinage intensif aussi.

Notons enfin que, pour ceux qui s'inquiéteraient, un indicateur dans le tableau de bord définit clairement quand et comment la batterie intervient, et quand et comment elle se recharge.

Outre cette différence, les deux Civic ont un comportement relativement similaire. Bien sûr, la Civic EX profite d'un peu plus de puissance en accélération, et d'une transmission plus standard, qui répond avec aisance aux sollicitations du moteur. En revanche, la Hybride est un peu plus hésitante, ce qui se ressent surtout en reprise. Et la CVT, comme toutes les transmissions du genre, a une sonorité élevée quand on pousse la machine un peu fort.

La tenue de route des modèles est quasi identique (la nuance dans les suspensions ne se faisant sentir qu'en virage serré par exemple), tout comme la direction. C'est donc deux voitures aussi proches que possible l'une de l'autre que nous avons lancées sur la route de l'économie d'essence

ET LA CONSOMMATION ?

Le nerf de la guerre, dans une telle confrontation, c'est la consommation. Car on a beau être sensibilisé à la question environnementale, et souhaiter éliminer toute forme de pollution, l'attrait économique est d'abord celui qui soutiendra notre décision d'acheter, ou non, un véhicule hybride.

Parce que le moteur s'éteint aux feux rouges et aux arrêts complets, il était logique de penser que la Hybride marquerait de nombreux points dans la circulation de l'heure de pointe. Ce qui est exact, mais pas avec autant d'avance que l'on pourrait le croire. Ainsi, après avoir traversé trois ponts, sillonné la rue Sainte-Catherine, visité le Stade olympique et quadrillé le centre-ville, les deux Honda Civic avaient franchi 90 kilomètres en quatre heures de route.

Au terme de cette première portion, l'Hybride a eu besoin de 6,5 litres pour refaire le plein, ce qui lui donne une cote de consommation de 6,1 litres aux 100 km. Sa sœur à essence, pour la même distance, a ingurgité 7,8 litres, maintenant une cote de consommation de 7,3 litres aux 100 km.

La seconde portion était légèrement plus longue. Le parcours mesuré était de 135 kilomètres, et les deux voitures l'ont franchi en utilisant le régulateur de vitesse fixé à 100 kilomètres à l'heure. Évidemment, le passage sur l'autoroute des Cantons de l'est nécessite certains ajustements en fonction du relief, mais les deux voitures effectuant le même parcours l'une derrière l'autre, à distance suffisante pour ne pas créer d'aspiration favorable au

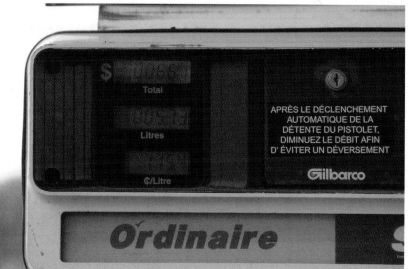

véhicule de poursuite, ont connu les mêmes conditions. Et c'est à l'Ange-Gardien, à mi-chemin, que les deux essayeurs ont échangé leur voiture.

Pour parcourir la distance, 5,7 litres ont trouvé place dans le réservoir de la Hybride, alors que la version EX avait besoin de 7,8 litres. L'Hybride a ainsi affiché une cote exceptionnelle de 4,2 litres aux 100 kilomètres, contre 5,8 litres pour sa rivale.

Troisième et dernière partie du challenge, la zone mixte. Cette fois, le scénario était varié. Les routes empruntées étaient sinueuses, traversant de nombreux petits villages et forçant des arrêts multiples. En revanche, de longues portions s'effectuaient sur des routes secondaires plus rapides, approchant les vitesses de l'autoroute. Cette portion représente probablement le meilleur portrait, ou à tout le moins celui qui se rapproche le plus d'un usage quotidien normal.

Cette fois, 90 kilomètres de route ont permis de rallier Granby, l'Hybride ayant besoin de 5,7 litres pour se rassasier complètement, contre 6,8 pour la EX. Dans les deux cas, sans doute en raison des changements fréquents et rapides de conditions de conduite, les cotes de

consommation furent les plus élevées de la journée. Ainsi, l'Hybride a maintenu une moyenne de 6,33 litres aux 100 kilomètres, alors que la EX enregistrait un taux de consommation moyen de 7,55 litres aux 100 kilomètres.

DES SOUS OU DES DOLLARS ?

Avec de tels résultats, il est clair que la Civic hybride est plus économique que sa sœur. Mais j'entends d'ici les cyniques râler sur l'économie réelle que peut engendrer l'achat d'un véhicule hybride dont le coût d'acquisition est toujours plus élevé que la version de base. Effectuons donc un petit calcul, basé sur les cotes de consommation moyennes de la zone mixte de notre test de comparaison.

Ainsi, en usage normal, un automobiliste franchira environ 20 000 kilomètres par année, comme le prévoient la plupart des contrats de location. Et pour tenter de refléter la réalité, les calculs s'effectueront en prenant en considération que l'essence ordinaire est en vente au coût de 1,10 $ le litre.

Avec de telles données et une cote de 6,33 l aux 100 km, la Civic hybride coûtera annuellement à son propriétaire la somme de 1 392,60 $ pour franchir la distance. La version à essence ordinaire EX, pour sa part, demandera un investissement de 1 511 $ chaque année. L'économie financière est donc de 118,40 $. Mais attention, ce calcul est uniquement basé sur notre pire taux de

Comparaison de coût d'achat

Dépenses	Hybride	Ex
Achat	25 950 $	23 430 $
Transport et préparation	1 225 $	1 225 $
Taxes	3 804,50 $	3 451,70 $
Crédit	1 000 $	0
Total	29 979,50 $	28 106,70 $
Différence :	+ 1 872,80 $	

consommation, et pourrait facilement être plus élevé et atteindre les 300 $ par année.

Pour faire cette économie cependant, il faut accepter d'investir davantage. Mais encore une fois, les apparences peuvent être trompeuses. Ainsi, pour effectuer l'achat d'une Honda Civic hybride, le prix de départ est de 25 950 $, auquel s'ajoutent les coûts de transport et de préparation, ainsi que les célèbres taxes de vente provinciale et fédérale. Coût total d'achat : 30 979,50 $. Il ne faut par contre pas oublier que le gouvernement provincial consent un crédit de taxe de vente provinciale allant jusqu'à 1 000 $ sur des voitures hybrides à faible consommation. Coût réel d'achat, incluant le rabais : 29 979,50 $

De son côté, la Civic EX est offert à un prix de base de 23 430 $. À nouveau, en ajoutant

les frais de préparation et de transport, est les taxes de vente, le coût total de la voiture est de 28 106,70 $. Mais cette fois, il s'agit d'un prix net puisqu'aucun rabais supplémentaire ne s'applique.

La différence de coût réel d'achat entre les deux modèles est donc inférieure à 2 000 $, soit 1 872,80 $. À raison de 118 $ par année, il faudra par conséquent près de 15 ans pour rentabiliser l'achat. Une fois ce constat purement mathématique réalisé, il importe aussi de voir l'aspect environnemental de la chose. Car rappelons-le, les motorisations hybrides sont d'abord et avant tout des moteurs à faibles émanations. Si on poursuit la comparaison, les émanations de CO_2 de l'Hybride seront de 2 160 kilos par année. Sa consœur plus gourmande, sera aussi beaucoup plus polluante : 3 408 kilos par année pour une

voiture de même taille, et ayant les mêmes qualités dynamiques...

Économiquement, les technologies hybrides ne sont pas encore à la hauteur. Elles sont plus coûteuses à l'achat, et même dans leur version la plus avantageuse (ce ne sont pas toutes les hybrides qui profitent du crédit de taxes par exemple), il est presque impossible de rembourser la différence en simple économie d'essence. Mais les émanations polluantes sont suffisamment basses pour justifier un tel achat de la part d'un citoyen responsable et sensibilisé à la cause environnementale.

Bien sûr, il reste des questions, notamment sur la fiabilité des mécaniques hybrides, et sur leur recyclage une fois le cycle de vie terminé. Déjà, on étudie de nombreux projets sur le recyclage des batteries et qui auraient une influence zéro sur l'environnement. Quant à la fiabilité, elle n'est pas trop inquiétante. Certains modèles, comme la Honda Insight ou la Toyota Prius, sont sur nos marchés depuis des années, et aucune n'a éprouvé de problème. Ne reste plus qu'à faire le choix. Ce que de plus en plus de citoyens font chaque année.

Marc Bouchard

Consommation :

Distance	Environnement	hybrides		EX	
		litres	l/100 km	litres	l/100 km
107 km	ville	6,563	6,134	7,786	7,277
135 km	autoroute	5,7	4,222	7,83	5,800
90 km	routes secondaires	5,7	6,333	6,8	7,555

RICHE COMBAT DES
ÉCONOMIQUES

Il y a moins de cinq années à peine, la catégorie des sous-compactes était carrément le parent pauvre du parc automobile au Canada. Alors que les marchés européens et japonais étaient pleins de modèles aussi élégants qu'agréables à conduire, les consommateurs canadiens et québécois devaient se contenter de petites voitures dont la principale qualité était un prix de vente alléchant. Leur silhouette était sans âme, les performances à faire pleurer et les moteurs rugissaient à la moindre sollicitation de l'accélérateur. Sans compter un comportement routier

FACE À FACE DE
SEPT SOUS-COMPACTES

exécrable, rendu encore plus médiocre par l'utilisation de pneumatiques de bas de gamme....
Il faudra l'arrivée de la Toyota Echo Hatchback en 2004 pour qu'une véritable révolution se produise. Les ventes de cette petite japonaise ont établi des records pour la catégorie. À un point tel que Honda a répliqué avec la Fit, Nissan avec la Versa tandis que les Kia Rio et Hyundai Accent ont également été transformées du tout au tout. Et compte tenu de la croissance rapide de ce marché, General Motors a concocté les Pontiac Wave et Chevrolet Aveo. Enfin, Suzuki, autrefois le spécialiste de la petite sous-compacte, propose la Swift + depuis une couple d'années.

75

Lors de la dernière confrontation des voitures de cette catégorie, la Toyota Echo Hatchback avait fait une bouchée de la concurrence. Mais il faut dire que l'opposition était assez faible et constituée par la misérable Kia Rio de l'époque, tandis que la Hyundai Accent, bien que solide, n'arrivait pas à se démarquer avec sa silhouette désuète. Et nous avions dû ajouter la SMART pour avoir le compte. Inutile de préciser que cette petite deux places a gagné le prix de la voiture la plus sympathique. Pour le reste, consultez le *Guide* 2004.

Les choses ont changé en moins de 3 ans puisque notre brochette d'essai comprend sept modèles, tous dévoilés il y a moins de deux ans. Mieux encore, cinq de ces modèles sont sur le marché depuis moins d'une année! Et cette fois, pas de voitures tristounettes! Les performances ne sont pas celles de voitures sport, mais elles nous ont toutes impressionnés par leur présentation et leur équilibre général. Mais il en faut plus pour se démarquer et certaines ont pris les devants avec aisance. Voyons donc les résultats de cet essai qui s'est déroulé par une chaude journée de canicule durant laquelle sept essayeurs ont tenté de départager ces sept sous-compactes. Après une chaude séance d'évaluation statique dans le parc de stationnement du Mont Saint-Bruno, nous avons pris la route dans la région environnante. Voici les résultats…

1ER RANG
LA HONDA FIT S'IMPOSE

La Honda Fit a aisément remporté cette confrontation. Pourtant, tous les essayeurs ont souligné que sa silhouette était un peu vieillotte, presque à la limite d'être ringarde. Mais ses qualités d'ensemble ont largement compensé sa principale faiblesse. Même si son moteur de 1,5 litre semble toujours être à la tâche, son rendement est excellent et il est difficile de trouver à redire quant à la boîte de vitesses manuelle à cinq rapports. Lorsqu'on conduit avec un peu d'empressement, la Fit est très agréable aussi bien en raison de sa vivacité que de son agilité sur la route. Et même si notre voiture d'essai était équipée d'une boîte

manuelle, soulignons que la boîte automatique à cinq rapports est tout aussi efficace, surtout quand on commande les palettes de passages des rapports placés derrière le volant. Sur la route, la suspension est confortable, et cette souplesse ne nuit pas au comportement routier qui est l'un des meilleurs.

Curieusement, même si elle s'est révélé la plus agréable à conduire, c'est principalement le caractère pratique de cette voiture qui lui a permis de devancer les autres. En effet, les ingénieurs de Honda ont réussi à concocter une automobile dont les possibilités d'agencement sont multiples. Et l'astuce qui a le plus impressionné est cette banquette arrière qui se place en position verticale afin de dégager un important espace de chargement. Il est possible, par exemple, de placer un vélo derrière les sièges avant. Mais si cette banquette est pratique, elle n'est pas nécessairement très confortable car le rembourrage est un peu mince, sans doute pour faciliter son remisage à plat contre le dossier. Et une fois la banquette arrière repliée vers l'avant, le plancher est parfaitement plat. Par contre, plusieurs ont souligné la minceur des tapis et quelques autres pièces de l'habitacle qui semblent un peu bon marché. D'autre part, tous ont accordé de bonnes notes aux commandes de la radio qui sont fort originales en plus d'être pratiques. Ce gros bouton central auréolé de commandes secondaires a fait son effet.

Donc, malgré une silhouette un peu vieillotte, un prix de vente passablement élevé et certaines économies en fait de matériaux dans l'habitacle, la Fit l'emporte aussi bien en raison de son agrément de conduite que de sa polyvalence.

2ᴱ RANG
LA VERSA : LA PLUS CONFORTABLE

Nissan mise beaucoup sur ce *hatchback* cinq portes assemblé au Mexique et dessiné conjointement avec Renault. La Versa était la plus longue et la plus large de tout le groupe et tous ont remarqué qu'à son volant, on avait l'impression de piloter une compacte et non une sous-compacte. D'ailleurs, cette Nissan est assurément plus près d'une compacte que toute autre dans ce groupe, mais son prix de base la place d'emblée dans la catégorie des économiques.

Il faut également préciser qu'elle possède la plate-forme la plus rigide des voitures essayées, contribuant ainsi à la sensation «grosse voiture» que plusieurs ont soulignée.

77

Son groupe propulseur était le plus puissant, mais il était couplé à une boîte automatique de type CVT qui a sans doute nui à son évaluation globale. Nissan est probablement le constructeur qui réussit le mieux à utiliser cette technologie, mais personne n'a été impressionné par cette boîte qui ne collabore pas au silence de l'habitacle.

Les commentaires concernant le design de sa carrosserie et de son habitacle ont été positifs, mais personne n'a craqué pour cette voiture, comme ce fut le cas avec la Fit. Tous nos essayeurs ont apprécié ses qualités, mais cette Nissan n'a soulevé l'enthousiasme de personne.

C'est une voiture confortable, compétente et spacieuse dont les performances sont bonnes. Plusieurs ont trouvé les sièges avant trop mous, d'autres se sont demandé pourquoi les sièges arrière ne se rabattaient pas vers l'avant une fois repliés, tandis que tous ont été intrigués par les commandes de réglage des sièges avant qui étaient placées vers l'intérieur.

Et fait rare, les plastiques utilisés sous le capot ont été jugés excessivement bon marché par tous, notamment le bouchon du contenant de liquide de lave-glace. Ça ne fait pas de différence, mais il faut se demander si d'autres éléments non visibles sont d'aussi mauvaise qualité...

Pour résumer, cette Nissan plaira aux personnes à la recherche d'une auto dont le prix de base est bas, mais dont le moteur est puissant en plus de posséder un habitacle spacieux et confortable. Par contre, malgré l'aspect « nouveau modèle » de la Versa, personne n'a été enthousiasmé plus que de raison.

3^E RANG
TOYOTA YARIS

Lors de la dernière confrontation des sous-compactes, c'est la Toyota Echo qui l'avait emporté haut la main. Cette fois, elle rétrograde de deux places et est devancée par des modèles qui étaient absents en 2004. Depuis ce temps, l'Echo est devenue la Yaris mais elle conserve la plupart des caractéristiques de sa devancière. Ce n'est pas que cette Toyota ne se soit pas améliorée depuis, c'est tout simplement que les deux autres modèles qui l'ont précédée

proposent quelque chose de plus qu'une silhouette très design et la fiabilité Toyota. La Fit est plus agréable à conduire et son habitacle plus polyvalent tandis que la Versa dépasse la Yaris par ses dimensions, son confort et sa puissance.

Toutefois, si vous recherchez un *hatchback* trois portes, cette Toyota est la plus intéressante sur le marché d'autant plus que les possibilités de la modifier sont multiples. La largeur de sa voie

la rend stable dans les virages même si un sous-virage prononcé fait sentir sa présence si on aborde les courbes à grande vitesse. Sur l'autoroute, des bruits éoliens ont été observés.

Dans l'habitacle, l'espace disponible est l'un des plus généreux. La banquette arrière du modèle de base est monopièce, ce qui a incité l'un de nos essayeurs à parler de banc d'autobus scolaire! Enfin, le rendement du moteur 1,5 litre est correct, mais il n'a pas la même vivacité que celui de même cylindrée de la Fit, et l'embrayage de la Toyota a été souvent pris en défaut.

Bien entendu, les avis sont partagés quant au tableau de bord avec ses cadrans indicateurs

au centre de la planche de bord et sa console verticale agrémentée de boutons circulaires.

Bref, si l'habitacle ne fait pas l'unanimité, sa silhouette plus que réussie a convaincu notre jury d'un jour que les stylistes de Toyota pouvaient être créatifs. Et comme la fiabilité est un élément fort important pour une personne dont le budget est limité, la légendaire fiabilité des Toyota est un argument qui joue en faveur de la Yaris.

4ᴱ RANG
KIA RIO

Comme l'ont souligné la plupart des essayeurs, nos sept voitures pouvaient se séparer en trois groupes. En tête, il y avait un groupe de trois dont les qualités dynamiques, l'exécution et le design les

démarquaient du lot. Vient ensuite un second groupe composé de la Rio et de la Hyundai Accent qui sont moins raffinées mais qui se détachent des Wave et Swift + qui constituent le troisième groupe. Il faut mentionner que la Rio et l'Accent se partagent les mêmes organes mécaniques et le même moteur. Pourtant, la Rio 5 devance l'Accent par plus de 20 points. Elle est nettement plus élégante que l'Accent. Mais il faut souligner que la Rio 5 de notre essai était un modèle cinq portes tandis que l'Accent était un *hatchback* trois portes. Quoi qu'il en soit, peu importe le nombre de portières, la Kia a plus de caractère visuel et c'est la même chose au

chapitre du tableau de bord. Le tissu des sièges est également plus apprécié sur la Kia, surtout en raison de surpiqûres qui soulignent l'attention au détail. Par contre, le tableau de bord est correct sans plus. Ici, pas de fantaisie à la Yaris ou de commandes radio songées à la Fit. Tout est bien placé et d'assez bonne qualité. Enfin, la qualité de la finition est bonne.

Comme c'est souvent le cas dans le cadre de ces matchs comparatifs, certains prennent une voiture en grippe et ne lui trouvent aucune qualité. Tandis que d'autres la cotent très haut. Ce fut le cas de la Rio qui a eu sa part de détracteurs et de promoteurs. Plusieurs ont trouvé que la transmission était assez peu directe et les suspensions trop guimauves. Cela n'empêche pas cette Kia de nous charmer pas son apparence et un comportement routier correct. Certains ont apprécié ce dernier, alors que d'autres n'ont rien trouvé à dire de positif à propos de la Rio 5. Sans être mauvaise, la tenue de route est correcte pour autant qu'on ne tente pas de dépasser les limites. Et détail intéressant, la finition de notre Kia était supérieure à celle de l'Accent. Par ailleurs, la nature bruyante du moteur a été soulignée à plusieurs reprises de même que la mollesse de l'embrayage. En plus, quelques participants ont émis des doutes quant à la fiabilité à long terme de cette marque. Ils peuvent se rassurer, car les quelques essais à long terme des produits Kia réalisés par l'équipe du *Guide de l'auto* au cours des quatre dernières années ont démontré que les voitures assemblées par cette compagnie sont d'une bonne fiabilité.

5^E RANG
HYUNDAI ACCENT

Bien que la Kia Rio et l'Hyundai Accent soient théoriquement similaires avec la même plate-forme et des éléments mécaniques identiques, l'Accent termine derrière sa petite sœur. Il faut souligner que ces deux modèles diffèrent l'un de l'autre puisque Hyundai ne propose pas une Accent cinq portes et Kia n'a pas de Rio trois portes. Quoi qu'il en soit, la silhouette de la Rio a été jugée plus élégante et sa finition meilleure. Même le tissu des sièges de la Rio 5 est plus convivial que les tissus quasi psychédéliques de l'Accent. Et si les tableaux de bord se ressemblent, celui de l'Accent est plus tristounet.

Dans les deux cas, tous ont souligné le caractère assez bruyant du moteur, la mollesse des suspensions et de l'embrayage. Autant de

facteurs qui ont fait perdre des points à cette Hyundai. Sur une note plus positive, le rayon de braquage est très court tandis que la direction est précise bien que le *feedback* soit fortement perfectible. Par ailleurs, la qualité de la peinture de l'Accent était inférieure à la moyenne sur notre modèle d'essai, la pelure d'orange y était omniprésente... Toujours au chapitre de la finition, la qualité des plastiques a été jugée moyenne.

L'aménagement intérieur est correct même si plusieurs ont déploré le caractère parcimonieux des espaces de rangement. Pour un modèle trois portes, l'accès à la banquette arrière était assez aisé, mais une fois assis, l'espace pour les jambes est assez limité. Avis aux claustrophobes, les glaces arrière sont fixes! Un détail en passant, le cache-bagages rigide est pratique et facile à soulever afin de placer les objets dans le coffre. En revanche, cette tablette ne s'abaisse pas d'elle-même et on a la surprise de voir qu'elle bloque la visibilité arrière.

Cette nouvelle génération de l'Accent marque un pas en avant en fait de performances, de comportement routier et de confort. Par contre, ces améliorations ne semblent pas avoir été assez importantes pour figurer en tête de ce classement.

6ᴱ RANG
PONTIAC WAVE : À L'AMÉRICAINE

La voiture la plus à part dans de ce match a été la Pontiac Wave. Cette berline a été la source de bien des discussions parmi nos essayeurs. Il y a sa forme traditionnelle qui se démarquait des autres modèles en lice. D'ailleurs la Wave en version berline est une nouveauté en 2007. De plus, son caractère routier le rapprochait plus d'une grosse berline américaine que d'une petite sous-compacte. En effet, la direction était engourdie, la suspension vraiment guimauve et le *feedback* de la route assez marginal, merci.

Par contre, cette petite Pontiac d'origine coréenne était de loin la mieux équipée du lot et était même reliée à une boîte automatique à quatre rapports dont le rendement était moyen tout au plus. Comme notre essai s'est déroulé durant une canicule et que la climatisation était fortement sollicitée, cela n'a pas tellement contribué à améliorer les performances. Pour

suivre l'allure de notre convoi, il fallait solliciter le petit moteur dont le niveau sonore était élevé. Mais la personne qui est allée chercher

cette voiture chez le manufacturier, et qui a roulé davantage au volant de la Wave, a rédigé des commentaires plus positifs. Cet essayeur a aussi décrié le manque d'agrément de conduite, mais l'espace réservé aux places arrière, l'importance du coffre et un équipement complet l'ont porté à réviser son classement à la hausse. Par contre, comme tout le monde, il a été surpris de constater que cette voiture, pourtant si bien équipée, ne comportait qu'un porte-verre et celui-ci était destiné

aux occupants des places arrière! Malgré tout, l'aménagement intérieur est correct.

Somme toute, le caractère «grosse voiture» de la Wave n'a pas tellement impressionné notre jury. D'autant plus que cette voiture est plutôt limitée au chapitre des performances en plus d'afficher l'une des factures les plus élevées du

lot. Certains essayeurs se sont alors demandé quel aurait été le classement de la version cinq portes du même modèle. Ce n'est pas une équivalence valable, mais la Suzuki Swift + n'est ni plus ni moins une Chevrolet Aveo/Pontiac Wave cinq portes affublée du logo Suzuki. Et elle a terminé en fin de liste.

7ᴱ RANG

SUZUKI SWIFT + : PLUS DE PUISSANCE S.V.P.!

Même si la Swift + est la lanterne rouge de notre match, elle n'est pas dénuée de qualités. Plusieurs ont bien aimé sa silhouette et la présentation du tableau de bord. Tout en déplorant les plastiques de qualité plutôt moyenne et le manque de support des sièges. Soit dit en passant, cette appellation de Swift + n'a pas eu un effet positif sur plusieurs essayeurs qui ont associé ce nom à une marque de saucisses et de bacon vendue il y a quelques années! Par contre, pour défendre Suzuki, sachez que ce modèle fait partie de la gamme sous une forme ou une autre depuis longtemps.

En fait, c'est son caractère très basique qui lui a fait perdre des points. Tout dans cette voiture renforce sa vocation économique: le moteur poussif de 1,5 litre avait de la difficulté à se faire justice alors que la climatisation était fortement sollicitée. En théorie, la Pontiac Wave et la Swift + étaient propulsées par des moteurs identiques, mais celui de la Suzuki peinait constamment à la tâche tout en émettant un rugissement qui se propageait dans

l'habitacle... Et il faut souligner que la boîte automatique qui équipait notre voiture d'essai n'a pas contribué à la faire remonter au classement. Cela ne faisait qu'accentuer le caractère poussif de la motorisation. Enfin, pratiquement tous les participants ont remarqué la fragilité des sièges qui offraient assez peu de support.

De tout le lot, cette Suzuki est celle qui se rapproche le plus des econo box d'une certaine époque. Son prix de base la rend attrayante

pour les personnes à la recherche d'une première voiture neuve qui ne crèvera pas leur budget, mais un peu plus de substance en fait de performances, d'aménagement intérieur et de confort serait appréciée.

CONCLUSION

Bref, les deux dernières arrivées sur ce marché, la Fit et la Versa ont détrôné la Toyota qui était la dernière lauréate de la catégorie. La Yaris est toujours une excellente voiture, mais la Fit est plus polyvalente et la Versa plus confortable. La Kia Rio 5 a été pour plusieurs une agréable découverte, mais les avis étaient partagés à propos de l'Accent qui semblait avoir autant de partisans que de détracteurs. Finalement, les Pontiac Wave et Suzuki Swift + ferment la marche. La Pontiac se présente et se comporte comme une grosse américaine de format réduit tandis que la Suzuki dissimule fort mal sa vocation économique.

Fortement améliorée en qualité et en quantité pendant les quatre dernières années, cette catégorie devrait s'étoffer avec d'autres modèles au cours des prochains mois, notamment une nouvelle Mazda 2 et une Dodge Hornet s'il faut se fier aux rumeurs qui circulent. Mais en attendant, la gamme actuelle des sous-compactes n'est pas à dédaigner, loin de là.

Denis Duquet

Pour en savoir plus, visitez : leguidedelauto2007.com

FICHE TECHNIQUE

Nom du modèle	Honda Fit	Hyundai Accent	Kia Rio	Nissan Versa	Suzuki Swift+	Pontiac Wave	Toyota Yaris
Empattement (mm)	2450	2500	2499	2600	2480	2480	2460
Longueur (mm)	3999	4045	3990	4295	3881	4310	3825
Largeur (mm)	1682	1695	1694	1695	1670	1710	1695
Hauteur (mm)	1524	1470	1470	1535	1495	1505	1525
Poids (kg)	1091	1120	1128	1248	1070	1120	1043
Transmission	Manuelle	Manuelle	Manuelle	Auto	Manuelle	Auto	Manuelle
No. de rapports	5	5	5	4	5	4	5
Moteur	4L	4L	4L	4L	4L	4L	4L
Cylindrée (litre)	1.5	1.6	1.6	1.8	1.6	1.6	1.5
Puissance	109 ch	110 ch	110 ch	122 ch	103 ch	103 ch	106 ch
Suspension:							
avant	indépendante	indépendante	indépendante	indépendante	indépendante	indépendante	indépendante
arrière	demi indépendante	demi indépendante	demi indépendante	demi indépendante	demi indépendante	demi indépendante	demi indépendante
Freins:							
avant	disque	disques	disques	disques	disques	disques	disques
arrière	tambour	tambours	tambours	tambours	tambour	tambour	tambour
ABS	non	oui (opt)	oui (opt)	oui	non	oui (opt)	oui (opt)
Pneus	P175/65R14	P185/65R14	P185/55R14	P185/65R15	P185/60R14	P185/60R14	175/65R14
Direction	crémaillère, ass. élec	crémaillère, assistée	crémaillère, assistée	crémaillère, ass. élec	crémaillère, assistée	crémaillère, assistée	crémaillère,
Diamètre de braquage	11.6	10	10.1	10.4	9.8	9.8	9.5
Coussin gonflable	frontaux/latéraux	frontaux/rideaux	frontaux/rideaux	frt/lat/rideaux	frontaux	frontaux	frontaux/latéraux
Réservoir de carburant (litres)	41	45	45	50	45	45	à crémaillère,
Capacité coffre minimale (litres)	603	450	702	504	200	200	205
Accélération 0-100km/h (sec)	11.5	11.6	11.8	9.5	11	11.4	11.8
Vitesse de pointe (km/h)	180	175	180	185	170	170	180
Consommation (litres/100 km)	7.8	8.4	8.4	8.7	8.7	9	7.5
Prix	19 895 $ (estimé)	18 995 $ (estimé)	19 995 $ (estimé)	22 995 $ (estimé)	16 995 $ (estimé)	20 195 $	16 895 $ (estimé)

RÉSULTATS

Nom du modèle		Honda Fit	Hyundai Accent	Kia Rio	Nissan Versa	Pontiac Wave	Suzuki Swift+	Toyota Yaris
Style /20 pts								
Extérieur	10	6.50	6.67	7.83	7.75	5.83	4.67	7.58
Intérieur	10	7.42	6.83	7.83	7.67	6.92	5.50	6.58
Carrosserie /120								
Finition intérieure et extérieure	30	22.58	21.33	22.00	23.42	20.00	19.17	23.50
Qualité des matériaux	30	22.67	20.17	21.00	23.50	19.50	17.33	23.50
Coffre (accès/volume)	10	8.67	7.33	7.67	7.50	6.75	6.75	7.00
Espaces de rangement	20	15.67	13.83	14.50	15.33	12.33	11.67	15.67
Astuces et originalité (innovation intéressante, gadget hors série)	10	8.83	6.92	6.92	7.92	5.83	5.17	7.33
Équipement	10	7.42	7.67	7.92	8.83	7.58	6.33	7.17
Tableau de bord	10	7.58	7.25	7.75	8.08	7.33	5.92	7.00
Confort/ 40 pts								
Position conduite/volant/sièges av.	10	8.00	7.67	7.83	8.25	7.33	6.83	8.00
Places arr. (espace 2 ou 3 pers.)	10	7.58	6.58	7.33	8.50	7.17	6.67	6.83
Ergonomie (facilité d'atteindre les commandes et lisibilité des instruments)	10	8.33	7.50	7.17	8.33	7.33	7.17	7.17
Silence de roulement	10	7.75	6.58	6.75	7.58	6.50	6.17	7.75
Conduite /120								
Moteur (rendement, puissance, couple à bas régime, réponse, agrément)	20	15.83	14.25	13.92	14.67	12.33	11.33	13.83
Transmission (passage des rapports étagement, rétrocontact, levier, agrément)	20	16.50	13.25	13.33	14.50	13.00	12.17	14.42
Direction (précision, feedback, braquage)	20	17.17	14.17	14.00	15.83	12.00	12.58	16.17
Tenue de route	20	17.25	14.17	13.58	16.33	12.00	12.08	15.67
Freins (endurance, sensations, performances)	20	15.67	14.00	13.67	16.25	12.92	12.17	15.50
Confort de la suspension	20	15.92	14.83	14.75	16.50	15.00	13.83	15.00
Sécurité /30 pts								
Visibilité	10	6.50	6.33	6.17	6.83	6.33	6.58	6.67
Rétroviseurs	10	6.67	6.50	6.58	6.67	6.42	6.17	6.58
Nombre de coussins de sécurité	10	4.33	3.75	3.75	3.83	3.83	3.67	3.83
Performances mesurées /60 pts								
Reprises	20	17.00	15.00	16.00	20.00	14.00	13.00	18.00
Accélération	20	17.00	16.00	15.00	20.00	14.00	13.00	18.00
Freinage	20	18.00	15.00	16.00	20.00	14.00	13.00	17.00
Rapport qualité/prix /110								
Agrément de conduite	40	35.50	26.67	30.00	31.83	21.83	21.50	33.00
Choix des essayeurs	50	50.00	42.00	46.00	48.00	42.00	40.00	44.00
Valeur pour le prix	20	17.00	14.33	16.67	12.17	11.33	12.50	15.67
Total	500	409.33	356.58	371.92	406.08	331.42	313.00	388.00
		1	5	4	2	6	7	3

AMERICAN IDOL

Chevrolet Corvette Z06 VS Ford GT !

Depuis que les voitures sport existent, il y a toujours eu des discussions quant aux mérites et aux performances des bolides propulsés par de gros moteurs puissants. Il y a par exemple les partisans des Ferrari qui se lancent dans d'interminables diatribes face aux conducteurs de Lamborghini, l'autre constructeur automobile d'Émilie Romagne en Italie. Plus près de chez nous, il y a toujours eu cette rivalité entre Chevrolet et Ford. Les propriétaires de Camaro se font encore rabattre les oreilles par les membres du clan Mustang qui se font un point d'honneur de souligner que la Camaro n'est plus sur le marché alors que la Mustang est plus populaire que jamais.

Et si Ford n'a pas été en mesure de répliquer à la Corvette pendant des décennies, l'arrivée il y a deux ans de la GT a modifié la donne. En fait, cette voiture étroitement dérivée de la GT 40 qui a remporté l'épreuve des 24 Heures du Mans dans les années soixante est aussi puissante que la « Vette » en plus de se vendre plus de deux fois le prix, même celui de la Z06.

Puisque l'occasion s'est présentée de confronter ces deux bolides sur l'anneau triovale de Sanair, nous n'avons pu résister à la tentation.

Et croyez-moi, Gabriel Gélinas ne s'est pas fait prier pour être le juge de cette confrontation !

Photos: Marc Bouchard

LA CHEVROLET D'ABORD

0-100 KM/H EN 3,6 SECONDES !

La Corvette C6 n'est pas une laissée pour compte en fait de performances avec son moteur V8 6 litres de 400 chevaux et son châssis de grande voiture de sport. Mais c'est presque de la petite bière face à la Z06 qui est plus puissante et plus performante. Elle a également servi de préambule à la C6 R, la voiture de course qui défend les couleurs de Chevrolet dans les grandes épreuves internationales. Incidemment, les ingénieurs affectés au développement de la Z06 ont bénéficié d'une pléthore d'informations sur la voiture de course C5R qui a dominé sa catégorie pendant au moins six ans. De plus, la Z06 et la toute nouvelle C6R de compétition se partagent plusieurs astuces aérodynamiques. Bref, rien n'a été épargné pour faire de cette nouvelle mouture un bolide de classe internationale.

Le coeur de toute voiture est sans contredit son groupe propulseur. Celui de la Corvette «ordinaire» est un V8 6 litres d'une puissance de 400 chevaux. De quoi vous assurer un 0-100 km/h de 4,5 secondes et une vitesse de pointe de 300 km/h. Ce n'était qu'un début puisque celui de la Z06 produit la bagatelle de 500 chevaux et sa cylindrée a été portée à 7,0 litres soit 427 pouces cubes, comme dans le bon temps des *muscle cars*. Mais ce nouveau moteur baptisé LS7 n'a rien des 427 d'antan. Il s'agit tout d'abord d'un *small block* et non pas d'un *big block*. Il est de plus muni d'un carter sec - dry sump - d'une capacité de plus de neuf litres d'huile. Son bloc en aluminium très rigide est couronné par une culasse en alliage léger tandis que les bielles sont en titane. Comme sur les moteurs de course, l'angle des soupapes du moteur LS7 est de 12 degrés, comparativement à 15 degrés sur le moteur LS2 de la C6. Soulignons au passage que le moteur LS7 est assemblé à la main dans un tout nouvel atelier ultramoderne situé à Wixom au Michigan. Le moteur de la Cadillac STS-V y est également produit. Chaque moteur est assemblé par un seul artisan qui y apposera sa signature une fois le moteur complété.

Parmi les autres raffinements techniques, il faut souligner que la transmission et le différentiel sont reliés à un radiateur d'huile qui refroidit le lubrifiant. L'huile part de la transmission au radiateur avant de revenir au différentiel et

FORD GT

LA FERRARI AMÉRICAINE

Certains tiquent déjà à la lecture de ce titre. Mais il existe un lien très réel entre ces deux marques, l'actuelle Ford GT rendant hommage à la mythique Ford GT40 avec laquelle le constructeur américain a battu Ferrari sur le célèbre circuit des 24 Heures du Mans. Au cours des années soixante, Ford s'est lancé dans cette grande aventure des 24 Heures pour remettre la monnaie de sa pièce au regretté Enzo Ferrari qui avait cédé le contrôle de sa marque au géant Fiat, après avoir négocié la même transaction avec Henry Ford II afin de faire monter les enchères. La réponse du constructeur américain a été cinglante : la GT40 remportant quatre victoires consécutives aux 24 Heures du Mans, de 1966 à 1969, et cette célèbre voiture de course fait maintenant partie de la légende du sport automobile.

Cependant, le lien entre Ford et Ferrari n'appartient pas seulement au passé, mais il se décline également au présent, le châssis de l'actuelle Ferrari 460 Modena ayant servi d'inspiration aux concepteurs de la Ford GT, selon les responsables de la marque italienne. Le châssis de la GT est donc réalisé en aluminium, tout comme la carrosserie dont plusieurs panneaux sont faits de plastique et d'aluminium soudés l'un à l'autre. Et bien que la voiture ait le look de la GT40, ses formes ont été revues et corrigées en fonction des lois de l'aérodynamique. C'est

ensuite à la transmission qui est toujours montée à l'arrière. Celle-ci est une boîte manuelle Tremec à six rapports, la seule disponible. Enfin, les ingénieurs ont même développé un refroidisseur de la boîte de direction.

ALUMINIUM ET FIBRE DE CARBONE

L'utilisation de la fibre de carbone, de l'aluminium et du magnésium permet d'alléger la voiture. Par exemple, les ailes avant sont en fibre de carbone tout comme les panneaux du plancher, constitués d'un sandwich de balsa et de fibre de carbone. À l'avant, le berceau du moteur est en magnésium contrairement à celui de la C6 qui est en acier. Cela permet de réduire le poids tout en obtenant plus de rigidité.

Les poutres périphériques de l'habitacle sont en aluminium et formées par pression hydraulique afin d'obtenir des pièces plus légères et plus rigides. Le toit amovible de la C6 est cette fois boulonné en place sur un montant en magnésium. Le raffinement de la conception et les multiples matériaux exotiques utilisés ne permettent qu'une seule conclusion : rien n'a été épargné pour en faire une authentique sportive de haut niveau. Les aérodynamiciens ont même placé un "flap Gurney" à l'avant des passages de roue avant pour assurer un écoulement d'air plus efficace.

1 G EN VIRAGE

Le meilleur indice de la tenue de route d'une voiture est de mesurer quelle est la force gravitationnelle latérale. Plus le résultat est élevé, meilleure est la tenue de route. Par exemple, une voiture de Formule Un peut peut atteindre une force latérale de 5 G en virage tandis qu'une banale voiture de tourisme de Madame

ou Monsieur Tout-le-Monde génère généralement entre 0,75 et 0,80 G. En contraste, une Ferrari Enzo produit 1,05 G en virage. La Corvette C6 frôle le seuil magique du 1 G avec 0,98 G, alors que la nouvelle Z06 dépassera le 1 G, et il est possible qu'elle aille chatouiller la Enzo à ce chapitre.

De tels résultats témoignent d'une plateforme rigide et d'une suspension très sophistiquée. Il faut de plus ajouter que les pneumatiques jouent également un rôle important. Cette nouvelle venue roule sur des pneus Goodyear Eagle F1 Supercar. Les pneus avant sont des P275/35ZR18 et des P325/30ZR19 à l'arrière.

Compte tenu de la vitesse potentielle très élevée de ce bolide, le système de freinage doit être à la hauteur. À l'avant, les ingénieurs ont opté pour des freins dotés d'un étrier à six pistons tandis que ceux des roues arrière sont munis de quatre pistons.

pourquoi elle est dotée d'un diffuseur à l'arrière et d'un déflecteur avant qui permet de séparer le flot d'air, deux éléments qui permettent à la GT de générer une charge aérodynamique de 200 à 300 livres à une vitesse de 250 kilomètres/heure. Entre parenthèses, la présente GT est plus haute de 10,1 cm que la GT 40 originale afin d'améliorer le confort de l'habitacle et le coefficient de pénétration dans l'air. Et si vous ne le saviez pas, cette GT 40 s'appelait ainsi en raison de sa hauteur qui était justement de 40 pouces ou 101,1 cm. Mais comme le système métrique n'est pas encore en vigueur aux États-Unis de nos jours, il ne l'était pas plus dans les années soixante et nous n'avons jamais eu droit à la GT 101.

D'ailleurs, si la Corvette Z06 est l'évolution d'une voiture de route, la GT actuelle est dotée d'une architecture inspirée de la voiture de course. Elle est pour ainsi dire pratiquement fabriquée comme telle avec un châssis tubulaire assemblé à la main et des pièces de suspension coulées. Ce qui explique pourquoi le châssis de la GT est plus rigide que celui d'une Ferrari 360 Modena, par exemple.

Le cœur de toute voiture de performance est son moteur. Et cette Ford n'est pas déficiente à ce chapitre, car elle est propulsée par un V8 de 5,4 litres suralimenté par un compresseur Eaton produisant 500 chevaux et 500 livrespied de couples pour un poids d'environ 1 540 kilos. Pour commander cette cavalerie, les ingénieurs ont associé ce V8 à une boîte manuelle à six rapports fabriquée par Ricardo. Le 0-100 km/h est donc l'affaire d'un peu plus de cinq secondes et des poussières. Malgré de telles statistiques, la Z06 a l'avantage à ce sujet, du moins en accélération en ligne droite. Un autre élément qui donne à la GT une poussée si soutenue au départ, c'est le profil des pneus arrière qui est plutôt élevé puisqu'il est de 40. Ce qui autorise une légère

déformation du flanc des pneus et cette motricité initiale accrue propre aux voitures d'accélération. La GT roule sur des pneus Goodyear Formula One Sport 235/45R18 à l'avant et de 315/40R18 à l'arrière. Son moteur logé en position centrale permet une meilleure répartition des masses (43 % avant/ 57 % arrière) et une conduite beaucoup plus précise. De plus, la GT est dépourvue de systèmes de traction asservie ou de contrôle de la motricité ce qui est tout à fait conforme à sa philosophie de design. Les freins développés par Brembo sont dotés d'énormes étriers monoblocs. Ils sont efficaces même si les disques de freins sont réalisés en acier et non pas en composite de carbone comme ceux qui peuvent équiper les Porsche 911 GT2 et Ferrari Challenge Stradale.

Enfin, l'arrivée de ce modèle au pays a été retardée par la non-conformité des parechocs aux normes canadiennes. Les ingénieurs de Ford ont trouvé une solution pour 2006, mais il s'agit de sa dernière année sur le marché.

GABRIEL GÉLINAS TRANCHE LE DÉBAT

Comme il est facile de le constater, ces deux bolides sont capables de rouler très rapidement autant sur la route qu'en piste. D'ailleurs, la Corvette R-6 vient de remporter la catégorie GT1 au dernier 24 Heures du Mans. Ford par contre a préféré faire de la GT la voiture de tête de la série Champ Car. Mais cette réplique d'une voiture mythique du passé est en mesure de tirer son épingle du jeu comme l'a démontré cette confrontation d'un jour à la piste de Sanair. Nous avons confié à Gabriel Gélinas la tâche de départager ces deux bolides.

Voici sous la forme de questions (Guide de l'Auto) et réponses (Gabriel Gélinas) son évaluation quant à leur comportement sur la piste.

GA – Laquelle des deux voitures a le meilleur comportement sur la piste ?

GG – La GT est certainement la plus équilibrée. Il y a moins de sous-virage en raison de son moteur en position centrale. Sur la Z06, on se rend compte que les ingénieurs ont beaucoup travaillé pour raffiner les suspensions et en faire presque une voiture de course qui roule sur la route. Par contre, le moteur est lourd et monté à l'avant. Lorsqu'on arrive pour placer la voiture en entrée de virage, elle est sous-vireuse. Il est donc toujours un peu plus difficile de la positionner là où l'on veut tandis que la Ford GT me permettait de faire pratiquement ce que je voulais avec. Celle-ci s'est avérée plus rapide sur un tour et je crois qu'elle est plus équilibrée que la Corvette pour ce genre d'exercice.

GA – Est-ce que les directions diffèrent beaucoup ?

GG – La direction de la GT m'a donné l'impression de quelque chose d'artisanal, comme les voitures de course. Chaque fois que je roulais sur une bosse ou une fissure sur la piste, j'entendais un claquement quelconque. Il faut dire que cette voiture a été utilisée par le programme Trioomph et elle a été conduite vigoureusement à de multiples occasions. La Corvette n'a pas démontré ce trait de caractère et elle était d'une grande précision.

À propos, les pneus arrière de la GT étaient passablement usés et je suis persuadé qu'avec de meilleurs pneumatiques j'aurais pu rouler plus vite encore. Même déjà, la différence entre les deux voitures est assez importante.

GA – Laquelle des deux voitures freine le mieux ?

GG – Les deux freinent extrêmement bien. Et même du côté de la GT, j'ai été surpris. Il faut dire que lorsque tu as tellement de caoutchouc sur la route, c'est certain que les freinages seront impressionnants. Dans le cas

	Corvette	Ford GT
0-100 km/h	4,82 s 4,75 s 4,65 s	4,74 s 4,64 s 4,77 s
Freinage 100-0 km/h	33,8 m 34,1 m 34,1 m	34.46 m 33.61 m 36.16 m
80-120 km/h	4,4 s 4,75 s 4,5 s	3,75 s 3,99 s 4,2 s
Tour de piste	45,5 s 42,4 s 42,9 s	47,3 s 43,1 s 41,6 s
Moyenne des 3 tours	43,6 s	43,9 s

de la GT, il faut faire attention car elle est dépourvue de freins ABS. Quant à la Corvette, il m'était possible de rentrer plus profondément dans les virages en raison de ses freins ABS. Règle générale, quand je conduis sur un circuit, j'essaie de ne jamais recourir à l'ABS. Je l'utilise comme un indicateur du seuil du freinage. Mais il me permettait d'y aller plus en confiance.

GA – Quel est le meilleur châssis des deux ?

GG – Indéniablement celui du Ford, mais je m'empresse de préciser que les deux voitures affichent de profondes différences à ce chapitre. La Corvette est une voiture de production dotée d'une plate-forme conçue davantage pour la fabrication en série, tandis que la GT est découle d'un châssis tubulaire semblable à celui des voitures de course. Il est en fait, plus ou moins dérivé de celui qui a permis à Ford de remporter les 24 Heures du Mans pour la première fois en 1966.

D'ailleurs, malgré l'air rétro de la GT, je dois louanger la qualité de ses sièges qui offrent un soutien exceptionnel pour conduire sur une piste comme Sanair. La Corvette est dotée de sièges en cuir d'un profil plus habituel. Dans les virages, je devais m'agripper au volant, car la partie supérieure de mon corps glissait et je devais me servir de ma jambe gauche pour appuyer très fort sur la pédale d'appui ou repose-pied. Cela m'étonne beaucoup sur une voiture aussi sportive. Des sièges sport un peu plus moulés seraient un plus.

GA – Meilleure transmission ?

GG – C'est passablement similaire de l'un à l'autre. Surtout ici sur le triovale, on ne dépasse jamais le troisième rapport. C'est dû à la configuration de la piste qui n'est pas très exigeante à ce chapitre. D'ailleurs, la puissance de ces deux moteurs est tellement grande que je n'avais pas besoin d'engager le quatrième rapport ni pour l'une ni pour l'autre. Même qu'une fois sur l'anneau du triovale, j'utilisais le troisième rapport et rétrogradais en seconde lorsque j'abordais le circuit routier au centre de l'anneau.

GA – Dans les longues courbes, laquelle est la plus équilibrée ?

GG – La GT m'a semblé la plus docile des deux même si la différence est très minime. Sur une partie de la piste, alors qu'il faut placer la voiture pour aborder le prochain virage, l'avant de la Corvette se tassait de quelque peu et un léger sous-virage se faisait sentir.

GA – Pour bien des gens, la sonorité du moteur est un élément primordial. Lequel des deux *sonne* le mieux ?

GG – La sonorité des deux m'a plu. C'est le son du gros moteur V8 américain, un son unique qui fait triper bien des gens. Cette sonorité permet de deviner un couple phénoménal offert par chaque moteur. Ce sont vraiment deux bêtes de la route !

La sonorité des deux autos est différente, tout en se rejoignant quelque part. Et je suis persuadé que si on calcule la surface de contact

des pneus, les dimensions, la puissance et une foule d'autres paramètres, les deux voitures ont beaucoup de points en commun. Par contre, elles sont totalement différentes.

GA – Laquelle des deux est la plus agréable dans la vie de tous les jours ?

GG – Si elle est à l'aise sur la piste, la GT est loin d'être une citadine. La visibilité arrière est pauvre tandis que toute manœuvre de stationnement est une véritable corvée. Il faut se choisir un endroit propice. En plus, l'espace réservé pour les bagages est symbolique ou presque. Il est placé à l'avant et on ne peut même pas y loger une valise ! C'est pire que la Pontiac Solstice. D'ailleurs, Chris Theodore, l'un des responsables du projet GT avait déclaré en dévoilant le coffre à bagages de cette voiture : « Avec la GT, tout ce dont vous avez besoin c'est une brosse à dents et le déshabillé de votre petite amie ! »

Pour un usage quotidien, il est certain que la Corvette est la plus facile à vivre. Mais je sais que pour plusieurs personnes, l'aspect pratique d'une voiture de sport importe peu. Et il faut souligner que la Corvette Z06 est toute une voiture, mais elle ne se démarque pas tellement de la version ordinaire tandis que la Ford GT est vraiment plus distinctive. Pour le commun des mortels, une Corvette ou une autre, la différence n'existe pas. Par contre, la GT va certainement faire tourner les têtes.

Malheureusement, la visibilité arrière de la GT n'est pas son point fort. De plus, il y a le reflet du moteur dans la lunette arrière qui vient rendre les choses plus difficiles. Par ailleurs, je n'ai rien remarqué de spécial avec la Corvette. Mais en terminant, je dois souligner un détail hallucinant sur la GT. La télécommande d'ouverture des portes est identique à celle qui est utilisée sur les Ford Focus et toutes les autres

Ford. En outre, même s'il y a un bouton de démarrage, il faut insérer la clé alors que la Corvette est réellement dotée du système sans clé. Il suffit d'appuyer sur le bouton pour lancer le moteur tandis que le transpondeur reste dans nos poches.

EN CONCLUSION :

La Ford GT l'emporte en chiffres et les impressions de conduite de Gabriel la démarquent de la Corvette Z06. Par contre, il faut prendre en considération que la Corvette se vend pour moins de 90 000 $, et que le prix de la GT est de beaucoup supérieur à 200 000 $ et elle n'est vraiment pas pratique… L'ultrasportive la plus pratique des deux est donc la Corvette même si la GT l'a distancée sur la piste. Voilà un bon sujet de discussion entre amis pour savoir laquelle on choisira si on gagne le gros lot !

Denis Duquet

LE LUXE INTÉGRAL

Photos : Michel Fayen Gagnon

L'humain a toujours cherché un moyen d'avancer. De plus en plus rapidement. Au pas de course puis en se servant de la traction animale. Il y a environ cent ans (une seconde dans l'histoire de l'humanité), l'homme s'est trouvé des moyens techniques en installant un moteur sur une carriole. Sur une surface sèche et bien pavée, le cœfficient de friction entre les pneus et la chaussée ne causait aucun problème. Mais dès que la machine inventée par l'humain rencontrait une surface le moindrement meuble, elle s'immobilisait, ses deux roues motrices (quand ce n'était pas une seule !) ne suffisant pas à la tâche.

Bien que les débuts de la traction intégrale ne soient pas très bien documentés, on présume que la première personne qui aurait inventé un système actionnant les quatre roues serait Ferdinand Porsche et ce, dès 1900. Chacune des roues était mue par… un moteur électrique, une technologie « révolutionnaire » en 2007… Deux années plus tard, l'entreprise allemande Spyker installait un répartisseur de couple (transfer case) mécanique qui dirigeait la puissance à chaque roue. En 1903, Daimler-Benz équipe une voiture d'un mécanisme à quatre roues motrices et… directrices ! Les États-Unis arrivent sur le marché du quatre roues motrices un peu sur le tard. Une entreprise se spécialise dans ce type de traction. Le nom de cette compagnie ? Four Wheel Drive ou FWD. De nos jours, FWD veut dire Front Wheel Drive (roues avant motrices), ce qui est loin d'être notre interprétation d'un rouage intégral !

Ces premiers essais portent sur des modèles à quatre roues motrices, ce qui est fort différent d'un système intégral. Dès 1910, l'entreprise américaine Case équipe son Crossmotor 10-20 d'un rouage intégral primitif mais ingénieux. Ce tracteur à trois roues possédait une seule roue arrière motrice. L'autre roue arrière s'embrayait automatiquement lorsque la roue motrice avait besoin d'un coup de pouce. Alors que la technologie à quatre roues motrices connaît ses heures de gloire avec le Bantam (qui deviendra plus tard la Jeep), celle de la traction intégrale est placée en dilettante. Il faut attendre le Salon de Genève, en mars 1980, pour que cette technologie refasse surface. Mais l'attente en valait la peine ! Pour se donner une image de marque qui lui permettrait de rejoindre BMW et Mercedes-Benz, la marque Allemande Audi décide, dans les années '70, de se doter d'une technologie de pointe. Lors d'essais par temps froids en Finlande, les ingénieurs de Audi sont ébahis par les performances sur neige d'un Volkswagen Iltis de l'armée allemande. Il s'agit d'un véhicule à rouage intégral, peu performant mais pouvant affronter les terrains les plus délicats. Ferdinand Piech, président de Audi et petit-fils de Ferdinand Porsche, donne alors le feu vert pour le développement d'un système intégral sophistiqué, adapté pour une automobile de haute performance.

Squattant des pièces d'Iltis et de voitures Audi existantes, les ingénieurs de la marque aux quatre anneaux se mettent au travail. Le but ultime, planter tous les concurrents en rallye grâce au rouage intégral. Et ça a marché… Aujourd'hui, après maints raffinements, Audi demeure le roi incontesté du All Wheel Drive avec son système Quattro. L'opposer à ses rivaux nous semblait donc logique…

Depuis ce jour de mars 1980 où Audi dévoilait la Quattro au grand public, la concurrence n'a cessé de se raffiner et de se multiplier. Dire que le choix abonde serait un euphémisme. À tel point que nous avons dû choisir une catégorie en particulier. Chaque constructeur propose au moins un véhicule à traction intégrale (même Ferrari serait sur le point de dévoiler son utilitaire sport !). Nous avons donc décidé de nous concentrer sur la catégorie des intégrales de luxe. La brochette de prix va de 35 à 54 000 dollars et les véhicules en liste sont, par ordre alphabétique : Audi A4 Quattro, Infiniti G35x, Lexus IS250 AWD, MazdaSpeed6, Mercedes-Benz C280 4Matic, Subaru Legacy 2,5i, Volkswagen Passat 4Motion familiale et, enfin, Volvo S40 T5 AWD. Malheureusement, BMW n'a pu nous livrer une 325xi à temps pour notre match.

Le but de notre match comparatif était de comparer les différentes solutions techniques proposées par les constructeurs. C'est pourquoi nous avons fait appel à un spécialiste du pilotage, Franck Kirchhoff de Mécaglisse. La mission de Franck était de déterminer quelle voiture possédait le meilleur système de traction intégrale. Nous avions aussi « emporté » avec nous un spécialiste en pneus de tourisme, Yves Day.

C'est connu. Le meilleur rouage intégral serait bien inutile si les pneus, le châssis, le moteur, la transmission et l'équilibre général n'étaient pas au rendez-vous. C'est pourquoi Frank a aussi tenu compte de ces paramètres. Place à nos huit concurrente. Et pour faire durer le suspense, nous débutons par la fin.

Alain Morin

MERCEDES-BENZ C280 4MATIC

DÉPASSÉE, TOUT SIMPLEMENT

N° 8

Selon les rumeurs, la classe C de Mercedes-Benz devait être complètement renouvelée l'an dernier. Puis cette année. Mais il faudra sans doute attendre l'an prochain... Depuis deux ans, Mercedes-Benz s'est davantage concentrée sur plusieurs autres modèles. Les Classe E, M, S, CL et SL ont toutes été revues et corrigées tandis que de nouveaux modèles sont apparus (Classe B, R, CLS et GL). La grande perdante, celle qui a été oubliée dans un coin, est la Classe C, en poste depuis 2001, une éternité dans le domaine de l'automobile.

Si l'essai d'une C280 se révèle satisfaisant, il en va autrement lorsqu'on la compare à ses rivales. Par exemple, l'an dernier nous écrivions dans Le Guide de l'auto que son rouage intégral était performant. Ce qui est vrai. Sauf que la concurrence s'est drôlement raffinée ces dernières années. Désormais, le rouage intégral de la C280 correspond ni plus ni moins à l'ancienne génération des BMW série 3 Xi, ce qui n'est pas mauvais mais qui est dépassé. Le système de la Mercedes est, en fait, une propulsion modifiée pour en faire une intégrale. Le temps de réponse de ce mécanisme, lorsque sollicité au maximum, est trop long et son efficacité laisse à désirer, comparativement à celui de la rivale de Munich.

Sur la route, le silence et la douceur de roulement de la C280 étonnent. Mais sur une piste de course, ces qualités deviennent des défauts.

À preuve, Franck Kirchhoff, a noté «une direction molle et imprécise, des suspensions tout aussi molles accompagnées de pneus à flancs hauts qui manquent nettement de rigidité. Le trio parfait pour une conduite rock'n roll!» D'ailleurs, Yves Day, notre expert en pneus a remarqué que la C280 que nous avions possédait les pneus les moins performants du groupe, et ce, même si la voiture était l'une des moins douées au chapitre des performances. Pourtant, son moteur six cylindres de 228 chevaux se situe dans la moyenne des huit concurrentes. Son poids un peu élevé et des rapports de transmission différents peuvent expliquer, en partie, cette impression de lenteur. Par contre, il faut dire que bien peu de propriétaires de Mercedes-Benz Classe C passent leurs fins de semaines sur un circuit de course!

Mais, comme le disait le concepteur du drapeau à damier, tout n'est pas noir. Sur le chemin de gravier menant à Mécaglisse, le contrôle de stabilité latérale a sans doute épargné à l'un de nos essayeurs une grave remise en question sur ses talents de pilote. Aussi, plusieurs personnes ont noté la qualité de la finition intérieure même si on retrouve peu d'espaces de rangement. La C280 a même mérité le meilleur pointage au niveau de la visibilité, tandis que sa consommation d'essence, lors de notre journée d'essai, s'est située à 11,2 litres aux cent kilomètres, soit la

deuxième meilleure moyenne, juste derrière la Subaru Legacy. Malheureusement, dans cette catégorie où le prestige et le raffinement comptent énormément, il faut plus qu'une bonne visibilité et une consommation intéressante pour gagner un match comparatif. D'autant plus que le prix de la Mercedes-Benz C280 4Matic que nous testions dépassait les 50 000 $...

PARMI LES NOTES DE NOS ESSAYEURS :

«Transmission très lente à réagir.»

(Yves Day)

«Intéressante à conduire, peut-être moins sur circuit, mais cela ne lui enlève pas ses qualités de voiture de tous les jours.»

(Yvan Fournier)

«Belles lignes extérieures mais intérieur austère.»

(Éric Harvey)

«Dernière position méritée.»

(Marc Bouchard)

SUBARU LEGACY 2,5l
POURTANT PAS SI DÉCEVANTE QUE ÇA!

N° 7

Les chiffres n'ont pas de cœur, dit-on... Lors du match, tout le monde sur place au circuit Mécaglisse semblait d'accord sur deux points. La grande gagnante et la grande perdante ressortaient aisément du lot. Même si, entre ces deux extrémités, le classement était moins défini, il devenait de plus en plus évident, à mesure que la journée avançait que la Subaru Legacy perdait du terrain.

Si la Legacy 2,5i n'a pas su tirer son épingle du jeu, c'est surtout en raison de son moteur à la traîne, qui offre peu de couple. Probablement qu'une version GT, avec son moteur de 250 chevaux (comparativement à 175), aurait gagné au moins une place dans notre classement. En partie grâce aux points supplémentaires des performances mesurées, mais aussi avec ceux qui auraient été recueillis dans la section «rapport qualité/prix». De plus, sans doute qu'une version familiale aurait été préférable. Mais, comme on dit «avec des «si», on ferait le tour du monde pis ça coûterait rien».

Franck, notre pilote, a placé la Subaru en sixième position, devant la Volvo S40 et la pauvre Mercedes-Benz C280, un peu à cause de sa tenue de route plus assurée que les deux autres. La rigidité de son châssis, la précision de sa direction et le passage des rapports de la transmission ont aussi

joué en sa faveur. Toutefois, au niveau du freinage, ouf... Ça fait mal! Les distances d'arrêt sont ordinaires et l'ABS se déclenche à rien. Le rouage intégral symétrique de Subaru, souvent adulé, se montre moins sûr de lui lorsque comparé à la concurrence. Il correspond à peu près aux premières générations de Quattro d'Audi, ce qui n'est pas mal non plus, remarquez! Ce système envoie 50 % du couple aux roues avant et autant aux roues arrière et a le mérite d'être fiable. Il permet aussi à Subaru de proposer sa Legacy à des prix décents. Cependant, il aurait été beaucoup plus avantagé si l'essai avait eu lieu sur une surface enneigée ou glacée. Mais en juin, même à Notre-Dame-de-la-Merci, la neige est plutôt rare! En passant, notre Legacy d'essai était la moins dispendieuse du lot, ce qui est un gros plus lorsque vient le temps de magasiner! Mais les performances du moteur sont tellement en retrait des autres voitures testées que le rapport qualité/prix se montre supérieur seulement face à la Mercedes-Benz. La GT, au risque de nous répéter, aurait grandement été avantagée à ce chapitre. Mais là où la Legacy se montre impériale, c'est au niveau de la consommation d'essence. Durant notre journée d'essai, elle a obtenu la meilleure cote avec 10,1 litres aux cent kilomètres, ce qui nous fait pardonner ses performances très moyennes. Sur la piste, la Legacy révèle des

suspensions trop souples. Les pneus Yokohama procurent un excellent confort et se montrent bien adaptés à la voiture, dixit Yves Day.

Beaucoup d'essayeurs ont apprécié le style discret de la Legacy même si deux d'entre eux ont souligné que la couleur argentée ne lui rendait pas hommage. La finition intérieure, le confort de l'habitacle et la sobriété de l'ensemble ont été acclamés.

**PARMI LES NOTES
DE NOS ESSAYEURS :**

«Le 2,5 manque cruellement de couple.»
(Franck Kirchhoff)

«Comportement doux et habitacle confortable.»
(Robert Jetté)

«Transmission automatique en mode manuel pas très agréable à utiliser.»

(Yves Day)

«Une valeur sûre quand même.»
(Robert Gariépy).

VOLVO S40 AWD

JACK OF ALL TRADES

N° **6**

Cette Volvo S40 AWD ne fait peut-être rien de parfaitement bien mais elle ne fait rien de mal non plus! Précisons d'entrée de jeu que la S40 est d'abord apparue en configuration traction (roues avant motrices) sous la forme d'une berline (S40) et d'une familiale (V50) en 2005. Ce n'est que l'année dernière que la traction intégrale venait enrichir la gamme des «petites» Volvo.

La Volvo S40 AWD a beau ne rien faire de mal, n'empêche qu'elle doit sa sixième place bien plus grâce à sa beauté intrinsèque (que pratiquement tous les essayeurs ont notée) et sa grande classe qu'à ses qualités dynamiques. De plus, la sobriété de son tableau de bord lui a valu des commentaires très flatteurs. Le niveau élevé de sécurité a été souligné par quelques essayeurs, ainsi que le confort de l'habitacle et des sièges. Par contre, un de nos conducteurs a observé l'absence de support lombaire.

Lorsqu'on va au-delà de l'harmonie des lignes et du confort, on découvre vite les limites de la Volvo S40 AWD. Le cinq cylindres turbo de 218 chevaux et 236 livres-pied de couple fait toujours preuve de vivacité. Malgré tout, Franck Kirchhoff classe ce moteur loin derrière les meneurs de la catégorie mais devant celui des Subaru et Mercedes-Benz. Même constat pour la transmission qui joue bien son rôle, sans

plus. Mais ce qui nous intéresse surtout, c'est le rouage intégral. Comme le souligne Franck, il s'agit d'une traction transformée en intégrale et son comportement en souffre. Le temps de réponse de l'intégrale est trop long, son efficacité demeure à prouver et les bruits engendrés par ce mécanisme deviennent irritants. Lorsque poussée à ses limites, la S40 AWD voyait ses systèmes électroniques d'aide à la conduite se déclencher intempestivement. Le DSTC (contrôle de la traction et de la stabilité latérale) se fait alors entendre dans tout l'habitacle. Les suspensions font preuve d'une telle mollesse que lors de manœuvres d'évitement brusques, Franck a dénoté une nette tendance au survirage. En plus des suspensions, peut-être pouvons-nous accuser les pneus, des Michelin Pilot qui sont probablement bien adaptés à une conduite normale mais moins à une conduite plus vigoureuse. Ce qui explique sans doute aussi les performances très, très moyennes du freinage qui s'est classé avant-dernier, devançant légèrement la Subaru Legacy.

Mais il n'y a pas que des remarques négatives! Sur la route, la Volvo S40 AWD a été l'une des plus appréciées selon les commentaires recueillis. Pourtant, les chiffres indiquent qu'elle ne devance que la Subaru et la Mercedes-Benz dans la section «conduite». C'est que les chiffres ont si peu d'émotions…

Lors de notre randonnée Mascouche - Notre-Dame-de-la-Merci – Mascouche, la S40 a gobé 12,5 litres d'essence (super) à chaque cent kilomètres. Pas mal mais pas extraordinaire. Tout comme son prix de vente d'un peu plus de 45 000 $ qui se situe dans la moyenne des huit véhicules essayés.

**PARMI LES NOTES
DE NOS ESSAYEURS :**

«Tableau de bord sans artifices.»

(Yves Day)

«Très bon feeling de confort et de solidité au volant de cette voiture.»

(Robert Gariépy)

«Tableau de bord et commandes au style épuré et simple.»

(Simon Fortin)

«Rapport qualité/prix à revoir.»

(Éric Harvey)

VOLKSWAGEN PASSAT 4MOTION

LES AFFRES DE LA PISTE DE COURSE

N° 5

La Volkswagen Passat a été entièrement remaniée l'année dernière. Le châssis, provenant autrefois de chez Audi, est désormais celui des Golf/Jetta allongé et renforcé aux endroits stratégiques, question de supporter un poids plus important. Volkswagen a profité de l'occasion pour changer le rouage intégral qui, même s'il continue de s'appeler 4Motion, provient, en fait, de Haldex. Ce fabricant suédois fournit aussi son rouage intégral à une certaine Volvo S40 AWD…

Pourtant, notre pilote Franck a donné de bien plus hautes notes à la traction intégrale de la Volks qu'à celle de la Volvo. C'est qu'il y a une voiture totalement différente autour de ce système! De plus, la Passat bénéficie de la toute dernière génération du système Haldex. Le système 4Motion de la Volks se montre très compétent et aussi d'une discrétion fort appréciée. Sur une surface enneigée, ce rouage intégral, aidé de bons pneus à neige, devrait faire des merveilles. Sur la piste, malgré le centre de gravité assez élevé, la Passat se débrouille adéquatement. Il y a bien un roulis considérable mais, en conduite normale, ce phénomène ne se remarque pratiquement pas. Si le V6 3,6 litres de 280 chevaux et 265 livres-pied de couple fait

flèche de tout feu, comme dirait un mélangé, lors d'un 0-100 km/h, il en va autrement lorsqu'on le sollicite sur une piste de course. Comme si ce n'était pas suffisant, c'est lui qui a englouti le plus d'essence, soit 15,7 litres tous les cent kilomètres. De plus, la transmission automatique avec passage manuel des rapports (Tiptronic) n'est pas idéale pour une conduite sportive. Là où la Passat 4Motion a impressionné le pilote en Franck, c'est au niveau du freinage. Il est précis et offre un bon feedback tandis que l'ABS, très performant, ne se déclenche pas à la moindre pression sur la pédale de frein. Les pneus, des , en plus de générer un excellent confort et une bonne adhérence sous la pluie, se montrent parfaitement adaptés à la voiture et ajoutent à la précision de la direction.

La Passat en a impressionné plus d'un. La seule familiale du groupe (au début du processus de sélection des voitures, il devait y en avoir d'autres mais elles se sont transformées en berlines!), la seule familiale du groupe, donc, a bien entendu récolté de précieux points dans les catégories coffre, espaces de rangement, places arrière. Plusieurs essayeurs ont aussi constaté que, pour une familiale, son *look* s'avérait franchement réussi. La finition, le design, le confort et le silence de l'habitacle

répondent parfaitement à l'épithète allemand. Un bémol cependant alors qu'on mentionne que le support latéral des sièges est insuffisant. Un essayeur a remarqué que, pour une fois, l'appuie-bras était à la bonne hauteur, ce qui est plus rare qu'on le pense dans l'industrie! La finition extérieure a toutefois fait moins l'unanimité. Une personne a noté une peinture très «pelure d'orange» et des moulures de chrome plus ou moins égales.

**PARMI LES NOTES
DE NOS ESSAYEURS :**

«Je souhaite à Volkswagen d'en vendre beaucoup… à 53 000 $!»

(Robert Gariépy)

«Belle finition mais terne.»

(Yves Day)

«Super belles lignes pour une familiale.»
(Éric Harvey)

«Je suis toujours sceptique pour ce qui est de sa fiabilité, surtout après la garantie de base.»
(Yvan Fournier)

LEXUS IS250 AWD

LES ALLEMANDS N'ONT ENCORE RIEN À CRAINDRE

Nº 4

Nos essayeurs ont classé la Lexus IS250 AWD en troisième position mais ils ne l'avaient pas testée sur la piste... Franck a été un peu moins enthousiaste et a fait pencher la balance pour une quatrième place. Ce qui n'est pas rien, compte tenu de la concurrence. Tout comme la Volkswagen Passat, la Lexus IS250 a été complètement renouvelée l'année dernière. La trop sage berline de luxe se paie maintenant le luxe d'être parmi les plus belles.

Si la Lexus s'est retrouvée en quatrième position plutôt qu'en troisième c'est principalement à cause de sa transmission, d'une lenteur bureaucratique... En mode semi-automatique (ou semi-manuel, ça dépend de votre interprétation de ce type de transmissions), notre expert a pu compter jusqu'à trois (3!) secondes entre les changements de rapports. Imaginez un film où les voix arriveraient avec trois secondes de retard sur l'image! Au moins, l'étagement de cette boîte s'avère bien calculé et le levier de vitesse est agréable à manipuler. L'autre aspect moins glorieux de la IS est son moteur, un peu juste, par rapport aux autres voitures sur place. Les 204 chevaux du V6 de 2,5 litres ne peuvent faire le poids contre les 274 de la MazdaSpeed6 et les 280 des Infiniti G35x et Volkswagen Passat 4Motion. De plus, la direction avait tendance à bloquer au centre lors de manœuvres d'évitement.

Mais quand une voiture est bien née, ces points négatifs sont moins importants. En courbe, la IS250 AWD affiche un certain roulis mais ce n'est pas dramatique. Le rouage intégral se situe parmi les meilleurs, autant par son temps de réponse quasiment inexistant et que par son efficacité générale. Le châssis se montre extrêmement rigide et les suspensions qui y sont accrochées font preuve d'un excellent compromis entre confort et tenue de route. Le freinage, par contre, n'a pas répondu aux exigences de notre spécialiste de la piste qui lui a décerné bien peu de points. Des huit véhicules en liste, seuls les pneus de la IS se révélaient plus performants que ce que la puissance permettait (Dunlop Sport 500). Le manque de puissance aura eu au moins un autre côté positif : la consommation d'essence s'est limitée à 11,6 litres aux cent kilomètres. Bravo!

Nos essayeurs ont été un peu plus tendres envers la IS250 AWD. Son style d'abord, autant intérieur qu'extérieur, en a charmé plus d'un. C'est peut-être la raison pour laquelle tous ceux qui devaient fournir leurs commentaires sur les voitures en ont fourni davantage sur la IS que sur tout autre véhicule! La finition quasiment maniaque s'est aussi attiré de nombreux éloges, de même que le confort général. D'ailleurs, un de nos essayeurs a noté que les sièges arrière, en plus d'être confortables, proposaient beaucoup d'espace. Mais comme rien n'est jamais parfait, il mentionne aussi que la sortie est assez difficile. Même si la journée des essais n'était pas particulièrement chaude, plusieurs personnes aux fesses sensibles ont apprécié les sièges avant ventilés. Mais tout vrai gars de chars ne s'arrête sur ces détails que lorsqu'il a assouvi ses bas instincts routiers en poussant un peu la machine. À l'unanimité, nos essayeurs ont décrié le manque de puissance du moteur.

PARMI LES NOTES DE NOS ESSAYEURS :

« La conduite offre beaucoup de feedback même si le moteur manque de muscle. »
(Robert Jetté)

« En termes de design, elle remporte la palme. »
(Marc Bouchard)

« Ils ont même pensé au à la trousse de premiers soins ! »
(Yvan Fournier)

« Impression de conduire une F1 ! »
(Éric Harvey)

INFINITI G35X

ENSOLEILLÉ, QUELQUES PETITS NUAGES

N° **3**

C ontrairement à la Lexus IS250 AWD que les essayeurs ont mieux cotée que notre pilote d'essai, l'Infiniti G35X a reçu de meilleures notes sur la piste que sur la route! La G35 est apparue dans le décor automobile en 2003, tout d'abord en configuration berline et coupé. Les roues motrices étaient, à ce moment, situées à l'arrière. L'année suivante, la berline pouvait aussi recevoir le rouage intégral. En plus de posséder une gueule à en donner le torticolis, la G35 devenait encore plus agréable à piloter.

Mais la mode a le défaut de se démoder. Les lignes de la G35 ont pris un sérieux coup de vieux depuis 2003. Oh, le résultat n'est pas vilain, loin de là, mais la magie n'y est plus. Même l'habitacle y a goûté par moments. La plupart des essayeurs n'ont pas tellement apprécié le tableau de bord, ni les sièges, pas assez larges. De plus, leurs commandes électriques sont placées sur le côté du siège, près de la console centrale. Nous aurions dû organiser un concours le matin des essais pour déterminer qui trouverait ces commandes le plus rapidement et chaque juron aurait été pénalisé! Des heures de plaisir! Au moment d'effectuer notre match, Nissan ne pouvait nous prêter qu'un modèle 2006. Dans la version 2007, la plupart de ces irritants sont corrigés. Quelqu'un a aussi noté que l'orangé des jauges du tableau de bord était agressant. Mais pas autant que la sonorité de l'échappement. Sur

la route, entre 100 et 120 km/h, le son devient assourdissant. J'imagine qu'un aller-retour Montréal-Toronto doit demander quelques notions de yoga… La visibilité 3/4 arrière, réduite par l'appuie-tête du passager a aussi fait grincer des dents. Mais tous ont souligné son moteur toujours volontaire, sa direction vive et sa transmission bien étagée et efficace.

Le test de la piste allait confirmer ou infirmer nos résultats… Vous vous doutez bien que si la G35X se situe au troisième rang, c'est parce qu'elle n'a pas déçu les autorités de Mécaglisse. D'entrée de jeu, Franck notait que le rouage intégral opérait avec rapidité, malgré que son efficacité ne soit pas à l'égal des gagnantes de ce match. C'est davantage l'efficacité des systèmes de contrôle de traction et de stabilité qui ont impressionné. Même si le voyant indiquant la mise en marche de ces systèmes s'allumait au tableau de bord, le pilote ne ressentait aucune altération du comportement de la voiture. En situation extrême, le moteur en met plein les oreilles (et là, ce n'est pas un défaut!) et ne semble jamais s'essouffler. Du côté de la consommation, ses 13,8 litres aux cent kilomètres pour la journée des essais ne nous ont pas épatés outre mesure. La transmission automatique répond toujours avec célérité et le mode semi-manuel est un charme à utiliser. Seul bémol de Franck: le système ABS. Lors de l'épreuve de l'arrêt d'urgence, effectué pourtant à seulement

50 km/h, un inquiétant tremblement provenant de la suspension avant affectait tout le véhicule. Nous croyons qu'il s'agit d'un cas isolé et nous hésitons à mettre le blâme sur les pneus Goodyear RSA dont la technologie date de quelques années, mais qui s'avèrent parfaitement bien adaptés au caractère sportif de la G35X.

**PARMI LES NOTES
DE NOS ESSAYEURS :**

«La transmission automatique, précise et rapide, est un régal.»

(Franck Kirchhoff)

«Excellentes performances mais tableau de bord discutable.»

(Simon Fortin)

«Niveau sonore élevé, irritant entre 100 et 120 km/h.»

(Yvan Fournier)

«On peut vraiment rouler vite avec cette voiture!»

(Robert Jetté)

MAZDASPEED6

DANS LE MILLE

Nº 2

Depuis quelques années, Mazda a le pied au plancher. Loin de «manquer de gaz», le constructeur japonais ne cesse de nous surprendre. Déjà que la Mazda6, dévoilée en 2004, nous avait fortement impressionnés, il fallait en rajouter. Mazda a donc modifié sa joyeuse berline pour en faire une Speed, un peu l'équivalent d'une M pour BMW ou d'une SRT pour Chrysler. Pour être honnêtes, nous étions un peu sceptiques. Et bien... comme le veut la tradition, nous avons été confondus, dus, dus, dus. Mais quels beaux dus!

L'opération de greffe d'un turbo au 2,3 litres de la version courante porte la puissance à 274, soit 114 chevaux de plus que le 2,3 atmosphérique et le couple à 280 livres-pied par rapport à 155... Pour faire passer toute cette puissance au sol, aussi bien planter sérieusement la voiture sur le bitume au moyen d'un rouage intégral. Rouage qui s'est avéré admirablement exécuté. Sur piste, par exemple, il permettait des passages en courbe impressionnants. Son temps de réponse se situe parmi les plus bas de toutes les concurrentes qui s'affrontaient en cette belle journée de juin 2006. Mais un rouage intégral, si bien ficelé soit-il, ne pourrait justifier à lui seul la deuxième position de la MazdaSpeed6. Le châssis d'une rigidité incomparable, les suspensions, certes un peu dures sur la route mais qui n'autorisent pratiquement aucun roulis en

courbe, et la puissance du freinage ont soufflé notre essayeur expert. Mais c'est de la petite bière comparativement au moteur qui se laisse exploiter sans jamais rechigner (certains patrons d'entreprises voudraient bien l'avoir...). Le couple est toujours présent, peu importe le régime et le temps de réponse du turbo est pratiquement nul. Il faudra quelques années encore pour se situer face à la fiabilité du turbo. Pour le moment, nous préférons réserver notre jugement. Après s'être habituée aux caprices de l'embrayage, la transmission se met de la partie pour ajouter au plaisir de conduire... que dis-je, de piloter! Les rapports sont courts, tout comme la course du levier de vitesse (levier que certains collaborateurs ont trouvé trop banal).

La MazdaSpeed6 continue d'impressionner sur la route. À l'unanimité, les essayeurs ont louangé le moteur et la transmission. Plusieurs ont fait remarquer qu'autant de puissance dans une voiture aux apparences somme toute ordinaires leur rappelait les bons vieux "sleepers". En fait, une des seules façons de faire la différence entre une MazdaSpeed6 et une Mazda6 courante se situe au niveau du capot, plus relevé de la Speed, question d'accommoder l'échangeur air-air placé sur le dessus du moteur. D'un autre côté, si les suspensions font des merveilles aux mains d'un pilote de course, elles tapent un peu durement le postérieur du conducteur sur une route

québécoise! D'ailleurs, les pneus de 18 pouces, en plus de coûter une fortune à remplacer (et ça devrait arriver souvent...), n'améliorent en rien le confort et suivent fidèlement les moindres fissures de la route. Mais leur sportivité ne peut être mise en doute. Durant la journée, la MazdaSpeed6 a bu 12,3 litres aux cent kilomètres.

PARMI LES NOTES DE NOS ESSAYEURS:

«Avec des proportions somme toute généreuses, la Speed reste d'une agilité déconcertante.»

(Franck Kirchhoff)

«Pour le docteur Jekyll et Mr Hyde en vous...»

(Robert Gariépy)

«Performances à couper le souffle.»
(Simon Fortin)

«Finition intérieure blanc et noir peu convaincante.»

(Yvan Fournier)

«Sans conteste, la plus sportive du groupe.»
(Marc Bouchard)

SOMMET DES INTÉGRAL

AUDI A4 QUATTRO
L'INVENTEUR DEMEURE À L'AVANT-GARDE

Nº 1

Même si on parle d'une nouvelle génération de l'Audi A4 depuis l'année dernière, il faut mentionner qu'il s'agissait plutôt d'une importante mise à jour. La plate-forme est demeurée la même mais on a revu la calandre et la partie arrière. Et on a changé deux des trois moteurs. Mais quel changement! Notre voiture d'essai pour ce match comptait sur un V6 de 3,2 litres de 255 chevaux et 243 livres-pied de couple.

Autant sur la piste que sur la route, cette Audi nous a éblouis. Tous ont célébré sa finition intérieure et extérieure parfaite, la sobriété, le luxe et le confort de son habitacle. Le niveau sonore, très bien maîtrisé, a aussi été souvent noté. Même si la A4 n'a pas dominé à outrance et n'a pas terminé en première position dans toutes les catégories, on lui a décerné les meilleures notes pour le confort, la conduite et pour le rapport qualité/prix... même si elle était la plus dispendieuse du lot! Cette voiture ne mise pas sur le clinquant pour se faire des amis mais plutôt sur une relation à long terme.

Les qualités de cette A4 se sont confirmées sur la piste. Le système Quattro a été fidèle à sa réputation, même poussé à ses limites. Son temps de réponse et son efficacité ont été tout simplement exemplaires. Il visse, littéralement, la A4 sur la chaussée. Toutefois, le V6 est un peu lourd et il génère un roulis qui entraîne l'avant en sous-virage. Le moteur 2,0 litres turbo ne devrait pas présenter ce problème... ni celui de la consommation. Pour les besoins de ce test, le 3,6 litres fonctionnait à raison de 13,8 litres de super tous les cent kilomètres. Le 2,0T aurait été un peu moins glouton. Quoi qu'il en soit, lorsque poussée dans ses derniers retranchements, la A4 (surtout son pilote!) peut compter sur un contrôle de stabilité latérale et de traction hors pair. La direction se veut d'une précision chirurgicale même si les Goodyear Eagle LS2, un peu mous du flanc, mériteraient une cote de vitesse supérieure.

Les suspensions font preuve d'un excellent compromis entre tenue de route et confort. La transmission, manuelle à six rapports, ajoute aussi son grain de sel pour améliorer le plaisir de la conduite... une fois qu'on a appris à bien juger la pression de la pédale d'embrayage. À peu près tout le monde a été surpris par l'embrayage lors de la prise en main.

Notre gagnante mérite amplement son titre. Elle prouve que l'inventeur d'un système demeure toujours le leader si les efforts sont déployés. Et croyez-nous, Audi n'a pas ménagé ses efforts dans l'évolution de son système Quattro!

PARMI LES NOTES DE NOS ESSAYEURS:

« Un peu chère mais pour qui peut se la payer... »
(Robert Gariépy)

« Design classique et finition impeccable. »
(Simon Fortin)

« Sans aucun doute mon premier choix. »
(Robert Jetté)

« Tenue de route impeccable. »
(Marc Bouchard)

« Reprises incroyables. »

(Éric Harvey).

Avec le recul et une étude le moindrement approfondie des véhicules en compétition, il n'est pas surprenant que l'Audi A4 Quattro ait remporté la première place. L'inventeur d'un système reste habituellement le maître dans ce domaine (la Dodge Caravan, par exemple...) et cette voiture en est la preuve presque vivante! Mais il faut plus qu'un rouage intégral pour demeurer compétitif. L'Audi A4 est aussi, et surtout, la plus homogène du groupe. Si la deuxième place a été accordée à la MazdaSpeed6, c'est principalement à cause de son moteur ultraperformant. Son rouage intégral, s'il se démarque sur une piste de course, serait sans aucun doute moins à l'aise dans la neige et la sloche. L'Infiniti G35X a un peu vieilli, essentiellement au chapitre du design. Mais les composantes mécaniques n'ont pas pris une ride! Si la Lexus IS250 AWD avait pu compter sur le 3,5 litres de 306 chevaux de la IS350, son résultat aurait été fort différent. Mais puisque la traction intégrale n'est offerte qu'avec le 2,5 nous n'en ferons pas un plat. Le manque de puissance de son moteur l'a reléguée plus loin qu'elle n'aurait dû se trouver. N'empêche que son rouage intégral se révèle très compétent... à l'inverse de la transmission automatique! Bien que la Volkswagen Passait ait été la seule familiale du groupe, cela ne lui a pas enlevé de points. Bien au contraire. Le V6 de 3,6 litres se montre en grande forme mais sa consommation donne des sueurs froides. Heureusement, le rouage intégral

paraît fort bien adapté. Quant à la Volvo S40, une chance qu'elle pouvait compter sur sa beauté et sa réputation, un peu surfaite, il faut avouer. Côté mécanique, ce n'est pas la Côte d'Azur mais ce n'est pas la Sibérie non plus. Dommage que les pneus de série soient mal adaptés. Si la Subaru Legacy 2,5i a été déclassée, c'est principalement à cause de son moteur, trop faiblard. Les 250 chevaux de la GT l'auraient fait mieux paraître. Même son rouage intégral, pourtant encore très efficace, ne fait pas le poids face à la concurrence qui se raffine sans cesse. Pareillement pour celle qui porte le bonnet d'âne, la Mercedes-Benz C280 4Matic. Si le même match avait eu lieu il y six ou sept années, elle serait sans doute arrivée parmi les premières.

Ce match prouve hors de tout doute que dans le domaine du rouage intégral (comme dans tout autre, d'ailleurs), il ne faut pas s'asseoir longtemps sur ses lauriers pour perdre du terrain. Les systèmes intégraux diffèrent ou sont calibrés différemment mais, immanquablement, ils deviennent, au fil des années, de plus en plus performants. De plus en plus dispendieux à faire réparer aussi... C'est ça, le progrès! Mais même le meilleur rouage intégral ne serait rien sans un châssis à la hauteur, un moteur performant, une transmission précise et un comportement routier à l'avenant. C'est ce qui a fait la plus grande différence entre l'Audi A4 Quattro et la Mercedes-Benz C280 4Matic...

Nous tenons à remercier les personnes suivantes pour leur implication lors de cette journée où les temps morts ont été pratiquement inexistants! Simon Fortin, Yves Day, Robert Jetté, Marc Bouchard, Robert Gariépy, Yvan Fournier, Éric Harvey ainsi que notre photographe Michel Fyen-Gagnon (www.photofyengagnon.com)

Pour en savoir plus, visitez : leguidedelauto2007.com

Frank Kirchhoff

AWD VS 4X4

Il y a tout un monde de différences entre une traction intégrale (rouage intégral ou AWD) et un quatre roues motrices (4x4). Dans ce dernier cas, il est généralement possible de rouler en mode deux roues motrices (arrière). Lorsque le besoin se fait sentir, le conducteur actionne un bouton au tableau de bord ou un levier situé près de celui de la transmission pour engager les roues avant. Le couple est alors réparti également entre les roues avant et arrière. Certains modèles (Jeep, entre autres) permettent de passer en gamme basse, ce qui a pour effet de démultiplier les rapports de transmission. Le moteur conserve ainsi un régime moindre pour plus d'efficacité. Ce type de rouage convient parfaitement pour les randonnées hors route ou pour le travail sérieux. Il s'avère par contre peu sophistiqué et augmente considérablement la consommation d'essence.

À l'inverse, un système de traction intégrale opère sans aucune intervention du conducteur. Un ordinateur de bord, via une foule de capteurs, commande un boîtier central qui, lui, dirige le couple vers les roues avant ou arrière qui ont le plus besoin d'adhérence. La plupart des systèmes sophistiqués d'aujourd'hui permettent d'envoyer la puissance à chaque roue, indépendamment des trois autres, et ce, automatiquement. Par contre, on retrouve certains systèmes, comme le Toyota Rav4, dont le différentiel peut être verrouillé par le conducteur. Le rouage intégral augmente de beaucoup l'adhérence en courbe lorsque la chaussée est mouillée ou enneigée.

Mais peu importe que votre véhicule soit un 4x4 pur et dur, une intégrale, une propulsion (roues arrière motrices) ou une traction. Pour qu'une voiture demeure sur la route, il faut aussi de bons pneus adaptés à la saison et un peu de jugeote...

MATCH COMPARATIF

	Audi A4	Infiniti G35x	Lexus IS250	Mazda Speed6	M-B C280	Subaru Legacy	Volks Passat	Volvo S40
Empattement (mm)	2648	2850	2730	2675	2715	2670	2709	2640
Longueur (mm)	4586	4747	4575	4745	4526	4730	4780	4468
Largeur (mm)	1772	1753	1800	1780	1728	1730	1820	1770
Hauteur (mm)	1427	1466	1440	1430	1412	1425	1472	1452
Poids (kg)	1700	1579	1656	1628	1656	1493	1793	1465
Transmission	man	auto	auto	man	auto	auto	auto	man
No. de rapports	6	5	6	6	5	4	6	5
Moteur	V6	V6	V6	L4	V6	H4	V6	L5
Alimentation	atmo	atmo	atmo	turbo	atmo	atmo	atmo	turbo
Cylindrée (litre)	3.2	3.5	2.5	2.3	3	2.5	3.6	2.5
Puissance (ch @ tr/min)	255 @ 6500	280 @ 6200	204 @ 6400	274 @ 5500	228 @ 6000	175 @ 6000	280 @ 6200	218 @ 5000
Couple (lb-pi @ tr/min)	243 @ 3250	270 @ 4800	185 @ 4800	280 @ 3000	221 @ 2700	169 @ 4400	265 @ 2750	236 @ 1500
Pneus	235/45R17	215/45R17	225/45R17	215/45R18	205/55R16	205/50R17	235/45R17	205/55R16
Diamètre de braquage (m)	11.1	11	10.2	11.2	10.7	10.8	10.9	10.6
Réservoir de carburant (litres)	63	76	65	60	62	64	70	58
Capacité coffre*(litres)	440	419	378	351	345	433	1010	357
0-100 (km/h):	6.8	7.3	8.7	5.5	8.7	10	6.4	7.5
Vitesse de pointe (km/h)	210	240	230	240	225	210	210	195
Consommation (litre/100km)	13.8	13.8	11.6	12.3	11.2	10.1	15.7	12.5
Prix:	53960$	46390$	46800$	38795$	50141$	35395$	52825$	45410$ *

plus petit volume = sièges arr. relevés

SOMMET DES INTÉGRALES

CLASSEMENT SUR LA PISTE

		Audi A4	Infiniti G35x	Lexus IS250 AWD	Mazda Speed6	M-B C280 4matic	Subaru Legacy	Volks Passat 4motion	Volvo S40 AWD
Rouage intégral /90									
Temps de réponse	35	33.5	31.5	31.5	31.5	21.0	31.5	28.0	24.5
Efficacité	35	33.5	28.0	31.5	30.0	23.0	28.0	26.0	24.5
Bruits d'engrenages	20	18.0	16.0	16.0	16.0	16.0	16.0	16.0	12.0
Moteur /80									
Couple bas régime	30	27.0	24.0	22.5	25.5	16.5	15.0	21.0	19.5
Réponse	30	25.5	22.5	24.0	24.0	15.0	16.5	18.0	21.0
Agrément	20	18.0	14.0	16.0	16.0	8.0	9.0	12.0	13.0
Transmission /50									
Passage des rapports	20	17.5	18.0	13.0	16.0	9.0	17.0	13.0	15.0
Étagement	10	8.0	8.5	9.5	8.0	5.5	8.5	7.0	8.0
Levier	10	8.0	6.0	8.0	7.5	6.0	7.0	7.5	7.0
Agrément	10	8.0	9.0	7.5	8.0	5.0	8.0	6.0	7.0
Châssis /30									
Rigidité	30	24.0	24.0	24.0	27.0	15.0	21.0	18.0	19.5
Suspensions /60									
Confort	20	18.0	17.0	18.0	15.0	11.0	13.0	14.0	15.0
Rapport tenue de route / confort	20	18.0	17.0	16.0	16.0	9.0	12.0	12.0	12.0
Course amortisseurs	10	8.0	7.5	7.5	8.5	4.0	5.5	5.5	7.5
Agrément	10	8.0	8.0	7.0	9.0	5.0	5.0	6.0	5.0
Freinage /50									
Endurance	20	16.0	14.0	8.0	16.0	9.0	6.5	13.0	7.0
Puissance	20	17.0	15.0	7.5	17.0	8.0	6.5	15.0	7.0
Agrément	10	9.0	7.5	7.0	8.0	5.0	6.0	7.0	6.5
Direction /40									
Précision	20	18.0	16.0	15.0	16.0	12.0	15.0	14.0	13.0
Feedback	10	9.0	7.5	7.5	8.5	5.0	8.0	7.5	6.0
Agrément	10	9.0	8.0	8.0	8.5	6.0	6.5	7.5	7.0
Tenue de route /50	50	42.0	37.0	37.0	42.0	23.0	30.0	33.0	27.0
Choix personnel / 50	50	40.0	35.0	28.0	39.0	20.0	22.0	27.0	25.0
Total Franck	**500**	**433.0**	**391.0**	**370.0**	**413.0**	**257.0**	**313.5**	**334.0**	**309.0**
Total essayeurs	**500**	**446.7**	**415.1**	**425.1**	**427.5**	**382.7**	**357.7**	**414.5**	**406.4**
GRAND TOTAL	**1000**	**879.7**	**806.1**	**795.1**	**840.5**	**639.7**	**671.2**	**748.5**	**715.4**
		1	3	4	2	8	7	5	6

Pour les besoins de ce match comparatif, nous avons été reçus chez Mécaglisse, situé à Notre-Dame-de-la-Merci, soit environ 1 heure 30 de Montréal ou 30 minutes de Mont-Tremblant. Mécaglisse propose plusieurs catégories de cours de pilotage, allant de débutant à expert sur tous types de terrain (asphalte, terre ou neige). Voitures de tourisme, de rallye ou de compétition sont prêtes à prendre la piste, cette dernière étant très technique. Pour plus d'informations : www.mecaglisse.com ou Franck au 819-424-3324.

ESSAI CHOC:
32 HEURES DE ROUTE ET DE PISTE

Photos : Denis Duquet

La Dodge Caliber est certainement l'une des nouveautés les plus intéressantes de l'année. Sa silhouette à part, un trio de nouveaux moteurs, une transmission intégrale associée à une boîte de vitesses CVT, un habitacle truffé de gadgets inédits, sa configuration cinq portes, une plate-forme à vocation internationale, voilà autant de raisons de s'y intéresser plus particulièrement. Pour ce faire, DaimlerChrysler Canada a mis une Caliber R/T AWD à notre disposition pendant quelques jours afin de pouvoir l'analyser vraiment à fond.

Je dois vous avouer que nous avons envisagé toutes sortes de scénarios tous aussi farfelus les uns que les autres avant de nous demander : est-ce que les lecteurs sont intéressés par ce genre d'essai ? Qui veut savoir combien de nains de jardin on peut enfourner dans le coffre ? Ou encore : quel est le niveau de confort de la voiture lors d'une séance de ciné-parc ?

Mais en nous souvenant des débuts assez difficiles de la Dodge Néon qui n'a jamais pu s'en remettre vraiment, nous avons décidé de vérifier la valeur intrinsèque de cette voiture en la conduisant sur la route, pour ensuite la soumettre à une batterie de tests sur la piste de Sanair. La première étape de cet essai a été une randonnée de 24 heures continuelles sur les routes du Québec afin de vérifier le niveau de confort, l'agrément de conduite, l'insonorisation, la valeur du système audio, la consommation de carburant, l'efficacité de la boîte de vitesses CVT et le rendement du moteur. Ce périple s'est terminé à la piste du triovale de Sanair pour effectuer une batterie de tests dans le but de mesurer l'accélération, les reprises et le comportement en slalom.

Voyons donc par le menu détail le déroulement de ce test.

DÉPART : 8 H 30

PREMIÈRE ÉTAPE

Jean-Paul Jodoin a été le premier à prendre la route. Routier de métier, ce n'étaient pas les huit heures de route qui l'attendaient qui l'inquiétaient outre mesure. Il a quitté les bureaux du *Guide de l'auto* à 8 h 30 avec pour objectif de rouler jusqu'à 16 h 30 avant de remettre la voiture à Marc Bouchard qui prendrait le relais. Notre essayeur s'est promené dans la région de Brossard avant de traverser Montréal pour ensuite se diriger vers le nord en empruntant l'autoroute des Laurentides. Après avoir atteint le lac Labelle, il a mis le cap vers la Rive-Sud et Saint-Hyacinthe où il a remis les clés à Marc.

Kilométrage
Départ : 1 070 km
Arrivée : 1 501 km

Impressions :
· Sièges et position de conduite confortables.
· Sur la grand-route, le moteur ne peine pas à la tâche, mais lorsqu'on dépasse, le régime grimpe à 6 000 tr/min et cela devient bruyant.
· Transmission CVT correcte, mais c'est très lent de 0 à 30 km/h.

Évaluation :
· Agrément de conduite : 8/10
· Insonorisation : 8/10

· Tenue de route : 9/10
· Confort des sièges : 8/10
· Système audio : 8/10
· Moteur : 8/10
· Transmission : 7/10
· Performances : 7/10
· Freinage : 8/10
· Impression générale : 8/10
· Total : 79/100

DEUXIÈME ÉTAPE

Kilométrage
Départ : 1 501 km
Arrivée : 1 855 km

Consommation de carburant
Kilométrage : 1 504 km
Nombre de litres : 46,77 l
Prix : au litre ; 1,11 $
Total : 52,00 $

ENDROIT : ST-HYACINTHE
HEURE : 16 H 30

Donc, à 16 h 15, Jean-Paul Jodoin remet le volant à Marc Bouchard qui, en compagnie de sa conjointe Linda Béliveau et de leur fils William, entreprend la seconde étape de ce test. La première chose qu'il a faite a été de remplir le réservoir d'essence alors que l'odomètre indiquait 1 504 km. Il a fallu 46,77 litres pour faire le plein, ce qui signifie que la moyenne de consommation a été de 9,0 litres aux 100 km pour la première section. C'est

sous une pluie diluvienne que la Caliber a bouclé le trajet Saint-Hyacinthe - Saint-Léonard d'Aston - Gentilly - Sainte-Croix et Laurier Station avant de revenir à Saint-Hyacinthe. Ce trajet s'est principalement déroulé sur des routes régionales, donc à des vitesses moindres. Et puisque c'était une promenade familiale, notre trio d'essayeurs a apprécié le confort des sièges, les astuces de l'aménagement et a surtout découvert que l'insonorisation est très moyenne lorsqu'une forte averse s'est déversée sur eux...

Impressions :
· Bonne résistance aux vents latéraux
· Tenue de route impeccable même sur chaussée mouillée
· Pneus très bruyants et insonorisation plus que faible
· Espace intérieur bien aménagé

Évaluation :
· Agrément de conduite : 7,5/10
· Insonorisation : 4/10
· Tenue de route : 8,5/10
· Confort des sièges : 8/10
· Système audio : 6,5/10
· Moteur : 7,5/10
· Transmission : 6/10
· Performances : 7/10
· Freinage : 7/10
· Impression générale : 8/10
· Total : 70/100

- Moteur: 7/10
- Transmission: 5/10
- Performances: 6/10
- Freinage: 8/10
- Impression générale: 8/10
- Total: 72/100

QUATRIÈME ÉTAPE

Kilométrage
Départ: 2017 km
Arrivée: 2585 km

Consommation de carburant
Kilométrage: 2345 km
Nombre de litres: 46,68 l
Prix: au litre; 1,14$
Total: 52,00$

ENDROIT: SAINT-NICOLAS
HEURE: 4 H 30

Il est 12 h 08 du matin lorsqu'Alain Morin remet les clés de la Dodge à Daniel Duquet qui a accepté de rouler de nuit. Le programme initial était qu'il fasse quatre heures de route, mais il a préféré faire le voyage Montréal-Québec-Montréal de nuit. Par conséquent, il est arrivé dans la région de Montréal à 7 h 30 du matin, juste une heure avant la fin des 24 heures. Comme il se doit, il a tout d'abord effectué le trajet Farnham-Brossard avant de se diriger vers la vieille capitale par l'autoroute Jean Lesage. Il s'est également permis quelques détours selon l'inspiration du moment. Avec pour résultat qu'il a franchi une distance de 568 kilomètres et la consommation a été la seule à être inférieure à 9,0 litres aux 100 km, soit 8,5 litres aux 100 km. Cette moyenne s'explique en raison du parcours choisi qui comprenait majoritairement des autoroutes. Accompagné de son ami Jonathan Brunelle, Daniel a apprécié le confort des sièges, la sonorité du système audio qui semble bien adapté à la musique techno, tandis que le moteur et la transmission ont suscité les mêmes commentaires que ceux émis par les autres essayeurs. De plus, lors d'une halte, ils ont constaté que certains fils pendaient de dessous le véhicule. Ils ont été replacés à la main et le tour était joué. Par contre, malgré la nuit passée au volant de la Caliber, il semble que les porte-verres électroluminescents ne les ont pas trop impressionnés car ils n'en font aucune mention. Un oubli peut-être?

Impressions:
- Tandem moteur/transmission moyennement performant
- Habitacle confortable

TROISIÈME ÉTAPE

Kilométrage
Départ: 1855 km
Arrivée: 2017 km

Consommation de carburant
Kilométrage: 1887 km
Nombre de litres: 36,6 l
Prix: au litre; 1,09$
Total: 40,00$

ENDROIT: GRANBY
HEURE: 21 H 30

Il est 21 heures lorsqu'Alain Morin prend possession de la voiture pour accomplir son «quart de travail» qui l'amènera de Saint-Hyacinthe à Granby avant de se diriger vers Waterloo, Magog, l'Ange-Gardien et Farnham. Le trajet choisi n'est pas une surprise puisque notre ami Alain habite la Montérégie et il a préféré demeurer sur ses terres pour procéder à son essai qui s'est déroulé sur une distance de 162 km. Effectuée en pleine obscurité et sous une forte pluie, cette étape a permis à Alain de trouver que la position de conduite était bonne et le véhicule confortable. En contrepartie, il a souligné comme les deux autres essayeurs qui l'avaient précédé que le moteur était bruyant et que la transmission CVT donnait l'impression de glisser constamment. Il a par contre été impressionné par cette dernière lorsqu'elle était utilisée en mode manuel.

Impressions:
- Visibilité correcte
- Pneus bruyants
- Bonne position de conduite
- Phares éclairent plus ou moins
- Transmission agréable en mode manuel seulement

Évaluation:
- Agrément de conduite: 8/10
- Insonorisation: 6/10
- Tenue de route: 8/10
- Confort des sièges: 8/10
- Système audio: 8/10

· Plastiques durs
· Tenue de route correcte
· Configuration pratique

Évaluation :
· Agrément de conduite :   7/10
· Insonorisation :   8/10
· Tenue de route :   7/10
· Confort des sièges :   8/10
· Système audio :   9/10
· Moteur :   7/10
· Transmission :   7/10
· Performances :   7/10
· Freinage :   7/10
· Impression générale :   7/10
· Total :   74/100

LA DERNIÈRE HEURE

Kilométrage
Départ : 2585 km
Arrivée : 2610 km

Consommation de carburant
Kilométrage : 2575 km
Nombre de litres : 28,5 l
Prix : au litre, 1,18 $
Total : 33,92 $

QUEL ENDROIT : BELOEIL
HEURE : 8 H 10

Arrivée à Saint-Basile-Le-Grand à 7 h 30, la

Caliber n'a plus qu'une heure à rouler pour compléter le périple. C'est donc l'auteur de ces lignes qui finira le trajet en effectuant quelques courses afin de terminer les préparatifs des essais sur la piste, alors que la Caliber sera soumise à une batterie de tests. Et lorsque ma montre indique 8 h 30, la voiture a parcouru une distance totale de 1 540 kilomètres avec cinq conducteurs différents et dans des conditions atmosphériques pas toujours agréables. De plus, nous avons testé toute la panoplie des conditions routières offertes dans notre province.

Mon modeste séjour derrière le volant m'a permis de constater moi aussi que la transmission CVT était paresseuse et que le mode manuel de cette boîte était nettement supérieur. Par contre, la position de conduite était correcte et le siège du conducteur confortable.

Et c'est à 8 h 33 pile que la Caliber se pointait la calandre au triovale de Sanair pour son évaluation sur piste.

PHASE DEUX : SANAIR

Règle générale, une voiture de tourisme sur une piste de course ne sert qu'à prouver que ce véhicule a été conçu pour la route et non pour les circuits de compétition, et encore moins pour un triovale. Mais, justement, notre

but en utilisant la piste de Sanair n'était pas essentiellement d'évaluer son comportement à haute vitesse en piste, mais plutôt de nous livrer à une série d'évaluations dans un environnement sécuritaire. Afin de faciliter la compréhension de cet essai, nous vous le présentons par épreuve. Et nos tests avaient pour objectif de vérifier le comportement de la voiture à haute vitesse, en slalom, au freinage en plus de quantifier les accélérations et les reprises. Nous avons également évalué l'insonorisation de même que la qualité de l'assemblage.

VOICI DONC LE DÉTAIL DE CES ÉVALUATIONS :

Qualité d'assemblage :
C'est sans doute l'élément le plus difficile à quantifier. Pour cette fois, nous avons mesuré les interstices entre les panneaux de caisse. Cet exercice permet de vérifier la qualité de l'assemblage de la carrosserie, un signe qui ne trompe pas. Afin de connaître la valeur de la Caliber à ce sujet, nous l'avons comparée à trois autres voitures qui étaient sur place : une Audi A4, une Honda Civic Hybride et une Mitsubishi Eclipse Spyder.

Comme le tableau suivant vous l'indique, la Audi a largement déclassé ses rivales, ce qui est normal au prix où elle est vendue. Et si la

Civic devance la Dodge, c'est de très peu, il aura suffi d'un seul écart trop important au chapitre du hayon de la Caliber pour expliquer cette différence. Enfin, la Mitsubishi ferme la marche, ce qui est généralement le cas chez les cabriolets pour ce genre d'exercice.

Niveau sonore

Lors de la randonnée de 24 heures, toutes les personnes impliquées ont souligné que l'insonorisation de l'habitacle était perfectible. Sonomètre en main, nous avons rapidement découvert que cette voiture était l'une des plus silencieuses qui soit au ralenti avec un niveau sonore à l'arrêt de 38,2 dB. En comparaison, il est de 42,1 dB sur une Toyota Yaris Hatchback. Mais les choses se sont vite gâtées alors que le sonomètre a affiché 74,1 dB en pleine accélération. À titre comparatif, il est de 71,4 dB sur une Lexus RX330. Et, la Caliber affiche un niveau sonore de 69,4 à une vitesse stabilisée de 100 km/h. Toujours à titre indicatif, il est de 68,7 dB dans une Mitsubishi Endeavor et de 69,8 dB dans une Nissan Maxima.

Somme toute, la Caliber est très silencieuse au ralenti pour devenir relativement bruyante lorsqu'on roule.

Niveau sonore:
Ralenti: 36,2 dB
Accélération: 72,1 dB
Stabilisé 100 km/h: 69,4 dB

Slalom

Cette fois, c'est Yves Day qui s'est chargé de négocier le slalom. Comme il fallait s'y attendre avec ce genre d'exercice, ce *hatchback* cinq portes s'est comporté honorablement, mais sans nécessairement briller par son agilité. Le fait que nous ayons une traction intégrale n'a pas été un avantage lors de la conduite avec une seule personne à bord. Par contre, l'assistance de la direction n'a pas été prise en défaut lors du franchissement de ce slalom qui ne consistait qu'en des portes gauche/droite en ligne.

D'autre part, avec quatre personnes à bord, les temps enregistrés ont été presque identiques

et Yves Day a souligné que la voiture était plus facile à contrôler et son assise plus neutre. Une preuve que la suspension a été optimisée pour une charge additionnelle. Donc, lorsque vous roulerez avec bagages et occupants, la voiture sera neutre en virage et le roulis fort bien contrôlé.

MESURES DE CAISSE
(EN MILLIMÈTRES)

		AUDI A4		MITSUBISHI ECLIPSE		DODGE CALIBER		HONDA CIVIC HYBRIDE	
CAPOT									
Gauche	avant haut	2.77		3.23		3.96		3.09	
	avant bas	3.04	0.27	4.17	0.94	4.28	0.32	3.24	0.15
Droit	avant haut	2.45		3.81		4.56		3.03	
	avant bas	2.93	0.45	2.56	1.25	4.26	0.20	3.24	0.21
PORTE									
Gauche	avant haut	3.02		3.56		4.95		3.70	
	avant bas	2.59	0.43	4.35	0.79	4.06	0.89	3.22	0.48
	arrière haut	3.54		4.46		3.34		3.88	
	arrière bas	2.69	0.85	4.23	0.23	3.61	0.27	3.74	0.14
Droit	avant haut	2.94		3.98		4.61		4.06	
	avant bas	3.53	0.59	3.68	0.3	4.79	0.18	3.69	0.37
	arrière haut	3.42		5.14		4.08		3.62	
	arrière bas	3.53	0.11	4.93	0.21	3.03	1.05	4.78	1.16
COFFRE									
Gauche	haut	3.99		3.51		3.91		4.16	
	bas	3.48	0.51	4.27	0.76	5.32	1.41	3.12	1.4
Droite	haut	3.83		3.40		4.62		2.90	
	bas	3.51	0.29	3.83	0.43	4.56	0.06	3.33	0.43
DIFFÉRENTIEL			3.5		4.91		4.38		4.24

Slalom :
1 personne à bord :
1er essai : 28,72 s
2e essai : 27,80 s
4 personnes à bord :
1er essai : 27,92 s
2e essai : 27,89 s

Tours du circuit

Le triovale de Sanair n'est pas un circuit qui pardonne, surtout lorsqu'on se contente de rouler sur l'ovale et en omettant la portion « circuit routier » au centre de la piste. Nous avons chronométré les tours, mais puisque nous n'avions pas d'autres véhicules de référence de la même catégorie ce n'est pas tellement utile en soi. Soulignons que le tour le plus rapide enregistré a été de 44,3 secondes.

En revanche, si la suspension s'est révélée trop souple, la voiture a été relativement facile à maîtriser tandis que la direction était précise mais manquait de *feedback*. C'était tout de même correct pour une voiture de cette catégorie. Dans les virages, la traction intégrale a évité le sous-virage accentué et c'est sans appréhension que nous pouvions aborder le virage trois sans craindre d'aller taper le mur. En contrepartie, comme toute excursion sur un circuit ovale, le pneu droit a subi le plus de contraintes et après quelques tours de piste, sa

Enfin, les freins n'ont pas surchauffé et se sont refroidis assez rapidement. Il est certain que l'utilisation de pneus de 18 pouces permet un meilleur refroidissement puisque les roues plus grandes permettent une meilleure arrivée d'air aux freins.

100-0 km/h :
2 personnes à bord :
1er essai : 43 mètres
2e essai : 46 mètres
3e essai : 48,6 mètres

4 personnes à bord :
1er essai : 46 mètres
2e essai : 49 mètres
3e essai : 51 mètres

Température des freins :
À froid : 30,2 degrés C
1 personne à bord
Après 1 stop : 67,2 degrés C
Après 2 stops : 110,1 degrés C
Après 3 stops : 112,8 degrés C

Au départ : 67,2 degrés C
4 personnes à bord
Après 1 stop : 112,6 degrés C
Après 2 stops : 1400 degrés C
Après 3 stops : 160,7 degrés C

Avec quatre personnes à bord, les pourcentages sont les mêmes, mais il faut compter sur une seconde de plus pour boucler le même exercice.

> ## LA TRANSMISSION CVT EST PARESSEUSE ET LE MODE MANUEL DE CETTE BOÎTE EST NETTEMENT SUPÉRIEUR.

pression avait fortement augmenté, allant jusqu'à avoir une pression supérieure de 35 pour cent à celle des trois autres pneus.

Freinage :

Nous avons procédé à deux séries de tests de freinage. La première a été d'effectuer trois freinages d'urgence avec deux personnes à bord afin de mesurer la distance de freinage et l'échauffement des freins. Puis, la même séquence a été répétée avec quatre personnes à bord.

Les distances enregistrées dans le cadre de cet exercice ont été conséquentes avec les distances moyennes de cette catégorie. De plus, les freinages se sont tous faits sans déviation de la trajectoire et sans que la pédale de frein devienne spongieuse. Et avec quatre personnes à bord, seules les distances ont augmenté, mais, encore une fois, les résultats sont dans la moyenne pour ce genre d'exercice.

Accélération 0-100 km/h

Les accélérations départ arrêté ne sont pas le point fort de cette Caliber. Malgré son moteur de 172 chevaux, les temps d'accélération enregistrés ont toujours été d'environ 10 secondes et pour ce faire, il fallait passer les rapports en mode manuel. Ce qui nous permet de boucler le 0-100 km/h en un peu plus de neuf secondes. Sinon, les temps sont de 10 secondes et plus. La grande responsable de cet état de fait est la transmission CVT qui est peu performante au début de l'accélération. C'est du moins l'impression initiale. Une analyse des données nous indique qu'il faut environ 3,2 secondes pour atteindre les 30 km/h et il en faut 7,0 de plus pour se rendre à 100 km lorsqu'on n'utilise pas la boîte en mode manuel. Quand le pilote effectue les passages des rapports en mode manumatique, cela permet de retrancher au moins une seconde.

Somme toute, la Caliber R/T n'est pas un bolide, mais ses prestations sont correctes. Il est vrai que la boîte CVT ne vient pas en aide, mais sa perception de lenteur en raison de la sonorité engendrée est plus élevée que les résultats ponctuels.

0-100 km/h :
1 personne à bord :
1er essai : 9,2 s
2e essai : 10,3 s (mode auto)

4 personnes à bord :
1er essai : 12,1 s
2e essai : 11,57 s (mode auto)

Les reprises 80-120 km/h. Ouf !

À ce jour, la Caliber a bien figuré tant par son comportement routier sans surprise que par ses performances qui, sans être spectaculaires, sont aisément dans la moyenne de la catégorie. La seule note vraiment négative est survenue dans le cadre de la réalisation du test des reprises qui constitue à mesurer le temps nécessaire pour passer de 80 à 120 km/h en accélérant comme si on voulait doubler.

EN CONCLUSION :

Les 24 heures passées sur les routes du Québec, la journée en piste à Sanair, tout cela nous permet de conclure qu'à deux exceptions près, cette Caliber est bien née et devrait répondre aux attentes générales du public. Son comportement routier est sans surprise et le confort de l'habitacle est supérieur à la moyenne de la catégorie. En plus, il est truffé d'espaces de rangement aussi ingénieux que pratiques. Enfin, les freins sont puissants tandis que le rouage intégral de la version R/T mis à l'essai est transparent et efficace.

Malheureusement, la décision de n'offrir qu'une boîte automatique CVT sur la plupart des modèles risque de coûter des ventes. Cette transmission impressionne quand elle est utilisée en mode manuel, mais elle ne brille pas autant en mode automatique. Cela peut toujours aller pour plusieurs, mais son essoufflement en accélération devrait déplaire à certains.

Malgré tout, le seul fait pour DaimlerChrysler d'avoir voulu innover mérite nos félicitations. Et cette fois, le résultat est beaucoup plus convaincant que lorsque la Néon est apparue...

Puisque le moteur et la transmission manquent un peu de punch en mode automatique, cet exercice s'est révélé quelque peu délicat sur une piste comme le triovale de Sanair alors que la seule ligne droite est relativement courte. Tant et si bien que nous avons dû nous y prendre à plusieurs reprises afin de boucler cet exercice sans risque. Après plusieurs tentatives, nous avons enfin réussi à effectuer un 80-120 km/h en 9,2 secondes. Nous avons tenté le même exercice avec quatre personnes à bord et il a été impossible de le faire.

Reprises 80-120 km/h
1 personne à bord :
1er essai : 9,2 s
2e essai : voir texte

4 personnes à bord :
1er essai : voir texte
2e essai : voir texte

Des boîtes ? Amenez-en !
Mais puisque la vocation première de cette voiture n'est pas de rouler sur un circuit de course, il aurait été dommage de ne pas vérifier le volume de chargement de ce *hatchback* cinq portes. Pour ce faire, nous nous sommes procuré des boîtes d'archivage standard dont les dimensions sont semblables aux boîtes les plus utilisées dans une résidence.

Dans une première étape, nous avons rempli le coffre à bagages en laissant la banquette arrière en place. Le résultat a quelque peu été décevant car seulement six boîtes ont pu être chargées. Cela tient en partie au fait que la partie supérieure du hayon est inclinée vers l'avant, grugeant ainsi quelques centimètres d'espace de chargement. De plus, le MusicGate situé dans la partie inférieure du hayon explique un peu cette capacité relativement moyenne. Il est certain que l'utilisation d'objets aux formes plus arrondies aurait sans doute permis d'en charger davantage. Mais là où la Caliber impressionne, c'est lorsque le dossier arrière est rabattu. Il est alors possible d'empiler 16 boîtes au total. Ce qui est remarquable.

Capacité du coffre :
Dossier relevé : 6 boîtes
Dossier rabattu : 16 boîtes

Denis Duquet

Pour en savoir plus, visitez : leguidedelauto2007.com

Les journalistes automobile ont la chance d'essayer plusieurs véhicules par mois. Ceci nous permet de toujours être à l'affût des nouveautés sur le marché et de déceler les tendances en plus de pouvoir comparer les différents véhicules. Mais cette exposition quasiment indécente à une grande variété de voitures a un côté sombre... Vivre une semaine avec un véhicule c'est une chose mais le conduire à l'année longue en est une autre! Par exemple, si nous effectuons l'essai d'une voiture par moins trente degrés, nous n'apprenons pas grand-chose sur le climatiseur. D'ailleurs, il arrive souvent que les gens que nous rencontrons lors des salons de l'auto nous apprennent des détails que nous n'avions pas remarqué lorsque nous avions fait l'essai d'un modèle identique aux leurs.

Pour cette raison, nous sollicitons les manufacturiers pour obtenir des voitures que nous pourrons conduire pendant plusieurs mois. Certains nous ignorent royalement mais les plus braves (ou ceux qui ont le plus confiance en leur produit...) n'hésitent pas à jouer le jeu. Cette année, Honda, Hyundai, Mazda, Mitsubishi, Porsche et Toyota se sont prêtés à ce jeu.

AU FIL DES KILOMÈTRES

HONDA ACCORD HYBRIDE
L'ACCORD À VALEUR AJOUTÉE

Photos : Honda

On aurait pu croire, quand Honda a décidé de se lancer dans la commercialisation de sa populaire Accord en version hybride, que l'on se tournerait vers une philosophie d'économie maximale. Après tout, les versions traditionnelles de la Accord ont assez de puissance pour contenter même les plus difficiles (la clientèle des Accord n'a rien de vrais amateurs de sport), alors une option très économique devenait envisageable.

Que nenni! Les ingénieurs ont plutôt opté pour une application à la hausse de la technologie hybride, installant le système IMA (pour integrated motor assist) sur le plus gros des moteurs disponibles, le V6 de 240 chevaux. Le résultat : quand on additionne des chevaux à chevaux, furent-ils électriques, la puissance est en hausse, alors que la consommation, sans être en baisse radicalement, n'en est pas moins fort intéressante.

La Accord hybride est un modèle de technologie de pointe, et de douceur de conduite. Pour s'en convaincre, l'équipe du Monde de l'auto a utilisé, sur une base quotidienne, une Accord hybride durant plusieurs semaines tout en parcourant plusieurs milliers de kilomètres. Car la technologie hybride, pour être réellement efficace, doit pouvoir servir les besoins normaux d'un automobiliste et de sa famille.

De ce point de vue, la Accord, hybride ou non, remplit le mandat. L'espace intérieur est vaste et bien aménagé, et passagers comme conducteur jouissent d'un dégagement plus que suffisant. Autre constat, plus décevant cette fois, le coffre arrière, malgré une bonne dimension, ne peut malheureusement profiter des banquettes rabattables, ce qui en limite la capacité.

QUELQUES KILOMÈTRES PLUS LOIN

Le véritable test cependant, c'est en conduite, et en consommation, qu'il s'est effectué. En matière de conduite, rien à redire. Le système hybride est plutôt transparent, même s'il faut quelques jours pour s'habituer aux rouages différents. Ainsi, en freinage léger, on sentira sous le pied une légère vibration engendrée par le système de recharge des batteries qui récupère l'énergie du freinage. Agissant presque comme un frein moteur, le système, tout de même plus convivial que celui de Toyota, brusquera parfois les arrêts. Mais un bon dosage de la pédale a vite fait de rendre la manœuvre efficace et bien contrôlée.

Le moteur à essence s'arrête aussi complètement lorsque le véhicule s'immobilise, et ce, peu importe l'utilisation des autres systèmes comme la climatisation. Il suffit de lever le pied de la pédale de frein pour que le tout redémarre au quart de tour. Et à vitesse de croisière régulière, le moteur à essence n'utilisera que trois des six cylindres à sa disposition, pour maximiser l'économie de carburant. Toutes ces manœuvres sont transparentes (bien que certains prétendent les avoir perçues), et favorisent l'économie.

Est-ce vraiment une réussite ? Oui et non. Oui, parce qu'un véhicule de 253 chevaux qui consomme 9 litres pour 100 kilomètres (j'ai maintenu une moyenne de 8,9 litres sur une distance de 3 600 kilomètres) est un choix intéressant. Et non parce qu'on est loin des 7,5 litres aux 100 promis par Honda.

Malgré tout, et en raison surtout de son comportement routier sûr et de mon petit côté vert qui aime bien les faibles émanations polluantes de la Accord hybride, je dois avouer que plus je la conduisais, plus je l'aimais. Une véritable Accord, mais à valeur ajoutée. Ce qui en dit déjà long.

Marc Bouchard

HONDA ACCORD

Début de l'essai :	avril 2006
Fin de l'essai :	mai 2006
Kilométrage parcouru :	3 600 km
Consommation moyenne :	8,9 litres au 100 km
Ennuis mécaniques :	aucun
Intégrité de la carrosserie :	excellente
Autres commentaires :	vibrations au freinage, agréable à conduire, bonnes performances

HYUNDAI SONATA

ELLE CONFIRME SES PROMESSES

Photos : Alain Morin

Dévoilée il y a plus d'un an, la Sonata s'est couverte d'éloges et de titre. Raison de plus pour la soumettre à un essai de plusieurs mois répartis sur quelques milliers de kilomètres. À mi chemin de cet essai, plus de 8 000 km nous dressons un bilan qui s'est révélé positif jusqu'à date. Notre modèle d'essai est équipé du moteur V6 Lambda 3,3 litres de 235 chevaux couplé à une version cinq vitesses d'une transmission automatique de type manumatique.

À l'usage, ce moteur s'est révélé passablement convaincant avec des reprises musclées et des accélérations nerveuses. De plus, sa consommation de carburant a été d'environ 9,0 litres au 100 km, ce qui est très bon compte tenu des performances et des dimensions du véhicule. Les freins à disque aux quatre roues, de concert avec le système ABS, sont efficaces et leur distance de freinage relativement courte a empêché une collision qui aurait coûté cher.

Mais ce qui marque le plus grand progrès, c'est le comportement routier qui n'a aucun lien avec ce que nous proposait l'ancienne version. Même sur les routes sinueuses, la Sonata répond avec précision et procure un confort de roulement de grande qualité. La direction n'est certes pas des plus communicatives, mais elle répond avec célérité même dans les virages les plus serrés. Au fil

des kilomètres, son comportement routier sain et équilibré a été apprécié.

CONFORTABLE

Le tableau de bord est bien conçu dans l'ensemble et les commandes sont efficaces, bien placées et l'agencement est très intuitif. On ne cherche pas longtemps pour retrouver ce dont on a besoin. Nos essayeurs ont toutefois trouvé que les sièges offrent peu de support latéral et une assise trop courte pour être confortables sur de longs trajets. Plusieurs ont également trouvé que la partie inférieure du centre de la planche de bord semblait trop dénudée. Et la finition intérieure de notre modèle d'essai était sans faille, un élément à souligner en raison du fait que cette berline provient maintenant des États-Unis.

Et pour compenser pour les quelques petits défauts d'aménagement on peut compter sur un espace plus que suffisant pour tous les passagers et sur un confort supérieur à la moyenne pour les occupants des places arrière.

Le plus grand confort provient cependant du silence quasi religieux qui règne à bord de l'habitacle dans toutes les circonstances, ce qui permet d'apprécier la sonorité bien dosée du système audio qui impressionne.

Et il faut également souligner le caractère polyvalent de cette Hyundai. Elle a été utilisée à

quelques reprises comme voiture de fonction alors que je suis allé chercher des amis à l'aéroport. Ceux-ci ont été impressionnés par l'habitabilité, le confort de la suspension et des places arrière. En outre, le coffre a été assez volumineux pour y placer tous les bagages.

Somme toute, à part quelques peccadilles d'aménagement et de présentation, cette Sonata de la nouvelle génération témoigne des progrès que Hyundai a réalisés aussi bien en fait de qualité de fabrication que de performances. Il reste maintenant à pouvoir insuffler un peu plus de caractère à cette berline. Mais c'est déjà pas mal comme ça. Et, en terminant, aucun pépin mécanique est venu troubler cet essai.

Alain Morin

HYUNDAI SONATA	
Début de l'essai :	avril 2006
Fin de l'essai :	en cours
Kilométrage parcouru :	6 595 km
Consommation moyenne :	8,6 litres au 100 km
Ennuis mécaniques :	aucun
Intégrité de la carrosserie :	excellente
Autres commentaires :	tableau de bord un peu terne, performances intéressantes

MAZDA5
TOUJOURS AUSSI DOUÉE

Photos : Denis Duquet

Cet hybride entre une familiale et une fourgonnette a été nommée «Véhicule de l'année» par *Le Guide de l'auto 2006*. Plusieurs mois après le lancement du *Guide*, les membres du jury ont revu leur jugement et tous étaient de nouveau en accord avec ce choix. En plus de sa grande polyvalence et de pouvoir accommoder six passagers à son bord, cette Mazda est également très agréable à conduire. D'ailleurs, plusieurs personnes qui se sont fiées à notre jugement et qui se sont procuré une Mazda5 nous ont fait part de leur satisfaction.

Mais dans le but de consolider notre choix, nous avons décidé de soumettre notre lauréate à un essai prolongé de plusieurs mois afin de vérifier si la fiabilité était au rendez-vous.

Après un peu moins de 6000 kilomètres au compteur, force est d'admettre que le bulletin de cette fourgonnette est rempli de bonnes notes. En tout premier lieu, l'agrément de conduite est toujours aussi relevé. Bien sûr! Il ne s'agit pas d'une voiture sport, mais son agilité, la précision de sa direction et sa tenue de route ont été les caractéristiques les plus appréciées. Et si les 157 chevaux du moteur de 2,3 litres ont été jugés suffisants, quelques essayeurs ont souligné qu'une dizaine de chevaux additionnels seraient les bienvenus. Par la même occasion, tous ont indiqué que la présence d'un cinquième rapport à la boîte

automatique serait avantageuse. Malgré tout, l'agrément de conduite avec notre version d'essai à boîte automatique a été jugé supérieur à la moyenne. D'autant plus que cette boîte manumatique permet de passer les rapports en mode manuel, ce qui ajoute à l'agrément de conduite. Soulignons au passage que nous avons utilisé quatre pneus d'hiver de janvier à avril et le véhicule n'a eu aucune difficulté à affronter les routes enneigées ou glacées, même si l'hiver a été relativement clément.

Parmi les autres points positifs, il faut mentionner une bonne position de conduite et une visibilité tout de même correcte Par contre, une fois les places arrière occupées, il faut se fier aux rétroviseurs extérieurs pour assurer ses arrières. Quant à la troisième rangée de sièges, ce n'est pas pour les personnes de grande taille, mais deux enfants y trouveront leur compte. Il faut également ajouter que les multiples espaces de rangement dans l'habitacle ont été appréciés.

Si le tableau de bord est simple à consulter et ses commandes à la portée de la main, tous nos essayeurs ont déploré le fait que le tableau d'affichage en partie supérieure de la console centrale était parfois difficile à lire, surtout lorsque le soleil était à son plus fort. De plus, lors de notre premier essai, nous avions remarqué que le bouclier de couleur titane entourant le levier de vitesse semblait facile à érafler. Nos

craintes se sont matérialisées avec la présence d'une bonne éraflure sur le côté droit de cette plaque décorative.

Pour le reste, rien à signaler au chapitre de la fiabilité, tandis que la consommation moyenne pour les quatre premiers mois de notre essai a été de moins de 10 litres aux 100 km. Ce qui n'est pas trop mal en considérant que ces données ont été presque toutes colligées en hiver. Cette relative sobriété associée à sa polyvalence, à son habitacle pouvant se configurer de multiples façons, ainsi que ses portes coulissantes faciles d'opération nous permettent de conclure que ce titre de «Véhicule de l'année» n'était pas usurpé, loin de là.

Denis Duquet

MAZDA5	
Début de l'essai :	janvier 2006
Fin de l'essai :	en cours
Kilométrage parcouru :	5 895 km
Consommation moyenne :	9,8 litres au 100 km
Ennuis mécaniques :	aucun
Intégrité de la carrosserie :	excellente
Autres commentaires :	3e rangée parfois pratique, éraflures sur panneau de console

MITSUBISHI OUTLANDER

CLASSEMENT CONFIRMÉ, FIABILITÉ SANS FAUTE

Photos : Denis Duquet

Dans *Le Guide de l'auto 2006*, notre match des VUS urbains a vu le Mitsubishi Outlander décrocher le second rang. Désireux de savoir si ce classement était le fait du jugement d'un groupe d'essayeurs sur qui le soleil aurait trop plombé et si cette seconde place sur le podium était assortie d'une fiabilité à la hauteur des qualités du véhicule, nous avons amorcé en janvier dernier un essai à long terme qui nous permettrait d'en savoir davantage.

Parlons donc immédiatement de la fiabilité. Après plus de cinq mille kilomètres, la fiche est immaculée. Pas un bruit n'est apparu, l'intégrité de la caisse est toujours intacte tandis que le moteur quatre cylindres de 2,4 litres continue de ronronner sans problème. Il en est de même de la boîte automatique qui pourrait profiter d'un rapport additionnel, ce qui permettrait d'abaisser notre consommation moyenne de 12,6 litres aux 100 km, mais elle est tout de même correcte. Bref, à ce chapitre, tout est beau.

Notre utilisation au cours de la période d'essai a été essentiellement sur les routes provinciales et les grandes artères métropolitaines. Pas de randonnée hors route ou encore de défi de la glace. Mais puisque ce genre de véhicule est presque exclusivement acheté par des personnes désireuses de l'utiliser au quotidien, notre essai est loin d'être divergent. Il est vrai que le moteur de 160 chevaux pourrait avoir plus de punch lors des reprises, que la direction gagnerait à

offrir davantage de précision, mais le comportement général du véhicule a été apprécié par tous les conducteurs. De plus, quelques voyages Montréal-Québec-Montréal, Montréal-Rimouski-Montréal et enfin un Montréal-Mont-Valin-Montréal ont été bouclés sans que les occupants se plaignent du confort lors de ces longs trajets. Par contre, pour une raison que nous ignorons encore, les pneus avant sont devenus très bruyants. Leur pression a été vérifiée, leur semelle examinée de plus près, rien à redire. Notre enquête se poursuit.

Malgré la réticence de Mitsubishi, nous avons entamé cet essai en période hivernale alors que le véhicule était toujours équipé de ses pneus d'origine, soit des quatre saisons. Chez le constructeur, on appréhendait des difficultés même si la transmission intégrale est censée être capable de se débrouiller honorablement. Nous leur avons dit que l'on commencerait avec les pneus de série et qu'on installerait des pneus d'hiver si c'était nécessaire. Finalement, notre Outlander a toujours roulé sur les mêmes pneumatiques. Même sur les routes enneigées du Saguenay ou sur l'autoroute 20 couverte de glace et balayée par le vent du fleuve en se rendant à Rimouski, la traction a été impeccable. Pour autant que les conducteurs adaptent leur conduite en conséquence.

Par contre, les essayeurs ne sont pas unanimes quant au design assez unique du tableau de

bord, mais tous reconnaissent qu'il vaut mieux que celui-ci soit plus original que générique. Et c'est certainement le cas du Outlander. Par ailleurs, sa carrosserie a été jugée un peu trop équarrie aux goûts de certains, mais sa calandre arrondie et les rails en aluminium sur le toit compensent largement. Il faut déplorer le fait que le tissu qui recouvre les sièges semble attirer les poils et les grains de saleté comme un aimant. De plus, il faut avoir une bonne poigne pour relever les sections du dossier arrière 60/40.

Ce Mitsubishi n'a certainement pas usurpé son second rang dans le match comparatif des VUS urbains publié dans *Le Guide de l'auto 2006*. Et cette année, une nouvelle génération voit le jour. Nul doute qu'elle sera à la hauteur... et même plus !

Denis Duquet

MITSUBISHI OUTLANDER

Début de l'essai :	15 janvier 2006
Fin de l'essai :	1e juillet 2006
Kilométrage parcouru :	8585 km
Consommation moyenne :	12,6 litres au 100 km
Ennuis mécaniques :	aucun
Intégrité de la carrosserie :	excellente
Autres commentaires :	rouage avant bruyant, sièges en tissus attirent poils et saleté

PORSCHE 911 CARRERA S
PLUS DE 15,000 KILOMÈTRES AU COMPTEUR

Photos : Porsche

Avec les années, la 911 Carrera est devenue l'une des voitures mythiques de l'histoire de l'automobile et demeure l'une des sportives les plus accomplies suscitant la convoitise de tous les passionnés d'automobile. Plus que tout cela, lorsqu'on pense à Porsche, on pense tout de suite à la 911 Carrera qui a transcendé les époques, alors que d'autres modèles de la marque tels que les 944, 924, 928 et j'en passe n'ont pas survécu à l'inexorable marche du temps. Le Guide de l'Auto a entrepris un essai prolongé de 12 mois de la plus récente version de la Carrera S.

J'ai eu l'occasion de rouler à plusieurs reprises sur le circuit du Mont-Tremblant au volant de la Carrera S à boîte manuelle, équipée de freins en composite de céramique PCCB (Porsche Ceramic Composite Brake), une option ajoutant la bagatelle de 11 400 dollars à la facture, ainsi que de l'option Sport Chrono (1 290 dollars) qui agit à la fois sur le système PSM en le rendant plus permissif, ainsi que sur les suspensions qui passent en mode sport en devenant plus fermes. Pour vraiment apprécier le degré de sophistication technique de la 911 Carrera S et sa tenue de route phénoménale, bref ce qui fait sa spécificité, il faut absolument la conduire sur un circuit, chose possible en adhérant à l'un des nombreux clubs Porsche qui organisent régulièrement des événements sur circuit.

Parmi les bémols, soulignons le fait que les places arrière sont encore et toujours symboliques, et que les coûts d'utilisation d'une 911 Carrera S sont élevés. À titre d'exemple, les pneus qui offrent autant d'adhérence s'usent rapidement, si bien que l'on doit changer les pneus arrière tous les dix mille kilomètres, ce qui entraîne un déboursé d'environ 1 500 dollars, et qu'il faut remplacer les quatre pneus tous les vingt mille kilomètres pour un coût approximatif de 2 600 dollars. Bref, ce n'est pas qu'à l'achat qu'une 911 Carrera S coûte cher…

LA CONDUITE EN HIVER
Les savantes calibrations du système PSM de stabilité électronique de Porsche (Porsche Stability Management) permettent également à la 911 Carrera S de circuler facilement en plein cœur de l'hiver. D'ailleurs, lorsque quelqu'un me voyait la conduire en hiver, la question était toujours : «C'est bien une 4S avec la traction intégrale?» et la réponse suivait : «Non, c'est juste une Carrera S». Il faut croire que l'idée de conduire en hiver une 911 qui n'est qu'une simple propulsion frisait l'hérésie aux yeux de plusieurs, et pourtant… Chaussée de ses Continental Winter Sport Contact légèrement sous-dimensionnés par rapport à la monte pneumatique d'origine et bénéficiant de toutes les aides électroniques au pilotage, notre Carrera S s'est littéralement jouée de notre dernier hiver. Le seul handicap à la conduite d'une 911 en hiver est donc sa

garde au sol limitée ce qui m'obligeait à traîner une pelle en plastique à bord, histoire de déblayer un peu les amoncellements créés par les déneigeuses.

Par ailleurs, le dossier fiabilité de notre Porsche Carrera S s'est avéré parfait, exception faite d'une fuite d'huile à transmission localisée à un joint reliant l'un des deux demi-arbres de transmission au différentiel. Il s'agit là d'un problème très rare pour la 911 Carrera, et je crois qu'il est survenu parce que notre voiture a subi un double traitement-choc en raison de la quantité de tours accomplis sur circuit et du kilométrage parcouru en conditions hivernales. La réparation n'a pris qu'une heure et était couverte par la garantie.

Gabriel Gélinas

PORSCHE 911 CARRERA S	
Début de l'essai :	mai 2005
Fin de l'essai :	mai 2006
Kilométrage parcouru :	13 595 km
Consommation moyenne :	12,2 litres
Ennuis mécaniques :	fuit d'huile localisée
Intégrité de la carrosserie :	excellente
Autres commentaires :	options couteuses, bouffe ses pneus

TOYOTA YARIS HATCHBACK

UN MOIS AU VOLANT

Photos : Jonathan Morin

Introduite en 2006, la Yaris se devait de remplacer la Echo hatchback, un véhicule dont 60 % des ventes sur le marché canadien s'effectuent au Québec. Mais la Yaris n'a absolument rien à envier à l'Echo. Pour un mois, on m'a confié la tache d'essayer la Yaris LE.

Par rapport à l'Echo, l'habitacle a été agrandi, et les espaces de rangement sont toujours aussi nombreux. Tout comme dans l'Echo, les cadrans et jauges se retrouvent au centre du tableau de bord mais ils sont placés parallèlement aux sièges avant, les rendant visibles au passager. Alors que les espaces de rangement à l'avant ne cessent de se multiplier, le coffre, quant à lui, a tôt fait d'être comble, à cause de sa petite taille. Il est possible d'abaisser le dossier du siège arrière mais, malheureusement, sur notre version de base il n'est pas divisible. Les commandes de la climatisation sont placées à la verticale et facilement accessibles. Le système audio joue bien à bas volume, mais les basses fréquences ont tendance à se distordre dès que le volume d'écoute devient un peu plus fort, une caractéristique décevante pour un véhicule qui cherche à viser une clientèle jeune. Les places avant sont confortables compte tenu du prix du véhicule et elles offrent un bon dégagement autant au niveau de la tête que des pieds, même pour des personnes de grande taille. Les larges portières rendent l'accès aux places avant facile mais elles deviennent un obstacle dans un stationnement où elles ne peuvent s'ouvrir complètement sans heurter la voiture stationnée juste à côté. La tâche de monter ou de descendre du véhicule devient alors plus compliquée et quelquefois désagréable. Les places arrière pourraient offrir plus de dégagement pour les jambes, mais deux adultes peuvent tout de même s'y asseoir sans trop de problèmes pour de courtes distances. Dans la version trois portes, le dossier des sièges avant ne reprend pas sa position originale lorsqu'il a été rabattu vers l'avant, ce qui devient vite agaçant.

La Yaris est propulsée par un moteur de 1,5 litre développant 106 chevaux à 6 000 tours/minute. Même si cette puissance peut sembler minime, il est surprenant de constater que le véhicule offre de bonnes performances, comparables à ses concurrents. Sur l'autoroute, le moteur fait remarquer sa présence alors qu'à 100 km/h, il tourne environ à près de 3 000 tours/minute, ce qui est beaucoup, surtout pour une voiture qui se veut économique.

La petite cylindrée ainsi que le faible poids de la Yaris la rendent très avantageuse au niveau de la consommation d'essence mais la puissance à bas régime est désolante. La transmission manuelle offre un bon rendement, même si le levier manque un peu de précision. L'embrayage répond bien la plupart du temps malgré sa tendance à causer des bruits d'engrenage s'il n'est pas enfoncé complètement. Pendant les quelque 2000 kilomètres que j'ai parcourus avec la Yaris, aucun bris mécanique n'est venu m'embêter. La consommation d'essence se situe, en moyenne, à 8,4 litres aux 100 km. Il faut dire que j'ai fait quelques voyages alors que le véhicule comptait à son bord quatre adultes et leurs bagages. Aussi, la consommation d'essence à tendance à croître rapidement lorsque le moteur tourne à haut régime (jusqu'à 10,5 litres aux 100 km).

Jusqu'à présent, la Yaris ne m'a pas déçu même si je n'ai pas encore réussi à me familiariser avec ses lignes « spéciales ». Au début, la petite taille de la Yaris me laissait perplexe car j'étais habitué à conduire un véhicule plus gros. Mais puisqu'il s'agit d'une voiture qu'il faut prendre le temps de découvrir, je m'y suis attaché. Les avantages de la Yaris dépassent amplement ses quelques défauts et en font un achat judicieux.

Jonathan Morin

TOYOTA YARIS

Début de l'essai :	janvier 2006
Fin de l'essai :	mars 2006
Kilométrage parcouru :	5 895 km
Consommation moyenne :	8,4 litres au 100 km
Ennuis mécaniques :	aucun
Intégrité de la carrosserie :	excellente

Autres commentaires : levier de vitesse imprécis, peu de puissance à bas régime

TOYOTA YARIS BERLINE

LA PETITE CITADINE !

Photos : Guy Desjardins

Il était une fois une petite voiture ayant de grandes ambitions. En effet, elle voulait être à la fois très économique en carburant, offrir un volume intérieur de grande dimension, présenter une allure stylisée, offrir des performances adéquates et se vendre à un prix défiant toute compétition. La petite Echo l'avait bien fait par le passé, alors pourquoi la Yaris ne serait-elle pas capable de répéter l'exploit ?

Après plus de 2 500 km au volant de cette Yaris berline, je dois avouer que le pari est atteint et de brillante façon. Évidemment, vous l'aurez remarqué, la Yaris ressemble à s'y méprendre à une Camry, ce qui est une belle comparaison en soit. À l'intérieur, on notera le tableau de bord central qui n'est plus orienté vers le conducteur. Cette position agace au départ mais on fini par s'y habituer ! Les espaces de rangement sont nombreux mais certains mal placés lorsque vient le temps d'y récupérer nos menus objets, des « cennes » par exemple.

La position de conduite se trouve aisément et permet d'avoir une bonne visibilité tout en profitant de sièges avant très confortables. L'espace disponible pour les passagers arrière est impressionnant et l'absence d'un tunnel sous la voiture procure un plancher plat. La visibilité arrière est cependant un peu réduite par l'étroitesse de la lunette arrière, par les appuie-tête et par les couverts des haut-parleurs.

Quant au coffre, son espace de chargement est très volumineux et peut être agrandi grâce à la banquette arrière rabattable mais procurant une ouverture petite et un plancher loin d'être plat.

ÉLÉMENTAIRE MON CHER WATSON !

Sur la route, la voiture se montre très sensible aux vents latéraux et il est difficile à ce moment de tenir le cap sans constamment avoir à se battre avec la voiture. De plus, la direction électronique se montre un peu trop assistée ce qui nous amène souvent à corriger le tir. Heureusement, en situation urbaine, cette direction revêt un charme exquis avec son rayon de braquage ahurissant, rendant les déplacements et les stationnements en ville très agréables.

Évidemment la voiture se veut avant tout économique alors oubliez les performances du tonnerre car la puissance du moteur s'avère vraiment très limitée. Inutile de mentionner alors que les accélérations et les reprises sont exécrables lorsque l'on transporte 3 passagers ainsi que leurs bagages.

À croire qu'il y a trop d'espace disponible pour les aspirations du moteur. Les suspensions sont toutefois bien calibrées et les pneus de série réellement adaptés à ce type de véhicule. Aucun pépin mécanique n'est survenu pendant ce mois d'essai et compte tenu de la fiabilité des produits Toyota, le contraire aurait été surprenant.

Pendant cet essai long terme, ce qui m'aura le plus marqué restera sans équivoque la consommation d'essence minime de la voiture et sa superbe maniabilité en ville. La Yaris est donc parvenue à rééditer l'exploit de l'Echo tout en proposant une silhouette et une mécanique moderne et efficace. La Yaris berline est donc vouée à un grand succès.

Et il faut donner raison aux dirigeants de ce constructeur d'avoir concocté deux Yaris totalement différentes l'une de l'autre. Chacune vise un clientèle à part et cet objectif semble avoir été atteint. Et dans un cas comme dans l'autre, c'est impeccable car elles remplissent leur fonction respective en vertu des attentes des utilisateurs.

Guy Desjardins

TOYOTA YARIS BERLINE

Début de l'essai :	avril 2006
Fin de l'essai :	juillet 2006
Kilométrage parcouru :	3 500 km
Consommation moyenne :	8,6 litres
Ennuis mécaniques :	aucun
Intégrité de la carrosserie :	excellente
Autres commentaires :	performances moyennes une fois chargée, bonne citadine

119

Voiture
économique

LA GRANDE QUESTION

Depuis que la division Acura a décidé de remplacer l'Integra par un modèle ayant un prix plus abordable et par conséquent de plus grande diffusion, les discussions ont toujours été passablement animées. D'une part, parce que ce modèle, baptisé EL, était étroitement dérivé de la Honda Civic. D'autre part, parce que plusieurs s'opposaient à payer quelques milliers de dollars de plus pour le prestige du porte-clé et du logo Acura. Cela n'a pas empêché la 1,7 EL de se vendre à profusion. Avec l'arrivée de la nouvelle Civic l'an dernier, la CSX est apparue quelques mois plus tard.

C ette fois, le changement d'appellation est devenu obligatoire en raison de la nouvelle politique d'Acura d'identifier tous les modèles par des lettres. Et vous admettrez avec moi que CSX fait plus chic que 1,7 EL qui dévoile à tous la faible cylindrée de son moteur. Mais si le nom est différent, la recette demeure toujours la même : la plus petite des Acura est fortement dérivée de la Civic.

LA SILHOUETTE ! QUELLE SILHOUETTE ?
Les responsables des affaires publiques de Acura/Honda ont beau insister et défendre avec véhémence l'originalité de la CSX, quand on la regarde, il est impossible de ne pas voir la ressemblance entre ces deux modèles, surtout au chapitre de la ceinture de caisse, du profil de la ligne du toit et les passages de roue. Et si ces emprunts vous offusquent, consolez-vous car cette voiture ne manque pas d'élégance. En plus, les stylistes ont adapté la calandre de la RSX et dessiné des feux arrière qui sont exclusifs à la CSX. Même la NSX a servi d'inspiration puisque l'inclinaison du pare-brise à 21 degrés est presque identique à ce que nous proposait la défunte sportive qui devrait renaître dans un avenir assez rapproché. Cette fois, cet emprunt à la voiture de sport a des retombées pratiques car le coefficient de pénétration dans l'air étant moins élevé, cela permet d'économiser du carburant. Tous ces changements et

retouches donnent à cette Acura une allure tout de même assez personnelle. Et n'allez pas insinuer à un propriétaire de CSX que sa voiture ressemble à une Honda Civic, car tout comme moi, vous aurez droit à un interminable sermon quant à l'exclusivité de la silhouette de cette Acura !

Si les stylistes ont été en mesure de tarabiscoter l'extérieur pour obtenir un peu plus de rapprochement avec les autres modèles Acura, leur tâche a été rendue pratiquement impossible dans l'habitacle puisque le tableau de bord est celui de la Civic. La présentation de ce dernier est vraiment unique avec ses cadrans indicateurs superposés et un vallonnement sur la partie supérieure droite de la planche de bord. Même le volant est plus ou moins similaire. Par contre, la liste d'équipements de série est plus complète. Il est aussi possible d'équiper la CSX d'un système de navigation par satellite, d'un groupe audio plus performant, d'une sellerie de cuir et d'un toit ouvrant. La facture sera épicée, mais vous aurez le même luxe qu'une voiture se vendant beaucoup plus cher.

LA DIFFÉRENCE
On aura beau analyser les formes de la carrosserie, le nombre d'accessoires de série, le prix demandé, tout cela est plus ou moins utile puisque, à mon avis, c'est le moteur qui fait la différence. En effet,

---

FEU VERT

Moteur performant
Mécanique éprouvée
Boîte manuelle bien étagée
Bonne tenue de route
Finition soignée

FEU ROUGE

Prix relativement élevé
Trop similaire à la Honda Civic
Volant peu élégant
Pneumatiques moyens

comme la CSX emprunte pratiquement tous ses éléments à différentes voitures de production chez Honda, il n'est pas surprenant que cette politique ait été également adoptée pour le groupe propulseur. Cette fois, la nouvelle CSX hérite du moteur quatre cylindres de 2,0 litres i-VTEC de la RSX . Il l a été modifié pour l'occasion afin de répondre aux besoins d'utilisations des propriétaires de berline. La puissance est toujours de 155 chevaux et de 139 livres pied de couple, mais la plage maximale du couple a été modifiée pour obtenir un meilleur rendement à mi-régime. Ce qui assure une plus grande souplesse d'utilisation, notamment en conduite urbaine. Cette année, nous avons droit à une CSX plus sportive. En effet, en cours d'année nous retrouverons la type S au catalogue. Voilà qui devrait donner des ailes à cette berline compacte.

Ce moteur est juste ce qu'il faut pour permettre à cette berline d'offrir des performances quasiment sportives et un agrément de conduite supérieur à la moyenne pour la catégorie. Il faut également souligner que le roulis en virage est mieux contrôlé que sur la Civic. Comme il fallait s'y attendre, la transmission manuelle à cinq vitesses est impeccable en raison de son étagement et de la précision de la course du levier de vitesse. Comme tous les moteurs VTEC de ce constructeur, le niveau sonore se modifie lorsque le système de calage variable des soupapes est enclenché. Celles et ceux qui opteront pour la boîte automatique à cinq vitesses ne seront pas déçus, car cette dernière se démarque par des passages de rapports rapides et précis. La présence également de palets derrière le volant permet de profiter du passage des rapports en mode manumatique.

Il suffit de rouler quelques kilomètres au volant d'une CSX pour réaliser que cette dernière en offre plus que la berline Civic en fait d'agrément de conduite, de performances et de qualité de suspension. Ce n'est pas aussi bien qu'une Honda Si, mais c'est un bon compromis entre le confort, la tenue de route et l'agrément de conduite. Et puisque la berline Si de Honda ne sera pas importée au Canada, la CSX est une bonne option. Et, sans vouloir porter ombrage aux produits Honda, vous bénéficiez en plus du prestige de la marque Acura.

Denis Duquet

Photos : Acura

ACURA CSX

VÉHICULE D'ESSAI

Version :	Touring
Prix de détail suggéré :	24 200 $ (2006)
Emp/Lon/Lar/Haut(mm) :	2 700/4 544/1 752/1 435
Poids :	1 343 kg
Coffre/Réservoir :	340 litres / 50 litres
Coussins de sécurité :	frontaux, latéraux (av.) et rideaux
Suspension avant :	indépendante, jambes de force
Suspension arrière :	indépendante, multibras
Freins av./arr. :	disque (ABS)
Antipatinage/Contrôle de stabilité :	non / non
Direction :	à crémaillère, assistance variable
Diamètre de braquage :	10,0 m
Pneus av./arr. :	P205/55R16
Capacité de remorquage :	non recommandé

MOTORISATION À L'ESSAI

Moteur :	4L de 2,0 litres 16s atmosphérique
Alésage et course :	86,0 mm x 86,0 mm
Puissance :	155 ch (116 kW) à 6 000 tr/min
Couple :	139 lb-pi (188 Nm) à 4 500 tr/min
Rapport poids/puissance :	13,2 kg/ch (17,95 kg/kW)
Système hybride :	aucun
Transmission :	traction, manuelle 5 rapports
Accélération 0-100 km/h :	8,5 s
Reprises 80-120 km/h :	7,5 s
Freinage 100-0 km/h :	42,5 m
Vitesse maximale :	195 km/h
Consommation (100 km) :	ordinaire, 8,7 litres
Autonomie (approximative) :	575 km
Émissions de CO2 :	3 360 kg/an

GAMME EN BREF

Échelle de prix :	25 900 $ à 30 600 $ (2006)
Catégorie :	berline compacte
Historique du modèle :	2ième génération
Garanties :	3 ans/60 000 km, 5 ans/100 000 km
Assemblage :	Alliston, Ontario, Canada
Autre(s) moteur(s) :	aucun
Autre(s) rouage(s) :	aucun
Autre(s) transmission(s) :	automatique 5 rapports

DANS LA MÊME CATÉGORIE

Chevrolet Cobalt - Honda Civic -
Hyundai Elantra - Nissan Altima

DU NOUVEAU EN 2007

Nouveau modèle, type S

NOS IMPRESSIONS

Agrément de conduite :	🚗 🚗 🚗 🚗
Fiabilité :	🚗 🚗 🚗 🚗
Sécurité :	🚗 🚗 🚗 🚗
Qualités hivernales :	🚗 🚗 🚗 ½
Espace intérieur :	🚗 🚗 🚗 ½
Confort :	🚗 🚗 🚗 🚗

LE CHOIX DE L'ÉQUIPE

Touring

NOUVELLE MODERNITÉ

Quand chez Acura on a remodelé le MDX en 2004, on s'était d'abord attardé du côté mécanique, négligeant quasi complètement l'aspect extérieur que l'on considérait alors toujours empreint d'un modernisme certain. Mais quiconque s'est assis à l'intérieur de ce véhicule depuis n'a pu que constater le vieillissement de l'apparence, et surtout le manque de luxe face à des concurrents de plus en plus nombreux, et de plus en plus féroces. Mais pour 2007, plus d'hésitation puisqu'Acura redessine totalement l'allure de son gros utilitaire.

Lorsqu'il a été présenté en grande première au salon de New York, personne ne fut vraiment enthousiasmé. Il faut dire que physiquement, les gènes demeurent les mêmes et la silhouette, bien que différente, n'est pas cousine si éloignée de la famille.

SCULPTURE POST-MODERNE

Dans les faits, le tout nouveau MDX reprend en majeure partie les traits caractéristiques de l'ancienne génération. On conserve par exemple la calandre toute Acura faite en forme de V qui encadre le badge du fabricant japonais. Qui, entre parenthèses, profite de ce lancement du MDX pour célébrer son 20e anniversaire d'existence.

La forme même du VUS ne change pas beaucoup, bien qu'elle se soit légèrement aplatie et allongée, donnant un look à la fois de véritable utilitaire sport, agrémentée d'un soupçon de multisegment.

Il faut dire que le modèle actuel a lui aussi des apparences plus polyvalentes que celle d'un simple utilitaire sport. Il est exact que ses dimensions imposantes lui confèrent une assurance sur la route, mais ses lignes tout en douceur, spécialement le capot avant, rendent son aspect moins agressif que la plupart de ses concurrents. À l'arrière, merci aux

centimètres qui s'accumulent, le MDX d'actuelle génération jouit d'un vaste espace de chargement de plus de 1 426 litres une fois les banquettes rabattues, ce qui rend le véhicule capable d'un véritable déménagement.

Car ne l'oublions pas, le MDX dispose d'une troisième rangée de sièges pouvant accueillir des adultes de petite taille.

Seul défaut cependant, le tableau de bord, bien que d'une finition sans reproche et d'une ergonomie sans faille, n'a pas tout à fait la personnalité d'une authentique Acura. Attention, ne prenez pas ici cette affirmation pour un reproche gratuit. Le tableau de bord du MDX est certes fort complet, et dans sa version la plus haut de gamme compte sur un écran tactile au centre de la planche de bord qui accueille un système de navigation de dernière génération. Mais l'esthétisme de l'ensemble n'a pas le même souffle d'enthousiasme que les modèles concurrents, et c'est en le regardant de plus près qu'on constate le vieillissement du modèle.

Heureusement, sous le capot du MDX 2007 (qui ne sera sur le marché qu'en début d'année) se retrouve un moteur V6 de 3,7 litres dont les performances seront sans doute très relevées. Puissant à souhait, il devrait être capable de pousser le gros utilitaire sur

FEU VERT	FEU ROUGE
Espace de chargement appréciable	Nouveau modèle (en janvier seulement)
Moteur sans surprise	Direction anodine
Ergonomie idéale	Capacités hors-route absentes
Finition haut de gamme	Modèle actuel vieillissant
	Entretien dispendieux

l'autoroute à un rythme bien au-delà des nécessités de la vie quotidienne. Si on en juge par le 3,5 qu'il remplace, son silence de fonctionnement exceptionnel, et son agréable économie d'essence, compte tenu de sa taille évidement, ajoutent aussi à l'attrait de la mécanique.

LA BOULE DE CRISTAL

Une fois ces choses dites, le MDX d'actuelle génération en est à son dernier souffle, et son successeur corrigera les défauts. Car comme c'est le cas pour le tout nouveau RDX, le MDX offrira un comportement sportif (quiconque a conduit un MDX au cours de la dernière année souhaite cette amélioration tellement la version actuelle est efficace mais sans saveur en conduite).

À l'image du RDX par exemple, sa motorisation et ses composantes s'inspireront davantage des berlines sport d'Acura que des véritables gros utilitaires. En simple terme de rouage intégral, c'est le système Super Handling All Weel Drive, que l'on a d'abord inauguré sur la grande RL, qui sera de rigueur.

La direction, de type *drive-by-wire*, tout comme l'accélérateur, profiteront des derniers raffinements technologiques pour assurer un temps de réponse diminué de près de 30 % sur la version actuelle. Le 3,7 de 300 chevaux et 275 livres-pied de couple respectent les dictats de la mode actuelle. On mise également sur une transmission automatique à cinq rapports Sportshift, elle aussi installée sur la RL.

Même en matière de dimensions, le nouveau MDX haussera d'un cran les standards actuels, offrant un empattement un peu plus long, une longueur hors tout supérieure de quelques millimètres, et surtout une largeur plus imposante. Le dégagement intérieur devrait être modifié à l'avenant, et on conserve la troisième rangée qui s'est avérée un succès dans le créneau.

Quelqu'un a déjà écrit que la conduite d'un MDX suscitait autant d'enthousiasme que les pluies d'automne, ce qui était exact pour la version actuelle. Mais la version révisée et augmentée du MDX est plus proche de la vraie personnalité Acura : une part de luxe, et une part de plaisir. Il faudra seulement être un peu patient avant d'y goûter.

Marc Bouchard

Photos : Acura

VÉHICULE D'ESSAI

Version :	Touring (2006)
Prix de détail suggéré :	55 530 $ (2006)
Emp/Lon/Lar/Haut(mm) :	2 750/4 844/1 994/1 733
Poids :	2 046 kg
Coffre/Réservoir :	2 364 litres/79 litres
Coussins de sécurité :	front., latéraux (av./arr.) et rideaux
Suspension avant :	indépendante, bras inégaux
Suspension arrière :	indépendante, multibras
Freins av./arr. :	disque (ABS)
Antipatinage/Contrôle de stabilité :	oui/oui
Direction :	à crémaillère, assistance variable
Diamètre de braquage :	11,6 m
Pneus av./arr. :	P255/55R18
Capacité de remorquage :	2 268 kg

Pneus d'origine
MICHELIN

MOTORISATION À L'ESSAI

Moteur :	V6 de 3,7 litres 24s atmosphérique
Alésage et course :	n.d.
Puissance :	300 ch (224 kW) à 6 000 tr/min
Couple :	275 lb-pi (373 Nm) à 5 000 tr/min
Rapport poids/puissance :	8,09 kg/ch (11 kg/kW)
Système hybride :	aucun
Transmission :	intégrale, automatique 5 rapports
Accélération 0-100 km/h :	8,0 s (estimé)
Reprises 80-120 km/h :	6,5 s (estimé)
Freinage 100-0 km/h :	42,4 m
Vitesse maximale :	198 km/h
Consommation (100 km) :	ordinaire, 11,9 litres (constructeur)
Autonomie (approximative) :	575 km
Émissions de CO2 :	5 808 kg/an

GAMME EN BREF

Échelle de prix :	51 600 $ à 57 200 $ (2006)
Catégorie :	utilitaire sport intermédiaire
Historique du modèle :	2ième génération
Garanties :	3 ans/60 000 km, 5 ans/100 000 km
Assemblage :	Alliston, Ontario, Canada
Autre(s) moteur(s) :	aucun
Autre(s) rouage(s) :	aucun
Autre(s) transmission(s) :	aucune

DANS LA MÊME CATÉGORIE

BMW X5 - Buick Rainier - Infiniti FX35/45 - Jeep Grand Cherokee - Lexus RX 350/400h - Volvo XC90

DU NOUVEAU EN 2007

Nouveau modèle au cours de l'année

NOS IMPRESSIONS

Agrément de conduite :	Données insuffisantes
Fiabilité :	Nouveau modèle
Sécurité :	🚗 🚗 🚗 🚗
Qualités hivernales :	🚗 🚗 🚗 🚗
Espace intérieur :	🚗 🚗 🚗 🚗
Confort :	🚗 🚗 🚗 🚗

LE CHOIX DE L'ÉQUIPE

Base

DANS L'OMBRE DES GRANDS

La marque de prestige de Honda, Acura, semble souffrir d'un problème de perception de la part des consommateurs. Certes, le nom Acura sonne mieux que Dodge mais beaucoup moins bien que Lexus, par exemple. En fait, un véhicule Acura paraît plus abordable, plus accessible qu'un autre portant le badge Lexus, la marque de prestige de Toyota. Si cette situation ne se révèle pas trop problématique pour les voitures sport Acura (CSX, TSX), il en va autrement pour la RL, la voiture la plus huppée de la gamme. Et pourtant, cette dernière a tellement à offrir!

La RL a été entièrement revue en 2005. Auparavant, il s'agissait d'un modèle souffrant d'un anonymat rarement égalé dans l'industrie. Même si la RL de nouvelle génération a tout pour se démarquer, elle reste toujours un peu en retrait. À cause de ses lignes, sans doute. Cependant, même si la robe ne pèche pas par excès de style elle n'en demeure pas moins d'un classicisme qui ne se démode pas. Certains aiment, d'autres pas. La partie avant fait très Acura, tandis que l'arrière est fluide grâce, surtout, aux gros feux de freinage et aux deux sorties d'échappement qui indiquent qu'on a affaire à une voiture puissante.

En effet, le V6 de 3,5 litres développe pas moins de 290 chevaux et 256 livres-pied de couple. Ce moteur, ultramoderne comme tous les moteurs fabriqués par Honda, est associé à une transmission automatique à cinq rapports. Mais c'est principalement le rouage intégral qui impressionne. Appelé SH-AWD, ce mécanisme très sophistiqué transfère, en conditions normales, 70 % du couple aux roues avant. Mais dès que l'ordinateur de bord détecte qu'une des quatre roues a besoin de plus d'assistance, il dirige le couple vers les autres roues possédant le plus d'adhérence. Un petit écran, situé dans le tableau de bord, nous indique les transferts de puissance. En fait, ce système agit comme un régulateur de traction et un contrôle de stabilité latérale qui se sert, non pas des freins comme c'est la coutume, mais plutôt de la

puissance du moteur pour orienter la voiture dans la bonne voie. Il faut écraser le champignon dans une courbe serrée et sentir une force quasiment divine placer l'arrière de la RL exactement où il le faut pour bien apprécier cette innovation technique majeure. Les suspensions sont à la fois confortables et sportives et, munie de bons pneus à neige et conduite intelligemment, la RL peut affronter les pires situations hivernales. Par contre, on ne peut passer sous silence le long rayon de braquage, sans doute dû, du moins en partie, à ce rouage intégral.

PÉCHÉ CAPITAL

Compte tenu des lignes précédentes, il est inutile de dire que la RL est agréable à piloter! Le moteur répond toujours présent mais il pourrait offrir une trentaine de chevaux supplémentaires que personne ne s'en plaindrait. La transmission fait preuve d'une douceur inouïe et il est possible de changer les rapports au moyen de palettes situées derrière le volant. Ces dernières sont plaisantes à manipuler même si j'ai souvent accroché le levier des clignotants en voulant rétrograder. Parlant de la transmission, juste un petit mot pour dénoncer l'infâme grille en zigzag qui fera sacrer le plus patient des automobilistes. Même à des vitesses frôlant le péché capital, la RL demeure très stable et bien campée sur ses gros pneus. Mais, à ce moment, on peut déplorer la légèreté de la

FEU VERT
Lignes classiques
Rouage intégral impressionnant
Comportement routier sûr
Finition maniaque
Silence de roulement

FEU ROUGE
Rayon de braquage important
Grille en zig-zag de la transmission
Places arrière contraignantes
Électronique peu fiable
Faible volume du coffre

direction. Dans des cas extrêmes, les freins stoppent la RL de belle façon mais ne sauraient résister longtemps à une utilisation de type «course». Il faut dire que la RL pèse plus de 1 800 kilos, ce qui n'est pas rien. Sans doute que l'impressionnante quantité de matériel isolant est pour quelque chose dans cet excès de poids…

Et il y a fort à parier que les gens qui s'achètent une Acura RL apprécient davantage la qualité de la finition, le confort et le silence de roulement que le comportement dynamique. Et ils sont servis à souhait! Mentionnons tout d'abord que l'habitacle se montre silencieux, peu importe la vitesse ou le type de chaussée. Les sièges de cuir chauffants font preuve d'un grand confort et sont même ventilés à l'avant, une douceur que les fesses, aussi coriaces soient-elles, affectionnent durant la canicule. Les places arrière, par contre, dorlotent moins bien leurs occupants. L'espace pour la tête et les jambes est correct si l'usager n'est pas trop grand et la place centrale n'est pas digne d'une voiture de ce prix. De plus, les dossiers ne s'abaissent pas pour agrandir le coffre arrière. On y retrouve juste une trappe à skis. Ledit coffre est de bonnes dimensions mais son ouverture, relativement petite, empêche le transport de gros objets.

Le conducteur a, devant lui, de belles jauges, faciles à consulter. Le volant, recouvert de cuir, se prend bien en main et, pour la bagatelle de 1 000 $, il est possible d'en commander un tout en bois. Dans une voiture de cette catégorie, il aurait été suicidaire de ne pas offrir une panoplie d'accessoires, tous plus électroniques les uns que les autres. La plupart des commandes se situent dans un module vertical. Si les celles de la climatisation/chauffage sont difficiles à départager puisqu'elles sont toutes identiques (il faut souvent quitter la route des yeux pour actionner la bonne), les autres boutons sont plus pratiques quoique quelquefois un peu complexes. Notamment le gros bouton central qui active le système de navigation et une foule d'autres fonctions. Remercions toutefois BMW qui, avec son iDrive fait paraître le système de Acura «bébé-fafa»! Le système GPS se montre fort sophistiqué mais dès qu'un rayon de soleil se pointe, l'écran devient illisible.

On a beau s'appeler Acura et avoir une réputation de fiabilité rarement égalée, il n'en demeure pas moins que les nombreux systèmes électroniques de la RL ont quelquefois été victimes de pannes, aussi subites qu'incompréhensibles. Outre ces irritants, la RL possède bien d'autres qualités pour se faire aimer.

Alain Morin

Photos : Acura

VÉHICULE D'ESSAI

Version :	RL base
Prix de détail suggéré :	69 500 $ (2006)
Emp/Lon/Lar/Haut(mm) :	2 800/4 910/1 840/1 450
Poids :	1 815 kg
Coffre/Réservoir :	371 litres/73,3 litres
Coussins de sécurité :	frontaux, latéraux (av.) et rideaux
Suspension avant :	indépendante, bras inégaux
Suspension arrière :	indépendante, multibras
Freins av./arr. :	disque (ABS)
Antipatinage/Contrôle de stabilité :	oui/oui
Direction :	à crémaillère, assist. variable électronique
Diamètre de braquage :	12,1 m
Pneus av./arr. :	P245/50VR17
Capacité de remorquage :	non recommandé

MOTORISATION À L'ESSAI

Pneus d'origine
MICHELIN

Moteur :	V6 de 3,5 litres 24s atmosphérique
Alésage et course :	89,0 mm x 93,0 mm
Puissance :	290 ch (216 kW) à 6 200 tr/min
Couple :	256 lb-pi (347 Nm) à 5 000 tr/min
Rapport poids/puissance :	6,26 kg/ch (8,52 kg/kW)
Système hybride :	aucun
Transmission :	intégrale, automatique 5 rapports
Accélération 0-100 km/h :	7,9 s
Reprises 80-120 km/h :	6,6 s
Freinage 100-0 km/h :	37,0 m
Vitesse maximale :	225 km/h
Consommation (100 km) :	super, 12,6 litres
Autonomie (approximative) :	582 km
Émissions de CO2 :	5 184 kg/an

GAMME EN BREF

Échelle de prix :	69 500 $ (2006)
Catégorie :	berline de luxe
Historique du modèle :	4ième génération
Garanties :	3 ans/60 000 km, 5 ans/100 000 km
Assemblage :	Sayama, Japon
Autre(s) moteur(s) :	aucun
Autre(s) rouage(s) :	aucun
Autre(s) transmission(s) :	aucune

DANS LA MÊME CATÉGORIE

Audi A6 - BMW Série 5 - Mercedes-Benz Classe E - Lincoln Zephyr - Volvo S80

DU NOUVEAU EN 2007

Pas de changement majeur, nouvelle version Elite

NOS IMPRESSIONS

Agrément de conduite :	🚗 🚗 🚗 ½
Fiabilité :	🚗 🚗 🚗
Sécurité :	🚗 🚗 🚗 🚗 ½
Qualités hivernales :	🚗 🚗 🚗 🚗 🚗
Espace intérieur :	🚗 🚗 🚗
Confort :	🚗 🚗 🚗 🚗 ½

LE CHOIX DE L'ÉQUIPE

RL base

EN AVANCE

Le marché des utilitaires sport de milieu de gamme promet d'être de plus en plus convoité s'il faut en croire Acura. C'est pour cette raison que la marque de prestige de Honda a dévoilé, il y a quelques mois, le RDX. En fait, ce véhicule n'est pas tout à fait inconnu des amateurs puisqu'un premier concept de ce RDX avait été dévoilé au Salon de l'auto de Detroit en... 2002! Une version rafraîchie est apparue au même salon en 2005, puis le modèle définitif était présenté cette année, toujours à Detroit. S'il avait fallu que ce véhicule ne soit jamais mis en production, les poules auraient arboré le dentier!

Esthétiquement, le RDX ne peut nier ses gènes Acura. La grille avant, surtout, ressemble à celle du MDX. Il est évident que le RDX sera comparé au MDX. Ce dernier, qui sera entièrement revu au courant de l'année, s'adresse à un public plus âgé. Il est aussi plus imposant, physiquement parlant. Mieux, aucune pièce du RDX ne provient du MDX! Et puis, le MDX actuel peut se permettre d'aller jouer dans quelques pouces de boue sans perdre la face tandis que le RDX, équipé du rouage intégral de la RL mais amélioré, le SH-AWD, ne peut affronter que quelques centimètres de neige.... Ce type de rouage intégral sert surtout à faire passer la puissance du moteur aux roues et créer ainsi une meilleure tenue de route. Aucun modèle traction (roues avant motrices) ne sera proposé. Le RDX peut remorquer jusqu'à 1 500 lb (680 kilos)

PETIT TURBO IRA LOIN

Il est un peu surprenant de constater qu'Acura ait choisi un quatre cylindres pour son RDX. Mais attention, un quatre cylindres turbocompressé! Le très moderne 2,3 litres développe 240 chevaux et 260 livres-pied de couple. Il est associé à une transmission automatique à cinq rapports avec possibilité de changer manuellement les rapports en utilisant les palettes de type F1 situées derrière le volant.

Les accélérations ne sont pas foudroyantes mais elles s'avèrent très correctes. La puissance arrive linéairement et on ne dénote pas de temps de réponse du turbo. La transmission fonctionne avec transparence et, en mode manuel, offre même la possibilité de passer rapidement deux rapports à la fois, ce qui est très rare. La direction a beau être bien dosée, on ne retrouve pas le *feeling* sportif d'un BMW X3, par exemple, un des concurrents directs du RDX. Les suspensions, accrochées à un châssis très rigide qui servira de base aux futures créations d'Acura, sont calibrées pour un maximum de confort et de conduite sportive.

Or, sur les routes très sinueuses des alentours de San Francisco où Acura a présenté son RDX à la presse, plusieurs personnes ont souffert du mal des transports, dont votre humble serviteur à qui cela n'était jamais arrivé... Tant qu'on ne pourra faire un essai plus prolongé du RDX, nous nous contenterons de mettre la faute sur les routes. Emporté par les qualités dynamiques de notre véhicule et aussi, sans doute, pour constater le niveau de rejets dans mon œsophage, mon collègue du jour m'a donné des sueurs froides en abordant une courbe beaucoup trop rapidement. Les systèmes de contrôle de traction et de stabilité (qui, heureusement, n'était pas déconnectés à ce moment), ainsi que le SH-AWD et les freins se sont mis de la partie pour nous

FEU VERT

Comportement routier très sain
Qualité de construction évidente
Habitacle confortable
Console centrale immense

FEU ROUGE

Moteur performant...mais pas assez
Rouage intégral de salon
Écran de navigation (voir texte)
Aucun modèle traction

garder sur l'asphalte. Chapeau Acura ! En plus, le tout s'est effectué dans la discrétion la plus totale.

UN HABITACLE RAFFINÉ

Qui dit Acura dit confort et le RDX ne fait pas exception à la règle. Les occupants ont droit à un habitacle des plus silencieux et des plus fonctionnels. Les sièges, confortables, retiennent bien le pilote et son passager en virage rapide (j'en sais quelque chose…) Ceux qui hébergent les passagers arrière sont garnis d'un cuir très glissant, mais l'espace réservé aux jambes demeure suffisant même si le siège avant est reculé au maximum. Le tableau de bord reprend des éléments de la RL, ce qui est tout à son honneur. Notre véhicule d'essai possédait le système de navigation par GPS optionnel. L'écran est grand, le système assez facile à comprendre mais je préfère encore les versions qui ne sont pas munies de ce système. En effet, la présence du Navig, comme ils disent chez Acura, repousse l'écran LCD du système audio (au demeurant d'une excellente sonorité) et du chauffage dans une petite bande placée en retrait sur le dessus du tableau de bord et très difficile à consulter. Puisque le RDX est un véhicule moderne s'adressant à des gens jeunes et actifs, les espaces de rangement sont nombreux. Mais c'est surtout la console centrale qui impressionne avec ses 18 litres d'espace de rangement. C'est quasiment autant qu'une New Beetle cabriolet !

L'espace de chargement arrière n'est sans doute pas des plus spacieux mais son aménagement s'avère sans faille. Le cache-bagages peut devenir une tablette ou faire partie du plancher puisqu'il est recouvert d'une moquette sur un côté et de plastique sur l'autre. Les dossiers des sièges arrière s'abaissent pour former un fond plat. Par contre, comme c'est trop souvent le cas, la vitre ne s'ouvre pas séparément du hayon. Cette porte arrière n'ouvre pas très haut et les personnes plus grandes que la normale pourraient l'apprendre douloureusement…

Chaque lancement d'un produit Acura nous fait dire que l'entreprise a réussi à améliorer ce qui était déjà pratiquement parfait. Encore une fois, Acura ne déçoit pas. Si les prix sont justes et que la fiabilité est au rendez-vous (ce qui ne devrait pas être un problème), le RDX a toutes les raisons du monde de réussir sa carrière.

Alain Morin

Photos : Alain Morin

VÉHICULE D'ESSAI

Version :	Navigation
Prix de détail suggéré :	n.d.
Emp/Lon/Lar/Haut(mm) :	2 650/4 590/1 869/1 656
Poids :	1 800 kg
Coffre/Réservoir :	778 à 1 697 litres / 68 litres
Coussins de sécurité :	frontaux, latéraux (av.) et rideaux
Suspension avant :	indépendante, jambes de force
Suspension arrière :	indépendante, multibras
Freins av./arr. :	disque (ABS)
Antipatinage/Contrôle de stabilité :	oui / oui
Direction :	à crémaillère, assistance variable
Diamètre de braquage :	11,4 m
Pneus av./arr. :	P235/55R18
Capacité de remorquage :	681 kg

MOTORISATION À L'ESSAI

Pneus d'origine **MICHELIN**

Moteur :	4L de 2,3 litres 16s turbocompressé
Alésage et course :	86,0 mm x 99,0 mm
Puissance :	240 ch (179 kW) à 6 000 tr/min
Couple :	260 lb-pi (353 Nm) à 4 500 tr/min
Rapport poids/puissance :	7,5 kg/ch (10,17 kg/kW)
Système hybride :	aucun
Transmission :	intégrale, auto. mode man. 5 rapports
Accélération 0-100 km/h :	8,5 s
Reprises 80-120 km/h :	7,0 s (estimé)
Freinage 100-0 km/h :	39,0 m (estimé)
Vitesse maximale :	198 km/h
Consommation (100 km) :	ordinaire, 11,1 litres (constructeur)
Autonomie (approximative) :	613 km
Émissions de CO2 :	n.d.

GAMME EN BREF

Échelle de prix :	n.d.
Catégorie :	utilitaire sport compact
Historique du modèle :	1ère génération
Garanties :	4 ans/80 000 km, 6 ans/110 000 km
Assemblage :	Marysville, Ohio, É-U
Autre(s) moteur(s) :	aucun
Autre(s) rouage(s) :	aucun
Autre(s) transmission(s) :	aucune

DANS LA MÊME CATÉGORIE

BMW X3 - Infiniti FX35 - Mazda CX-7 - Nissan Murano

DU NOUVEAU EN 2007

Nouveau modèle

NOS IMPRESSIONS

Agrément de conduite :	🚗🚗🚗🚗
Fiabilité :	nouveau modèle
Sécurité :	🚗🚗🚗🚗½
Qualités hivernales :	🚗🚗🚗🚗½
Espace intérieur :	🚗🚗🚗🚗½
Confort :	🚗🚗🚗🚗

LE CHOIX DE L'ÉQUIPE

Base

DU PUR PROFESSIONNALISME

Dur, dur, le métier de chroniqueur automobile. Quand, par pur professionnalisme, on se voit obligé de prendre la route avec une voiture comme la Acura TL, on se demande vraiment pourquoi il faut travailler... En fait, on aimerait tout simplement prendre le volant et ne plus le lâcher tellement la TL est un pur bonheur! Elle n'est pas sans défauts, mais ceux-ci sont relativement rares! De toutes les japonaises sur la marché, la TL est celle qui sait le plus nous épater par son caractère. Car, que ce soit en puissance ou en tenue de route, la TL étonne et fait une féroce concurrence à ses rivales allemandes.

La véritable personnalité de la TL, c'est d'abord celle de berline de luxe. À ce chapitre, l'Acura est certainement une réussite, malgré quelques faiblesses notamment au niveau du dégagement pour la tête et les jambes. Une personne de taille normale sera à l'aise, mais quelqu'un qui est un peu plus grand sera gêné par l'étroitesse de l'habitacle. Fort heureusement, les sièges offrent un grand confort, et sont enveloppants, comme doivent l'être les sièges plus sportifs, tout en ne négligeant pas l'aspect tout usage.

En revanche, les passagers arrière devront accepter certains compromis et être très tolérants, puisque l'espace y est plus soigneusement calculé. Malgré tout, deux adultes y trouveront place sans trop rechigner, à condition que la randonnée soit brève, et sans trop de soubresauts!

GUIDAGE VOCAL

Côté tableau de bord, l'Acura est sobre, mais efficace. Outre les cadrans, aménagés sur fond clair, l'ensemble est un mélange de cuir noir et d'aluminium qui confère un petit air austère, mais de grande classe. Notons que certaines versions sont aussi munies d'un système de navigation à commande vocale. Installé au milieu de la planche de bord, un écran de bonne dimension transmet les directions de

conduite avec efficacité, et même avec une certaine politesse quand on utilise le guidage vocal. Et comme on a considérablement amélioré l'interface et le programme, on peut désormais patrouiller l'ensemble du territoire ou presque sans risque de s'égarer. Malheureusement, l'angle de présentation de l'écran ne souffre aucune concurrence des rayons solaires. La moindre exposition à la lumière trop vive empêche donc une visibilité efficace.

C'est en matière de tenue de route toutefois que l'Acura fait sa marque. Malgré sa lourdeur évidente face à la concurence, elle est quand même de taille plus impressionnante que les BMW qu'elle affronte, elle se conduit avec grâce, agilité et souplesse, peu importe le type de parcours. Et comme la TL est dotée d'un système antipatinage d'une grande efficacité, mais parfois un peu trop intrusif, les parcours les plus sinueux peuvent être abordés sans crainte.

Les pneus de 17 pouces assurent aussi une meilleure réponse lorsqu'on sollicite un peu les capacités nerveuses de la voiture. Le moteur de 258 chevaux fournit suffisamment de puissance pour être efficace à la fois au démarrage et lors des reprises. On se surprend à souhaiter une direction active plus sensible, et surtout plus communicative, tout

FEU VERT	FEU ROUGE
Moteur enthousiaste	Espace arrière peu invitant
Fiabilité sans reproche	Habitacle limité
Consommation sans surprise	Antipatinage trop présent
Comportement routier vif	Rayon de braquage long
Finition haut de gamme	Silhouette vieillissante

comme on apprécierait un peu moins de sous-virage le temps venu, mais l'expérience de conduite est tout de même plus qu'agréable. La type S, par contre, avec son moteur de 286 chevaux et 255 livres-pied de couple ainsi que sa transmission manuelle à six rapports saura satisfaire les plus exigeants.

Malgré tout, la mécanique demeure plutôt silencieuse, même lorsque le régime moteur est très élevé. Le seul bruit qui vient un peu perturber la quiétude du conducteur est celui des pneus, pas aussi efficaces que l'on voudrait le croire. Aspect non négligeable, la transmission automatique de type Sportshift, qui permet au conducteur une conduite semi-manuelle, est d'une grande précision et d'une grande douceur. Elle appuie à merveille les efforts du puissant moteur, sans à-coups et sans hésitations.

Les amants de la conduite opteront plutôt pour la "S" qui, avec sa boîte manuelle à six rapports, remplace la version Dynamic. Souple, précis, le levier de vitesse effectue presque une gracieuse chorégraphie pour trouver sa place tellement les changements de rapports se produisent avec aisance. Il faut bien quelques kilomètres d'essai pour se mettre en jambe avec l'embrayage, mais une fois maîtrisé, c'est un véritable ballet qui s'amorce, avec, en guise de trame sonore, le son du moteur qui rugit gentiment.

BELLE ET RACÉE

Le design extérieur n'a pas beaucoup évolué au fil des ans, du moins depuis la refonte survenue il y a trois ans. Une bonne idée d'ailleurs, puisque son look lui donne des airs de grande dame de la route, même si la silhouette demeure discrète. Car, il faut le rappeler, la TL a surtout des prétentions de berline de route. On a sacrifié un peu de visibilité arrière à l'esthétisme, tout comme on a un peu omis les espaces de rangement et de chargement pratiques, mais ce sont là de bien petits défauts dans cette voiture qui n'en a que bien peu.

Marc Bouchard

VÉHICULE D'ESSAI

Version :	Dynamic
Prix de détail suggéré :	45 800$ (2006)
Emp/Lon/Lar/Haut(mm) :	2 740/4 809/1 835/1 441
Poids :	1 584 kg
Coffre/Réservoir :	354 litres/64,7 litres
Coussins de sécurité :	frontaux, latéraux (av.) et rideaux
Suspension avant :	indépendante, bras inégaux
Suspension arrière :	indépendante, multibras
Freins av./arr. :	disque (ABS)
Antipatinage/Contrôle de stabilité :	oui/oui
Direction :	à crémaillère, assistance variable
Diamètre de braquage :	12,2 m
Pneus av./arr. :	P235/45R17
Capacité de remorquage :	non recommandé

Pneus d'origine
MICHELIN

MOTORISATION À L'ESSAI

Moteur :	V6 de 3,2 litres 24s atmosphérique
Alésage et course :	89,0 mm x 86,0 mm
Puissance :	258 ch (201 kW) à 6 200 tr/min
Couple :	233 lb-pi (324 Nm) à 5 000 tr/min
Rapport poids/puissance :	5,87 kg/ch (7,96 kg/kW)
Système hybride :	aucun
Transmission :	traction, automatique 5 rapports
Accélération 0-100 km/h :	7,6 s
Reprises 80-120 km/h :	6,1 s
Freinage 100-0 km/h :	37,8 m
Vitesse maximale :	225 km/h
Consommation (100 km) :	super, 11,6 litres
Autonomie (approximative) :	558 km
Émissions de CO2 :	4 704 kg/an

GAMME EN BREF

Échelle de prix :	41 000$ à 50 000$ (2006)
Catégorie :	berline de luxe
Historique du modèle :	3ième génération
Garanties :	3 ans/60 000 km, 5 ans/100 000 km
Assemblage :	Marysville, Ohio, É-U
Autre(s) moteur(s) :	V6 3,5l 286ch/255lb-pi (S)
Autre(s) rouage(s) :	aucun
Autre(s) transmission(s) :	manuelle 6 rapports

DANS LA MÊME CATÉGORIE

Audi A4 - BMW Série 3 - Infiniti G35 - Lexus GS 350 - Mercedes-Benz Classe C - Saab 9-5 - Volvo S60

DU NOUVEAU EN 2007

Ajout de la type S, détails de présentation

NOS IMPRESSIONS

Agrément de conduite :	🚗🚗🚗🚗½
Fiabilité :	🚗🚗🚗🚗½
Sécurité :	🚗🚗🚗🚗
Qualités hivernales :	🚗🚗🚗½
Espace intérieur :	🚗🚗🚗½
Confort :	🚗🚗🚗🚗

LE CHOIX DE L'ÉQUIPE

Type S

Photos : Acura

UN CORNET À LA VANILLE

Tout nouveau, tout beau ! disait mon père, et la TSX d'Acura en est un bel exemple. Louangée abondamment par la presse dès sa sortie en 2004 elle a, depuis, vu sa popularité quelque peu s'estomper au profit de concurrentes plus aguichantes. Son style, à l'époque, définissait les bases de la nouvelle image chez Acura et fut, par la suite, appliqué de brillante façon sur les modèles subséquents que sont la TL, la RL et la CSX. Malheureusement pour la division de prestige de Honda, la TSX est aujourd'hui un peu trop sobre et en manque de saveur.

N'allez pas croire pour autant que la voiture souffre d'un mal chronique quelconque, au contraire, ce serait bien mal connaître Acura. Cependant, après avoir mis à l'essai la TL l'an dernier (et quelle voiture !), je dois avouer que mes attentes étaient élevées quant à la TSX. Fiabilité et qualité Honda auxquelles on ajoute la touche sportive légendaire d'Acura, j'étais évidemment impatient de conduire la «Accord européenne».

DÉDOUBLEMENT DE PERSONNALITÉ

Inutile de mentionner que l'extérieur est quelque peu fade malgré une calandre agressive et une ligne, somme toute, racée. On a bien essayé de lui refiler quelques touches distinctives en lui greffant des phares à décharge ionique, un aileron arrière et des bas de caisse aérodynamiques, mais rien ne vient vraiment écarquiller les yeux du pilote, du moins les miens. À l'opposé, l'intérieur propose un exercice de style agréable à l'œil et une finition exemplaire. Les matériaux sont bien choisis et de qualité, donnant à l'ensemble une impression de luxe, timidement véhiculée par l'aspect extérieur du véhicule. Les éléments de série offerts sont nombreux et procurent à la TSX un net avantage par rapport à la concurrence. Sellerie en cuir, climatisation double, toit ouvrant et changeur de 6 disques compacts sont livrés sur le modèle d'entrée de

gamme. Seules la navigation par satellite et la téléphonie «mains libres» sont optionnelles. La disposition des commandes audio et de la climatisation mérite une très bonne note alors que leur utilisation est grandement facilitée par l'écran tactile de 8 pouces livré avec le système de navigation. Et que dire des sièges avant ! Ceux-ci sont d'un incroyable confort et leur soutien latéral ferait l'envie de bien des modèles à vocation sportive, ils sont littéralement enveloppants ! Quant aux places arrière, elles sont généreuses tout comme le coffre qui, étonnamment, est plus volumineux que celui de la TL. Beau travail !

UN CAS DE RITALIN®...

Comme chez l'enfant hyperactif, la TSX est très dynamique et sa principale qualité demeure sa maniabilité. Le «petit» moteur 4 cylindres de 2,4 litres en est d'ailleurs grandement responsable en délivrant plus de 205 chevaux. Les accélérations sont donc promptes et sans bavures. La puissance disponible est toujours maximale à condition de savoir manier la boîte manuelle à 6 rapports dont le passage des vitesses s'effectue admirablement bien. Les freins sont également bien dosés et les suspensions permettent d'obtenir un bon confort. Cependant, une fois poussée à la limite (lire ici en conduite un peu moins gentille), la voiture adopte un comportement bien différent et un peu moins rassurant. On a alors

FEU VERT	FEU ROUGE
Richesse de la finition intérieure	Transmission manuelle décevante
Sièges avant enveloppants	Sensation de légèreté de la voiture
Moteur fougueux	Prix élevé (TSX Navi)
Fiabilité assurée	Design extérieur anonyme
Ergonomie exemplaire	Tôle mince

l'impression que la TSX est un peu trop légère et que l'effet «velcro» n'est pas aussi présent qu'il peut l'être sur l'A4 d'Audi ou la 325 de BMW, deux compétiteurs directs de la TSX. Les causes en sont nombreuses. Tout d'abord, les pneus de série sont mal adaptés à ce type de conduite, la direction est un peu trop assistée et les suspensions deviennent un peu trop molles. Ajoutons à cela une pédale d'embrayage dont la course est trop longue et un levier de vitesse lilliputien. À ce niveau, on serait presque tenté de refiler à la TSX une petite dose de Ritalin®, question de limiter l'effet de couple ressenti en accélération et d'oublier le roulis en virages serrés. Car une fois la pilule avalée, la voiture devient un charme à conduire, d'autant plus que ses dimensions extérieures permettent de la garer facilement et de se faufiler aisément dans le dédale de la ville. N'empêche que l'expérience de conduite n'est pas totalement décevante, mais ne procure certainement par les mêmes sensations que celles éprouvées au volant d'une allemande vendue à un prix identique.

« EN... QUÊTE » D'IDENTITÉ

Le contraste extérieur/intérieur amène donc une certaine ambiguïté sur l'éventuelle clientèle cible. D'un côté, le comportement sportif et la réputation d'Acura attireront sûrement les plus jeunes alors que, de l'autre côté, la sobriété de la ligne extérieure et la fiabilité plairont davantage à des acheteurs plus âgés. Toutefois, il serait juste de se demander pourquoi un hypothétique acheteur de TSX n'opterait pas pour une Honda Accord V6 qui offre plus d'espace intérieur, propose un six cylindres et est moins dispendieuse. La TSX aurait-elle un problème d'identité ? À voir le retrait de la RSX, dicté par la popularité de la Civic Si, on se demande bien si l'Accord ne pourrait pas faire le même coup à la TSX ?

La voiture n'est cependant pas à dénigrer, au contraire. Elle affiche une qualité de finition exemplaire, une fiabilité sans reproche et une conduite nerveuse et sportive, ce qui la place bien au-dessus de la moyenne dans le marché féroce des berlines sportives intermédiaires. Il ne lui manque qu'un petit quelque chose, comme si on pouvait passer de la glace à la vanille à celle au tutti frutti, pour la distinguer des autres et la rendre plus attrayante. Avouons que pour un prix similaire, il est plus prestigieux de piloter une BMW 325, une Audi A4 ou une Lexus IS250 !

Guy Desjardins

VÉHICULE D'ESSAI

Version :	Base
Prix de détail suggéré :	36 500 $ (2006)
Emp/Lon/Lar/Haut(mm) :	2 670/4 657/1 762/1 456
Poids :	1 488 kg
Coffre/Réservoir :	374 litres/65 litres
Coussins de sécurité :	front., latéraux (av./arr.) et rideaux
Suspension avant :	indépendante, bras inégaux
Suspension arrière :	indépendante, multibras
Freins av./arr. :	disque (ABS)
Antipatinage/Contrôle de stabilité :	oui/oui
Direction :	à crémaillère, assistance variable
Diamètre de braquage :	12,2 m
Pneus av./arr. :	P215/50R17
Capacité de remorquage :	non recommandé

MOTORISATION À L'ESSAI

Pneus d'origine
MICHELIN

Moteur :	4L de 2,4 litres 16s atmosphérique
Alésage et course :	87,0 mm x 99,0 mm
Puissance :	205 ch (149 kW) à 6 800 tr/min
Couple :	164 lb-pi (225 Nm) à 4 500 tr/min
Rapport poids/puissance :	7,44 kg/ch (10,12 kg/kW)
Système hybride :	aucun
Transmission :	traction, manuelle 6 rapports
Accélération 0-100 km/h :	8,4 s
Reprises 80-120 km/h :	7,6 s
Freinage 100-0 km/h :	41,0 m
Vitesse maximale :	210 km/h
Consommation (100 km) :	ordinaire, 10,9 litres
Autonomie (approximative) :	596 km
Émissions de CO2 :	4 464 kg/an

GAMME EN BREF

Échelle de prix :	34 900 $ à 38 200 $ (2006)
Catégorie :	berline sport
Historique du modèle :	1ière génération
Garanties :	3 ans/60 000 km, 5 ans/100 000 km
Assemblage :	Sayama, Japon
Autre(s) moteur(s) :	aucun
Autre(s) rouage(s) :	aucun
Autre(s) transmission(s) :	automatique 5 rapports

DANS LA MÊME CATÉGORIE

Audi A4 - BMW Série 3 - Lexus IS 250 - Nissan Maxima - Saab 38963 - Volkswagen Passat - Volvo S40

DU NOUVEAU EN 2007

Pas de changement majeur

NOS IMPRESSIONS

Agrément de conduite :	🚗 🚗 🚗 ½
Fiabilité :	🚗 🚗 🚗 🚗 ½
Sécurité :	🚗 🚗 🚗 🚗
Qualités hivernales :	🚗 🚗 🚗 ½
Espace intérieur :	🚗 🚗 🚗
Confort :	🚗 🚗 🚗 ½

LE CHOIX DE L'ÉQUIPE

Base

Photos : Guy Desjardins

BEAUTÉ FRAGILE

Aston Martin fait partie de ces marques dont le rayonnement dépasse de beaucoup la diffusion de ses modèles. Produites en quantités limitées, les voitures Aston Martin jouissent d'un prestige remarqué et assurent ainsi une certaine exclusivité à l'acheteur fortuné. Toutefois, tout n'est pas rose dans l'univers raréfié de cette GT de luxe, puisque la DB9 avec laquelle j'ai eu l'occasion de rouler dans le cadre du Challenge Trioomph a démontré plusieurs signes de faiblesse.

Au premier contact, on est rapidement séduit par l'élégance classique de la DB9 qui est l'une des plus belles voitures au monde. Créée par le designer Henrik Fisker, la DB9 est carrément inspirée de la DB7 qui a été l'œuvre de Ian Callum, et elle respecte en tous points les critères établis de la marque en matière de design, comme en témoignent la calandre typée, le capot avant surélevé qui laisse deviner la présence du moteur V12, ou encore le fait que les portières pivotent vers le haut à un angle de 12 degrés à leur ouverture. La DB9 fait également appel à la haute technologie, puisque châssis et carrosserie sont réalisés en aluminium, ce qui permet à la voiture d'afficher 1 710 kilos à la pesée malgré ses dimensions imposantes. D'ailleurs, lorsqu'elle est stationnée aux côtés de la Lamborghini Gallardo, la Aston Martin DB9 semble deux fois plus grosse que l'exotique italienne... L'habitacle de la DB9 est absolument remarquable par la qualité des matériaux et la justesse de l'assemblage. Le cuir est magnifique, les appliques de bois sont de bon ton, et l'effet produit est tout simplement splendide. C'est au moment de monter à bord que l'on comprend pourquoi l'assemblage d'une DB9 demande plus de 200 heures de travail à la main, soit trois fois plus de temps qu'une voiture ordinaire.

QUAND L'ÉLECTRONIQUE DÉFAILLE...

Le moteur V12 est lancé à la seule pression d'un bouton, et c'est également au moyen de boutons et de palettes au volant que le conducteur doit commander la boîte automatique qui compte six rapports. Cette boîte, créée par ZF, a cependant montré des signes de faiblesse dans l'environnement particulièrement éprouvant de la conduite sur circuit, la boîte ayant parfois tendance à surchauffer ce qui interdisait alors la sélection des rapports inférieurs. De plus, la DB9 a souvent eu des manques du côté de l'électronique... Pas pour ce qui est d'éléments complexes comme la gestion électronique du moteur ou encore les systèmes de stabilité qui sont intégrés à la voiture, mais bien du côté des commandes électriques pour le réglage des sièges avant... En quelques mots, lorsqu'un nouveau conducteur s'assoyait et tentait de régler la position de son siège, celui-ci s'avançait automatiquement à la position la plus serrée du volant et du pédalier, coinçant ainsi dans la voiture des conducteurs de grand gabarit... Pour remédier à cette situation, il fallait débrancher la batterie pendant une certaine période pour ensuite relancer l'ordinateur de bord, ce qui permettait de faire fonctionner de nouveau les commandes de réglages électriques des sièges, du moins jusqu'à la prochaine réapparition du problème...

FEU VERT	FEU ROUGE
Moteur fabuleux	Fiabilité décevante
Style intemporel	Poids élevé
Habitacle somptueux	Visibilité vers l'arrière
Exclusivité assurée	Volume limité du coffre

VÉHICULE D'ESSAI

Version :	Coupé
Prix de détail suggéré :	190 000 $
Emp/Lon/Lar/Haut(mm) :	2 740/4 700/1 875/1 320
Poids :	1 710 kg
Coffre/Réservoir :	175 litres/85 litres
Coussins de sécurité :	frontaux, latéraux (av.) et rideaux
Suspension avant :	indépendante, bras inégaux
Suspension arrière :	indépendante, multibras
Freins av./arr. :	disque (ABS)
Antipatinage/Contrôle de stabilité :	oui/oui
Direction :	à crémaillère, assistée
Diamètre de braquage :	11,5 m
Pneus av./arr. :	P235/40ZR19 / P275/35ZR19
Capacité de remorquage :	non recommandé

On serait alors tenté de dire en anglais : «Dearborn, we have a problem», Aston Martin faisant partie du portefeuille des marques de Ford.

FABULEUX V12 ET SONORITÉ EXQUISE

Malgré ces irritants, le V12 de 6,0 litres et 450 chevaux s'est montré à la hauteur des attentes, grâce surtout au fait que 80 % de son couple maximal de 420 livres-pied est disponible dès les 1500 tours/minute, et que la sonorité de ce moteur est particulièrement envoûtante, l'habitacle ne laissant filtrer que les bruits agréables à l'oreille. Sur circuit, les performances de la DB9 n'étaient pas à la hauteur de celles livrées par d'authentiques sportives, l'Aston Martin étant plus lourde et exigeant plus d'efforts de la part du conducteur. Ainsi, la pédale de frein demande une pression considérable pour ralentir la voiture et le volant semble toujours un peu trop lourd. Bref, la DB9 est beaucoup plus à l'aise pour la conduite sur route à un rythme plus raisonnable, mais elle n'apprécie pas vraiment la torture infligée par la conduite sur circuit, le roulis en virage devenant souvent très marqué sur la piste.

La DB9 se double aussi d'un cabriolet appelé DB9 Volante, dont le style est tout aussi réussi. Également construite sur la base de la plate-forme VH, la Volante fait aussi un usage élevé de matériaux de pointe comme l'aluminium et le magnésium, mais elle est toutefois plus lourde que le coupé et son châssis n'est pas aussi rigide. Elle conviendra donc à ceux qui sont à la recherche d'un cabriolet haut de gamme qui ne manquera pas de faire tourner les têtes. Par ailleurs, Aston Martin a dévoilé une voiture-concept de type berline appelée Rapide, qui est élaborée sur une version allongée de 300 millimètres de la plate-forme utilisée pour les deux variantes de la DB9. La puissance du V12 a été portée à 480 chevaux, et la Rapide fait appel à des disques de freins en composite de céramique ce qui représente une première incursion dans ce domaine pour la marque. Il s'agit donc de la première Aston Martin à quatre portes depuis la célèbre Lagonda, dévoilée il y a une vingtaine d'années. La Rapide, dont l'arrivée sur le marché est prévue pour 2008, entend livrer une concurrence directe à la Porsche Panamera à moteur V10 qui devrait faire son entrée en 2009.

Gabriel Gélinas

MOTORISATION À L'ESSAI

Moteur :	V12 de 5,9 litres 48s atmosphérique
Alésage et course :	89,0 mm x 79,5 mm
Puissance :	450 ch (336 kW) à 6 000 tr/min
Couple :	420 lb-pi (570 Nm) à 5 000 tr/min
Rapport poids/puissance :	3,8 kg/ch (5,17 kg/kW)
Système hybride :	aucun
Transmission :	propulsion, auto. mode man. 6 rapports
Accélération 0-100 km/h :	5,2 s
Reprises 80-120 km/h :	4,3 s
Freinage 100-0 km/h :	37,0 m
Vitesse maximale :	300 km/h
Consommation (100 km) :	super, 18,0 litres
Autonomie (approximative) :	472 km
Émissions de CO2 :	7 880 kg/an

GAMME EN BREF

Échelle de prix :	190 000 $
Catégorie :	coupé/cabriolet
Historique du modèle :	1ère génération
Garanties :	2 ans/km illimité, 2 ans/km illimité
Assemblage :	Gaydon, Angleterre
Autre(s) moteur(s) :	aucun
Autre(s) rouage(s) :	aucun
Autre(s) transmission(s) :	manuelle 6 rapports

DANS LA MÊME CATÉGORIE

Ferrari F430 - Lamborghini Gallardo - Mercedes Benz SL AMG

DU NOUVEAU EN 2007

Pas de changement majeur

NOS IMPRESSIONS

Agrément de conduite :	🚗 🚗 🚗 ½
Fiabilité :	🚗 🚗 🚗
Sécurité :	🚗 🚗 🚗 🚗
Qualités hivernales :	nulles
Espace intérieur :	🚗 🚗 🚗 ½
Confort :	🚗 🚗 🚗 ½

LE CHOIX DE L'ÉQUIPE

Coupé

Photos : Aston Martin

LA SURDOUÉE DE LA FAMILLE

Il n'y a pas si longtemps encore, la marque Aston Martin n'avait pas grand-chose à proposer, sauf le fait que certaines de ses voitures avaient été les covedettes dans les films de James Bond. Pour le reste, ses modèles étaient archaïques, leur fiabilité cauchemardesque et leur pilotage décevant. Puis la Vanquish est arrivée.

Je m'en souviens comme si c'était hier. Par une belle journée ensoleillée du début de mars 2001, sur les bords du lac Leman à Genève, j'assistais au dévoilement de ce merveilleux coupé et je fus immédiatement conquis par les formes de cette belle anglaise. Lorsque le moteur V12 fut lancé, sa sonorité m'a aussitôt envoûté. Comme tous, j'étais tombé sous le charme. Du jour au lendemain, Aston Martin était sauvée de la disparition anticipée, la Vanquish venait de la propulser à l'avant plan.

MÉCANIQUE ET DESIGN

Dans l'esprit de plusieurs, le stylisme à la britannique fait immédiatement songer à des grille-pain aux formes tourmentées ou des objets dont la présentation est plus rébarbative que charmante. Pourtant, lorsqu'on parle de belles voitures, c'est tout autre chose. Par exemple, la légendaire Jaguar XK-E, plusieurs Bentley des années trente et enfin quelques Aston Martin de la série DB sont considérées comme faisant partie des grands classiques du stylisme. Et la Vanquish est sur cette liste. Elle ne ressemblait à aucune autre voiture lors de son arrivée au début du siècle et elle demeure constamment aussi élégante. Il est quelque peu malheureux que ses lignes aient été copiées sur les autres Aston et même sur la nouvelle Jaguar XK-E.

Quoi qu'il en soit, elle est toujours une référence et sous cette élégance se cache une mécanique d'avant-garde. La plate-forme et la carrosserie sont constituées d'éléments collés à une structure centrale afin d'offrir une rigidité hors pair en plus d'avoir accordé aux stylistes plus de liberté dans la conception de la carrosserie.

L'habitacle respecte dans une certaine mesure la tradition britannique du cuir à satiété. Il est omniprésent. Le tableau de bord est sobre et élégant à la fois avec trois cadrans indicateurs majeurs regroupés dans une nacelle ovale. Les cadrans à fond blanc s'agencent fort bien à la façade de couleur titane de la console centrale verticale. La seule concession au passé est cette pendulette analogique trônant en sa partie supérieure. Sur cette voiture, pas de bouton de commande générale comme le système iDrive sur les BMW. Le prix à payer pour cette absence est une multitude de minuscules touches servant à régler le système audio et la climatisation. Parmi les autres déceptions, il faut mentionner le volant qui semble avoir été emprunté à une Ford européenne. Il faut également souligner quelques autres touches d'accessoires en provenance de produits Ford qui viennent quelque peu enlever du lustre à cette bête de la route.

FEU VERT
Moteur fabuleux
Style intemporel
Habitacle somptueux
Exclusivité assurée

FEU ROUGE
Fiabilité décevante
Poids élevé
Visibilité vers l'arrière
Volume limité du coffre

S COMME DANS SUPER

La gamme Vanquish se décline dorénavant en un seul modèle soit « S ». Personne ne se plaindra de la situation puisque cette voiture était la plus performante au catalogue. Le moteur V12 de 5,9 litres produit 520 chevaux et 435 lb-pi de couple, le tout relié à une boîte séquentielle à six vitesses à passage des rapports par touches montées sur le volant.

Pour assurer que le caractère sportif de cette voiture soit plus accentué, les ressorts et les amortisseurs sont nettement plus fermes tandis que la garde au sol a été légèrement abaissée. En plus, les bras de timonerie ont été raccourcis, garantissant une réaction plus rapide du volant. Et si jamais toute cette cavalerie vous incite à dépasser les limites de la raison, les freins sont surdimensionnés et couplés à des étriers à six pistons.

En raison de sa hauteur minimaliste, il n'est pas nécessairement facile d'entrer ou de sortir de cette voiture. Mais une fois derrière le volant, la position de conduite est bonne. Pour lancer le moteur, il suffit d'appuyer sur le gros bouton rouge monté sur la console. C'est alors que le moteur V12 nous laisse entendre sa voix de baryton qui devient celle d'un soprano au fur et à mesure que le régime moteur augmente.

Le pied sur la pédale de frein, le premier rapport est engagé en appuyant sur le bouton monté sur le volant et notre galop d'essai débute. Il suffit d'enfoncer l'accélérateur pour être repoussé dans le siège et voir le paysage défiler à grande vitesse. Elle est élégante, mais elle est tout aussi performante, c'est certain! Les autres sensations qui nous assaillent sont le volant qui est très lourd et direct, et la suspension ultra ferme qui transmet assez bien les imperfections de la route par l'intermédiaire des sièges. Et tout en négociant la multitude de virages de la route qui défile devant nous, je me demande qui peut bien commander cette voiture en version 2 + 2 compte tenu de la personnalité intimiste de ce bolide en tailleur Armani… Bien dans ma bulle, je prends plaisir à passer les rapports, à m'émerveiller devant la puissance des freins sans m'inquiéter de ce qui se passe autour de cette voiture. Pourtant, la visibilité n'est pas son point fort et une excursion dans la circulation dense est de nature à rendre nerveux.

Mais à part quelques traits de caractère qui irritent parfois, cette Aston Martin est vraiment une voiture de légende.

Denis Duquet

Photos : Aston Martin

VÉHICULE D'ESSAI

Version :	Coupé
Prix de détail suggéré :	190 000 $
Emp/Lon/Lar/Haut(mm) :	2 740/4 700/1 875/1 320
Poids :	1 710 kg
Coffre/Réservoir :	175 litres / 85 litres
Coussins de sécurité :	frontaux, latéraux (av.) et rideaux
Suspension avant :	indépendante, bras inégaux
Suspension arrière :	indépendante, multibras
Freins av./arr. :	disque (ABS)
Antipatinage/Contrôle de stabilité :	oui / oui
Direction :	à crémaillère, assistée
Diamètre de braquage :	11,5 m
Pneus av./arr. :	P235/40ZR19 / P275/35ZR19
Capacité de remorquage :	non recommandé

MOTORISATION À L'ESSAI

Moteur :	V12 de 5,9 litres 48s atmosphérique
Alésage et course :	89,0 mm x 79,5 mm
Puissance :	520 ch (336 kW) à 6 000 tr/min
Couple :	433 lb-pi (570 Nm) à 5 000 tr/min
Rapport poids/puissance :	3,8 kg/ch (5,17 kg/kW)
Système hybride :	aucun
Transmission :	propulsion, auto. mode man. 6 rapports
Accélération 0-100 km/h :	5,2 s
Reprises 80-120 km/h :	4,3 s
Freinage 100-0 km/h :	37,0 m
Vitesse maximale :	300 km/h
Consommation (100 km) :	super, 18,0 litres
Autonomie (approximative) :	472 km
Émissions de CO2 :	7 880 kg/an

GAMME EN BREF

Échelle de prix :	190 000 $
Catégorie :	coupé/cabriolet
Historique du modèle :	1ère génération
Garanties :	2 ans/km illimité, 2 ans/km illimité
Assemblage :	Gaydon, Angleterre
Autre(s) moteur(s) :	aucun
Autre(s) rouage(s) :	aucun
Autre(s) transmission(s) :	manuelle 6 rapports

DANS LA MÊME CATÉGORIE

Ferrari F430 - Lamborghini Gallardo - Mercedes-Benz SL AMG

DU NOUVEAU EN 2007

Pas de changement majeur

NOS IMPRESSIONS

Agrément de conduite :	🚗 🚗 🚗 ½
Fiabilité :	🚗 🚗 🚗
Sécurité :	🚗 🚗 🚗 🚗
Qualités hivernales :	nulles
Espace intérieur :	🚗 🚗 🚗 ½
Confort :	🚗 🚗 🚗 ½

LE CHOIX DE L'ÉQUIPE

Coupé

LE LUXE FORMAT COMPACT

Conçue comme voiture d'entrée de gamme pour la marque d'Ingolstadt, la A3 est élaborée à partir de la plate-forme servant également aux Volkswagen GTI et Jetta, mais elle se démarque de ses cousines par sa configuration à cinq portes et l'accent mis sur le luxe. Si la première version, équipée d'un moteur 4 cylindres turbocompressé et de la traction avant peut prétendre au titre «d'une Audi à petit prix», il en est tout autrement pour la version équipée de la traction intégrale et du moteur V6, le prix de notre modèle d'essai dépassant la barre des 50 000 dollars.

Avec son moteur de 3,2 litres développant 250 chevaux jumelé à la boîte DSG (Direct Shift Gearbox) avec paliers de commande au volant et le rouage intégral Quattro, de même que la présence de nombreux équipements offerts en option, tel le système de navigation assisté par satellite, la A3 mise à l'essai récemment représentait donc le summum de la gamme. Sur le plan technique, la boîte DSG continue d'impressionner par son degré de sophistication et par la rapidité des changements de vitesse, quoiqu'elle soit calibrée avec des réglages moins sportifs que sur la TT 3.2. Essentiellement, cette boîte est équipée de deux disques d'embrayage (plutôt que d'un seul) et de deux arbres de transmission. Les engrenages des premier, troisième et cinquième rapports, ainsi que la marche arrière, sont localisés sur le premier arbre, et les rapports des deuxième, quatrième et sixième sur le deuxième arbre. Ainsi, lorsque le conducteur sélectionne le premier rapport, la boîte DSG présélectionne le deuxième rapport sur l'autre arbre, et quand le conducteur commande le changement de la première à la deuxième vitesse au moyen du palier placé au volant, l'embrayage de l'arbre de la deuxième vitesse se referme alors que celui de la première est relâché. Le résultat, c'est que la livrée de la puissance n'est jamais interrompue et que l'accélération demeure continue, seul le changement de régime du

moteur indiquant que le passage de vitesse vient de se produire. La boîte DSG commande également l'accélération du régime moteur lors du rétrogradage afin d'éviter la compression, et tout cela se fait automatiquement, ce qui permet à des conducteurs moins expérimentés de mieux exploiter le potentiel de performance de la voiture en conduite sportive sans avoir à maîtriser la technique du «talon-pointe» requise avec une boîte manuelle habituelle. Le principal point faible d'une A3 ainsi équipée, c'est son poids qui devient alors très élevé, ce qui représente un certain handicap en conduite sportive, puisque l'on ne sent pas vraiment la présence d'une cavalerie de 250 chevaux en accélération et que la voiture a une tendance marquée au sous-virage en conduite sportive.

POLYVALENCE INSOUPÇONNÉE

Comme ses dimensions sont inférieures à celles de la berline A4, on pourrait croire que la A3 ne propose pas autant d'espace pour les passagers et les bagages, mais ce n'est pourtant pas le cas en raison du fait que le groupe motopropulseur de la A3 est logé transversalement sous le capot alors que celui de la A4 réside longitudinalement. Cette distinction a permis aux ingénieurs de maximiser le volume de l'habitacle tout en composant avec les dimensions réduites de la voiture. Ainsi, la A3

FEU VERT
Couple du moteur 2,0 litres turbo
Boîte séquentielle DSG
Qualité de la finition
Polyvalence de l'habitacle

FEU ROUGE
Rouage intégral non disponible avec la version 2.0T
Tendance au sous-virage
Coût des options
Accès difficile aux places arrière

VÉHICULE D'ESSAI

Version :	3.2 Quattro
Prix de détail suggéré :	52 490 $
Emp/Lon/Lar/Haut(mm) :	2 578/4 214/1 765/1 421
Poids :	1 525 kg
Coffre/Réservoir :	281 à 1 011 litres/60 litres
Coussins de sécurité :	front., latéraux (av./arr.) et rideaux
Suspension avant :	indépendante, jambes de force
Suspension arrière :	indépendante, multibras
Freins av./arr. :	disque (ABS)
Antipatinage/Contrôle de stabilité :	oui/oui
Direction :	à crémaillère, assistance variable électrique
Diamètre de braquage :	10,7 m
Pneus av./arr. :	P225/45R17
Capacité de remorquage :	750 kg

s'avère aussi spacieuse pour les passagers que la berline A4, même si l'accès aux places arrière est compliqué par l'étroitesse des portières. Pour ce qui est du chargement des bagages, l'espace de chargement des deux véhicules est identique (350 litres), mais la A3 permet également de rabattre les dossiers des places arrière sans avoir à retirer les appuie-têtes afin de porter le volume de chargement à 1 100 litres. Quant à la présentation intérieure, précisons que la A3 est à l'image des autres voitures de la marque avec une qualité de finition inégalée dans l'industrie, doublée de l'utilisation des meilleurs matériaux.

ENCORE PLUS DE PUISSANCE

La marque aux anneaux entrelacés poursuit sa démarche en proposant également deux versions plus sportives de la A3, soit la S3 et la RS3. Cette approche à deux paliers permet de combler les attentes des amateurs de performances selon le degré de sportivité recherchée ou suivant les moyens de l'acheteur... La S3 reçoit donc le moteur 4 cylindres de 2,0 litres turbocompressé qui livre 265 chevaux, et une allure plus dynamique avec ses prises d'air surdimensionnées intégrées au bouclier avant. La traction intégrale Quattro, la boîte DSG ou une boîte manuelle à six vitesses sont également au programme. Et comme si ce n'était pas assez, Audi annonce la RS3, une version encore plus performante animée par le V6 de 3,2 litres suralimenté par turbocompression afin de produire 350 chevaux. La RS3 recevra les freins de la récente RS4 et un look plus agressif qui sera accompagné d'une facture très élevée assurant ainsi une diffusion plutôt limitée. Cependant, la perspective de disposer d'une cavalerie de 350 chevaux dans un format aussi compact risque d'en séduire plusieurs...

Somme toute, la A3 représente un excellent choix pour ceux qui sont à la recherche d'une voiture de luxe qui offre à la fois une certaine polyvalence pour ce qui est de l'aménagement de l'habitacle et la possibilité de rouler en toute quiétude quelle que soit la saison lorsque le rouage intégral Quattro est de la partie. Il faut toutefois composer avec un prix élevé et des options qui coûtent cher, prière donc de faire une sélection raisonnée.

Gabriel Gélinas

MOTORISATION À L'ESSAI

Moteur :	V6 de 3,2 litres 24s atmosphérique
Alésage et course :	84,0 mm x 95,9 mm
Puissance :	250 ch (186 kW) à 6 300 tr/min
Couple :	236 lb-pi (320 Nm) de 2 500 à 3 000 tr/min
Rapport poids/puissance :	6,1 kg/ch (8,29 kg/kW)
Système hybride :	aucun
Transmission :	intégrale, séquentielle 6 rapports
Accélération 0-100 km/h :	6,2 s
Reprises 80-120 km/h :	5,2 s
Freinage 100-0 km/h :	37,0 m
Vitesse maximale :	250 km/h
Consommation (100 km) :	super, 12,5 litres
Autonomie (approximative) :	480 km
Émissions de CO_2 :	4 600 kg/an

GAMME EN BREF

Échelle de prix :	32 950 $ à 55 995 $
Catégorie :	familiale
Historique du modèle :	1ière génération
Garanties :	4 ans/80 000 km, 4 ans/80 000 km
Assemblage :	Ingolstadt, Allemagne
Autre(s) moteur(s) :	4L 2,0l turbo 200ch/207lb-pi
	(10,0 l/100km)
	4L 2,0l turbo 265ch (S3 à venir)
	V6 3,2l turbo 350ch (RS3 à venir)
Autre(s) rouage(s) :	traction
Autre(s) transmission(s) :	manuelle 6 rapports

DANS LA MÊME CATÉGORIE
Saab 9-3 SportCombi - Volkswagen GTI - Volvo V50

DU NOUVEAU EN 2007
Nouvelle version S3

NOS IMPRESSIONS

Agrément de conduite :	🚗🚗🚗½
Fiabilité :	🚗🚗🚗🚗
Sécurité :	🚗🚗🚗🚗
Qualités hivernales :	🚗🚗🚗🚗½
Espace intérieur :	🚗🚗🚗½
Confort :	🚗🚗🚗½

LE CHOIX DE L'ÉQUIPE
2.0T

Photos : Audi

COCKTAIL DE CLASSE

Chaque fois que j'y pense, chaque fois que je revois les images de mon essai routier, je ressens le même, un mélange de plaisir et d'appréhension. Ce n'est pourtant pas que la A4 soit une voiture si performante, ni qu'elle soit si exceptionnelle, mais elle a un je ne sais quoi qui la rend difficile à égaler. Je l'ai trimballée sur les routes, des plus sinueuses aux plus accidentées, je l'ai même amenée sur le très technique circuit de Mécaglisse, et je n'ai tout simplement pas pu la prendre en défaut. La présente A4 est vraiment la plus achevée de son histoire.

Remodelée un peu l'année dernière, on lui avait surtout refait le «visage», implantant au passage la nouvelle calandre chromée descendant jusque sous le pare-chocs. Le style est dorénavant plus raffiné et plus distinctif. Cette année, on retrouve toujours, dans sa déclinaison berline, la même A4 qui a permis à Audi de retrouver l'admiration des amateurs.

L'ÈRE DE LA MODERNITÉ

Malgré tout, l'année 2007 est une étape importante dans le développement de la gamme puisqu'elle permettra de ramener au catalogue une A4 cabriolet redessinée et basée sur la berline, alors qu'auparavant on se servait de la plate-forme de l'ancienne génération. Sur cette nouvelle base, la version cabriolet sera donc à la hauteur du reste de la famille.

La vie à bord d'une A4 n'a rien de difficile. Le côté sobre, voire un peu trop noir, de l'aménagement de l'habitacle, ne rend pas votre premier contact particulièrement jojo, mais on s'attache rapidement au confort des sièges et à la position de conduite sans défaut de cette voiture. La qualité des matériaux et l'opulence qui se dégage de l'ensemble, peu importe la déclinaison d'ailleurs, impressionnent.

Il faut dire aussi que la qualité de finition de la Audi n'est rien de moins qu'exemplaire. À l'intérieur, toutes les composantes s'emboîtent avec aisance, ne laissant aucune place à l'improvisation. Même à l'extérieur, tous les joints de carrosserie, mesurés en micromètres, se sont avérés d'une précision chirurgicale.

UNE ANNÉE EN DEUXIÈME VITESSE

Pour la famille A4, l'année 2007 marque une nette évolution vers les véritables voitures de performance. Bien sûr, la A4 berline continue de compter sur son moteur turbo de 2,0 litres de 200 chevaux qui avait fait fureur l'an dernier avec son évolution de puissance. On peut aussi obtenir la version à moteur V6 3,2 litres, dont notre modèle d'essai était muni. Cette fois, pas d'hésitation, le pied devient lourd dès que l'on sent toute la puissance gronder sous le capot. Difficile en fait de résister à la tentation. Ce sont aussi ces mêmes moteurs qui équipent la version cabriolet de la A4. Pour ceux désirant un peu plus de puissance, il y a la S4, offerte en version berline ou cabriolet, et équipée d'un V8 de 340 chevaux et du rouage intégral toujours efficace de Audi.

Mais là ou le vrai sens du mot performance sera exprimé, c'est dans la toute nouvelle version RS4 de la famille. Développée par GmbH, la

---

FEU VERT

Transmission Tiptronic vive
Système Quattro légendaire
Calandre proéminente
Tenue de route exemplaire
Sièges confortables

FEU ROUGE

Habitacle sombre
Fiabilité toujours douteuse
Places arrière sans envergure
Embrayage rétif

division performance du constructeur d'Ingolstadt, la RS4 marie à la fois les rugissements sportifs et la conduite quotidienne. Son moteur à injection directe, dérivé de celui qui équipait la R8 gagnante aux 24 Heures du Mans pendant cinq années consécutives, développe 420 chevaux et propose toute sa palette de puissance sous les 7000 tours-minute. On l'a cependant réduit en dimension de façon à alléger la structure. Il est, bien entendu, jumelé aussi au rouage Quattro de Audi, une traction intégrale capable de répartir à 60-40 le couple de la voiture lorsque la situation l'exige. La rapidité, et la limpidité de l'intervention ont amené cette technologie en tête du palmarès des rouages intégraux actuellement disponibles. On a raffiné un peu la technologie pour la RS4, qui utilise encore un différentiel Torsen à répartition asymétrique.

Le danger, chez Audi, c'est de se perdre dans les multiples choix offerts. Une fois la version déterminée, le moteur sélectionné, on pourra toujours opter pour une transmission manuelle à six rapports pour la A4 berline et cabriolet. Des rapports courts, parfois un peu difficiles à engager, ne rendent pas cette boîte tout à fait conviviale. On peut en revanche choisir la transmission à rapports continuellement variables qui constitue un véritable bijou du genre. Enfin, selon les modèles, on pourra aussi arrêter son choix une classique transmission automatique à six rapports.

Évidemment, ces mêmes transmissions subissent d'importantes modifications lorsque montées sur les versions sportives. Dans la RS4 par exemple, la transmission manuelle à six vitesses offre des rapports ultracourts et très précis, susceptibles de mieux contrôler toute la puissance du germanique bolide.

Rares seront les chanceux qui auront l'occasion de se glisser derrière le volant de la plus sportive RS4. Il faudra donc se contenter de la A4 plus standard certes, mais dont les performances ne feront pas rougir de honte le constructeur allemand. Même en entrée de gamme, on a réussi à conserver une conduite digne des grandes routières. Au volant, on ressent le moindre changement de la route, et la direction, même sollicitée avec vivacité, reste toujours aussi précise et directe.

Qu'elle soit cabriolet ou berline, sportive ou plus sage, la A4 a certainement retrouvé sa fougue et sa classe. Un cocktail idéal pour une berline de luxe qui s'assume.

Marc Bouchard

Photos : Marc Bouchard

VÉHICULE D'ESSAI

Version :	A4 3.2
Prix de détail suggéré :	49 225 $
Emp/Lon/Lar/Haut(mm) :	2 648/4 586/1 772/1 427
Poids :	1 700 kg
Coffre/Réservoir :	440 à 1 185 litres/63 litres
Coussins de sécurité :	front., latéraux (av./arr.) et rideaux
Suspension avant :	indépendante, bras inégaux
Suspension arrière :	indépendante, leviers triangulés
Freins av./arr. :	disque (ABS)
Antipatinage/Contrôle de stabilité :	oui/oui
Direction :	à crémaillère, assistée
Diamètre de braquage :	11,1 m
Pneus av./arr. :	P235/45R17
Capacité de remorquage :	non recommandé

MOTORISATION À L'ESSAI

Pneus d'origine **MICHELIN**

Moteur :	V6 de 3,2 litres 24s atmosphérique
Alésage et course :	84,5 mm x 92,8 mm
Puissance :	255 ch (190 kW) à 6 500 tr/min
Couple :	243 lb-pi (330 Nm) à 3 250 tr/min
Rapport poids/puissance :	6,61 kg/ch (8,96 kg/kW)
Système hybride :	aucun
Transmission :	intégrale, manuelle 6 rapports
Accélération 0-100 km/h :	7,5 s
Reprises 80-120 km/h :	6,2 s
Freinage 100-0 km/h :	40,6 m
Vitesse maximale :	209 km/h
Consommation (100 km) :	super, 9,8 litres
Autonomie (approximative) :	643 km
Émissions de CO2 :	4 992 kg/an

GAMME EN BREF

Échelle de prix :	34 000 $ à 94 200 $
Catégorie :	berline sport/familiale/cabriolet
Historique du modèle :	3ième génération
Garanties :	4 ans/80 000 km, 4 ans/80 000 km
Assemblage :	Ingolstadt, Allemagne
Autre(s) moteur(s) :	4L 2,0l 200ch/207lb-pi (10,1 l/100km) 2.0T
	V8 4,2l 340ch/302lb-pi (S4)
	V8 4,2l 420ch/317lb-pi (RS4)
Autre(s) rouage(s) :	traction
Autre(s) transmission(s) :	auto. mode man. 6 rapports / CVT

DANS LA MÊME CATÉGORIE

BMW Série 3 - Cadillac CTS - Infiniti G35 - Jaguar S-Type - Lexus GS 350 - Lincoln MKZ - Mercedes-Benz Classe C - Saab 9-5 - Volvo S60

DU NOUVEAU EN 2007

Version RS4, intérieur retouché, cabriolet remodelé

NOS IMPRESSIONS

Agrément de conduite :	🚗🚗🚗🚗
Fiabilité :	🚗🚗🚗🚗
Sécurité :	🚗🚗🚗🚗
Qualités hivernales :	🚗🚗🚗🚗
Espace intérieur :	🚗🚗🚗½
Confort :	🚗🚗🚗🚗

LE CHOIX DE L'ÉQUIPE

3.2

UN P'TIT V10 AVEC ÇA ?

Il serait faux de prétendre que les affaires vont comme toujours chez ce constructeur germanique. En effet, non seulement les ventes de la marque au Canada ont progressé spectaculairement au cours de la dernière année, mais les nouveaux modèles proposés sont de nature à nous faire saliver… ou presque.

Parmi les nouveautés pour 2007, il faut souligner l'arrivée de la nouvelle S6. S'il est toujours possible de commander une A6 avec moteur V6 de 3,2 litres ou encore le V8 de 4,2 litres produisant 335 chevaux, la S6 nous offre un moteur V10 sous le capot. Avec ses 435 chevaux, ce V10 de 5,2 litres est en mesure de transformer cette berline en bolide de course avec un temps d'accélération de 5,3 secondes pour le 0-100 km/h. Il faut par ailleurs préciser que ce V10 avec rangées de cylindres à 90 degrés n'a rien en commun avec le moteur V10 de la Lamborghini Gallardo. Celui de la S6 est le seul des deux à bénéficier de l'injection directe de carburant. Une caractéristique qui a été développée initialement sur les moteurs des légendaires R8 qui ont dominé les 24 Heures du Mans depuis plusieurs années maintenant.

Il ne faut pas conclure - comme plusieurs le font - que la puissance brute suffit pour nous retrouver au volant d'une voiture de grande classe. Une sportive de haut niveau doit proposer un équilibre général comprenant une mécanique sophistiquée et des prestations musclées. À cette équation, il faut également ajouter une boîte automatique Tiptronic à six rapports dotée d'un mode Sport. Soulignons au passage que les rapports de boîte sont moins espacés sur la S6 par rapport à la A6. La transmission intégrale Quattro qui permet de canaliser toute cette cavalerie à quatre roues est aussi de série. Et le rouage Quattro de la S6 est celui de la toute nouvelle génération avec une répartition du couple de l'ordre de 40/60 lorsque l'adhérence est normale. Mais selon les conditions du moment, 85 pour cent de cette puissance peut être distribuée aux roues arrière ou jusqu'à 65 pour cent aux roues avant. Bref, puissance et comportement routier doivent être au rendez-vous.

AUTOBAHN ET ROUTES SECONDAIRES

Comme il se doit, notre essai de la nouvelle S6 nous a permis de rouler sur les légendaires autobahn allemandes. Avec des reprises éclair en quatrième et une stabilité sans reproche, la S6 qui nous avait été confiée s'est pointée à une vitesse de 255 km/h avant que la raison et un léger crachin nous ramènent à la réalité. S'il est vrai que nos conditions d'utilisation au Québec ne permettent pas de telles vitesses, il est certain que cette sportive est tout de même capable de nous offrir solidité, sécurité et confort. Comme toute Audi qui se respecte, le tableau de bord est d'un design exemplaire. Cette fois, les appliques sur la planche de bord sont en fibre de carbone tandis que les sièges sport sont confortables tout en offrant un excellent support latéral et pour les cuisses.

FEU VERT	**FEU ROUGE**
Moteur V10	Version Avant S6 non offerte
Tenue de route	Silhouette trop sobre
Système Quattro	Suspension ferme
Agrément de conduite	Prix corsé
Tableau de bord exemplaire	A6 Allroad absente du catalogue

Parlant de stylisme, la S6 se démarque par ses feux de conduite de jour constitués de cinq lumières LED, placés sous les phares principaux. Il faut ajouter des rétroviseurs extérieurs de couleur aluminium, un béquet intégré dans le couvercle du coffre et une grille de calandre dotée de bâtonnets verticaux plus en évidence.

Mais peu importe la vitesse, l'assistance de la direction m'est apparue trop grande pour une voiture de cette catégorie. Sur les routes sinueuses de l'arrière-pays de la région de Stuttgart, la S6 s'est révélée agile pour une voiture de ce gabarit mais le sous-virage était toujours présent. Cette tendance n'est pas dramatique, mais elle se manifeste dans les virages serrés. Pas surprenant d'une part puisque la présence d'un moteur V10 au dessus des roues avant y est certainement pour quelque chose.

Lors de la présentation, les responsables de Audi nous avaient concocté un parcours en circuit fermé afin de pouvoir pousser la machine en toute sécurité. Les multiples virages serrés de ce parcours ont confirmé le sous-virage observé précédemment, mais le rouage Quattro assure toute la traction et l'agilité voulues. Et les nombreuses reprises à basse vitesse qu'exigeait le parcours, nous ont permis de constater la souplesse de ce moteur de même que ses impressionnantes accélérations à partir d'un régime moteur de moins de 2 250 tours/minute.

RETOUR AU CALME

Il ne faut pas passer sous silence les autres modèles de la famille A6, toujours offerts en version berline ou familiale. Le moteur V6 de 3,2 litres à injection directe fait sentir la présence de ses 255 chevaux, surtout lorsque la boîte automatique Tiptronic est placée en mode Sport. Les accélérations sont tout de même assez musclées alors qu'il faut un peu plus de sept secondes pour boucler le 0-100 km/h. De plus, étant plus léger que le moteur V8 de 4,2 litres offert en option, la voiture est plus agile et moins sous-vireuse tout en étant proposée à un prix compétitif.

Bref, depuis l'an dernier, la A6 est devenue une voiture qui concilie luxe, confort et agrément de conduite.

Denis Duquet

VÉHICULE D'ESSAI

Version :	S6
Prix de détail suggéré :	104 000 $ (estimé)
Emp/Lon/Lar/Haut(mm) :	2 843/4 916/1 855/1 459
Poids :	1 910 kg
Coffre/Réservoir :	450 litres/80 litres
Coussins de sécurité :	front, latéraux (av./arr.) et rideaux
Suspension avant :	indépendante, jambes de force
Suspension arrière :	indépendante, multibras
Freins av./arr. :	disque (ABS)
Antipatinage/Contrôle de stabilité :	oui/oui
Direction :	à crémaillère, assistance variable
Diamètre de braquage :	11,9 m
Pneus av./arr. :	P265/35R19
Capacité de remorquage :	n.d.

MOTORISATION À L'ESSAI

Moteur :	V10 de 5,2 litres 40s atmosphérique
Alésage et course :	84,5 mm x 92,8 mm
Puissance :	435 ch (313 kW) à 6 800 tr/min
Couple :	397 lb-pi (538 Nm) de 3 000 à 4 000 tr/min
Rapport poids/puissance :	4,55 kg/ch (6,18 kg/kW)
Système hybride :	aucun
Transmission :	intégrale, séquentielle 6 rapports
Accélération 0-100 km/h :	5,3 s (constructeur)
Reprises 80-120 km/h :	5,1 s (estimé)
Freinage 100-0 km/h :	38,9 m
Vitesse maximale :	258 km/h
Consommation (100 km) :	super, 13,6 litres (constructeur)
Autonomie (approximative) :	588 km
Émissions de CO2 :	n.d.

GAMME EN BREF

Échelle de prix :	60 500 $ à 104 000 $
Catégorie :	berline de luxe
Historique du modèle :	2ième génération
Garanties :	4 ans/80 000 km, 4 ans/80 000 km
Assemblage :	Neckarsulm, Allemagne
Autre(s) moteur(s) :	V6 3,2l 255ch/243lb-pi (11,2 l/100km)
	V8 4,2l 335ch/310lb-pi (13,6 l/100km)
Autre(s) rouage(s) :	aucun
Autre(s) transmission(s) :	aucune

DANS LA MÊME CATÉGORIE

BMW Série 5 - Cadillac CTS / CTS-V - Jaguar S-Type - Lexus GS430 - Mercedes-Benz Classe E

DU NOUVEAU EN 2007

Version S6

NOS IMPRESSIONS

Agrément de conduite :	🚗🚗🚗🚗½
Fiabilité :	🚗🚗🚗🚗
Sécurité :	🚗🚗🚗🚗
Qualités hivernales :	🚗🚗🚗🚗½
Espace intérieur :	🚗🚗🚗🚗
Confort :	🚗🚗🚗🚗

LE CHOIX DE L'ÉQUIPE

S6

Photos : Audi

OPULENCE ET DISCRÉTION

C'est un certain charme discret qui attend l'acheteur d'une Audi A8, une voiture de grand luxe qui est souvent choisie en raison de l'élégante discrétion affichée par son allure plus conservatrice que celles des BMW de Série 7 ou des Mercedes-Benz de Classe S. Au volant de ces dernières, on exhibe sa richesse, mais au volant d'une A8, on attire moins les regards ce qui semble plaire à une partie de la clientèle soucieuse de ne pas attirer l'attention.

L'A8 est une voiture de grand luxe parfaitement adaptée à notre climat en raison de son rouage intégral Quattro. De plus, on peut lui conférer une certaine saveur québécoise puisque c'est le designer Danny Garant, originaire de la région de Sherbrooke, qui est le grand responsable du stylisme de l'A8 et qui a également contribué au look du plus récent véhicule sport utilitaire Q7. L'an dernier, l'A8 a été légèrement restylée afin d'intégrer la calandre surdimensionnée qui est devenue la nouvelle signature visuelle de la marque aux anneaux entrelacés et que l'on retrouve maintenant sur tous ses modèles.

LA TECHNOLOGIE DE L'ALUMINIUM

Si on peut qualifier l'A8 de véritable tour de force sur le plan technique, c'est en raison de sa construction tout en aluminium qui permet à cette berline de grand luxe d'afficher un poids inférieur à 2 000 kilos. Cette relative légèreté autorise des performances intéressantes et permet surtout de donner au conducteur l'impression qu'il conduit une voiture de plus petite taille, l'A8 étant remarquablement agile pour une berline de grand luxe. Trois déclinaisons sont proposées, soit une version à empattement régulier avec moteur V8, une version à empattement allongé avec le même moteur, ou encore une version à empattement allongé avec moteur W12. Ce moteur est le même que celui que l'on

retrouvait sous le capot de la version la plus équipée de la défunte Volkswagen Phaeton, et que l'on retrouve encore sous le capot des Bentley Continetal GT et Continental Flying Spur où il est suralimenté par deux turbocompresseurs. En version atmosphérique, le W12 développe 450 chevaux et 425 livres-pied de couple. La sélection de ce modèle aura une incidence directe sur le montant figurant au bas de la facture qui oscille alors entre 170 800 dollars (prix de base!) et 196 400 dollars si l'on coche toutes les options au catalogue…

En étant plus raisonnable, on se contente d'une A8 équipée de l'excellent moteur V8 de 4,2 litres qui livre tout de même 335 chevaux et qui est parfaitement adapté à la voiture. D'ailleurs, si j'en avais les moyens, mon choix se porterait sur ce moteur et sur la configuration à empattement allongé où le confort pour les passagers est tout simplement exceptionnel. Sur la route, le comportement de la voiture peut être adapté en fonction de l'humeur du conducteur ou de la qualité du revêtement, l'A8 étant dotée de suspensions pneumatiques proposant quatre niveaux de calibration. Les routes québécoises n'ayant pas le même type de surface qu'une table de billard, il vaut mieux ne pas sélectionner les deux niveaux de calibration les plus vigoureux et choisir plutôt ceux qui offrent plus de souplesse. Cette sélection se fait au

---

FEU VERT
Voiture élégante et discrète
Rouage intégral Quattro
Degré de sophistication technique
Moteurs bien adaptés

FEU ROUGE
Prix élevé
Coûts des options
Système de télématique complexe
Carrosserie en aluminium complexe à réparer

VÉHICULE D'ESSAI

Version :	L
Prix de détail suggéré :	106 860 $
Emp/Lon/Lar/Haut(mm) :	3 074/5 192/1 894/1 455
Poids :	1 995 kg
Coffre/Réservoir :	500 litres/90 litres
Coussins de sécurité :	front., latéraux (av./arr.) et rideaux
Suspension avant :	indépendante, multibras
Suspension arrière :	indépendante, leviers triangulés
Freins av./arr. :	disque (ABS)
Antipatinage/Contrôle de stabilité :	oui/oui
Direction :	à crémaillère, assistance variable
Diamètre de braquage :	12,5 m
Pneus av./arr. :	P235/55R17
Capacité de remorquage :	750 kg

moyen de commandes localisées sur la console centrale et plus particulièrement à l'aide du système de télématique MMI (Multi Media Interface) qui est un peu plus facile d'approche que les systèmes COMAND de Mercedes-Benz ou iDrive de BMW, mais qui demande quand même une certaine période d'adaptation et une bonne lecture des chapitres qui y sont consacrés dans le manuel du propriétaire.

LE V10 DE LAMBORGHINI POUR LA S8

La philosophie de la marque d'Ingolstadt étant de proposer des variantes plus performantes de ses berlines en les désignant par la lettre S. Les modèles A8 se doublent d'une S8 qui est animée par un moteur dérivé du V10 développé par Lamborghini et qui anime déjà la Gallardo chez le constructeur italien qui fait partie du portefeuille des marques du groupe Volkswagen, tout comme Audi. La puissance annoncée étant de 450 chevaux, la S8 se démarquera de l'A8 par un comportement résolument plus sportif compte tenu de ses roues en alliage de 20 pouces et de ses suspensions pneumatiques adoptant des calibrations plus fermes, entre autres.

Quel avenir réserve-t-on à la plus grande et luxueuse des berlines Audi ? Selon certaines sources, la prochaine génération ne verra le jour qu'en 2010, elle sera toujours réalisée entièrement en aluminium et proposera de nouvelles motorisations comme un V12 turbodiesel inspiré de celui qui anime la voiture de course R10 et qui devrait livrer 400 chevaux ainsi qu'un couple maximal important. Aussi au programme, un nouveau moteur à essence de configuration V8 développant 350 chevaux et intégrant un alternodémarreur déployant un surcroît de puissance de l'ordre de 44 chevaux, ce qui permettra à cette variante de l'A8 de se présenter comme une voiture à motorisation hybride.

Pour l'heure, l'A8 poursuit sa route en offrant le confort et le silence de roulement d'une routière de grand luxe, la stabilité inhérente au rouage intégral Quattro en conduite hivernale et surtout une allure alliant sobriété et discrétion, alors que les rivales BMW Série 7 et Mercedes-Benz de Classe S font plutôt étalage de leurs atouts avec une présence plus remarquée.

Gabriel Gélinas

MOTORISATION À L'ESSAI

Moteur :	V8 de 4,2 litres 32s atmosphérique
Alésage et course :	84,5 mm x 92,8 mm
Puissance :	335 ch (261 kW) à 6 500 tr/min
Couple :	317 lb-pi (440 Nm) à 3 500 tr/min
Rapport poids/puissance :	5,29 kg/ch (7,17 kg/kW)
Système hybride :	aucun
Transmission :	intégrale, auto. mode man. 6 rapports
Accélération 0-100 km/h :	6,3 s
Reprises 80-120 km/h :	5,3 s
Freinage 100-0 km/h :	34,5 m
Vitesse maximale :	208 km/h
Consommation (100 km) :	super, 13,4 litres
Autonomie (approximative) :	672 km
Émissions de CO_2 :	5 472 kg/an

GAMME EN BREF

Échelle de prix :	96 250 $ à 170 800 $
Catégorie :	berline de grand luxe
Historique du modèle :	2ème génération
Garanties :	4 ans/80 000 km, 4 ans/80 000 km
Assemblage :	Ingolstadt, Allemagne
Autre(s) moteur(s) :	W12 6,0l 450ch/428lb-pi (16,0 l/100km)
Autre(s) rouage(s) :	aucun
Autre(s) transmission(s) :	aucune

DANS LA MÊME CATÉGORIE

BMW Série 7 - Infiniti Q45 - Jaguar XJ8 - Lexus LS 460 - Mercedes-Benz Classe S

DU NOUVEAU EN 2007

Pas de changement majeur

NOS IMPRESSIONS

Agrément de conduite :	🚗 🚗 🚗 ½
Fiabilité :	🚗 🚗 🚗 🚗
Sécurité :	🚗 🚗 🚗 🚗 ½
Qualités hivernales :	🚗 🚗 🚗 🚗 🚗
Espace intérieur :	🚗 🚗 🚗 🚗
Confort :	🚗 🚗 🚗 🚗 ½

LE CHOIX DE L'ÉQUIPE

L

Photos : Audi

DESIGNER QUÉBÉCOIS, MÉCANIQUE GERMANIQUE

Pour être de bon ton, il faut mentionner que la compagnie Audi arrive un peu tard dans la catégorie des gros VUS de luxe. Par contre, comme vous le verrez, tout vient à point à qui sait attendre. Sur une note plus partisane, sachez que cette voiture a été dessinée par le Québécois Dany Garand qui a déjà reçu ses lettres de noblesse en ayant dessiné la prestigieuse A8. Pour faire suite à ce succès, il a été nommé responsable du projet « AU 716 » qui a permis de développer la Q7 actuelle.

Si vous aimez ce genre de détail, il faut remonter au début de 2002 pour retracer les origines de la Q7 actuelle puisque cette dernière a amorcé sa carrière en tant que véhicule-concept baptisé Pikes Peak, qui a été fort bien accepté par le public lors de son apparition au Salon de l'auto de Detroit. Le développement de la version définitive a été entrepris par la suite. Le projet AU 716 est devenu celui de la Q7. Mais les concepteurs ne se sont pas contentés de dessiner un VUS plus gros que le Allroad et dérivé de la Touareg de Volkswagen. L'équipe chargée du développement a imaginé un nouveau concept : un VUS de performance. Il y a eu originalement la génération des gros 4X4 purs et durs, suivie de celle du luxe et du confort. Cette fois, le constructeur d'Ingolstadt a développé un nouveau créneau, celui de la performance.

DESIGN QUÉBÉCOIS

Tel que mentionné précédemment, tout Québécois qui se respecte devrait naturellement avoir un parti-pris positif vis-à-vis du style de cette Audi puisque c'est un «p'tit gars de chez nous» qui est responsable du design global de la voiture. En effet, c'est le Sherbrookois Dany Garand qui a coordonné le design du premier VUS chez Audi. Cette responsabilité est en même temps une appréciation pour le travail qu'il a effectué avec la A8.

La nouvelle calandre Audi est loin de faire l'unanimité. Mais Dany m'a souligné que cette imposante présence à l'avant du véhicule lui est venue en aide au lieu de limiter sa créativité. Celle-ci avait en effet servi de bloc d'ancrage à toutes les lignes de la carrosserie se dirigeant vers l'arrière. Ces lignes fuyantes ont pour effet d'accentuer le caractère

sportif de la Q7, surtout quand le véhicule est en mouvement. La ceinture de caisse élevée, la hauteur des piliers C et la présence d'un bourrelet latéral ainsi que les passages de roue bien en évidence créent un effet de fluidité. Même si les dimensions extérieures sont tout de même imposantes, la silhouette possède cette fluidité et ces rondeurs qui semblent être la tendance du design actuel.

Les discussions vont durer longtemps quant à cette grille de calandre fort apparente et en ce qui a trait à la silhouette du Q7. Mais s'il est un élément qui fait l'unanimité, c'est bien l'habitacle! Depuis des années maintenant, ce constructeur est la référence en fait d'habitacle et de tableau de bord, et cette nouvelle venue ne déroge pas à la tradition. L'agencement des couleurs, les textures des matériaux, les cadrans indicateurs encastrés dans les contenants cerclés de chrome en forme de lobe, le bois précieux recouvrant la console centrale, tout nous indique que nous sommes à bord d'une voiture de prestige et de classe. Comme sur les berlines de cette marque, les commandes de la navigation, du système audio et de la climatisation sont réglées par un bouton circulaire dont l'utilisation est très intuitive une fois qu'on a compris le truc des quatre touches qui l'encerclent. Contrairement au système iDrive de BMW qui ferait sacrer Saint-Pierre lui-même, la solution Audi est simple et efficace. Il faut d'abord choisir un «secteur» comme l'audio, la climatisation, la navigation et autres à l'aide de l'un des boutons périphériques pour ensuite naviguer avec le gros «piton»

Il est presque certain qu'une personne ne se procure pas un véhicule de ce genre pour rouler seule. L'habitabilité et la possibilité de configurer les sièges de multiples façons entrent fortement en ligne de compte lors de l'achat. Les petites familles devraient se contenter de la version cinq places, dont le siège arrière 40/20/40 semble promettre beaucoup de commodités en fait d'aménagement. Il faut toutefois réaliser que cette banquette arrière ne peut accueillir qu'un enfant si jamais seule la portion 20 est utilisée. Celle-ci permet surtout d'insérer un objet long entre les deux personnes assises sur les sections 40/40. Il est également possible de choisir la configuration sept places offrant une troisième rangée de sièges, ou encore la version six passagers avec des sièges capitaines à la seconde rangée et une banquette arrière. Soulignons que celle-ci, d'après Audi, convient à des humains de moins de 1,60 m!

MÉCANIQUE GERMANIQUE
Les constructeurs automobiles allemands ont toujours été reconnus pour les mécaniques sophistiquées de leurs véhicules et la Q7 ne fait pas exception à cette règle. C'est ainsi que les éléments des suspensions avant et arrière indépendantes sont en aluminium afin de réduire le poids non suspendu, les ressorts mécaniques font place à des unités pneumatiques dont le réglage est infiniment variable. Au simple toucher d'un bouton, il est même possible de modifier la garde au sol. L'incontournable rouage d'entraînement Quattro est également de la partie, et il s'agit de la toute dernière version. En conduite normale, la répartition de la puissance du moteur aux roues est de 40/60 d'avant vers l'arrière. Cela donne un surplus d'agilité, surtout lors du braquage du volant vers l'intérieur de la courbe.

Les premiers modèles à arriver sur le marché au début de l'été 2006 étaient équipés du moteur V8 de 4,2 litres à injection directe d'une puissance de 350 chevaux. Une cavalerie qui permet de boucler le 0-100 km/h en 7,5 secondes. Ce moteur est couplé à une boîte automatique à six rapports et la consommation de carburant observée a été de

14,6 litres aux 100 km. Ce moteur est suffisamment puissant pour tracter une charge de 2 495 kg (5 500) et même plus avec l'option «remorquage». Il est également envisageable de commander une version plus économique propulsée par un moteur V6 de 3,6 litres produisant 280 chevaux et toujours associé à la transmission à six rapports et au rouage intégral Quattro.

En Europe et sur d'autres marchés, il est possible de se procurer une Q7 propulsée par le moteur V6 3,0 litres TDI. Avec son couple élevé et ses 233 chevaux, ce diesel offre des performances dignes de mention puisqu'il permet de boucler le 0-100 km/h en 9,2 secondes. Son absence en Amérique est d'autant plus pénible que sa consommation est d'un peu plus de 10 litres aux 100 km.

SURPRENANTE AGILITÉ

Sans vouloir offusquer Dany Garand, la Q7 a du coffre et ses lignes n'ont pas pour effet de l'amincir, même si la silhouette est élégante et moderne. Donc, avant de prendre le volant, je m'attendais à me retrouver dans un véhicule qui aurait la même agilité qu'un porte-avions... De plus, la présence du dispositif "side assist" destiné à avertir le pilote de la présence d'une auto ou d'une camionnette sur les côtés était un autre indice m'indiquant que j'avais raison. Ce système détecte tout véhicule dans l'angle mort ou sur le côté pour vous éviter de vous engager dans un dépassement qui aurait de fâcheuses conséquences.

Cette appréhension s'est révélée plus que fausse dès que j'ai parcouru quelques kilomètres. Malgré son poids et son gabarit, la Q7 impressionne

FEU VERT
Bonne tenue de route
Moteur V8 bien adapté
Rouage quattro
Tableau de bord élégant
Finition sans faille

FEU ROUGE
Prix élevé
Gros gabarit
Moteur diesel non commercialisé en Amérique
Mécanique complexe
Fiabilité inconnue

par son comportement routier. La plupart des modèles testés étaient équipés de la suspension pneumatique adaptative offerte en option, qui permet de régler la suspension en trois modes : Dynamic, Automatic et Confort. Et si vous vous aventurez hors des sentiers, deux autres modes sont possibles : Offroad, hauteur additionnelle de 25 mm, et Lift, 60 mm de plus.

Si vous choisissez la fonction Dynamic, la tenue de route est presque similaire à celle d'une berline sport. Toujours avec ce mode, la suspension pneumatique joue également le rôle de stabilisateur antiroulis actif. Par contre, le feedback de la direction pourrait être moins atténué. Parmi les autres gadgets qui sont légion, il y a ce régulateur de croisière à capteur radar qui règle automatiquement la distance préréglée avec le véhicule qui vous précède. Il peut même aller jusqu'à stopper le véhicule si jamais la circulation s'immobilise.

En conclusion, si vous aimez conduire et devez vous acheter un véhicule polyvalent de luxe, la Q7 doit faire partie de votre liste des finalistes.

Denis Duquet

Photos : Denis Duquet

VÉHICULE D'ESSAI

Version :	4.2 Premium
Prix de détail suggéré :	82 495 $
Emp/Lon/Lar/Haut(mm) :	3 002/5 086/2 177/1 737
Poids :	2 480 kg
Coffre/Réservoir :	n.d./100 litres
Coussins de sécurité :	frontaux, latéraux (av.) et rideaux
Suspension avant :	indépendante, multibras
Suspension arrière :	indépendante, multibras
Freins av./arr. :	disque (ABS)
Antipatinage/Contrôle de stabilité :	oui/oui
Direction :	à crémaillère, assistée
Diamètre de braquage :	n.d.
Pneus av./arr. :	P265/50R19
Capacité de remorquage :	3 500 kg

MOTORISATION À L'ESSAI

Moteur :	V8 de 4,2 litres 32s atmosphérique
Alésage et course :	84,5 mm x 92,8 mm
Puissance :	350 ch (261 kW) à 6 800 tr/min
Couple :	325 lb-pi (441 Nm) à 3 500 tr/min
Rapport poids/puissance :	7,09 kg/ch (9,61 kg/kW)
Système hybride :	aucun
Transmission :	intégrale, auto. mode man. 6 rapports
Accélération 0-100 km/h :	7,5 s
Reprises 80-120 km/h :	6,7 s
Freinage 100-0 km/h :	41,8 m
Vitesse maximale :	209 km/h
Consommation (100 km) :	super, 14,6 litres
Autonomie (approximative) :	690 km
Émissions de CO_2 :	6 050 kg/an

GAMME EN BREF

Échelle de prix :	68 900 $ à 85 000 $
Catégorie :	utilitaire sport intermédiaire
Historique du modèle :	1ière génération
Garanties :	4 ans/80 000 km, 4 ans/80 000 km
Assemblage :	Bratislava, Slovaquie
Autre(s) moteur(s) :	aucun
Autre(s) rouage(s) :	aucun
Autre(s) transmission(s) :	aucune

DANS LA MÊME CATÉGORIE

Acura MDX - BMW X5 - Land Rover LR3 - Lexus RX 350/400h - Mercedes-Benz Classe GL

DU NOUVEAU EN 2007
nouveau modèle

NOS IMPRESSIONS

Agrément de conduite :	🚗🚗🚗🚗
Fiabilité :	nouveau modèle
Sécurité :	🚗🚗🚗🚗½
Qualités hivernales :	🚗🚗🚗🚗🚗
Espace intérieur :	🚗🚗🚗🚗½
Confort :	🚗🚗🚗🚗🚗

LE CHOIX DE L'ÉQUIPE
Q7 4.2

OPÉRATION RÉUSSIE

Lors de son arrivée en 1998, la TT faisait tourner les têtes en raison de sa silhouette vraiment unique qui combinait une inspiration rétro à des lignes tout de même fort modernes. Et l'habitacle, avec ses buses de ventilation circulaires en aluminium brossé, a fait école autant par son classicisme que par son côté innovateur. Bref, cette voiture ne laissait personne indifférent. Par contre, ses prestations sur la route en ont déçu quelques-uns tant son apparence laissait présager davantage à ce chapitre. Cette fois, la TT raffine sa silhouette et offre plus en fait de comportement routier.

A vant de parler du design, il est essentiel de souligner que la TT 2007 ne se contente plus d'être une Golf transformée en voiture sport comme l'était sa devancière. Cette nouvelle cuvée bénéficie d'une toute nouvelle plate-forme qui comporte une structure de type "space frame" en aluminium comme les A8 et A2. Par contre, les ingénieurs ont joué d'astuce en utilisant surtout de l'aluminium, mais en conservant l'acier dans une proportion de 30 pour cent. Le résultat : une carrosserie qui est 50 pour cent plus rigide que précédemment tout en étant allégée de 100 kg. Il faut le faire, d'autant plus que cette nouvelle venue est plus longue de 13,7 cm et plus large de 7,8 cm !

DSG OU S-TRONIC?

En fait, cette question ne se pose pas puisque les deux transmissions sont identiques. Anciennement appelée DSG, la brillante transmission Audi à double embrayage s'appelle dorénavant S-Tronic. Ce changement d'appellation n'a nullement altéré ses performances qui en font la meilleure transmission sur le marché présentement. Et même si nous aurions aimé que la boîte manuelle à six rapports soit offerte sur notre marché, nous ne perdons vraiment pas au change puisque la S-Tronic, la seule boîte offerte pour le moment au Canada, lui est

supérieure. J'ai d'ailleurs eu l'occasion de conduire une version avec boîte manuelle et moteur V6 3,2 litres, et cette combinaison m'a laissé sur mon appétit en raison de l'imprécision du levier de vitesse.

Donc, la S-Tronic est le seul choix pour l'instant, mais il est également le meilleur. Utilisée avec le moteur deux litres turbo de 200 chevaux, elle permet de tirer tout le potentiel de ce moteur qui semble le plus adapté à la voiture. L'utilisation d'un nouveau turbocompresseur améliore son rendement. Ses accélérations et reprises sont plus incisives que celles du moteur V6 3,2 litres qui est pourtant plus rapide à boucler le 0-100 km/h, mais qui n'offre pas les mêmes sensations. Plus lourde, la voiture n'a pas le même équilibre en virage. Il faut par contre souligner que seul le modèle équipé du moteur V6 est livré avec la transmission intégrale Quattro. Toujours au chapitre de la mécanique, il est possible de commander en option une suspension dont les amortisseurs à contrôle magnétique fonctionnent de la même façon que ceux utilisés par Cadillac depuis quelques années. Un fluide magnétorhéologique comporte des particules magnétisées qui ont tendance à s'agglomérer au passage d'un courant électrique, durcissant ou assouplissant à l'infini la course de l'amortisseur.

FEU VERT

Silhouette plus élégante
Tenue de route améliorée
Boîte S-Tronic
Moteur 2,0 litres turbo
Carrosserie en aluminium

FEU ROUGE

Coffre toujours petit
Arrivée au printemps 2007
Version cabriolet non dévoilée
Suspension ferme

VÉHICULE D'ESSAI

Version :	Coupé 2.0 L
Prix de détail suggéré :	58 995 $
Emp./Lon./Lar./Haut(mm) :	2 468/4 178/1 842/1 352
Poids :	1 260 kg
Coffre/Réservoir :	290 à 700 litres/62 litres
Coussins de sécurité :	frontaux et latéraux (av.)
Suspension avant :	indépendante, jambes de force
Suspension arrière :	indépendante, multibras
Freins av./arr. :	disque (ABS)
Antipatinage/Contrôle de stabilité :	oui/oui
Direction :	à crémaillère, assistance variable
Diamètre de braquage :	10,6 m
Pneus av./arr. :	P225/55R16
Capacité de remorquage :	non recommandé

ESTHÉTIQUE RÉVISÉE, CONDUITE AMÉLIORÉE

Il est toujours difficile d'apporter des modifications esthétiques à une voiture surtout reconnue pour sa silhouette. Il faut admettre que les stylistes ont réussi à rendre cette voiture encore plus élégante. En effet, les rondeurs se sont affinées, la silhouette s'est allongée avec un point d'ancrage du hayon plus éloigné, tandis qu'une ligne en relief sur toute la longueur de la caisse relie la partie supérieure des passages de roue avant et arrière pour ajouter du caractère. La TT hérite également de la nouvelle calandre Audi et c'est mieux réussi que sur certains autres modèles. L'habitacle conserve ses buses de ventilation typiques et la disposition générale des commandes. Certains boutons ont été relogés pour faire place à l'écran de navigation et une applique de couleur titane recouvre le dessus de la console, mais c'est à peu près tout. Enfin, le volant avec partie inférieure équarrie apporte une autre touche de sportivité.

Confortablement assis dans un siège dont le support latéral me semble efficace, je lance le moteur et engage le premier rapport. La sonorité du moteur 2,0 litres turbo est plus gutturale qu'auparavant et il répond sans hésitation aux sollicitations de l'accélérateur. Les routes sinueuses du Tyrol autrichien me permettent de découvrir que le train arrière est plus stable et que la nouvelle direction électromagnétique est sans doute trop assistée à basse vitesse, mais acceptable à haute vitesse. Cependant, la grande amélioration sur cette voiture est son comportement routier plus mature. La voiture demeure stable dans les virages et elle est moins perturbée par les mauvais revêtements. Et je ne le soulignerai jamais assez, la boîte S-Tronic à double embrayage est une pure merveille. Elle réagit immédiatement lorsqu'on pianote sur les palettes placées derrière le volant. Par contre, le passage en mode manuel à l'aide du levier de vitesse est moins rapide.

Même si le moteur V6 3,2 litres produit 250 chevaux et est relié à la transmission intégrale Quattro, le modèle qui en est équipé a de la difficulté à se démarquer par rapport à la version 2,0 litres plus agile et presque aussi performante. C'est surtout à des régimes intermédiaires que ce V6 est apprécié. Mais il faut payer plus cher sans vraiment profiter d'un net avantage par rapport au modèle à moteur 2,0 litres turbo.

Denis Duquet

MOTORISATION À L'ESSAI

Moteur :	4L de 2,0 litres 24s turbocompressé
Alésage et course :	82,5 mm x 92,8 mm
Puissance :	200 ch (149 kW) à 5 100 tr/min
Couple :	207 lb-pi (280 Nm) de 1 800 à 5 000 tr/min
Rapport poids/puissance :	6,3 kg/ch (8,57 kg/kW)
Système hybride :	aucun
Transmission :	traction, auto. mode man. 6 rapports
Accélération 0-100 km/h :	7,4 s
Reprises 80-120 km/h :	6,5 s
Freinage 100-0 km/h :	33,0 m
Vitesse maximale :	240 km/h
Consommation (100 km) :	super, 10,6 litres
Autonomie (approximative) :	585 km
Émissions de CO2 :	n.d.

GAMME EN BREF

Échelle de prix :	55 980 $ à 65 450 $
Catégorie :	coupé/roadster
Historique du modèle :	2ième génération
Garanties :	4 ans/80 000 km, 4 ans/80 000 km
Assemblage :	Györ, Hongrie
Autre(s) moteur(s) :	V6 3,2l 250ch/236lb-pi (12,3 l/100km)
Autre(s) rouage(s) :	aucun
Autre(s) transmission(s) :	manuelle 6 rapports

DANS LA MÊME CATÉGORIE

BMW Z4 - Honda S2000 - Infiniti G35 Coupé - Mercedes-Benz SLK - Nissan 350Z - Porsche Boxster

DU NOUVEAU EN 2007

Nouvelle version, carrosserie Space Frame, suspension magnétique optionnelle, version Quattro sur V6

NOS IMPRESSIONS

Agrément de conduite :	🚗🚗🚗🚗½
Fiabilité :	nouveau modèle
Sécurité :	🚗🚗🚗🚗½
Qualités hivernales :	🚗🚗🚗🚗
Espace intérieur :	🚗🚗🚗🚗½
Confort :	🚗🚗🚗½

LE CHOIX DE L'ÉQUIPE

2,0 litres

Photos : Denis Duquet

VIVE LA TRADITION !

Acquise en 1998 par Volkswagen, la marque Bentley était appelée à un bel avenir selon plusieurs observateurs. Jadis propriété de Rolls Royce, cette marque offrait un potentiel plus important étant donné que sa réputation était toujours reliée aux voitures victorieuses des 24 Heures du Mans dans les années trente. Les succès du spectaculaire Continental GT leur ont donné raison d'avoir conservé Bentley. Mais il y a également l'Arnage.

Alors que la Continental est dérivée de la Volkswagen Phaeton, l'Arnage possède en théorie des origines plus nobles puisqu'elle a été développée par les ingénieurs de Rolls Royce du temps où les deux compagnies ne faisaient qu'une. Il faut se rappeler que Volkswagen avait initialement acheté le groupe Rolls Royce avant de découvrir que les droits d'utilisation de la marque appartenaient à... BMW. Une entente entre gentlemen a été conclue : BMW a conservé Rolls Royce et VW est devenu propriétaire de Bentley. Et c'est l'entreprise de Wolfsburg qui a le mieux réussi car le Continental GT et le Flying Spur, lancé en 2006, ne cessent de connaître des succès de vente et d'estime.

À L'ANCIENNE

Il est intéressant de noter que l'Arnage est une voiture qui a été développée dans la plus pure tradition des berlines de grand luxe britannique : les matériaux sont de la meilleure qualité et les voitures sont assemblées à la main par un groupe d'artisans dont le savoir-faire est transmis de génération en génération grâce à des années d'apprentissage. Il est par contre curieux de constater que cette façon de procéder ne se traduit pas nécessairement par de meilleures voitures. Leur habitacle garni des cuirs les plus fins est impressionnant, mais l'habitabilité n'est pas à la mesure des dimensions extérieures, tandis que l'ergonomie ne faisait certainement pas partie du vocabulaire des personnes qui ont dessiné et réalisé le tableau de bord. Et puisque ces voitures étaient généralement destinées à des propriétaires qui aimaient se laisser conduire, l'agrément de conduite n'est pas toujours au menu.

Heureusement pour Bentley, l'Arnage était toute nouvelle en 1998 et elle est tout de même moins rétro que ses devancières. Il faut également souligner que le modèle Azure vient tout juste d'être remplacé par l'Arnage Drophead Coupé, un curieux nom pour un cabriolet. Par contre, ce nouveau venu nous fait rapidement oublier la vétuste Azure aussi bien en raison de sa carrosserie plus moderne, que de son comportement routier moins bourgeois. D'ailleurs, cette décapotable tout comme l'Arnage T à vocation plus sportive est propulsée par un moteur V8 à double turbo d'une puissance de 450 chevaux et d'un couple de 646 lb-pied. Ces belles britanniques ont beau peser tout près de deux tonnes et demie, leurs performances ne sont pas piquées des vers alors que l'aiguille du chronomètre s'immobilise en moins de six secondes pour boucler le 0-100 km/h. Bien entendu, la consommation de carburant est à la mesure de ces chiffres avec une moyenne de 18 à 20 litres aux cent kilomètres selon la pression de votre pied droit sur l'accélérateur.

FEU VERT
Prestige assuré
Performances solides
Habitacle cossu
Tenue de route surprenante
Version T

FEU ROUGE
Silhouette vieillotte
Consommation élevée
Prix hors norme
Tableau de bord rétro

Une boîte de vitesses automatique à seulement quatre rapports ne vient pas arranger les choses. Heureusement, comme écrit à la page précédente, le Continental GT et le Flying Spur ont une boîte automatique à six rapports couplée à un moteur W12.

CURIEUSE IMPRESSION

Si l'Arnage se présente comme une grosse limousine dotée d'une silhouette on ne peut plus traditionnelle, il ne faut pas nécessairement se fier aux apparences. Si elle est capable de bien paraître dans un cortège de nobles se rendant à Buckingham Palace, cette Bentley est également capable d'en découdre sur les «Motorways» du Royaume-Uni. En plus d'accélérations impressionnantes pour une telle masse, sa vitesse de pointe atteint plus de 250 km/h sans broncher et, à cette allure, la stabilité directionnelle est sans faute. La première courbe est abordée avec appréhension puisqu'on se demande si ce mastodonte ne voudra pas continuer en ligne droite. Et c'est avec surprise qu'on se rend compte que l'Arnage a l'air empesé de l'extérieur mais possède le caractère d'une sportive. De plus, en dépit de sa masse, les distances de freinage sont surprenantes. Malgré tout, compte tenu du passé de fiabilité de toutes les anglaises, on se prend à murmurer «pourvu que ça marche», chaque fois qu'on tente de freiner à haute vitesse. Et puisque ça fonctionne à tout coup, on se souvient que cette marque est maintenant la propriété d'une compagnie allemande.

Il est difficile de se passionner pour une voiture inspirée d'un passé plus prestigieux que glorieux. Les formes d'une autre époque de l'Arnage et de la DC ont cependant de l'attrait pour un certain type d'acheteur qui aime se distinguer en jouant la carte du décorum et de la voiture à la silhouette ultra classique. Si ces deux modèles jouissent dorénavant d'une certaine popularité, c'est surtout parce que sous des atours d'une autre époque se dissimulent une mécanique moderne et un surprenant comportement routier. C'est un retour vers le passé sans être dépourvu des bienfaits d'une mécanique de pointe.

Denis Duquet

VÉHICULE D'ESSAI

Version :	Arnage T
Prix de détail suggéré :	355 980 $
Emp/Lon/Lar/Haut(mm) :	3 116/5 400/2 125/1 515
Poids :	2 858 kg
Coffre/Réservoir :	374 litres/100 litres
Coussins de sécurité :	front., latéraux (av./arr.) et rideaux
Suspension avant :	indépendante, multibras
Suspension arrière :	indépendante, multibras
Freins av./arr. :	disque (ABS)
Antipatinage/Contrôle de stabilité :	oui/oui
Direction :	à crémaillère, assistance variable
Diamètre de braquage :	12,4 m
Pneus av./arr. :	P255/45R19
Capacité de remorquage :	non recommandé

MOTORISATION À L'ESSAI

Moteur :	V8 de 6,7 litres 16s biturbo
Alésage et course :	104,1 mm x 99,1 mm
Puissance :	450 ch (336 kW) à 4 100 tr/min
Couple :	646 lb-pi (876 Nm) à 3 250 tr/min
Rapport poids/puissance :	6,35 kg/ch (8,63 kg/kW)
Système hybride :	aucun
Transmission :	propulsion, automatique 4 rapports
Accélération 0-100 km/h :	5,8 s
Reprises 80-120 km/h :	5,1 s
Freinage 100-0 km/h :	39,5 m
Vitesse maximale :	270 km/h
Consommation (100 km) :	super, 20,6 litres
Autonomie (approximative) :	485 km
Émissions de CO2 :	9 264 kg/an

GAMME EN BREF

Échelle de prix :	230 990 $ à 365 990 $
Catégorie :	berline de grand luxe
Historique du modèle :	1ière génération
Garanties :	3 ans/km illimité, 3 ans/km illimité
Assemblage :	Crewe, Angleterre
Autre(s) moteur(s) :	aucun
Autre(s) rouage(s) :	aucun
Autre(s) transmission(s) :	aucune

DANS LA MÊME CATÉGORIE
Maybach 57/62 - Rolls-Royce Phantom

DU NOUVEAU EN 2007
Version 60e anniversaire

NOS IMPRESSIONS

Agrément de conduite :	🚗 🚗 🚗½
Fiabilité :	🚗 🚗 🚗
Sécurité :	🚗 🚗 🚗 🚗½
Qualités hivernales :	🚗 🚗½
Espace intérieur :	🚗 🚗 🚗 🚗 🚗
Confort :	🚗 🚗 🚗 🚗

LE CHOIX DE L'ÉQUIPE
Arnage R

Photos : Bentley

TOUT POUR UN PUITS DE PÉTROLE

La marque de Crewe en Angleterre, fondée par Walter Owen Bentley en 1919, s'est surtout illustrée en course automobile, particulièrement à la célèbre épreuve des 24 Heures du Mans qu'elle a remporté à cinq reprises entre 1924 et 1930. Ces victoires au Mans sont d'ailleurs à l'origine de l'appellation de certains modèles de la marque, Mulsanne et Arnage étant les noms de virages du circuit. La marque Bentley a beau avoir ses origines en Angleterre, il n'en demeure pas moins que les deux dernières créations de Bentley ont une saveur tout à fait germanique, ce constructeur de voitures de prestige étant passé aux mains du groupe Volkswagen en 1999.

Bentley a également fait un retour aux 24 Heures en 2003, remportant la victoire après une absence de 73 ans, mais cette voiture n'avait en fait de Bentley que le nom puisqu'elle a été élaborée sur la base des Audi victorieuses au Mans lors des années précédentes, et que son aérodynamique a été développée dans les installations de Audi Motorsport. Cette filiation entre Audi et Bentley s'expliquant évidemment par le fait que le constructeur britannique fait partie du portefeuille de marques du groupe Volkswagen. Et qu'un sérieux coup de marketing s'imposait afin de redorer le blason de Bentley en vue de vendre les nouveaux modèles de la marque comme la récente Continental GT, dont le lancement en 2003 suivait de quelques mois la victoire aux 24 Heures...

DEUX MODÈLES EXCLUSIFS...

Bentley offre donc la Continental GT, un coupé sport à quatre places, de même qu'une version berline de cette même voiture appelée Continental Flying Spur. Une cavalerie de 552 chevaux et la traction intégrale sont au programme, et les principaux éléments retenus pour ces deux modèles proviennent directement de l'entrepôt de pièces développées pour d'autres modèles Audi et Volkswagen. Ainsi, la plate-forme de la Continental GT est dérivée de celle de la Audi A8 et le moteur W12 de

6,0 litres provient de la défunte Phaeton, les ingénieurs ayant toutefois pris soin d'y greffer deux turbocompresseurs. Ce moteur à configuration W12 est essentiellement réalisé par le jumelage de deux moteurs VR6 qui partagent le même vilebrequin, et cette architecture unique en fait un moteur très compact, moins long qu'un V12 ou même qu'un V8 habituel. On retient surtout que cette version du moteur W12 développe un couple phénoménal de 479 livres/pied dès les 1600 tours/minute, ce qui est un exploit remarquable sur le plan technique. Quant au rouage intégral, il provient bien évidemment de chez Audi qui a par ailleurs développé une nouvelle boîte automatique à six rapports plus compacte en localisant le convertisseur de couple derrière le différentiel plutôt que devant.

EXCLUSIFS ET ASSOIFFÉS...

La Flying Spur possède un empattement allongé de plus de 12 pouces (3 048mm) par rapport à la GT, et elle est également plus longue de près de 20 pouces (5 080mm), ces dimensions supérieures permettant d'ajouter plus de dégagement pour les jambes des passagers assis à l'arrière. En mettant l'accélérateur au plancher, on observe à la fois la montée en régime du moteur de même que l'ascension de l'indicateur de vitesse, alors que l'aiguille du niveau de carburant semble suivre la trajectoire inverse. À ce moment précis, l'indicateur de la consommation

---

FEU VERT	FEU ROUGE
Style unique	Poids très élevé
Traction intégrale de série	Consommation phénoménale
Habitacle spacieux	Prix très élevé
Finition soignée	Bruits de caisse
	Sonorité du moteur peu présente

immédiate nous informe que celle-ci se situe à 49,4 litres aux 100 kilomètres, mais j'ai tout de même enregistré une moyenne de 19,8 litres aux 100 en adoptant une conduite plus retenue. Pour ce qui est du comportement routier, ce fut une cruelle et amère déception, la Flying Spur n'étant pas très performante en tenue de route malgré le fait qu'elle soit équipée de pneus surdimensionnés à profil bas et de la traction intégrale. Même le confort laissait à désirer, l'harmonie entre ces pneus Yokohama et les suspensions à ressorts pneumatiques avec amortisseurs calibrés par ordinateur n'étant pas des meilleures. Le résultat, c'est que la Flying Spur s'accommode mal des routes dégradées de la belle province, la moindre lézarde étant télégraphiée dans le châssis au point d'engendrer des bruits de caisse, ce qui est simplement inacceptable pour une voiture de ce prix, et ce, même si notre voiture d'essai affichait plus de 11 000 kilos au compteur.

STYLE ET PRÉSENCE ASSURÉS

Ce qui n'a pas déçu, c'est le style et la présence de la Flying Spur qui n'a pas manqué de faire tourner les têtes. L'habitacle de notre voiture d'essai était aussi un modèle de luxe et de volupté, les sièges de cuir perforés étant à la fois chauffants et climatisés, à l'avant comme à l'arrière. J'ai cependant noté deux autres déceptions : les paliers de changements de vitesse sont identiques à ceux de la Lamborghini Gallardo et comme ils sont fixés à la colonne de direction, ils ne suivent pas le mouvement du volant, ce qui oblige que l'on délaisse parfois le volant pour changer de rapport en sortie de virage en conduite sportive. De plus, le système de navigation assisté par satellite était inefficace, puisque seuls les noms des grandes artères apparaissaient à l'écran témoin. En outre, le système fait appel à toute une série de CD-Rom pour couvrir l'ensemble de l'Amérique du Nord, ce qui exige un changement de CD chaque fois que l'on change de région, alors qu'à peu près tous les systèmes de navigation offerts aujourd'hui nécessitent un seul DVD capable de couvrir l'Amérique du Nord au complet !

Et maintenant voici la question qui tue, comme dirait l'autre : à plus de 200 000 dollars l'unité, le jeu en vaut-il la chandelle ? À mon avis, la réponse est non. Ayant eu l'occasion de conduire la Flying Spur et la Mercedes-Benz S550 durant la même semaine, je dois dire que j'ai largement préféré la Mercedes qui était tout aussi luxueuse, confortable et performante, mais qui permettait à l'acheteur d'économiser la bagatelle de 100 000 dollars, soit de quoi faire le plein de la Classe S pendant plusieurs années…

Gabriel Gélinas

Photos : Bentley

VÉHICULE D'ESSAI

Version :	Flying Spur
Prix de détail suggéré :	227 465 $
Emp/Lon/Lar/Haut(mm) :	2 745/4 810/1 920/1 390
Poids :	2 410 kg
Coffre/Réservoir :	370 litres / 90 litres
Coussins de sécurité :	front., latéraux (av./arr.) et rideaux
Suspension avant :	indépendante, multibras
Suspension arrière :	indépendante, multibras
Freins av./arr. :	disque (ABS)
Antipatinage/Contrôle de stabilité :	oui/oui
Direction :	à crémaillère, assistée
Diamètre de braquage :	11,4 m
Pneus av./arr. :	P275/40R19
Capacité de remorquage :	non recommandé

MOTORISATION À L'ESSAI

Moteur :	W12 de 6,0 litres 48s turbocompressé
Alésage et course :	84,0 mm x 90,2 mm
Puissance :	552 ch (418 kW) à 6 100 tr/min
Couple :	479 lb-pi (650 Nm) à 1 500 tr/min
Rapport poids/puissance :	4,3 kg/ch (5,85 kg/kW)
Système hybride :	aucun
Transmission :	intégrale, auto. mode man. 6 rapports
Accélération 0-100 km/h :	5,0 s
Reprises 80-120 km/h :	4,0 s
Freinage 100-0 km/h :	36,5 m
Vitesse maximale :	318 km/h
Consommation (100 km) :	super, 19,8 litres
Autonomie (approximative) :	462 km
Émissions de CO2 :	8 110 kg/an

GAMME EN BREF

Échelle de prix :	222 990 $ à 353 990 $
Catégorie :	berline de grand luxe/GT
Historique du modèle :	1ière génération
Garanties :	3 ans/km illimité, 3 ans/km illimité
Assemblage :	Crewe, Angleterre
Autre(s) moteur(s) :	aucun
Autre(s) rouage(s) :	aucun
Autre(s) transmission(s) :	aucune

DANS LA MÊME CATÉGORIE

Ferrari F430 - Lamborghini Gallardo - Maserati Quattroporte - Mercedes-Benz SL600 - Porsche 911

DU NOUVEAU EN 2007

Pas de changement majeur, version décapotable GTC disponible durant l'année

NOS IMPRESSIONS

Agrément de conduite :	🚗🚗🚗
Fiabilité :	🚗🚗🚗🚗
Sécurité :	🚗🚗🚗
Qualités hivernales :	🚗🚗🚗
Espace intérieur :	🚗🚗🚗🚗
Confort :	🚗🚗🚗½

LE CHOIX DE L'ÉQUIPE

version unique

LA REFONTE SE POURSUIT

Le segment des berlines sport en est un des plus compétitifs depuis plusieurs années alors que la rivalité entre les constructeurs y est extrêmement féroce. BMW a littéralement créé ce segment il y a plus de 40 ans en lançant sa célèbre Série 3, une gamme de voitures mariant parfaitement performance et aspect pratique. Si plusieurs constructeurs ont la Série 3 dans le collimateur, il faut avouer que, malgré leurs efforts, aucun n'a pu battre BMW à ce jeu. Il y a certes des compétitrices un peu plus luxueuses ou plus confortables, mais aucune n'égale le plaisir de conduite et la sportivité des modèles de Série 3 du constructeur bavarois.

BMW a opéré en 2006 le début de la refonte de sa série la plus populaire. C'est la berline et la familiale de cinquième génération qui ont été lancées initialement, alors qu'il aura fallu attendre un peu plus tard en 2006 pour voir apparaître les versions à traction intégrale. Cette année, c'est au tour du coupé de faire son apparition tandis que le cabriolet et la mythique M3 de nouvelle génération se font toujours attendre. Ces deux modèles devraient être introduits un peu plus tard cette année, mais on peut penser que la nouvelle M3 héritera d'un moteur V8 de plus de 400 chevaux, histoire de rivaliser avec la nouvelle Audi RS 4. La barre est haute!

RETOUR À LA TURBOCOMPRESSION

La Série 3 2007 se décline en de multiples versions, toutes équipées d'un moteur six cylindres en ligne. On note plusieurs changements touchant les différents modèles de cette série, principalement en ce qui a trait à la puissance des moteurs. La BMW 323i fait office d'entrée de la gamme et se voit équipée d'un moteur six cylindres de 2,5 litres déployant 200 chevaux, une augmentation de 26 chevaux par rapport à 2006. La berline et la familiale 325i cèdent leur place pour 2007 aux versions 328i, ces dernières étant plus puissantes grâce à un moteur de 3,0 litres qui développe dans cette livrée 230 chevaux. Le coupé 328i, nouvellement introduit, propose aussi les mêmes chiffres.

La grande nouveauté est certainement l'arrivée du coupé et de la berline 335i (la berline 330i ayant été éliminée), qui marque un retour à la turbocompression pour BMW. Possédant une cylindrée supérieure, ce six cylindres en ligne reçoit en prime une paire de turbocompresseurs, ce qui porte sa puissance à 300 chevaux pour un couple étonnant de 300 lb-pi à 1 400 tr/min. Voilà de quoi décoiffer! Tous les modèles sont dotés d'une boîte manuelle à six rapports offerte de série, alors qu'une autre boîte automatique également à six rapports est optionnelle.

À l'extérieur, BMW a joué la carte de la prudence au chapitre du style en introduisant la nouvelle génération l'an passé. Le style est fortement inspiré de celui de la Série 5, mais avec un peu plus de retenue. Bref, la voiture conserve un peu plus d'éléments d'affiliation avec la génération précédente. Le coupé comporte des lignes distinctes que l'on pourrait qualifier de plus classiques, surtout en raison des feux arrière plus élancés. La BMW de Série 3 traduit l'essence même d'une berline sport. Chaque élément de style et de technologie va en ce sens, bien souvent au détriment du luxe ou du confort. À cet égard, on note à l'intérieur une finition un peu plus sommaire que chez certaines rivales ainsi qu'un confort moindre pour les passagers arrière, surtout si trois adultes désirent s'y asseoir. Bref, il est évident que les gadgets de luxe sont

FEU VERT
Conduite impeccable
Groupe motopropulseur performant
Direction précise
Rigidité du châssis

FEU ROUGE
Visibilité dans les mirroirs latéraux
Options coûteuses
Prix élevé

relégués au second rang. Du reste, les sièges s'avèrent confortables, favorisant le maintien en conduite plus sportive. Le volant offre une bonne prise en main, renforçant le sentiment d'avoir une bonne maîtrise du véhicule.

BÊTE DE PISTE

C'est en posant les mains sur le volant de la BMW de Série 3 que l'on découvre ses plus grandes qualités. En conduite normale, on pourrait croire que certaines rivales s'approchent des performances et des dynamiques de cette dernière, mais une visite sur un circuit routier vous révélera rapidement les qualités supérieures de cette voiture. Sur piste, il est étonnant de constater comment chaque freinage peut être retardé, comment chaque courbe peut être négociée un peu plus rondement et, surtout, comment la direction permet de guider la voiture du bout des doigts. Sa répartition des masses pratiquement optimale lui assure également un bel aplomb. Bref, c'est un véritable bijou pour quiconque apprécie la performance et les sensations relevées.

L'évolution des composantes mécaniques a été appuyée par l'ajout de plusieurs éléments technologiques. En fait, les BMW modernes sont bourrées d'équipements et de systèmes conçus pour améliorer les performances, le freinage et le comportement dynamique de la voiture. Si de tels systèmes inhibent souvent le sentiment de contrôle du véhicule, BMW aura su bien doser le tout. D'ailleurs, vous aurez le loisir de désactiver entièrement le système dynamique de contrôle de la traction, un élément peu commun. Bon point également pour sa direction active optionnelle, celle-ci facilitant la conduite en zone urbaine ou en manœuvre de stationnement, tout en maximisant la maîtrise à haute vitesse.

Si la concurrence met constamment de la pression sur BMW, il faut avouer que ce constructeur ne cède aucun pouce. À preuve, la berline et la familiale qui, à peine lancées depuis un an, voient leur motorisation révisée. La gamme de cinquième génération sera bientôt complète, offrant un éventail exhaustif de véhicules correspondant aux différents besoins. Cependant, la Série 3 se prête bien au vieil adage qui dit que *toute bonne chose a un prix*!

Sylvain Raymond

Photos : BMW

VÉHICULE D'ESSAI

Version :	328Xi
Prix de détail suggéré :	n.d.
Emp/Lon/Lar/Haut(mm) :	2 760/4 526/1 817/1 418
Poids :	1 710 kg
Coffre/Réservoir :	460 à 1 385 litres/61 litres
Coussins de sécurité :	frontaux, latéraux (av.) et rideaux
Suspension avant :	indépendante, jambes de force
Suspension arrière :	indépendante, multibras
Freins av./arr. :	disque (ABS)
Antipatinage/Contrôle de stabilité :	oui/oui
Direction :	à crémaillère, assistance variable
Diamètre de braquage :	11,0 m
Pneus av./arr. :	P205/55R16
Capacité de remorquage :	480 kg

MOTORISATION À L'ESSAI

Pneus d'origine
MICHELIN

Moteur :	6L de 3,0 litres 24s atmosphérique
Alésage et course :	85,0 mm x 88,0 mm
Puissance :	230 ch (172 kW) à 6 500 tr/min
Couple :	200 lb-pi (271 Nm) à 2 750 tr/min
Rapport poids/puissance :	7,43 kg/ch (10,12 kg/kW)
Système hybride :	aucun
Transmission :	propulsion, manuelle 6 rapports
Accélération 0-100 km/h :	7,5 s
Reprises 80-120 km/h :	7,0 s (estimé)
Freinage 100-0 km/h :	40,0 m
Vitesse maximale :	210 km/h
Consommation (100 km) :	super, 9,1 litres (estimé)
Autonomie (approximative) :	670 km
Émissions de CO2 :	4 512 kg/an

GAMME EN BREF

Échelle de prix :	39 900 $ à 83 950 $ (2006)
Catégorie :	berline sport/coupé/cabriolet/familiale
Historique du modèle :	1ière génération
Garanties :	4 ans/80 000 km, 4 ans/80 000 km
Assemblage :	Dingolfing, Allemagne
Autre(s) moteur(s) :	6L 2,5l 200ch/180lb-pi (11,2 l/100km) 323i
	6L 3,0l 300ch/300lb-pi (13,5 l/100km) 335i
	6L 3,2l 333ch/274lb-pi (14,5 l/100km) M3
Autre(s) rouage(s) :	intégrale
Autre(s) transmission(s) :	automatique 6 rapports / séquentielle 6 rapports

DANS LA MÊME CATÉGORIE

Audi A4/S4 - Infiniti G35/G35x - Mercedes-Benz Classe C - Saab 9-3/Cabriolet - Jaguar X-Type - Lexus IS 350

DU NOUVEAU EN 2007

Nouvelle version coupé, moteurs plus puissants

NOS IMPRESSIONS

Agrément de conduite :	🚗 🚗 🚗 🚗 ½
Fiabilité :	🚗 🚗 🚗 ½
Sécurité :	🚗 🚗 🚗 🚗
Qualités hivernales :	🚗 🚗 🚗 🚗
Espace intérieur :	🚗 🚗 🚗 ½
Confort :	🚗 🚗 🚗 🚗

LE CHOIX DE L'ÉQUIPE

Coupé 335i

LA GRANDE ROUTIÈRE

Si j'avais à décrire la berline sport parfaite, elle aurait probablement les qualités et les proportions de la Série 5. Tout aussi sportive que les autres gammes du constructeur, la Série 5 est avantagée par son espace intérieur supérieur à celui de la Série 3, sans être toutefois aussi imposante que la Série 7. Bref, elle offre selon moi le meilleur de tout. Forcé d'admettre que l'on s'habitue tranquillement au nouveau style de la série 5, il n'en n'en demeure pas moins que c'est une berline toujours au sommet de son art, tant au point de vue de son comportement routier que de ses avancées technologiques.

Pour 2007, on note peu de changements, si ce n'est la révision de certains modèles. Cette année, quatre berlines sont au catalogue ainsi qu'une familiale. La BMW 525i, modèle d'entrée de gamme, propose un moteur six cylindres en ligne de 3,0 litres développant 215 chevaux. Malgré son prix plus abordable, ce modèle présente une puissance un peu juste. La berline et la familiale 530i se révèlent un peu plus puissantes grâce à leur moteur six cylindres de 255 chevaux. La puissante 545i cède sa place en 2007 à la version 550i qui, grâce à son moteur V8 de 4,8 litres, dispose d'une puissance de 360 chevaux, soit un gain de 35 chevaux par rapport à la 545i 2006. Tous les modèles, mis à part la 550i, peuvent être commandés en version à traction intégrale. Ce rouage intégral, baptisé Xdrive, découle des VUS du constructeur et maximise l'adhérence en répartissant, en condition normale, 40 % du couple aux roues avant et 60 % aux roues arrière ; cette caractéristique favorise ainsi les performances. Ce ratio pourra varier afin de compenser toute perte d'adhérence de l'une ou l'autre des roues.

On retrouve finalement au sommet de la gamme la M5, véritable voiture mythique du constructeur. Cette dernière propose une puissance impressionnante de 500 chevaux grâce à son moteur V10 à 40 soupapes. Malgré son prix prohibitif, la M5 est un gage d'exclusivité et d'admiration.

TOUTE LA VÉRITÉ SUR LE IDRIVE

Même si les intentions de la Série 5 sont beaucoup plus sportives que luxueuses, tous les modèles bénéficient d'une liste d'équipements de série relativement complète. Cependant, plusieurs éléments intéressants sont relégués au catalogue des options, proposés à grands frais. Si la majeure partie des commandes sont simples à comprendre, on retrouve à l'intérieur le non moins controversé système multifonction iDrive.

Ce système est en fait le cœur des commandes de la voiture. Il est constitué d'une commande rotative pouvant aussi être déplacée dans quatre directions, d'un bouton *menu* et d'un écran d'affichage situé au milieu du tableau de bord. La majeure partie des fonctions (climatisation, audio, data, navigation et communication) sont disposées dans divers sous-menus accessibles par cette unique commande. Moi qui aime normalement tout ce qui est gadget dans une voiture, j'ai cherché à comprendre ce qui agace tant avec le système iDrive. En fait, c'est simple : si vous ne possédez pas de téléphone relié à la voiture ou n'utilisez pas l'ordinateur de bord, vous vous retrouvez avec un système complexe

FEU VERT
Performances relevés
Freinage mordant et endurant
Habitacle spacieux
Direction active
Tempérament sportif

FEU ROUGE
Système iDrive peu convivial
Options coûteuses
Style controversé

qui n'est utile que pour utiliser la radio ou le lecteur CD, puisque la climatisation est entièrement automatique. En d'autres mots, il est très pratique pour régler les moindres détails et fonctions de la voiture, mais une fois les différents paramètres ajustés, ce système devient fastidieux pour vos simples besoins quotidiens.

LE PARDON INCONDITIONNEL

C'est sur la route que la BMW de Série 5 nous démontre toutes ses aptitudes. On oublie vite tout irritant possible et imaginable. Le tout débute par une position de conduite idéale, rapidement trouvée grâce à une colonne de direction télescopique et à des sièges permettant d'être ajustés dans les moindres détails. Même les appuis latéraux peuvent être resserrés pour plus de support. Une fois en marche, on découvre une voiture agile, étonnamment stable et capable d'avaler les kilomètres à grande vitesse. Le V10 de la M5, notre modèle d'essai, surprend par sa sonorité ainsi que par son incroyable puissance. Les chiffres sont d'ailleurs éloquents : 0-100 km/h en 4,7 secondes. Ça décoiffe !

La transmission séquentielle SMG à sept rapports se révèle pratique en ville, vous évitant de devoir constamment jouer de l'embrayage. En conduite plus sportive, elle appuie magnifiquement les performances de la voiture, surtout en vous permettant de garder les mains sur le volant. Un bouton *sport* modifiera la programmation de la boîte, offrant des changements un peu moins délicats, mais beaucoup plus rapides. Malgré les améliorations apportées, cette boîte demeure quelque peu rugueuse.

Une utilisation plus marquée de l'aluminium contribue à alléger le châssis tout en lui conservant une excellente rigidité. On sent la voiture légère et maniable. Cette voiture se démarque d'autant plus dans les endroits où elle peut donner libre expression à ses compétences, soit sur piste ou dans des endroits où les vitesses limites sont plus élevées. Amplement sécuritaire, la M5 offre de nombreux systèmes actifs et passifs destinés à assurer votre sécurité et celle des passagers. En fait, un peu trop, puisque le système de contrôle de la traction vient aseptiser la conduite. Heureusement, une commande vous permettra de désactiver rapidement le tout et de redevenir maître de vos actions.

La BMW de Série 5 offre le meilleur de tous les mondes. Pratique, spacieuse et performante, on peut tout lui pardonner.

Sylvain Raymond

Photos : BMW

VÉHICULE D'ESSAI

Version :	M5
Prix de détail suggéré :	115 500 $
Emp/Lon/Lar/Haut(mm) :	2 889/4 863/1 846/1 469
Poids :	1 820 kg
Coffre/Réservoir :	500 litres/70 litres
Coussins de sécurité :	front., latéraux (av./arr.) et rideaux
Suspension avant :	indépendante, jambes de force
Suspension arrière :	indépendante, multibras
Freins av./arr. :	disque (ABS)
Antipatinage/Contrôle de stabilité :	oui/oui
Direction :	à crémaillère, assistance variable
Diamètre de braquage :	11,4 m
Pneus av./arr. :	P255/40ZR19 / P285/35ZR19
Capacité de remorquage :	non recommandé

MOTORISATION À L'ESSAI

Pneus d'origine **MICHELIN**

Moteur :	V10 de 5,0 litres 40s atmosphérique
Alésage et course :	92,0 mm x 75,2 mm
Puissance :	500 ch (373 kW) à 7 750 tr/min
Couple :	383 lb-pi (519 Nm) à 6 100 tr/min
Rapport poids/puissance :	3,64 kg/ch (4,95 kg/kW)
Système hybride :	aucun
Transmission :	propulsion, séquentielle 7 rapports
Accélération 0-100 km/h :	4,7 s
Reprises 80-120 km/h :	5,0 s (estimé)
Freinage 100-0 km/h :	38,0 m
Vitesse maximale :	245 km/h
Consommation (100 km) :	super, 16,8 litres
Autonomie (approximative) :	417 km
Émissions de CO2 :	7 152 kg/an

GAMME EN BREF

Échelle de prix :	58 100 $ à 115 500 $
Catégorie :	berline de luxe/familiale
Historique du modèle :	3ième génération
Garanties :	4 ans/80 000 km, 4 ans/80 000 km
Assemblage :	Dingolfing, Allemagne
Autre(s) moteur(s) :	6L 3,0l 215ch/185lb-pi (11,4 l/100km) 525
	6L 3,0l 255ch/220lb-pi (11,4 l/100km) 530
	V8 4,8l 360ch/360lb-pi (14,8 l/100km) 550
Autre(s) rouage(s) :	aucun
Autre(s) transmission(s) :	manuelle 6 rapports/
	séquentielle 6 rapports

DANS LA MÊME CATÉGORIE

Audi A6 / RS6 - Cadillac CTS / CTS-V - Jaguar S-Type - Lexus GS 350/430 - Mercedes-Benz Classe E - Saab 9-5 - Volvo S60 / S60R

DU NOUVEAU EN 2007

Pas de changement majeur

NOS IMPRESSIONS

Agrément de conduite :	🚗 🚗 🚗 🚗 ½
Fiabilité :	🚗 🚗 🚗 ½
Sécurité :	🚗 🚗 🚗 🚗 ½
Qualités hivernales :	🚗 🚗 🚗 🚗
Espace intérieur :	🚗 🚗 🚗 🚗
Confort :	🚗 🚗 🚗 🚗

LE CHOIX DE L'ÉQUIPE

530i

UN CLASSIQUE

Je n'y peux rien, je l'aime. Chaque fois que je monte dans une BMW de série 6, je ne peux m'empêcher de songer au plaisir de la conduire. Elle a bien des défauts, mais je l'apprécie tout particulièrement. Un peu comme les admirateurs des Rolling Stone qui sont capables d'oublier l'âge avancé ou les performances parfois moins retentissantes de leurs vedettes préférées pour simplement se satisfaire de leur musique. Car la BMW, c'est un peu comme les Stones : un classique qui se réinvente chaque fois. Les rides en moins cependant !

Classique ? Classique ? J'entends d'ici les critiques à mon égard quant à l'importance de ce modèle. Je précise tout de suite ma pensée : la BMW série 6 est l'exercice ultime de conduite, celui qui permet d'atteindre le nirvana de la conduite automobile autant par son côté sportif et civilisé que par son look unique. Alors, elle mérite bien le titre de classique, non ?

UNE GAMME COMPLÈTE

Abandonnée au milieu des années 80, la série 6 a fait un éclatant retour en 2004. Essentiellement, ce grand coupé de luxe avait alors attiré l'attention par ses lignes fluides et son allure allongée mais sportive. Dès le départ, le coupé avait été accompagné de sa sœur cabriolet, deux versions complémentaires profitant toutes deux de la configuration 2 + 2 et ayant en main une liste d'accessoires assez longue pour assurer la véritable définition du mot voiture de luxe. Bon, réglons la chose tout de suite, oui la série 6 est affublée du système iDrive, un système central de gestion des accessoires dont l'utilisation n'a rien de convivial.

C'est vrai, on l'a un peu amélioré au fil des ans, mais ce gros bouton unique multidirectionnel pour gérer à la fois les commandes de navigation, de climatisation, de sonorisation et même de gestion de la voiture est d'une complexité rarement égalée. La simple mise en mémoire d'une station de radio requiert toute notre attention ce qui, vous en conviendrez, n'a rien pour s'attirer les éloges d'un conducteur. On se retrouve donc plus souvent qu'à son tour à écouter les postes présélectionnés par la personne qui, avant nous, a eu la patience de se battre avec la chose...

Outre ce défaut (de taille, je l'avoue), l'habitacle de la série 6 est plutôt accueillant. Les sièges proposent un excellent support, l'espace est parfois juste (surtout à l'arrière) mais le tout est agréable et relativement ergonomique.

UNE VRAIE SPORTIVE

L'an dernier, quelques chevaux supplémentaires avaient trouvé place sous le capot de la 650Ci. Elle compte donc sur un V8 de 4,8 litres développant 360 chevaux, soit 35 chevaux de plus que le modèle antérieur. La boîte manuelle à six rapports qui y est jumelée est la préférée de bien des gens. Ses rapports courts, la bonne prise en main du levier, et la course réduite du bras de transmission favorisent une conduite décontractée si on le souhaite, mais surtout une utilisation plus vigoureuse au besoin. Il faut en revanche savoir bien doser l'embrayage qui a tendance à opposer une certaine résistance. L'usage requiert un certain temps

FEU VERT
Version M
Silhouette de classe
Habitacle confortable
Direction active de grande précision
Transmission SMG sans égale

FEU ROUGE
iDrive toujours capricieux
Espace arrière peu accueillant
Fiabilité parfois douteuse
Allure de la M moins discrète

VÉHICULE D'ESSAI

Version :	650i coupé
Prix de détail suggéré :	101 400 $
Emp/Lon/Lar/Haut (mm) :	2 780/4 831/1 855/1 373
Poids :	1 730 kg
Coffre/Réservoir :	450 litres/70 litres
Coussins de sécurité :	front., latéraux (av./arr.) et rideaux
Suspension avant :	indépendante, jambes de force
Suspension arrière :	indépendante, multibras
Freins av./arr. :	disque (ABS)
Antipatinage/Contrôle de stabilité :	oui/oui
Direction :	à crémaillère, assistée
Diamètre de braquage :	11,4 m
Pneus av./arr. :	P245/45R18 / P275/40R18
Capacité de remorquage :	non recommandé

d'acclimatation. La version automatique de la boîte, elle aussi à six rapports, est bien étagée, répond au quart de tour mais délaisse un peu la sportivité pour le confort.

Profitant d'une utilisation quasi abusive de l'aluminium, pour conserver un poids décent, et une répartition des masses d'un équilibre quasi parfait, la BMW 650Ci offre une plate-forme d'une rigidité exemplaire. Elle est capable de réagir à la moindre vibration de la route, tout en fournissant un apport supplémentaire à la qualité des suspensions. La voiture colle littéralement à la route, et marie sa personnalité sportive à son identité de voiture de luxe. Et si jamais vous aviez assez de nerfs pour dépasser les capacités dynamiques de la voiture, vous ne serez jamais vraiment en fâcheuse position, puisque vous pourrez compter sur de nombreux systèmes, dont celui du contrôle de la traction et de la stabilité latérale qui est particulièrement bien développé chez BMW.

La véritable trouvaille de la série 6 cependant, c'est la version M dévoilée il y a quelques mois et vendue comme modèle 2007. Cette fois, pas de confusion possible, on parle d'une authentique sportive ! Le moteur V10, construit dans l'usine où BMW fabrique son moteur de Formule un (certains diront que ce n'est pas une référence), ne développe rien de moins que 500 chevaux. On lui a accolé la transmission séquentielle SMG à sept rapports d'une précision quasi diabolique, et dont la rapidité d'exécution est légendaire.

D'abord lancée en version coupé avec toit renforcé de fibre de carbone pour l'un des meilleurs rapports poids-puissance disponible, la M6 verra aussi sa sœur cabriolet faire son apparition en cours d'année. Même mécanique, même puissance brute, mais un toit amovible à l'image de la 650 traditionnelle.

Alors que la direction de la M6 est sans reproche, notons que pour les versions Ci, le système de direction active est optionnel, mais vaut largement les quelque 1 500 $ nécessaires à son installation.

La série 6 n'est certes pas sans défauts, et sa fiabilité parfois déficiente n'en constitue pas le moindre. Tout comme l'aspect pratique d'ailleurs, mais qui s'en soucie ? Car malgré tout, elle demeure un plaisir à conduire, un plaisir que la nouvelle génération de M6 ne fait qu'accentuer.

Marc Bouchard

MOTORISATION À L'ESSAI

Moteur :	V8 de 4,8 litres 32s atmosphérique
Alésage et course :	93,0 mm x 88,3 mm
Puissance :	360 ch (268 kW) à 6 300 tr/min
Couple :	360 lb-pi (488 Nm) à 3 400 tr/min
Rapport poids/puissance :	4,81 kg/ch (6,53 kg/kW)
Système hybride :	aucun
Transmission :	propulsion, manuelle 6 rapports
Accélération 0-100 km/h :	6,1 s
Reprises 80-120 km/h :	5,0 s
Freinage 100-0 km/h :	34,6 m
Vitesse maximale :	240 km/h
Consommation (100 km) :	super, 12,7 litres
Autonomie (approximative) :	551 km
Émissions de CO_2 :	5 904 kg/an

GAMME EN BREF

Échelle de prix :	101 500 $ à 130 500 $ (2006)
Catégorie :	coupé/cabriolet/GT
Historique du modèle :	1ère génération
Garanties :	4 ans/80 000 km, 4 ans/80 000 km
Assemblage :	Dingolfing, Allemagne
Autre(s) moteur(s) :	V10 5,0l 507ch/384lb-pi (18,1 l/100km) M6
Autre(s) rouage(s) :	aucun
Autre(s) transmission(s) :	automatique 6 rapports / séquentielle 7 rapports

DANS LA MÊME CATÉGORIE
Cadillac XLR - Jaguar XKR - Mercedes-Benz CL - Porsche 911

DU NOUVEAU EN 2007
Nouveau modèle M6 convertible

NOS IMPRESSIONS

Agrément de conduite :	🚗🚗🚗🚗½
Fiabilité :	🚗🚗🚗½
Sécurité :	🚗🚗🚗🚗½
Qualités hivernales :	🚗🚗🚗
Espace intérieur :	🚗🚗🚗½
Confort :	🚗🚗🚗🚗

LE CHOIX DE L'ÉQUIPE
650 Ci coupé

Photos : BMW

L'AGENT PROVOCATEUR

Plus typée que les berlines de luxe des marques concurrentes, la Série 7 de BMW s'impose également comme étant la plus sportive des berlines de grand luxe, ce qui correspond parfaitement à la philosophie de la marque bavaroise. Restylée en 2005, la Série 7 continue de proposer un moteur V8 ainsi qu'un V12. Portrait d'un athlète en complet à trois boutons.

Il faut admettre qu'elle a de la gueule cette Série 7, particulièrement lorsqu'elle est dotée des roues en alliage de 20 pouces et de pneus haute-performance à profil bas qui sont optionnels, et c'est peut-être pourquoi certains hésiteront à s'afficher au volant d'une voiture si distinctive qu'il est difficile, voire impossible de passer inaperçu. Lors de sa récente refonte, la Série 7 a reçu une silhouette plus athlétique et plus sportive, qui correspond mieux à sa personnalité. Ainsi, le capot moteur a été relevé d'un pouce à la base du pare-brise et l'angle de sa pente vers l'avant est plus prononcé. Aussi, les phares, les feux et les pare-chocs ont été redessinés, celui de l'arrière se courbant vers l'intérieur pour laisser entrevoir les pneus, donnant de ce fait une allure plus athlétique à la voiture. C'est une question de détails, mais ce sont là des détails qui prennent toute leur importance afin de créer cette signature visuelle propre à une berline à vocation sportive.

LE GRAND JEU

Sous le capot, deux moteurs peuvent équiper la Série 7, le plus puissant des deux étant un V12 atmosphérique de 6,0 litres capable de livrer 438 chevaux et 444 livres-pied de couple, soit un moteur capable de faire pâlir d'envie bien des voitures sport. Avec ses 360 chevaux et 360 livres-pied de couple maximal, le V8 atmosphérique de 4,8 litres s'avère parfaitement adapté à la Série 7, le choix du V12 étant motivé soit par la recherche de performances

à tout casser ou par le désir d'impressionner la galerie. Sur la route, le dynamisme de la Série 7 ne se dément pas et se trouve rehaussé par les savantes calibrations du système Dynamic Drive qui ajuste les barres antiroulis de façon à ce que la voiture puisse attaquer les virages avec l'aplomb d'une voiture sport, ce qui fait que cette berline de grand luxe s'impose comme la référence de la catégorie en ce qui a trait à la tenue de route.

Conduire une Série 7 équipée du groupe sport, c'est un peu comme piloter son propre avion, les performances étant remarquables pour une voiture de ce gabarit et le confort demeurant exceptionnel comme en témoigne le silence qui règne à bord même lorsque l'on roule à des vitesses largement supérieures à celles autorisées par la loi. En fait, cette voiture est tellement stable, agile, puissante, silencieuse et confortable qu'il est très facile de dépasser les limites permises sans même s'en apercevoir, tout en sachant qu'il est possible de compter sur une puissance de freinage qui pourrait faire pâlir d'envie bien des voitures sport, particulièrement quand la voiture est chaussée des pneus surdimensionnés faisant partie du groupe sport proposé en option. Les rivales Mercedes-Benz de Classe S ou l'Audi A8 sont elles aussi des voitures confortables et silencieuses, mais la conduite de ces voitures n'est pas aussi inspirée que celle de la Série 7 qui ne rechigne pas du tout lorsque vient le temps d'adopter un rythme plus soutenu en

FEU VERT

Puissance moteur
Tenue de route performante (groupe sport)
Freinage très puissant
Confort exemplaire
Prestige assuré

FEU ROUGE

Système iDrive toujours complexe
Coût des options
Fiabilité perfectible
Commandes peu intuitives

conduite sportive. J'ai même eu l'occasion de rouler sur les circuits de Sanair et du Mont-Tremblant au volant d'une 750Li, et je dois préciser que les performances étaient vraiment impressionnantes compte tenu de la taille et du gabarit de cette grande berline de luxe.

EN AVANCE

Si la Série 7 fait aujourd'hui figure d'une voiture qui était en avance sur son temps, c'est peut-être parce que la plus récente Classe S de Mercedes-Benz a emprunté plusieurs caractéristiques de la bavaroise, par exemple le petit levier de vitesse greffé à la colonne de direction ou encore la localisation de l'écran du système télématique au centre de la planche de bord. Et puisqu'il faut bien en parler, précisons que le système de télématique iDrive de la Série 7 a été revu et corrigé lors de sa récente refonte, de façon à simplifier son utilisation, qui demeure toutefois complexe pour les non-initiés, malgré l'adoption de nouveaux codes de couleur pour les menus et les sous-menus des différentes fonctions. Cependant, une fois que l'on a fait ses devoirs, l'utilisation quotidienne du iDrive permet de personnaliser les réglages de la Série 7 à l'extrême. Par ailleurs, BMW propose aux acheteurs de rehausser encore d'un cran le degré de personnalisation de leur voiture avec le programme «BMW Individual» qui permet de choisir des couleurs particulières, de modifier la présentation intérieure en spécifiant le moindre détail et d'ajouter certains équipements spécialisés comme un minibar ou un système de divertissement permettant de naviguer sur Internet ou de lire des DVD.

L'avenir de la Série 7 laisse entrevoir plusieurs nouveautés pour 2009, tant au niveau du style que des motorisations. Ainsi, la future Série 7 conserverait son allure plus radicale qui lui permet de se démarquer et tous les moteurs seraient dotés de l'injection directe de carburant. Une version hybride de la Série 7 serait également au programme tout comme une variante M7, possiblement équipée d'un nouveau moteur V12 turbo-compressé, ce qui permettrait à BMW d'affronter directement les Audi S8 et les Mercedes-Benz de Classe S modifiées par AMG.

Plus sportive que ses rivales immédiates, qu'elles soient allemandes ou japonaise (Lexus LS), la Série 7 occupe la première marche de mon podium personnel des berlines de luxe en raison de l'excellence de son comportement routier, de ses qualités dynamiques remarquables et de sa présence qui commande le respect.

Gabriel Gélinas

Photos : BMW

VÉHICULE D'ESSAI

Version :	750Li
Prix de détail suggéré :	137 700 $
Emp/Lon/Lar/Haut(mm) :	3 128/5 179/1 902/1 484
Poids :	2 065 kg
Coffre/Réservoir :	500 litres/88 litres
Coussins de sécurité :	frontaux, latéraux (av.) et rideaux
Suspension avant :	indépendante, jambes de force
Suspension arrière :	indépendante, multibras
Freins av./arr. :	disque (ABS)
Antipatinage/Contrôle de stabilité :	oui/oui
Direction :	à crémaillère, assistance variable
Diamètre de braquage :	12,1 m
Pneus av./arr. :	P245/50R18
Capacité de remorquage :	750 kg

MOTORISATION À L'ESSAI

Pneus d'origine MICHELIN

Moteur :	V8 de 4,8 litres 32s atmosphérique
Alésage et course :	93,0 mm x 88,3 mm
Puissance :	360 ch (268 kW) à 6 300 tr/min
Couple :	360 lb-pi (488 Nm) à 3 400 tr/min
Rapport poids/puissance :	5,74 kg/ch (7,79 kg/kW)
Système hybride :	aucun
Transmission :	propulsion, auto. mode man. 6 rapports
Accélération 0-100 km/h :	5,9 s
Reprises 80-120 km/h :	6,8 s
Freinage 100-0 km/h :	38,0 m
Vitesse maximale :	250 km/h
Consommation (100 km) :	super, 13,5 litres
Autonomie (approximative) :	652 km
Émissions de CO2 :	5 520 kg/an

GAMME EN BREF

Échelle de prix :	100 500 $ à 174 500 $ (2006)
Catégorie :	berline de grand luxe
Historique du modèle :	3ième génération
Garanties :	4 ans/80 000 km, 4 ans/80 000 km
Assemblage :	Munich, allemagne
Autre(s) moteur(s) :	V12 6,0l 438ch/444lb-pi
	(15,8 l/100km) 760i
Autre(s) rouage(s) :	aucun
Autre(s) transmission(s) :	aucune

DANS LA MÊME CATÉGORIE

Audi A8 / A8L - Jaguar XJ8 - Lexus LS 460 - Mercedes-Benz Classe S

DU NOUVEAU EN 2007

Pas de changement majeur

NOS IMPRESSIONS

Agrément de conduite :	🚗🚗🚗🚗
Fiabilité :	🚗🚗🚗
Sécurité :	🚗🚗🚗🚗½
Qualités hivernales :	🚗🚗🚗🚗
Espace intérieur :	🚗🚗🚗🚗½
Confort :	🚗🚗🚗🚗½

LE CHOIX DE L'ÉQUIPE

750Li

PLUS BRILLANT QU'IL N'Y PARAÎT

On a beau s'appeler Kennedy, ça ne fait pas automatiquement de nous un millionnaire. De même, les véhicules BMW ne sont pas tous égaux. Le X3, par exemple, fait toujours figure de parent pauvre (à 45 000 $ pour la version de base !) par rapport à son grand frère, le X5. Et, dans le cas présent, il ne s'agit pas uniquement d'une question de perception comme c'est souvent le cas. À peine plus long qu'un Honda CRV, par exemple, mais moins large, BMW a pourtant donné à son plus petit VAS (véhicule d'activités sportives) beaucoup de moyens pour réussir. Mais pour plusieurs, ce n'est pas suffisant.

En fait, le plus gros problème du X3 est… le X5. Jusqu'à l'année dernière (cette année le X5 est sérieusement remanié), le X3 ne pouvait soutenir la comparaison avec ledit X5, plus gros, plus raffiné et plus performant. Mis à part cette tension familiale, le X3 subit de plus en plus de pression de la concurrence qui se raffine à un rythme fou. Land Rover propose désormais le nouveau LR2, Lexus a installé un 3,5 litres dans son RX350 et Mercedes-Benz s'apprêterait à lancer, en Europe, le MLK, un véhicule qui aurait pour mission d'éliminer la concurrence…

PARLONS D'AVENIR

Cette année, question de se mettre au goût du jour, le X3 connaît quelques subtils changements esthétiques, autant à l'avant qu'à l'arrière. Mais, au moment d'aller sous presse, aucune information précise n'avait transpiré des dirigeants de BMW. Internet, cet ami pas toujours très fiable, raconte à tout le monde que le X3 recevrait, dès cette année, les moteurs et transmissions déjà utilisés pour la Série 3, soit le 3,0 litres de 255 chevaux de la 330i. Excellente nouvelle ! Ce serait bien aussi que BMW revoie un tantinet l'habitacle dont certains plastiques font plutôt General Motors. Ce n'est pas un compliment…

Quoi qu'il en soit, le X3 tel que nous le connaissons est loin d'être un mauvais véhicule. Le style, s'il se rapproche trop de celui du X5, est loin d'être vilain à l'œil (au mien en tout cas) et fait paraître le véhicule plus gros qu'il ne l'est en réalité. L'habitacle, comme nous venons de le mentionner, propose des matériaux qui, s'ils ne sont pas cheaps, ne correspondent pas à l'image de marque de BMW, tant par leur raffinement quelquefois approximatif que par leur design, un peu moche. Au chapitre de «l'habitable», par contre, le X3 se montre franchement convivial. Les sièges sont confortables (surtout ceux en véritable cuir), mais ont la fâcheuse manie de se salir rapidement s'ils sont pâles. La visibilité ne cause aucun problème et le tableau de bord s'avère fonctionnel à défaut d'être pâmant. Il est même possible d'aérer davantage l'intérieur grâce au toit ouvrant panoramique optionnel, qui à 1 800 $, «est dans les prix». Si les occupants sont surpris par le vaste habitacle, les bagages n'ont pas à se plaindre non plus ! Curieusement, même si le X3 est plus petit que le X5, ses capacités de chargement sont supérieures.

UN P'TIT, UN GROS

Mécaniquement parlant, le X3 faisait appel, depuis ses débuts en 2004, à deux six cylindres en ligne. Le premier de 2,5 litres dispose de 184 chevaux et 175 livres-pied de couple. Ce n'est pas mal, certes, mais

FEU VERT
Dimensions raisonables
Rouage intégral efficace
Sportivité innée
Volume de chargement adéquat
Moteur 3 litres (2006)

FEU ROUGE
Certaines options criminelles $$$
Suspensions sèches
Moteur 2,5 litres un peu juste
Habitacle très plastique
Fiabilité couçi-couça

venant d'un constructeur ayant toujours privilégié le plaisir de conduite, on s'attend à un peu plus de rigueur! Ce moteur se montre un peu trop juste et sa sonorité n'a rien pour faire frissonner de plaisir les amateurs de course automobile. Le moteur le mieux adapté à la sportivité du X3 est, bien entendu, le 3,0 litres de 225 chevaux et 214 livres-pied de couple. Cela n'en fait pas une bête d'agressivité mais il entraîne le X3 avec célérité, compte tenu des 1 825 kilos à transporter. Ce moteur est à la fois souple et discret, tout en procurant une belle sonorité en accélération. Chacun de ces moteurs peut être marié à une transmission automatique à cinq rapports ou à une manuelle à six rapports.

Mais c'est davantage le rouage intégral Xdrive qui impressionne chez BMW. Ce système, très flexible, distribue le couple du moteur à l'essieu possédant la meilleure traction, et ce, de façon continuellement variable, grâce à un embrayage multidisque situé entre la transmission et son arbre. Ce rouage très sophistiqué accorde au X3 une excellente tenue de route tout en lui permettant d'aller jouer dans la boue. Mais avouons que la très grande majorité des X3 ne rouleront jamais ailleurs que sur les routes asphaltées! C'est d'ailleurs à cet endroit qu'il se montre sous son meilleur jour. À vrai dire, on a plus l'impression de conduire une berline qu'un véhicule utilitaire sport (pardon, un véhicule d'activités sportives). Et puis le système XDrive assure une excellente traction dans la neige, à condition, bien entendu, d'avoir chaussé son X3 de bons pneus à neige et de réfléchir avec sa tête! Le X3 a beau être bardé de bidules électroniques censés récupérer nos gaffes mais il ne peut défier les lois de la physique. Si les suspensions demeurent toujours un peu fermes, comparativement à un Grand Cherokee où elles sont trop flasques, la direction est typiquement BMW, c'est-à-dire qu'elle se montre à la fois parfaitement dosée et précise tout en procurant un excellent *feedback* de la route.

De dimensions très raisonnables, pour ce type de véhicule s'entend, esthétiquement réussi et sécuritaire, le X3 a tout pour plaire. Malheureusement, plusieurs lui trouvent trop de ressemblances avec son grand frère, le X5. Cette année, pourtant, le X3 devrait se bonifier en recevant de nouvelles motorisations et un très léger facelift alors que le X5 prendra du gallon. Et mentionnons, en terminant que BMW a dévoilé, au dernier Salon de l'auto de Francfort, un X3 hybride. Ça promet.

Alain Morin

VÉHICULE D'ESSAI

Version :	3.0i (2006)
Prix de détail suggéré :	50 200 $ (2006)
Emp/Lon/Lar/Haut(mm) :	2 795/4 565/1 853/1 674
Poids :	1 845 kg
Coffre/Réservoir :	480 à 1 560 litres/67 litres
Coussins de sécurité :	front., latéraux (av./arr.) et rideaux
Suspension avant :	indépendante, jambes de force
Suspension arrière :	indépendante, multibras
Freins av./arr. :	disque (ABS)
Antipatinage/Contrôle de stabilité :	oui/oui
Direction :	à crémaillère, assistée
Diamètre de braquage :	11,7 m
Pneus av./arr. :	P235/65R17
Capacité de remorquage :	1 700 kg

MOTORISATION À L'ESSAI

Pneus d'origine
MICHELIN

Moteur :	6L de 3,0 litres 24s
Alésage et course :	84,0 mm x 89,6 mm
Puissance :	225 ch (168 kW) à 5 900 tr/min
Couple :	214 lb-pi (290 Nm) à 3 500 tr/min
Rapport poids/puissance :	8,2 kg/ch (11,11 kg/kW)
Système hybride :	aucun
Transmission :	intégrale, automatique 5 rapports
Accélération 0-100 km/h :	7,8 s
Reprises 80-120 km/h :	7,4 s
Freinage 100-0 km/h :	43,0 m
Vitesse maximale :	210 km/h
Consommation (100 km) :	super, 11,6 litres
Autonomie (approximative) :	578 km
Émissions de CO2 :	6049 kg/an

GAMME EN BREF

Échelle de prix :	44 600 $ à 50 200 $
Catégorie :	utilitaire sport compact
Historique du modèle :	1ière génération
Garanties :	4 ans/80 000 km, 4 ans/80 000 km
Assemblage :	Dingolfing, Allemagne
Autre(s) moteur(s) :	6L 2,5l 184ch/175lb-pi
Autre(s) rouage(s) :	aucun
Autre(s) transmission(s) :	manuelle 5 rapports

DANS LA MÊME CATÉGORIE

Jeep Grand Cherokee - Lexus RX 350 - Toyota Rav4

DU NOUVEAU EN 2007

Pas de changement majeur

NOS IMPRESSIONS

Agrément de conduite :	🚗 🚗 🚗 ½
Fiabilité :	🚗 🚗 🚗
Sécurité :	🚗 🚗 🚗 🚗
Qualités hivernales :	🚗 🚗 🚗 🚗
Espace intérieur :	🚗 🚗 🚗 🚗
Confort :	🚗 🚗 🚗

LE CHOIX DE L'ÉQUIPE

3.0i

Photos : BMW

FORTE TAILLE

Le marché des utilitaires sport de luxe est, croyez-le ou non, en expansion. Du moins, sans enfler au point de devenir problématique, il ne diminue pas, malgré les hausses incessantes du prix de l'essence, et les reproches répétés des protecteurs de l'environnement. Bien entendu, les Américains font bonne figure dans ce domaine, habitués qu'ils sont de réaliser des véhicules de grande taille. Mais d'autres concurrents se pointent aussi à l'horizon, notamment la germanique BMW qui propose en 2007 une version remaniée, et sérieusement améliorée, de son populaire X5.

P our le constructeur munichois, l'objectif est simple. On cannibalisait de grandes parts de marché du plus petit mais aussi performant X3, et on ne souhaitait pas se priver d'une source de revenus intéressante. Car rappelons-le, même si la situation est moins vraie en Amérique, en Europe le X5 dominait le palmarès des VUS de luxe.

FORMAT EXTRA LARGE

Parce qu'on veut vraiment se distinguer du petit frère, la façon la plus simple d'y parvenir est de modifier la taille du grand VUS. On mise donc davantage sur le format extra large, puisque le nouveau X5 comptera désormais sur une dimension agrandie de 20 centimètres par rapport au X3.

Ce soudain agrandissement aura comme résultat de permettre l'installation de deux sièges supplémentaires escamotables dans le coffre, comme c'est déjà le cas sur le Volvo XC90 ou l'Audi Q7. On se retrouve toutefois avec le même genre de dilemme qu'avec les concurrents : en utilisant les sièges (qui devraient être réservés aux enfants ou aux adultes de petite taille, d'autant plus que l'accès demande quelques contorsions), on perd une bonne partie de l'espace de chargement. Dans le cas contraire, la banquette escamotée permettra au X5 d'offrir un des plus vastes espaces de chargement de sa catégorie.

Pour en arriver à une telle structure, BMW a mis au point une toute nouvelle plate-forme universelle, qui servira de base aux nouveaux venus de la gamme. Car rappelons-le, BMW a aussi promis l'arrivée d'un X8 en 2008, et d'un X3 révisé en 2010. Cette nouvelle construction mise d'abord sur une rigidité accrue du châssis, favorisant notamment la conduite dynamique que l'on réserve traditionnellement aux véhicules BMW.

Pour alimenter ce nouveau X5, on mise sur un éventail de moteurs dont certains ont déjà fait leur preuve, même si tous, sans exception, profiteront de ces changements pour obtenir un petit dopage de puissance. Ainsi, le 3.0i sera porté à 258 chevaux, alors que le moteur V8 5,0 devrait se laisser mener par une cavalerie de 367 chevaux.

Politique oblige, nous ne pourrons toujours pas bénéficier des motorisations diesel du X5 en Amérique du Nord, ce qui est bien dommage puisque le 6 cylindres biturbo déjà vendu en Europe continuera d'être de rigueur, tout comme le nouveau V8. Mais pour l'instant, aucun signe ne se manifeste pour une éventuelle importation de cette gamme chez nous.

FEU VERT
Rouage intégral
Bon espace intérieur
Direction précise
Design agréable

FEU ROUGE
Consommaton himalayenne
iDrive peu convivial
Coût d'achat trop élevé
Fiabilité toujours douteuse

VÉHICULE D'ESSAI
DONNÉES 2006

Version :	4.4i Executive Edition
Prix de détail suggéré :	76 600 $ (2006)
Emp/Lon/Lar/Haut(mm) :	2 820/4 667/1 872/1 707
Poids :	2 235 kg
Coffre/Réservoir :	465 à 1 550 litres/93 litres
Coussins de sécurité :	frontaux, latéraux (av.) et rideaux
Suspension avant :	indépendante, jambes de force
Suspension arrière :	indépendante, multibras
Freins av./arr. :	disque (ABS)
Antipatinage/Contrôle de stabilité :	oui/oui
Direction :	à crémaillère, assistance variable
Diamètre de braquage :	12,1 m
Pneus av./arr. :	P255/55R18
Capacité de remorquage :	2 700 kg

MOTORISATION À L'ESSAI
Pneus d'origine MICHELIN

Moteur :	V8 de 5,0 litres 32s atmosphérique
Alésage et course :	92,0 mm x 82,7 mm
Puissance :	315 ch (235 kW) à 5 400 tr/min
Couple :	324 lb-pi (439 Nm) à 3 600 tr/min
Rapport poids/puissance :	7,1 kg/ch (9,63 kg/kW)
Système hybride :	aucun
Transmission :	intégrale, automatique 6 rapports
Accélération 0-100 km/h :	7,1 s
Reprises 80-120 km/h :	6,1 s
Freinage 100-0 km/h :	38,6 m
Vitesse maximale :	225 km/h
Consommation (100 km) :	super, 15,3 litres
Autonomie (approximative) :	608 km
Émissions de CO2 :	6 048 kg/an

GAMME EN BREF

Échelle de prix :	59 500 $ à 98 200 $ (2006)
Catégorie :	utilitaire sport intermédiaire
Historique du modèle :	1ière génération
Garanties :	4 ans/80 000 km, 4 ans/80 000 km
Assemblage :	Spartanburg, Caroline du Sud, É-U
Autre(s) moteur(s) :	6L 3,0l 225ch/214lb-pi (15,9 l/100km)
	V8 4,8l 355ch/369lb-pi (14,7 l/100km)
Autre(s) rouage(s) :	aucun
Autre(s) transmission(s) :	automatique 5 rapports

DANS LA MÊME CATÉGORIE
Audi Q7 - Cadillac SRX - Infiniti FX35/45 - Land Rover Range Rover - Lexus LX 470 - Mercedes-Benz Classe M - Porsche Cayenne

DU NOUVEAU EN 2007
Aucun changement majeur, nouveau modèle au cours de l'année

NOS IMPRESSIONS
Agrément de conduite :	🚗🚗🚗🚗
Fiabilité :	🚗🚗🚗
Sécurité :	🚗🚗🚗🚗½
Qualités hivernales :	🚗🚗🚗🚗½
Espace intérieur :	🚗🚗🚗🚗½
Confort :	🚗🚗🚗🚗½

LE CHOIX DE L'ÉQUIPE
4.4i

Signalons enfin que comme tout bon utilitaire sport qui se respecte, le X5 profitera du système X-Drive de traction intégrale. On a cependant amélioré le temps de réponse, et modifié les algorithmes pour rendre l'intervention encore plus transparente, et plus efficace.

DU STYLE GRAND FORMAT
Quand on renouvelle ainsi un modèle, il y a de bonnes nouvelles, comme la motorisation, et d'autres moins bonnes. Du nombre, la venue du système iDrive dans la planche de bord du X5 n'est pas nécessairement une joie ultime. Le iDrive, même s'il a considérablement été modifié pour le rendre plus simple et plus convivial, continue d'être un des systèmes les plus complexes de gestion des commandes jamais créé.

Un gros bouton, localisé au centre de la console centrale, en bougeant dans toutes les directions, permet de choisir les menus et sous-menus des différentes fonctions. On y retrouve par exemple le système de navigation, la climatisation, la radio, et bien entendu, les systèmes Bluetooth. Mais ce qui semble facile en théorie requiert une pratique longue et ennuyante avant d'être parfaitement maîtrisé. On promet que la version du iDrive installée dans le nouveau X5 sera, elle aussi, remaniée. Ce qui sera une des bonnes nouvelles de l'année.

En revanche, le style même du X5 sera semblable à son prédécesseur. On conservera les flancs incisés et les passages de roues marqués. Le capot sculpté devra cependant donner un air de force et de puissance au gros VUS. Le style lui-même sera à l'image de la nouvelle gamme BMW, tout comme le tableau de bord général est calqué sur celui de la série 5. On aurait pu choisir pire, puisqu'il s'agit de l'un des plus beaux de la catégorie.

Après Mercedes et Audi, BMW se lance à l'assaut des grands formats. Le X5 a déjà une bonne réputation, et une clientèle fidèle. Reste à voir si sa nouvelle taille forte effraiera les adeptes de VUS, ou si au contraire, elle les attirera davantage. Car le nouveau X5 a ce qu'il faut pour l'un, comme pour l'autre.

Marc Bouchard

Photos : BMW

Z4 À LA PUISSANCE « M »

Comme le disent nos amis français, la Z4 a récemment subi un *lifting*, quatre ans après son lancement sur le marché. Cette refonte attendue du roadster a également permis le développement de deux nouveaux modèles qui ont par ailleurs hérité des composantes mécaniques de la M3, et qui font maintenant partie de la gamme élargie des voitures de la division « M » du constructeur bavarois. Voici donc le récit de deux rencontres sur route et sur circuit avec la Z4 M Roadster et la Z4 M Coupe.

P our BMW, l'utilisation de circuits de course fait partie intégrante du développement de nouveaux modèles, à plus forte raison lorsqu'il s'agit de nouvelles variantes de la division M. C'est pourquoi les ingénieurs de cette division ont bouclé plusieurs tours du célèbre Nordschleife du Nürburgring avant de réaliser un chrono de 8 minutes 15 secondes, soit 15 secondes de mieux que ceux enregistrés avec le modèle précédent qu'était la Z3 M Roadster. Ces tests effectués par l'équipe d'ingénieurs et de pilotes d'essai ont permis de peaufiner les réglages des suspensions ainsi que ceux du différentiel à blocage variable qui a été emprunté, tout comme le moteur, à la dernière M3. Sur le plan technique, la Z4 M Roadster partage donc plusieurs composantes avec la M3 (moteur, différentiel, direction, etc.), mais elle fait également usage de nouvelles pièces développées spécifiquement pour ce nouveau modèle, notamment en ce qui a trait aux trains avant et arrière de la voiture. À la base, la Z4 M Roadster utilise le châssis déjà très rigide de la Z4 qui n'a pas eu à être modifié malgré le fait que la puissance du moteur soit nettement plus élevée. Chiffrée à 330 chevaux pour 3,2 litres de cylindrée, la puissance développée par le moteur de la M3 lui permet de rejoindre le club fermé des moteurs atmosphériques capables de livrer plus de 100 chevaux par litre ce qui est un exploit remarquable sur le plan technique. Cela est dû en partie au concept du moteur à régime élevé mis de l'avant par les ingénieurs de BMW qui n'ont pas hésité à fixer la limite de révolutions moteur à 8 000 tours/minute.

Sur le circuit, la Z4 M Roadster impressionne par ses indéniables qualités dynamiques, et surtout par la rapidité avec laquelle elle s'inscrit sur la trajectoire idéale en virage. La tenue de route exceptionnelle de ce

roadster est en partie due à sa répartition parfaite des masses qui est de 50 % sur le train avant et de 50 % sur le train arrière, et aux savantes calibrations des réglages des suspensions. De plus, le différentiel à glissement limité permet de bien exploiter le couple et la puissance du moteur en sortie de courbe, et l'intervention du système de contrôle

dynamique de la stabilité (DSC – Dynamic Stability Control) s'est avérée très subtile, sauf lors des quelques tours du circuit de Jerez de la Frontera que j'ai eu l'occasion de boucler sous la pluie.

STYLE À LA FOIS TYPÉ ET FONCTIONNEL

Le style de la nouvelle Z4 M Roadster est à l'image des autres bolides de la division M avec les décorations usuelles, mais se double égale-ment d'éléments aérodynamiques fonctionnels comme en témoigne l'intégration d'un diffuseur à l'arrière de la voiture, ce qui permet d'améliorer son coefficient aérodynamique. De plus, le bouclier avant met en relief les lignes et ouvertures en forme de X, alors que le capot avant présente deux arêtes ultrafines, et la Z4 M Roadster est dotée de roues en aluminium de 18 pouces qui lui sont exclusives. Le look M se poursuit dans l'habitacle qui est lui aussi décoré d'identifications à la division, et le tachymètre reprend l'une des caractéristiques déjà vues sur la M5 et la M6, soit l'intégration d'un gradateur lumineux aux compte-tours qui vous met en garde de ne pas trop solliciter le moteur avant que celui-ci n'ait atteint sa température idéale. Ces témoins lumineux s'éteignent graduellement, vous autorisant ainsi à exploiter pleinement toute la puissance du moteur et les révolutions à haute voltige.

La Z4 M Roadster a fait son entrée sur le marché canadien en mars 2006, et son prix est fixé à 69,900 dollars canadiens. Ce prix représente une aubaine si l'on considère que la Z4 M Roadster coûte seulement 9000 dollars de plus que la Z4 3.0Si habituelle (60,900 dollars), et 4500 dollars de moins que le Coupe M3 (74,400 dollars) auquel elle emprunte plusieurs éléments mécaniques. Avis aux intéressés…

CONTACT AVEC LE COUPE

L'histoire de ce nouveau modèle peut être comparée à celle d'un sous-marin qui s'est transformé en *speedboat*, dans la mesure où les ingénieurs de BMW ont développé la Z4 M Coupe dans le plus grand secret avant de littéralement surprendre la haute direction de la marque qui n'avait jamais autorisé un tel projet. Chez d'autres constructeurs que BMW, les responsables de cet affront se seraient probablement re-trouvés au chômage, mais il faut croire que les grands patrons du constructeur bavarois ont aimé l'audace de leur petite équipe triée sur le volet puisqu'ils ont rapidement donné le feu vert à la M Coupe, qui est ainsi passée du stade de prototype à celui de modèle de production en seulement 17 mois.

Cette évolution accélérée est en partie due à la fois au fait que la M Coupe hérite de plusieurs composantes mécaniques de l'actuelle M3 (moteur, boîte de vitesses, différentiel, direction et j'en passe…), et que la mise au point de la version M Roadster était déjà bien amorcée. Comparativement au roadster, le Coupe est doté de suspensions plus fermes et son châssis est aussi plus rigide en raison de la présence du toit. À la pesée, le Coupe s'avère plus lourd de seulement cinq kilos, ce qui fait que les performances en accélération comme en reprise sont pratiquement identiques, mais le Coupe est plus rapide que le roadster sur circuit à cause d'un centre de gravité abaissé de dix millimètres.

Sur le circuit d'Estoril, la Z4 M Coupe s'est montrée exceptionnelle par sa tenue de route, mais principalement par son équilibre. Il suffit de désactiver le système DSC (*Dynamic Stability Control*) et d'appuyer sur le bouton Sport pour commander une réponse plus rapide de l'accélérateur électronique, afin de pouvoir exploiter pleinement tout le potentiel de performance de la Z4 M Coupe. Au fil des tours, j'ai été grandement impressionné par la performance en virage de la Z4 M Coupe et surtout par la rapidité avec laquelle la voiture répondait à la moindre sollicitation.

Comparativement à la Z4 M Roadster, le Coupe s'inscrit plus rapidement en virage et il est possible de contrôler facilement les glissades tellement le comportement de la voiture est prévisible, même aux delà de l'adhérence des pneus... Comme go-kart, on ne fait pas mieux! La Z4 M Coupe est rapide, précise voir incisive, et c'est pourquoi je recommande aux acheteurs de cette voiture de rouler sur un circuit si l'occasion se présente, car c'est vraiment dans ce contexte particulier qu'elle s'exprime pleinement.

La motorisation de la Z4 M Coupe étant identique à celle de l'actuelle M3, le conducteur profite d'un moteur qui a mérité le prix convoité de « moteur de l'année » pendant les cinq dernières années dans la catégorie des moteurs de 3 à 4 litres, un exploit dont ses concepteurs sont très fiers, à juste titre.

Côté style, le Coupe est certainement plus expressif que le roadster parce que les proportions classiques d'une voiture de Grand Tourisme

FEU VERT
Style unique
Moteur performant
Qualités dynamiques
Exclusivité assurée

FEU ROUGE
Voiture trois saisons
Coût des options
Rangements limités

sont ici beaucoup plus évidentes. En effet, le capot avant est très long, alors que le toit s'arque vers l'arrière ce qui donne l'impression que l'habitacle se termine aux roues arrière de la voiture. De plus, le Coupe est doté d'un trait caractéristique des BMW soit le fameux « Hofmeister kick » qui fait le lien entre la fin de la vitre latérale arrière et le reste de la carrosserie.

Au premier coup d'œil, le Coupe apparaît ainsi plus bas, plus sportif et plus dynamique que le roadster. Avec son prix de 68,900 dollars, la Z4 M Coupe coûte 1 000 dollars de moins que la Z4 M Roadster et cette nouvelle variante de la division M du constructeur bavarois se mesurera directement à la Porsche Cayman S, ainsi qu'à la toute nouvelle génération de la Audi TT. Voilà donc un beau match comparatif en perspective...

Quant au choix à faire entre ces deux nouveaux modèles de la division M, le Coupe conviendra aux purs et durs de la performance et se montrera plus redoutable en conduite sur circuit. Pour ce qui est du roadster, parions que les acheteurs ne le solliciteront pas autant au chapitre des performances pour apprécier à l'occasion la conduite plus relaxe et à ciel ouvert d'une décapotable qui cache bien son jeu.

Gabriel Gélinas

VÉHICULE D'ESSAI

Version :	M Coupé
Prix de détail suggéré :	68 900 $ (2006)
Emp/Lon/Lar/Haut(mm) :	2 497/4 113/1 781/1 287
Poids :	1 465 kg
Coffre/Réservoir :	245 litres/55 litres
Coussins de sécurité :	frontaux et latéraux (av.)
Suspension avant :	indépendante, jambes de force
Suspension arrière :	indépendante, leviers triangulés
Freins av./arr. :	disque (ABS)
Antipatinage/Contrôle de stabilité :	oui/oui
Direction :	à crémaillère, assist. variable électronique
Diamètre de braquage :	9,8 m
Pneus av./arr. :	P225/45ZR18 / P255/40ZR18
Capacité de remorquage :	non recommandé

MOTORISATION À L'ESSAI

Moteur :	6L de 3,2 litres 24s atmosphérique
Alésage et course :	87,0 mm x 91,0 mm
Puissance :	330 ch (246 kW) à 7 900 tr/min
Couple :	262 lb-pi (355 Nm) à 4 900 tr/min
Rapport poids/puissance :	4,44 kg/ch (6,03 kg/kW)
Système hybride :	aucun
Transmission :	propulsion, manuelle 6 rapports
Accélération 0-100 km/h :	5,1 s
Reprises 80-120 km/h :	4,5 s
Freinage 100-0 km/h :	34,0 m (constructeur)
Vitesse maximale :	250 km/h
Consommation (100 km) :	super, 12,1 litres (constructeur)
Autonomie (approximative) :	455 km
Émissions de CO2 :	5 760 kg/an

GAMME EN BREF

Échelle de prix :	53 900 $ à 69 900 $ (2006)
Catégorie :	roadster
Historique du modèle :	1ière génération
Garanties :	4 ans/80 000 km, 4 ans/80 000 km
Assemblage :	Spartanburg, É-U
Autre(s) moteur(s) :	6L 3,0l 215ch/185lb-pi (11,5 l/100km) 3,0i
	6L 3,0l 255ch/220lb-pi (12 l/100km) 3,0si
Autre(s) rouage(s) :	aucun
Autre(s) transmission(s) :	automatique 6 rapports

DANS LA MÊME CATÉGORIE

Audi TT - Honda S2000 - Mercedes-Benz SLK - Porsche Boxster - Porsche Cayman

DU NOUVEAU EN 2007
Version M

NOS IMPRESSIONS

Agrément de conduite :	🚗🚗🚗🚗½
Fiabilité :	🚗🚗🚗🚗
Sécurité :	🚗🚗🚗🚗
Qualités hivernales :	🚗🚗🚗
Espace intérieur :	🚗🚗🚗
Confort :	🚗🚗🚗

LE CHOIX DE L'ÉQUIPE
M Coupé

Photos : BMW

LA FIN DU CAUCHEMAR ?

Si vous n'êtes pas un spécialiste des voitures anciennes, sachez que la marque Bugatti, contrairement à ce qu'on serait porté à croire, est française à l'origine puisque Ettore Bugatti a installé ses ateliers tout près de Molsheim en France. La marque a périclité avant le début du second conflit mondial pour être ressuscitée en 1987 par de doux rêveurs italiens avant que le groupe Volkswagen devienne propriétaire de la marque. Mais ce n'était que le début d'un long processus plus cauchemardesque qu'autre chose qui est venu secouer sérieusement la réputation du constructeur allemand.

En effet, après avoir dévoilé au Salon de l'auto de Francfort 2002 le prototype de la Veyron, il s'en est suivi une longue période d'attente alors que la Veyron était exhibée de Salon international en Salon international sans que la voiture ne soit commercialisée. Ce qui a laissé le champ libre à de multiples rumeurs. Selon l'une d'elle, le moteur W16 de plus de 1 000 chevaux, 1001 pour être plus précis, était tellement peu fiable que couvrir une distance de plus de 100 kilomètres tenait de l'exploit. D'après une autre, la voiture était d'une grande instabilité à haute vitesse tant et si bien que la direction de Volkswagen se refusait de la commercialiser comme telle. Enfin, avec une vitesse maximale projetée de 400 km/h, un autre potin soulignait que les pneus Michelin spécialement destinés à ce bolide ne pouvaient résister à cette vitesse. Toujours au chapitre des pneus, il s'agit de Michelin Pax dont la grandeur est 265-680ZR 500A pour les roues avant et de PAX 365-710ZR 540A pour les pneus arrière. Mais la compagnie avait beau présenter cette voiture comme un bijou dans un écrin dans les grands Salons internationaux, plusieurs chroniqueurs automobiles haussaient les sourcils et avaient un petit sourire en coin lorsque les responsables de la compagnie leur annonçaient l'arrivée imminente de la voiture sur les routes.

Tant et si bien que le design devenait de plus en plus vétuste au fil des mois, tandis que les fluctuations du prix du pétrole et la sensibilisation du public envers le problème du réchauffement global rendaient cette voiture de moins en moins politiquement correcte. Et quand on sait qu'elle se vend un peu moins de deux millions de dollars canadiens, il y a de quoi s'interroger quant à la pertinence d'une voiture qui n'est pour ainsi dire pas faite pour rouler sur nos routes et qui tient pratiquement du délire technique. Bref, l'entreprise était devenue cauchemardesque.

ELLE PREND LA ROUTE

C'est après cinq ans d'attente, de railleries et d'innuendos que la Veyron a été finalement présentée à la presse. Et, curieusement, pas à la presse spécialisée, mais aux magasines tendance s'adressant aux BCBG. Quoi qu'il en soit, les essais se sont déroulés de façon ultracontrôlée et personne n'a vraiment pu vérifier de quoi était capable cette ultrasportive en fait de performances. Ils ont tous admis que la visibilité arrière était atroce et que l'aiguille de la jauge de carburant descendait à vue d'œil. À pleine vitesse, il faut 12 minutes pour mettre le réservoir à sec. Les journalistes ont été unanimes pour vanter la sonorité de ce moteur W16 de 8,0 litres alimenté par quatre turbocompresseurs. Et si la disposition en W des cylindres vous intrigue, imaginez-vous deux moteurs VR8 à

FEU VERT	FEU ROUGE
Marque mythique	Prix démesuré
Moteur 1001 chevaux	Utilisation restreinte
Vitesse de pointe de 407 km/h	Habitacle exigu
Modèle rarrissime	Fiabilité inconnue
	Consommation ahurissante

rangées de cylindres à 90 degrés placées côte à côte. Il s'agit en fait d'une version 16 cylindres du moteur W12 de Volkswagen. Et avouez qu'il est quelque peu ironique que ce soit la marque de la voiture du peuple qui fournisse le moteur à la voiture sport la plus chère sur le marché. Bien entendu, pour répartir toute cette puissance, les ingénieurs ont fait appel à une transmission intégrale permanente tandis que la boîte de vitesses est de type séquentiel à sept rapports. Elle est également à embrayage double comme le sont certaines voitures Audi, qui fait d'ailleurs partie de la grande famille Volkswagen.

LE CAUCHEMAR SE POURSUIT

Une fois ce bolide d'exception enfin sur la route, on serait porté à croire que le cauchemar de Bugatti se terminerait en apothéose comme au cinéma. Mais conduire une telle voiture sur les routes ordinaires tient presque du mauvais rêve. Je n'ai pas encore eu l'occasion de piloter cette voiture, mais une bonne amie à moi, Jean Jennings de la revue américaine Automobile, s'est payé plusieurs centaines de milles au volant de la Veyron 16.4, l'expérience avait tous les ingrédients du mauvais rêve. Tout d'abord, le seul fait de piloter une voiture de ce prix sur les routes de tous les jours a de quoi inquiéter n'importe qui, même Jean Jennings qui n'est pourtant pas réputée pour être intimidée. En plus, comme la visibilité arrière est assez mauvaise, cela ne vient pas faciliter les choses. Enfin, pour être certain que la voiture ne tomberait pas en panne au milieu de nulle part, une fourgonnette remplie de mécanos suivait la Veyron. Et pour s'assurer que «Madame l'essayeuse» ne ferait pas de gaffes, le directeur des relations de la marque était le passager...

Bref, rien pour écrire à sa mère. Sur papier, la voiture est capable de boucler le 0-300 km/h en moins de 14 secondes et le 0-100 km/h en 3,4 secondes, mais cette voiture n'est pas faite pour rouler dans la circulation. Tout au plus pour aller la stationner devant un établissement de luxe. Pour le reste, il faudra louer un circuit de course pour s'amuser et sans doute amener ses amis mécanos pour la bichonner. Et si vous voulez savoir, en tant que commun des mortels, je me fous pas mal de la Veyron et de tout son clinquant.

Denis Duquet

VÉHICULE D'ESSAI

Version :	16.4
Prix de détail suggéré :	1 500 000 $
Emp/Lon/Lar/Haut(mm) :	2 710/4 462/1 998/1 204
Poids :	1 888 kg
Coffre/Réservoir :	n.d./100 litres
Coussins de sécurité :	frontaux
Suspension avant :	indépendante, triangles superposés
Suspension arrière :	indépendante, triangles superposés
Freins av./arr. :	disque (ABS)
Antipatinage/Contrôle de stabilité :	oui/oui
Direction :	à crémaillère, assistée
Diamètre de braquage :	11,0 m
Pneus av./arr. :	PAX 265-680ZR500A / PAX 365-710ZR540A
Capacité de remorquage :	non recommandé

MOTORISATION À L'ESSAI

Moteur :	W16 de 8,0 litres 64s 4 turbos
Alésage et course :	86,0 mm x 86,0 mm
Puissance :	1 001 ch (746 kW) à 6 000 tr/min
Couple :	923 lb-pi (1250 Nm) à 2 200 tr/min
Rapport poids/puissance :	1,89 kg/ch (2,56 kg/kW)
Système hybride :	aucun
Transmission :	intégrale, séquentielle 7 rapports
Accélération 0-100 km/h :	3,4 s (constructeur)
Reprises 80-120 km/h :	2,8 s (estimé)
Freinage 100-0 km/h :	32,0 m (estimé)
Vitesse maximale :	407 km/h
Consommation (100 km) :	super, 24,0 litres
Autonomie (approximative) :	417 km
Émissions de CO_2 :	11 480 kg/an

GAMME EN BREF

Échelle de prix :	1 500 000 $
Catégorie :	GT
Historique du modèle :	1ière génération
Garanties :	2 ans/50 000 km, 2 ans/50 000 km
Assemblage :	Molsheim, Alsace, France
Autre(s) moteur(s) :	aucun
Autre(s) rouage(s) :	aucun
Autre(s) transmission(s) :	aucune

DANS LA MÊME CATÉGORIE

Modèle unique

DU NOUVEAU EN 2007

Nouveau modèle

NOS IMPRESSIONS

Agrément de conduite :	🚗 🚗 🚗
Fiabilité :	données insuffisantes
Sécurité :	🚗 🚗 🚗
Qualités hivernales :	nulles
Espace intérieur :	🚗 🚗
Confort :	🚗 🚗 🚗

LE CHOIX DE L'ÉQUIPE

16.4

Photos : Bugatti

L'HONNÊTE ALTERNATIVE

La Buick Century n'existe plus, pas plus que la Regal et la LeSabre d'ailleurs. Ces succès de la famille traditionnelle de GM ont disparu il y a deux ans, laissant les mordus d'un certain prestige américain sur leur faim. Car malgré sa popularité plus que relative, la bannière Buick a ses inconditionnels pour qui la seule mention du nom évoque le luxe et la réussite. Bon, j'avoue que ces adeptes sont moins nombreux d'année en année, mais ils continuent d'exister. Ce qui explique sans doute pourquoi GM a choisi de conserver le nom.

Mais comme la nature est bien faite, et que le vide a une forte tendance à se remplir aussitôt, la Buick Regal a été rapidement remplacée par un modèle tout à fait dans le ton, la Buick Allure. Inutile de revenir sur les déboires du nom de cette voiture qui, chez nos voisins du Sud, porte toujours le nom du sport national de certains adolescents solitaires. Concentrons-nous plutôt sur les qualités d'une voiture qui, certes, ne deviendra pas le modèle de référence de la catégorie, mais est certainement une honnête alternative.

BUICK NOUVELLE VAGUE

Même si les anciennes Buick ont disparu, la marque continue de conserver un certain héritage, notamment en matière de confort. Comme ses prédécesseures donc, que l'on comparait plus souvent à de gros bateaux qu'à des voitures de sport, l'Allure offre une promenade confortable et fournit assez d'espace dans l'habitacle pour accueillir cinq adultes sans difficulté.

Mais l'Allure propose aussi quelque chose de beaucoup mieux : une conduite nettement plus intéressante, un freinage tout en puissance, et une maniabilité largement améliorée.

On ne sera tout de même pas tenté de la traîner sur un circuit, mais pour les amateurs de voiture du genre, elle procure certainement un peu plus que la tradition ne le laissait espérer.

Côté suspension, la nouvelle Buick ne retient que 20 % de ce qui existait déjà. Même si la technologie utilisée est la même, à savoir une suspension MacPherson à l'avant et à bras triangulés à l'arrière, on a remodelé tout l'assemblage et toutes les composantes, ce qui fournit une randonnée mieux contrôlée, moins oscillante. Cette suspension limite le tangage excessif qui donnait presque le mal de mer sur les anciens modèles, et permet de diminuer sensiblement le roulis surtout lorsque les courbes empruntées sont un peu plus serrées. Bref, de ce simple point de vue, l'Allure mérite déjà une attention plus sérieuse.

Les modèles de base CX et CXL reçoivent ce genre de suspension. Sur la version de pointe, la CXS, les suspensions ont été raffermies d'environ 20 %, ce qui favorise une conduite plus dynamique, même pour une berline de cette taille. Pour ce qui est des freins, la CXS dispose de freins ABS de série, ainsi que de la répartition électronique de freinage. Les autres modèles doivent l'ajouter à leur équipement

FEU VERT
Espace abondant
Liste d'équipement intéressante
Coffre arrière vaste
Suspensions améliorées
Habitacle bien aménagé

FEU ROUGE
Design incertain
Reprises anémiques
Puissance juste
Direction peu bavarde

en option. On peut aussi y joindre, en option pour tout le monde cette fois, un système Stabilitrak, alors que le contrôle de traction est standard pour toute la gamme.

LA BUICK DE MON PÈRE

Les changements sont aussi radicaux sous le capot, du moins pour la version haut de gamme qui dispose d'un tout nouveau V6 de 3,6 litres de 240 chevaux. Les versions de bases doivent plutôt se contenter du même moteur qui propulsait les anciens modèles, soit un V6 de 3,8 litres produisant 200 chevaux. Dans les faits, ni l'un ni l'autre ne décoiffe vraiment. En revanche, ils assurent assez de puissance pour répondre aux demandes quotidiennes même si en situation corsée, vaut mieux patienter que de tenter de doubler, question de sécurité.

Ce qui distingue réellement une Buick cependant, c'est l'habitacle. Et dans le cas de l'Allure, on ne fait pas exception à la règle. Vaste, bien aménagé, avec une liste d'équipements de série ou d'options qui font pâlir bien des concurrents, l'Allure a tout de la grosse voiture américaine que mon père apprécie par-dessus tout. À l'intérieur, les sièges (en cuir sur les CXS, mais en tissu sur les autres) sont larges, confortables et enveloppants, un peu plus que mon propre divan de salon, en fait! L'espace pour les jambes est plus que suffisant, et l'insonorisation de l'habitacle exceptionnelle, sauf peut-être quand le moteur pousse un ronron d'insatisfaction si on le sollicite un peu trop.

Le tableau de bord est bien éclairé, facile à consulter. Il profite d'appliques de bois de bonne qualité, et toutes les parties incluant les commandes installées sur le volant bénéficient d'un rétroéclairage les rendant plus lisibles.

Le coffre arrière est volumineux, comme il se doit, mais a une ouverture de chargement pas tout à fait assez grande pour faciliter l'embarquement de marchandise. J'y ai simplement glissé un écran d'ordinateur de format standard et j'ai eu de la difficulté à l'installer sans heurter le seuil supérieur.

Au premier coup d'œil, l'Allure annonce sa personnalité : vaste, traditionnelle et avec une impression de chic digne d'une Buick. Mais cette fois, et c'est une bonne nouvelle, on y a même injecté un peu de plaisir de conduite.

Marc Bouchard

Photos : Buick

BUICK ALLURE

VÉHICULE D'ESSAI

OnStar® de GM

Version :	CXS
Prix de détail suggéré :	34 295 $
Emp/Lon/Lar/Haut(mm) :	2 807/5 031/1 853/1 458
Poids :	1 619 kg
Coffre/Réservoir :	453 litres/66 litres
Coussins de sécurité :	frontaux, latéraux (av.) et rideaux
Suspension avant :	indépendante, jambes de force
Suspension arrière :	indépendante, jambes de force
Freins av./arr. :	disque (ABS)
Antipatinage/Contrôle de stabilité :	oui/oui
Direction :	à crémaillère, assistance variable
Diamètre de braquage :	12,3 m
Pneus av./arr. :	P225/55R17
Capacité de remorquage :	454 kg

MOTORISATION À L'ESSAI

Moteur :	V6 de 3,6 litres 24s atmosphérique
Alésage et course :	94,0 mm x 85,6 mm
Puissance :	240 ch (179 kW) à 6 000 tr/min
Couple :	225 lb-pi (312 Nm) à 3 200 tr/min
Rapport poids/puissance :	6,75 kg/ch (9,15 kg/kW)
Système hybride :	aucun
Transmission :	traction, automatique 4 rapports
Accélération 0-100 km/h :	7,9 s
Reprises 80-120 km/h :	6,9 s
Freinage 100-0 km/h :	43,0 m
Vitesse maximale :	195 km/h
Consommation (100 km) :	ordinaire, 11,4 litres
Autonomie (approximative) :	579 km
Émissions de CO2 :	4 992 kg/an

GAMME EN BREF

Échelle de prix :	26 395 $ à 34 295 $
Catégorie :	berline grand format
Historique du modèle :	1ière génération
Garanties :	3 ans/60 000 km, 3 ans/60 000 km
Assemblage :	Oshawa, Ontario, Canada
Autre(s) moteur(s) :	V6 3,8l 200ch/230lb-pi (12,2 l/100km)
Autre(s) rouage(s) :	aucun
Autre(s) transmission(s) :	aucune

DANS LA MÊME CATÉGORIE

Ford 500 - Honda Accord - Toyota Camry

DU NOUVEAU EN 2007

Pas de changement majeur

NOS IMPRESSIONS

Agrément de conduite :	🚗🚗🚗🚗
Fiabilité :	🚗🚗🚗🚗
Sécurité :	🚗🚗🚗🚗
Qualités hivernales :	🚗🚗🚗½
Espace intérieur :	🚗🚗🚗🚗
Confort :	🚗🚗🚗🚗

LE CHOIX DE L'ÉQUIPE

CXL

175

GUIDE DE L'AUTO 2007

LIMOUSINE HELVÉTIQUE ?

L'inénarrable Robert Lutz a pris les divisions Pontiac et Buick sous son aile afin de relancer ces deux marques. Pour ce vétéran, le stylisme et le comportement routier sont les deux éléments qui devaient présider à ce retour en force. C'est pourquoi la division Buick a été complètement chamboulée aussi bien en fait d'identification que de design, le tout sous l'influence de l'Oncle Robert. Et c'est sans doute parce que Monsieur Lutz est né en Suisse qu'on a baptisé cette nouvelle venue Lucerne.

Mais pour être certain qu'on ne confond pas cette Buick huppée avec des modèles plus plébéiens, cette dernière emprunte sa plate-forme et sa mécanique à la Cadillac DTS. Du moins, pour ce qui est de la version la plus onéreuse, soit la CXS, puisqu'il est également possible de commander une version équipée de l'incontournable moteur V6 3,8 litres de 197 chevaux. Pas besoin d'être un grand spécialiste en la matière pour conclure qu'un vieux moteur V6 à soupapes en tête et couplé à une transmission automatique à quatre rapports de surcroît n'a sans doute pas sa place sur un modèle qui cible une concurrence tout de même assez relevée. Par contre, le prix plutôt compétitif de ce modèle devrait influencer les acheteurs qui veulent rouler en gros carrosse sans pour autant débourser beaucoup. Et malgré ses origines qui remontent à très loin, ce V6 est performant. En plus, l'effet de couple dans le volant est presque imperceptible en pleine accélération alors qu'il est préoccupant sur les modèles propulsés par le moteur V 8.

Les défenseurs de la Lucerne s'empresseront de souligner que ce moteur V8 de 4,6 litres est le même moteur Northstar qui équipe la DTS, pourtant vendue plus cher. Ils ont raison et je dois ajouter que la Buick a une ligne beaucoup mieux réussie. Le fait de pouvoir commander une transmission à six rapports viendrait clore le débat. Et ce faisant, la Lucerne

mettrait plusieurs concurrents directs dans sa petite poche. D'autant plus que la plate-forme est rigide, sa suspension optionnelle Magnaride fort sophistiquée tandis que le système de stabilité latérale est efficace. Et comme il faut s'y attendre sur une voiture de ce prix et de cette catégorie, les suspensions avant et arrière sont indépendantes, les freins à disque sont aux quatre roues et reliés à un système ABS.

EN QUÊTE D'IDENTITÉ

Puisque l'apparence de toute la gamme Buick faisait trop « papy » aux yeux de Robert Lutz, les designers ont eu pour mission de lui donner une autre signature visuelle. C'est réussi sur le plan esthétique, mais à cet exercice, la marque est quasiment devenue orpheline. On pourrait remplacer les écussons Buick par à peu près n'importe quoi et ça ferait l'affaire. Le fait d'utiliser les traditionnelles sorties d'air sur les ailes avant a pour but de nous remémorer les Buick de jadis, mais je ne suis pas certain que ça change quoi que ce soit. Bref, la Lucerne nous fait songer à ces témoins importants à qui on donne une nouvelle identité : c'est l'anonymat assuré.

La même remarque s'applique au tableau de bord qui est d'une désolante sobriété. Ce n'est pas parce qu'on utilise des appliques en bois

---

FEU VERT

Moteur performant
Plate-forme rigide
Suspension Magnaride
Prix compétitif
Équipement complet

FEU ROUGE

Silhouette anonyme
Boîte automatique 4 rapports
Module du volant trop gros
Position de conduite décentrée
Sous virage

sur la planche de bord et le dessus de la console centrale que les choses s'améliorent. La ressemblance avec le tableau de bord de la Cadillac DTS est flagrante, mais cette dernière a un petit quelque chose de plus, même s'il s'agit d'une pendulette analogique. Sur la Lucerne, c'est désertique et ennuyeux. D'autant plus que le mécanisme de retenue du volant est énorme et que ce dernier est légèrement décentré vers la droite. Comme sur la Caddy, il est difficile de trouver les bons réglages pour être confortable derrière le volant. Par contre, les occupants des autres places ne devraient pas se plaindre du confort des sièges ou encore de l'habitabilité. Et toujours au sujet de l'habitacle, si la finition est digne d'une voiture de ce prix et de cette catégorie, la prédilection de la direction de GM pour les plastiques durs est à nouveau confirmée sur cette voiture.

MALGRÉ TOUT
Je m'interroge à savoir si tous ces changements positifs se conjuguent pour faire de la Lucerne une voiture phare qui permettra à Buick de remonter la pente. J'en doute car cette berline, toute homogène soit-elle, n'a pas ce petit quelque chose qui pourrait nous la faire choisir.

Le modèle essayé pendant quelques jours était la version CXS avec moteur V8, suspension Magnaride et roues de 18 pouces. Il est d'ailleurs difficile de trouver à redire en fait de tenue de route, de précision en virage et d'insonorisation. En plus, la suspension Magnaride permet de concilier confort et tenue de route. Mais ces éléments positifs sont en partie effacés par un volant mal situé et une position de conduite assez peu agréable. En outre, le tout à l'avant de la mécanique est responsable d'un sous-virage assez prononcé.

Comme sur plusieurs des produits récemment dévoilés par GM, la Lucerne est un meilleur produit que le véhicule qu'elle remplace. Par contre, un certain manque d'homogénéité, quelques lacunes en fait de sophistication de la mécanique et un comportement routier trop générique viennent refroidir notre enthousiasme. Et puisque ce constructeur doit faire face à une situation financière pour le moins délicate, nous devrons sans doute tolérer le statu quo pendant un certain temps. Pour plusieurs, cette grosse berline constituera quand même une bonne affaire en raison de son prix très compétitif.

Denis Duquet

Photos : Marc Bouchard

GUIDE DE L'AUTO 2007

VÉHICULE D'ESSAI

Version :	CXS
Prix de détail suggéré :	49 995 $
Emp/Lon/Lar/Haut (mm) :	2 936/5 761/1 874/1 473
Poids :	1 820 kg
Coffre/Réservoir :	481 litres / 70 litres
Coussins de sécurité :	frontaux, latéraux (av.) et rideaux
Suspension avant :	indépendante, jambes de force
Suspension arrière :	indépendante, multibras
Freins av./arr. :	disque (ABS)
Antipatinage/Contrôle de stabilité :	oui / oui
Direction :	à crémaillère, assistance variable
Diamètre de braquage :	13,4 m
Pneus av./arr. :	P245/50R18
Capacité de remorquage :	454 kg

MOTORISATION À L'ESSAI

Moteur :	V8 de 4,6 litres 32s atmosphérique
Alésage et course :	93,0 mm x 84,0 mm
Puissance :	275 ch (205 kW) à 5 600 tr/min
Couple :	295 lb-pi (396 Nm) à 4 400 tr/min
Rapport poids/puissance :	6,62 kg/ch (9,01 kg/kW)
Système hybride :	aucun
Transmission :	propulsion, automatique 4 rapports
Accélération 0-100 km/h :	7,7 s
Reprises 80-120 km/h :	6,5 s
Freinage 100-0 km/h :	42,4 m
Vitesse maximale :	190 km/h
Consommation (100 km) :	ordinaire, 13,8 litres
Autonomie (approximative) :	507 km
Émissions de CO_2 :	5 520 kg/an

GAMME EN BREF

Échelle de prix :	31 210 $ à 43 080 $
Catégorie :	berline de luxe
Historique du modèle :	1ière génération
Garanties :	3 ans/60 000 km, 3 ans/60 000 km
Assemblage :	Hamtramck, Michigan, É-U
Autre(s) moteur(s) :	V6 3,8l 197ch/227lb-pi
	(13,3 l/100km)
Autre(s) rouage(s) :	aucun
Autre(s) transmission(s) :	aucune

DANS LA MÊME CATÉGORIE
Cadillac DTS - Lexus ES 350 - Lincoln Town Car - Toyota Avalon

DU NOUVEAU EN 2007
Nouveau système OnStar, Volant chauffant, Nouvel écran tactile

NOS IMPRESSIONS

Agrément de conduite :	🚗 🚗 🚗 ½
Fiabilité :	🚗 🚗 🚗 🚗
Sécurité :	🚗 🚗 🚗 🚗
Qualités hivernales :	🚗 🚗 🚗 ½
Espace intérieur :	🚗 🚗 🚗 🚗
Confort :	🚗 🚗 🚗 🚗

LE CHOIX DE L'ÉQUIPE
CXL

BIEN PLUS QU'UN SUCCÈS D'ESTIME

Il est assez ironique de constater que la Buick RendezVous, fort esthétique, fut, jusqu'à l'année dernière, la jumelle de la Pontiac... Aztek! Tout le monde connaît l'histoire des deux frères... l'un était un beau chirurgien riche et intelligent tandis que l'autre était journaliste automobile. Devinez lequel représente la Buick RendezVous? Le chirurgien, pardon la RendezVous, possède tout ce qu'il faut pour réussir dans la vie: une gueule plutôt belle, un comportement routier honnête, un équipement relevé et, surtout, un prix invitant. Décidément...

Les consommateurs savent reconnaître une bonne affaire lorsqu'il s'en présente une. Le RendezVous fait partie de cette catégorie de véhicules dont le rapport qualité/prix est indéniable. Parlant de prix, il faut noter qu'en 2002, lors de son lancement, le RendezVous demandait, au minimum, un déboursé de plus de 31 000 $. Aujourd'hui, avec un moteur plus puissant, le modèle de base se transige moins de 29 000 $. Il s'agit d'un réajustement majeur et nous sommes en droit de nous dire que A) les prix de l'époque étaient trop élevés ou B) que GM perd actuellement de l'argent sur chaque RendezVous...

Contrairement à l'an dernier, alors que deux motorisations étaient proposées pour le RendezVous, on ne retrouve désormais qu'un seul moteur. Le V6 de 3,6 litres que nous encensions, n'est plus. Dommage, puisque sa puissance semblait toujours disponible, peu importe le régime du moteur. Cette année, on retrouve seulement un V6 de 3,5 litres de 196 chevaux et 216 livres-pied de couple. Si les performances ne figurent pas dans vos priorités, ce moteur saura vous satisfaire. Il faut le cravacher un peu pour en extraire toute la puissance mais, autrement, il fait preuve de douceur. Le 3,5 litres est associé à une seule transmission, soit une automatique à quatre rapports au fonctionnement généralement irréprochable. Même si

les cotes de consommation se montrent très correctes, nul doute qu'un rapport supplémentaire les amélioreraient encore.

Le RendezVous prend sa retraite lentement mais sûrement. Auparavant, il était disponible en livrées traction (roues avant motrices) ou intégrale. Cette année, on ne retrouve que la traction. L'intégrale n'était pourtant pas si dispendieuse que ça et assurait une motricité accrue en hiver ou dans la boue pour se rendre au chalet. Par contre, il n'était pas question de tenter de suivre le beau-frère dans son Jeep! Curieusement, les capacités de remorquage sont étonnantes, soit 1 588 kilos (3 500 lbs) lorsque équipé de l'ensemble «Towing». Un Buick étant un Buick, la douceur de roulement fait partie de l'équipement de base. Les suspensions sont définitivement réglées pour le confort mais le véhicule s'accroche à la route avec une belle détermination. En fait, on dirait même qu'il est agile... jusqu'à ce qu'on dépasse ses limites. Mais je parierais ma chemise blanche rayée bleu achetée pour les Fêtes l'an dernier que l'acheteur traditionnel d'un RendezVous n'ira jamais jusque-là!

UN HABITACLE POLYVALENT

Les véhicules multisegment possèdent généralement un habitacle convivial. C'est aussi le cas du RendezVous qui peut accueillir cinq, six

FEU VERT	FEU ROUGE
Habitacle polyvalent	Moteur 3,6 litres abandonné
Équipement de base relevé	Transmission à quatre rapports seulement
Capacité de remorquage	Certains éléments sécuritaire optionnels
Prix bien étudié	Bruits de roulement

VÉHICULE D'ESSAI

Version :	CX Plus
Prix de détail suggéré :	29 960 $
Emp/Lon/Lar/Haut (mm) :	2 851/4 738/1 871/1 750
Poids :	1 890 kg
Coffre/Réservoir :	281 à 2 919 litres / 68 litres
Coussins de sécurité :	frontaux et latéraux (av.)
Suspension avant :	indépendante, jambes de force
Suspension arrière :	indépendante, multibras
Freins av./arr. :	disque (ABS)
Antipatinage/Contrôle de stabilité :	oui / non
Direction :	à crémaillère, assistée
Diamètre de braquage :	11,4 m
Pneus av./arr. :	P225/60R17
Capacité de remorquage :	1 588 kg

MOTORISATION À L'ESSAI

Moteur :	V6 de 3,5 litres 24s
Alésage et course :	94,0 mm x 86,0 mm
Puissance :	196 ch (146 kW) à 5 600 tr/min
Couple :	216 lb-pi (289 Nm) à 4 000 tr/min
Rapport poids/puissance :	9,64 kg/ch (13,13 kg/kW)
Système hybride :	aucun
Transmission :	traction, automatique 4 rapports
Accélération 0-100 km/h :	8,2 s
Reprises 80-120 km/h :	7,4 s
Freinage 100-0 km/h :	43,6 m
Vitesse maximale :	200 km/h
Consommation (100 km) :	ordinaire, 12,6 litres
Autonomie (approximative) :	540 km
Émissions de CO2 :	5 378 kg/an

GAMME EN BREF

Échelle de prix :	28 620 $ à 39 070 $
Catégorie :	multisegment
Historique du modèle :	1ière génération
Garanties :	3 ans/60 000 km, 3 ans/60 000 km
Assemblage :	Ramos Arizpe, Mexique
Autre(s) moteur(s) :	aucun
Autre(s) rouage(s) :	intégrale
Autre(s) transmission(s) :	aucune

ou sept passagers selon la configuration choisie. À la base on retrouve deux sièges à l'avant et une banquette arrière. La version la plus huppée a droit à une banquette supplémentaire tandis qu'il est possible, moyennant un supplément, d'avoir des sièges capitaines pour la deuxième rangée. Pour ce qui est de la troisième rangée de sièges, il faut comprendre que même si elle s'avère plus conviviale que sur la plupart des autres véhicules, il ne faudrait pas tenter d'y faire grimper un adulte souffrant d'arthrite. Naturellement, lorsque cette troisième rangée est relevée, l'espace pour les bagages est d'autant diminué. Les sièges avant se révèlent confortables même s'ils retiennent peu le conducteur et son passager lors de manœuvres le moindrement sportives. Les espaces de rangement sont nombreux (ce qui est rare pour une voiture fabriquée par General Motors !) mais c'est surtout la console centrale qui, avec son immense caverne, impressionne. Le tableau de bord, très élégant, fait dans la simplicité… mais dans la bonne simplicité. Les diverses commandes tombent sous la main et leur fonctionnement ne demande pas de doctorat en mécanique quantique.

Au chapitre de l'équipement, le RendezVous est gâté. Même les versions les plus dépouillées ont droit aux feux antibrouillard, climatiseur, régulateur de vitesse ainsi que serrures, glaces et rétroviseurs électriques. Le livret d'options est bien rempli et il est possible de se concocter un RendezVous à son goût. Ou à ses moyens, ce qui est plus souvent le cas ! Question sécurité, on retrouve les traditionnels coussins frontaux mais aussi des coussins latéraux. Le système OnStar, le système de contrôle de la traction assorti aux freins ABS de même que la fonction d'assistant au stationnement sont de série pour les modèles les plus huppés.

Même si le RendezVous connaît de beaux succès de vente (observez la quantité de RendezVous sur les routes !) il arrive en fin de carrière. L'an prochain, il devrait être remplacé par le Buick Enclave, dévoilé au Salon de l'auto de Détroit en janvier dernier. Ce dernier, selon la tendance actuelle, sera plus long, plus large, plus puissant, plus économique… sans doute ! Au chapitre du design, il sera assurément plus typé et plus agressif, visuellement parlant. À l'an prochain !

Alain Morin

DANS LA MÊME CATÉGORIE

Cadillac SRX - Chrysler Pacifica - Ford Freestyle - Infiniti FX35/45 - Lexus RX 350

DU NOUVEAU EN 2007

Aucun changement majeur

NOS IMPRESSIONS

Agrément de conduite :	🚗 🚗 🚗 ½
Fiabilité :	🚗 🚗 🚗 ½
Sécurité :	🚗 🚗 🚗
Qualités hivernales :	🚗 🚗 🚗 🚗
Espace intérieur :	🚗 🚗 🚗 🚗
Confort :	🚗 🚗 🚗 🚗

LE CHOIX DE L'ÉQUIPE

CXL Plus

Photos : Alain Morin

RATIONALISATION

Si la compagnie General Motors a connu du succès avec plusieurs de ses nouveaux modèles depuis une couple d'années, il ne faut pas passer sous silence des décisions qui ne se sont pas révélées très bonnes. Même s'il est vrai que le marché des fourgonnettes est en récession et que Chrysler le domine grâce à une politique de prix très persuasive, il n'en demeure pas moins que les nouveaux modèles lancés par GM il y a un peu plus de deux ans déçoivent presque à tout point de vue aussi bien en fait de chiffres de ventes que de leur accueil auprès du public en général.

P ourtant, il s'en est trouvé à la direction de cette compagnie pour se laisser convaincre que le fait de combiner les avantages d'un VUS à ceux d'une fourgonnette allait permettre d'aller chercher un plus grand nombre d'acheteurs. Malheureusement, cette idée n'a pas porté fruit. D'une part, les personnes qui achètent un VUS sept places le font justement pour ne pas être associées avec une fourgonnette. Et d'autre part, les VUS n'ont plus la cote. Ajoutez à cela une silhouette quelconque et vous vous retrouvez dans le trouble. C'est d'ailleurs une réponse plutôt mièvre à cette famille de fourgonnettes qui explique sans doute le déclassement de la Pontiac Montana, la seule qui tentait vraiment de jouer la carte tout-terrain en proposant une traction intégrale.

LA DIVERSITÉ DANS LA SIMILITUDE?

Au début de cette décennie, Robert Lutz, toujours aussi élégant et en verve, nous annonçait que le secteur des fourgonnettes n'allait plus jamais être le même avec l'arrivée d'une armada de nouveaux modèles permettant de concilier, agrément de conduite, stylisme et diversité dans la présentation. L'oncle Bob s'est joliment fourvoyé cette journée-là en parlant de diversité, puisque ce trio est constitué de véhicules pratiquement jumeaux les uns par rapport aux autres. Compte tenu des exigences de la silhouette d'une fourgonnette, seule la calandre avant

permet de les différencier et le résultat est en demi-teinte car vues de loin, elles me semblent toutes pareilles. En plus, le tableau de bord de chacune d'entre elles est quasi identique à celui des deux autres! Il y a des différences dans les détails, mais l'allure générale est absolument la même avec la console centrale de même dimension et présentation, tandis que la disposition des cadrans indicateurs est similaire d'un modèle à l'autre. Bref, il faudra repasser si on veut parler de diversité.

Par contre, l'habitabilité est bonne et la polyvalence est au moins l'égale de la concurrence. Comme c'est leur habitude, les ingénieurs de GM ont trouvé des solutions inédites et souvent plus économiques que celle des autres constructeurs. Chez Chrysler, il a fallu redessiner le véhicule au complet pour développer le système Stow'NGo qui permet de faire disparaître les sièges dans le plancher en un tournemain. Chez GM, les banquettes se déploient pour former un plancher plat, mais surélevé. Par contre, il est possible de commander des rails d'ancrage de module de rangement placés sur le pavillon, qui peuvent être déployés comme bon nous semble. Toutefois, si vous optez pour le DVD, vous devrez sacrifier deux de ces coffrets. Et après quelques ratés, le système multimédia embarqué avec mémoire PHAT est disponible depuis quelques mois.

FEU VERT

Prix compétitif
Moteur V6 3,9l standard
Intégrale en option
Finition en progrès
Habitacle polyvalent

FEU ROUGE

Concept bizarre
Plastiques durs
Modèles trop similaires
Pneumatiques moyens
Position de conduite

Comme c'est le cas avec les fourgonnettes sept places, les sièges avant sont confortables, ceux de la partie médiane corrects, et ceux de la troisième rangée conçus pour de jeunes enfants. Il faut de plus ajouter que la qualité des matériaux est dans la bonne moyenne tout comme l'assemblage.

UN SEUL MOTEUR

L'an dernier, le moteur de base était un moteur V6 3,5 litres d'une puissance de 201 chevaux. Ce moteur était non seulement toujours à la tâche, mais sa conception mécanique commençait à être vétuste. Cette année, un seul moteur est offert, il s'agit du moteur V6 de 3,9 litres d'une puissance de 240 chevaux. Avec son calage variable des soupapes, ce V6 permet d'avoir une économie de carburant correcte et des performances de bon aloi. Il faut toutefois déplorer que ce pas en direction du modernisme ne se soit pas prolongé par l'ajout d'une boîte automatique à six rapports comme le veut la tendance actuelle ou tout au moins à cinq rapports. Il faut toujours se contenter de la transmission Hydra-Matic à quatre rapports. Celle-ci est robuste et fiable tout en étant efficace, mais tant qu'à vouloir s'associer avec le progrès, pourquoi ne pas offrir la six vitesses?

Quoi qu'il en soit, que vous rouliez en Buick, Chevrolet ou Saturn, le comportement routier est correct avec une tenue de cap stable, une direction pas trop engourdie et un comportement neutre en virage. Sachez que toutes les trois se sont révélées très agiles et se stationnent aisément. Par contre, la présence d'un essieu arrière avec poutre déformable ne fait pas toujours bon ménage avec nos routes bosselées, surtout lorsque le véhicule est faiblement chargé. Quant aux différences entre les trois modèles, la Buick est mieux insonorisée et les matériaux de meilleure qualité, le Uplander est plus dépouillé en raison de son prix inférieur mais offre une version à empattement court, tandis que la Saturn Relay se veut la solution de compromis entre les deux. Bref, ces trois fourgonnettes sont pratiques et efficaces tout en proposant une consommation correcte à défaut de se différencier les unes des autres.

Denis Duquet

Photos : Chevrolet

BUICK TERRAZA / **UPLANDER** / RELAY / MONTANA SV6

VÉHICULE D'ESSAI

Version :	Uplander LT2
Prix de détail suggéré :	29 995 $
Emp/Lon/Lar/Haut (mm) :	2 870/4 849/1 830/1 790
Poids :	1 964 kg
Coffre/Réservoir :	762 à 3 865 litres/94 litres
Coussins de sécurité :	frontaux et latéraux (av.)
Suspension avant :	indépendante, jambes de force
Suspension arrière :	demi-ind., poutre déformante
Freins av./arr. :	disque (ABS)
Antipatinage/Contrôle de stabilité :	opt./opt.
Direction :	à crémaillère, assistance variable
Diamètre de braquage :	12,3 m
Pneus av./arr. :	P225/60R17
Capacité de remorquage :	1 588 kg

MOTORISATION À L'ESSAI

Moteur :	V6 de 3,9 litres 12s atmosphérique
Alésage et course :	99,0 mm x 84,0 mm
Puissance :	240 ch (179 kW) à 6 000 tr/min
Couple :	240 lb-pi (325 Nm) à 4 800 tr/min
Rapport poids/puissance :	8,18 kg/ch (11,1 kg/kW)
Système hybride :	aucun
Transmission :	traction, automatique 4 rapports
Accélération 0-100 km/h :	9,5 s
Reprises 80-120 km/h :	8,7 s
Freinage 100-0 km/h :	41,2 m
Vitesse maximale :	195 km/h
Consommation (100 km) :	ordinaire, 12,4 litres
Autonomie (approximative) :	758 km
Émissions de CO2 :	5 328 kg/an

GAMME EN BREF

Échelle de prix :	23 880 $ à 38 325 $
Catégorie :	fourgonnette
Historique du modèle :	1ère génération
Garanties :	3 ans/60 000 km, 3 ans/60 000 km
Assemblage :	Doravill, Géorgie, É-U
Autre(s) moteur(s) :	aucun
Autre(s) rouage(s) :	intégrale
Autre(s) transmission(s) :	aucune

DANS LA MÊME CATÉGORIE

Chrysler Town&Country - Dodge Caravan - Ford Freestar - Honda Odyssey - Hyundai Entourage - Kia Sedona - Nissan Quest - Toyota Sienna

DU NOUVEAU EN 2007

Moteur V6 3,9l standard, Stabilitrack de série sur versions allongées, nouvelles couleurs, Moteur E85 à venir

NOS IMPRESSIONS

Agrément de conduite :	🚗🚗🚗½
Fiabilité :	🚗🚗🚗🚗
Sécurité :	🚗🚗🚗🚗
Qualités hivernales :	🚗🚗🚗🚗
Espace intérieur :	🚗🚗🚗🚗
Confort :	🚗🚗🚗½

LE CHOIX DE L'ÉQUIPE

LS 4X2

181

UN PETIT AIR MÉCHANT

Le pilote s'assoit dans son cockpit. Il s'enfonce dans son siège qui lui fournit un appui solide et stable. Dès qu'il appuie sur le contact, le tableau de bord s'illumine, dévoilant des instruments sophistiqués. Puis il met les gaz, et le bolide aux lignes effilées fonce vers l'horizon. Avion de chasse ? Presque... En fait, il s'agit plutôt de la Cadillac CTS, une des innovations que la légendaire firme américaine a construite pour célébrer dignement son centenaire il y a quelques années, et qui conserve ses lignes si distinctives.

Cela a déjà été soulevé, mais l'explication mérite d'être répétée : la comparaison avec l'avion n'est pas farfelue puisque personne chez Cadillac ne se cache pour admettre que les chasseurs furtifs F-117 ont servi de base de référence pour la conception extérieure de la CTS d'abord, puis ont inspiré tous les autres modèles de la gamme. Quant au conducteur, disons qu'au volant de la CTS il se sent en commande...

Dès le départ, la CTS ne laisse personne indifférent. Ses lignes acérées (ne cherchez pas de courbe sur cette voiture tout en angles) donnent un sentiment de j'aime-ou-je-n'aime-pas. Disons-le, je me classe dans la première catégorie. La calandre proéminente, les phares carrés à haute puissance et l'arrière légèrement surélevé s'inscrivent à merveille dans la tendance Cadillac moderne qu'illustre aussi le gigantesque Escalade ou la plus exubérante DTS du même fabricant. Sans attirer l'attention autant que ses grandes sœurs, la CTS fait tout de même tourner les têtes.

PERSONNALITÉ UNIQUE

C'est d'ailleurs cette personnalité unique qui vaudra à la CTS une popularité certaine auprès des acheteurs. Sous le capot, un moteur V6 de 210 chevaux adapté d'un moteur Opel mais s'avérant un peu trop hésitant et un autre, avec une cylindrée de 3,6 litres et 255 chevaux,

mieux adapté aux présomptions de sportive de la petite Cadillac. Après tout, la CTS voulait dès le départ s'attaquer à rien de moins qu'aux BMW 330, aux Audi A4 ou aux Infiniti G35.

Le vrai connaisseur cependant se tournera vers le nec plus ultra de la gamme, la version V, V étant, comme tout le monde le sait, la division Vitesse de Cadillac (en fait, le vrai mot est Velocity mais j'aime mieux ma propre inspiration). Cette fois, pas de demi-mesure. Un V8 de 400 chevaux lance littéralement la CTS sur le chemin de l'aventure. Pour maximiser la puissance, une transmission à haut rendement Tremec manuelle à 6 rapports, jumelée à un volant moteur à double masse qui atténue bruits et vibrations, et à un usage quasi abusif de matériaux plus légers, permet de pousser la machine vers les plus hauts sommets de vitesse. À souligner, le 0-100 se boucle en moins de 4,7 secondes, et une tenue de route digne de mention.

Sur la route, même en version plus standard, la CTS se comporte comme une véritable sportive. Sur surface glissante, le système Stabilitrak et Traction Control de GM ont empêché les dérapages incongrus, et conféraient à la voiture une assurance en courbe unique. Très maniable en raison d'un rayon de braquage très court, la Cadillac CTS mord

---

FEU VERT	FEU ROUGE
Lignes aggresssives	Sièges arrière peu confortables
Version V ultrasportive	Moteur de base hésitant
Stabilitrak efficace	Finition intérieure trop sobre
Transmission manuelle	Prix élevé (CTS-V)

VÉHICULE D'ESSAI

Version :	CTS V6 3,6 litres
Prix de détail suggéré :	40 135 $
Emp/Lon/Lar/Haut(mm) :	2 880/4 829/1 793/1 440
Poids :	1 676 kg
Coffre/Réservoir :	354 litres / 66 litres
Coussins de sécurité :	frontaux, latéraux (av.) et rideaux
Suspension avant :	indépendante, bras inégaux
Suspension arrière :	indépendante, multibras
Freins av./arr. :	disque (ABS)
Antipatinage/Contrôle de stabilité :	oui/oui
Direction :	à crémaillère, assistance variable
Diamètre de braquage :	10,8 m
Pneus av./arr. :	P245/45VR18
Capacité de remorquage :	454 kg

littéralement à la chaussée et profite de la rigidité exceptionnelle du châssis Sigma. La sportive américaine dispose d'une transmission du renommé constructeur allemand Gertrag. En version manuelle, les rapports relativement courts permettent une conduite un peu plus vigoureuse, une sensation que l'on retrouve aussi avec la version automatique. Quant au freinage, il est assuré par un système à disque ABS d'une grande efficacité.

MOTORISATION À L'ESSAI

Pneus d'origine
MICHELIN

Moteur :	V6 de 3,6 litres 24s atmosphérique
Alésage et course :	94,0 mm x 85,6 mm
Puissance :	255 ch (190 kW) à 6 200 tr/min
Couple :	252 lb-pi (342 Nm) à 3 100 tr/min
Rapport poids/puissance :	6,57 kg/ch (8,91 kg/kW)
Système hybride :	aucun
Transmission :	propulsion, manuelle 6 rapports
Accélération 0-100 km/h :	7,1 s
Reprises 80-120 km/h :	6,4 s
Freinage 100-0 km/h :	39,5 m
Vitesse maximale :	250 km/h
Consommation (100 km) :	super, 12,6 litres
Autonomie (approximative) :	524 km
Émissions de CO_2 :	5 472 kg/an

LA MANIÈRE CADILLAC

On ne peut évidemment pas parler de Cadillac sans parler de confort. Et la CTS ne fait pas exception à la règle. D'entrée de jeu, les sièges tout de cuir moulent littéralement le conducteur et le passager avant. Ceux de l'arrière disposent d'un vaste espace pour la tête et les jambes, mais les sièges gagneraient à être un peu plus confortables. Comme quoi, rien n'est parfait !

Mais c'est avec ses équipements que la CTS se distingue. Un système de personnalisation permet à la voiture de reconnaître deux conducteurs différents et ajuste en conséquence non seulement les sièges, mais aussi les miroirs, le système audio (qui retrouvera son poste d'origine) ainsi que d'autres boutons programmables dont quatre sont insérés directement dans le volant alors que quatre autres se retrouvent sur la planche de bord.

Un volant d'ailleurs fort imposant avec ses composantes en bois véritable. L'intérieur même de la voiture est quant à lui aménagé en cuir et en plastique généralement de bonne qualité.

C'est du reste par la planche de bord que l'on peut choisir une foule d'options pour améliorer le confort intérieur, ou simplement jouer avec le système audio Bose à huit haut-parleurs et à changeur de six disques. Les modèles haut de gamme sont aussi livrés avec un système de navigation GPS, tandis que toutes les CTS disposent de l'incontournable système On-Star d'assistance routière en temps réel.

Avec sa CTS, Cadillac lance désormais un défi clair à la concurrence. Non seulement elle offre les performances d'une grande voiture, mais Cadillac a aussi choisi sa propre voie pour atteindre ses objectifs.

Marc Bouchard

GAMME EN BREF

Échelle de prix :	35 780 $ à 70 670 $
Catégorie :	berline sport
Historique du modèle :	1ière génération
Garanties :	4 ans/80 000 km, 4 ans/80 000 km
Assemblage :	Lansing, Michigan, É-U
Autre(s) moteur(s) :	V6 2,8l 210ch/194lb-pi (13,6 l/100km)
	V8 6,0l 400ch/395lb-pi (15,4 l/100km) CTS-V
Autre(s) rouage(s) :	aucun
Autre(s) transmission(s) :	automatique 5 rapports

DANS LA MÊME CATÉGORIE

Audi A4 / S4 - BMW Série 3 - Mercedes-Benz Classe C

DU NOUVEAU EN 2007

OnStar de 7e génération

NOS IMPRESSIONS

Agrément de conduite :	🚗 🚗 🚗 🚗
Fiabilité :	🚗 🚗 🚗 🚗 ½
Sécurité :	🚗 🚗 🚗 🚗 ½
Qualités hivernales :	🚗 🚗 ½
Espace intérieur :	🚗 🚗 🚗 🚗
Confort :	🚗 🚗 🚗 ½

LE CHOIX DE L'ÉQUIPE

CTS Base

Photos : Cadillac

PLUS QUE LE CLIENT EN DEMANDE

Après avoir connu des années d'immobilisme avec des modèles sans intérêt et parfois carrément insipides, la division Cadillac a connu une remontée en force au cours des cinq dernières années avec des modèles capables d'affronter les meilleurs éléments de la concurrence. Il ne fallait pas pour autant abandonner les clients aux goûts plus traditionnels.

Et c'est justement le rôle de la DTS qui a été dévoilée au printemps 2005 en remplacement de la DeVille. Pour être en harmonie avec la nouvelle identification de ses modèles, la direction a abandonné l'identification DeVille en faveur de celle de DTS. Par contre, ce changement d'appellation ne signifie pas que la mécanique ait été transformée. En fait, ce modèle conserve l'ancienne architecture mécanique de la DeVille avec un moteur transversal propulsant les roues avant.

Deux raisons peuvent expliquer cette décision. La première serait que les ressources financières ont fait défaut pour procéder à la transformation complète de la gamme Cadillac à la propulsion. La seconde serait de vouloir conserver cette configuration mécanique pour les acheteurs plus traditionnels qui avaient acheté une DeVille. Cette seconde explication semble plus logique puisqu'il aurait suffit d'augmenter les cotes de la plate-forme de la STS pour obtenir une DTS entièrement renouvelée.

Quoi qu'il en soit, ce modèle est donc la seule traction dans la famille Cadillac. Elle est équipée de série du moteur V8 Northstar de 4,6 litres d'une puissance de 275 chevaux qui est couplé à une boîte automatique à quatre rapports. Et c'est là que le bât blesse quelque peu alors que tous les modèles concurrents de la catégorie sont dotés d'une boîte à cinq ou six rapports. Il est aussi possible d'opter pour une version à «Haut rendement» de ce V8. La puissance est alors de 292 chevaux, mais le couple est inférieur. Voilà une option qui ne semble pas régler grand-chose.

Ce modèle est muni de plusieurs autres éléments sophistiqués dignes de mention, notamment la suspension MRC ou Magnetic Ride Control qui se règle à l'infini et en un éclair grâce à ses amortisseurs électro-hydrauliques. Bien entendu, la suspension est indépendante à l'avant comme à l'arrière tandis que les freins à disque équipent chacune des quatre roues. Et n'oublions pas que le système de stabilité latérale Stabilitrak est également de série.

FURTIF OU ANONYME

Les stylistes responsables de la silhouette des modèles XLR, CTS et STS ont mentionné à de multiples reprises qu'ils s'étaient inspirés d'un avion de combat furtif américain pour toutes ces voitures. Il est bien évident que la DTS n'est pas de ce cru. Elle est furtive certes, mais c'est plutôt en raison de ses lignes anonymes qui la font disparaître dans la circulation. Une fois de plus, cette apparence plus traditionnelle doit avoir été adoptée pour plaire à une clientèle plus conservatrice.

FEU VERT	FEU ROUGE
Bon moteur	Transmission quatre vitesses
Plate-forme moderne	Gabarit imposant
Habitabilité garantie	Plastique durs dans l'habitacle
Prestige de la marque	Effet de couple
Équipement complet	Position de conduite

VÉHICULE D'ESSAI

OnStar® de GM Canada

Version :	Performance
Prix de détail suggéré :	68 995 $
Emp/Lon/Lar/Haut(mm) :	2 936/5 274/1 901/1 464
Poids :	1 818 kg
Coffre/Réservoir :	532 litres / 70 litres
Coussins de sécurité :	front., latéraux, rideaux et genoux
Suspension avant :	indépendante, jambes de force
Suspension arrière :	indépendante, multibras
Freins av./arr. :	disque (ABS)
Antipatinage/Contrôle de stabilité :	oui/oui
Direction :	à crémaillère, assistance magnétique
Diamètre de braquage :	11,6 m
Pneus av./arr. :	P245/50R18
Capacité de remorquage :	454 kg

MOTORISATION À L'ESSAI

Moteur :	V8 de 4,6 litres 32s atmosphérique
Alésage et course :	93,0 mm x 84,0 mm
Puissance :	295 ch (220 kW) à 6 300 tr/min
Couple :	288 lb-pi (396 Nm) à 4 500 tr/min
Rapport poids/puissance :	6,16 kg/ch (8,38 kg/kW)
Système hybride :	aucun
Transmission :	traction, automatique 4 rapports
Accélération 0-100 km/h :	7,8 s
Reprises 80-120 km/h :	6,7 s
Freinage 100-0 km/h :	42,4 m
Vitesse maximale :	210 km/h
Consommation (100 km) :	ordinaire, 13,5 litres
Autonomie (approximative) :	519 km
Émissions de CO2 :	5 520 kg/an

GAMME EN BREF

Échelle de prix :	52 935 $ à 64 765 $
Catégorie :	berline grand format
Historique du modèle :	1ère génération
Garanties :	4 ans/80 000 km, 4 ans/80 000 km
Assemblage :	Détroit, MI et Bedford Park, IL, É-U
Autre(s) moteur(s) :	V8 4,6l 275ch/295lb-pi (13,8 l/100km) (L37)
Autre(s) rouage(s) :	aucun
Autre(s) transmission(s) :	aucune

DANS LA MÊME CATÉGORIE

Acura RL - Buick Lucerne - Lexus LS 460 - Lincoln Town Car

DU NOUVEAU EN 2007

Équipement de base plus complet, nouvelles couleurs

NOS IMPRESSIONS

Agrément de conduite :	🚗 🚗 🚗 ½
Fiabilité :	🚗 🚗 🚗 🚗
Sécurité :	🚗 🚗 🚗 🚗 ½
Qualités hivernales :	🚗 🚗 🚗 ½
Espace intérieur :	🚗 🚗 🚗 🚗 🚗
Confort :	🚗 🚗 🚗 🚗 🚗

LE CHOIX DE L'ÉQUIPE

Groupe 1SC

Les flancs sont donc plats, la grille de calandre n'adopte pas les languettes transversales de la CTS, tandis que les feux arrière verticaux sont plus étroits que sur les autres modèles. Et en fait de design, la même approche a été adoptée dans l'habitacle alors que la planche de bord est semi-rétro malgré la présence d'un écran d'information venant égayer la console centrale. Par contre, sans doute pour donner un peu de classe, les stylistes ont placé un pendule rectangulaire juste entre les buses de ventilation centrales, comme sur la nouvelle Mercedes de Classe S! Il faut malheureusement déplorer, une fois encore, la qualité moyenne des plastiques et leur dureté. Néanmoins, la finition s'est révélée quasiment irréprochable. Si ce n'était une petite plaque en plastique tout près de la porte du conducteur qui était sortie de son ancrage!

Il faut ajouter que l'entité mécanique sur laquelle est monté le volant est énorme en plus d'être légèrement décentré. Il est donc difficile d'adopter une bonne position de conduite en raison d'un volant qui nous semble toujours trop haut ou trop bas. Toutefois, il est possible de commander en option un volant chauffant, ce qui a été apprécié lors de notre test hivernal de cette voiture tout comme les sièges avant ventilés ou chauffants selon la saison. Ceux-ci sont confortables et offrent un support latéral correct.

Notre véhicule d'essai était équipé du moteur de 292 chevaux, ce qui nous a permis d'accélérer jusqu'à 100 km/h en un peu moins de huit secondes. Mais il fallait pour ce faire bien agripper le volant en raison d'un sérieux effet de couple dans le volant. Ce qui est tout de même curieux puisque les ingénieurs de GM semblaient avoir dompté ce désagréable phénomène sur la plupart de leurs tractions. Ce qui n'empêche pas la tenue de route d'être saine et au moteur d'offrir de bonnes performances tout en nous offrant une consommation de carburant inférieure à 13 litres aux 100 kilomètres en moyenne. En fait, compte tenu du profil de l'acheteur de la DTS qui semble être plus intéressé au luxe et aux gadgets qu'à la conduite à la limite, le châssis de cette voiture est beaucoup trop sophistiqué pour les attentes des clients. D'autant plus que le ronronnement quelque peu guttural des tuyaux d'échappement ne cadre pas du tout avec la silhouette «Voiture de fonction» de la DTS.

Pour plusieurs, le régulateur de vitesse adaptatif, fort efficace d'ailleurs, impressionnera sans doute plus les propriétaires que le potentiel routier de cette Caddy à cheval entre les modèles d'hier et la gamme renouvelée en fonction du futur.

Denis Duquet

Photos : Cadillac

UNE ÉVOLUTION SONGÉE

L'an dernier, General Motors annonçait la refonte de tous ses gros VUS. Selon l'échéancier de ce constructeur, le temps était venu de moderniser ses best-sellers. Malheureusement, cela a coïncidé avec des hausses en rafale du prix de l'essence. Qu'à cela ne tienne, le marché de ces véhicules est toujours très important et GM veut y maintenir sa position de force. Et il faut admettre que les résultats sont impressionnants. Le nouveau Cadillac Escalade et sa version EXT représentent un net progrès par rapport aux modèles qu'ils remplacent.

Cette fois, au lieu de tenter de nous épater par des éléments parfois plus tape-à-l'œil qu'autre chose, la direction de Cadillac a demandé à ses ingénieurs et à ceux qui avaient pour mission de moderniser tous ses VUS de cibler une qualité encore plus élevée quant au chapitre du châssis, de la qualité d'assemblage et de la performance. Tous les éléments ont ainsi été optimisés et les résultats sont convaincants comme nous avons pu le découvrir chez Cadillac.

DE LA PRÉSENCE

Dans cette catégorie de véhicules tout usage de luxe, l'apparence a un grand rôle à jouer. Aux États-Unis où ce genre de véhicules a toujours la cote, la version précédente de l'Escalade était devenue la préférée de certains artistes, de rappeurs célèbres et de tous les tutti quanti fréquentant Rodeo Drive à Hollywood. La nouvelle génération a encore plus de punch visuel avec sa grille de calandre chromée, sa petite grille de ventilation latérale juste avant la portière avant ainsi qu'avec sa baguette de chrome latérale. La partie arrière est également réussie avec sa bande transversale chromée et ses imposants feux arrière où sont logées des dizaines de diodes électroluminescentes. Ce design n'est certainement pas en accord avec les goûts de la majorité, mais c'est réussi. L'habitacle a été entièrement transformé : non seulement la

présentation du tableau de bord est à la hauteur des ambitions de ses propriétaires, mais la qualité des matériaux, de la finition et de l'assemblage a fait un progrès énorme. Et comme le veut la tendance, une pendulette analogique trône au milieu de la planche de bord. De plus, l'imposant écran de navigation et vidéo affiche dorénavant une présentation graphique plus moderne. Enfin, la perception de qualité est meilleure que jamais pour ce modèle Cadillac. C'est Eminem et ses collègues qui vont être contents. En outre, les sièges de la seconde rangée basculent et se replacent en appuyant sur un simple bouton car ils sont à commande électrique.

Mais la transformation de cette Cadillac ne s'est pas limitée à une nouvelle silhouette, la mécanique a été elle aussi grandement améliorée. Le moteur de série est un nouveau moteur V8 de 6,2 litres doté d'un système de calage variable des soupapes et produit 402 chevaux et 417 lb-pi de couple. Il est de plus associé à une boîte automatique à six rapports qui permet également d'économiser du carburant. Tous les Escalade vendus au Canada sont équipés d'une transmission intégrale qui répartit par défaut 60 pour cent de la puissance du moteur aux roues arrière et 40 pour cent aux roues avant. Cette transmission est intégrée au système de stabilité latérale

---

FEU VERT	FEU ROUGE
Finition en progrès	Dimensions géantes
Plate-forme plus rigide	Consommation élevée
Moteur performant	Roulis en virage
Habitacle luxueux	Visibilité 3/4 arrière
Silhouette plus élégante	Pendulette du tableau de bord inutile

Stabilitrak et aux freins ABS. Toujours à propos de la mécanique, le châssis est de 40 pour cent plus rigide et la voie a été élargie.

TRIO D'EXCELLENCE

La gamme Escalade se décline en trois versions. Il y a le modèle courant puis le ESV qui est la version allongée de ce dernier. Son empattement est plus long de 20 centimètres et sa longueur hors tout est prolongée de 50 centimètres. Comme la première est déjà de dimensions imposantes, la seconde intimide pratiquement tout le monde. Enfin, il est possible de se procurer le EXT qui est un modèle revu et corrigé de la Chevrolet Avalanche. Dans les deux cas, l'utilisation du Midgate permet d'allonger la caisse de cette camionnette en abaissant la paroi de la cabine et la banquette arrière. Mais peu importe le modèle choisi, toutes ces Cadillac ont une largeur commune, soit 200 cm. À titre comparatif, la longueur d'une Smart Fortwo est de 250 cm !

Sans vouloir promouvoir l'utilisation de tels VUS à tout venant, il faut tout de même admettre que certaines personnes ont besoin d'un véhicule de ce genre pour répondre à des besoins précis. Dans ce cas, l'Escalade ne s'en laisse imposer par aucun modèle concurrent. Il y a bien quelques petits détails de finition que GM ne semble pas être capable de maîtriser comme certaines pièces de plastique d'une finition douteuse, mais pour le reste c'est nickel, comme disent les descendants de Charlemagne. Ce gros mastodonte bondit à la moindre sollicitation de l'accélérateur, propose un silence de roulement digne d'une limousine et sa tenue de route surprend agréablement, tout comme le confort de sa suspension. Par contre, son encombrement n'est pas tellement apprécié en conduite urbaine tandis qu'un roulis en virage nous ramène à l'ordre. La visibilité arrière est faible lorsque les places arrière sont occupées, mais les rétroviseurs extérieurs sont de grande taille.

Les prix du carburant et les efforts des environnementalistes ne sont pas de bon augure pour ces Cadillac à tout faire. Mais si vous avez besoin d'un gros costaud offrant du luxe jusqu'à plus soif, l'Escalade est à considérer.

Denis Duquet

VÉHICULE D'ESSAI

Version :	ESV AWD
Prix de détail suggéré :	91 680 $
Emp/Lon/Lar/Haut (mm) :	3 302/5 660/2 010/1 916
Poids :	2 611 kg
Coffre/Réservoir :	1 297 à 3 890 litres/117 litres
Coussins de sécurité :	frontaux et latéraux (av.)
Suspension avant :	indépendante, barres de torsion
Suspension arrière :	essieu rigide, ressorts hélicoïdaux
Freins av./arr. :	disque (ABS)
Antipatinage/Contrôle de stabilité :	oui/oui
Direction :	à billes, assistée
Diamètre de braquage :	11,9 m
Pneus av./arr. :	P265/65R18
Capacité de remorquage :	3 538 kg

MOTORISATION À L'ESSAI

Moteur :	V8 de 6,2 litres 16s atmosphérique
Alésage et course :	103,2 mm x 92,0 mm
Puissance :	403 ch (257 kW) à 5 700 tr/min
Couple :	417 lb-pi (515 Nm) à 4 300 tr/min
Rapport poids/puissance :	7,28 kg/ch (9,89 kg/kW)
Système hybride :	aucun
Transmission :	intégrale, automatique 6 rapports
Accélération 0-100 km/h :	8,1 s
Reprises 80-120 km/h :	7,0 s
Freinage 100-0 km/h :	43,0 m
Vitesse maximale :	170 km/h
Consommation (100 km) :	ordinaire, 17,8 litres
Autonomie (approximative) :	657 km
Émissions de CO2 :	7 417 kg/an

GAMME EN BREF

Échelle de prix :	71 495 $ à 92 595 $
Catégorie :	utilitaire sport grand format
Historique du modèle :	2ième génération
Garanties :	4 ans/80 000 km, 4 ans/80 000 km
Assemblage :	Arlington, Texas, É-U
Autre(s) moteur(s) :	aucun
Autre(s) rouage(s) :	propulsion
Autre(s) transmission(s) :	aucune

DANS LA MÊME CATÉGORIE

Infiniti QX56 - Lexus LX 470 - Lincoln Navigator

DU NOUVEAU EN 2007

Nouveau modèle, plate-forme plus rigide, moteur V8 de 6,2 litres

NOS IMPRESSIONS

Agrément de conduite :	🚗 🚗 🚗 ½
Fiabilité :	nouveau modèle
Sécurité :	🚗 🚗 🚗 🚗 ½
Qualités hivernales :	🚗 🚗 🚗 🚗 🚗
Espace intérieur :	🚗 🚗 🚗 🚗 🚗
Confort :	🚗 🚗 🚗 🚗 🚗

LE CHOIX DE L'ÉQUIPE

AWD

Photos : Alain Morin

UN HABITACLE NEUF

Cette Cadillac n'est pas une vision familière sur nos routes, mais cela n'a rien à voir avec les qualités intrinsèques de la voiture. Un prix sans doute jugé trop élevé, le snobisme des gens les portant vers des marques européennes ou japonaises, une mise en marché timide au Canada, voilà autant de raisons qui expliquent cette diffusion plutôt limitée. Pourtant, ce véhicule a toujours été classé parmi les meilleurs de sa catégorie aussi bien au Canada qu'aux États-Unis. Cette année, la SRX nous revient dotée d'un habitacle tout neuf tandis que sa mécanique est retouchée.

Le reste du véhicule est inchangé et c'est tant mieux puisque l'équilibre entre la tenue de route, la polyvalence de l'habitacle ainsi que la qualité de sa fabrication est à souligner. Et il faut ajouter qu'il s'agit du seul véhicule de Cadillac dans la catégorie des véhicules utilitaires sport élaborés à partir d'une berline et non pas d'une camionnette. La présence de Cadillac dans cette dernière catégorie est assurée par l'Escalade tandis que la SRX est là pour affronter les Lexus RX330, Infiniti FX35/45 et la Mercedes de Classe M pour ne mentionner que quelques concurrents.

VIVE LA PENDULETTE?

La direction de General Motors semble vouloir associer pendulette analogique au luxe. En effet, l'Escalade a hérité d'une horloge analogique similaire à celle de la berline DTS et c'est au tour de la SRX d'en hériter elle aussi. C'est en raison d'un changement majeur de la planche de bord qu'il a été possible de placer cette pendulette dans la partie supérieure de la console verticale du tableau de bord. Je ne suis pas tellement entiché de cet accessoire, d'autant plus que la lunette est en simple plastique, mais il semble que les acheteurs potentiels approuvent cette décoration qui est d'ailleurs appréciée par les propriétaires d'Infiniti FX

35/45. Ce détail mis à part, la nouvelle présentation est moins austère et plus originale. La planche de bord antérieure ressemblait à s'y méprendre à celle de la berline CTS.

À l'usage, ce véhicule est à la fois polyvalent et pratique. Il est doté d'une troisième rangée de sièges qui n'est pas destinée à des joueurs de football, mais qui peut servir à des adultes pour de courts trajets ou encore à des enfants sur de plus longues distances. Il faut également se souvenir que ces sièges sont à déploiement motorisé tout comme le hayon arrière. Quant aux occupants de la seconde rangée, ils n'ont vraiment pas à se plaindre tout comme ceux des places avant. Et il faut souligner qu'il est facile de s'installer dans le véhicule ou d'en sortir en raison de la hauteur des sièges qui est au niveau des hanches. En fait, pas besoin d'y monter ou d'y descendre, il suffit de s'y glisser! Et il faut également ajouter que la qualité de la finition et des matériaux est sans faute. Il est même possible d'équiper la RSX d'un toit ouvrant aux dimensions vraiment hors-norme. Les SRX que nous avons essayées et dotées d'un tel accessoire ne laissaient entendre aucun bruit de caisse ou aucun craquement que ce soit. Merveilleux!

FEU VERT
Boîte automatique 6 rapports (V8)
Moteurs performants
Rouage intégral efficace
Plate-forme rigide
Finition soignée

FEU ROUGE
Silhouette à revoir
Diamètre de braquage important
Prix corsé
Troisième banquette exiguë

NOUVELLE TRANSMISSION

Si l'intérieur de l'habitacle a été transformé, la silhouette extérieure est demeurée inchangée. Sa carrosserie aux angles aigus reflète la philosophie de Cadillac en fait de design et elle vieillit bien à cet égard. Par contre, la disproportion entre la partie automobile qui se prolonge jusqu'au pilier C et la partie multisegment qui se poursuit jusqu'au hayon est de plus en plus discutable face à de nouveaux modèles dont les lignes sont mieux intégrées. Malgré ce bémol, les stylistes ont accompli du bon travail et sa silhouette illustre bien la vocation plutôt sportive de cette Cadillac à tout faire.

Comme l'an dernier, deux moteurs sont au catalogue. La version la plus économique est équipée d'un moteur V6 de 3,6 litres d'une puissance de 260 chevaux et couplé à une boîte automatique à cinq rapports. Ce moteur est en fait dérivé du moteur V8 Northstar de 4,6 litres et son architecture mécanique est ce qu'il y a de plus moderne. Pour une Cadillac, pas question de ces moteurs V6 rafistolés au fil des ans! Et même s'il doit concéder 60 chevaux au moteur V8 4,6 litres, son rendement est plus que correct. Et comme le modèle V6 est plus léger que la version équipée d'un moteur V8, la différence au niveau des performances n'est pas énorme. Toutefois, ce moteur V8 bénéficie cette année d'une nouvelle boîte automatique à six rapports, ce qui devrait permettre de réduire la facture de carburant. Et la version nantie d'une transmission intégrale s'est avérée très efficace en conduite hivernale. Face à ses principales concurrentes en conduite sur la neige et la glace, la SRX s'est facilement classée dans le premier tiers de ce groupe. Mieux encore, les réglages de ce système à viscocoupleur accentuent le caractère sportif de la SRX. À côté de cette dernière, la Lexus RX330 est laissée loin derrière.

Il serait possible d'épiloguer pendant longtemps sur les qualités de cette SRX face à ses rivales. Elle est sans doute inférieure à certaines sous certains aspects, mais presque aucune ne peut offrir un tel agrément de conduite, une tenue de route aussi sportive et une direction si précise. Les ingénieurs de Cadillac ont fait du bon travail, aux responsables de la mise en marché de faire mieux.

Denis Duquet

Photos : Cadillac

VÉHICULE D'ESSAI

Version :	V8
Prix de détail suggéré :	62 895 $
Emp/Lon/Lar/Haut(mm) :	2 957/4 950/1 844/1 722
Poids :	2 053 kg
Coffre/Réservoir :	238 à 1 968 litres/75,7 litres
Coussins de sécurité :	frontaux, latéraux (av.) et rideaux
Suspension avant :	indépendante, bras inégaux
Suspension arrière :	indépendante, multibras
Freins av./arr. :	disque (ABS)
Antipatinage/Contrôle de stabilité :	oui/oui
Direction :	à crémaillère, assistance variable
Diamètre de braquage :	12,1 m
Pneus av./arr. :	P235/60R18 / P255/55R18
Capacité de remorquage :	907 kg

MOTORISATION À L'ESSAI

Pneus d'origine MICHELIN

Moteur :	V8 de 4,6 litres 32s atmosphérique
Alésage et course :	93,0 mm x 84,0 mm
Puissance :	320 ch (239 kW) à 6 400 tr/min
Couple :	315 lb-pi (427 Nm) à 4 400 tr/min
Rapport poids/puissance :	6,42 kg/ch (8,7 kg/kW)
Système hybride :	aucun
Transmission :	propulsion, auto. mode man. 6 rapports
Accélération 0-100 km/h :	7,9 s
Reprises 80-120 km/h :	8,7 s
Freinage 100-0 km/h :	38,6 m
Vitesse maximale :	225 km/h
Consommation (100 km) :	super, 15,1 litres
Autonomie (approximative) :	501 km
Émissions de CO2 :	6 336 kg/an

GAMME EN BREF

Échelle de prix :	49 495 $ à 66 495 $
Catégorie :	multisegment
Historique du modèle :	1ère génération
Garanties :	4 ans/80 000 km, 4 ans/80 000 km
Assemblage :	Lansing, Michigan, É-U
Autre(s) moteur(s) :	V6 3,6l 260ch/254lb-pi (14,5 l/100km)
Autre(s) rouage(s) :	intégrale
Autre(s) transmission(s) :	aucune

DANS LA MÊME CATÉGORIE

Acura MDX - BMW X5 - Buick RendezVous - Chrysler Pacifica - Ford Freestyle - Infiniti FX35/45 - Lexus RX 350/400h - Mercedes-Benz Classe M - Volkswagen Touareg - Volvo XC90

DU NOUVEAU EN 2007

Changements de détails, boîte automatique 6 rapports (V8)

NOS IMPRESSIONS

Agrément de conduite :	🚗🚗🚗🚗
Fiabilité :	🚗🚗🚗🚗
Sécurité :	🚗🚗🚗🚗½
Qualités hivernales :	🚗🚗🚗🚗½
Espace intérieur :	🚗🚗🚗🚗
Confort :	🚗🚗🚗½

LE CHOIX DE L'ÉQUIPE

V8 AWD

SUPER BERLINE

L'un de mes amis est l'un des dénigreurs en chef de la marque Cadillac. Selon lui, ces véhicules sont des voitures de papy privilégiant les suspensions guimauves à un semblant de tenue de route. Mais ses objections ont fondu comme neige au soleil en l'espace de quelques secondes après que je lui ai «fait faire un tour en STS». Une fois la balade terminée, il s'est tourné vers moi et s'est exclamé: «Ça, c'est du char!» Et je suis persuadé que la presque totalité des gens serait du même avis s'ils avaient l'occasion de prendre le volant. La STS mérite qu'on la découvre.

C hez Cadillac, on est conscient que pour survivre dans le secteur des voitures de luxe, il fallait plus que des tapis moelleux, des sièges semblables à des fauteuils de salon et une liste d'accessoires plus ou moins pratiques. Les «Caddy» de la nouvelle génération doivent être en mesure d'affronter à forces égales les Audi, BMW, Lexus et Mercedes-Benz de ce monde. Les ingénieurs de GM ont donc reçu le mandat de développer des voitures capables d'en découdre avec les meilleures et même de les surpasser.

VERSION NORMALE

Ce qui explique que la plate-forme de la STS soit l'une des plus rigides sur le marché. GM a utilisé son expérience avec les pièces formées par pression hydraulique pour développer un châssis léger et rigide qui est tout aussi sophistiqué que la concurrence. Et sans vouloir entrer dans les détails, cette «Caddy» peut être commandée avec une suspension à commande magnétique, elle s'appelle d'ailleurs Magnaride, qui permet de modifier la fermeté des amortisseurs en une fraction de seconde et de pouvoir effectuer automatiquement des ajustements presque infinitésimaux. Toujours au chapitre de la mécanique, deux moteurs sont au catalogue. Initialement, seul le moteur V8 4,6 litres de 320 chevaux était disponible et il était couplé à une boîte automatique

à cinq rapports. Du moins jusqu'à cette année, car à présent, cette dernière est remplacée par une toute nouvelle transmission automatique à six rapports. Le moteur V6 de 3,6 litres est de retour, mais il conserve la boîte automatique à cinq rapports. Il ne faut pas ignorer ce moteur V6 dont les 255 chevaux font sentir leur présence. Détail d'importance, ces deux modèles peuvent être commandés avec la transmission intégrale, un argument de plus pour convaincre les résidents du Québec.

Le design du tableau de bord risque d'être d'inspiration trop américaine pour plaire à certains, mais c'est tout de même impeccable en fait d'exécution, d'assemblage et de qualité des matériaux. Cette fois, pas de pièce en plastique qui retrousse ou d'autres éléments de la sorte. Par ailleurs, un coffre à gants plus grand ne serait pas un luxe tandis que certaines appliques en option sur la planche de bord ne sont pas du meilleur goût. Mais il s'agit de détails très secondaires par rapport aux qualités routières de cette américaine. Il faudra vous lever très tôt pour prendre cette berline en défaut, et ce, peu importe la vitesse et les virages parsemant le parcours. Et les gros freins Brembo sont à la hauteur de la tâche! Il est certain que ce comportement routier est aidé par la présence de pneumatiques performants de cote de vitesse V qui

FEU VERT	FEU ROUGE
Version STS-V	Silhouette générique
Choix de moteurs	Visibilité 3/4 arrière
Finition sérieuse	Version V8 onéreuse
Transmission intégrale	Perception négative de la marque

OnStar®
de GM
Canada

VÉHICULE D'ESSAI

Version :	STS V8
Prix de détail suggéré :	76 000 $
Emp/Lon/Lar/Haut(mm) :	2 956/4 986/1 844/1 463
Poids :	1 779 kg
Coffre/Réservoir :	391 litres / 66 litres
Coussins de sécurité :	frontaux, latéraux (av.) et rideaux
Suspension avant :	indépendante, bras inégaux
Suspension arrière :	indépendante, multibras
Freins av./arr. :	disque (ABS)
Antipatinage/Contrôle de stabilité :	oui / oui
Direction :	à crémaillère, assistance variable
Diamètre de braquage :	11,5 m
Pneus av./arr. :	P235/50R17 / P255/45R17
Capacité de remorquage :	454 kg

MOTORISATION À L'ESSAI

Pneus d'origine
MICHELIN

Moteur :	V8 de 4,6 litres 32s atmosphérique
Alésage et course :	93,0 mm x 84,0 mm
Puissance :	320 ch (239 kW) à 6 400 tr/min
Couple :	315 lb-pi (427 Nm) à 4 400 tr/min
Rapport poids/puissance :	5,56 kg/ch (7,54 kg/kW)
Système hybride :	aucun
Transmission :	propulsion, auto. mode man. 6 rapports
Accélération 0-100 km/h :	7,5 s
Reprises 80-120 km/h :	6,4 s
Freinage 100-0 km/h :	40,1 m
Vitesse maximale :	225 km/h
Consommation (100 km) :	ordinaire, 13,1 litres
Autonomie (approximative) :	504 km
Émissions de CO_2 :	5 568 kg/an

GAMME EN BREF

Échelle de prix :	57 750 $ à 98 265 $
Catégorie :	berline de luxe
Historique du modèle :	2ième génération
Garanties :	4 ans/80 000 km, 4 ans/80 000 km
Assemblage :	Lansing, Michigan, É-U
Autre(s) moteur(s) :	V6 3,6l 255ch/252lb-pi (13,1 l/100km)
	V8 4,4l 469ch/439lb-pi (17,4 l/100km) STS-V
Autre(s) rouage(s) :	intégrale
Autre(s) transmission(s) :	automatique 5 rapports

DANS LA MÊME CATÉGORIE

Audi A6 / RS6 - BMW Série 5 - Jaguar S-Type -
Lexus LS 460 - Mercedes-Benz Classe E

DU NOUVEAU EN 2007

Boîte automatique 6 rapports (V8), STS-V enfin disponible,
suspension sport

NOS IMPRESSIONS

Agrément de conduite :	🚗 🚗 🚗 🚗 ½
Fiabilité :	🚗 🚗 🚗 🚗
Sécurité :	🚗 🚗 🚗 🚗 ½
Qualités hivernales :	🚗 🚗 🚗 🚗
Espace intérieur :	🚗 🚗 🚗 🚗 ½
Confort :	🚗 🚗 🚗 🚗 ½

LE CHOIX DE L'ÉQUIPE

V6

étaient montés sur notre voiture d'essai. Par contre, vous devrez être vigilant au volant car la visibilité arrière n'est pas fantastique.

UN SOUFFLE DE PUISSANCE

La version à moteur V8 de la STS est déjà impressionnante avec un temps de 7,5 secondes pour boucler le 0-100 km/h, mais ce n'est presque rien avec ce que propose la STS-V, la version musclée de cette berline. Il s'agit du plus exclusif des modèles Cadillac et son prix excédant les 100 000 $ en limite la diffusion. Il faut de plus ajouter que le moteur Northstar de ce modèle est unique en son genre, et il est assemblé à la main par des artisans dans un nouveau centre technique récemment inauguré par GM à Wixom au Michigan. Il s'agit d'une version suralimentée du V8 de 4,4 litres et sa puissance est protée à 469 chevaux, un gain de 169 chevaux par rapport au moteur atmosphérique. C'est le plus puissant moteur proposé par Cadillac dans une voiture de production. Il est associé à une boîte automatique à six rapports commandée par des palettes placées sur le volant et qui permettent des changements de rapports ultrarapides. Selon GM, le 0-100 km/h est une affaire de cinq secondes ! Pour différencier ce modèle autre que par sa mécanique, l'habitacle est plus luxueux avec un cuir de meilleure qualité et des appliques en alu brossé sur le tableau de bord.

Mais ces éléments décoratifs ne pèsent pas lourd par rapport au comportement routier de cette Cadillac en tenue de sport extrême. Non seulement le moteur permet d'accélérer très rapidement, mais sa sonorité est typique de ces gros V8 américains, avec juste une touche de retenue qui nous rappelle que nous sommes dans une voiture de luxe. La direction est précise et son feedback est moins atténué que sur les STS ordinaires, mais un peu plus d'information de la part de la direction concernant la position des roues avant serait un plus pour une voiture offrant de telles possibilités sur le plan dynamique. Non seulement la STS-V est rapide, mais sa tenue en virage nous fait rêver à un match comparatif entre la nouvelle Mercedes-Benz E63 AMG et la BMW M5 sans omettre la Audi S6. Comme vous pouvez le constater, cette STS-V fraie avec des modèles capables de réussir. Et sans avoir pu la comparer côte à côte avec ces modèles, je suis persuadé que la Cadillac ne serait pas surclassée. Et si jamais vous en doutez, j'aimerais que vous ayez l'occasion de faire un tour de piste avec Robert Lutz, le V-P de GM. Je vous l'assure : un p'tit tour et vous serez convaincu !

Denis Duquet

Photos : Cadillac

LA THÉORIE DE L'ÉVOLUTION

Quand on parle d'évolution d'une marque, Cadillac est certainement l'exemple parfait. D'une bannière autrefois réservée aux bourgeois de ce monde, désireux d'avoir la plus grosse et la plus confortable des voitures, elle est désormais tournée davantage vers les gens plus jeunes, avides de design et de sensations fortes. C'est exactement dans cet esprit d'ailleurs que l'on a créé la Cadillac XLR, la cousine la plus éloignée possible de la défunte Seville. Ce qui ne l'empêche pas de conserver quelques-unes des qualités de la famille qui lui ont permis de traverser les âges.

Mais attention, la conduite tranquille et les performances hésitantes ne font pas partie de ces qualités. Au contraire, au volant du grand roadster américain de luxe, tout est plus sportif que jamais.

ANGLES ET COMPAGNIE

Le style de la XLR est à l'image de la marque Cadillac. Tout est en angles, et les courbes séduisantes ont plutôt laissé leur place à des traits agressifs. Même la grille de calandre, en forme de V chromé, donne une impression de force et de détermination. Le long capot avant, typique des roadsters américains, est encadré par deux arêtes pointues, là où s'insèrent les blocs optiques avant. La beauté de la XLR cependant, c'est son toit rigide rétractable. D'une simple pression du doigt, il se retire lentement mais sûrement, et paraît littéralement se désarticuler avant de s'insérer dans le coffre !

Il faut avouer que la XLR a du style. Avec son toit en place, elle a un petit air de vieux hot rod, présentant une fenêtre arrière de petite dimension (ce qui est bien pour le design a néanmoins des faiblesses en matière de visibilité) et les mêmes angles que le reste de la carrosserie. Le toit en retrait, elle devient un roadster de grand luxe qui, sans conteste, fait

tourner les têtes. Surtout que cette année, c'est avec une belle robe rouge passion que la XLR est vendue, au lieu du bleu foncé, retiré du catalogue.

Quant à l'habitacle, il présente un luxe de bon aloi. Qu'il soit cachemire ou de cuir noir, il offre une qualité de finition impeccable. Le bois, utilisé avec parcimonie notamment sur le volant et la console centrale, vient rehausser le charme plutôt moderne de l'ensemble. Les cadrans noirs cerclés de chrome sont faciles à consulter, et s'intègrent dans le style somme toute chargé de la planche.

Cette automobile comprend aussi un système audio de haut niveau, et l'utilisation entièrement sans clé, intégrant l'ouverture des portes et le démarrage de la voiture sans jamais sortir votre porte-clés de vos poches. Les sièges proposent un très bon support, offrant du confort pour les longues randonnées, et un support latéral en abondance lorsque la conduite plus sportive de la XLR l'exige. Petit détail, ils pourront à la fois chauffer ou aérer votre popotin puisqu'ils sont munis d'un système complet de climatisation !

CONDUITE SPORTIVE

Rarement le mot sportif a-t-il été aussi justement associé à la conduite

---

FEU VERT
Silhouette unique
Version V surpuissante
Mécanique sans surprise
Finition haut de gamme
Accessoires de série complets

FEU ROUGE
Prix d'achat
Coffre arrière minuscule
Fiabilité parfois déficiente
Habitacle un peu étriqué

de la XLR. Et la prétention est encore plus juste lorsqu'on s'attaque à la conduite de la version V de la voiture. Dans le modèle de base se cache la toute dernière génération du moteur Northstar qui a fait les belles heures de la marque. Le petit V8 de 4,6 litres fait cavaler avec allégresse ses quelque 320 chevaux, ce qui est largement suffisant pour propulser littéralement la voiture aux firmaments de l'accélération. Son poids relativement peu élevé (en comparaison de ses rivales) lui permet de profiter de cette puissance sans hésitation. Le résultat ne se fait pas attendre, et la XLR atteint les 100 kilomètres à l'heure en 5,8 secondes seulement.

La grande nouveauté de l'année, c'est la transmission automatique qui, passant de 5 à 6 vitesses, a gagné un rapport mais a surtout gagné en vitesse et en précision. Lorsqu'utilisée en mode manuelle, elle se comporte comme une boîte sportive (de luxe, mais sportive tout de même), permettant au pilote d'enchaîner les changements avec précision.

Difficile cependant de parler de conduite sportive sans traiter de la version V de la famille (le V étant utilisé ici, comme tout le monde le sait, pour Velocity). Cette version de performance est une vraie bombe de puissance. Profitant toujours d'un rapport poids/puissance avantageux, elle bénéficie surtout d'une véritable technologie de course. Son moteur, un V8 de 4,4 litres assemblé à la main, se sert de ses 443 chevaux avec autorité. La transmission automatique 6L80 transmet cette puissance aux roues sans en limiter l'accès. Au contraire, ses algorithmes calibrés pour la course lui permettent une intervention plus rapide encore, employant la technique du double embrayage pour faciliter les changements de rapports en douceur, et en vitesse.

Mieux encore, la XLR profitait déjà d'un châssis d'une grande rigidité, châssis qu'elle partageait avec la Corvette. Or, dans la V, on a ajouté quelques barres stabilisatrices en plus de modifier légèrement la suspension Magnetic Ride de la version de base pour la rendre encore plus précise, et plus rapide. La version V de la XLR n'est cependant pas à la portée de tous, puisqu'un nombre limité seulement sera sur le marché.

Le commun des mortels devra donc se contenter (!) du modèle de base, ce qui n'est pas si vilain. Vaut-elle le coût d'achat ? En terme de performance, sans aucun doute. En terme de look et de personnalité, assurément.

Marc Bouchard

Photos : Cadillac

VÉHICULE D'ESSAI

OnStar® de GM

Version :	XLR
Prix de détail suggéré :	104 645 $
Emp/Lon/Lar/Haut(mm) :	2 685/4 513/1 836/1 279
Poids :	1 654 kg
Coffre/Réservoir :	125 à 328 litres / 68 litres
Coussins de sécurité :	frontaux, latéraux (av.) et rideaux
Suspension avant :	indépendante, bras inégaux
Suspension arrière :	indépendante, bras inégaux
Freins av./arr. :	disque (ABS)
Antipatinage/Contrôle de stabilité :	oui / oui
Direction :	à crémaillère, assistance variable
Diamètre de braquage :	11,9 m
Pneus av./arr. :	P235/50R18
Capacité de remorquage :	non recommandé

MOTORISATION À L'ESSAI

Pneus d'origine MICHELIN

Moteur :	V8 de 4,6 litres 32s atmosphérique
Alésage et course :	93,0 mm x 84,0 mm
Puissance :	320 ch (239 kW) à 6 400 tr/min
Couple :	310 lb-pi (420 Nm) à 4 400 tr/min
Rapport poids/puissance :	5,17 kg/ch (7,01 kg/kW)
Système hybride :	aucun
Transmission :	propulsion, automatique 6 rapports
Accélération 0-100 km/h :	5,8 s
Reprises 80-120 km/h :	5,0 s
Freinage 100-0 km/h :	38,0 m
Vitesse maximale :	250 km/h
Consommation (100 km) :	super, 12,6 litres
Autonomie (approximative) :	540 km
Émissions de CO2 :	5 570 kg/an

GAMME EN BREF

Échelle de prix :	97 645 $ à 112 995 $
Catégorie :	roadster
Historique du modèle :	1ière génération
Garanties :	4 ans/80 000 km, 4 ans/80 000 km
Assemblage :	Bowling Green, Kentucky, É-U
Autre(s) moteur(s) :	V8 4,4l suralimenté 443ch/414lb-pi (14,1 l/100km) XLR-V
Autre(s) rouage(s) :	aucun
Autre(s) transmission(s) :	aucune

DANS LA MÊME CATÉGORIE
Jaguar XK8 - Lexus SC 430 - Mercedes-Benz SL500

DU NOUVEAU EN 2007
Transmission automatique 6 rapports, nouvelle couleur rouge passion

NOS IMPRESSIONS

Agrément de conduite :	🚗🚗🚗🚗
Fiabilité :	🚗🚗🚗🚗
Sécurité :	🚗🚗🚗🚗
Qualités hivernales :	🚗🚗½
Espace intérieur :	🚗🚗🚗
Confort :	🚗🚗🚗🚗

LE CHOIX DE L'ÉQUIPE
XLR

ÉTERNELLES ÉTUDIANTES

Le Québec, société distincte s'il en est une, raffole des petites voitures. Raffoler n'est peut-être pas le bon terme puisqu'on n'achète probablement pas un moyen de transport aussi basique par choix... Quoi qu'il en soit, le trio composé des Chevrolet Aveo, Pontiac Wave et Suzuki Swift+ remplit très bien son mandat, soit de proposer aux consommateurs une alternative aux coréennes Hyundai Accent, Kia Rio ou aux japonaises Toyota Yaris, Honda Fit et Nissan Versa.

A ussi bien vous le dire d'entrée de jeu. Lors de notre match comparatif (voir au début du présent *Guide de l'auto*), ce trio, représenté par le duo Wave et Swift+, s'est fait malmener. Car lorsque directement comparé aux gros canons de la catégorie, ces coréennes d'adoption (vous saviez sûrement que les Aveo, Wave et Swift+ provenaient des restes de la défunte Daewoo rachetés par General Motors), ces coréennes d'adoption, donc, perdent de leur superbe (encore un mauvais terme !). Mais prises séparément, et acceptées pour ce qu'elles sont, de petites voitures économiques sans prétention, elles se débrouillent fort bien.

GÉNÉRIQUE D'OUVERTURE

Alors que la Chevrolet et la Pontiac se déclinent en versions berline et hatchback cinq portes, la Suzuki n'a droit à qu'à la dernière. Cette année, les berlines reçoivent des modifications esthétiques relativement importantes à l'extérieur tandis que le gabarit gagne en dimensions (4,3 cm en longueur et quelques millimètres en largeur). Les *hatchbacks* conservent leur style générique. Par contre, générique ne veut pas nécessairement dire laid. Lors de notre match comparatif, la Swift+ *hatchback* semble avoir allumé davantage les participants que la Wave berline. De plus, même si l'espace de chargement du hatchback n'est

pas des plus grands, il se montre beaucoup plus logeable que le coffre de la berline dont l'ouverture est si petite qu'on aurait de la difficulté à y faire entrer un grille-pain. Un gros grille-pain bien entendu... Dans les deux modèles, il est possible de baisser les dossiers des sièges arrière mais, dans la berline, le passage entre le coffre et l'habitacle est très petit. Dans les deux cas, le seuil de chargement s'avère un peu trop élevé.

Les trois modèles reçoivent aussi plusieurs petites retouches dans l'habitacle. Le design du tableau de bord demeure toujours aussi simple, pour ne pas dire simpliste. Certes, toutes les commandes tombent sous la main, mais il y en a si peu que le contraire aurait été de la mauvaise intention pure et simple ! Pour conserver un prix de base très bas, il est clair que les gens de marketing ont dû faire des choix. Par exemple, le climatiseur est optionnel dans la plupart des modèles. Ainsi vont les freins ABS... qui ne sont même pas offerts dans la Suzuki ! Mais il faut aussi regarder ce qui est offert en équipement standard tels les essuie-glaces intermittents, le tachymètre et le chauffe-moteur. Si la Suzuki n'offre pas les freins ABS, elle se reprend par contre avec ses coussins gonflables latéraux pour les passagers avant, une option pour les autres modèles. Les sièges se montrent confortables malgré un tissu qui laisse songeur quant à sa durabilité... La visibilité, il serait difficile de dire le contraire, s'avère excellente.

FEU VERT
Bouille sympatique
Version berline (Aveo et Wave)
Économe d'essence
Très à l'aise en ville
Véhicules confortables

FEU ROUGE
Swift+ non offerte en berline
Moteur peu performant
Pneus d'origine pathétiques
Ouverture du coffre très petite (berline)
Direction engourdie

EXPÉRIENCE DE VIE

Côté moteur, ce n'est pas le choix qui manque à condition d'opter pour le quatre cylindres de 1,6 litre de 103 chevaux et 107 livres-pied de couple. D'accord, ce n'est pas une bombe mais il ne faut pas oublier qu'il ne déplace qu'une charge d'à peine 1 000 kilos. Deux transmissions sont proposées, soit une boîte manuelle à cinq rapports ou une automatique à quatre rapports. Le levier de la première est peu précis et l'embrayage semble relié à un élastique très lâche. Quant à l'automatique, son fonctionnement s'avère doux, très doux même. À bas régime, la puissance fait cruellement défaut et le beuglement du moteur vous le rappelle immédiatement! Même si au volant d'une des voitures de ce trio il est possible d'aller du point A au point B sans anicroche et sans qu'il n'en coûte une fortune en essence, on ne peut pas parler d'une grande expérience de vie. La notion de sport est à proscrire. Certes, le véhicule tourne mais on sent qu'il préfère les lignes droites… qui descendent! Il faut s'habituer à prendre les courbes avec respect au risque d'expérimenter le comportement sous-vireur de la voiture (la partie avant veut continuer tout droit). Les petits et exécrables pneus de 14 pouces sont, en grande partie, responsables de ce comportement. Les Aveo et Wave proposent, moyennant supplément, le groupe Habillage Sport. Le terme est grandement galvaudé mais, entre un système audio de meilleure qualité et un aileron inutile, on retrouve des pneus de 15 pouces qui valent amplement les 950$ demandés car ils améliorent le confort et la tenue de route, sans oublier la valeur de revente. Puisque vous me le demandez, je vous dirai que la direction est aussi précise qu'une photo datant de 1910 et que les freins, sans ABS, sont assez faciles à moduler pour éviter le blocage des roues. Si l'ABS est de la partie, ses pulsions se font discrètes mais l'avant plonge allègrement. À tout le moins, toute randonnée est confortable peu importe la condition de la chaussée… Mais, bon, ce n'est pas du Mercedes-Benz tout de même!

Les Aveo, Wave et Swift+ s'avèrent d'honnêtes routières… pour leur catégorie. Mais avant de signer un contrat d'achat, il serait préférable de faire l'essai des autres modèles vendus dans cette catégorie. Si les Honda Fit et Nissan Versa sont un peu plus dispendieux, il ne faudrait pas négliger les Hyundai Accent et Kia Rio dans l'équation. Et il est très probable que même après ces essais vous désireriez faire l'acquisition de la Chevrolet, de la Pontiac ou de la Suzuki.

Alain Morin

Photos : Denis Duquet

VÉHICULE D'ESSAI

Version :	Swift+ S
Prix de détail suggéré :	16 945 $
Emp/Lon/Lar/Haut(mm) :	2 480/3 881/1 496/1 671
Poids :	1 070 kg
Coffre/Réservoir :	200 à 1 190 litres / 45 litres
Coussins de sécurité :	frontaux
Suspension avant :	indépendante, jambes de force
Suspension arrière :	demi-ind., poutre déformante
Freins av./arr. :	disque/tambour
Antipatinage/Contrôle de stabilité :	non / non
Direction :	à crémaillère, assistée
Diamètre de braquage :	9,8 m
Pneus av./arr. :	P185/60R14
Capacité de remorquage :	non recommandé

MOTORISATION À L'ESSAI

Moteur :	4L de 1,6 litre 16s atmosphérique
Alésage et course :	74,0 mm x 75,5 mm
Puissance :	103 ch (77 kW) à 6 000 tr/min
Couple :	107 lb-pi (145 Nm) à 3 600 tr/min
Rapport poids/puissance :	10,39 kg/ch (14,08 kg/kW)
Système hybride :	aucun
Transmission :	traction, automatique 4 rapports
Accélération 0-100 km/h :	11,0 s
Reprises 80-120 km/h :	8,5 s
Freinage 100-0 km/h :	44,0 m
Vitesse maximale :	170 km/h
Consommation (100 km) :	ordinaire, 8,7 litres
Autonomie (approximative) :	517 km
Émissions de CO2 :	3 744 kg/an

GAMME EN BREF

Échelle de prix :	12 950 $ à 16 945 $
Catégorie :	sous-compacte
Historique du modèle :	1ière génération
Garanties :	3 ans/60 000 km, 3 ans/60 000 km
Assemblage :	Bupyong, Corée du Sud
Autre(s) moteur(s) :	aucun
Autre(s) rouage(s) :	aucun
Autre(s) transmission(s) :	manuelle 5 rapports

DANS LA MÊME CATÉGORIE

Chevrolet Aveo - Honda Fit - Hyundai Accent - Kia Rio - Nissan Versa - Pontiac Wave - Toyota Yaris

DU NOUVEAU EN 2007

Carrosserie retouchée (berline), suspensions revues, détails de présentation intérieure

NOS IMPRESSIONS

Agrément de conduite :	🚗🚗🚗
Fiabilité :	🚗🚗🚗🚗
Sécurité :	🚗🚗🚗
Qualités hivernales :	🚗🚗🚗
Espace intérieur :	🚗🚗🚗½
Confort :	🚗🚗🚗

LE CHOIX DE L'ÉQUIPE

Swift+ S

Voiture économique

LE CHOIX DU COMPROMIS

Avez-vous déjà remarqué, quand il est question de voitures américaines, comment les gens ont tendance à snober ? Pas question d'affirmer d'entrée de jeu qu'ils sont satisfaits de leur voiture. Il est beaucoup plus "trendy" de faire la moue en traitant des Chevrolet ou Pontiac de ce monde. Et personne ne pensera à nier le fait que beaucoup de voitures américaines méritent ce traitement sans même soulever la discussion. Mais ce n'est pas toujours le cas et la Cobalt, et sa demi-sœur la Pontiac G5, font partie de ces exceptions.

Précisons tout de suite la chose : la G5 n'est pas un nouveau modèle, seule l'appellation a été modifiée. Un peu comme certains artistes qui, de Leclerc deviennent des Leloup, la défunte Pursuit a cédé sa place à la G5. Pour le reste, l'année 2007 réserve bien quelques changements aux deux modèles, mais rien de réellement radical.

HÉSITATION D'ORIGINE

Il faut reconnaître cependant que la Cobalt n'aide pas toujours sa cause en matière de réticence puisque son look n'a rien de vraiment séduisant. On sent immédiatement l'inspiration de l'ancienne Cavalier, même si dans les faits, rien n'est commun entre les modèles. Même son de cloche du côté de la G5 qui profite, de son côté, de la calandre propre à Pontiac et que l'on affirme plus sportive.

Je l'admets, quand j'ai d'abord posé le regard sur la Chevrolet Cobalt, j'ai eu quelques hésitations. En fait, je m'attendais à passer une période d'essai ponctuée d'ennui, et étais persuadé qu'il me faudrait quelques bouteilles de Guru énergisantes pour reprendre le rythme. Or, rien n'est plus faux. Ce serait mentir de dire que ce fut la semaine la plus remplie d'émotions de toute ma vie, mais la conduite fut agréable, et tout à fait à la hauteur.

Il faut dire que GM a fait des efforts remarquables avec sa Cobalt. Le tableau de bord par exemple donne au moins l'impression d'avoir été pensé par de vrais designers, contrairement à ce que bon nombre d'autres modèles ont à proposer. On a réussi à marier les couleurs et les textures pour créer un environnement plus dynamique. Il est exact qu'on continue d'utiliser du plastique rigide de qualité médiocre, et que la finition est loin d'être exemplaire, mais on réussit tout de même à pardonner cet écart de conduite.

Ce qui est moins pardonnable cependant, c'est la qualité des sièges de la voiture. Peu rembourrés, sans aucun support latéral, ils suffisent à peine à supporter le poids de quelqu'un qui, comme moi, a un tantinet excédé son poids de jeune fille... Pour faire un peu oublier cet inconfort, on a au moins placé les commandes à des endroits stratégiques et on les a rendues faciles à utiliser. L'habitacle est donc un lieu de compromis non sans reproches, mais qui n'a rien de catastrophique.

Quant au coffre, il est vaste, mais l'accès en est rendu difficile par une ouverture à la forme un peu étrange. On peut tout de même rabattre la banquette arrière pour un peu plus d'espace.

FEU VERT
Versions SS et Supercharged
Tableau de bord de belle apparence
Accessoires abondants
Plate-forme moderne

FEU ROUGE
Design sans enthousiasme
Matériaux de piètre qualité
Accélérations perfectibles
Freinage un peu long

Mentionnons tout de même que la version SS Supercharged hérite d'un habitacle sérieusement modifié. Les sièges, plus sportifs, sont cette fois conçus pour offrir plus de support, et la finition a été légèrement rehaussée. Sans compter que des cadrans supplémentaires, destinés à permettre de mieux évaluer la performance, sont bien visibles et confirment sans aucun doute la nature sportive du véhicule.

ACCESSOIRES À GOGO

Ce qui fait le charme de la Cobalt et de sa sœur, c'est d'abord la gamme étendue de modèles proposés. La seule Cobalt est offerte en versions LS coupé et berline, LT coupé et berline, LTZ coupé et berline, SS et SS Supercharged. Quant à la G5, elle se contente (!) des modèles SE et GT. Vous l'aurez compris, la liste d'équipements de série change d'une version à l'autre.

Mais mieux encore, la mécanique elle-même est différente. Ainsi, les versions de base (jusqu'à LTZ) reçoivent un 4 cylindres Ecotec 2,2 litres dont la puissance a été haussée à 148 chevaux cette année. La Cobalt SS utilise plutôt l'Écotec 2,4, dont la cavalerie s'élève à 173 chevaux, alors que la super sportive, la Supercharged, s'éclate en faisant ronronner ses 205 chevaux.

Pour supporter toute cette mécanique, GM a utilisé la plate-forme Delta, qu'elle partage avec aussi avec la Saturn Ion. D'une grande rigidité, le châssis de la voiture réserve un comportement sans surprise. La direction, sans être bavarde comme une pie, n'est pas entièrement endormie et favorise tout de même une certaine sensation chez le conducteur. En revanche, les pneus de série sont bruyants, peu efficaces, et ont une nette tendance à hurler dès que l'on pousse un peu fort en trajectoire courbe.

La boîte de vitesses, une traditionnelle boîte automatique à 4 rapports, tarde parfois à réagir et un 5e rapport aurait sans doute permis de mieux étager la puissance, notamment en reprise. Signalons tout de même que toute la gamme est aussi livrable avec une boîte manuelle 5 vitesses, et une boîte plus performante dans le cas de la SS.

Voiture familiale d'abord, voiture de compromis surtout, la Cobalt et la G5 ne sont pas des voitures à éviter, bien au contraire. Mais un peu plus de finition, et un peu plus de look leur permettraient certainement de mieux se rendre justice.

Marc Bouchard

Photos : Denis Duquet

CHEVROLET COBALT / PONTIAC G5

VÉHICULE D'ESSAI

Version :	Berline LTZ
Prix de détail suggéré :	22 815 $
Emp/Lon/Lar/Haut(mm) :	2 624/4 584/1 725/1 450
Poids :	1 318 kg
Coffre/Réservoir :	394 litres / 49 litres
Coussins de sécurité :	frontaux et rideaux
Suspension avant :	indépendante, jambes de force
Suspension arrière :	demi-ind., poutre déformante
Freins av./arr. :	disque (ABS)
Antipatinage/Contrôle de stabilité :	opt. / non
Direction :	à crémaillère, assistée
Diamètre de braquage :	12,4 m
Pneus av./arr. :	P205/55R16
Capacité de remorquage :	454 kg

MOTORISATION À L'ESSAI

Moteur :	4L de 2,2 litres 16s atmosphérique
Alésage et course :	86,0 mm x 94,6 mm
Puissance :	148 ch (110 kW) à 5 600 tr/min
Couple :	152 lb-pi (206 Nm) à 4 200 tr/min
Rapport poids/puissance :	8,91 kg/ch (12,09 kg/kW)
Système hybride :	aucun
Transmission :	traction, manuelle 5 rapports
Accélération 0-100 km/h :	10,9 s
Reprises 80-120 km/h :	9,7 s
Freinage 100-0 km/h :	42,4 m
Vitesse maximale :	195 km/h
Consommation (100 km) :	ordinaire, 8,3 litres
Autonomie (approximative) :	590 km
Émissions de CO2 :	3 840 kg/an

GAMME EN BREF

Échelle de prix :	14 795 $ à 24 495 $
Catégorie :	berline compacte
Historique du modèle :	1ière génération
Garanties :	3 ans/60 000 km, 3 ans/60 000 km
Assemblage :	Lordstown, Ohio, É-U
Autre(s) moteur(s) :	4L 2,4l 173ch/163lb-pi (9,4 l/100km)
	4L 2,0l surcompressé 205ch/200lb-pi (10,1 l/100km) SS
Autre(s) rouage(s) :	aucun
Autre(s) transmission(s) :	automatique 4 rapports

DANS LA MÊME CATÉGORIE

Ford Focus - Honda Civic - Mazda 3 - Nissan Sentra - Saturn Ion - Toyota Corolla

DU NOUVEAU EN 2007

Moteurs plus puissants, retouches esthétiques, Pursuit devient Pontiac G5

NOS IMPRESSIONS

Agrément de conduite :	🚗 🚗 🚗
Fiabilité :	🚗 🚗 🚗 ½
Sécurité :	🚗 🚗 🚗 🚗
Qualités hivernales :	🚗 🚗 🚗 ½
Espace intérieur :	🚗 🚗 🚗 ½
Confort :	🚗 🚗 🚗

LE CHOIX DE L'ÉQUIPE

SS

Z06 : L'EXOTIQUE AMÉRICAINE

La dernière variante de la Corvette est la Z06 avec laquelle Chevrolet entend prouver à la face du monde que les Américains sont également capables de construire une super voiture dont les performances sont à la hauteur de celles livrées par les européennes développées par Porsche ou Ferrari. Mission accomplie ? En partie seulement...

Elle coûte beaucoup moins cher qu'une Ferrari F430, qu'une Porsche Carrera GT ou même qu'une Ford GT, et pourtant les performances sont similaires. Dernière-née d'une lignée impressionnante de Corvette aux performances plus relevées (on se souviendra de la ZR-1 de 1990), la Z06 est à la fois la plus puissante et la plus légère des Corvette produites à ce jour. Avec 505 chevaux et un poids inférieur à 3 150 livres, le rapport poids/puissance de la Z06 est meilleur que celui de la Ford GT. La Z06 est également plus légère que la Ferrari F430 et son poids est comparable à celui de la Porsche Carrera GT. Cet exploit remarquable sur le plan technique a été rendu possible par l'utilisation de matériaux à la fois plus légers et plus coûteux. Ainsi, l'aluminium a été retenu afin de produire un châssis qui ne pèse que 136 livres, et la fibre de carbone a été utilisée pour le plancher de la voiture ainsi que les ailes avant. L'initié remarquera la présence d'un déflecteur avant plus bas, de la partie arrière élargie, du déflecteur arrière et des roues en alliage de 19 pouces qui sont plus larges que celles de la Corvette habituelle.

LES GROS CUBES

Fidèle à la tradition établie chez Chevrolet, la puissance de la Z06 provient d'un moteur V8 à grande cylindrée (7,0 litres) dont les soupapes sont encore et toujours actionnées par des tiges-poussoirs, les seules concessions faites à la haute technologie résidant dans le fait que les bielles du moteur ainsi que les soupapes sont réalisées en titane. Au premier contact, j'ai été surpris par la rapidité de la montée en régime de ce moteur à très grande cylindrée qui livre sa pleine puissance à 6 300 tours/minute et dont la plage de couple maximal, qui est de 470 livres-pied, est très large puisque disponible de 2 400 à 6 400 tours/minute. Sur le circuit de Sanair, il a été très facile d'apprivoiser la motorisation de la Z06 lors de nos mesures d'accélération et de freinage qui ont été suivies d'un « show de boucane » pour notre photographe.

SUR LA PISTE

Tandis que je bouclais quelques tours de circuit, la suite a cependant été un peu moins heureuse. La Z06 a beau être très légère et dotée d'un moteur très performant, on ne peut pas dénaturer l'engin qui reste une propulsion avec moteur à l'avant et qui est donc sujet au sous-virage en entrée de courbe. Bien que j'aie tenté d'adapter mon style de pilotage pour contrer cette tendance, celle-ci est demeurée présente au point de saper un peu ma confiance dans les courbes rapides du circuit triovale. J'ai trouvé qu'il était parfois difficile de « lire » les réactions du châssis dans certaines sections du circuit, et surtout de prévoir l'intervention du

FEU VERT

Puissance moteur
Voiture très légère
Technologie de pointe

FEU ROUGE

Châssis peu communicatif
Manque de soutien latéral des sièges
Visibilité vers l'arrière

système de contrôle électronique de la stabilité que j'avais pourtant pris soin de régler au mode « compétition » qui autorise le conducteur à faire glisser la voiture en virage et qui n'intervient qu'au moment critique. Je suis convaincu que j'aurais pu mieux apprivoiser la Z06 si j'avais eu le temps de rouler plus longtemps avec elle, mais elle ne m'a pas donné ce sentiment de confiance que je retrouve immédiatement au volant d'une Porsche 911 ou d'une Ferrari F430, peut-être parce qu'elle m'a paru plus lourde qu'elle ne l'est en réalité.

Les tours sur circuit m'ont également permis de remarquer que les sièges n'offrent pas un excellent soutien latéral puisqu'ils semblent avoir été conçus pour des gabarits beaucoup plus larges que le mien. En conduite de tous les jours, la Z06 est d'une facilité déconcertante à conduire malgré son potentiel de performance très élevé. L'embrayage ne demande pas un effort excessif et les changements de vitesse se font aussi facilement que sur une simple berline. Il faut simplement apprendre à composer avec une visibilité réduite vers l'arrière ce qui est le lot d'à peu près toutes les sportives de haut calibre.

Il ne fait pas de doute que la Z06 est une voiture d'exception et qu'elle est capable de rivaliser avec les ténors de la catégorie, c'est juste que la communication entre pilote et châssis n'est pas aussi évidente qu'avec certaines autres voitures exotiques. Voilà pourquoi je recommanderais fortement aux acheteurs de s'inscrire à un cours de pilotage avant de tenter d'exploiter les performances de la Z06 dans l'environnement contrôlé d'un circuit fermé.

Gabriel Gélinas

VÉHICULE D'ESSAI

Version :	Z06
Prix de détail suggéré :	90 250 $
Emp/Lon/Lar/Haut(mm) :	2 685/4 460/1 928/1 244
Poids :	1 419 kg
Coffre/Réservoir :	634 litres/68 litres
Coussins de sécurité :	frontaux et latéraux (av.)
Suspension avant :	indépendante, multibras
Suspension arrière :	indépendante, multibras
Freins av./arr. :	disque (ABS)
Antipatinage/Contrôle de stabilité :	oui/oui
Direction :	à crémaillère, assistance variable
Diamètre de braquage :	12,0 m
Pneus av./arr. :	AV: P275/35ZR18 / Arr: P325/30ZR19
Capacité de remorquage :	non recommandé

MOTORISATION À L'ESSAI

Moteur :	V8 de 7,0 litres 16s atmosphérique
Alésage et course :	101,6 mm x 92,0 mm
Puissance :	505 ch (377 kW) à 6 300 tr/min
Couple :	470 lb-pi (637 Nm) à 4 800 tr/min
Rapport poids/puissance :	2,86 kg/ch (3,88 kg/kW)
Système hybride :	aucun
Transmission :	propulsion, manuelle 6 rapports
Accélération 0-100 km/h :	4,6 s
Reprises 80-120 km/h :	4,4 s
Freinage 100-0 km/h :	33,8 m
Vitesse maximale :	300 km/h
Consommation (100 km) :	super, 14,3 litres
Autonomie (approximative) :	476 km
Émissions de CO2 :	5 568 kg/an

GAMME EN BREF

Échelle de prix :	68 330 $ à 90 250 $
Catégorie :	coupé/roadster
Historique du modèle :	6ième génération
Garanties :	3 ans/60 000 km, 5 ans/100 000 km
Assemblage :	Bowling Green, Kentucky, É-U
Autre(s) moteur(s) : V8 6,0l 400ch/400lb-pi (13,8 l/100km)	
Autre(s) rouage(s) :	aucun
Autre(s) transmission(s) :	automatique 6 rapports

DANS LA MÊME CATÉGORIE

Dodge Viper - Jaguar XKR - Lexus SC 430 - Nissan 350Z - Porsche 911

DU NOUVEAU EN 2007

Pas de changement majeur

NOS IMPRESSIONS

Agrément de conduite :	🚗 🚗 🚗 🚗
Fiabilité :	🚗 🚗 🚗 🚗
Sécurité :	🚗 🚗 🚗 ½
Qualités hivernales :	nulles
Espace intérieur :	🚗 🚗 🚗
Confort :	🚗 🚗 🚗

LE CHOIX DE L'ÉQUIPE

Z06

À FORCE DE TRAVAIL…

On connaît tous quelqu'un, un parent, un ami, une chanteuse populaire ou un joueur de hockey qui a réussi son métier sans posséder beaucoup de talent. Mais avec une volonté de réussir hors du commun et une attitude devant le travail qui surprend les plus doués. Le trio formé par les Chevrolet Equinox, Pontiac Torrent et Saturn Vue n'hésite pas à abattre beaucoup de travail. Face à des concurrents aussi doués que les Honda CRV, Hyundai Santa Fe ou Kia Sorento, ce trio réussit à s'en tirer, à la sueur de son front.

S i nous incorporons ces trois modèles General Motors dans le même texte, c'est qu'il s'agit pratiquement du même véhicule, apprêté à la sauce Chevrolet, Pontiac ou Saturn. Quoi qu'il en soit, les deux premiers sont quasiment de vrais jumeaux tandis que le Saturn diffère un peu. Voyons-y de plus près…

EQUINOX ET TORRENT

Même s'il s'agit de deux véhicules pratiquement jumeaux, l'Equinox mérite généralement de meilleurs commentaires que le Torrent, esthétiquement parlant. Dans l'habitacle, les designers ont fait ce qu'ils ont pu avec les moyens qui leur avaient été donnés… c'est-à-dire sans doute bien peu. Le résultat n'est pas vilain mais le tableau de bord vit le même problème qu'un journaliste automobile devant écrire un texte sur le trio Equinox, Torrent, Vue… il manque d'imagination! Quoique celui du Torrent me semble un peu moins insipide. Les plastiques sont toujours aussi désolants et la finition est parfois bâclée. Au moins, l'insonorisation est assez poussée et l'habitabilité est surprenante grâce à la plate-forme Theta du Saturn Vue dont l'empattement a été allongé de 15 cm. Ce sont surtout les places arrière et l'espace de chargement qui bénéficient le plus de cet accroissement.

On retrouve un seul moteur, soit un V6 de 3,4 litres qui, selon la rumeur, aurait été créé quelques années avant la Guerre de Sécession. Les accélérations et les reprises sont correctes mais le râlement qu'il émet lorsqu'il est en plein travail nous fait réfléchir sur l'action de notre pied droit. Il fait par contre très bon ménage avec la transmission automatique à cinq rapports, la seule proposée. Il est possible d'obtenir un Equinox ou un Torrent mû par les seules roues avant ou par un rouage intégral. Ce dernier n'est pas des plus sophistiqués mais il peut aider à grimper la côte qui mène au chalet. En souhaitant que le chalet ne soit pas au bout d'une grosse côte en mauvais état…

Le comportement routier sied parfaitement avec l'image et la motorisation, c'est-à-dire que c'est correct tant qu'on ne dépasse pas les limites. Les suspensions, trop souples pour prétendre à une certaine sportivité, autorisent un généreux roulis. Mais, surprise! Le véhicule s'accroche à la route avec ténacité malgré la direction engourdie.

SATURN VUE

Le modèle le plus intéressant du trio demeure le Saturn Vue. Alors que ses acolytes ne proposent qu'un seul moteur, le Vue en offre trois! On retrouve tout d'abord un quatre cylindres 2,2 litres de 143 chevaux et

FEU VERT	FEU ROUGE
Prix bien étudiés	Tableaux de bord insipides
V6 adéqua	tIntégrale peu sophistiquée
Habitacle silencieuxVersion Red Line plus	Direction déconnectée
sportive (VUE)	Finition désolante
Comportement routier correct	Moteur 4 cylindres peu performant (VUE)

VÉHICULE D'ESSAI

Version :	VUE V6 AWD
Prix de détail suggéré :	32 375 $
Emp/Lon/Lar/Haut(mm) :	2 710/4 605/1 820/1 690
Poids :	1 650 kg
Coffre/Réservoir :	972 litres / 62 litres
Coussins de sécurité :	frontaux et latéraux (av.)
Suspension avant :	indépendante, jambes de force
Suspension arrière :	indépendante, multibras
Freins av./arr. :	disque/tambour (ABS)
Antipatinage/Contrôle de stabilité :	oui/non
Direction :	à crémaillère, assistance variable électrique
Diamètre de braquage :	12,0 m
Pneus av./arr. :	P235/65R16
Capacité de remorquage :	1 587 kg

MOTORISATION À L'ESSAI

Moteur :	V6 de 3,5 litres 24s atmosphérique
Alésage et course :	89,0 mm x 93,0 mm
Puissance :	248 ch (186 kW) à 5 800 tr/min
Couple :	242 lb-pi (328 Nm) à 4 500 tr/min
Rapport poids/puissance :	6,6 kg/ch (8,97 kg/kW)
Système hybride :	aucun
Transmission :	intégrale, automatique 5 rapports
Accélération 0-100 km/h :	9,3 s
Reprises 80-120 km/h :	6,8 s
Freinage 100-0 km/h :	42,2 m
Vitesse maximale :	195 km/h
Consommation (100 km) :	super, 13,8 litres
Autonomie (approximative) :	449 km
Émissions de CO2 :	5 076 kg/an

GAMME EN BREF

Échelle de prix :	24 495 $ à 33 495 $
Catégorie :	utilitaire sport compact
Historique du modèle :	1ère génération
Garanties :	3 ans/60 000 km, 5 ans/100 000 km
Assemblage :	Spring Hill, Tennessee, É-U
Autre(s) moteur(s) :	4L 2,2l 144ch/152lb-pi (10,1 l/100km)
	4L 2,4l 170ch/162lb-pi (8,5l/100km)
	V6 3,4l 185ch/210lb-pi (12,6l/100km)
Autre(s) rouage(s) :	traction
Autre(s) transmission(s) :	automatique 4 rapports / manuelle 5 rapports

DANS LA MÊME CATÉGORIE

Ford Escape - Honda CR-V - Jeep Liberty - Mazda Tribute - Nissan X-Trail - Subaru Forester - Toyota Rav4

DU NOUVEAU EN 2007

Version Green Line (VUE), retouches esthétiques (Equinox)

NOS IMPRESSIONS

Agrément de conduite :	🚗 🚗 🚗 ½
Fiabilité :	🚗 🚗 🚗
Sécurité :	🚗 🚗 🚗 🚗
Qualités hivernales :	🚗 🚗 🚗 🚗
Espace intérieur :	🚗 🚗 🚗 ½
Confort :	🚗 🚗 🚗 ½

LE CHOIX DE L'ÉQUIPE

V6 AWD

149 livres-pied de couple. Vendu seulement sur la version traction (roues avant motrices), il peut être associé à une transmission manuelle à cinq rapports ou, en option, à une automatique à quatre rapports. Ce moteur a beau se montrer très économique, son manque d'enthousiasme a de quoi décourager les plus verts des conducteurs. Si vous optez pour lui, prière de favoriser la transmission manuelle. Pour de meilleurs moments, il faut choisir le V6 3,5 litres, provenant de chez Honda, développant 248 chevaux et 242 livres-pied de couple. Boulonné obligatoirement à une automatique à cinq rapports, ses performances sont convaincantes.

Durant l'année, un Vue Green Line fera son apparition sur le marché. Un moteur hybride de 2,4 litres (170 chevaux et 162 livres-pied de couple) promet une consommation de huit litres aux cent kilomètres. Un moteur électrique viendra prêter assistance au moteur à essence lorsque celui-ci en ressentira le besoin. La technologie utilisée n'est pas des plus sophistiquées, mais elle devrait avoir le mérite d'être fiable et peu dispendieuse puisqu'elle n'ajoutera qu'environ 2 000 $ au prix d'un Vue courant. Il ne faudrait pas oublier le Vue Red Line avec ses suspensions abaissées de 26 mm, ses pneus de 18 pouces et sa direction calibrée pour une meilleure sensation de la route (ce qui devrait être standard pour tous les modèles, si vous voulez mon avis...) L'ensemble Red Line est disponible autant avec les tractions qu'avec les intégrales.

Puisque le Saturn Vue repose sur un châssis dont l'empattement est 15 cm plus court que celui des Equinox et Torrent, il est indéniable que l'habitacle perd un peu en espace logeable. L'espace réservé aux passagers arrière est certes un peu plus juste mais la banquette demeure confortable, à condition d'aimer le mou! Les dossiers s'abaissent de façon 60/40 et il est même possible de faire basculer le dossier du siège du passager avant pour permettre de transporter de très longs objets. Cette particularité se retrouve aussi sur les Equinox et Torrent.

Le trio ci-haut mentionné n'est pas le plus sophistiqué sur le marché mais puisqu'il est moins dispendieux que ses concurrents, les consommateurs sont prêts à accepter certains sacrifices. Reste à GM de raffiner ses produits et de continuer d'améliorer leur fiabilité.

Alain Morin

Photos : Alain Morin

COPIE NON CONFORME

Constatant, sans doute à son grand désarroi, que la fibre historique ne se tarissait pas (vu les succès des Chrysler PT Cruiser, VW New Beetle et autres véhicules néo-classiques), General Motors a puisé dans ses riches racines et a ressorti une version vaguement inspirée de son Chevrolet Suburban 1949. Et, pour faire moderne, on l'a baptisé de trois lettres, HHR, qui signifient Heritage High Roof (traduction libre : l'héritage du toit haut !). Si la carrosserie et le nom sont un peu «flyés», qu'en est-il du véhicule ?

On ne peut prétendre créer un rival au PT Cruiser sans choquer un peu. On aime ou on n'aime pas les lignes du HHR. Cette familiale qui se prend pour un VUS possède des lignes un peu plus grossières que celles du PT Cruiser. Les ailes avant et arrière en saillie sont bien en évidence tandis que la grille avant, massive et pratiquement verticale, se trouve entre de gros blocs optiques. La partie arrière se veut plus subtile même si le pare-chocs est plutôt proéminent. Plusieurs personnes reprochent au HHR de ressembler à un corbillard, surtout dans sa livrée noire. Les vitres, latérales, peu hautes, accentuent cet effet et obstruent la visibilité arrière.

SAGE EN DEDANS

Si la carrosserie détonne, l'habitacle se montre beaucoup plus raisonnable. Ce n'est pas laid mais ce n'est pas sublime non plus ! Les cadrans, cerclés de chrome, sont faciles à consulter et la plupart des boutons tombent sous la main. C'est plutôt au chapitre de la finition et du design que le HHR pèche. La qualité des matériaux est des plus ordinaires (plus ça change, plus c'est pareil chez GM...), il y a autant d'espaces de rangement que de seringues d'héroïne chez Sœur Angèle (j'exagère à peine !) et les porte-verres ne portent pas tous les formats de verres... C'est comme si les responsables de l'habitacle avaient manqué de temps

ou de ressources. Probablement les deux. Par contre, il faut préciser que l'habitacle fait preuve d'une belle polyvalence. Les dossiers des sièges arrière se baissent de façon 60/40 et forment un fond plat. De plus, le dossier du siège du passager avant se rabat complètement et il est possible de transporter des objets très longs. Le seuil de chargement bas encourage les amis à vous trouver quelque chose à transporter... Quelque chose de discret vu qu'il n'y a pas de cache-bagages. Par contre, le plancher se transforme aisément en tablette. Puisque vous insistez, je vous dirai que les sièges arrière sont durs et leurs dossiers sont trop inclinés à mon goût.

SAGE SUR LA ROUTE

Le Chevrolet HHR est proposé en deux versions. Le LS, dit «de base», reçoit un moteur quatre cylindres Ecotec de 2,2 litres de 143 chevaux , accouplé à une transmission manuelle Getrag à cinq rapports ou à une automatique à quatre rapports. Il y a aussi la version LT avec un Ecotec de 2,4 litres qui développe 172 chevaux et qui est associé aux mêmes transmissions. Pour ralentir le HHR, Chevrolet fait appel à des freins à disque à l'avant et à tambour à l'arrière. Malheureusement, l'ABS est optionnel même sur la LT. L'ABS apporte avec lui l'ETS (Enhanced Traction System), qui contrôle le patinage des roues avant.

FEU VERT
Allure spéciale
Moteur 2,4 litres
Habitacle polyvalent
Comportement routier sain

FEU ROUGE
Allure spéciale
Finition intérieur quelquefois lâche
Places arrière inconfortables
ABS optionnel
Couleur noire peu seyante

VÉHICULE D'ESSAI

Version :	LS
Prix de détail suggéré :	18 995 $
Emp/Lon/Lar/Haut(mm) :	2 628/4 475/1 757/1 657
Poids :	1 431 kg
Coffre/Réservoir :	1 787 litres / 49 litres
Coussins de sécurité :	frontaux et rideaux
Suspension avant :	indépendante, jambes de force
Suspension arrière :	demi-ind., poutre déformante
Freins av./arr. :	disque/tambour (ABS opt.)
Antipatinage/Contrôle de stabilité :	oui/non
Direction :	à crémaillère, assistance variable électrique
Diamètre de braquage :	11,5 m
Pneus av./arr. :	P215/50R17
Capacité de remorquage :	454 kg

MOTORISATION À L'ESSAI

Moteur :	4L de 2,2 litres 16s
Alésage et course :	89,0 mm x 93,0 mm
Puissance :	149 ch (107 kW) à 5 600 tr/min
Couple :	152 lb-pi (203 Nm) à 4 000 tr/min
Rapport poids/puissance :	10,17 kg/ch (13,86 kg/kW)
Système hybride :	aucun
Transmission :	traction, manuelle 5 rapports
Accélération 0-100 km/h :	10,9 s
Reprises 80-120 km/h :	9,0 s
Freinage 100-0 km/h :	43,6 m
Vitesse maximale :	190 km/h
Consommation (100 km) :	ordinaire, 10,5 litres
Autonomie (approximative) :	467 km
Émissions de CO2 :	n.d.

Contrairement à l'an dernier, cette année nous avons fait l'essai d'un HHR de base nanti du moteur 2,2 litres. Cette version, très honnête, n'est pas à dédaigner, ne serait-ce que pour son prix puisqu'un HHR de base, plutôt bien équipé, se détaille environ 19 000 $. Les notes jouées par le 2,2 litres ne sont pas particulièrement harmonieuses et il ne faut pas se fier à la sonorité du système audio pour compenser… Les 143 chevaux suffisent à la tâche la plupart du temps mais avec quatre adultes et leurs bagages à bord, ils sont un peu justes. La transmission manuelle est un charme à utiliser et bouffe moins «du cheval-vapeur» que l'automatique. La tenue de route est surprenante, étant donné que la suspension arrière est semi-indépendante, question de sauver de l'espace à l'intérieur de l'habitacle. Sans prétendre à la sportivité en virages, le HHR demeure neutre, à moins de pousser trop fort. À ce moment, il ne faudra pas se fier aux freins pour vous sortir du pétrin puisqu'ils manquent de mordant. Quant à la direction, elle est assez précise mais elle manque de *feedback*.

Des deux moteurs offerts, le 2,4 se veut le plus intéressant même s'il consomme un peu plus que le 2,2. Ses performances, à défaut d'être sportives, sont tout à fait acceptables, surtout pour un véhicule qui se veut utilitaire et qui aura sans doute à transporter souvent des charges plus lourdes. Notez cependant que le HHR ne peut remorquer plus de 454 kilos (1 000 livres). Judicieusement équipé (pneus 17 pouces, suspensions sport et freins ABS), le HHR LT, sans se prendre pour une Corvette, offre une conduite inspirée.

Pour conduire un HHR, il faut tout d'abord aimer être assis carré et haut. L'emplacement du levier de vitesse de la transmission manuelle peut déconcerter au début (je le trouvais un peu trop éloigné) mais on s'y fait rapidement. Essayé en plein hiver (je sais, on n'en a pas eu un gros, mais tout de même!), le HHR a révélé une de ses pires lacunes : sans doute à cause de la conception des rétroviseurs extérieurs, les vitres latérales avant se salissent énormément. Changer de voie sur une autoroute devient alors problématique.

Le HHR de Chevrolet est loin d'être l'image du jouet qu'il semble vouloir projeter. Après une semaine au volant de cette familiale incongrue, je m'étais habitué à ses lignes un peu farfelues. L'habitacle manque cruellement de raffinement mais le comportement routier sauve la face… même si les freins ABS ne sont offerts qu'en option.

Alain Morin

GAMME EN BREF

Échelle de prix :	18 995 $ à 21 310 $
Catégorie :	familiale
Historique du modèle :	1ière génération
Garanties :	3 ans/60 000 km, 3 ans/60 000 km
Assemblage :	Ramos Arizpe, Mexique
Autre(s) moteur(s) :	4L 2,4l 175ch/165lb-pi (l/100km)
Autre(s) rouage(s) :	aucun
Autre(s) transmission(s) :	automatique 4 rapports

DANS LA MÊME CATÉGORIE

Chrysler PTCruiser - Honda Element - Mazda 5 - Pontiac Vibe - Toyota Matrix

DU NOUVEAU EN 2007

Pas de changement majeur, version SS dévoilée plus tard cette année

NOS IMPRESSIONS

Agrément de conduite :	🚗 🚗 🚗 ½
Fiabilité :	🚗 🚗 🚗 🚗
Sécurité :	🚗 🚗 🚗 🚗
Qualités hivernales :	🚗 🚗 🚗 ½
Espace intérieur :	🚗 🚗 🚗 🚗
Confort :	🚗 🚗 🚗 🚗

LE CHOIX DE L'ÉQUIPE

LT

Photo : Denis Duquet

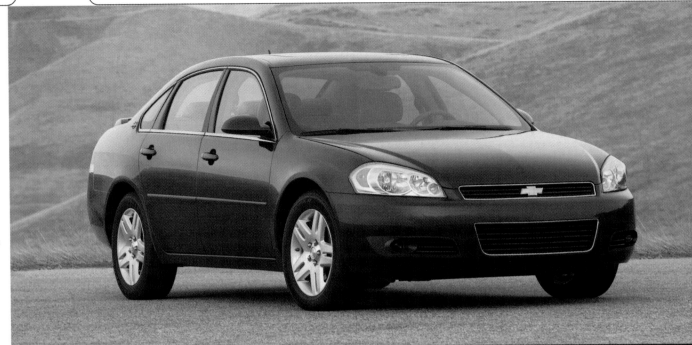

L'ANTILOPE ET L'EMBONPOINT

Petit conte moderne. Une antilope africaine vivait depuis des années dans sa jungle perdue mais luxuriante, s'empiffrant des jolies feuilles vertes qui l'entouraient en abondance puisqu'elle était presque seule. Mais d'année en année, de nombreux animaux, de toutes tailles et toutes formes, envahirent la forêt, laissant notre pauvre antilope aux prises avec des problèmes d'embonpoint, mais n'ayant plus de nourriture pour se satisfaire. C'est alors qu'elle rencontra un mâle qui la convainquit de faire de l'exercice, et de reprendre la route, afin qu'elle retrouvât son agilité et sa puissance d'autrefois.

Vous l'aurez compris, l'antilope se nomme Impala, et le mâle n'est nul autre que le responsable de Chevrolet qui a enfin décidé les ardents défenseurs de la grosse berline à prendre un virage plus moderne. Mais comme un régime ne se fait pas sans heurts, ni sans certains délais, on avait d'abord amorcé les changements l'année dernière, pour les compléter pour l'année modèle 2007.

UN PEU DE VITAMINES

Notre antilope peut compter sur de nouvelles vitamines en 2007, puisque c'est un tout nouveau moteur que l'on dissimulera sous le capot. Exit l'ancien V6! On se lance cette année dans l'Active Fuel Management avec une mécanique de 3,9 litres qui, sans être plus puissante, octroiera au moins quelques économies d'essence. Le principe, déjà utilisé par d'autres constructeurs, permet d'éteindre quelques cylindres lorsque la situation de conduite est propice.

Par exemple, à vitesse normale de croisière, seulement trois pistons seront actifs, limitant du même coup la soif inextinguible de ce gros moteur tout en n'ayant aucune influence sur la puissance. Pour GM, l'utilisation de ce principe est une première sur un six cylindres, mais on connaît bien la technologie puisque la version SS de l'Impala, affublée

du V8 de 5,3 litres, la mettait déjà à profit. La version 3,9 litres du moteur et ses 233 chevaux ne sera disponible que sur les livrées LTZ de l'Impala, alors que les LS et LT devront se contenter d'un moteur de 3,5 litres, légèrement moins puissant (211 chevaux), mais surtout un tantinet plus bruyant en accélération. Évidemment, l'antilope musclée de la famille, la SS, conservera ses quelque 303 chevaux.

La belle trouvaille cependant, c'est que la grosse Impala peut presque devenir végétarienne. Pour quelques dollars de plus (chez les concessionnaires on parle de 250 $), elle peut obtenir le système E85, permettant d'utiliser de l'essence composée à 85 % d'éthanol. Mais ce qui en théorie semble une bonne nouvelle prend des allures d'inutilité dans la réalité puisqu'aucun réseau de E85 n'a encore été mis sur pied au Canada, si ce n'est une ou deux stations-service ici et là...

Au-delà de ses nouvelles composantes mécaniques, la berline ne reçoit que peu de changements esthétiques. Notre antilope ayant reçu l'année dernière les conseils d'un entraîneur privé, elle avait quelque peu rétréci, affinant sa taille et ses courbes, ce que l'on ne retouchera pas cette année. Néanmoins, l'Impala est encore loin d'être une voiture à l'allure raffinée. Sa silhouette (un peu ennuyeuse, sans doute pour passer

FEU VERT

Nouveau moteur amélioré
Espace intérieur abondant
Équipement complet
Sièges confortables
Flex-fuel disponible

FEU ROUGE

Freinage déficient
Design sans surprise
Fort effet de couple dans le volant (LTZ)
Transmission un peu lente

inaperçue dans les profondeurs de la jungle urbaine) n'a rien de très séduisant, ce qui empêchera possiblement certains amateurs de se tourner vers elle.

Autre son de cloche pour l'habitacle cependant qui est probablement le plus réussi de l'histoire de l'Impala. L'espace y est abondant, les sièges confortables sans l'être trop (au grand bonheur d'une clientèle vieillissante), et la planche de bord a un petit je-ne-sais-quoi qui la distingue de la masse, avec ses cadrans faciles à lire, ses commandes à portée de main ne nécessitant pas un cours d'ingénieur pour être comprises. Surtout, l'ensemble correspond fort bien à la personnalité même du véhicule et de sa clientèle.

SUR LES SENTIERS URBAINS

Au volant, l'Impala compte cependant sur de belles qualités. La version LTZ par exemple, profite à fond de sa nouvelle mécanique et vous propulse sans hésitation dans le trafic. Les accélérations, sans être décoiffantes, sont tout à fait honnêtes et vives, alors que les reprises sont aussi parmi les belles réussites du modèle. Étrangement, on retrouve le même genre d'appréciation sur les versions de base, malgré un moteur moins puissant. Quant à la SS, elle est simplement «trop»: ses 303 chevaux cherchent un peu trop à prendre eux-mêmes le contrôle de la route, ce qui oblige le conducteur à s'agripper fermement au volant.

Les suspensions sont mieux adaptées que sur les anciennes générations. Bien entendu, elles sont toujours assez souples, mais ont gagné un peu à la fois en confort et en sportivité. C'est au freinage que l'Impala éprouve le plus de problèmes. Les transferts de poids sont prononcés en courbe serrée, et plus encore lors d'un freinage brusque, notre antilope ayant une fâcheuse tendance à piquer du nez. Les arrêts d'urgence s'en trouvent donc allongés, ce qu'il faut prévoir. La transmission automatique à seulement quatre rapports manque aussi un peu de punch, ce qui s'explique par l'absence d'une cinquième vitesse.

La nouvelle Impala est certainement la meilleure jamais construite, et l'antilope peut reprendre la direction des sentiers avec fierté. Toutefois, malgré ces nouvelles qualités, c'est encore aux mâles les plus âgés qu'elle plaira le plus.

Marc Bouchard

Photos: Chevrolet

VÉHICULE D'ESSAI

OnStar® de GM

Version :	LTZ
Prix de détail suggéré :	30 315 $
Emp/Lon/Lar/Haut(mm) :	2 807/5 091/1 851/1 487
Poids :	1 610 kg
Coffre/Réservoir :	527 litres/66,2 litres
Coussins de sécurité :	frontaux, latéraux (av.) et rideaux
Suspension avant :	indépendante, jambes de force
Suspension arrière :	indépendante, multibras
Freins av./arr. :	disque (ABS)
Antipatinage/Contrôle de stabilité :	opt./non
Direction :	à crémaillère, assistée
Diamètre de braquage :	12,2 m
Pneus av./arr. :	P225/60R16
Capacité de remorquage :	454 kg

MOTORISATION À L'ESSAI

Moteur :	V6 de 3,9 litres 12s atmosphérique
Alésage et course :	99,0 mm x 84,0 mm
Puissance :	233 ch (179 kW) à 6 000 tr/min
Couple :	240 lb-pi (328 Nm) à 4 400 tr/min
Rapport poids/puissance :	6,71 kg/ch (9,1 kg/kW)
Système hybride :	aucun
Transmission :	traction, automatique 4 rapports
Accélération 0-100 km/h :	8,6 s
Reprises 80-120 km/h :	7,7 s
Freinage 100-0 km/h :	41,0 m
Vitesse maximale :	210 km/h
Consommation (100 km) :	ordinaire, 10,2 litres
Autonomie (approximative) :	649 km
Émissions de CO_2:	4 896 kg/an

GAMME EN BREF

Échelle de prix :	24 995 $ à 35 325 $
Catégorie :	berline intermédiaire
Historique du modèle :	3ième génération
Garanties :	3 ans/60 000 km, 3 ans/60 000 km
Assemblage :	Oshawa, Ontario, Canada
Autre(s) moteur(s) :	V6 3,5l 211ch/214lb-pi (11,3 l/100km)
	V8 5,3l 303ch/323lb-pi (13,0 l/100km) SS
Autre(s) rouage(s) :	aucun
Autre(s) transmission(s) :	aucune

DANS LA MÊME CATÉGORIE

Chrysler 300 / 300C - Ford 500 - Honda Accord - Nissan Altima - Toyota Camry

DU NOUVEAU EN 2007

Moteur V6 remodelé, moniteur de pression des pneus, nouvelles couleurs extérieures

NOS IMPRESSIONS

Agrément de conduite :	🚗 🚗 🚗 ½
Fiabilité :	🚗 🚗 🚗 ½
Sécurité :	🚗 🚗 🚗 ½
Qualités hivernales :	🚗 🚗 🚗 ½
Espace intérieur :	🚗 🚗 🚗 🚗
Confort :	🚗 🚗 🚗 🚗

LE CHOIX DE L'ÉQUIPE
LT

LA LOURDE TÂCHE

La pauvre Chevrolet Malibu ne l'a jamais eu facile. Parce qu'elle doit affronter les vedettes de l'importation que sont les Honda Accord ou autres Toyota Camry, elle est rapidement devenue une mal-aimée dans son créneau. Pourtant, personne n'a jamais affirmé que la Malibu était une mauvaise voiture, loin de là. Au contraire, la très prestigieuse firme J.D. Power l'avait même consacrée, il y a quelques années, le «meilleur achat de sa catégorie», en tenant compte du rapport qualité-prix. Mais la rivalité n'est pas que mécanique.

En fait, c'est la réputation des voitures nippones ou européennes qui a eu raison de la pauvre Malibu. Mais Chevrolet, sur sa lancée de renouvellement de voitures et d'accès à des véhicules de nouvelle gamme, a créé il y a deux ans un tout autre style de Malibu que l'on souhaitait être capable de répondre aux attaques des fabricants japonais. Le résultat se fait toujours attendre, bien que cette génération de Malibu soit nettement plus performante que la précédente.

AMÉRICAINE À L'EUROPÉENNE

Ironiquement cependant, c'est une plate-forme allemande qui sert de base à la Malibu. La Epsilon, que l'on retrouve aussi sur la Saab 93 et sur la Opel Vectra européenne, lui confère, il faut l'admettre, une conduite nettement plus européenne qu'américaine.

Demeurons toutefois dans les limites de l'enthousiasme. La Malibu est certainement une berline familiale intéressante, mais ne passera pas à l'histoire. Sur le plan du design par exemple, même si elle est plutôt jolie, sa silhouette n'a rien d'une oeuvre d'art. Cette allure ordinaire correspond cependant aux exigences des acheteurs de ce genre de véhicule. On a bien fait quelques efforts pour la Malibu

Maxx, la déclinaison familiale de la gamme avec son hayon distinctif, mais le style demeure classique, proche de l'ennui.

Sous le capot, la Malibu est offerte en deux versions : une version plus pépère, munie d'un moteur 4 cylindres Ecotec de 144 chevaux, et une autre plus sportive, nantie d'un V6 de 201 chevaux qui donne un peu plus de performances. Ce qui ne signifie pas pour autant que les gens à la recherche de hautes performances lorgneront la Malibu! Elle se contentera plutôt, si l'occasion se présente, de défriser quelques-uns de ceux qui la croyaient incapable d'autant de performances. En fait, sur bien des points de vue, elle fait la grimace à ses rivales, sans aucune hésitation.

Mieux encore, si vraiment la performance est importante à vos yeux, vous pourrez vous tourner vers les versions SS de la Malibu et de la Maxx. Cette fois, plus d'hésitation, un moteur de 240 chevaux propulse littéralement les deux petites berlines. Les suspensions révisées font bien leur possible pour suivre, mais avec la SS, elles ne sont pas toujours à la hauteur de la tâche.

LE COMPTABLE AGRÉABLE

Ce qui étonne aussi de la Malibu, c'est sa grande maniabilité et son confort. La plate-forme Epsilon est rigide, facilitant les changements de

FEU VERT

Plate-forme moderne
Puissance au rendez-vous (SS)
Maniabilité étonnante
Rapport qualité/prix

FEU ROUGE

Silhouette peu améliorée
Moteur anémique (4 cylindres)
Habitacle ennuyeux
Suspensions sport perfectibles

Version :	LTZ
Prix de détail suggéré :	30 075 $
Emp/Lon/Lar/Haut(mm) :	2 700/4 783/1 776/1 461
Poids :	1 504 kg
Coffre/Réservoir :	646 à 1 161 litres/61 litres
Coussins de sécurité :	frontaux et rideaux
Suspension avant :	indépendante, jambes de force
Suspension arrière :	indépendante, multibras
Freins av./arr. :	disque (ABS)
Antipatinage/Contrôle de stabilité :	oui/non
Direction :	à crémaillère, assistance variable électrique
Diamètre de braquage :	11,6 m
Pneus av./arr. :	P215/60R16
Capacité de remorquage :	454 kg

trajectoire tout en diminuant le roulis. Le résultat est donc une randonnée plus en douceur, même lors des virages plus serrés, et sans avoir à virevolter d'un côté et de l'autre.

Comme la voiture est aussi équipée de freins ABS et du système de contrôle de traction sur les modèles les plus haut de gamme (mais demeurent optionnels sur la version de base), on peut certainement parler d'une voiture munie des meilleurs équipements de sécurité.

D'un strict point de vue mécanique, les ingénieurs ont bien réussi. Malheureusement, les designers ont un peu faibli quand est venu le temps de concevoir l'habitacle. Disons-le, il n'a rien pour impressionner, ni pour décevoir bien qu'il soit parmi les plus spacieux de sa catégorie. En fait, à force de vouloir rester accessible et de plaire au plus grand nombre, on a plutôt versé dans l'anonymat. On pourrait dire que l'intérieur de la Malibu a le panache d'un comptable agréé vêtu d'un veston beige ! Pas laid, mais on passe devant sans même se retourner...

Bien sûr, parce qu'il s'agit d'une voiture américaine, on retrouve une gamme d'accessoires assez complète. Et selon la tradition GM, le tableau de bord est suffisamment ergonomique pour que toutes les commandes soient faciles d'accès et simples à utiliser. Mais n'empêche, un petit effort supplémentaire aurait permis de donner une vraie personnalité à une voiture dont la conduite est aussi exemplaire.

Détail intéressant, la Malibu a été la première voiture de série (elle a depuis été rejointe par d'autres) à être munie sur certains modèles d'un démarreur à distance intégré, ce qui fait hurler de rage les écolos, mais satisfait certainement les automobilistes en hiver. À condition d'être utilisé intelligemment, évidemment.

Parce qu'elle profite d'un coût d'achat très abordable, et parce qu'elle a une conduite irréprochable, la Malibu est un choix intelligent à considérer. Et parions qu'elle redonnera à la marque un petit regain de popularité dont elle a bien besoin.

Marc Bouchard

MOTORISATION À L'ESSAI

Moteur :	V6 de 3,5 litres 12s atmosphérique
Alésage et course :	94,0 mm x 84,0 mm
Puissance :	217 ch (150 kW) à 5 800 tr/min
Couple :	217 lb-pi (300 Nm) à 4 000 tr/min
Rapport poids/puissance :	7,48 kg/ch (10,16 kg/kW)
Système hybride :	aucun
Transmission :	traction, automatique 5 rapports
Accélération 0-100 km/h :	9,5 s
Reprises 80-120 km/h :	7,6 s
Freinage 100-0 km/h :	43,0 m
Vitesse maximale :	195 km/h
Consommation (100 km) :	ordinaire, 11,4 litres
Autonomie (approximative) :	535 km
Émissions de CO2 :	4 222 kg/an

GAMME EN BREF

Échelle de prix :	19 995 $ à 31 755 $
Catégorie :	berline intermédiaire/familiale
Historique du modèle :	2ième génération
Garanties :	3 ans/60 000 km, 3 ans/60 000 km
Assemblage :	Kansas City, Kansas, É-U
Autre(s) moteur(s) :	4L 2,2l 145ch/152lb-pi (9,9 l/100km) V6 3,9l 240ch/240lb-pi (13,1 l/100km) SS
Autre(s) rouage(s) :	aucun
Autre(s) transmission(s) :	aucune

DANS LA MÊME CATÉGORIE

Chevrolet Epica - Chrysler Sebring - Honda Accord - Hyundai Sonata - Kia Magentis - Mazda 6 - Nissan Altima - Suzuki Verona - Toyota Camry

DU NOUVEAU EN 2007

Moteur V6 remodelé, nouveaux sacs gonflables, OnStar dernière génération

NOS IMPRESSIONS

Agrément de conduite :	🚗 🚗 🚗 ½
Fiabilité :	🚗 🚗 🚗 ½
Sécurité :	🚗 🚗 🚗 🚗
Qualités hivernales :	🚗 🚗 🚗 ½
Espace intérieur :	🚗 🚗 🚗 🚗
Confort :	🚗 🚗 🚗 ½

LE CHOIX DE L'ÉQUIPE

LTZ

Photos : Chevrolet

LA FIÈVRE DU SAMEDI SOIR

Il est assez difficile de situer ce véhicule. On croit avoir affaire à une voiture sportive de type muscle car, inspirée directement d'un bolide de course Nascar, mais c'est tout autre. Il n'y a rien d'inspirant avec la Monte Carlo, à moins de s'habiller encore à la manière de John Travolta et d'exhiber son doigt en l'air comme il le faisait dans *La fièvre du samedi soir*. Mis à part une allure correcte, ce qui se cache sous sa toge est une mécanique et un train de roulement qui sont loin d'être modernes.

Deux choix de moteurs sont proposés dont un 6 cylindres de 3,5 litres qui développe 211 chevaux. Or c'est le petit bloc de 8 cylindres possédant 303 chevaux qui est le plus intéressant. Tant qu'à vous procurer une Monte Carlo, optez pour ce dernier, sinon, vous n'aurez que le look et non le muscle. En plus, ce V8 dégage 323 lb-pi de couple, donc lors d'un départ arrêté, il est capable de faire aisément chauffer les pneus. Pour ce qui est du comportement de ce moteur à vitesse de croisière, le système DOD (Displacement On Demand) fait en sorte d'empêcher le va-et-vient de 4 pistons parmi les 8 cylindres. Vous roulez donc avec 4 cylindres en fonctionnement et 4 autres qui se retrouvent inactifs et qui s'éveilleront si vous avez besoin d'un surplus de puissance. Le but, bien sûr, est de diminuer la consom-mation d'essence. Le moteur 6 cylindres de 3,9 litres était aussi très intéressant, car il offrait un bon niveau de performance compte tenu de sa cylindrée, malheureusement, on l'a rayé du catalogue.

EN ATTENDANT 2009

Bien qu'il s'agisse d'une traction, certaines sources racontent qu'en 2009, la plate-forme nommée «ZETA» sera employée par Chevrolet, ce qui fait que cette voiture deviendra une propulsion. Cette plate-forme fut abandonnée en 2005, mais elle va revenir pour les futures Monte Carlo et Camaro.

L'an dernier, la Monte Carlo a bénéficié d'importantes modifications autant sur le plan esthétique que mécanique et il était grand temps, car cette voiture se faisait de plus en plus vieille comparativement à ses compétitrices. Le cadre a gagné en rigidité dans le but d'accueillir des moteurs plus puissants. Le résultat est qu'il y a moins de bruit et de vibrations, en plus d'améliorer le comportement sur la route, surtout en virage. Pour ce qui est de la Monte Carlo SS, le calibrage des suspensions est nettement trop ferme pour nos belles routes québécoises... Pour les autres versions, la calibration des amortisseurs est plus molle, donc un peu mieux adaptée pour rouler ici, mais si vous conduisez plus énergiquement, cette mollesse pénalise beaucoup au chapitre de la maniabilité. Comme il s'agit d'une voiture avec suspensions entièrement indépendantes, il faut faire face à un certain roulis en virage. De plus, la direction est trop lente, ce qui nuit à l'agilité quand on se retrouve dans une enfilade de virages. C'est ce qui déçoit le plus avec cette voiture, car on s'attend à un comportement plus sportif compte tenu de ses gènes. Or, c'est tout le contraire qui arrive.

Dans la version SS, il faut aussi faire face à beaucoup d'effet de couple dans le volant lors d'une accélération et le phénomène est évidemment pire si la chaussée est détrempée. Pour cette raison, disons que j'ai hâte

FEU VERT

Plate-forme rigide
Modèle bien équipé
Bonne insonorisation
Moteur du SS puissant

FEU ROUGE

Effet de couple dans le volant
Silhouette étrange
Habitacle trop sobre
Trop d'éléments en plastique

VÉHICULE D'ESSAI

Version :	LT
Prix de détail suggéré :	32 995 $
Emp/Lon/Lar/Haut(mm) :	2 807/4 995/1 851/1 418
Poids :	1 540 kg
Coffre/Réservoir :	447 litres / 66 litres
Coussins de sécurité :	frontaux
Suspension avant :	indépendante, jambes de force
Suspension arrière :	indépendante, multibras
Freins av./arr. :	disque (ABS opt.)
Antipatinage/Contrôle de stabilité :	oui/non
Direction :	à crémaillère, assistée
Diamètre de braquage :	11,6 m
Pneus av./arr. :	P225/55R17
Capacité de remorquage :	454 kg

MOTORISATION À L'ESSAI

Moteur :	V6 de 3,5 litres 12s atmosphérique
Alésage et course :	99,0 mm x 76,3 mm
Puissance :	211 ch (157 kW) à 5 800 tr/min
Couple :	214 lb-pi (290 Nm) à 4 000 tr/min
Rapport poids/puissance :	7,3 kg/ch (9,94 kg/kW)
Système hybride :	aucun
Transmission :	traction, automatique 4 rapports
Accélération 0-100 km/h :	9,0 s
Reprises 80-120 km/h :	6,6 s
Freinage 100-0 km/h :	40,7 m
Vitesse maximale :	190 km/h
Consommation (100 km) :	ordinaire, 11,3 litres
Autonomie (approximative) :	584 km
Émissions de CO2 :	4 416 kg/an

GAMME EN BREF

Échelle de prix :	24 995 $ à 35 325 $
Catégorie :	coupé
Historique du modèle :	5ième génération
Garanties :	3 ans/60 000 km, 3 ans/60 000 km
Assemblage :	Oshawa, Ontario, Canada
Autre(s) moteur(s) :	V8 5,3l 303ch/323lb-pi (13,0 l/100km) SS
Autre(s) rouage(s) :	aucun
Autre(s) transmission(s) :	aucune

DANS LA MÊME CATÉGORIE

Chrysler Sebring - Ford Mustang - Honda Accord - Toyota Solara

DU NOUVEAU EN 2007

Pas de changement majeur, abandon du V6 3.9l

NOS IMPRESSIONS

Agrément de conduite :	🚗 🚗 🚗
Fiabilité :	🚗 🚗 🚗 🚗
Sécurité :	🚗 🚗 🚗 🚗
Qualités hivernales :	🚗 🚗 🚗 ½
Espace intérieur :	🚗 🚗 🚗
Confort :	🚗 🚗 🚗

LE CHOIX DE L'ÉQUIPE

LT

---

que la Monte Carlo devienne une propulsion, car il sera alors plus facile, et plaisant, de mieux exploiter le potentiel du moteur. Il y a très peu de feedback venant du volant, et comme l'empattement est long, tout semble trop mou. Bien qu'on peut croire qu'une voiture de ce type pourrait être amusante à piloter, elle n'a pas d'âme et on a l'impression de se retrouver à bord d'une grosse voiture.

NASCAR OBLIGE

Pour ce qui est de l'allure de cette auto, la partie avant, redessinée l'an dernier, lui donne plus de gueule. Par contre, c'est derrière que la sauce est gâchée. Le look fait trop classique malgré des feux très songés. Allez Chevrolet, mettez-y plus de punch, car la compétition devient de plus en plus attrayante !

Maintenant au chapitre de l'habitacle, l'intérieur est encore trop sobre et quand on s'installe on n'a malheureusement pas l'impression d'être dans une voiture sportive et c'est ce qui enlève le cachet de la Monte Carlo. J'aimerais une allure plus agressive que contemporaine, de plus, il y a trop d'éléments en plastique. En revanche, cette voiture est très confortable et les sièges procurent un bon appui. Le volant offre une prise correcte et les commandes sont aisément accessibles et bien lisibles. Je n'ai rien à redire à ce chapitre. Au sujet des places arrière, les enfants pourront s'asseoir bien confortablement, contrairement aux personnes de grande stature qui se sentiront plus à l'étroit.

Les gens de Chevrolet conservent cette voiture dans leur gamme car pour courir en série Nascar, la Monte Carlo doit demeurer en production. Les Américains, friands de courses de type Nascar, aiment bien s'identifier en se procurant cette américaine, mais ils sont presque seuls à le faire. Ici au Québec, la version SS souffre de nos routes qui sont en piteux état, car sa suspension manque de souplesse et pour les autres, il y a trop de mollesse dans la conduite en général. Dans l'ensemble, on parle d'une voiture qui jouit d'un équipement complet, mais elle n'a rien de véritablement sportif. Ce n'est qu'une image, ou comme mon confrère Denis le disait l'an dernier, « c'est une illusion d'optique » ! Donc si vous voulez une voiture qui a vraiment une âme sportive, vous serez plus satisfait avec une Grand Prix. À moins que vous soyez un inconditionnel de Dale Earnhardt JR !

Robert Jetté

Photos : Chevrolet

JADIS, ELLES ÉTAIENT TROIS

Lorsque General Motors du Canada a décidé de participer au marché des sous-compactes et des compactes, il a pris les moyens. Une flopée de modèles produits en Corée dans les anciennes usines Daewoo est venue grossir les rangs de ces deux catégories. Il est certain que le Chevrolet Aveo et le Pontiac Wave ont fait des débuts spectaculaires chez les sous-compactes, tandis que l'Optra ne connaissait pas autant de succès dans la catégorie des Mazda 3, Honda Civic et Toyota Corolla. Ce qui explique sans doute la disparition de la berline.

Non seulement cette dernière n'était pas vraiment dans le coup en fait de design, mais elle était la moins attrayante des trois en fait de conduite. Soyons plus précis, la berline et la familiale proposaient une tenue de route plus ou moins similaire, mais les gens devaient choisir la familiale en raison de sa plus grande capacité de chargement et on peut même ajouter que cette dernière l'emportait également au chapitre de l'élégance. La berline disparue, il est à mon avis toujours aussi facile de choisir le plus intéressant des deux modèles restants et c'est le cinq portes. Mais examinons d'abord la familiale !

PRATIQUE SURTOUT

Même si les ventes de ce modèle ne sont pas spectaculaires, vous avez sans doute vu cette Optra familiale. Mais sa silhouette est tellement neutre qu'il est facile de l'ignorer. Et à la brunante, si jamais vous en croisez une et que vous êtes quelque peu distrait, vous risquez de la confondre avec une Focus familiale. De l'extérieur, c'est générique à mort. Heureusement que le tableau de bord est bien réussi et fort élégant avec ses buses de ventilation quasiment circulaires cerclées d'aluminium brossé s'associant à une bande décorative du même matériau traversant la planche de bord de part en part. Il faut en outre souligner

que le volant est sobre et moderne. Il s'harmonise fort bien aux cadrans indicateurs alors que l'indicateur de vitesse monté en plein centre de l'hémisphère les abritant est également cerclé d'aluminium brossé. Et même si les matériaux nous font savoir que nous sommes dans une économique, ils sont quand même d'une certaine qualité tandis que l'assemblage est difficile à prendre en défaut.

Les deux modèles Optra sont propulsés par le même moteur quatre cylindres 2,0 litres d'une puissance de 119 chevaux. Une boîte manuelle à cinq rapports est de série et l'automatique à quatre rapports est optionnelle. Ces chiffres ne sont rien pour écrire à sa mère, mais ce n'est pas la misère noire non plus. Par contre, chargez cette familiale à bloc avec cinq occupants et leurs bagages et je suis persuadé que le petit moteur 2,0 litres va se vendre au diable. Mais pas besoin d'avoir roulé dans de telles conditions pour le savoir : seul à bord, il est déjà passablement bruyant. Accélérez à fond et il devient rugueux et encore plus bruyant. Optez pour l'automatique et vous devrez prêcher les vertus de la patience à vos passagers. Il est recommandé de ne pas tenter de gagner le temps perdu en conduisant à haute vitesse car les freins s'échauffent facilement. Cette Optra n'est pas une vilaine voiture, mais il faut s'en tenir à ses limites qui ont été

FEU VERT
Prix compétitif
Familiale pratique
Hatchback élégante
Finition correcte
Ergonomie de bon aloi

FEU ROUGE
Performances moyennes
Insonorisation à revoir
Boîte automatique
Freins peu endurants
Valeur de revente

VÉHICULE D'ESSAI

Version :	LT 5 portes
Prix de détail suggéré :	17 800 $
Emp/Lon/Lar/Haut(mm) :	2 600/4 295/1 725/1 445
Poids :	1 254 kg
Coffre/Réservoir :	250 litres / 55 litres
Coussins de sécurité :	frontaux
Suspension avant :	indépendante, jambes de force
Suspension arrière :	indépendante, jambes de force
Freins av./arr. :	disque (ABS opt.)
Antipatinage/Contrôle de stabilité :	oui / non
Direction :	à crémaillère, assistée
Diamètre de braquage :	10,4 m
Pneus av./arr. :	P195/55R15
Capacité de remorquage :	non recommandé

surtout établies en fonction de la personne qui respecte les limites de vitesse et, mieux encore, qui n'abuse pas de sa voiture.

UN CHOIX PLUS ATTRAYANT

Si la familiale semble avoir été dessinée pour être éminemment pratique, l'Optra 5 a été dessinée pour plaire. Sur la première, seul le tableau de bord est quelque peu racé. Sur la seconde, la silhouette et l'habitacle sont harmonisés et il est difficile de savoir lequel de ces éléments a préséance sur l'autre. Il est vrai que la capacité de la soute à bagages de la familiale est supérieure à celle du *hatchback*. Mais ce dernier est de loin le plus élégant et il compense cette déficience en devenant tout de même assez spacieux en abaissant le dossier de la banquette arrière. Ce faisant, on constate que la construction de ce même siège paraît assez peu solide, mais à l'usage, il appert que cette façon de faire les choses est assez efficace. À propos de la fiabilité, les données sont insuffisantes pour rendre un verdict définitif. Et comme ce modèle est une exclusivité canadienne, les chiffres sont encore plus difficiles à obtenir. À ce jour les deux modèles semblent tenir le coup. Il y a bien eu quelques voitures de cauchemar comme c'est le cas avec tous les modèles mais les propriétaires interrogés se sont déclarés satisfaits. Toujours à ce chapitre, les voitures Daewoo dont est issue l'Optra ont démontré une bonne fiabilité lors de leur passage sur notre marché.

Une chose est sûre, l'Optra 5 est la plus agréable à conduire des deux. Si la familiale et le *hatchback* possèdent sensiblement la même mécanique, le second semble avoir une meilleure facilité à enchaîner les virages. Ce comportement différent pourrait s'expliquer par un centre de gravité plus bas. Et il est certain que le meilleur moyen d'améliorer la tenue en virage de toutes les Optra confondues serait d'y monter des pneus de meilleure qualité. La tenue en virage serait améliorée de même que la stabilité directionnelle en ligne droite. Ajoutez à cela des distances de freinage plus courtes et une meilleure adhérence sous la pluie.

L'Optra 5 est donc la plus élégante et la plus agréable à piloter tandis que la familiale est plus pratique, un point c'est tout.

Denis Duquet

MOTORISATION À L'ESSAI

Moteur :	4L de 2,0 litres 16s atmosphérique
Alésage et course :	86,0 mm x 86,0 mm
Puissance :	119 ch (89 kW) à 5 400 tr/min
Couple :	126 lb-pi (171 Nm) à 4 000 tr/min
Rapport poids/puissance :	10,54 kg/ch (14,25 kg/kW)
Système hybride :	aucun
Transmission :	traction, manuelle 5 rapports
Accélération 0-100 km/h :	10,5 s
Reprises 80-120 km/h :	9,6 s
Freinage 100-0 km/h :	43,0 m
Vitesse maximale :	195 km/h
Consommation (100 km) :	ordinaire, 8,7 litres
Autonomie (approximative) :	632 km
Émissions de CO_2 :	4 272 kg/an

GAMME EN BREF

Échelle de prix :	14 200 $ à 18 125 $
Catégorie :	familiale/hatchback
Historique du modèle :	1ière génération
Garanties :	3 ans/60 000 km, 3 ans/60 000 km
Assemblage :	Kunsan, Corée du Sud
Autre(s) moteur(s) :	aucun
Autre(s) rouage(s) :	aucun
Autre(s) transmission(s) :	automatique 4 rapports

DANS LA MÊME CATÉGORIE

Chevrolet Cobalt - Ford Focus - Honda Civic - Hyundai Elantra - Kia Spectra - Mazda 3 / 3 Sport - Mitsubishi Lancer - Nissan Sentra - Suzuki Aerio - Toyota Corolla

DU NOUVEAU EN 2007

Berline éliminée, nouvelles couleurs, changements de détails, groupe performance avec roues chromées

NOS IMPRESSIONS

Agrément de conduite :	🚗 🚗 🚗 ½
Fiabilité :	données insuffisantes
Sécurité :	🚗 🚗 🚗 ½
Qualités hivernales :	🚗 🚗 🚗 ½
Espace intérieur :	🚗 🚗 🚗 🚗
Confort :	🚗 🚗 🚗

LE CHOIX DE L'ÉQUIPE

Optra5 LT

Photos : Chevrolet

L'ANNÉE DU GRAND CHANGEMENT

Le marché des gros VUS au Québec n'est pas le plus important qui soit. Mais, chez nos voisins du Sud et même dans certaines autres provinces du Canada, c'est une autre affaire. Et puisque General Motors domine toujours ce créneau, il était crucial de renouveler toute la gamme afin de conserver ce titre. Par ailleurs, même si ce marché a connu un sérieux ralentissement avec la hausse des prix du pétrole, l'hégémonie de General Motors demeure la même avec plus de 50 pour cent du marché. Détail intéressant, la qualité et l'économie de carburant ont guidé le travail des développeurs des nouveaux Tahoe, Suburban et Yukon.

Et par qualité, je ne parle pas uniquement d'une finition plus soignée. Cela cible également la mécanique et le châssis. C'est ainsi que ce dernier a vu sa rigidité en torsion être accrue de 49 pour cent en raison de l'utilisation de longerons fermés. Cela permet d'offrir un ancrage plus rigide aux suspensions avant et arrière qui ont été redessinées. À l'avant, les ingénieurs ont opté pour un ensemble intégrant l'amortisseur dans le ressort hélicoïdal alors que l'essieu rigide arrière est relié à des liens multiples. La voie est également plus large tandis qu'une nouvelle direction à pignon et crémaillère fait son apparition sur tous les modèles. Le freinage a été souvent un point faible de cette famille de gros bras. Pour remédier à la situation, les freins ont été complètement redessinés avec des disques plus gros aux quatre roues et un système ABS Bosch 8,0 de la toute dernière génération. Enfin, tous les modèles sont dotés du système Stabilitrak de contrôle électronique de stabilité. Il est spécialement programmé pour détecter tout mouvement vertical associé à un capotage et éviter les tonneaux. La famille «gros VUS» propose des pneus de 17 pouces en équipement de série, mais il est possible de commander des roues de 20 pouces en option.

OPÉRATION DESIGN

Puisqu'il s'est avéré que la silhouette de tous ces véhicules plaisait, il n'était pas question de se lancer à l'aventure avec des designs trop innovateurs qui auraient eu pour effet d'irriter une clientèle réputée fidèle. Par contre, les stylistes ont raffiné le dessin de la caisse, épuré les angles et tendu les tôles afin de donner une allure plus allégée. Il est important de souligner que les interstices entre les divers éléments de la carrosserie ont été fortement amenuisés. Bref, qu'il s'agisse d'un Tahoe, Suburban ou Yukon, le résultat est positif. De plus, ces véhicules ont l'air plus petit qu'ils ne le sont en réalité. Une perception qui est certainement avantageuse en cette période. Et le coefficient aérodynamique est également meilleur, ce qui a un effet positif sur la consommation de carburant.

L'habitacle a aussi eu droit au traitement de qualité. Les plastiques bon marché ont été éliminés et le tissu du pavillon n'est plus en «poil de souris». Il est certain que la qualité de la finition a de beaucoup progressé. Le tableau de bord est tout nouveau et nettement plus élégant que précédemment alors qu'on avait l'impression d'être dans une camionnette. Par contre, l'utilisation d'appliques en bois synthétique n'est pas la trouvaille du siècle, mais à chacun ses goûts. L'habitabilité a également progressé puisque, même si les dimensions extérieures n'ont pratiquement pas augmenté, l'habitacle est plus spacieux. Selon les modèles, on peut commander une troisième rangée de sièges, de deux

FEU VERT	FEU ROUGE
Silhouette plus raffinée	Gabarit encombrant
Moteurs moins gourmands	Visibilité 3/4 arrière
Finition en progrès	Pas de moteur hybride
Tenue de route	Seuil du coffre élevé
Habitacle confortable	

ou trois places. Cette troisième rangée n'est pas des plus spacieuses, mais elle est beaucoup plus «vivable» que dans bien d'autres véhicules de même acabit! Et il est possible de s'offrir la motorisation électrique des sièges de la seconde rangée afin d'accéder aux places arrière.

PLACE AUX MOTEURS

Qui dit véhicule utilitaire dit nécessairement groupe propulseur. Une motorisation appropriée fait toute la différence lorsque le temps est venu de faire appel au côté fonctionnel ou sport de ces véhicules. Le moteur de base est un moteur V8 de 5,3 litres de 320 chevaux qui est offert sur les modèles deux roues motrices. Curieusement, si vous optez pour un modèle 4X4, c'est un moteur de même cylindrée mais avec bloc en aluminium qui équipera votre VUS. Par contre, la puissance est de 310 chevaux. Ces deux moteurs sont équipés du système de cylindrée variable qui désactive quatre cylindres lorsque le véhicule est lancé ou roule sur une grand-route. Les deux sont également disponible en version E-85, c'est-à-dire fonctionnant à l'éthanol. Si vos besoins nécessitent un plus gros moteur, vous pourrez alors opter pour le tout nouveau moteur V8 6,0 litres en alliage léger dont la puissance est de 366 chevaux, Ce moteur est le premier moteur de camionnette à soupapes en tête à proposer le calage infiniment variable des soupapes. Par contre, les Yukon Denali et Yukon XL Denali sont équipés d'un moteur V8 de 6,2 litres de 380 chevaux et 417 livres pied de couple associé à une transmission automatique à six rapports.

Tous ces changements ont des répercussions sur la route. Nous avons eu l'opportunité de piloter un Yukon et son homogénéité en la matière nous donnait l'impression d'être au volant d'une grosse familiale. La suspension est confortable, le moteur V8 de 5,3 litres juste ce qu'il faut tandis que la désactivation des cylindres est vraiment imperceptible. La direction est toujours un peu trop assistée, mais cela peut s'avérer un avantage en conduite hors route. Bref, en format gros (Tahoe et Yukon) ou extra gros (Suburban et Yukon XL), ces VUS renouvelés sont la preuve que GM est capable du meilleur.

Denis Duquet

Photos: Chevrolet

CHEVROLET TAHOE / SUBURBAN / GMC YUKON

OnStar® de GM Canada

VÉHICULE D'ESSAI

Version :	Tahoe LS AWD
Prix de détail suggéré :	55 565 $
Emp/Lon/Lar/Haut(mm) :	2 946/5 050/2 002/1 948
Poids :	2 363 kg
Coffre/Réservoir :	462 à 2 962 litres/98 litres
Coussins de sécurité :	frontaux, latéraux (av.) et rideaux
Suspension avant :	indépendante, barres de torsion
Suspension arrière :	indépendante, multibras
Freins av./arr. :	disque (ABS)
Antipatinage/Contrôle de stabilité :	oui/opt.
Direction :	à billes, assistée
Diamètre de braquage :	11,7 m
Pneus av./arr. :	P265/70R16
Capacité de remorquage :	3 900 kg

MOTORISATION À L'ESSAI

Moteur :	V8 de 5,3 litres 16s atmosphérique
Alésage et course :	96,0 mm x 92,0 mm
Puissance :	320 ch (239 kW) à 5 200 tr/min
Couple :	340 lb-pi (461 Nm) à 4 000 tr/min
Rapport poids/puissance :	7,38 kg/ch (10,01 kg/kW)
Système hybride :	aucun
Transmission :	4X4, automatique 6 rapports
Accélération 0-100 km/h :	9,1 s
Reprises 80-120 km/h :	8,5 s
Freinage 100-0 km/h :	42,0 m
Vitesse maximale :	180 km/h
Consommation (100 km) :	ordinaire, 14,3 litres
Autonomie (approximatif) :	685 km
Émissions de CO2 :	6 911 kg/an

GAMME EN BREF

Échelle de prix :	43 955 $ à 61 075 $
Catégorie :	utilitaire sport grand format
Historique du modèle :	3ᵉ génération
Garanties :	3 ans/60 000 km, 3 ans/60 000 km
Assemblage :	Janesville WI et Arlington TX, É-U
Autre(s) moteur(s) :	V8 4,8l 290ch/290lb-pi (15,1 l/100km)
	V8 6,0l 366ch/380lb-pi
	V8 6,2l 380ch/417lb-pi (Denali)
Autre(s) rouage(s) :	propulsion
Autre(s) transmission(s) :	aucune

DANS LA MÊME CATÉGORIE

Chrysler Aspen - Ford Expedition - Dodge Durango - Lincoln Navigator - Nissan Armada - Toyota Sequoia

DU NOUVEAU EN 2007

Nouveaux modèles, moteurs révisés, boîte automatique 6 rapports

NOS IMPRESSIONS

Agrément de conduite :	🚗 🚗 🚗 ½
Fiabilité :	nouveau modèle
Sécurité :	🚗 🚗 🚗 🚗
Qualités hivernales :	🚗 🚗 🚗 🚗 ½
Espace intérieur :	🚗 🚗 🚗 🚗 🚗
Confort :	🚗 🚗 🚗 🚗 🚗

LE CHOIX DE L'ÉQUIPE

Tahoe LS AWD

213

TRIPLÉS NON IDENTIQUES

On peut blâmer General Motors pour bien des raisons que nous n'élaborerons pas ici. Mais lorsque vient le temps de cloner ses véhicules, le plus important fabricant d'automobiles au monde (au moment d'écrire ces lignes du moins…) sait y faire. Au lieu d'offrir un seul véhicule, au demeurant quelquefois fort bien réussi quand il s'agit d'un VUS, General Motors en concocte trois, pour trois de ses divisions. Le trio Buick Rainier, Chevrolet Trailblazer et GMC Envoy en est la plus belle preuve.

En fait, les trois véhicules dont il est question proposent tous les mêmes moteurs, transmissions, châssis et, jusqu'à un certain point, le même habitacle. C'est au niveau des détails esthétiques, mais surtout du calibrage des suspensions, des rouages et des sensations de conduite que la différence se situe.

PARLONS MÉCANIQUE

Deux moteurs peuvent être installés sous le capot de chacun de ces véhicules. D'entrée de jeu, il y a un six en ligne de 4,2 litres qui développe, peu importe le modèle, 291 chevaux et 277 livres-pied de couple. On ne se contera pas d'histoire, ce moteur n'impressionnera jamais les amateurs de longues traces noires laissées sur le bitume. Ses performances sont ordinaires mais sa douceur et sa souplesse limitent les dégâts. Ensuite, on retrouve un V8 de 5,3 litres de 300 chevaux et 330 livres-pied de couple. Il s'agit du moteur le mieux indiqué pour le tempérament utilitaire de ces véhicules, malgré son appétit notoire. Les performances s'avèrent très intéressantes, tandis que la technologie AFM (Active Fuel Management) permet d'épargner un peu de carburant en désactivant quatre cylindres lorsqu'ils ne sont pas requis. Ce type de système fonctionne généralement bien, mais uniquement sur une route plane, à vitesse constante. Il existe aussi un V8 de 6,0 litres mais il est plutôt marginal. Nous y reviendrons. Les trois véhicules ci-haut mentionnés reposent sur un châssis de type échelle, comme celui des camionnettes. Solidité assurée. Aussi, chacun peut être mû par les roues arrière seulement ou par un rouage intégral (Buick Rainier) ou à quatre roues motrices. Chacun peut remorquer près de 3 000 kilos, en fonction de l'équipement. Voyons-y de plus près…

CHACUN SON TOUR

Des trois véhicules, le plus placide demeure le Buick Rainier. Puisque le propriétaire d'un Buick est, généralement, moins enclin à acheter un chalet au bout de la route du Tremble Apeuré, vingt-deux kilomètres au nord du restaurant chez Laurette Hot Dog Steamé depuis 1948, le Rainier n'est offert qu'en version intégrale. Concrètement, il s'agit d'une propulsion (roues arrière motrices) jusqu'à ce que le système détecte un manque de traction. Le couple est alors envoyé aux roues avant. Il s'agit d'un mécanisme transparent pour le conducteur. Cette année, GM propose un nouveau membre, faisant du trio un quatuor, le Saab 9-7x. Il est question, en fait, d'un Rainer apprêté à la sauce Saab. Ce nouveau véhicule fait l'objet d'un texte séparé.

FEU VERT
Bon choix de moteurs
Châssis rigide
Comportement honnête
Version SS (Trailblazer)
Rouage 4RM performant

FEU ROUGE
Consommation honteuse (5,3 litres)
Fiabilité quelquefois décevante
Finition de type "à la va-vite"
Versions allongées absentes

Version :	Trailblazer LT 4RM
Prix de détail suggéré :	46 815 $
Emp/Lon/Lar/Haut(mm) :	2 870/4 872/1 895/1 892
Poids :	2 084 kg
Coffre/Réservoir :	1 391 à 3 082 litres/95 litres
Coussins de sécurité :	frontaux et latéraux (av.)
Suspension avant :	indépendante, barres de torsion
Suspension arrière :	essieu rigide, ressorts elliptiques
Freins av./arr. :	disque (ABS)
Antipatinage/Contrôle de stabilité :	oui/non
Direction :	à crémaillère, assistance variable
Diamètre de braquage :	12,5 m
Pneus av./arr. :	P245/65R17
Capacité de remorquage :	2 775 kg

MOTORISATION À L'ESSAI

Pneus d'origine MICHELIN

Moteur :	V8 de 5,3 litres 16s atmosphérique
Alésage et course :	96,0 mm x 92,0 mm
Puissance :	300 ch (224 kW) à 5 200 tr/min
Couple :	330 lb-pi (447 Nm) à 4 000 tr/min
Rapport poids/puissance :	6,95 kg/ch (9,43 kg/kW)
Système hybride :	aucun
Transmission :	4RM, automatique 4 rapports
Accélération 0-100 km/h :	8,5 s
Reprises 80-120 km/h :	7,5 s
Freinage 100-0 km/h :	45,0 m
Vitesse maximale :	190 km/h
Consommation (100 km) :	ordinaire, 14,8 litres
Autonomie (approximative) :	642 km
Émissions de CO2 :	6 240 kg/an

GAMME EN BREF

Échelle de prix :	31 595 $ à 43 680 $
Catégorie :	utilitaire sport intermédiaire
Historique du modèle :	1ière génération
Garanties :	3 ans/60 000 km, 3 ans/60 000 km
Assemblage :	Moraine, Ohio, É-U
Autre(s) moteur(s) :	6L 4,2l 291ch/277lb-pi (15,8 l/100km)
	V8 6,0l 395ch/400lb-pi (16,4 l/100km)
Autre(s) rouage(s) :	propulsion
Autre(s) transmission(s) :	aucune

DANS LA MÊME CATÉGORIE

Ford Explorer-Honda Pilot-Hummer H3-Jeep Grand Cherokee-Mitsubishi Endeavor-Nissan Pathfinder-Toyota 4Runner

DU NOUVEAU EN 2007

Nouvelles couleurs, OnStar nouvelle génération, Trailblazer SS devient modèle séparé, nouvelles roues 18" pour Envoy et Denali

NOS IMPRESSIONS

Agrément de conduite :	🚗🚗🚗½
Fiabilité :	🚗🚗🚗½
Sécurité :	🚗🚗🚗🚗
Qualités hivernales :	🚗🚗🚗🚗
Espace intérieur :	🚗🚗🚗🚗🚗
Confort :	🚗🚗🚗½

LE CHOIX DE L'ÉQUIPE

Envoy SLT 4RM

La version Chevrolet du Rainier, le Trailblazer demeure le plus polyvalent de la gamme même si, cette année, la livrée XLT n'est plus sur le marché, signant l'arrêt de mort de la troisième banquette. Ce modèle était, en réalité, un Trailblazer allongé. Le comportement routier n'affiche certes pas la même douceur qu'un bon gros Buick mais, pour un camion (car c'est ce que sont les membres de ce trio, des trucks avec un châssis de truck) pour un camion, donc, c'est réussi. De plus, le Trailblazer, avec son rouage 4x4 incluant une gamme basse (4Lo) n'est pas gêné par la route du Tremble Apeuré !

De tous les véhicules dont nous traitons dans ce texte, le Trailblazer SS est, sans contredit, le plus surprenant. Ce Trailblazer Super Sport est facilement reconnaissable grâce à sa calandre particulière, ses roues de 20'' (informez-vous du coût de remplacement, AVANT de signer le contrat d'achat...) et un habitacle distinct. Mais c'est surtout son moteur de Corvette qui le distingue : un V8 de 6,0 litres qui développe 395 chevaux et 400 livres-pied de couple. La transmission qui s'y rattache, même si elle est toute récente, ne possède que quatre rapports. Sa robustesse, par contre, ne fait pas de doutes. Avec un tel véhicule, on a peut-être pas le goût d'aller se promener dans le coin de chez Laurette mais amenez-en des coins de rue à noircir ! Selon GM, la mise au point de ce camion de course aurait été peaufinée au circuit du Nürburgring, en Allemagne.

Il reste le GMC Envoy. Tout comme le Trailblazer, sa version allongée (XL) n'est pas de retour cette année. L'an dernier, il abandonnait sa version XUV qui lui permettait, grâce à une partie arrière rétractable, de loger des objets très encombrants. Pour l'instant, l'Envoy compte toujours sur sa livrée luxueuse Denali, facilement reconnaissable par sa grille avant distinctive. De toute manière, le GMC Envoy se distingue déjà des deux autres par sa carrosserie quelque peu différente et, très subjectivement, plus jolie.

Éminemment pratiques avec leur importante capacité de chargement et leurs capacités de remorquage, confortables et compétents autant en hors route (sauf, dans une certaine mesure, le Rainier) que sur la route, ce trio n'en a probablement plus que pour quelques années à vivre. Des indices ? Le Traiblazer et l'Envoy proposent de moins en moins de modèles et le marché des VUS se rétrécit à cause des prix du pétrole... En attendant, malgré une fiabilité quelquefois déconcertante, les membres de ce trio ont beaucoup à offrir.

Alain Morin

Photos : Chevrolet

CHEVROLET TRAILBLAZER / **GMC** ENVOY / **BUICK** RAINIER

L'AUTO DE PAPA

Quand j'étais plus jeune, le nec plus ultra en matière de voiture se définissait non pas par les performances, mais par le confort et les dimensions hors du commun. Les grosses Chrysler ou les Buick de forte taille faisaient alors fureur chez tous les conducteurs qui voulaient ainsi démontrer un certain statut. Statut en moins, c'est un peu la philosophie qui a guidé Chrysler dans la conception de sa grande 300, une berline de luxe dont les proportions et les lignes ne sont pas sans rappeler quelques splendeurs du passé.

Mais cette fois, on a ajouté les performances au menu, et tout cela, dans une fourchette de prix plus que raisonnable. En fait, avec un prix de base qui excède à peine les 30000$, la Chrysler 300 est assurément un achat à considérer pour tous ceux et celles que les berlines de luxe attirent.

AMOUR ET HAINE

Il ne faut cependant pas octroyer toutes les qualités à cette grosse voiture. Pour certains par exemple, elle est dotée d'une silhouette superbe avec sa calandre démesurée et son arrière plutôt carré. Pour d'autres, cette même silhouette constitue un handicap puisque la voiture est tout sauf discrète. En fait, ce n'est pas tellement la silhouette comme les dimensions qui agacent les amateurs. Sur photo, elle plaît à tous, mais une fois debout près d'elle, plusieurs la comparent aux Cadillac surdimensionnées d'antan, dont les automobilistes plus âgés raffolent toujours.

À l'intérieur, la 300 rappelle sans équivoque les anciennes grandes marques. Son tableau de bord qui n'en finit plus, et son grand volant sont à l'image de la belle époque. L'ensemble est tout à fait agréable à regarder, même si certaines commandes du tableau de bord sont un peu éloignées du conducteur, ce qui oblige à quitter la route des yeux quelques secondes pour s'en servir.

Le couvercle de coffre à gants, un vaste panneau de plastique sans motifs, aurait eu aussi avantage à être plus raffiné. Car pour l'instant, on dirait presque que toute cette section a été complètement oubliée par les décorateurs!

Les sièges sont confortables dans l'ensemble, bien que l'assise soit un peu courte et le support latéral pas aussi soutenant que souhaité. Mais ce n'est qu'en conduite un peu plus sportive que l'on pourra vraiment s'en rendre compte puisque c'est en virage abrupt que ce soutien est le plus déficient. Et soyons honnêtes, rares sont les conducteurs qui tenteront de pousser leur 300 à cette limite!

Pourtant, ce n'est certainement pas la puissance qui manque. Bien au contraire, puisque la 300 est présentée avec un moteur V8 Hemi de 340 chevaux. Ainsi équipée, la voiture se permet de réaliser le 0-100 kilomètres à l'heure en un peu moins de 7 secondes, ce qui, pour une voiture de cette taille, relève presque de l'exploit. Évidemment, pour obtenir le Hemi, il faudra accepter de payer quelques dollars de plus, ce que bon nombre de conducteurs ne se résoudront pas à faire.

Qu'à cela ne tienne, la 300 est aussi livrable avec un V6 de 3,5 litres, jumelé à une transmission automatique à 4 rapports, alors que la grosse

FEU VERT	FEU ROUGE
Moteur HEMI puissant	Dimensions imposantes
Silhouette exceptionnelle	Consommation de locomotive
Rapport qualité/prix	Conduite aseptisée
Technologie de pointe	Planche de bord sans surprise
	Fiabilité perfectible

VÉHICULE D'ESSAI

Version :	300C
Prix de détail suggéré :	43 995 $
Emp/Lon/Lar/Haut(mm) :	3 048/4 999/1 881/1 483
Poids :	1 836 kg
Coffre/Réservoir :	311 litres / 72 litres
Coussins de sécurité :	frontaux, latéraux (av.) et rideaux
Suspension avant :	indépendante, bras inégaux
Suspension arrière :	indépendante, multibras
Freins av./arr. :	disque (ABS)
Antipatinage/Contrôle de stabilité :	oui/oui
Direction :	à crémaillère, assistée
Diamètre de braquage :	11,9 m
Pneus av./arr. :	P225/60R18
Capacité de remorquage :	910 kg

cylindrée, le Hemi de 5,7 litres, vient, lui, acoquiné à une transmission automatique 5 rapports manumatique que l'on peut utiliser à la fois en mode semi-manuel ou entièrement automatique.

Tout cela dans un esprit d'économie d'essence, puisque le moteur huit cylindres devient un quatre cylindres en moins d'une demi-seconde lorsque la puissance n'est pas nécessaire. Ceci grâce au MDS (un système qui permet la désactivation de certains cylindres quand ils ne sont pas indispensables), sauvant ainsi plusieurs litres autrement dépensés inutilement. Et fait à souligner, toutes ces versions sont des propulsions ou des tractions intégrales, une nouvelle tendance pour Chrysler et pour plusieurs autres fabricants.

Les vrais mordus de performance seront naturellement intéressés par une version presque numérotée tellement elle est rare : la SRT-8, un monstre de plus de 425 chevaux. Évidemment, sièges, suspensions, pneus et autres composantes ont été modifiés à l'avenant, histoire de pouvoir tirer le maximum de cette 300 nourrie aux stéroïdes.

La grande qualité de la 300 cependant, c'est son confort. Outre l'habitacle conçu en ce sens, on a aussi muni la voiture d'une suspension confortable, ce qui rend les randonnées fort agréables, et ce, sur n'importe quelle chaussée. En fait, certains trouveront même que cette conduite, un peu trop aseptisée, manque un peu d'esprit d'aventure. Malgré tout, cette suspension maintient le contrôle de l'ensemble, peu importe la trajectoire. Quant à la direction, elle est un peu floue et surtout manque de *feedback*.

Toutes ces considérations techniques étant faites, il reste maintenant la voiture qui, il faut l'admettre, a un charme fou. C'est vrai, elle n'attirera sans doute pas l'attention des plus jeunes. Malgré la possibilité de cocher l'option HEMI et SRT-8.

Mais vous savez quoi ? À ce prix, et avec un équipement aussi sophistiqué, sans compter tous les accessoires de sécurité comme les freins ABS ou les programmes de stabilité électronique, la 300, continue d'avoir un des meilleurs rapports qualité-prix actuellement disponibles. Tout cela, dans une enveloppe agréable qu'il faut savoir apprécier, j'en conviens, et avec des performances plus qu'honnêtes. Auto de papa ? Peut-être, mais avec l'opinion que j'ai de la 300, je dois maintenant faire partie de ces papas.

Marc Bouchard

MOTORISATION À L'ESSAI

Moteur :	V8 de 5,7 litres 16s atmosphérique
Alésage et course :	99,5 mm x 90,9 mm
Puissance :	340 ch (254 kW) à 5 000 tr/min
Couple :	390 lb-pi (529 Nm) à 4 000 tr/min
Rapport poids/puissance :	5,4 kg/ch (7,34 kg/kW)
Système hybride :	aucun
Transmission :	propulsion, automatique 5 rapports
Accélération 0-100 km/h :	7,0 s
Reprises 80-120 km/h :	6,1 s
Freinage 100-0 km/h :	42,9 m
Vitesse maximale :	250 km/h
Consommation (100 km) :	ordinaire, 15,1 litres
Autonomie (approximative) :	477 km
Émissions de CO2 :	5 568 kg/an

GAMME EN BREF

Échelle de prix :	29 995 $ à 50 550 $
Catégorie :	berline grand format
Historique du modèle :	1ère génération
Garanties :	3 ans/60 000 km, 7 ans/115 000 km
Assemblage :	Brampton, Ontario, Canada
Autre(s) moteur(s) :	V6 3,5l 250ch/250lb-pi (8,1 l/100km)
	V8 6,1l 425ch/420lb-pi (16,5 l/100km) SRT-8
Autre(s) rouage(s) :	intégrale
Autre(s) transmission(s) :	automatique 4 rapports

DANS LA MÊME CATÉGORIE

Cadillac CTS / CTS-V - Chevrolet Impala - Ford 500 - Mercury Grand Marquis - Pontiac Bonneville - Toyota Avalon

DU NOUVEAU EN 2007

Légers changements esthétiques, version allongée 300L

NOS IMPRESSIONS

Agrément de conduite :	🚗 🚗 🚗 🚗 ½
Fiabilité :	🚗 🚗 🚗 ½
Sécurité :	🚗 🚗 🚗 🚗 ½
Qualités hivernales :	🚗 🚗 🚗 ½
Espace intérieur :	🚗 🚗 🚗 🚗 ½
Confort :	🚗 🚗 🚗 🚗 ½

LE CHOIX DE L'ÉQUIPE

300

Photos : Denis Duquet

ESPÉRONS QUE...

Chez Chrysler, il semble qu'il y ait un taux inhabituellement élevé de personnes optimistes... Le seul fait de lancer à nouveau un véhicule baptisé Aspen témoigne d'un optimisme débordant. Si vous ne savez pas de quoi je parle, sachez que ce constructeur était au bord de la faillite dans les années soixante-dix et que ses modèles n'étaient pas toujours parfaitement développés. Un duo de voitures appelées Dodge Aspen et Plymouth Volare a été commercialisé à l'époque avec des résultats navrants, catastrophiques même. Alors...

Je sais bien que la situation n'est plus la même et que la plupart des modèles produits par ce constructeur se démarquent par une conception mécanique saine et une fabrication qui n'a rien à voir avec les voitures catastrophes produites il y a plus de 30 ans. Et on doit se dire chez Chrysler que les gens qui avaient eu le malheur de s'acheter un Aspen à cette époque ne sont plus de ce monde ou ne s'intéressent plus à l'automobile en raison de l'âge. Et il faut faire la part des choses : l'Aspen de jadis était une berline, celle d'aujourd'hui est annoncée comme le premier VUS dans l'histoire de la marque Chrysler.

ORIGINES CONNUES

Les communiqués de presse de la compagnie on beau clamer haut et fort que l'Aspen est une première pour Chrysler, il n'en demeure pas moins que l'œil le moindrement exercé décèlera que cette nouveauté n'est rien d'autre qu'un Dodge Durango revu et corrigé à la sauce Chrysler. Je fais partie des gens qui trouvent que la grille de calandre du Aspen est nettement plus distinguée que celle du Durango qui fait beaucoup trop « gros camion » pour mériter de bonnes notes lorsque vous arrivez avec votre mastodonte au club de golf ou tout autre endroit semblable. D'ailleurs, la silhouette du Aspen est élégante. Alors que les stylistes de Dodge ont voulu que le Durango ait l'air plus gros qu'il ne l'est en réalité, ceux affectés au dessin du modèle Chrysler ont tenté le contraire et c'est réussi. Il est vrai que le pare-chocs avant est pas mal gros, mais les rainures longitudinales du capot de même que la grille de calandre chromée compensent largement. Et la fenestration plus petite à l'arrière a pour effet de profiler la silhouette. Par contre, la partie arrière est correcte sans plus.

Comme tout modèle Chrysler qui se respecte, la présentation de l'habitacle est plus luxueuse que sur un produit Dodge. Le tableau de bord est bien réussi avec des appliques en bois qui tentent de nous faire oublier que nous roulons à bord d'un gros VUS à châssis autonome. Les cadrans indicateurs sont plus ou moins similaires à ceux d'une 300 C. Et comme ça semble être devenu incontournable sur les voitures d'un certain niveau de luxe, une pendulette analogique trône au sommet du tableau de bord, juste au-dessus de l'écran du système de navigation. Et cette fois, pas d'écran minuscule comme sur certains modèles Jeep par exemple ! Il ne faut pas oublier de mentionner que l'Aspen possède trois rangées de sièges, un incontournable dans la catégorie tandis que le hayon arrière motorisé est une option.

FEU VERT
Slhouette agréable
Habitacle cossu
Moteurs éprouvés
Châssis solide
Bonne capacité de remorquage

FEU ROUGE
Consommation élevée
Réplique du Durango
Seuil de chargement élevé
Peu maniable en ville

PUISSANCE ET SOLIDITÉ

Il est important de savoir que Chrysler s'attaque au marché des VUS de luxe avec l'Aspen. Et son principal argument est un prix plus que compétitif par rapport aux modèles concurrents et un équipement de série très complet. Mais on a beau parler de luxe et de confort, les acheteurs ciblés sont également intéressés à la capacité de remorquage d'un tel véhicule, ce qui explique la présence d'un châssis autonome. Fabriqué à partir d'éléments formés par pression hydraulique, ce châssis de type à échelle est à la fois léger et rigide. Et il est suffisamment costaud pour assurer une capacité maximale de remorquage de 8 950 livres. Pour être capable de tracter une telle charge, il faut commander en option le moteur V8 Hemi de 5,7 litres d'une puissance de 335 chevaux. Ces chiffres sont pour la version deux roues motrices. Cochez l'option 4X4 sur votre feuille de commande et la capacité de remorquage est alors de 8 750 livres, ce qui est toujours impressionnant. Bien entendu, cela suppose un essieu arrière rigide. Mais pour offrir un niveau de confort digne de la catégorie, les ingénieurs ont opté pour des ressorts hélicoïdaux. La suspension avant est indépendante avec barres de torsion et amortisseurs monotube.

Voilà pour ce qui est du «gros modèle» avec son incontournable moteur Hemi. Si vous n'avez pas besoin de transporter votre maison avec vous, il est certain que le moteur V8 de 4,7 litres d'une puissance de 235 chevaux est amplement suffisant, d'autant plus que sa consommation de carburant, raisonnable pour la cylindrée, vous fera quand même sourciller à chaque plein...

Pas besoin d'être un crack de l'automobile pour savoir que ce gros VUS dérivé du Dodge Durango se comportera ni plus ni moins comme ce dernier. Par contre, une meilleure insonorisation et une présentation plus cossue de l'habitacle vous permettent d'en avoir pour votre argent. Et même si les dimensions du Aspen sont encombrantes en ville, il n'empêche que le comportement routier est correct tandis que la suspension arrière réussit à contrôler efficacement les effets des routes bosselées. Bref, pour les personnes qui ont la mémoire courte, l'Aspen est un véhicule qui a ses charmes.

Denis Duquet

VÉHICULE D'ESSAI

Version :	Limited
Prix de détail suggéré :	58 500 $
Emp/Lon/Lar/Haut (mm) :	3 027/5 101/1 930/1 887
Poids :	2 328 kg
Coffre/Réservoir :	538 à 3 095 litres / 102 litres
Coussins de sécurité :	frontaux, latéraux (av.) et rideaux
Suspension avant :	indépendante, bras inégaux
Suspension arrière :	essieu rigide, ressorts hélicoïdaux
Freins av./arr. :	disque (ABS)
Antipatinage/Contrôle de stabilité :	oui / oui
Direction :	à crémaillère, assistance variable
Diamètre de braquage :	12,2 m
Pneus av./arr. :	P245/70R17
Capacité de remorquage :	4 060 kg

MOTORISATION À L'ESSAI

Moteur :	V8 de 4,7 litres 16s atmosphérique
Alésage et course :	93,0 mm x 86,5 mm
Puissance :	235 ch (175 kW) à 4 600 tr/min
Couple :	300 lb-pi (407 Nm) à 3 600 tr/min
Rapport poids/puissance :	9,91 kg/ch (13,46 kg/kW)
Système hybride :	aucun
Transmission :	4X4, automatique 5 rapports
Accélération 0-100 km/h :	8,5 s (estimé)
Reprises 80-120 km/h :	7,4 s (estimé)
Freinage 100-0 km/h :	42,6 m (estimé)
Vitesse maximale :	185 km/h
Consommation (100 km) :	ordinaire, 16,1 litres (estimé)
Autonomie (approximative) :	634 km
Émissions de CO2 :	7 152 kg/an

GAMME EN BREF

Échelle de prix :	52 500 $ à 58 500 $
Catégorie :	utilitaire sport grand format
Historique du modèle :	1ière génération
Garanties :	3 ans/60 000 km, 7 ans/115 000 km
Assemblage :	Newark, Delaware, É-U
Autre(s) moteur(s) :	V8 5,7l 335ch/370lb-pi (16,8 l/100km) HEMI
Autre(s) rouage(s) :	aucun
Autre(s) transmission(s) :	aucune

DANS LA MÊME CATÉGORIE

Chevrolet Tahoe - Ford Expedition - Lincoln Navigator - Nissan Armada - Toyota Sequoia

DU NOUVEAU EN 2007

Nouveau modèle

NOS IMPRESSIONS

Agrément de conduite :	🚗 🚗 🚗 🚗
Fiabilité :	nouveau modèle
Sécurité :	🚗 🚗 🚗 🚗
Qualités hivernales :	🚗 🚗 🚗 🚗 ½
Espace intérieur :	🚗 🚗 🚗 🚗 ½
Confort :	🚗 🚗 🚗 🚗 ½

LE CHOIX DE L'ÉQUIPE

Limited

GUIDE DE L'AUTO 2007

RECHERCHE PARTENAIRE

Introduite à l'été 2003, la Chrysler Crossfire s'est immédiatement révélée une voiture sophistiquée et séduisante. Si plusieurs acheteurs ont succombé à ses charmes à l'époque, il en va tout autrement depuis quelques années. En fait, il n'est pas rare de voir des modèles 2004 et 2005 traîner à rabais dans les salles de démonstration des concessionnaires. La production aura même été interrompue temporairement aux États-Unis, histoire de limiter les surplus. Pourtant, la Crossfire possède plusieurs attributs intéressants. En vérité, il est difficile de ne pas succomber à ses charmes. Il semble tout de même qu'elle aura eu de la difficulté à s'imposer dans le créneau des roadsters de luxe.

Sous les lignes typiquement américaines de la Crossfire, on reconnaît l'ingénierie allemande issue de chez Mercedes. En fait, la Crossfire est directement dérivée du coupé SLK d'ancienne génération. Elle hérite du moteur V6 de cette dernière, de sa suspension multibras et de sa direction, sans oublier nombre d'éléments de sécurité. Voilà sans doute pourquoi la Crossfire nous offre un environnement très distinct de ce que l'on retrouve normalement chez Chrysler. Il est intéressant de faire le parallèle entre cette voiture et la Chrysler Pacifica, un autre modèle qui a éprouvé les mêmes difficultés. Ce sont deux produits fortement inspirés de chez Mercedes et ils se positionnent dans un créneau plus luxueux, ficelé à un prix élevé. La recette semble simple en théorie, mais son application plus difficile.

RETOUR À LA SOBRIÉTÉ, BYE BYE LA SRT6

Pour 2007, on ne retrouve pratiquement aucun changement chez la Crossfire par rapport au modèle 2006. On note cependant la disparition du modèle SRT6, une édition plus vitaminée de la Crossfire introduite en 2005. Dommage, ce modèle me semblait drôlement bien adapté, ajoutant un argument de puissance à cette voiture. C'est donc un coupé et un cabriolet qui sont au catalogue pour 2007. Tous se partagent un moteur V6 de 3,2 litres développant 215 chevaux à 5700 tr/min pour

un couple de 229 lb-pi à 3000 tr/min. Ce moteur est combiné de série avec une boîte manuelle à six rapports alors qu'une boîte automatique à cinq rapports est optionnelle dans la version Limited.

La Chrysler Crossfire séduit par ses lignes dynamiques et sophistiquées. Difficile de ne pas tourner la tête sur son passage. Ce coupé biplace offre les proportions typiques des roadsters classiques, soit un long capot, un habitacle reculé et des portes à faux réduits. Plusieurs éléments rehaussent son style, notamment son capot strié et ses jantes de 18 pouces à l'avant et de 19 pouces à l'arrière. Si l'avant est allongé et profilé, l'arrière plonge jusqu'au bas du pare-chocs. Fait intéressant, un aileron se déploiera selon la vitesse du véhicule. Une commande située sur le tableau de bord vous permet aussi de le déployer manuellement. Bref, la Crossfire allie magnifiquement certaines touches de style issues du passé au modernisme des autres produits du groupe.

UN HABITACLE SOIGNÉ

Dès que l'on s'assoit dans la Crossfire, on découvre un habitacle contemporain et sophistiqué. Tout est bien présenté et ergonomique, appuyant bien le style insufflé à l'extérieur. La Crossfire offre une bonne position de conduite, alors que les nombreux ajustements du siège

---

FEU VERT

Style réussi
Voiture sécuritaire
Comportement sain
Aménagement intérieur luxueux

FEU ROUGE

Prix élevé
Visibilité arrière
Espace cargo réduit
Puissance un peu juste

permettent de trouver les bons réglages. Cependant, les personnes de plus grande taille verront leur dégagement réduit, entre autres à la tête et aux jambes. L'habitacle transpire fortement le style Mercedes, notamment en raison de l'utilisation de nombreuses garnitures chromées.

Sur la route, la Crossfire affiche un comportement agréable et inspirant. Fort de ses 215 chevaux, son moteur V6 fournit des performances raisonnables, mais il faudra pousser les régimes afin d'en extraire toute la puissance. À bas régime, le moteur est un peu plus anémique. Les ingénieurs ont su donner à ce moteur une belle sonorité, riche et sourde. C'est sur une route sinueuse que la Crossfire révèle tous ses charmes. Sa direction précise combinée avec un châssis rigide et une bonne prise du volant vous permet de diriger la voiture du bout des doigts au millimètre près. Sans malice, cette auto vous donner l'apparence d'un pilote chevronné tant elle est docile. Si vous deviez la pousser à l'extrême, un système de contrôle de la traction viendra rétablir la situation, si vous ne l'avez pas désactivé bien entendu.

LES PLAISIRS DU CABRIOLET

En modèle cabriolet, la Crossfire vous charmera encore un peu plus. Enfoncez la commande de la capote électrique et en un peu plus de 20 secondes, vous découvrirez le plaisir qu'offre un cabriolet. Quelle joie que de rouler cheveux au vent, par une belle journée d'été! Voilà la combinaison idéale. Malgré son poids supplémentaire, la Crossfire décapotable présente de bonnes dynamiques de conduite, alors que son châssis conserve une rigidité appréciable. Cependant, il faudra peut-être composer avec une visibilité arrière plus restreinte et un espace de chargement légèrement amputé. Une question de compromis!

La Chrysler Crossfire possède plusieurs atouts intéressants. Sans être la plus puissante, elle affiche un style unique, elle offre un plaisir de conduite inné et surtout, elle renferme nombre d'éléments assurant la sécurité des passagers. Voilà des qualités qui normalement garantissent le succès d'une voiture. Dommage qu'elle n'ait pas réussi à obtenir la notoriété méritée.

Sylvain Raymond

VÉHICULE D'ESSAI

Version :	Limited
Prix de détail suggéré :	48 050 $
Emp/Lon/Lar/Haut(mm) :	2 400/4 058/1 766/1 307
Poids :	1 399 kg
Coffre/Réservoir :	110 à 190 litres/60 litres
Coussins de sécurité :	frontaux et latéraux (av.)
Suspension avant :	indépendante, bras inégaux
Suspension arrière :	indépendante, multibras
Freins av./arr. :	disque (ABS)
Antipatinage/Contrôle de stabilité :	oui/oui
Direction :	à billes, assistée
Diamètre de braquage :	10,3 m
Pneus av./arr. :	P225/40R18 / P255/35R19
Capacité de remorquage :	non recommandé

MOTORISATION À L'ESSAI

Moteur :	V6 de 3,2 litres 18s atmosphérique
Alésage et course :	89,9 mm x 84,0 mm
Puissance :	215 ch (160 kW) à 5 700 tr/min
Couple :	229 lb-pi (311 Nm) de 3 000 à 6 000 tr/min
Rapport poids/puissance :	6,51 kg/ch (8,85 kg/kW)
Système hybride :	aucun
Transmission :	propulsion, manuelle 6 rapports
Accélération 0-100 km/h :	8,2 s
Reprises 80-120 km/h :	7,0 s
Freinage 100-0 km/h :	42,0 m
Vitesse maximale :	230 km/h
Consommation (100 km) :	ordinaire, 11,5 litres
Autonomie (approximative) :	522 km
Émissions de CO2 :	5 568 kg/an

GAMME EN BREF

Échelle de prix :	39 995 $ à 48 050 $ (2006)
Catégorie :	coupé/roadster
Historique du modèle :	1ière génération
Garanties :	3 ans/60 000 km, 7 ans/115 000 km
Assemblage :	Osnabrück, Allemagne
Autre(s) moteur(s) :	aucun
Autre(s) rouage(s) :	aucun
Autre(s) transmission(s) :	automatique 5 rapports

DANS LA MÊME CATÉGORIE

Audi TT - BMW 330Ci - Infiniti G35 Coupé - Mazda RX-8

DU NOUVEAU EN 2007

Nouvelle couleur monochrome noir, éléments de sécurité standard plus nombreux, abandon du SRT-6

NOS IMPRESSIONS

Agrément de conduite :	🚗 🚗 🚗 ½
Fiabilité :	🚗 🚗 🚗 🚗
Sécurité :	🚗 🚗 🚗 🚗
Qualités hivernales :	🚗 🚗
Espace intérieur :	🚗 🚗 🚗
Confort :	🚗 🚗 🚗

LE CHOIX DE L'ÉQUIPE

Cabriolet

Photos : Chrysler

VIEILLISSANT GRAND-PAPA

On s'est sans aucun doute habitué aux innovations du groupe DaimlerChrysler. C'est à ce constructeur que l'on doit par exemple le retour à la vague rétro, avec le PT Cruiser et la plus récente Charger. C'est aussi à eux que l'on doit la fourgonnette (qui ne se rappelle pas l'Autobeaucoup ?) qui est devenue à elle seule le véritable symbole d'une époque. Mais plus récemment, c'est à eux que l'on doit le désormais universel concept de véhicule multisegment. Si vous en attendez une définition précise, il faudra repasser, mais je me contenterais de dire que le multisegment est, comme son nom ne l'indique peut-être pas clairement, un subtil mélange de plusieurs types de véhicules.

De nos jours, ce genre de multisegment ou crossover est monnaie courante, et on a même extrapolé le concept en créant les CUV, ou Crossover Utility Vehicle, soit une espèce de nouvelle race de véhicule utilitaire. Mais celle qui est la grand-mère de tout cela, et qui encore aujourd'hui se défend avec honneur dans la catégorie, c'est la Pacifica.

FAMILIALE AUX STÉROÏDES

Au premier abord, quand on la regarde, on voit surtout une familiale engraissée aux stéroïdes. Mais dans les faits, tant par son rôle que par ses performances, on en est loin. Autre détail à régler tout de suite : la Pacifica n'est pas une variante de la fourgonnette Town & Country, même si elle est assemblée sur la même chaîne de montage que les Dodge Caravan. Elle profite au contraire d'une plate-forme qui, à l'origine, avait été développée spécialement pour elle. En simple terme de dimensions, elle est plus petite, c'est-à-dire plus basse, mais aussi plus large que ses consoeurs fourgonnettes. Quant à l'empattement, il se situe quelque part entre les versions normales et les versions allongées des Caravan.

Mais ces dimensions peu habituelles n'empêchent pas la Pacifica de pouvoir accueillir six occupants en tout confort. Pour le conducteur et

son voisin, tout comme pour les occupants de la deuxième rangée, l'aisance est assurée par des sièges baquets d'un bon support. Côté conducteur, la position de conduite est facile à trouver en raison des nombreux ajustements que l'on apporte du bout des doigts au positionnement du siège. Des boutons formant une minireproduction du siège, installés dans la porte, servent de boutons d'ajustement, un peu comme dans les Mercedes (coïncidence, sans doute). Il est aussi possible de régler les pédales et de conserver tous ces ajustements en mémoire. Les passagers profitent eux aussi de réglages électriques, une belle marque d'appréciation ! Seuls ceux qui occuperont la troisième rangée devront subir quelque inconfort. Il faut dire qu'il s'agit d'une simple banquette, moins confortable et surtout beaucoup moins spacieuse. Malgré ces limites, les passagers ne s'ennuieront pas assis derrière puisqu'ils seront ceux qui ressentiront avec le plus d'acuité les impacts de la route. Bref, une rangée utilitaire tout au plus, inutile la plupart du temps.

Outre la silhouette différente, la Pacifica est dotée d'un tableau de bord de grande qualité, regroupant facilement toutes les commandes et tous les accessoires imaginables. On peut même, moyennant quelques dollars supplémentaires évidemment, équiper la voiture

---

FEU VERT
Intérieur polyvalent
Nouvelle transmission 6 rapports
Direction sans anicroche
Moteur 4,0 litres plus puissant
Comportement routier agréable

FEU ROUGE
Prix d'achat élevé
Espace cargo limité
Poids de l'ensemble
Consommation sans compromis

d'un système GPS dont l'affichage se fait directement sous nos yeux, à l'arrière de l'indicateur de vitesse.

Au départ, l'habitacle est spacieux mais l'espace de chargement est limité même s'il est aisément accessible. La banquette arrière s'abaisse simplement pour se niveler avec le plancher, dégageant un vaste espace. La deuxième rangée peut se retirer pour laisser davantage d'espace. Puisque tout le véhicule est construit avec des seuils d'accès bas (même pour les portes de côté et le hayon arrière), il devient alors facile de charger et décharger le tout. Et, comble de bonheur, le hayon arrière électrique (qui s'ouvre et se referme tout seul) est aussi de série.

SPORT QUOI ?

En terme de performances sur la route, cette multisegment se conduit davantage comme une simple voiture que comme une fourgonnette. Son moteur de 4,0 litres développe 255 chevaux, ce qui est assez puissant pour le gros véhicule à condition qu'il ne soit pas trop chargé auquel cas il devient hésitant, et le tout devient particulièrement bruyant si on le sollicite un peu trop fort. Cette année, on retrouve aussi un V6 de 3,8 litres de 200 chevaux, disponible uniquement sur le Pacifica de base.

On a jumelé à ce dernier une transmission automatique à 4 rapports Autostick, dont les performances, sans être négatives, sont nettement moins intéressantes. Le 4,0 litres, est associé à une boîte à six rapports.

Le Pacifica est capable de bonnes performances complétant le 0-100 en moins de 10 secondes (9,5 selon le fabricant), et muni d'un système de freinage puissant. Enfin, une version intégrale est aussi au catalogue et proposée dans chacun des trois différents niveaux de finition.

Quand Chrysler a lancé la Pacifica, il a parlé de révolution. Pas sûr qu'il faille être d'accord. Aujourd'hui, en regardant ce vieillissant véhicule, on peut s'interroger. C'est vrai que comme fourgonnette haut de gamme, il continue de s'imposer. Mais si on y recherche aussi un peu du plaisir de conduite que promet le titre de Sport Tourer lancé par Chrysler, il faudra regarder attentivement pour le trouver.

Marc Bouchard

Photos : Alain Morin

VÉHICULE D'ESSAI

Version :	Touring AWD
Prix de détail suggéré :	40 835 $
Emp/Lon/Lar/Haut(mm) :	2 950/5 050/2 010/1 690
Poids :	2 104 kg
Coffre/Réservoir :	369 à 2 250 litres/87 litres
Coussins de sécurité :	frontaux, latéraux (av.) et rideaux
Suspension avant :	indépendante, jambes de force
Suspension arrière :	indépendante, multibras
Freins av./arr. :	disque (ABS)
Antipatinage/Contrôle de stabilité :	oui/opt.
Direction :	à crémaillère, assistée
Diamètre de braquage :	12,1 m
Pneus av./arr. :	P235/65R17
Capacité de remorquage :	1 588 kg

Pneus d'origine
MICHELIN

MOTORISATION À L'ESSAI

Moteur :	V6 de 4,0 litres 24s atmosphérique
Alésage et course :	96,0 mm x 81,0 mm
Puissance :	250 ch (220 kW) à 6 400 tr/min
Couple :	265 lb-pi (400 Nm) à 3 950 tr/min
Rapport poids/puissance :	7,13 kg/ch (9,7 kg/kW)
Système hybride :	aucun
Transmission :	intégrale, automatique 6 rapports
Accélération 0-100 km/h :	9,5 s (constructeur)
Reprises 80-120 km/h :	8,0 s (estimé)
Freinage 100-0 km/h :	42,0 m
Vitesse maximale :	180 km/h
Consommation (100 km) :	ordinaire, 13,4 litres
Autonomie (approximative) :	649 km
Émissions de CO2 :	5 760 kg/an

GAMME EN BREF

Échelle de prix :	34 440 $ à 45 910 $
Catégorie :	multisegment
Historique du modèle :	1ère génération
Garanties :	3 ans/60 000 km, 7 ans/115 000 km
Assemblage :	Windsor, Ontario, Canada
Autre(s) moteur(s) :	V6 3,8l 200ch/235lb-pi
Autre(s) rouage(s) :	traction
Autre(s) transmission(s) :	automatique 4 rapports

DANS LA MÊME CATÉGORIE

Buick RendezVous - Lexus RX 350 - Nissan Murano - Toyota Highlander - Acura RDX - Mazda CX-7

DU NOUVEAU EN 2007

Nouveau moteur 4 litres, nouvelle transmission automatique, esthétisme retouché

NOS IMPRESSIONS

Agrément de conduite :	🚗 🚗 🚗
Fiabilité :	🚗 🚗 🚗 ½
Sécurité :	🚗 🚗 🚗 🚗
Qualités hivernales :	🚗 🚗 🚗 🚗
Espace intérieur :	🚗 🚗 🚗 ½
Confort :	🚗 🚗 🚗 🚗

LE CHOIX DE L'ÉQUIPE

Touring AWD

UNE VALEUR SÛRE

Lorsque le PT Cruiser est apparu sur le marché, nombreux étaient les pseudo-spécialistes qui n'y voyaient qu'un exemplaire de la mode rétro alors en cours et dont la longévité serait aléatoire. Ces personnes se sont drôlement fourvoyées puisque ce modèle poursuit une carrière qui est prolongée en raison de différentes mises à jour et améliorations, en plus de l'arrivée d'une version cabriolet il y a deux ans. Et ce n'est pas l'apparition du Caliber qui viendra brouiller les cartes, du moins pour l'instant.

La raison est bien simple. Le Caliber tout comme les Chrysler Neon et Dodge SX2.0 est appelé à une distribution de masse, tandis que le PT Cruiser demeure une voiture de niche, qui cible un créneau bien particulier du marché. Ce qui explique d'ailleurs pourquoi il est possible de le commander en version cabriolet. Et puisque la silhouette initiale de ce modèle a toujours été hors-norme, sa version cabriolet ne paraît pas plus étrange que ça, même si la silhouette ne fait pas l'unanimité. Pas plus du reste que cet arceau central qui n'est pas censé jouer le rôle d'arceau de sécurité et qu'on soupçonne de venir consolider la rigidité en torsion. Sa présence oblige les personnes voulant s'asseoir en arrière à se contorsionner pour franchir cet obstacle additionnel qui se joint aux ceintures de sécurité pour rendre l'accès aux places arrière relativement ardu. Imaginez les contorsions nécessaires lorsque le toit souple est en place. Sur une note plus positive, ce dernier est bien isolé, de facture sérieuse et doté d'une lunette arrière chauffante en verre. Par contre, une fois replié sur lui-même, il bloque quelque peu la visibilité arrière du conducteur.

Le pendant positif de cette disposition est que la capacité du coffre à bagages est supérieure à la moyenne de la catégorie puisque la capote n'occupe pas tout l'espace disponible. Mieux encore, les deux banquettes arrière se rabattent vers l'avant pour permettre le transport d'objets encombrants. Mais le couvercle du coffre est articulé vers le haut, ce qui nous oblige à de sérieuses flexions pour accéder à la soute à bagages.

LA FAMILLE TURBO

Même en version GT avec son moteur turbocompressé de 230 chevaux, le PT Cruiser Cabriolet et même la version *hatchback* cinq portes ne peuvent être considérés comme des autos sportives pures et dures. La première est une voiture de randonnée dont la vélocité et les accélérations varient en fonction de la puissance du moteur choisi. Dans les modèles de base, le petit moteur quatre cylindres 2,4 litres atmosphérique ne compte que sur 150 chevaux pour déplacer un véhicule particulièrement lourd. Par contre, le GT bénéficie de 230 chevaux, mais l'effet de couple est assez perceptible. Le meilleur compromis prix/performance est le moteur turbo de 180 chevaux. Il est préférable d'opter pour la boîte manuelle à cinq rapports, peu importe le moteur choisi. En revanche, avec le moteur de base, il faut souvent changer de vitesse pour suivre le rythme de la route et certains apprécieront à ce moment la boîte automatique à quatre rapports qui ne nécessite aucune intervention. Soulignons au passage que l'addition

FEU VERT
Moteur turbo
Grande polyvalence
Cabriolet intéressant
Bonne fiabilité
Plusieurs versions

FEU ROUGE
Moteur de base anémique
Visibilité arrière
Sièges avant moyennement confortables
Certains plastiques à revoir

d'un rapport supplémentaire sur l'automatique serait une bonne chose, comme plusieurs modèles de cette catégorie le proposent.

Malgré ses dimensions plutôt modestes, le PT Cruiser Cabriolet permet d'accommoder dans un bon confort les occupants des places arrière, un bénéfice marginal pour avoir utilisé une familiale cinq portes comme élément de base. La rigidité de la plate-forme est très bonne, tandis que les vibrations du capot sont peu importantes au passage des bosses. Bref, une alternative féroce face à la New Beetle Cabrio, la seule vraie concurrente de cette Chrysler.

15 DANS UN CINQ PORTES ?

Si la décapotable est une agréable diversion dans la gamme PT Cruiser, le fait demeure que c'est la familiale cinq portes qui est le fer de lance de ce modèle. Et si les lignes rétro de type *hot rod* ne surprennent plus de nos jours, il faut souligner que cette silhouette vieillit bien. Ce qui est tout de même normal puisque les stylistes se sont inspirés du passé pour dessiner la carrosserie. Heureusement, cette voiture ne se limite pas à un exercice de style. Bien au contraire, cette petite compacte est l'une des familiales les plus polyvalentes sur le marché. Il faut en premier lieu signaler une surprenante capacité de chargement de 611 litres. Et le fait de pouvoir agencer les sièges arrière de multiples façons contribue à ajouter une plus-value à cette voiture. D'ailleurs, lors de sa première année sur le marché, le manufacturier a organisé plusieurs concours qui avaient pour but de placer le plus d'occupants dans un PT Cruiser. Selon leur gabarit, on pouvait y enfourner de 15 à 22 personnes, si ma mémoire est bonne !

L'an dernier, ce modèle a bénéficié de plusieurs modifications d'ordre esthétique. Son museau a accueilli un nouveau pare-chocs, des phares redessinés tandis que l'arrière a également ment droit à quelques changements. Le tableau de bord si caractéristique a aussi été revu.

Sans être un véhicule sportif ou tout au moins une voiture modifiée comme nous le fait croire sa silhouette, le PT Cruiser se défend honorablement en fait de tenue de route. La stabilité en ligne droite est bonne et le roulis est négligeable dans les virages. Et peu importe qu'il s'agisse du cabriolet ou du *hatchback*, le PT Cruiser est toujours en mesure de se défendre sur un marché de plus en plus encombré.

Denis Duquet

CHRYSLER PT CRUISER

VÉHICULE D'ESSAI

Version :	Touring
Prix de détail suggéré :	29 995 $
Emp/Lon/Lar/Haut(mm) :	2 620/4 290/1 705/1 600
Poids :	1 395 kg
Coffre/Réservoir :	612 à 1 776 litres / 57 litres
Coussins de sécurité :	frontaux et latéraux (av.)
Suspension avant :	indépendante, jambes de force
Suspension arrière :	demi-ind., poutre déformante
Freins av./arr. :	disque/tambour (ABS)
Antipatinage/Contrôle de stabilité :	oui/non
Direction :	à crémaillère
Diamètre de braquage :	12,8 m
Pneus av./arr. :	P205/50R17
Capacité de remorquage :	455 kg

MOTORISATION À L'ESSAI

Moteur :	4L de 2,4 litres 24s turbocompressé
Alésage et course :	89,0 mm x 93,0 mm
Puissance :	180 ch (134 kW) à 5 200 tr/min
Couple :	210 lb-pi (285 Nm) à 2 800 tr/min
Rapport poids/puissance :	7,75 kg/ch (10,57 kg/kW)
Système hybride :	aucun
Transmission :	traction, manuelle 5 rapports
Accélération 0-100 km/h :	11,2 s
Reprises 80-120 km/h :	9,9 s
Freinage 100-0 km/h :	41,1 m
Vitesse maximale :	185 km/h
Consommation (100 km) :	super, 11,3 litres
Autonomie (approximative) :	504 km
Émissions de CO2 :	4 462 kg/an

GAMME EN BREF

Échelle de prix :	17 940 $ à 32 080 $ (2006)
Catégorie :	familiale/cabriolet
Historique du modèle :	1ière génération
Garanties :	3 ans/60 000 km, 7 ans/115 000 km
Assemblage :	Toluca, Mexique
Autre(s) moteur(s) :	4L 2,4l 150ch/165lb-pi (10,4 l/100km)
	4L 2,4l turbo 230ch/245lb-pi (11,4 l/100km)
Autre(s) rouage(s) :	aucun
Autre(s) transmission(s) :	automatique 4 rapports

DANS LA MÊME CATÉGORIE

Chevrolet HHR - Volkswagen New Beetle

DU NOUVEAU EN 2007

Nouveau tissu antitache, télécommande d'ouverture standard

NOS IMPRESSIONS

Agrément de conduite :	🚗🚗🚗🚗
Fiabilité :	🚗🚗🚗🚗
Sécurité :	🚗🚗🚗🚗
Qualités hivernales :	🚗🚗🚗½
Espace intérieur :	🚗🚗🚗🚗½
Confort :	🚗🚗🚗🚗

LE CHOIX DE L'ÉQUIPE

GT

L'ÈRE DU RENOUVEAU

Certains disparus laissent un souvenir indélébile, d'autres s'effacent presque dans l'anonymat malgré leur vie bien remplie. C'est exactement le cas de la Chrysler Sebring qui, en 2006, a connu ses dernières heures sous la forme qu'elle empruntait depuis 1997 et qui avait réussi à connaître un succès plus qu'honorable. Il faut dire qu'en version berline, elle ne payait pas nécessairement de mine, mais qu'elle se rattrapait furieusement en version cabriolet. Son prix abordable, ses performances ma foi assez honnêtes et surtout son vaste espace intérieur la rendaient somme toute intéressante.

Mais l'âge étant ce qu'il est, ses lignes vieillissantes et son habitacle à l'ergonomie fortement déficiente lui avait fait perdre le charme de sa jeunesse. Ce qui, en clair, se traduisait aussi par une popularité en chute libre, et une clientèle cible plus proche de l'âge d'or que de la prime jeunesse. Mais on espère bien renverser la vapeur en 2007 en lançant une Sebring entièrement refaite, et qui s'inspire librement des nouvelles tendances de DaimlerChrysler pour se refaire une beauté.

PETITE-FILLE DE LA 300

Tout le monde le sait, la Chrysler 300, créée d'ailleurs par le designer québécois d'origine haïtienne Ralph Giles (petit intermède de patriotisme), a complètement redéfini la tendance du design nord-américain, du moins dans sa catégorie. Un objectif que les dirigeants de Chrysler ne cachent pas vouloir aussi atteindre avec la nouvelle Sebring dont la silhouette est marquée du sceau du modernisme.

Le prototype Airflite, présenté en 2003, a servi de base à la conception de cette nouvelle Sebring. À l'avant, on a conservé la grille de calandre devenue la véritable signature des voitures Chrysler. Elle est encadrée par deux blocs optiques allongés s'inscrivant dans l'arête du capot. Quant au

capot lui-même, à l'image de la Crossfire par exemple, il est strié de rainures et d'une légère arête centrale, ce qui lui donne un relief inhabituel, confère une présence plus imposante que la seule dimension du véhicule.

La courbe de toit se prolonge aussi vers l'arrière dans un angle moins relevé que son prédécesseur, tandis que les panneaux latéraux, sculptés au niveau de la ceinture de caisse, affichent une image plus athlétique de l'ensemble. À l'arrière, le résultat est moins impressionnant alors que le coffre semble surélevé, et les deux blocs optiques qui débordent sur les côtés sont trop peu discrets pour paraître raffinés. Malgré tout, l'ensemble a une allure plus sophistiquée, et nettement plus moderne.

Ce raffinement nouveau genre se transpose aussi dans l'habitacle: on s'est fait un point d'honneur à parfaire la finition, et à améliorer l'ergonomie. La position de conduite par exemple a été légèrement relevée (6 centimètres), fournissant une meilleure visibilité sur l'environnement pour le conducteur.

On a aussi littéralement gorgé la Sebring d'accessoires haute technologie, optionnels pour la plupart, mais dignes de mention dans une berline de milieu de gamme. Le système audio et multimédia vaut le détour à lui

FEU VERT	FEU ROUGE
Moteur 3,5 litres survolté	Héritage lourd
Design sans reproche	Fiabilité à prouver
Liste d'options high-tech	Transmission de base insuffisante
Visibilité améliorée	Moteur 2,4 peu puissant

seul. Conçu par Harman Kardon, il s'articule autour d'un écran tactile de 15 centimètres capable d'afficher 650 000 couleurs. Outre les fonctions habituelles d'une radio CD avec système de navigation, on lui a greffé un disque dur de 20 gigaoctets, des connexions USB pour faciliter le téléchargement, une interface complète de gestion des titres de chansons, la capacité d'enregistrement de mémos vocaux, la radio satellite et, bien entendu, la compatibilité Bluetooth pour la téléphonie cellulaire. Sans oublier, cela va de soi, un lecteur DVD pour les passagers arrière.

MÉCANIQUE NOUVEAU GENRE

Alors que l'on reprochait un peu trop à l'ancienne version de la Sebring sa « pépéritude » (néologisme de mauvais aloi faisant référence à une tendance à la conduite sans enthousiasme…), on devra cette fois se raviser puisque la gamme 2007 fournira un peu plus d'action.

Ainsi, on y greffera à la base le fameux moteur développé conjointement avec Mitsubishi et Hyundai et qui équipe aussi la Dodge Caliber R/T, qui ne sera disponible qu'avec l'élémentaire transmission automatique à quatre vitesses. La version V6 2,7 litres constitue pour sa part une évolution du moteur de l'ancienne version, modifiant légèrement la répartition du couple pour procurer, on le souhaite, de meilleures cotes de consommation.

La grande trouvaille de l'année cependant, c'est le survolté moteur V6 de 3,5 litres, développant 235 chevaux que l'on a jumelé à une toute nouvelle transmission automatique six rapports Auto-stick. Ce nouveau duo est le plus puissant jamais développé pour la Sebring, et promet de rivaliser avec ses concurrents les plus féroces de la catégorie, tout en conservant aussi une efficacité énergétique en deçà de la zone de catastrophe. Petit mémo, simplement pour signaler que nos cousins européens pourront compter sur une version turbodiesel de 2 litres dont l'apparition n'est pas prévue en Amérique du Nord.

Avec de telles améliorations, la Sebring souhaite bien reprendre sa place au sein de la très compétitive catégorie des berlines de taille moyenne. Sa populaire version cabriolet, qui lui avait permis de survivre jusqu'à ce jour, ne sera cependant lancée que l'an prochain, mais on peut certes parier que la berline elle-même aura d'ici ce temps l'occasion de gagner de nouveaux adeptes.

Marc Bouchard

Photos : Chrysler

VÉHICULE D'ESSAI

Version :	V6 2,7
Prix de détail suggéré :	29 500 $ (2006)
Emp/Lon/Lar/Haut (mm) :	2 756/4 842/1 808/1 498
Poids :	1 531 kg
Coffre/Réservoir :	381 litres/64 litres
Coussins de sécurité :	frontaux et latéraux (av.)
Suspension avant :	indépendante, jambes de force
Suspension arrière :	indépendante, multibras
Freins av./arr. :	disque (ABS)
Antipatinage/Contrôle de stabilité :	opt./opt.
Direction :	à crémaillère, assistance variable
Diamètre de braquage :	11,1 m
Pneus av./arr. :	P215/60R17
Capacité de remorquage :	900 kg

MOTORISATION À L'ESSAI

Moteur :	V6 de 2,7 litres 24s atmosphérique
Alésage et course :	86,0 mm x 78,5 mm
Puissance :	190 ch (142 kW) à 6 400 tr/min
Couple :	190 lb-pi (258 Nm) à 4 000 tr/min
Rapport poids/puissance :	8,06 kg/ch (10,94 kg/kW)
Système hybride :	aucun
Transmission :	traction, automatique 4 rapports
Accélération 0-100 km/h :	9,0 s (estimé)
Reprises 80-120 km/h :	6,5 s (estimé)
Freinage 100-0 km/h :	42,0 m
Vitesse maximale :	180 km/h
Consommation (100 km) :	ordinaire, 9,5 litres (estimé)
Autonomie (approximative) :	674 km
Émissions de CO2 :	4 608 kg/an

GAMME EN BREF

Échelle de prix :	23 700 $ à 38 150 $ (2006)
Catégorie :	berline intermédiaire/cabriolet
Historique du modèle :	2ième génération
Garanties :	3 ans/60 000 km, 7 ans/115 000 km
Assemblage :	Sterling Heights, Michigan, É-U
Autre(s) moteur(s) :	4L 2,4l 172ch/165lb-pi (10,2 l/100km)
	V6 3,5l 235ch/232lb-pi (12,4 l/100km)
Autre(s) rouage(s) :	aucun
Autre(s) transmission(s) :	auto. mode man. 6 rapports

DANS LA MÊME CATÉGORIE

Chevrolet Malibu - Ford Fusion - Honda Accord - Hyundai Sonata - Kia Magentis - Mazda 6 - Mitsubishi Galant - Nissan Altima - Subaru Legacy - Toyota Camry - Volkswagen Passat

DU NOUVEAU EN 2007

Nouveau modèle

NOS IMPRESSIONS

Agrément de conduite :	🚗 🚗 🚗 🚗
Fiabilité :	nouveau modèle
Sécurité :	🚗 🚗 🚗 🚗
Qualités hivernales :	🚗 🚗 🚗
Espace intérieur :	🚗 🚗 🚗 ½
Confort :	🚗 🚗 🚗 🚗

LE CHOIX DE L'ÉQUIPE

V6 3,5

DODGE CALIBER

UN PROJET AUDACIEUX

Il est bien évident que la direction de DaimlerChrysler n'a pas froid aux yeux. C'est la seule conclusion qui s'impose lorsqu'on examine la Dodge Caliber pour la première fois. En effet, non seulement la silhouette est hors du commun pour notre marché, mais le seul fait qu'il s'agisse d'un véhicule à hayon témoigne de l'audace du projet. À l'évidence, si les acheteurs canadiens et québécois apprécient ce type de véhicule, c'est une toute autre histoire au sud de nos frontières... Bref, ce constructeur joue gros en nous offrant un produit original et présenté en une multitude de versions.

Et ce n'est pas le choix qui fait défaut avec trois moteurs au catalogue, deux transmissions, un rouage intégral en plus de diverses autres versions réservées aux marchés étrangers. En Europe par exemple, la Caliber est commercialisée avec un moteur diesel. Pour le consommateur, il est donc très facile de sélectionner les éléments mécaniques qui lui conviennent. Ou peut-être est-ce le contraire finalement, car il n'est pas si aisé de s'y retrouver parmi tous ces moteurs et toutes ces options !

STYLISTES AUDACIEUX

Tandis que Ford et General Motors semblent presque toujours sur la défensive en matière de stylisme, ceux de DaimlerChrysler n'ont pas peur de monter aux barricades. Il suffit de mentionner les Chrysler 300, Crossfire et Dodge Magnum pour s'en convaincre. Auparavant, il y avait la fameuse Plymouth Prowler ! Le grillage cruciforme de la calandre de cette Dodge est une signature visuelle sans compromis. Il faut ajouter à cela une ceinture de caisse élevée, une partie arrière très typée avec de très gros feux arrière, un hayon modelé, des passages de roue protubérants et un pare-chocs très impressionnant. Autant d'éléments très distinctifs qui donnent à cette voiture une silhouette qui ne copie ni les japonaises, ni les coréennes et encore moins les européennes. C'est «USA, USA» du début à la fin et c'est loin d'être un défaut. Bref, ce constructeur nous propose un véhicule familial à vocation essentiellement pratique qui en met plein la vue. Ce qui permettra sans doute à de jeunes conducteurs d'emprunter la voiture familiale sans avoir l'air ringard.

Le tableau de bord est à l'image de la présentation extérieure avec de grosses masses permettant de séparer les différentes composantes, l'élément le plus en évidence étant la console verticale qui départage la planche de bord. On y retrouve dans l'ordre, de haut en bas, deux buses de ventilation, le centre audio, un espace de rangement et les commandes de ventilation ayant la forme de trois gros boutons rotatifs. Par contre, il n'est pas simple

228

Voiture économique

de trouver celui permettant d'activer la climatisation puisqu'il est en périphérie de la commande centrale réglant l'intensité du ventilateur. À gauche de cette console, les cadrans indicateurs à fond blanc sont de consultation facile. En bas de chacun de ces cadrans, des affichages numériques nous informent de la pression des pneus, du kilométrage parcouru, de la consommation de carburant, etc. Bien entendu, plusieurs de ces éléments varient selon le modèle choisi. Soulignons au passage le confort des sièges et la qualité de la finition. Par contre, les plastiques utilisés sont très durs, ce qui contribue à hausser le niveau sonore en permettant ainsi la réverbération des sons.

L'un des accessoires les plus innovateurs est le porte-bouteilles intégré dans le coffre à gants. Les bouteilles sont même refroidies par le biais d'une buse d'air ! Il faut toutefois avouer que les boissons ne seront pas vraiment froides, mais tout au moins fraîches. Malgré la présence de ce support, le coffre à gants est très spacieux, tandis qu'un second espace de rangement est positionné juste au-dessus de ce coffre. Et il ne faudrait pas oublier de mentionner que les porte-verres sont électroluminescents la nuit, une astuce qui sera appréciée par certains et ridiculisée par d'autres. Enfin, l'accoudoir central avant comprend un espace spécialement réservé pour votre lecteur I-Pod, MP3 ou un téléphone cellulaire.

Compte tenu de la vocation multisegment de la Caliber, le dossier de la banquette arrière est de type 60/40. En fait, pour être plus précis, c'est davantage 65/35 et il se replie complètement à plat afin de faciliter le chargement. La soute à bagages est de capacité moyenne, mais celle-ci augmente passablement une fois le dossier arrière escamoté. Le plancher du coffre est fabriqué d'un plastique ultrarésistant qui permet également de glisser les objets sans effort. Il peut être enlevé pour le nettoyer. Heureusement, car il se souille facilement et plusieurs vont certainement y mettre un tapis en caoutchouc pour remédier à cet inconvénient. Sur les modèles essayés, la paroi droite de la soute à bagages est garnie d'un large caisson de graves.

Toujours au chapitre de la sonorisation, il est possible de commander en option le Music Gate, placé sur la paroi interne du hayon et qui se déploie une fois ce dernier ouvert. Cet accessoire comprend deux haut-parleurs et, une fois déployé, permet de donner plus de piquant à vos réunions d'attente de match de football, les célèbres "tailgate partys" de nos voisins américains. Il faut également ajouter que le modèle R/T possède même une fiche 120 V sur la paroi de l'accoudoir central avant.

JAMAIS DEUX SANS TROIS !

Dans la catégorie des voitures à vocation économique, il y a généralement un seul moteur offert. Cette fois, l'acheteur est confronté à trois groupes propulseurs. Ce trio est la résultante d'une collaboration avec Hyundai et Mitsubishi, et il fait appel aux mêmes éléments de base, tandis que la course et l'alésage sont modifiés dans le but d'obtenir la cylindrée voulue.

DODGE CALIBER

Les modèles les plus économiques sont livrés avec le quatre cylindres de 1,8 litre. Cependant, il est également possible d'opter pour un moteur de 2,0 litres ou 2,4 litres, les deux pourvus d'arbre d'équilibrage et de calage variable des soupapes. Le moteur 2,4 litres n'est disponible que sur le modèle R/T qui ne propose, pour l'instant, que la transmission intégrale et une boîte automatique à rapports continuellement variables. Par contre, en cours d'année, la R/T traction avant pourra être livrée avec une boîte manuelle à cinq rapports. Ces moteurs sont jumelés à une toute nouvelle plate-forme qui est de conception moderne avec une suspension indépendante aux quatre roues et spécialement conçue pour répondre à la vocation mondialiste de ce véhicule. Pour être plus précis, la suspension avant est de type MacPherson et la suspension arrière à liens multiples. Pour freiner la Caliber, les versions SE et SX font appel au tandem disque/tambour et le R/T est stoppé par des disques à l'avant et à l'arrière.

IL FAUDRA S'ADAPTER

En tout premier, passons aux éléments positifs de cette voiture qui sont la polyvalence de son habitacle, ses nombreuses astuces de rangement, sa silhouette originale et son comportement routier sain. En effet, en conduite, la Caliber est sans surprise avec une grande stabilité dans les virages, une direction correcte qui aurait quand même avantage à offrir un peu plus de *feedback* et un comportement d'ensemble sans faille. De plus, à son volant, le conducteur a l'impression d'avoir quelque chose de solide entre les mains.

FEU VERT

Silhouette sympathique
Choix de moteurs
Habitacle ultra pratique
Innovations intéressantes
Bonne tenue de route

FEU ROUGE

Insonorisation décevante
Boîte CVT à revoir
Performances moyennes
Absence de boîte manuelle sur plusieurs modèles

230

GUIDE DE L'AUTO 2007

En fait, le point le plus délicat est le choix d'un moteur. Le moteur 1,8 litre produit 148 chevaux et il faut pratiquement choisir la boîte manuelle pour y trouver son lot. Le moteur 2,0 litres de 158 chevaux serait le compromis idéal avec une boîte manuelle, mais il n'est livré qu'avec la boîte CVT à rapports constamment variables, qui est paresseuse, il faut le dire. Les accélérations sont plutôt modestes avec un temps de 0-100 km/h de plus de 10 secondes pour le modèle avec le moteur de 2,0 litres. La R/T boucle ce même exercice en une demi-seconde de moins grâce au moteur 2,4 litres et ses 172 chevaux. C'est adéquat compte tenu de la vocation de ce véhicule, mais cette boîte CVT souligne le niveau sonore du moteur, l'insonorisation moyenne de l'habitacle et déplaira à certains. Par contre, en mode manumatique, cette transmission est l'une des meilleures de sa catégorie en simulant électroniquement une boîte à six rapports. Enfin, pour les sportifs, le modèle SRT-4 vous propose 300 chevaux grâce à son moteur turbocompressé de 2,4 litres.

Passée au crible dans un essai-choc en première partie de cet ouvrage, la Caliber a de grandes qualités, un choix de transmission qui en rendra certains perplexes alors que sa polyvalence est supérieure à la moyenne. Mais en fait de marketing, il aurait été sans doute plus prudent d'offrir la boîte manuelle avec tous les moteurs juste au cas où les acheteurs ne seraient pas trop enthousiastes envers la boîte CVT.

Denis Duquet

Photos : Denis Duquet

VÉHICULE D'ESSAI

Version :	R/T
Prix de détail suggéré :	25 995 $
Emp/Lon/Lar/Haut(mm) :	2 634/4 415/1 748/1 534
Poids :	1 500 kg
Coffre/Réservoir :	525 à 1 360 litres/51 litres
Coussins de sécurité :	frontaux et rideaux
Suspension avant :	indépendante, jambes de force
Suspension arrière :	indépendante, multibras
Freins av./arr. :	disque (ABS)
Antipatinage/Contrôle de stabilité :	oui/oui
Direction :	à crémaillère, assistance variable
Diamètre de braquage :	11,3 m
Pneus av./arr. :	P215/55R18
Capacité de remorquage :	454 kg

MOTORISATION À L'ESSAI

Moteur :	4L de 2,4 litres 16s atmosphérique
Alésage et course :	87,9 mm x 97,0 mm
Puissance :	172 ch (128 kW) à 6 000 tr/min
Couple :	165 lb-pi (224 Nm) à 4 400 tr/min
Rapport poids/puissance :	8,72 kg/ch (11,81 kg/kW)
Système hybride :	aucun
Transmission :	intégrale, CVT mode man. 6 rapports
Accélération 0-100 km/h :	9,5 s
Reprises 80-120 km/h :	9,2 s
Freinage 100-0 km/h :	43,0 m
Vitesse maximale :	195 km/h
Consommation (100 km) :	ordinaire, 9,2 litres
Autonomie (approximative) :	554 km
Émissions de CO2 :	5 810 kg/an

GAMME EN BREF

Échelle de prix :	15 995 $ à 23 995 $
Catégorie :	hatchback
Historique du modèle :	1ère génération
Garanties :	3 ans/60 000 km, 7 ans/115 000 km
Assemblage :	0
Autre(s) moteur(s) :	4L 1,8l 148ch/125lb-pi (7,5 l/100km)
	4L 2,0l 158ch/141lb-pi (8,0 l/100km)
Autre(s) rouage(s) :	traction
Autre(s) transmission(s) :	manuelle 5 rapports

DANS LA MÊME CATÉGORIE

Chevrolet HHR - Chrysler Pacifica - Ford Focus - Kia Spectra - Mazda 3 Sport - Pontiac Vibe - Suzuki Aerio - Toyota Matrix - Volkswagen Rabbit

DU NOUVEAU EN 2007
Nouveau modèle

NOS IMPRESSIONS

Agrément de conduite :	🚗🚗🚗🚗
Fiabilité :	nouveau modèle
Sécurité :	🚗🚗🚗🚗
Qualités hivernales :	🚗🚗🚗🚗
Espace intérieur :	🚗🚗🚗🚗
Confort :	🚗🚗🚗🚗

LE CHOIX DE L'ÉQUIPE
R/T

L'ELDORADO DE LA FOURGONNETTE

L'eldorado de la fourgonnette, c'est sans aucun doute la famille DaimlerChrysler qui l'a trouvé. Concepteur original de la célèbre Autobeaucoup, ce qui ramènera certains d'entre nous à des souvenirs lointains, ils ont continué à surfer sur la vague de popularité de cette familiale nouveau genre, engrangeant succès après succès avec chacun des modèles. Difficile donc de prévoir quand un véhicule aussi populaire sera repensé. Tout le monde l'espérait pour cette année, mais il faudra être encore patienter avant de voir une Caravan ou sa jumelle de luxe la Town & Country, avec une nouvelle allure.

D'accord, les mauvaises langues qui abondent dans le milieu automobile rappelleront sans doute que les baisses de prix extrêmes ont contribué à maintenir la fourgonnette Chrysler en tête de peloton. Ce qui n'est pas inexact. Du même souffle cependant, il faut savoir qu'avec un prix de base de quelque 22 000 $, il s'agit certainement d'une aubaine que les amateurs de ce genre de véhicule ne sauront passer sous silence.

RIEN EN 2007

Car bien que l'on ait effectué quelques retouches au fil des ans, la plus récente remontant à 24 mois environ, rien n'a vraiment changé dans la silhouette. Les lignes sont d'une sobriété exemplaire, ajoutant ici et là quelques rondeurs bien placées mais dans l'ensemble, le style n'a pas évolué.

La Town & Country, la sœur huppée de la famille, n'a pour ainsi dire rien de neuf en 2007. On ajoute simplement de nouvelles couleurs, sans plus, tout comme à la plus prolétaire Caravan et sa Grand Caravan de sœur. Bref, un simple prolongement de vie pour un véhicule dont la refonte attendue devrait amener des changements spectaculaires. Malgré tout, le look demeure classique et n'a rien de véritablement désagréable.

Il y a bien l'habitacle que l'on souhaiterait plus moderne, car les multiples modifications faites au fil des ans n'ont fait qu'effleurer cet aspect du véhicule. La console centrale regroupant toutes les commandes de climatisation et d'audio est efficace, mais n'a rien pour faire tourner les têtes. Les cadrans, propres aux véhicules de la famille, sont clairs et lisibles sans lunettes d'approche, et les boutons assez gros pour se manier aisément, ce qui est un avantage considérable quand on a plutôt la tête à calmer la famille derrière qu'à trouver le bon poste de radio pour l'ado de service.

Évidemment, l'espace intérieur est largement suffisant pour répondre aux exigences de toute bonne équipe de soccer qui se respecte. La trouvaille du système presque magique Stow'n go, lancé il y a quelques années, permet d'escamoter complètement les sièges de deuxième et de troisième rangée dans le plancher, laissant toute la place aux bagages. Il élimine cependant toute possibilité de traction intégrale pour ce véhicule, puisque les trous sous le fond du véhicule ne laissent plus un centimètre pour un éventuel arbre de transmission... Même la magie a ses limites !

Et parce que l'on parle du véhicule familial par excellence, la T&C est dotée de plusieurs coussins gonflables capables de protéger

---

FEU VERT
Véhicule familial
Luxe de bon aloi (Town&Country)
Prix d'achat abordable
Système Stow'n Go
Silhouette sage

FEU ROUGE
Modèle en fin de carrière
Moteur peu puissant
Traction intégrale non disponible
Habitacle vieillissant

tous les occupants, le conducteur profitant de surcroît d'une protection supplémentaires aux genoux.

L'ÂGE DE RAISON

La sagesse de la Town & Country et de la Caravan se retrouve aussi sous le capot. La première (ainsi que la Grand Caravan) est propulsée par un V6 3,8 litres de 200 chevaux, sans problème depuis sa conception et qui continue de rendre de fiers services. La forte taille du véhicule aurait cependant accepté une motorisation un peu plus dynamique, même si les accélérations et les reprises sont souvent à la hauteur. On ne peut par contre en dire autant de la Caravan qui possède un plus petit moteur, une version 3,3 litres de 180 chevaux. Cette fois, c'est l'essoufflement garanti, même si rares sont les occasions ou l'on tente de pousser à fond une fourgonnette...

Il n'en demeure pas moins que la concurrence dans ce créneau est féroce et fournit souvent des moteurs de plus de 240 chevaux, ce qui laisse les pauvres Chrysler loin derrière. Et c'est bien un aspect qu'il faut considérer puisqu'une fois chargée à pleine capacité, la puissance du moteur sera un facteur déterminant dans le plaisir de conduite.

La grande force de la famille toutefois, c'est le comportement routier d'une grande polyvalence pour un véhicule de ce genre. Les suspensions, améliorées d'années en années, ont fait la preuve de leur grande capacité d'absorption, sans offrir un débattement si long qu'elles obnubilent littéralement toute sensation de conduite. La direction, bien que fortement assistée, réussit tout de même à répondre avec justesse et précision aux commandes. En revanche, ne cherchez pas le feedback, car elle se montre certainement peu bavarde.

À sa dernière année dans sa forme actuelle, la famille de fourgonnette Chrysler ne déçoit cependant pas. On souhaiterait un plus en matière de performance, mais le confort et la polyvalence la placent encore dans le groupe de tête de sa catégorie.

Marc Bouchard

Photos : Alain Morin

VÉHICULE D'ESSAI

Version :	Town & Country Limited
Prix de détail suggéré :	47 735 $
Emp/Lon/Lar/Haut(mm) :	3 030/5 095/1 997/1 750
Poids :	2 015 kg
Coffre/Réservoir :	566 à 4 690 litres/75 litres
Coussins de sécurité :	frontaux et latéraux (av.)
Suspension avant :	indépendante, jambes de force
Suspension arrière :	essieu rigide, ressorts elliptiques
Freins av./arr. :	disque (ABS)
Antipatinage/Contrôle de stabilité :	oui/non
Direction :	à crémaillère, assistée
Diamètre de braquage :	12,0 m
Pneus av./arr. :	P215/65R15
Capacité de remorquage :	1 750 kg

MOTORISATION À L'ESSAI

Moteur :	V6 de 3,8 litres 24s atmosphérique
Alésage et course :	96,0 mm x 87,1 mm
Puissance :	200 ch (153 kW) à 5 200 tr/min
Couple :	235 lb-pi (325 Nm) à 4 000 tr/min
Rapport poids/puissance :	9,83 kg/ch (13,34 kg/kW)
Système hybride :	aucun
Transmission :	traction, automatique 4 rapports
Accélération 0-100 km/h :	9,9 s
Reprises 80-120 km/h :	8,1 s
Freinage 100-0 km/h :	42,7 m
Vitesse maximale :	185 km/h
Consommation (100 km) :	ordinaire, 12,6 litres
Autonomie (approximative) :	595 km
Émissions de CO2 :	5 422 kg/an

GAMME EN BREF

Échelle de prix :	22 880 $ à 41 735 $
Catégorie :	fourgonnette
Historique du modèle :	3ième génération
Garanties :	3 ans/60 000 km, 7 ans/115 000 km
Assemblage :	Windsor, Ontario, Canada
Autre(s) moteur(s) :	V6 3,3l 170ch/200lb-pi (12,2 l/100km)
Autre(s) rouage(s) :	aucun
Autre(s) transmission(s) :	aucune

DANS LA MÊME CATÉGORIE

Chevrolet Uplander - Ford Freestar - Honda Odyssey - Kia Sedona - Nissan Quest - Toyota Sienna - Hyundai Entourage

DU NOUVEAU EN 2007

Pas de changement majeur

NOS IMPRESSIONS

Agrément de conduite :	🚗 🚗 🚗½
Fiabilité :	🚗 🚗 🚗
Sécurité :	🚗 🚗 🚗 🚗
Qualités hivernales :	🚗 🚗 🚗½
Espace intérieur :	🚗 🚗 🚗 🚗
Confort :	🚗 🚗 🚗½

LE CHOIX DE L'ÉQUIPE

Grand Caravan SXT Stow'n Go

IL N'A PAS JUSTE L'AIR MÉCHANT...

Même si les maniaques de voitures anciennes ne pardonnent pas au nouveau Charger ses quatre portes (l'originale, 1966-1970, était un coupé), il n'en demeure pas moins que cette voiture attire les regards comme un jardin les siffleux. Le regard agressif et les ailes arrière relevées, le Charger, surtout en noir, a de quoi intimider l'automobiliste qui précède. Et c'est encore pire lorsque cette bagnole est équipée du « Police Pack » ! Félicitations au Montréalais d'origine haïtienne, Ralph Gilles, qui, avec son équipe, a dessiné le Charger et autres 300 et Magnum.

Une voiture, aussi belle soit-elle, doit démontrer de bonnes aptitudes. Le Charger n'est assurément pas parfait mais il tire très bien son épingle du jeu. Le style extérieur impressionne mais il ne faut pas s'approcher trop près. On remarque alors une finition pas toujours à la hauteur (sur notre exemplaire, du moins). Par exemple, les interstices entre les panneaux n'étaient pas égaux. Malheureusement, ce n'était pas mieux dans l'habitacle... Le tapis avait été mal installé à au moins un endroit et quelques jonctions du tableau de bord nous ont semblé plutôt grossières. Au moins, les plastiques affichaient une belle qualité. On retrouve quelques espaces de rangement mais on est loin de l'ingéniosité d'une Yaris Hatchback. Le tableau de bord nous rappelle ceux des années 70 en ce sens où la carrosserie fait preuve d'une sportivité à tout crin tandis que l'habitacle est désolant de simplicité. Ce n'est pas laid, loin de là, mais le tableau de bord ressemble trop à celui des 300 et Magnum. D'ailleurs, les trois véhicules partagent le même châssis et il est possible que des contraintes financières ou techniques expliquent cette ressemblance commune.

À tout le moins, ce tableau de bord se consulte facilement. Par contre, les boutons situés à droite de la partie centrale, de même que le rétroviseur intérieur, sont difficiles à atteindre pour quiconque a des bras de longueur normale. De plus, les piliers « A », placés entre le pare-brise et les glaces latérales, sont très larges et bloquent la visibilité, tout comme les piliers « C » (entre les glaces latérales et la lunette arrière) qui obligent un angle mort important. Le coffre, bien que très vaste (on peut même l'agrandir en abaissant les dossiers des sièges arrière) possède un seuil de chargement élevé et une petite ouverture. Les sièges avant se révèlent confortables même si le support pour les cuisses n'est pas fameux, tandis que ceux situés à l'arrière sont difficiles d'accès à cause des puits de roue proéminents. La visibilité est restreinte par le pilier « C » et aussi par le fait que les passagers sont assis très bas par rapport à la ceinture de caisse.

L'équipement de base est plutôt relevé. Dans la version SE, on retrouve, entre autres, un système audio AM/FM/CD de bonne qualité, la climatisation ainsi que les glaces et rétroviseurs électriques. Mentionnons aussi le chauffe-moteur, les freins ABS, l'antidérapage et l'antipatinage. Le SXT ajoute une chaîne stéréo Boston Acoustics, la banquette arrière rabattable (je ne comprends toujours pas pourquoi il faut payer pour un tel accessoire) et des roues de 17''. La R/T a droit à des pneus de 18'' et autres douceurs. On retrouve aussi la R/T Daytona et, enfin, le SRT8.

FEU VERT
Beauté fatale
Équipement de base fort relevé
Version SRT-8 pour collectionneurs
Bon choix de moteurs
Très bon comportement routier

FEU ROUGE
Consommation indue (Hemi)
Gabarit imposant
Finition quelquefois erratique
Visibilité pénible
Grand rayon de braquage

DES CHEVAUX POUR TOUS

Outre l'équipement de série, c'est surtout la mécanique qui différencie les différents modèles. Le Charger SE reçoit un V6 de 2,7 litres de 190 chevaux un tantinet juste compte tenu de la masse de plus de 1 800 kilos à traîner. Le SXT a droit à un autre V6, de 3,5 litres celui-là. Il développe 250 chevaux et se montre parfaitement adapté au Charger. En fait, je dirais qu'il s'agit du meilleur moteur parmi les quatre disponibles. Il est suffisamment puissant et souple pour la majorité des situations tout en étant plus léger et en consommant moins. Ceux qui désirent plus de «attaboy!» sous le pied droit peuvent opter pour le R/T ou le Daytona R/T qui propose un V8 Hemi de 5,7 litres qui fait dans les 340 chevaux, amplement suffisants pour faire fumer les pneus arrière (eh oui, le Charger est une propulsion comme dans le bon vieux temps!)... et attraper des contraventions. Tous ces moteurs, sauf le 2,7 litres, sont reliés à une transmission automatique à cinq rapports au fonctionnement particulièrement doux. Le 2,7, lui, est associé à une automatique à quatre rapports.

Contrairement à ce que peut laisser sous-entendre le style extérieur du Charger, les suspensions de le SE et de la SXT sont plus axées sur le confort. Mais Dodge a su préserver ses qualités dynamiques et la tenue de route demeure toujours très sécuritaire, d'autant plus que le contrôle de la traction et de la stabilité latérale sont bien dosés. Les suspensions des R/T et Daytona R/T font preuve d'un peu plus de fermeté, sans compromettre le confort, et les systèmes électroniques de gestion des erreurs du pilote sont un peu plus intrusifs mais laissent tout de même une certaine latitude. Les freins sont corrects sans plus tandis que la direction, typiquement américaine, est surassistée.

ET LE SRT-8?

Plus tôt, j'ai écrit que le V6 de 3,5 litres était mieux indiqué que le V8 Hemi de 5,7 litres... Pourtant, pour un maximum de jouissance, procurez-vous le Charger SRT-8! Son Hemi de 6,1 litres développe, dans une sonorité exquise, 425 chevaux et 420 livres-pied de couple, sa transmission automatique est bien étagée alors que ses suspensions sont beaucoup plus fermes. Il est possible de débrancher les béquilles électroniques pour mieux piloter à la limite... sur piste. Car ce n'est pas sur les routes qu'on peut exploiter pleinement les vertus de cette future voiture de collection.

Alain Morin

Photos: Alain Morin

VÉHICULE D'ESSAI

Version:	R/T
Prix de détail suggéré:	39 045 $
Emp/Lon/Lar/Haut(mm):	3 048/5 082/1 891/1 479
Poids:	1 860 kg
Coffre/Réservoir:	460 litres/76 litres
Coussins de sécurité:	frontaux et latéraux (av.)
Suspension avant:	indépendante, bras inégaux
Suspension arrière:	indépendante, multibras
Freins av./arr.:	disque (ABS)
Antipatinage/Contrôle de stabilité:	oui/oui
Direction:	à crémaillère, assistée
Diamètre de braquage:	11,9 m
Pneus av./arr.:	P225/60R18
Capacité de remorquage:	907 kg

MOTORISATION À L'ESSAI

Moteur:	V8 de 5,7 litres 16s atmosphérique
Alésage et course:	99,5 mm x 90,9 mm
Puissance:	340 ch (254 kW) à 5 000 tr/min
Couple:	390 lb-pi (529 Nm) à 4 000 tr/min
Rapport poids/puissance:	5,47 kg/ch (7,44 kg/kW)
Système hybride:	aucun
Transmission:	propulsion, automatique 5 rapports
Accélération 0-100 km/h:	6,5 s
Reprises 80-120 km/h:	5,3 s
Freinage 100-0 km/h:	41,0 m
Vitesse maximale:	250 km/h
Consommation (100 km):	ordinaire, 13,4 litres
Autonomie (approximative):	567 km
Émissions de CO_2:	5 568 kg/an

GAMME EN BREF

Échelle de prix:	25 765 $ à 45 120 $
Catégorie:	berline sport
Historique du modèle:	1ère génération
Garanties:	3 ans/60 000 km, 3 ans/60 000 km
Assemblage:	Brampton, Ontario, Canada
Autre(s) moteur(s):	V6 3,5l 250ch/250lb-pi (12,5 l/100km)
	V6 2,7l 190ch/190lb-pi (11,4 l/100km)
	V8 6,1l 425ch/420lb-pi (16,5 l/100km) SRT-8
Autre(s) rouage(s):	aucun
Autre(s) transmission(s):	automatique 4 rapports

DANS LA MÊME CATÉGORIE

Acura TL - Buick Allure - Chevrolet Impala - Pontiac Grand Prix - Toyota Avalon

DU NOUVEAU EN 2007

Version AWD disponible sur SXT et R/T, nouvelles couleurs

NOS IMPRESSIONS

Agrément de conduite:	🚗🚗🚗🚗
Fiabilité:	🚗🚗🚗🚗
Sécurité:	🚗🚗🚗🚗
Qualités hivernales:	🚗🚗🚗
Espace intérieur:	🚗🚗🚗🚗
Confort:	🚗🚗🚗🚗

LE CHOIX DE L'ÉQUIPE

SXT

COCON

Quiconque devant travailler sur la route et n'ayant pas le choix de parcourir de longues distances a besoin d'un véhicule qui offre une bonne solidité de conduite, de la puissance et du confort. Bref, ce véhicule devient un peu comme un cocon pour cet individu, et devra bien se comporter et le mettre en confiance. Le Durango fait justement tout ça et davantage!

Parcourir les grandes routes avec ce gros VUS se compare à être installé à bord d'un Boeing 747 en classe affaires. On sait qu'on est dans un gros véhicule puissant, et il y a du dégagement à profusion autour de soi. Mais ce qui impressionne le plus est sans aucun doute le cœur de ce VUS qui bouillonne de testostérone. Le gros bloc tatoué de l'emblème HEMI de 5,7 litres regorge de couple et de puissance. Vous désirez effectuer un dépassement? Alors, appuyez sur l'accélérateur et vous pourrez sentir les 335 chevaux et 370 lb-pi couple qui résident sous le capot.

Malgré sa lourdeur causé par une grande cabine ainsi qu'un cadre robuste, donc lourd, le HEMI est la meilleure combinaison qui soit si vous optez pour le Durango. Selon votre style de conduite, il ne consommera pas vraiment plus que le moteur à 6 cylindres qui développe seulement 210 ch, car sur la grand-route le système MDS s'active et le moteur se transforme en 4 cylindres, permettant ainsi d'offrir 20 % d'économie en carburant.

Il existe aussi un autre moteur nommé E85 qui est un V8 déployant 235 chevaux et 300 lb-pi couple, mais avec la différence qu'il fonctionne avec un mélange d'essence comportant 15 % d'essence et 85 % d'éthanol, il peut aussi tourner avec de l'essence sans plomb. L'éthanol est une matière renouvelable provenant de l'industrie agricole... et permettant de se sentir moins coupable quand on roule à bord d'un si gros véhicule! Surtout si on passe par hasard devant une manifestation d'écolos...

La transmission automatique à 5 rapports travaille réellement avec douceur ainsi qu'avec promptitude en reprise ou lors des dépassements. Pour ce qui est de rouler dans la circulation dense, le bon étagement des rapports permet des réactions en douceur au lieu d'agir d'une manière plus saccadée.

Comme il s'agit d'un cadre hydroformé, cela lui permet d'offrir un haut niveau de rigidité car tout est fait d'une seule pièce, et c'est ce qui explique que le Durango offre une conduite si solide. Il peut négocier une série de virages à une bonne vitesse tout en demeurant prévisible. La suspension est juste assez ferme pour une conduite un peu plus sportive sans affecter le confort en général. De plus, le Durango est relativement large donc il possède une grande stabilité.

Si vous recherchez un véhicule qui peut remorquer une roulotte ou un bateau avec facilité, alors le Durango vous étonnera. Son couple est si généreux que vous pouvez tirer une charge de 8800 lb sans le fatiguer. Il peut en prendre beaucoup et vous ne vous rendrez pas compte du

FEU VERT
Moteur puissant
Espace intérieur
Ligne macho
Très bon confort

FEU ROUGE
Six cylindres anémique
Allure étrange
Consommation élevée
Direction molle

poids supplémentaire. En appuyant sur le mode remorquage, vous pourrez exploiter tout le couple moteur car il demeurera dans les rapports bas plus longtemps, en plus de rétrograder s'il détecte une décélération.

Au chapitre du freinage, bien que ce véhicule soit un poids lourd, les grands disques avant ventilés agissent avec fermeté quand ils sont pincés par les étriers à double pistons. Le système ABS fait bien son boulot et le Durango s'immobilise rapidement et avec autorité.

L'habitacle est très spacieux et offre plusieurs espaces de rangement, et si vous avez une grande famille, il y a de la place pour 8 personnes! Si par contre, vous avez un surplus de poids, vous constaterez que l'accès à la dernière rangée de sièges est difficile. En outre, les sièges sont peu profonds, et ça devient inconfortable pour ceux qui ont de grandes jambes. Vous pouvez rabattre la dernière rangée si vous avez besoin de plus d'espace de chargement, vous serez étonné de l'espace disponible.

Pour ce qui est des sièges avant, si vous optez pour une sellerie en cuir, vous serez gratifiés par un grand confort et vous roulerez durant des heures sans ressentir de fatigue. Il y a beaucoup de dégagement autour des jambes, des hanches et de la tête et le dossier offre un bon support. La finition intérieure est très bonne et le tableau de bord est plaisant et facile à consulter grâce aux larges cadrans à fond blanc. Le Durango est aussi proposé avec un système de navigation; je n'ai pas trouvé ce dernier très convivial et plutôt difficile à programmer.

Pour ce qui est de l'allure du Durango, il faut dire que c'est audacieux, mais pour une raison que je ne peux expliquer, je préférais la partie avant de l'autre génération. La calandre démontre moins son côté macho. Peut-être est-ce pour attirer davantage de femmes qui autrement boudent ces gros véhicules?

Quoi qu'il en soit, il s'agit d'un véhicule qui offre un très bon niveau de raffinement tant à l'intérieur qu'à l'extérieur. La conduite est solide et très prévisible, et le véhicule enfile bien les virages en étant très stable. Vous aurez aussi droit à un intérieur où règne le silence. Pour ce qui est du confort, Dodge a fait un excellent travail à ce chapitre, alors si vous faites beaucoup de route, le Durango est tout indiqué pour vous.

Robert Jetté

Photos : Denis Duquet

VÉHICULE D'ESSAI

Version :	SLT 4RM
Prix de détail suggéré :	41 280$
Emp/Lon/Lar/Haut(mm) :	3 027/5 101/1 930/1 887
Poids :	2 333 kg
Coffre/Réservoir :	532 à 2 867 litres/102 litres
Coussins de sécurité :	frontaux, latéraux (av.) et rideaux
Suspension avant :	indépendante, bras inégaux
Suspension arrière :	essieu rigide, ressorts hélicoïdaux
Freins av./arr. :	disque (ABS)
Antipatinage/Contrôle de stabilité :	oui/non
Direction :	à crémaillère, assistée
Diamètre de braquage :	12,2 m
Pneus av./arr. :	P245/75R17
Capacité de remorquage :	2 590 kg

MOTORISATION À L'ESSAI

Moteur :	V8 de 4,7 litres 16s atmosphérique
Alésage et course :	93,0 mm x 86,5 mm
Puissance :	235 ch (175 kW) à 4 600 tr/min
Couple :	300 lb-pi (407 Nm) de 3 600 à 6 000 tr/min
Rapport poids/puissance :	9,93 kg/ch (13,49 kg/kW)
Système hybride :	aucun
Transmission :	4RM, automatique 5 rapports
Accélération 0-100 km/h :	8,6 s
Reprises 80-120 km/h :	5,8 s
Freinage 100-0 km/h :	43,1 m
Vitesse maximale :	185 km/h
Consommation (100 km) :	ordinaire, 16,1 litres
Autonomie (approximative) :	634 km
Émissions de CO2 :	7 152 kg/an

GAMME EN BREF

Échelle de prix :	39 820$ à 46 770$ (2006)
Catégorie :	utilitaire sport grand format
Historique du modèle :	2ième génération
Garanties :	3 ans/60 000 km, 7 ans/115 000 km
Assemblage :	Newark, Delaware, É-U
Autre(s) moteur(s) :	V8 5,7l 335ch/370lb-pi (16,5 l/100km) HEMI
	V6 3,7l 210ch/235lb-pi (14,7 l/100km)
Autre(s) rouage(s) :	propulsion
Autre(s) transmission(s) :	automatique 4 rapports

DANS LA MÊME CATÉGORIE

Chevrolet Tahoe - Ford Expedition - Nissan Armada - Toyota Sequoia

DU NOUVEAU EN 2007

Retouches esthétiques à la carrosserie, nouvelles couleurs, coussins latéraux standard, 4,7 litres avec E-85

NOS IMPRESSIONS

Agrément de conduite :	🚗 🚗 🚗 🚗
Fiabilité :	🚗 🚗 🚗 🚗
Sécurité :	🚗 🚗 🚗 🚗 ½
Qualités hivernales :	🚗 🚗 🚗 🚗 ½
Espace intérieur :	🚗 🚗 🚗 🚗 ½
Confort :	🚗 🚗 🚗 🚗

LE CHOIX DE L'ÉQUIPE

SLT

AVOIR DU CULOT, C'EST ÇA !

Il n'y a que Chrysler qui pouvait mettre sur le marché une voiture comme la Magnum. L'entreprise de Auburn Hills au Michigan avait déjà eu le culot de présenter la troublante Plymouth Prowler, la sublime Dodge Viper, la belle Chrysler Crossfire sans oublier les Chrysler PT Cruiser et autres 300 et Charger. La Dodge Magnum, une familiale que l'on pourrait croire créée par George Barris, le créateur de la Batmobile originale, a autant de punch visuel que toutes les voitures mentionnées ci-haut. Et elle est abordable en plus !

Même si on commence à moins se retourner au passage d'une Magnum, reste que les versions R/T et, surtout, SRT-8 ont de quoi flanquer le torticolis. Si la Dodge Magnum et la Chrysler 300 partagent le même châssis et les mêmes éléments mécaniques ainsi qu'une bonne partie de l'habitacle, Dodge a su donner à sa voiture une personnalité propre. Bien entendu, il s'agit d'une familiale alors que la 300 est une berline mais les différences ne s'arrêtent pas là.

La grille avant diffère totalement tandis qu'à l'arrière, la partie vitrée plutôt étroite (qui, lorsque teintée, fait ressembler une Magnum noire ou grise à un corbillard !) se conjugue avec un hayon dont la partie supérieure forme une partie du toit. L'ouverture ainsi créée est particulièrement grande et permet le transport d'objets très volumineux et très hauts. Ce hayon, un peu lourd à soulever était source de bruits, du moins sur un de nos véhicules d'essai en janvier dernier. De plus, l'essuie-glace arrière ne couvre pas toute la largeur de la vitre et le bouton extérieur servant à ouvrir le hayon est toujours sale en hiver. À l'arrière, l'espace réservé aux jambes se montre très adéquat mais pour la tête, on repassera. La place centrale, sans appuie-tête, fait preuve du même confort qu'un 2x4 mais, en contrepartie, les vitres arrière s'ouvrent entièrement, une rareté dans l'automobile contemporaine.

MOINS ORIGINALE À L'INTÉRIEUR

À l'avant, les sièges se révèlent confortables et suffisamment larges pour accueillir des joueurs de football. Devant le conducteur, on retrouve de belles jauges, encore plus belles la nuit puisque légèrement bleutées. Cela compense le manque d'originalité du tableau de bord et du volant qui sont, à peu de choses près, conformes à ceux des 300 et Charger. La plupart des commandes sont bien placées sauf le détestable levier du régulateur de vitesse qu'à peu près tout le monde confond avec le levier des clignotants.

La Dodge Magnum se décline en deux niveaux, soit propulsion (roues arrière motrices) et AWD (rouage intégral). Trois moteurs sont proposés, soit deux V6 de 2,7 et 3,5 litres ainsi qu'un V8 de 5,7 litres. Le 2,7 litres de 190 chevaux et 190 livres-pied de couple est suffisamment puissant, mais si vous comptez charger des objets lourds dans la soute à bagages ou tirer une remorque, il vaudrait mieux penser au 3,5 litres de 250 chevaux et 250 livres-pied de couple. Et là, la puissance est amplement suffisante sans trop gruger dans votre portefeuille lors des pleins. Ce moteur est standard avec la version SXT à rouage intégral. Mais avec une voiture comme la Magnum qui hurle son caractère sportif à qui veut bien la regarder, il faut quelque chose de musclé. Pour cela, on retrouve

FEU VERT
Silhouette spéciale
Véhicule polyvalent
Bon choix de moteurs
Prix intéressants
Version SRT-8 démentielle

FEU ROUGE
Silhouette spéciale
5,7 et 6,1 litres très assoiffés
Tableau de bord ordinaire
Peu d'espaces de rangement à l'avant

le R/T avec son V8 5,7 litres Hemi de 340 chevaux et 390 livres-pied de couple. Dire que les accélérations et reprises sont enlevantes serait un euphémisme. On peut même brûler une paire de pneus dans le temps de le dire ! Évidemment, la consommation d'essence s'en ressent passablement même si ce moteur jouit de la technologie MDS qui désactive la moitié des cylindres lorsqu'ils ne sont pas nécessaires. Sur une autoroute et à vitesse constante, ce système fait des merveilles. Mais si vous jouez le moindrement de l'accélérateur, vous en perdez les avantages.

La transmission intégrale est proposée sur les versions SXT et R/T. L'intégrale, combinée à un système antipatinage très autoritaire, se débrouille fort bien dans la neige. Même si la Magnum est un gros véhicule que l'on croirait indisposé par la conduite sportive, il n'en est rien. La tenue de route se révèle très saine, gracieuseté d'un châssis rigide et de suspensions bien adaptées qui ressemblent à celles utilisées sur certaines Mercedes-Benz au milieu des années 90.

UNE MAGNUM « LÂCHÉE LOUSSE »

Puisque vous vous êtes rendu jusqu'ici, je vous réserve une petite surprise. Une grosse, en fait. La Dodge Magnum SRT-8, quoi qu'en disent les «verts», demeure l'une des plus belles surprises de l'industrie américaine. Le gros Hemi de 6,1 litres développe pas moins de 425 chevaux et 420 livres-pied de couple. Sa sonorité profonde émeut toujours l'amateur de *muscle cars*. Solidement campée sur ses suspensions abaissées et ses Goodyear Eagle F1 245/45R20, la SRT-8 impose le respect. Avec une telle puissance, pas étonnant que cette future voiture de collection ne soit proposée qu'en version intégrale. Seul regret, l'absence d'une transmission manuelle à six rapports. Essayée sur un parcours délimité par des cônes, la SRT-8 a affiché un comportement à la fois sportif et prévisible. Il est possible de débrancher le contrôle antipatinage et s'amuser à placer la voiture à l'accélérateur. Et quand vous appuyez trop sur l'accélérateur, vous voyez les «p'tits gars» courir après leurs cônes…

Fortement typée, la Dodge Magnum ne passe pas inaperçue, surtout dans son ensemble "police pack". Malgré ses quelques défauts, cette familiale excentrique représente une valeur sûre.

Alain Morin

VÉHICULE D'ESSAI

Version :	R/T AWD
Prix de détail suggéré :	40 970 $
Emp/Lon/Lar/Haut (mm) :	3 048/5 021/1 881/1 481
Poids :	1 992 kg
Coffre/Réservoir :	770 litres/68 litres
Coussins de sécurité :	frontaux, latéraux (av.) et rideaux
Suspension avant :	indépendante, bras inégaux
Suspension arrière :	indépendante, multibras
Freins av./arr. :	disque (ABS)
Antipatinage/Contrôle de stabilité :	oui/oui
Direction :	à crémaillère, assistance variable
Diamètre de braquage :	11,9 m
Pneus av./arr. :	P225/60R18
Capacité de remorquage :	1 724 kg

MOTORISATION À L'ESSAI

Moteur :	V8 de 5,7 litres 16s atmosphérique
Alésage et course :	99,6 mm x 90,9 mm
Puissance :	340 ch (254 kW) à 5 000 tr/min
Couple :	390 lb-pi (529 Nm) à 4 000 tr/min
Rapport poids/puissance :	5,86 kg/ch (7,97 kg/kW)
Système hybride :	aucun
Transmission :	intégrale, automatique 5 rapports
Accélération 0-100 km/h :	7,0 s
Reprises 80-120 km/h :	5,8 s
Freinage 100-0 km/h :	43,2 m
Vitesse maximale :	250 km/h
Consommation (100 km) :	ordinaire, 14,9 litres
Autonomie (approximative) :	456 km
Émissions de CO$_2$:	5 568 kg/an

GAMME EN BREF

Échelle de prix :	26 875 $ à 43 520 $
Catégorie :	familiale
Historique du modèle :	1ière génération
Garanties :	3 ans/60 000 km, 7 ans/115 000 km
Assemblage :	Brampton, Ontario, Canada
Autre(s) moteur(s) :	V6 3,5l 250ch/250lb-pi (13,9 l/100km)
	V6 2,7l 190ch/190lb-pi (11,4 l/100km)
	V8 6,1l 425ch/420lb-pi (16,5 l/100km)
Autre(s) rouage(s) :	propulsion
Autre(s) transmission(s) :	automatique 4 rapports

DANS LA MÊME CATÉGORIE

Audi A4 Avant - BMW 325 Touring - Chrysler Pacifica - Ford Freestyle - Volkswagen Passat - Volvo V70 / XC70

DU NOUVEAU EN 2007

Pas de changement majeur

NOS IMPRESSIONS

Agrément de conduite :	🚗🚗🚗🚗
Fiabilité :	🚗🚗🚗🚗
Sécurité :	🚗🚗🚗🚗
Qualités hivernales :	🚗🚗🚗🚗
Espace intérieur :	🚗🚗🚗🚗
Confort :	🚗🚗🚗🚗

LE CHOIX DE L'ÉQUIPE

R/T AWD

Photos : Alain Morin

UNE PREMIÈRE POUR DODGE

De nos jours, toute marque qui se respecte se doit d'offrir un modèle dans toutes les catégories du marché. Et si la division Dodge était présente dans le créneau des gros VUS avec le Durango, elle était absente du marché des 4X4 compacts appelé à connaître de plus en plus d'expansion en raison de la hausse du prix du pétrole et des tendances du marché. C'est ce qui explique l'arrivée du Nitro dans la gamme Dodge. Et cette décision a été d'autant plus facile à prendre que la division Jeep avait les éléments tout trouvés avec le Liberty.

D e là à écrire que le Nitro n'est autre chose qu'un Liberty avec une grille de calandre Dodge, il y a un pas que je ne veux pas franchir. Par contre, les deux véhicules sont assemblés à la même usine, se partagent plusieurs composantes mécaniques et leur rouage intégral est identique. En revanche, le Nitro possède plusieurs caractéristiques qui lui sont exclusives, notamment un moteur V6 4,0 litres et une silhouette à part.

UN VRAI DODGE

Les stylistes se sont assurés que cette nouvelle venue affiche des allures similaires aux autres véhicules de cette division. Ce qui est relativement facile, car il suffit de placer la grille de calandre cruciforme et vous avez un authentique Dodge. Par le passé, ce type d'exercice se traduisait par un certain déséquilibre visuel alors que le véhicule semblait piquer du nez. Pour contrer cet inconvénient, les stylistes ont équarri la partie arrière et allongé le pavillon en proportion du capot. Et ont utilisé des feux arrière enveloppants et une ceinture de caisse plus élevée. Ce qui contribue à alourdir quelque peu la silhouette et à donner au Nitro des airs plus robustes que le Jeep Liberty par exemple. Il faut de plus ajouter que des prises d'air factices sur chaque aile avant apportent un petit cachet spécial.

Comme c'est de mise pour la catégorie, l'habitacle a été conçu afin d'offrir une grande polyvalence. La soute à bagages propose le système Load N'Go qui est un plancher mobile qui peut reculer de 1160 mm pour faciliter le chargement et le déchargement des bagages. La capacité de cette plate-forme est de 181 kg. Bien entendu, le dossier arrière 60/40 se rabat vers l'avant pour former un plancher plat. Une fois relevé, il est inclinable afin de permettre aux occupants un confort plus individualisé. Toujours au chapitre de la polyvalence, le dossier du siège du passager avant se rabat vers l'avant dans le but d'assurer le chargement d'objets longs. En poursuivant à propos de l'habitacle, il est possible de commander un lecteur DVD, un système de navigation par satellite et une table de rangement pour la soute à bagages.

Le Nitro n'est pas l'exception au sujet de la polyvalence, mais propose au moins les mêmes choses et même plus que les autres véhicules de cette catégorie. En outre, il se démarque du Jeep Liberty par l'offre d'un second moteur V6 optionnel.

DEUX MOTEURS V6

Comme le Liberty, le moteur de base du Nitro est un moteur V6 de 3,7 litres d'une puissance de 210 chevaux et couplé à une boîte

---

FEU VERT

Silhouette originale
Châssis robuste
Tout terrain efficace
Bonnes dimensions
Tableau de bord élégant

FEU ROUGE

Fiabilité inconnue
Consommation relativement élevée
Places arrière moyennes
Absence de moteur diesel

manuelle à six rapports. Il est possible d'opter pour une boîte automatique à quatre rapports. C'est la combinaison proposée sur le modèle SXT qui est la plus économique. Le modèle SLT est sensiblement similaire à l'exception d'une liste d'équipements de série plus étoffée et de certaines options qui ne sont pas offertes sur le modèle de base.

Comme c'est le cas sur tous les modèles Dodge, à l'exception de la gamme SRT bien sûr, le R/T est le mieux équipé et le plus puissant. Cette fois, c'est le moteur V6 de 4,0 litres qui est livré avec ce modèle et seule la transmission automatique à cinq rapports est livrée tandis que le R/T roule sur des pneus de 20 pouces. L'acheteur a le choix entre un rouage d'entraînement aux roues arrière seulement, un mode 4X4 à temps partiel et finalement une transmission intégrale. Celle-ci sera offerte un peu plus tard dans l'année, et sera entièrement automatisée alors qu'aucune commande au tableau de bord ne permettra de passer d'un mode à l'autre. Par contre, le système 4x4 est commandé à partir d'un bouton monté sur le tableau de bord.

Ce nouveau modèle propose également une nouvelle suspension. À l'avant, la suspension indépendante est à ressorts hélicoïdaux garantissant ainsi un meilleur confort. L'essieu arrière rigide est de type à liens multiples et son débattement est généreux afin d'assurer un niveau de confort supérieur à la moyenne pour un VUS, tout en obtenant une bonne garde au sol. Toujours au chapitre de la mécanique, le Nitro est immobilisé par des freins à disque liés à un système ABS, tandis que tous les modèles possèdent de série un programme de stabilité à commande électronique.

Il est intéressant de souligner que le Nitro est appelé à être diffusé un peu partout dans le monde. Il sera donc produit en version avec conduite à droite ou à gauche, et toutes les composantes extérieures telles les phares de route et les deux feux arrière respecteront les normes internationales en matière d'éclairage et de sécurité. En outre, sur certains marchés et en Europe notamment, il sera possible de commander un moteur diesel. À ce propos, il est dommage que les nouvelles législations nord-américaines en fait d'émission ne permettent plus d'utiliser le moteur diesel qui était offert avec le Jeep Liberty.

Denis Duquet

Photos : Dodge

VÉHICULE D'ESSAI

Version :	SLT
Prix de détail suggéré :	35 995 $ (estimé)
Emp/Lon/Lar/Haut(mm) :	2 763/4 544/1 857/1 776
Poids :	1 806 kg
Coffre/Réservoir :	899 à 2 117 litres/74 litres
Coussins de sécurité :	frontaux, latéraux (av.) et rideaux
Suspension avant :	indépendante, bras inégaux
Suspension arrière :	essieu rigide, multibras
Freins av./arr. :	disque (ABS)
Antipatinage/Contrôle de stabilité :	oui/oui
Direction :	à crémaillère, assistance variable
Diamètre de braquage :	11,1 m
Pneus av./arr. :	P235/65R17
Capacité de remorquage :	2 268 kg

MOTORISATION À L'ESSAI

Moteur :	V6 de 3,7 litres 12s atmosphérique
Alésage et course :	93,0 mm x 90,8 mm
Puissance :	210 ch (157 kW) à 5 200 tr/min
Couple :	235 lb-pi (319 Nm) à 4 000 tr/min
Rapport poids/puissance :	8,6 kg/ch (11,65 kg/kW)
Système hybride :	aucun
Transmission :	4RM, automatique 4 rapports
Accélération 0-100 km/h :	10,4 s
Reprises 80-120 km/h :	8,9 s
Freinage 100-0 km/h :	41,0 m
Vitesse maximale :	170 km/h
Consommation (100 km) :	ordinaire, 14,5 litres
Autonomie (approximative) :	510 km
Émissions de CO2 :	5 808 kg/an

GAMME EN BREF

Échelle de prix :	n.d.
Catégorie :	utilitaire sport compact
Historique du modèle :	1ière génération
Garanties :	3 ans/60 000 km, 7 ans/115 000 km
Assemblage :	Toledo, Ohio, É-U
Autre(s) moteur(s) :	V6 4,0l 255ch/275lb-pi (12,4 l/100km)
Autre(s) rouage(s) :	aucun
Autre(s) transmission(s) :	manuelle 6 rapports / automatique 5 rapports

DANS LA MÊME CATÉGORIE

Ford Escape - Honda CR-V - Hyundai Santa Fe - Jeep Liberty - Nissan XTerra - Subaru Forester - Suzuki Grand Vitara - Toyota Rav4

DU NOUVEAU EN 2007

Nouveau modèle dérivé du Liberty, moteur V6 de 4,0 litres

NOS IMPRESSIONS

Agrément de conduite :	🚗 🚗 🚗 ½
Fiabilité :	nouveau modèle
Sécurité :	🚗 🚗 🚗 ½
Qualités hivernales :	🚗 🚗 🚗 🚗 ½
Espace intérieur :	🚗 🚗 🚗
Confort :	🚗 🚗 🚗

LE CHOIX DE L'ÉQUIPE

SXT

LE PROLONGEMENT MASCULIN

Dans l'automobile, il existe une catégorie de voitures qui font rêver et, surtout, qui font vibrer à leur passage. Si l'on retrouve bien souvent dans cette catégorie des voitures issues du continent européen, DaimlerChrysler a su se glisser dans ce club sélect en 1992 en nous présentant la Dodge Viper, un véritable bolide capable de se frotter à des concurrentes hautement exotiques qui exigent un budget beaucoup plus important. Certes de plus en plus sage au fil des ans, la Viper demeure une voiture susceptible de vous donner des frissons à tout moment, tout en étant une valeur sûre pour ceux qui ne désirent pas passer inaperçus.

Dessinée et conçue par les gens de SRT, la division de haute performance chez DaimlerChrysler, la Viper STR10 est présentée pour 2007 en deux configurations, le coupé ayant rejoint l'an passé le cabriolet de nouvelle génération introduit en 2003. Avec un prix moyen dans les 120 000 $, la Viper STR10 propose un bon ratio prix/puissance si on la compare à des rivales souvent plus chères. Sur le plan mécanique, le coupé et le cabriolet se partagent le même groupe motopropulseur soit un moteur V10 en aluminium de 8,3 litres développant 510 chevaux à 5 600 tr/min pour un couple étonnant de 535 lb-pi à 4 200 tr/min. Fait intéressant, 90 pour cent de ce couple est disponible à 1 500 tr/min, ce qui contribue à faire de cette voiture une véritable fusée. Combinez le tout à une boîte manuelle à six rapports et vous obtenez une voiture capable de boucler les 0-100 km/h en quatre secondes environ et d'atteindre une vitesse maximale susceptible de vous faire perdre votre permis de conduire pour longtemps.

SPORTIVE À SOUHAIT

Une fois glissé à l'intérieur, ce qui n'est pas évident pour tous, on découvre un habitacle fortement axé sur la performance, au détriment du luxe ou du confort. Assise basse, instrumentation sport, pédalier éloigné et tableau de bord orienté vers le conducteur sont tous des éléments qui la caractérisent. Si l'espace de chargement n'est pas le plus imposant, les deux occupants profitent en revanche d'amplement de place. Les sièges sont confortables et leur appui latéral plus agressif favorise le maintien en conduite plus sportive. Les pédales, ajustables en hauteur dans le cabriolet, sont très rapprochées, ce qui est utile à l'utilisation de la technique du pointe-talon. La présence d'un repose-pied permet également de s'ancrer solidement en conduite sur circuit. J'ai été étonné de découvrir un système de sonorisation de marque Alpine offrant une qualité sonore intéressante, notamment en raison d'un haut-parleur de sous-graves situé entre les deux sièges. Voilà qui constitue un choix intéressant pour les audiophiles : V10 ou CD ?

COUPÉ OU CABRIOLET ?

La Dodge Viper STR10 offre les éléments typiques d'un roadster, soit un moteur positionné à l'avant et livrant sa puissance aux roues arrière, ajoutez également des composantes plus stylisées, tels un long capot, des ailes évasées et des porte-à-faux réduits. Bref, ses lignes sont à la fois machos et exotiques. Et si le coupé et le cabriolet disposent des mêmes composantes mécaniques, on note aussi quelques distinctions au chapitre du style, principalement à l'arrière. On remarque rapidement, sur le coupé, l'aile arrière qui vient recouvrir une partie des feux,

FEU VERT
Performances enivrantes
Lignes exotiques et distinctives
Sonorité du V10
Accélération brutale
Boîte manuelle efficace

FEU ROUGE
Utilisation limitée
Comportement peu civilisé
Poids important à l'avant
Chaleur élevée dans les marche-pieds

VÉHICULE D'ESSAI

Version :	SRT-10
Prix de détail suggéré :	128 500 $
Emp/Lon/Lar/Haut (mm) :	2 510/4 459/1 911/1 230
Poids :	1 546 kg
Coffre/Réservoir :	239 litres / 70 litres
Coussins de sécurité :	frontaux
Suspension avant :	indépendante, bras inégaux
Suspension arrière :	indépendante, multibras
Freins av./arr. :	disque (ABS)
Antipatinage/Contrôle de stabilité :	non / non
Direction :	à crémaillère
Diamètre de braquage :	12,3 m
Pneus av./arr. :	P275/35ZR18 / P345/30ZR19
Capacité de remorquage :	non recommandé

MOTORISATION À L'ESSAI

Moteur :	V10 de 8,3 litres 20s atmosphérique
Alésage et course :	102,4 mm x 100,6 mm
Puissance :	510 ch (380 kW) à 5 600 tr/min
Couple :	535 lb-pi (725 Nm) à 4 200 tr/min
Rapport poids/puissance :	3,03 kg/ch (4,12 kg/kW)
Système hybride :	aucun
Transmission :	propulsion, manuelle 6 rapports
Accélération 0-100 km/h :	4,2 s
Reprises 80-120 km/h :	3,8 s
Freinage 100-0 km/h :	36,5 m
Vitesse maximale :	310 km/h
Consommation (100 km) :	super, 17,8 litres
Autonomie (approximative) :	393 km
Émissions de CO2 :	7 440 kg/an

GAMME EN BREF

Échelle de prix :	127 000 $ à 128 500 $
Catégorie :	GT
Historique du modèle :	2ième génération
Garanties :	3 ans/60 000 km, 7 ans/115 000 km
Assemblage :	Détroit, Michigan, É-U
Autre(s) moteur(s) :	aucun
Autre(s) rouage(s) :	aucun
Autre(s) transmission(s) :	aucune

DANS LA MÊME CATÉGORIE

Chevrolet Corvette Z06 - Ferrari F430 - Porsche 911 Carrera

DU NOUVEAU EN 2007

Légère augmentation de la puissance, Note : modèle 2006 continue en 2007, aucun modèle 2007, nouvelle génération en 2008

NOS IMPRESSIONS

Agrément de conduite :	🚗🚗🚗🚗
Fiabilité :	🚗🚗🚗🚗
Sécurité :	🚗🚗🚗½
Qualités hivernales :	nulles
Espace intérieur :	🚗🚗½
Confort :	🚗🚗🚗

LE CHOIX DE L'ÉQUIPE

SRT-10

---

reprenant un élément de style du précédent modèle GTS Coupé. Si le cabriolet charme par son toit rétractable et sa conduite à aire ouverte, le coupé se révèle encore plus « viscéral », intégrant plusieurs éléments dédiés aux amateurs de courses, notamment un toit à double bulle qui facilite le port du casque.

SEUL MAÎTRE À BORD

Prendre le volant d'une Viper constitue toute une expérience. La voiture est réellement intimidante. Son moteur V10 offre une sonorité riche et puissante, qui ne manque pas de faire sourire chaque fois que vous enfoncez l'accélérateur. Impossible de ne pas impressionner tout passager qui aura bien voulu s'aventurer à vos côtés ! Exploiter pleinement les performances de la Viper demande une bonne dextérité puisque vous êtes seul maître à bord. Aucune assistance électronique ne viendra sauver la mise en cas de besoin. Chaque entrée ou sortie de virage doit être effectuée avec doigté, car avec ses 510 chevaux et ses 535 lb-pi de couple, la Viper ne pardonne pas l'erreur. Elle impose le respect en tout temps.

La Viper surprend par sa puissance et son couple étonnant. Changez de rapport et le jeu recommence de plus belle avec autant de puissance. Beaucoup mieux balancée que les modèles antérieurs, la Viper offre des chiffres éloquents tant en matière de performances que de freinage. Sur la route, le cabriolet adopte un comportement un peu moins stable. On sent la voiture réagir un peu plus aux défauts de la route, surtout à une vitesse plus élevée. De son côté, le coupé présente des dynamiques de conduite différentes grâce à son châssis plus rigide apportant des améliorations palpables dans son comportement. Il est beaucoup plus prévisible et moins sensible aux imperfections de la route en conduite urbaine. Plus civilisée que celle de la génération précédente, la Dodge Viper demeure une voiture capricieuse en conduite quotidienne. Elle vous assure cependant une exclusivité certaine et constitue toute une carte de visite. Quant à son attitude bestiale, moi, j'adore ! Le choix reste difficile : les cheveux au vent avec le cabriolet ou les performances supérieures du coupé ? Une question de goût !

Sylvain Raymond

Photos : Dodge

PRESQUE LE CŒUR DE L'ENZO...

On attendait le dévoilement de la nouvelle Ferrari au Salon de l'auto de Genève, et comme toujours lorsqu'il est question de la marque au cheval cabré, les rumeurs allaient bon train. Certains observateurs avançaient que le nom de la remplaçante de la 575 Maranello serait celui de 600 Imola, mais c'est plutôt le nom de 599 GTB Fiorano qui a été choisi par le constructeur italien, histoire peut-être de déjouer les prétendus experts. Qu'importe le nom finalement retenu, cette nouvelle Ferrari marquera l'histoire en devenant la voiture de série la plus puissante de la marque à ce jour.

L'Enzo demeure encore et toujours la voiture la plus puissante construite par Ferrari avec son V12 de 660 chevaux, mais il s'agit là d'une voiture exceptionnelle qui n'a jamais été considérée comme un modèle de série chez Ferrari, où elle n'a été construite qu'à 399 exemplaires. La 599 GTB Fiorano étant la remplaçante des 550 et 575 Maranello, on s'attend à ce qu'elle connaisse une diffusion similaire à celle de sa devancière qui a été construite à 5 700 exemplaires depuis le début de sa carrière en 1996. Ainsi, la 599 GTB Fiorano reçoit un moteur V12 dérivé de celui de l'Enzo. Avec une cylindrée de 5,999 centimètres cubes et une puissance maximale de 620 chevaux, ce moteur développe seulement 40 chevaux de moins que celui de la supervoiture de Ferrari, ce qui annonce un potentiel de performance démentiel, soit un chrono de 3,7 secondes pour le sprint de 0 à 100 kilomètres/heure et une vitesse de pointe supérieure à 330 kilomètres/heure... Les ingénieurs ont également porté une attention particulière à la sonorité de ce moteur, en réduisant la résonance mécanique pour mettre l'accent sur le design de la tubulure d'admission et de l'échappement afin de produire la «trame sonore» idéale pour un moteur à configuration V12. Deux transmissions sont au programme, soit une boîte manuelle traditionnelle à six vitesses ou la boîte séquentielle F1 qui a encore été optimisée et qui permet le changement de rapport en 100 millièmes de seconde.

ARCHITECTURE TOUT ALU

Tout comme la 612 Scaglietti, la 599GTB est construite sur une architecture entièrement réalisée en aluminium, tout comme la carrosserie qui a été étudiée en soufflerie afin de produire 160 kilos d'appui à 300 kilomètres/heure et 190 kilos à la vitesse maximale à 330 kilomètres/heure. On peut également admirer la forme particulière des piliers «C» qui permettent de canaliser le flot d'air sur la lunette arrière sans augmenter le coefficient de pénétration dans l'air de la voiture, coefficient qui est d'ailleurs très bas puisqu'il est chiffré à 0,336. Côté style, la 599 GTB Fiorano est nettement plus typée que la 612 Scaglietti, car il s'agit d'un véritable coupé à deux places avec un long capot avant sous lequel se trouve le moteur localisé en position centrale. Du reste, cette localisation du V12 joue un rôle de premier plan dans la répartition des masses de la voiture étant donné que 85 % de son poids est localisé entre les axes des roues avant et arrière, et que la répartition avant/arrière des masses est de l'ordre de 47 % à l'avant et 53 % à l'arrière. Cet équilibre est le gage d'une tenue de route sportive, qui est par ailleurs rehaussée par la contribution massive de l'électronique.

FEU VERT
Puissance du moteur V12
Degré de sophistication technique
Style ravageur
Exclusivité assurée

FEU ROUGE
Prix astronomique
Délais de livraison
Coût des options

L'ÉLECTRONIQUE AU SERVICE DE LA VITESSE

Comme sur la F430, la 599 GTB reçoit d'office le manetinno au volant qui agit à la fois sur le système de contrôle électronique de stabilité, sur la traction asservie, sur la rapidité du passage des rapports de la boîte séquentielle F1 et sur les calibrations des suspensions. Ainsi, le conducteur peut adapter la voiture aux conditions routières et à la météo en effectuant les réglages appropriés pour une route détrempée ou glissante, ou en choisissant les calibrations optimales de tous les paramètres pour la conduite sur circuit. Les réglages sélectionnés apparaissent alors sur un nouvel écran témoin localisé à la gauche du tachymètre qui occupe encore et toujours la position centrale sur la planche de bord. Cet écran indique aussi les chronos enregistrés au fil des tours sur circuit, un peu à la manière de l'ensemble Sport Chrono Plus de Porsche. L'électronique est également présente dans les suspensions de la voiture puisque celles-ci sont calibrées par un fluide dont la viscosité est modifiée instantanément par un champ magnétique contrôlé électroniquement, de façon à ce que les suspensions réagissent parfaitement aux conditions routières à tout moment. Ce système reprend donc le même principe que Chevrolet avait mis au point pour la Corvette il y a quelques années.

Du côté de l'habitacle, on remarque une certaine dualité, l'environnement immédiat du conducteur faisant l'apanage de la fibre de carbone et de l'aluminium, alors que les passagers seront séduits par les surfaces drapées de cuir. Le tachymètre est proposé avec un fond jaune (à la F430) ou encore rouge, au choix de l'acheteur, et les sièges sport font usage de supports latéraux réalisés en fibre de carbone - qui semble être devenue le nouveau matériau fétiche de la marque. Le côté pratique est quant à lui assuré par un espace de chargement d'une capacité de 320 litres. Comme toujours, il est possible de s'abandonner à la lecture d'un catalogue d'options qui comprend entre autres : les freins en composite de carbone, un volant inspiré de celui de l'Enzo, un système de navigation assisté par satellite ainsi qu'une pléthore d'appliques en fibre de carbone, histoire de personnaliser à sa guise la plus récente création de Maranello.

On l'attendait depuis longtemps, cette remplaçante des 550 et 575 Maranello, et l'attente en a valu la peine. Le prix a beau être stratosphérique et les délais d'attente carrément hors-norme, rien n'y fait, Ferrari exerce encore et toujours son irrésistible pouvoir de séduction...

Gabriel Gélinas

Photos : Ferrari

VÉHICULE D'ESSAI

Version :	version unique
Prix de détail suggéré :	n.d.
Emp/Lon/Lar/Haut(mm) :	2 750/4 666/1 961/1 336
Poids :	1 688 kg
Coffre/Réservoir :	1 500 litres/77 litres
Coussins de sécurité :	front., latéraux (av./arr.) et rideaux
Suspension avant :	indépendante, bras inégaux
Suspension arrière :	indépendante, multibras
Freins av./arr. :	disque (ABS)
Antipatinage/Contrôle de stabilité :	oui/oui
Direction :	à crémaillère, assistance variable
Diamètre de braquage :	11,6 m
Pneus av./arr. :	P245/40ZR19 / P305/35ZR20
Capacité de remorquage :	non recommandé

MOTORISATION À L'ESSAI

Moteur :	V12 de 6,0 litres 48s atmosphérique
Alésage et course :	92,0 mm x 75,2 mm
Puissance :	620 ch (462 kW) à 7 600 tr/min
Couple :	448 lb-pi (607 Nm) à 5 600 tr/min
Rapport poids/puissance :	2,72 kg/ch (3,7 kg/kW)
Système hybride :	aucun
Transmission :	propulsion, séquentielle 6 rapports
Accélération 0-100 km/h :	3,7 s (constructeur)
Reprises 80-120 km/h :	3,0 s (estimé)
Freinage 100-0 km/h :	n.d.
Vitesse maximale :	330 km/h
Consommation (100 km) :	super, 21,3 litres (constructeur)
Autonomie (approximative) :	362 km
Émissions de CO2 :	8 831 kg/an

GAMME EN BREF

Échelle de prix :	n.d.
Catégorie :	GT
Historique du modèle :	1ère génération
Garanties :	3 ans/km illimité, 3 ans/km illimité
Assemblage :	Maranello, Italie
Autre(s) moteur(s) :	aucun
Autre(s) rouage(s) :	aucun
Autre(s) transmission(s) :	aucune

DANS LA MÊME CATÉGORIE

Aston Martin Vanquish - Bentley Continental GT - Mercedes-Benz CL65 AMG

DU NOUVEAU EN 2007

Nouveau modèle

NOS IMPRESSIONS

Agrément de conduite :	données insuffisantes
Fiabilité :	nouveau modèle
Sécurité :	données insuffisantes
Qualités hivernales :	nulles
Espace intérieur :	données insuffisantes
Confort :	données insuffisantes

LE CHOIX DE L'ÉQUIPE

version unique

LA GRAN TURISMO 2 + 2

Pour les plus fortunés de la planète, ce n'est pas le choix qui manque lorsque vient le temps de rouler. Il faut croire qu'il existe un marché très lucratif dans le créneau des voitures GT haut de gamme, puisque Ferrari propose toujours la 612 Scaglietti afin de concurrencer directement les Aston Martin Vanquish, Mercedes-Benz CL version AMG ainsi que la Bentley Continental GT.

Pour obtenir une place sur la grille de départ de ce plateau relevé, il faut satisfaire plusieurs critères. La voiture se doit presque obligatoirement d'être un coupé avec un habitacle de configuration 2 + 2, et le moteur se doit d'être un 12 cylindres (en configuration V12 pour la Vanquish ou en configuration W12 pour la Continental GT) ou, à tout le moins, un V8 suralimenté (CL65 AMG). Toutes ces voitures font appel à des moteurs capables de développer plus de 450 chevaux et à ce chapitre, la 612 Scaglietti en revendique 540, ce qui la place au second rang juste derrière la Bentley Continental GT (552 chevaux). De ce côté, il est important de préciser que la plupart des propriétaires de ce type de voiture n'en exploitent que très rarement le plein potentiel de performance, c'est juste qu'ils aiment bien en parler de temps à autre…

Ferrari donne souvent des noms de lieux à ses voitures (Daytona, 360 Modena, etc.), mais parfois aussi celui d'individus qui ont marqué l'histoire de la marque. Il en est ainsi avec la 612 Scaglietti nommée en hommage à Sergio Scaglietti qui a conçu plusieurs des voitures sport de la marque pendant les années cinquante et soixante. Quant au chiffre de 612, précisons que le chiffre 6 évoque la cylindrée du moteur (5 748 cc arrondis à 6,0) et que le 12 représente sa configuration à douze cylindres.

CONSTRUCTION TOUT ALUMINIUM

Ce qui frappe au premier coup d'œil, ce sont les lignes très prononcées qui partent sous la calandre pour remonter sur les phares et se prolonger sur les ailes avant jusqu'à l'arrière de la voiture. Aussi, les flancs de la 612 Scaglietti rappellent un peu ceux de la BMW Z4 avec cette légère dépression creusée entre les puits de roue avant et l'arrière des portières. La 612 Scaglietti a été construite avec une structure de type "space frame" et une carrosserie tout en aluminium afin de réduire son poids. Sur le plan technique, c'est la mesure de l'empattement qui impressionne le plus chez la 612 Scaglietti, celui-ci faisant 116,1 pouces ou 295 cm, soit autant que celui de certains véhicules sport utilitaires de grande taille… Cet empattement allongé s'explique par la localisation du très long moteur V12 de 5,7 litres derrière l'axe des roues avant et par le fait que les concepteurs ont voulu recentrer les masses de la voiture. Le résultat est probant puisque 85 pour cent de la masse se retrouve maintenant entre les trains avant et arrière, ce qui confère à la 612 Scaglietti un comportement routier agile et dynamique.

SUR LA ROUTE ET SUR LE CIRCUIT

J'ai eu l'occasion de boucler quelques tours du circuit Mont-Tremblant ainsi que de rouler sur les routes avoisinantes au volant de la

FEU VERT
Puissance du V12
Excellente tenue de route
Esclusivité assurée
Authentique 4 places

FEU ROUGE
Prix stratosphérique
Délais de livraison
Visibilité réduite à l'arrière

612 Scaglietti, et même s'il s'agit d'une voiture au gabarit imposant pour une sportive, elle m'a toujours donné l'impression d'être moins grande et moins lourde qu'elle ne l'est, ce qui est le propre des voitures sport qui sont très bien équilibrées. Sur le circuit, il suffisait de régler les amortisseurs à la calibration la plus ferme avant d'attaquer les virages où la voiture faisait montre d'un aplomb remarquable. Évidemment, j'ai pris soin d'allonger les distances de freinage par rapport aux tours bouclés avec la F430, mais la 612 Scaglietti m'a tout de même surpris par son endurance au freinage sur circuit, soit l'environnement qui représente la pire torture que l'on puisse infliger à une voiture. Sur la route, le retour aux calibrations plus souples des amortisseurs permettait de continuer d'apprécier les qualités dynamiques tout en offrant une conduite moins vigoureuse à ma passagère. Le moteur V12 est dérivé de celui de la Ferrari Enzo, mais la cylindrée a été réduite de 6,0 à 5,7 litres et la boîte de vitesses a été localisée près du train arrière, ce qui donne une répartition du poids de 46 pour cent à l'avant et 54 pour cent à l'arrière. Le rapport poids/puissance de la 612 Scaglietti (2 050 kilos – 533 chevaux) lui permet d'abattre la marque des 100 kilomètres/heure en 4,2 secondes, le quart de mille en 12,3 secondes et la vitesse maximale de 320 kilomètres/heure, selon Ferrari.

L'habitacle de la 612 est assez spacieux pour accueillir 4 personnes à bord et, ayant réglé le siège du conducteur à la position idéale pour moi (je fais 5 pieds 10 pouces), j'ai pu m'installer assez confortablement dans le siège arrière gauche, bien que la manoeuvre soit compliquée par le fait que la portière n'ouvre pas très largement. J'ai également pu constater que les sièges des places arrière sont presque aussi ajustés que ceux des places avant et offrent un excellent soutien latéral en virage.

Le prix est stratosphérique et les délais de livraison sont très longs, mais l'exclusivité est assurée. Comme voiture Gran Turismo à configuration 2 + 2, il ne se fait pas mieux.

Gabriel Gélinas

Photos : Ferrari

FERRARI 612 SCAGLIETTI

VÉHICULE D'ESSAI

Version :	version unique
Prix de détail suggéré :	364 860 $ (2006)
Emp/Lon/Lar/Haut(mm) :	2 950/4 902/1 957/1 344
Poids :	1 840 kg
Coffre/Réservoir :	240 litres/110 litres
Coussins de sécurité :	frontaux et latéraux (av.)
Suspension avant :	indépendante, multibras
Suspension arrière :	indépendante, multibras
Freins av./arr. :	disque (ABS)
Antipatinage/Contrôle de stabilité :	oui/oui
Direction :	à crémaillère, assistance variable
Diamètre de braquage :	12,0 m
Pneus av./arr. :	P245/45ZR18 / P285/40ZR19
Capacité de remorquage :	non recommandé

MOTORISATION À L'ESSAI

Moteur :	V12 de 5,7 litres 48s atmosphérique
Alésage et course :	89,0 mm x 77,0 mm
Puissance :	540 ch (397 kW) à 7250 tr/min
Couple :	434 lb-pi (589 Nm) à 5250 tr/min
Rapport poids/puissance :	3,46 kg/ch (4,69 kg/kW)
Système hybride :	aucun
Transmission :	propulsion, séquentielle 6 rapports
Accélération 0-100 km/h :	4,2 s
Reprises 80-120 km/h :	3,2 s
Freinage 100-0 km/h :	32,3 m
Vitesse maximale :	315 km/h
Consommation (100 km) :	super, 20,7 litres (constructeur)
Autonomie (approximative) :	531 km
Émissions de CO2 :	8 831 kg/an

GAMME EN BREF

Échelle de prix :	364 860 $ (2006)
Catégorie :	GT
Historique du modèle :	1ière génération
Garanties :	3 ans/km illimité, 3 ans/km illimité
Assemblage :	Maranello, Italie
Autre(s) moteur(s) :	aucun
Autre(s) rouage(s) :	aucun
Autre(s) transmission(s) :	manuelle 6 rapports

DANS LA MÊME CATÉGORIE
Aston Martin Vanquish - Bentley Continental GT - Mercedes-Benz CL65 AMG

DU NOUVEAU EN 2007
Pas de changement majeur

NOS IMPRESSIONS

Agrément de conduite :	🚗🚗🚗🚗
Fiabilité :	🚗🚗🚗🚗
Sécurité :	🚗🚗🚗🚗
Qualités hivernales :	🚗🚗
Espace intérieur :	🚗🚗🚗
Confort :	🚗🚗🚗

LE CHOIX DE L'ÉQUIPE
version unique

L'HISTOIRE D'AMOUR SE POURSUIT

Les deux derniers étés, en tant que directeur du programme Trioomph, j'ai eu le privilège et le plaisir de vivre des journées exceptionnelles au volant de la F430 sur le fabuleux circuit du Mont-Tremblant. Ce programme permet aux amateurs de conduire non seulement la F430 mais également plusieurs autres voitures exotiques dont les Lamborghini Gallardo, Aston Martin DB9, Porsche 911 Turbo et Dodge Viper, entre autres. Cette expérience unique m'a permis un contact étroit avec la F430 qui représente l'évolution de la 360 Modena et qui l'a rapidement remplacée dans mon cœur en devenant ma voiture préférée pour la conduite sur circuit.

Au premier contact, j'ai pu apprécier le phénoménal potentiel de performance de la F430 sur circuit, mais je dois avouer que je me posais de sérieuses questions sur la fiabilité d'une telle voiture en utilisation répétée sur la piste, jour après jour, les Ferrari des générations précédentes étant parfois capricieuses à cet égard. Mon appréhension s'est cependant avérée non fondée, car la F430 a fait montre d'un dossier de fiabilité sans tache, alors que sa principale rivale, la Lamborghini Gallardo nous a posé plusieurs problèmes. La F430 est donc la Ferrari qui se rapproche le plus d'une Porsche pour la conduite sur circuit, puisqu'il suffit d'y mettre de l'essence, de vérifier l'huile, les freins et les pneus périodiquement et d'aller rouler à fond…

ÉTUDIÉE EN SOUFFLERIE

Visuellement, la F430 ressemble à une 360 Modena qui serait allée au gym, selon les mots employés par son designer Frank Stephenson (aujourd'hui à la haute direction de Fiat), mais il n'y a pas que le look qui ait changé, puisque la F430 est tellement plus vive et plus rapide que la 360 Modena que l'on à peine à croire que ces deux voitures sont étroitement liées. À l'avant, les prises d'air surdimensionnées rappellent celles qui figuraient sur la monoplace de la Scuderia en 1961, année où Phil Hill remporta le Championnat du monde pour la marque de

Maranello, et servent à alimenter en air frais les deux radiateurs nécessaires pour le refroidissement du moteur. À l'image de l'actuelle monoplace de F1, la F430 a également été développée en soufflerie et c'est pourquoi elle est dotée d'extracteurs à l'arrière ainsi que d'un petit aileron, deux éléments qui permettent à la voiture de générer un appui aérodynamique important à 200 kilomètres/heure. Par ailleurs, les feux arrière sont inspirés de ceux qui équipent la Ferrari Enzo, assurant ainsi une certaine filiation avec l'une des voitures les plus rapides au monde.

Par la lunette arrière, il est possible d'admirer l'œuvre d'art qu'est le V8 de 4,3 litres entièrement réalisé en aluminium fournissant 490 chevaux, soit 90 de plus que le moteur de la 360 Modena, mais plus que toute autre chose, c'est le son qui accroche… À elle seule, la sonorité du moteur de la F430 vaut le prix d'entrée stratosphérique et les longs mois d'attente suite à la passation de la commande. Réussir la signature vocale de la F430 était d'ailleurs l'une des priorités des ingénieurs responsables du développement du nouveau V8. Le résultat est absolument ahurissant et la seule autre voiture au monde qui peut se targuer d'avoir une sonorité aussi évocatrice est la Ferrari Enzo.

FEU VERT
Plus rapide qu'une F40 ou F50
Degré de sophistication technique
Direction ultraprécise
Sonorité du moteur à haut régime

FEU ROUGE
Prix élevé
Diffusion limitée
Usage estival seulement

DEGRÉ TRÈS ÉLEVÉ DE SOPHISTICATION TECHNIQUE

Opposée au bouton de démarrage localisé sur le volant se trouve la manetinno permettant au conducteur de contrôler plusieurs réglages de la voiture. Ainsi, la sélection des modes Ice ou Low Grip a pour effet d'assouplir les amortisseurs et de ralentir le passage des vitesses tout en rendant l'action de la traction asservie et celle du système de contrôle de la stabilité plus immédiate. En modes Sport ou Race, les amortisseurs deviennent plus fermes, le passage des vitesses se fait en 20 ou 15 millièmes de seconde et les aides électroniques sont plus tolérantes, permettant même de faire dériver la voiture en virage. Le mode CST annule l'intervention de tous ces systèmes sauf l'ABS et le différentiel qui est activé électroniquement, et qui fournit une meilleure motricité en sortie de courbe. Toute cette technologie avancée est directement dérivée de la F1 et permet au conducteur inexpérimenté d'apprivoiser la voiture pour ensuite graduellement exploiter son potentiel de performance. Quant au conducteur expérimenté, il trouvera son compte avec les réglages Race ou CST.

Sur le circuit, il est possible d'apprécier au plus haut point la précision extrême de la direction permettant de placer la voiture sur la trajectoire idéale au millimètre près ainsi que l'adhérence phénoménale supérieure à 1 G en virages. Aussi, la puissance du freinage est semblable à celle d'une véritable voiture de compétition. J'ai également pu effectuer des comparaisons directes avec une autre voiture exotique italienne, soit la Lamborghini Gallardo, et constater que la F430 l'emporte sur toute la ligne en étant plus performante en accélération, au freinage et en tenue de route.

Quant à la version Spider, disponible avec la boîte manuelle à six vitesses ou la boîte F1, précisons que son poids est supérieur de 70 kilos, principalement en raison du mécanisme d'ouverture du toit souple qui est contrôlé par sept moteurs électrohydrauliques. L'absence d'un toit rigide a aussi un effet sur l'aérodynamique de la voiture, et c'est pourquoi l'aileron est plus élevé sur la Spider afin de compenser cette perte d'appui, et de restaurer la charge aérodynamique de 110 kilos à 200 kilomètres/heure. Pour le prix, prière d'ajouter la bagatelle de quarante mille dollars à celui de la F430…

À plus d'un quart de million de dollars par exemplaire, la F430 demeure la moins chère (!) des voitures de la marque.

Gabriel Gélinas

Photos : Ferrari

VÉHICULE D'ESSAI

Version :	Coupé F1
Prix de détail suggéré :	269 258 $
Emp/Lon/Lar/Haut(mm) :	2 600/4 512/1 923/1 214
Poids :	1 450 kg
Coffre/Réservoir :	250 litres/95 litres
Coussins de sécurité :	frontaux
Suspension avant :	indépendante, multibras
Suspension arrière :	indépendante, multibras
Freins av./arr. :	disque (ABS)
Antipatinage/Contrôle de stabilité :	oui/oui
Direction :	à crémaillère, assistée
Diamètre de braquage :	10,8 m
Pneus av./arr. :	P225/35ZR19 / P285/35ZR19
Capacité de remorquage :	non recommandé

MOTORISATION À L'ESSAI

Moteur :	V8 de 4,3 litres 40s atmosphérique
Alésage et course :	92,0 mm x 81,0 mm
Puissance :	490 ch (365 kW) à 8 500 tr/min
Couple :	343 lb-pi (465 Nm) à 5 250 tr/min
Rapport poids/puissance :	2,96 kg/ch (4,02 kg/kW)
Système hybride :	aucun
Transmission :	propulsion, séquentielle 6 rapports
Accélération 0-100 km/h :	4,0 s (constructeur)
Reprises 80-120 km/h :	n.d.
Freinage 100-0 km/h :	n.d.
Vitesse maximale :	315 km/h
Consommation (100 km) :	super, 18,3 litres (constructeur)
Autonomie (approximative) :	519 km
Émissions de CO2 :	8 736 kg/an

GAMME EN BREF

Échelle de prix :	269 258 $
Catégorie :	GT
Historique du modèle :	1ière génération
Garanties :	3 ans/km illimité, 3 ans/km illimité
Assemblage :	Maranello, Italie
Autre(s) moteur(s) :	aucun
Autre(s) rouage(s) :	aucun
Autre(s) transmission(s) :	manuelle 6 rapports

DANS LA MÊME CATÉGORIE

Aston Martin DB9 - Chevrolet Corvette Z06 - Dodge Viper SRT-10 - Lamborghini Gallardo - Mercedes-Benz SL55 AMG - Porsche 911 turbo

DU NOUVEAU EN 2007

Pas de changement majeur

NOS IMPRESSIONS

Agrément de conduite :	🚗🚗🚗🚗🚗
Fiabilité :	🚗🚗🚗🚗½
Sécurité :	🚗🚗🚗½
Qualités hivernales :	nulles
Espace intérieur :	🚗🚗🚗
Confort :	🚗🚗🚗

LE CHOIX DE L'ÉQUIPE

Coupé F1

HÉ, TAXI!

Êtes-vous déjà allé dans la ville de New York ? Dans la grosse pomme – tel est son surnom -, les voitures taxis pullulent, ces véhicules jaunes qui sont littéralement rois et maîtres de la circulation new-yorkaise. Avec ces autos, il faut pouvoir compter sur la fiabilité, la performance, et l'espace. On retrouve donc de grandes berlines en exclusivité ou presque. Pourtant, je n'ai jamais vu de Ford 500, et c'est bien dommage, car ses dimensions étonnantes constitueraient un avantage remarquable pour les chauffeurs de taxi.

I l faut d'abord savoir que la 500 n'est pas vraiment un pur produit Ford. On a plutôt utilisé la plate-forme de la Volvo XC 90, qui sert aussi au Freestyle, pour créer ce que l'on pourrait qualifier de « berli-utilitaire ». Quand on la regarde, on se rend rapidement compte de la hauteur inusitée de l'habitacle.

Au volant, le conducteur profite d'une position surélevée, lui donnant une visibilité digne des utilitaires sport de bonne taille. En fait, on se retrouve à dix centimètres au-dessus d'une position normale de conduite. Malgré tout, on a réussi à maintenir le seuil d'accès assez bas pour rendre les entrées et les sorties élégantes. Il est vrai que les premiers jours on a un peu l'impression que les fenêtres sont trop grandes tellement la visibilité est bonne !

GRANDS ESPACES

L'autre grande particularité du véhicule, c'est son espace intérieur quasi illimité. Assis à l'arrière, on se croirait dans une de ces anciennes voitures aux dimensions titanesques. En raison du plafond relevé, la tête dispose d'un dégagement hors du commun, alors que l'espace pour les jambes se calcule presque en mètres plutôt qu'en centimètres.

Avec de telles dimensions, trois adultes se calent sans effort sur la banquette arrière. On a même soigné le rembourrage de ladite banquette, rendant la randonnée confortable peu importe sa durée. Évidemment, le coffre arrière profite d'un espace à l'avenant, capable de loger les valises d'une famille de cinq avec aisance. Le seuil de chargement est un peu élevé, mais cela se traduit par une profondeur unique dans cette catégorie et le coffre se transforme littéralement en caverne.

Le principal reproche que l'on peut formuler au véhicule cependant, c'est sa silhouette plutôt ordinaire, aux limites de l'austérité. On a parfois l'impression que l'on a un peu mélangé les genres, mais sans être capable de donner une personnalité propre à la 500. Et comme la ligne de toit est particulièrement haute et arrondie, on la croit de plus forte taille qu'elle ne l'est en réalité. Il y a un certain esthétisme dans le genre. La 500 a beau afficher une allure vieillotte, elle dégage tout de même du charme. L'inspiration directe des concurrents germaniques notamment a permis de développer le look.

CE N'EST PAS RIEN

En 2007, la 500 n'a rien de bien nouveau à proposer. On avait promis une certaine refonte en raison de sa popularité chancelante, mais rien

---

FEU VERT
Visibilité sans reproche
Position de conduite relevée
Vaste habitacle
Traction intégrale efficace
Coffre arrière de grande dimension

FEU ROUGE
Look de voiture taxi
Puissance à revoir
Finition bâclée
Reprises sans âme

n'est encore au catalogue. On peut donc l'acheter en version traction ou intégrale, en livrée SEL ou Limited. Cette dernière offrant, comme on peut le concevoir, un luxe légèrement plus relevé, réunissant par exemple une sellerie de cuir avec sièges chauffants à réglage électrique, un système audio haut de gamme et des roues de 18 pouces en aluminium.

Peu importe la version choisie cependant, c'est le moteur V6 Duratec de 3,0 litres qui propulsera votre 500. En mode traction, il sera jumelé à une transmission automatique six rapports nouvellement installée de série, alors qu'en mode traction intégrale, c'est une transmission à rapports continuellement variables qui acheminera la puissance aux roues. Chose surprenante, cette dernière transmission se comporte avec aisance, enchaînant les innombrables changements de rapports presque à l'insu du conducteur. Une étonnante réussite que d'autres compagnies devraient s'empresser de copier.

Ford pour sa part aurait avantage à fixer son attention sur d'autres aspects de sa grosse berline. La puissance par exemple, est nettement en deçà de ce que propose la concurrence, et le moteur peine parfois à fournir des accélérations dignes de ce nom. Sans parler des reprises qui sont maintes fois plus ardues.

Autre note discordante, la finition de l'habitacle n'est certes pas à la hauteur, surtout dans une classe où la concurrence se distingue justement par cette qualité d'assemblage.

La 500 éprouve de sérieuses difficultés à se tailler une place dans le créneau des grandes berlines. Elle possède pourtant une tenue de route intéressante, une gamme d'accessoires à la hauteur, et des dimensions au-delà des attentes. Mais il lui manque encore le charme.

Marc Bouchard

VÉHICULE D'ESSAI

Version :	SEL FWD
Prix de détail suggéré :	29 699 $
Emp/Lon/Lar/Haut(mm) :	2 868/5 098/1 872/1 527
Poids :	1 730 kg
Coffre/Réservoir :	595 litres/72 litres
Coussins de sécurité :	frontaux et rideaux
Suspension avant :	indépendante, jambes de force
Suspension arrière :	indépendante, multibras
Freins av./arr. :	disque (ABS)
Antipatinage/Contrôle de stabilité :	oui/non
Direction :	à crémaillère, assistée
Diamètre de braquage :	12,2 m
Pneus av./arr. :	P215/60R17
Capacité de remorquage :	454 kg

MOTORISATION À L'ESSAI

Moteur :	V6 de 3,0 litres 24s atmosphérique
Alésage et course :	89,0 mm x 79,5 mm
Puissance :	203 ch (151 kW) à 5 750 tr/min
Couple :	207 lb-pi (281 Nm) à 4 500 tr/min
Rapport poids/puissance :	8,52 kg/ch (11,61 kg/kW)
Système hybride :	aucun
Transmission :	traction, automatique 6 rapports
Accélération 0-100 km/h :	8,2 s
Reprises 80-120 km/h :	6,6 s
Freinage 100-0 km/h :	39,1 m
Vitesse maximale :	200 km/h
Consommation (100 km) :	ordinaire, 12,1 litres
Autonomie (approximative) :	595 km
Émissions de CO_2 :	4 560 kg/an

GAMME EN BREF

Échelle de prix :	29 295 $ à 34 595 $
Catégorie :	berline grand format
Historique du modèle :	1ière génération
Garanties :	3 ans/60 000 km, 5 ans/100 000 km
Assemblage :	Chicago, Illinois, É-U
Autre(s) moteur(s) :	aucun
Autre(s) rouage(s) :	intégrale
Autre(s) transmission(s) :	CVT

DANS LA MÊME CATÉGORIE
Chevrolet Impala - Chrysler 300 - Nissan Maxima - Toyota Avalon

DU NOUVEAU EN 2007
Pas de changement majeur

NOS IMPRESSIONS

Agrément de conduite :	🚗 🚗 🚗 ½
Fiabilité :	🚗 🚗 🚗 🚗
Sécurité :	🚗 🚗 🚗 🚗 ½
Qualités hivernales :	🚗 🚗 🚗 🚗 ½
Espace intérieur :	🚗 🚗 🚗 🚗 🚗
Confort :	🚗 🚗 🚗 🚗

LE CHOIX DE L'ÉQUIPE
SE AWD

Photos : Ford

LE SAUVEUR ?

En dépit des communiqués de presse rassurants, le plan de relance mis de l'avant par Mark Fields et ses promesses de succès, la situation de Ford n'est pas au beau fixe. Mais il y a quand même des lueurs d'espoir. Malgré des temps difficiles, les gens se sont retroussé les manches pour adopter l'offre au marché actuel et plusieurs nouveaux produits sont en préparation. L'arrivée de l'Edge nous donne un aperçu de ce que nous réserve l'avenir selon Ford, et force est d'admettre que ce nouveau venu possède plusieurs éléments qui lui permettront d'en découdre avec succès face aux leaders du marché.

Même si la direction de la compagnie s'époumone à vanter les mérites de quelque version spéciale de la Mustang, ce VUS urbain est l'un des produits qui devraient redorer le blason de la compagnie. D'autant plus que la tendance du marché semble privilégier davantage cette catégorie que les 4X4 purs et durs. Donc, si les ventes des gros VUS de Ford comme l'Explorer et l'Expédition sont à la baisse, l'Edge servira de filet de sécurité. De toute façon, il s'agit d'une progression inexorable vers une baisse de popularité des gros tout-terrain aussi bien en raison de leur appétit pour les hydrocarbures que pour le simple fait qu'ils ne conviennent pas à bien des acheteurs potentiels.

SILHOUETTE RÉUSSIE

Tous les designs qui sont sortis des studios de stylisme de Ford en Amérique n'ont pas toujours été reconnus pour leur élégance. Il suffit de mentionner le Ford 500 pour réaliser qu'à Dearborn, les gens sont parfois en retrait avec les goûts du public. Heureusement, les choses se sont améliorées avec la Fusion lancée l'an dernier, et l'Edge fait encore mieux cette année. Bien entendu, il faut faire partie des gens qui aiment le look de la grille de calandre avec ses trois grosses barres transversales comme sur la Fusion. Je dois avouer être de ceux-là, et il me semble que cet aspect est bien plus approprié à un VUS qu'à une berline. D'autant plus

qu'elle est encadrée par des phares verticaux qui équilibrent la présentation. L'utilisation par les stylistes d'un pare-brise fortement incliné, d'une ceinture de caisse élevée et d'un hayon penché vers l'avant contribue à nous offrir une silhouette trapue et compacte qui donne du caractère à l'ensemble. Je ne sais pas qui est responsable de ce dessin, mais c'est ce que les studios de Ford ont fait de mieux depuis belle lurette! Dommage que cet élan de créativité arrive sur le tard… Par exemple, si on ne s'était pas entêté à donner au Freestyle une allure quasiment semblable à celle de l'Explorer, ce modèle aurait connu des débuts certainement plus spectaculaires.

L'habitacle est également différent des autres modèles de ce constructeur. Le tableau de bord n'est pas un clone de l'incontournable Explorer et personne ne s'en plaindra. Ce véhicule cible des acheteurs différents qui n'ont que faire de la génération «camionnette» que certains semblent apprécier coûte que coûte chez ce manufacturier. Cadrans circulaires à fond blanc avec chiffres noirs, console verticale de couleur titane comme le veut la tendance et c'est presque tout. La sobriété a préséance. Cela ne signifie pas pour autant que ce soit le dépouillement total. Pas moins de quatre fiches 12 V sont disponibles, tandis que la console au plancher est dotée d'un récipient modulaire capable d'abriter un

---

FEU VERT
Silhouette agréable
Moteur puissant
Transmission 6 rapports
Équipement complet
Habitacle polyvalent

FEU ROUGE
Deux rangées de sièges seulement
Fiabilité inconnue
Toit ouvrant géant non éprouvé
Qualité initiale à déterminer

VÉHICULE D'ESSAI

Version :	SE
Prix de détail suggéré :	n.d.
Emp/Lon/Lar/Haut(mm) :	2 824/4 714/1 922/1 744
Poids :	1 863 kg
Coffre/Réservoir :	906 à 1 945/72 litres
Coussins de sécurité :	frontaux, latéraux (av.) et rideaux
Suspension avant :	indépendante, jambes de force
Suspension arrière :	indépendante, multibras
Freins av./arr. :	disque (ABS)
Antipatinage/Contrôle de stabilité :	oui/oui
Direction :	à crémaillère, assistance variable
Diamètre de braquage :	11,5 m
Pneus av./arr. :	P235/65R17
Capacité de remorquage :	1 591 kg

MOTORISATION À L'ESSAI

Moteur :	V6 de 3,5 litres 24s atmosphérique
Alésage et course :	92,5 mm x 86,7 mm
Puissance :	265 ch (186 kW) à 6 250 tr/min
Couple :	250 lb-pi (325 Nm) à 4 500 tr/min
Rapport poids/puissance :	7,45 kg/ch (10,13 kg/kW)
Système hybride :	aucun
Transmission :	traction, auto. mode man. 6 rapports
Accélération 0-100 km/h :	7,5 s (estimé)
Reprises 80-120 km/h :	6,4 s (estimé)
Freinage 100-0 km/h :	41,0 m (estimé)
Vitesse maximale :	n.d.
Consommation (100 km) :	ordinaire, 12,7 litres (estimé)
Autonomie (approximative) :	630 km
Émissions de CO2 :	n.d.

GAMME EN BREF

Échelle de prix :	n.d.
Catégorie :	multisegment
Historique du modèle :	1ère génération
Garanties :	3 ans/60 000 km, 5 ans/100 000 km
Assemblage :	Oakville, Ontario, Canada
Autre(s) moteur(s) :	aucun
Autre(s) rouage(s) :	intégrale
Autre(s) transmission(s) :	aucune

DANS LA MÊME CATÉGORIE

Acura RDX - Infiniti FX35/45 - Mazda CX-7 - Nissan Murano

DU NOUVEAU EN 2007

Nouveau modèle

NOS IMPRESSIONS

Agrément de conduite :	données insuffisantes
Fiabilité :	nouveau modèle
Sécurité :	🚗 🚗 🚗 🚗 ½
Qualités hivernales :	🚗 🚗 🚗 🚗 ½
Espace intérieur :	🚗 🚗 🚗 🚗
Confort :	données insuffisantes

LE CHOIX DE L'ÉQUIPE

SE

ordinateur portable, un lecteur MP3, un téléphone cellulaire et tous les autres éléments de l'électronique embarquée de nos jours. Et pour mouiller cela, le porte-verre inséré dans la garniture de porte avant a une bonne capacité. Détail plus important, le dossier du siège avant droit se rabat et permet ainsi de transporter des objets d'une longueur de 2,5 mètres de long. Par contre, contrairement à la Mazda CX-9 qui est la sœur de l'Edge, celui-ci ne peut accueillir que cinq passagers, contre sept pour la Mazda.

Une autre caractéristique intéressante de ce véhicule tout usage est la présence d'un toit vitré géant qui recouvre pratiquement tout l'espace qui lui est conféré. Appelée Vista, cette option comporte deux surfaces vitrées. La première située à l'avant est constituée d'un panneau de verre coulissant qui permet de faire pénétrer de l'air frais dans l'habitacle, tandis que la partie arrière est formée d'un panneau transparent fixe permettant aux passagers arrière d'observer les mouvements des nuages.

MÉCANIQUE DU JOUR

Par le passé, les constructeurs américains nous ont souvent habitués à retrouver des groupes propulseurs quelque peu anciens dans de nouveaux modèles. Pourtant, la concurrence est devenue tellement féroce que la conception mécanique progresse à grande vitesse et il n'est plus possible de se contenter de ce qui était encore correct hier. Cette dure réalité semble avoir été comprise par Ford qui a placé sous le capot de l'Edge un tout nouveau moteur V6 de 3,5 litres d'une puissance de 265 chevaux et couplé à une boîte automatique à six rapports. En outre, le jeu de soupapes est à calage variable tandis que le bloc moteur et la culasse sont en alliage léger. La suspension avant est de type MacPherson et est ancrée à un berceau autonome relié à la plate-forme pour plus de rigidité. Les concepteurs de la suspension arrière indépendante ont placé les amortisseurs le plus près des roues afin d'assurer plus de stabilité. Enfin, l'Edge est livré avec des freins ABS à disque de série. La transmission intégrale est de type intelligent. Ce qui signifie qu'elle détecte tout glissement des roues arrière et leur transmet le couple nécessaire en quelques millisecondes.

L'Edge suit l'exemple de la Fusion en fait de conception et de modernisme. Il faut souhaiter pour Ford et pour les acheteurs que la fiabilité soit sans faille. Si tel est le cas, le pari est gagné.

Denis Duquet

Photos : Ford

FORD ESCAPE / MAZDA TRIBUTE

À LA PROCHAINE!

Eh, oui, le duo Ford Escape/Mazda Tribute s'apprête à nous quitter. Mais pour mieux revenir! Il n'y aura même pas de modèle 2007. En fait, Ford parle d'un Escape 2007, identique au 2006 tandis que chez Mazda, on nous a confirmé qu'il n'y aurait pas de modèles 2007. 2007 ou pas, durant l'année, les Escape et Tribute nouveaux seront dévoilés en tant que modèles 2008. Puisque les nouveaux modèles ne sont pas encore sur le marché et que les «vieux» sont toujours en vente au moment de la sortie du Guide, nous allons nous concentrer sur ces derniers.

Notre duo vedette a beau être encore au goût du jour, n'empêche que le léger dépoussiérage de 2005 n'est plus suffisant pour tenir en respect les ténors de la catégorie que sont les Honda CRV, Hyundai Tucson et Kia Sportage. Le Ford Escape et le Mazda Tribute sont quasiment de vrais jumeaux. En plus de partager la même plate-forme, la même mécanique, les différences esthétiques sont peu nombreuses. Elles le sont toutefois suffisamment pour reconnaître un Escape d'un Tribute sans problème. Pourtant, l'an dernier, lors d'un match comparatif du Guide de l'auto, l'Escape était arrivé devant le Tribute, en raison surtout du meilleur assemblage du Ford (oui, vous avez bien lu!) et de sa carrosserie dont les lignes machos ont été plus appréciées (remarquez qu'il s'agit d'un point hautement subjectif).

Deux moteurs s'offrent pour déplacer ce duo. En premier lieu, on retrouve un quatre cylindres de 2,3 litres de 153 chevaux, sérieusement revu en 2005. Ce moteur se montre fort équilibré et convient parfaitement au tempérament de ce VUS (Réglons une chose. À partir de maintenant, nous ne parlerons que de l'Escape, question d'alléger le texte. Les amateurs de Tribute, nous vous aimons quand même). Ce 2,3 litres se colle à une transmission manuelle à cinq rapports ou à une automatique à quatre rapports. On retrouve aussi un V6 de 3,0 litres développant

200 chevaux. Certes, ce moteur se veut plus performant, particulièrement lorsque le véhicule tire une remorque, mais il consomme davantage comme en font foi ses 11,9 litres aux cent kilomètres comparativement à 9,0 pour le 2,3 litres. L'Escape, contrairement au Tribute, peut aussi devenir vert, c'est-à-dire que la version Hybrid reçoit un quatre cylindres de 2,3 litres mais qui, cette fois-ci, est assisté par un moteur électrique. La transmission de l'Hybrid est à rapports continuellement variables (CVT). Cet ensemble procure des performances très convenables et, surtout, émet beaucoup moins d'émissions polluantes que les modèles réguliers. Malgré les réticences de plusieurs sceptiques, ce moteur se retrouve dans plusieurs flottes municipales et il semble très fiable jusqu'à maintenant.

UN PETIT BOIS EN VILLE

L'Escape est offert en version traction (roues avant motrices) ou intégrale. Ce système, transparent pour le conducteur, ajoute peut-être un litre aux cent kilomètres à la consommation et près de 3 000$ à la facture, mais il réduit le stress de plusieurs personnes sur les surfaces enneigées. Mais peu importe la mécanique, l'Escape mérite mal l'épithète «sport». Les performances ne sont pas enivrantes, même avec le V6 et les suspensions sont indéniablement axées vers le confort. Un coin de rue

FEU VERT

Silhouette agréable
Intégrale efficace
Espace de chargement supérieur
Version hybride (Escape)
Habitacle confortable

FEU ROUGE

Modèle en fin de carrière
V6 assoiffé
Performancers très moyennes
Quelques erreurs d'ergonomie

négocié un peu trop vite le démontre rapidement. On retrouve alors beaucoup de roulis, la caisse penche, les pneus, au profil très haut, s'époumonent et la conjointe rugit une phrase qui contient un mot religieux suivi «d'innocent»… En conduite normale, par contre, l'Escape se défend fort bien et c'est sans aucun doute de cette façon que ses propriétaires l'utiliseront. De toute manière, dès que l'on appuie trop sur le champignon, le nombre de décibels augmente dans l'habitacle. Par conséquent, on a tendance à lever le pied. Sur mauvaise route, ce véhicule travaille fort pour préserver le confort des occupants, mais une série de bosses et de trous aura tôt fait de mêler les suspensions qui sautillent alors allègrement. Ce comportement n'est, cependant, jamais dangereux. La direction s'avère peu communicative et peu précise, ce qui est apprécié en conduite hors route. Les freins sont un peu du même moule. Ils effectuent bien leur boulot mais il ne faut pas trop leur en demander. Avec une remorque chargée à l'arrière (907 kilos max avec l'équipement requis), il faut savoir garder ses distances.

LES RIDES DE L'HABITACLE

L'habitacle se montre convivial à défaut de présenter une recherche esthétique très songée. La plupart des boutons tombent sous la main (mais je mets au défi quiconque n'a jamais mis les pieds dans un Escape de trouver rapidement les boutons pour actionner les sièges chauffants!). Le frein à main est situé du côté droit de la console – qui possède un grand espace de rangement - ce qui le place trop loin pour être facilement manipulé. Les sièges avant se révèlent confortables mais nous hésitons avant de recommander ceux en cuir. Cela ressemble plus à du simili cuir dur et glissant. Les places arrière sont relativement confortables, mais l'espace aux jambes est compté surtout si l'occupant du siège avant a décidé de prendre ses aises. Il faut noter que les glaces latérales arrière ne s'abaissent qu'à moitié du cadre. S'il ne fallait trouver qu'une seule qualité à l'Escape, ce serait sans doute son grand espace de chargement, facilement accessible grâce à un seuil de chargement très bas. Et si ce n'est pas suffisant, il y a toujours la possibilité de baisser les dossiers de la banquette arrière dans une proportion 60/40.

Même si leur look leur permet d'être encore dans le coup, les Escape et Tribute cachent difficilement leur âge, surtout par rapport à la concurrence. Nul doute que la livrée 2008 sera des plus compétitive. On a hâte !

Alain Morin

Photos : Debis Duqet

VÉHICULE D'ESSAI

Version :	GX AWD
Prix de détail suggéré :	30 395 $ (2006)
Emp/Lon/Lar/Haut(mm) :	2 620/4 430/1 830/1 780
Poids :	1 583 kg
Coffre/Réservoir :	841 à 1 892 litres/62 litres
Coussins de sécurité :	frontaux et latéraux (av.)
Suspension avant :	indépendante, jambes de force
Suspension arrière :	indépendante, multibras
Freins av./arr. :	disque (ABS)
Antipatinage/Contrôle de stabilité :	non/non
Direction :	à crémaillère, assistée
Diamètre de braquage :	11,7 m
Pneus av./arr. :	P235/70R16
Capacité de remorquage :	1 588 kg

Pneus d'origine
MICHELIN

MOTORISATION À L'ESSAI

Moteur :	4L de 2,3 litres 16s atmosphérique
Alésage et course :	87,5 mm x 94,0 mm
Puissance :	153 ch (114 kW) à 5 800 tr/min
Couple :	152 lb-pi (206 Nm) à 4 250 tr/min
Rapport poids/puissance :	10,35 kg/ch (14,01 kg/kW)
Système hybride :	aucun
Transmission :	intégrale, automatique 4 rapports
Accélération 0-100 km/h :	10,6 s
Reprises 80-120 km/h :	9,0 s
Freinage 100-0 km/h :	41,0 m
Vitesse maximale :	180 km/h
Consommation (100 km) :	ordinaire, 11,9 litres
Autonomie (approximative) :	521 km
Émissions de CO2 :	4 944 kg/an

GAMME EN BREF

Échelle de prix :	24 595 $ à 35 595 $
Catégorie :	utilitaire sport compact
Historique du modèle :	2ième génération
Garanties :	3 ans/80 000 km, 3 ans/80 000 km
Assemblage :	Twin Cities, MN et Louisville, KY (É-U)
Autre(s) moteur(s) :	V6 3,0l 200ch/193lb-pi (12,5 l/100km)
Autre(s) rouage(s) :	traction
Autre(s) transmission(s) :	manuelle 5 rapports

DANS LA MÊME CATÉGORIE

Chevrolet Equinox - Ford Escape - Honda CR-V - Hyundai Santa Fe - Mitsubishi Outlander - Toyota Rav4

DU NOUVEAU EN 2007

Pas de changement majeur

NOS IMPRESSIONS

Agrément de conduite :	🚗 🚗 🚗 ½
Fiabilité :	🚗 🚗 🚗 ½
Sécurité :	🚗 🚗 🚗 🚗
Qualités hivernales :	🚗 🚗 🚗 🚗
Espace intérieur :	🚗 🚗 🚗 🚗
Confort :	🚗 🚗 🚗 🚗

LE CHOIX DE L'ÉQUIPE

GX V6 AWD

UN PÉCHÉ MIGNON

Selon mon médecin, mon taux de cholestérol est trop élevé. Soit. Depuis cette annonce, je tente de manger moins gras. Mais on ne change pas tant années d'habitudes comme ça, du jour au lendemain. Au moins, maintenant, je comprends mieux Ford... Durant trop d'années, Ford s'est concentré sur sa section camions et a réussi mieux que n'importe qui. Maintenant que les prix de l'essence augmentent, il faudrait que Ford se spécialise dans le plus léger. Mais quand on est habitué à ses croustilles au vinaigre, il est difficile de résister... Le péché mignon de Ford, c'est les camions.

Comme nous l'expliquait un des directeurs du marketing de Ford, le marché de l'utilitaire sport de grand format rétrécit comme une peau de chagrin. Entre 1999 et 2005, les ventes aux particuliers ont baissé d'environ 66%. Pourtant, les ventes du gros et vieillissant Ford Expedition continuaient à très bien se porter. Contrairement à ce qu'on pourrait penser, l'Expedition 2007 n'est pas entièrement nouveau. La plupart des panneaux de la carrosserie, l'habitacle, les suspensions, la transmission à six rapports et le châssis sont tout neufs. Mais on a conservé certains éléments qui fonctionnaient correctement dans l'édition précédente. Le look, est de ceux-là. Il a été considérablement rajeuni et on lui a installé, sous son capot relevé, une "in your face grill" (une calandre qui en impose, si on peut dire) et des pneus de 20 pouces. Deux configurations sont au menu. L'Expedition ordinaire et le MAX qui, comme son nom l'indique, offre un maximum d'espace intérieur grâce à 38 cm supplémentaires. Aux États-Unis, cette version se nomme EL mais comme Acura détient les droits sur ce nom au Canada, Ford a dû trouver une solution de rechange. Mais ce n'est pas la seule chose qui nous différencie des Américains. Eux ont droit aux modèles à propulsion ou 4x4 alors que nous devons nous contenter du 4x4, la demande étant, paraît-il, bien moindre pour la propulsion dans notre nordique contrée.

ÇA PASSE OU ÇA CASSE

Quoi qu'il en soit, le Ford Expedition et, aussi, le Lincoln Navigator, son luxueux partenaire que nous n'avons pu conduire lors du lancement de l'Expedition à la fin du mois de juillet, sont là, et pour rester semble-t-il. Ces véhicules sont gros, très gros. Avec un MAX, il faut tourner un coin de rue un peu comme on le ferait avec un autobus. Les rails posés sur le toit, les énormes rétroviseurs, les vitres arrière teintées, l'énorme sigle Ford sur la grille avant et les roues optionnelles de 20 pouces qui ne paraissent pas si grosses que ça vu la carrure du véhicule, tout est mis en place pour montrer à tout le monde que l'Expedition passera ou ça cassera.

Dans l'habitacle, on a repris plusieurs éléments du F-150, ce qui est tout à son honneur. Les cadrans se consultent facilement et le cercle de chrome qui les entoure doit sans doute imiter un engrenage. Moi, ils me font penser à un cendrier! Les plastiques affichent une belle qualité, la console centrale peut contenir beaucoup, contrairement au coffre à gants, d'une ridicule petitesse, compte tenu du gabarit de l'Expedition. Curieusement, malgré la hauteur et probablement à cause des larges marchepieds, l'accès à bord n'est pas pénible. Les sièges avant font preuve de confort et peuvent accueillir, selon Ford, des gens de 4'11'' jusqu'à 6'4''. Même les sièges de la deuxième rangée se montrent

FEU VERT

Prix abordables
Habitacle silencieux et confortable
Nouvelle transmission 6 rapports
Troisième rangée de sièges "vivable"
Capacité de remorquage impressionnante

FEU ROUGE

Allergique aux centre-villes
Consommation importante
Sportivité à peu près nulle
Offert en 4X4 seulement
Lincoln Navigator plus ou moins utile

hospitaliers. Quant à ceux de la troisième rangée, l'espace qu'ils proposent, autant pour les jambes que pour la tête est tout simplement fantastique, même sur la livrée ordinaire. Notre véhicule d'essai possédait le DVD pour les places arrière mais, comme dans la plupart des autres véhicules nantis d'un tel accessoire, il bloque la vue arrière du conducteur. Le silence des enfants contre un peu de sécurité…

AU TRAVAIL !

Côté mécanique, Ford a retenu le V8 5,4 litres. Comme l'an dernier, il développe 300 chevaux et 365 livres-pied de couple. Obligatoirement associé à une nouvelle transmission automatique à six rapports, qui fait de l'excellent boulot, ce moteur semble meilleur pour tirer une remorque que pour offrir des accélérations à l'emporte-pièce. Nous n'avons pas eu l'occasion de mettre le châssis de l'Expedition à l'épreuve dans un sentier très difficile, mais les gros crochets installés à l'avant prouvent qu'il peut s'enliser d'aplomb, mais loin ! Une virée de quelques kilomètres avec une remorque de 5 000 livres attachée à l'arrière nous a convaincus des compétences du véhicule quand vient le temps de travailler. Le premier rapport étant très bas (4.17 :1), l'accélération initiale se déroule comme si de rien n'était. L'Expedition qui a servi à cet exercice était toutefois équipé de l'ensemble de remorquage service intense.

La direction se montre beaucoup plus précise, plus rapide et offre un meilleur *feedback* que l'ancien Expedition. Le silence de roulement étonne, tout comme la douceur. Les freins se sont très bien acquittés de leur tâche dans les nombreux virages que la nature avait parsemés sur notre route. Même si les suspensions sont très confortables, on ne sent pas vraiment les mouvements de la caisse en virage rapide. L'Expedition affiche un certain roulis qui n'a rien de dangereux, mais on sent que ce véhicule n'a aucune envie de jouer les Corvette et j'ai l'intime conviction qu'il vaut mieux respecter ce choix !

Offert à des prix plus bas que l'an dernier, l'Expedition nouveau sera bientôt rejoint par son luxueux frère, le Lincoln Navigator. Une version Heavy Duty sera prochainement proposée ainsi qu'une version commerciale. De plus, la version Police de l'Expedition s'apprête à prendre la route. Et, il y a fort à parier que les fabricants de limousines n'hésiteront pas à donner au MAX ses lettres de noblesse !

Alain Morin

Photos : Alain Morin

VÉHICULE D'ESSAI

Version :	Expedition MAX Limited
Prix de détail suggéré :	60 199 $
Emp/Lon/Lar/Haut(mm) :	3 327/5 621/2 001/1 988
Poids :	2 746 kg
Coffre/Réservoir :	1 206 à 3 067 litres/127 litres
Coussins de sécurité :	frontaux, latéraux (av.) et rideaux
Suspension avant :	indépendante, bras inégaux
Suspension arrière :	ind., ressorts pneumatiques
Freins av./arr. :	disque (ABS)
Antipatinage/Contrôle de stabilité :	oui/oui
Direction :	à crémaillère, assistance variable
Diamètre de braquage :	13,4 m
Pneus av./arr. :	P265/70R17
Capacité de remorquage :	3 969 kg

MOTORISATION À L'ESSAI

Moteur :	V8 de 5,4 litres 24s atmosphérique
Alésage et course :	90,2 mm x 105,8 mm
Puissance :	300 ch (224 kW) à 5 000 tr/min
Couple :	365 lb-pi (495 Nm) à 3 750 tr/min
Rapport poids/puissance :	9,15 kg/ch (12,43 kg/kW)
Système hybride :	aucun
Transmission :	4X4, automatique 6 rapports
Accélération 0-100 km/h :	10,5 s (estimé)
Reprises 80-120 km/h :	9,0 s (estimé)
Freinage 100-0 km/h :	44,0 m (estimé)
Vitesse maximale :	190 km/h
Consommation (100 km) :	ordinaire, 16,0 litres (estimé)
Autonomie (approximative) :	794 km
Émissions de CO2 :	7 009 kg/an

GAMME EN BREF

Échelle de prix :	50 440 $ à 77 095 $
Catégorie :	utilitaire sport grand format
Historique du modèle :	3ième génération
Garanties :	4 ans/80 000 km, 4 ans/80 000 km
Assemblage :	Wayne, Michigan, É-U
Autre(s) moteur(s) :	aucun
Autre(s) rouage(s) :	aucun
Autre(s) transmission(s) :	aucune

DANS LA MÊME CATÉGORIE

Chevrolet Tahoe - Chrysler Aspen - Hummer H2 - Lincoln Navigator - Nissan Armada - Toyota Sequoia

DU NOUVEAU EN 2007

Nouveau modèle

NOS IMPRESSIONS

Agrément de conduite :	🚗 🚗 🚗 🚗
Fiabilité :	nouveau modèle
Sécurité :	🚗 🚗 🚗 🚗
Qualités hivernales :	🚗 🚗 🚗 🚗 ½
Espace intérieur :	🚗 🚗 🚗 🚗 🚗
Confort :	🚗 🚗 🚗 🚗 ½

LE CHOIX DE L'ÉQUIPE

Expedition XLT

MÊME AVEC LES PRIX DE L'ESSENCE

Sans trop qu'il n'y paraisse, le Ford Explorer a été entièrement revu l'année dernière. Dévoilé au mois d'août, nous n'avions pas eu l'occasion de le conduire au Québec, dans un environnement familier. Ce que nous avons amplement eu le temps de faire depuis. L'an dernier, plusieurs personnes (j'étais de celles-là) trouvaient que les designers n'avaient pas assez réfléchi du crayon. Je reviens sur mon opinion. La calandre, empruntée à la camionnette F-150 est du plus bel effet. Et la livrée Eddie Bauer, avec ses orifices verticaux de chaque côté lui donnent un air particulièrement macho.

Eddie Bauer, en passant, fut, jadis, un homme d'affaires spécialisé dans les vêtements d'extérieur. Aujourd'hui, cette entreprise compte plus de cent magasins à travers le Canada et les États-Unis. Les premières éditions Ford Eddie Bauer datent de 1984 (Bronco II). Voilà une information qui changera votre vie! Les lignes extérieures se montrent très sobres, mais elles octroient beaucoup de classe à l'ensemble en plus d'être indémodables (du moins pour quelques années). La carrosserie est certes très agréable mais sa finition laisse à désirer, comme sur tout bon produit Ford.

UNE BRUTE RAFFINÉE

Au chapitre du design, c'est l'habitacle qui vole la vedette. On a repris les meilleurs éléments du F-150 pour les transposer dans l'Explorer. Pour être bien francs, Ford a carrément copié le tableau de bord du F-150! Mais puisque ce dernier se révèle un modèle du genre, nous n'y voyons pas d'inconvénients. J'aimerais écrire qu'il s'agit d'un parangon d'ergonomie, mais le levier des clignotants trop court et les boutons de la radio situés à droite sont un peu trop éloignés du conducteur. Aussi, mentionnons que les porte-verres fixés sur la large console centrale sont trop gros pour une bouteille d'eau de 350ml. L'auteur de ces lignes l'a «humidement» appris…

Au moins, les plastiques sont de bonne qualité (ce n'est pas encore parfait, mais il s'agit d'un bond spectaculaire comparativement à ce qu'on retrouvait il y a quelques années à peine). Les sièges font preuve d'un confort de bon aloi même si l'assise se révèle un peu courte. Les sièges baquets de la deuxième rangée sont aussi confortables mais l'accès se montre un peu pénible puisque les portes n'ouvrent pas très grand. Entre ces sièges, on retrouve une immense console qui pourrait quasiment contenir un canot de 16', un tracteur à gazon et une sécheuse (pas tous en même temps, toutefois…) Notre Explorer XLT Eddie Bauer était équipé de la troisième rangée de sièges repliable électriquement. Cette option de plus de 1 000 $ est, selon moi, un gaspillage éhonté. À moins que le fait d'impressionner les voisins avec les sièges électriques vaille 1 000 $ à vos yeux… Ceci étant dit, cette troisième rangée de sièges se replie dans plancher pour former un fond plat. Malheureusement, lorsqu'ils sont baissés, les dossiers des sièges de la deuxième rangée demeurent toujours un peu relevés, empêchant ainsi un fond plat d'un bout à l'autre. L'espace disponible se veut tout de même très important et le seuil de chargement est égal au plancher. Douce précaution, le dessus du pare-chocs est recouvert de caoutchouc, ce qui évite les égratignures.

FEU VERT

Habitacle de bon goût
Douceur de roulement impressionnante
Moteurs en verve
Rouage intégral performant
Rayon de braquage court

FEU ROUGE

Consommation honteuse
Finition extérieure pauvre
Prix très élevés
Marchepieds obligatoires

SILENCE, LES CHEVAUX TRAVAILLENT!

Tout comme la carrosserie, les moteurs de l'Explorer sont à la fois sobres et dynamiques. Tout d'abord, on retrouve un V6 de 4,0 litres développant 210 chevaux et 254 livres-pied de couple. Il y a aussi un V8 de 4,6 litres offert de série dans la version Limited et optionnel dans les livrées XLT et Eddie Bauer. Ce moteur propose au pied droit une écurie de 292 chevaux et 300 livres-pied de couple. Bien que le V6 ne puisse battre le V8 lors d'accélérations ou de reprises, sa puissance et sa souplesse sont tout à fait correctes. De plus, son poids plus léger rend l'Explorer plus maniable (tout est relatif...) tout en consommant moins que le V8. Ce dernier moteur en met plein le chronomètre et permet à cette grosse boîte qu'est l'Explorer d'expédier le 0-100 en moins de 8,0 secondes. Autant le V6 que le V8 font preuve de discrétion. D'ailleurs, l'un des mandats des ingénieurs chargés de transformer l'Explorer l'année dernière était de le rendre le plus silencieux possible. Ils y sont parvenus de belle façon en redessinant le châssis à longerons (comme sur les camionnettes) de manière à isoler les bruits de la route, du moteur et de la transmission. Même le climatiseur fait, selon Ford, 30 % moins de bruit qu'auparavant. Le V6 est acoquiné à une automatique à cinq rapports et le V8 à une autre automatique, à six rapports celle-là.

Curieusement, le V6 peut remorquer davantage que le V8! Lorsqu'équipé en conséquence, le V6 peut tirer jusqu'à 3 230 livres (1 465 kg) tandis que le V8 n'en tire «que» 3 139 (1424). Pour un véhicule qui possède un rouage 4x4 fort compétent, il est surprenant de ne pas retrouver de crochets de remorquage à l'avant comme à l'arrière. Sans doute, ont pensé les gens de Ford, que les propriétaires d'une version Eddie Bauer à 55 000 $ n'oseraient pas s'aventurer dans la boue. Vous savez quoi ? Je pense qu'ils ont raison!

L'Explorer demeure, sans contredit, un des leaders de sa catégorie grâce aux moyens techniques mis en œuvre pour le moderniser, mais aussi grâce à l'expérience de Ford dans ce créneau qu'il a pratiquement créé il y a plus de quarante ans avec le Bronco. Même si le prix de l'essence continue de grimper, il se trouvera toujours des gens prêts à sacrifier sur d'autres aspects de la vie pour se promener dans un bon gros Ford. C'est une question de valeurs.

Alain Morin

Photos : Alain Morin

VÉHICULE D'ESSAI

Version :	Eddie Bauer V8
Prix de détail suggéré :	55 625 $
Emp/Lon/Lar/Haut(mm) :	2 888/4 912/1 872/1 849
Poids :	2 134 kg
Coffre/Réservoir :	385 à 2 430 litres/85 litres
Coussins de sécurité :	frontaux et latéraux (av.)
Suspension avant :	essieu rigide, bras inégaux
Suspension arrière :	indépendante, bras inégaux
Freins av./arr. :	disque (ABS)
Antipatinage/Contrôle de stabilité :	oui/oui
Direction :	à crémaillère, assistée
Diamètre de braquage :	11,2 m
Pneus av./arr. :	P235/70R16
Capacité de remorquage :	2 331 kg

MOTORISATION À L'ESSAI

Pneus d'origine MICHELIN

Moteur :	V8 de 4,6 litres 24s atmosphérique
Alésage et course :	90,2 mm x 89,9 mm
Puissance :	292 ch (218 kW) à 5 750 tr/min
Couple :	300 lb-pi (407 Nm) à 3 950 tr/min
Rapport poids/puissance :	7,31 kg/ch (9,93 kg/kW)
Système hybride :	aucun
Transmission :	intégrale, automatique 6 rapports
Accélération 0-100 km/h :	7,9 s
Reprises 80-120 km/h :	6,5 s
Freinage 100-0 km/h :	42,0 m
Vitesse maximale :	210 km/h
Consommation (100 km) :	ordinaire, 16,4 litres
Autonomie (approximative) :	518 km
Émissions de CO2 :	6 720 kg/an

GAMME EN BREF

Échelle de prix :	41 045 $ à 56 995 $
Catégorie :	utilitaire sport intermédiaire
Historique du modèle :	4ième génération
Garanties :	3 ans/60 000 km, 5 ans/100 000 km
Assemblage :	Louisville, KT et St-Louis, MI, É-U
Autre(s) moteur(s) :	V6 4,0l 210ch/254lb-pi (16,0 l/100km)
Autre(s) rouage(s) :	aucun
Autre(s) transmission(s) :	automatique 5 rapports

DANS LA MÊME CATÉGORIE

Acura MDX - BMW X5 - GMC Envoy - Jeep Grand Cherokee - Mercedes-Benz Classe M - Toyota 4Runner

DU NOUVEAU EN 2007

Nouvelles options

NOS IMPRESSIONS

Agrément de conduite :	🚗 🚗 🚗 ½
Fiabilité :	🚗 🚗 🚗 🚗
Sécurité :	🚗 🚗 🚗 🚗
Qualités hivernales :	🚗 🚗 🚗 🚗 ½
Espace intérieur :	🚗 🚗 🚗 🚗
Confort :	🚗 🚗 🚗 🚗

LE CHOIX DE L'ÉQUIPE

XLT V6

FORD EXPLORER

MATURITÉ ACQUISE

Introduite en 1999, la Ford Focus a rapidement séduit par son style européen et ses lignes distinctives. C'est sans tambour ni trompette, mais avec quelques anicroches au chapitre de la fiabilité que la Focus a fait son petit bonhomme de chemin au fil des dernières années. Elle a tranquillement acquis une belle maturité tout en respectant les attentes des consommateurs et en demeurant sérieusement dans la course. Grâce à la diversité des modèles offerts, la Focus ratisse un large marché répondant aux besoins d'une vaste clientèle. C'est un produit qui peut se défendre admirablement contre la concurrence.

Pratiquement inchangée pour 2007, la Ford Focus voit sa gamme de prix sensiblement réduite cette année. La majeure partie des modèles affiche un prix inférieur à celui des modèles 2006, d'une différence variant entre 2 000 $ et 3 000 $, sans toutefois voir leur équipement réduit. Voilà de quoi froisser certains acheteurs de modèles 2006. Légèrement redessinée en 2005, on ne peut parler d'une réelle refonte et il faudra attendre encore quelque temps avant de voir apparaître la nouvelle génération.

Pour 2007, Ford a décidé d'abandonner l'appellation ZX de ses différents types de carrosserie. Jusqu'en 2006, les modèles portaient les appellations ZX3, ZX4 ZX5 et ZXW, en référence respectivement aux modèles trois, quatre et cinq portes ainsi qu'à la familiale. On se contentera cette année d'utiliser tout simplement l'appellation «Focus trois portes» ou «Focus familiale». Voilà une étrange décision de la part des gens du marketing qui avaient réussi à simplifier la qualification des modèles tout en donnant une identité propre à chaque type de carrosserie. Ce ne sera pas le premier revirement chez Ford. On retrouve cette année les mêmes versions, c'est-à-dire S, SE, SES et ST, selon le type de carrosserie. Introduite en 2006 et de retour pour 2007, une version GFX est proposée pour les modèles trois, quatre et cinq portes.

Cette édition est en fait un groupe d'équipements rehaussant l'apparence sportive de la voiture. Bref, avec un si large éventail de modèles (douze au total), il y a certainement une Focus qui comblera vos attentes !

DEUX MOTEURS OFFERTS

Sous le capot de la Focus, on retrouve un moteur Duratec de 2,0 litres développant 136 chevaux à 6 000 tr/min pour un couple de 136 lb-pi à 4 250 tr/min. Ce moteur est combiné de série avec une boîte manuelle à cinq rapports, alors qu'une autre automatique à quatre rapports est optionnelle. Depuis la disparition du modèle SVT, c'est la Focus ST qui assure le haut du pavé en matière de performance. Cette dernière, uniquement proposée en berline quatre portes, allie les éléments de châssis de la Focus ST170 de Ford Europe et elle se voit greffé le nouveau moteur Duratec de 2,3 litres dérivé de la Focus SVT. Grâce à une cylindrée supérieure et à un échappement plus performant, ce moteur développe une puissance de 151 chevaux.

À l'extérieur, la Focus propose des lignes agréables qui traversent bien les années. Si la berline est un peu plus sage, il faut avouer que les modèles à hayon sont plus dynamiques. Les modèles GFX augmentent

FEU VERT
Bon choix de modèles
Moteurs performants
Bon niveau d'équipement
Habitacle spacieux
Boîte manuelle agréable

FEU ROUGE
Bruits de vent
Version SVT non offerte
Moteur bruyant
ABS de série sur certains modèles seulement

VÉHICULE D'ESSAI

Version :	5 portes SES
Prix de détail suggéré :	19 599 $
Emp/Lon/Lar/Haut (mm) :	2 613/4 450/1 694/1 443
Poids :	1 196 kg
Coffre/Réservoir :	991 à 2 067 litres/53,4 litres
Coussins de sécurité :	frontaux
Suspension avant :	indépendante, jambes de force
Suspension arrière :	indépendante, multibras
Freins av./arr. :	disque/tambour (ABS)
Antipatinage/Contrôle de stabilité :	oui/non
Direction :	à crémaillère, assistée
Diamètre de braquage :	10,4 m
Pneus av./arr. :	P205/50R16
Capacité de remorquage :	454 kg

MOTORISATION À L'ESSAI

Moteur :	4L de 2,0 litres 16s atmosphérique
Alésage et course :	87,5 mm x 83,1 mm
Puissance :	136 ch (101 kW) à 6 000 tr/min
Couple :	136 lb-pi (179 Nm) à 4 250 tr/min
Rapport poids/puissance :	9,24 kg/ch (12,56 kg/kW)
Système hybride :	aucun
Transmission :	traction, manuelle 5 rapports
Accélération 0-100 km/h :	9,6 s
Reprises 80-120 km/h :	8,2 s
Freinage 100-0 km/h :	35,6 m
Vitesse maximale :	175 km/h
Consommation (100 km) :	ordinaire, 8,7 litres
Autonomie (approximative) :	614 km
Émissions de CO2 :	3 888 kg/an

GAMME EN BREF

Échelle de prix :	14 799 $ à 19 999 $
Catégorie :	berline compacte/hatchback/familiale
Historique du modèle :	2ième génération
Garanties :	3 ans/60 000 km, 5 ans/100 000 km
Assemblage :	Wayne, Michigan, É-U
Autre(s) moteur(s) :	4L 2,3l 151ch/154lb-pi (10,6 l/100km) ST
Autre(s) rouage(s) :	aucun
Autre(s) transmission(s) :	automatique 4 rapports

l'aspect sportif de la voiture grâce à l'ajout d'un carénage plus agressif, d'un béquet arrière, de jupes latérales, de phares antibrouillard et d'un embout d'échappement chromé. Il s'agit donc d'un beau travail puisque ce modèle se révèle de bon goût, ce qui n'est pas le cas de certains modèles beaucoup plus modifiés.

L'intérieur affiche un style traditionnel dont la qualité d'assemblage est sans reproche. L'instrumentation est bien en vue et la majeure partie des commandes sont bien position-nées et simples à comprendre. Le volant est ajustable en hauteur et télescopique, ce qui facilite la recherche d'une bonne position de conduite. Tous les modèles disposent d'une chaîne audio compatible avec les fichiers de type MP3 et comportant quatre ou six haut-parleurs selon la version.

CONDUITE INSPIRANTE

La Ford Focus est réputée pour sa conduite agréable, typique des voitures européennes. Elle est maniable et demeure stable en conduite plus sportive tout en étant drôlement à l'aise sur des chemins sinueux. Des éléments tels sa suspension bien calibrée, son châs-sis rigide et sa direction précise sont également garants de ses bons résultats. Le moteur de 136 chevaux procure des performances acceptables tout en permettant une consom-mation relativement raisonnable. Cependant, plusieurs nouvelles rivales offrent une puissance plus élevée et il faudra que Ford travaille cet aspect afin de suivre le pas. À cet effet, la version ST devient la solution pour ceux qui voudront un peu plus de perfor-mance. Sans être aussi puissante que l'ancienne Focus SVT, la berline ST avec son moteur de 151 chevaux rehausse d'un cran les performances de la voiture. Dommage que cette motorisation ne soit pas proposée dans les autres types de carrosserie. La boîte manuelle à cinq rapports est bien étagée, exploitant bien la puissance du moteur et favorisant l'économie d'essence.

La Ford Focus demeure un excellent choix dans le créneau des voitures compactes. Affichant un prix compétitif, elle séduit par son style agréable, son comportement sportif et son équipement complet. Dommage que la Focus européenne, utilisant le châssis de la Mazda3, ne soit toujours pas offerte en Amérique du Nord. Ce modèle s'avérerait certainement encore plus intéressant.

Sylvain Raymond

DANS LA MÊME CATÉGORIE

Chevrolet Cobalt - Honda Civic - Hyundai Elantra -
Kia Spectra - Mazda 3 / 3 Sport - Nissan Sentra -
Toyota Corolla - Volkswagen Rabbit

DU NOUVEAU EN 2007

Pas de changement majeur

NOS IMPRESSIONS

Agrément de conduite :	🚗 🚗 🚗 ½
Fiabilité :	🚗 🚗 🚗
Sécurité :	🚗 🚗 🚗 ½
Qualités hivernales :	🚗 🚗 🚗
Espace intérieur :	🚗 🚗 🚗 🚗
Confort :	🚗 🚗 🚗 🚗

LE CHOIX DE L'ÉQUIPE

ST

Photos : Sylvain Raymond

VÉHICULE DE MASSE

Je ne sais pas pour les autres journalistes, mais lorsque j'effectue l'essai d'un véhicule, je m'amuse toujours à compter le nombre d'unités semblables que je croise. Dans le cas de la Freestar, je m'attendais à en voir une ou deux. À trois, je m'étais promis d'acheter un billet de 6/49. J'ai eu peine à en croire mes yeux mais j'ai croisé tellement de Freestar que j'ai tôt fait d'arrêter de compter! Alors, je me suis dit que tous ces Freestar devaient être des véhicules de location. Ben non, au moins la moitié portait une plaque pour véhicule de promenade. Mais pourquoi choisir une Freestar?

Sans doute parce que lors d'un essai, la Freestar étonne. Tout d'abord, soulignons que si la carrosserie a beau ne pas se montrer trop enthousiasmante, elle a au moins le mérite de bien vieillir et de ne pas accélérer le processus de dépréciation… déjà qu'une Freestar, ça perd de sa valeur assez rapidement! Un peu plus rapidement qu'une Dodge Grand Caravan et bien davantage que les Toyota Sienna et Honda Odyssey qui conservent leur valeur comme un chien affamé son os. Ces considérations financières, bien que des plus importantes, nous font dévier de notre sujet.

ON S'ASSOIT!

Les portes latérales, électriques en option, ouvrent sur un habitacle relativement vaste et bien aménagé. La troisième rangée de sièges, pas très confortable, se replie dans le plancher pour dégager un meilleur espace de chargement. C'est bien, mais si la banquette était divisée de façon 60/40 comme tant d'autres concurrents, ce serait encore mieux. Cette banquette peut être installée face vers l'arrière, ce qui est idéal pour un "tail gate party" (une partie de porte de queue, en bon français…) Pour la deuxième rangée, les modèles de base sont dotés d'une banquette tandis que les versions un peu plus huppées (lire plus dispendieuses) proposent deux sièges capitaines. La Freestar perd ainsi une place (la banquette peut asseoir trois personnes) mais gagne énormément en confort. Quant aux sièges avant, même si le support latéral se montre à peu près nul, ils se révèlent confortables et leur assise élevée donne l'impression d'être assis dans un véhicule plus gros. Bien entendu, il est facile de retrouver un espace de chargement plus vaste que celui de la Freestar mais puisqu'il est bien exécuté, nous ne lui en tiendrons pas rigueur. Le seuil de chargement est bas et le dessus du pare-chocs arrière est recouvert de caoutchouc pour éviter les égratignures. Pour les entrepreneurs, il existe une version cargaison plus dépouillée qui ne contient que les deux sièges avant. La partie arrière peut alors être aménagée selon des besoins spécifiques.

Le tableau de bord n'a jamais été, et ne sera jamais, mis en nomination dans un concours de design, mais il s'avère fonctionnel et bien assemblé, du moins sur notre véhicule d'essai. Les espaces de rangement sont nombreux et faciles d'accès, surtout ce grand coffre placé au bas de la partie centrale du tableau de bord. De plus, le coffre à gants peut contenir plus que des gants! Seul point négatif, le frein à main, planté dans le plancher, près du siège du conducteur, sans aucune cérémonie et placé trop bas pour une utilisation facile.

FEU VERT
Véhicule sécuritaire
Comportement routier sans surprise
Châssis solide
Court rayon de braquage
Moteur bien adapté

FEU ROUGE
Lignes étonnamment tristes
Fiabilité toujours incertaine
Valeur de revente dramatique
Certains éléments de sécurité optionnels
Agrément de conduite presque nul

Qui dit Freestar dit sécurité. La fourgonnette de Ford obtient le maximum d'étoiles dans les tests de collision frontale et neuf étoiles sur dix pour la protection latérale. Ce sont les modèles plus haut de gamme qui offrent la meilleure protection avec leurs rideaux gonflables et leurs coussins gonflables de tête. Va pour la sécurité passive mais la sécurité active n'a pas été mise en veilleuse. Les freins ABS sont standard sur toutes les versions, mais il faut opter pour les modèles Sport, SEL ou Limited pour que les systèmes de contrôle de stabilité et de traction arrivent en équipement standard. Sinon, il faut payer davantage… quand ils sont disponibles!

ON RIT MAIS C'EST PAS DRÔLE

Si, au volant de la Freestar, vous affichez un large sourire, c'est que l'émission en onde à la radio est drôle… Le fait que les sièges soient hauts ordonne une visibilité sans faille. La position de conduite se trouve facilement, gracieuseté d'un pédalier ajustable, une option de plus en plus indispensable lorsqu'il y a plus qu'une personne qui prend le volant. Mentionnons que cet instrument rond transmet très peu les informations de la route et que la précision de la direction est correcte, sans plus. Sur notre Freestar d'essai, la clé de contact était dure à tourner, à tel point que les premières fois, je ne parvenais pas à lancer le moteur du premier coup. Sans doute un petit ajustement à apporter. Ledit moteur, un V6 de 4,2 litres de 201 chevaux et 263 livres-pied de couple n'est pas le plus moderne mais il offre des accélérations et des reprises très décentes. On lui a accolé une transmission automatique à quatre rapports. Bien que la consommation d'essence soit dans les normes, on ne peut que souhaiter une transmission à cinq rapports, ce qui ne nuirait certes pas. Les suspensions, accrochées à un châssis très rigide, font un bon boulot pour préserver le confort des occupants. Si on ne pousse pas la Freestar, on risque fort d'apprécier la promenade. Mais tenter de jouer les Villeneuve viendra troubler considérablement la paix intérieure.

Solide, bien pensé et indémodable, la Freestar n'a cependant pas les atouts pour déranger la concurrence. Certes, la fiabilité semble supérieure à ce qu'elle était jadis (du temps de la Windstar, vous vous rappelez?) mais elle n'est pas encore parfaite. Il y a aussi l'espace de chargement qui pourrait être plus grand, le moteur plus puissant et la finition améliorée… Mais ce qui embête davantage, c'est surtout l'agrément de conduite tout simplement absent. La concurrence fait beaucoup mieux.

Alain Morin

Photos : Alain Morin

Photos : Alain Morin

VÉHICULE D'ESSAI

Version :	SE
Prix de détail suggéré :	31 595 $
Emp/Lon/Lar/Haut(mm) :	3 068/5 105/1 941/1 793
Poids :	1 943 kg
Coffre/Réservoir :	731 à 3 803 litres/98 litres
Coussins de sécurité :	frontaux et latéraux (av./arr.)
Suspension avant :	indépendante, jambes de force
Suspension arrière :	demi-ind., poutre déformante
Freins av./arr. :	disque (ABS)
Antipatinage/Contrôle de stabilité :	opt./opt.
Direction :	à crémaillère, assistée
Diamètre de braquage :	12,0 m
Pneus av./arr. :	P225/60R16
Capacité de remorquage :	1 200 kg

MOTORISATION À L'ESSAI

Pneus d'origine
MICHELIN

Moteur :	V6 de 4,2 litres 12s atmosphérique
Alésage et course :	96,7 mm x 94,0 mm
Puissance :	201 ch (150 kW) à 4 250 tr/min
Couple :	263 lb-pi (357 Nm) à 3 650 tr/min
Rapport poids/puissance :	9,67 kg/ch (13,13 kg/kW)
Système hybride :	aucun
Transmission :	traction, automatique 4 rapports
Accélération 0-100 km/h :	9,6 s
Reprises 80-120 km/h :	8,5 s
Freinage 100-0 km/h :	41,0 m
Vitesse maximale :	180 km/h
Consommation (100 km) :	ordinaire, 12,9 litres
Autonomie (approximative) :	760 km
Émissions de CO$_2$:	5 662 kg/an

GAMME EN BREF

Échelle de prix :	28 295 $ à 42 495 $
Catégorie :	fourgonnette
Historique du modèle :	2ième génération
Garanties :	3 ans/60 000 km, 5 ans/100 000 km
Assemblage :	Oakville, Ontario, Canada
Autre(s) moteur(s) :	aucun
Autre(s) rouage(s) :	aucun
Autre(s) transmission(s) :	aucune

DANS LA MÊME CATÉGORIE

Chevrolet Uplander - Dodge Caravan - Honda Odyssey - Hyundai Entourage - Nissan Quest - Pontiac Montana - Toyota Sienna

DU NOUVEAU EN 2007

Pas de changement majeur

NOS IMPRESSIONS

Agrément de conduite :	🚗🚗
Fiabilité :	🚗🚗🚗½
Sécurité :	🚗🚗🚗🚗🚗
Qualités hivernales :	🚗🚗🚗½
Espace intérieur :	🚗🚗🚗🚗
Confort :	🚗🚗🚗🚗

LE CHOIX DE L'ÉQUIPE

SE

POURRI DE TALENT

Présentée à Musique Plus il n'y a pas si longtemps, l'émission Les pourris de talent donnait la chance à des artistes aussi incompris qu'inconnus de faire valoir leur talent au petit écran. Malheureusement, une telle émission n'existe pas pour faire connaître au public les véhicules inconnus et incompris. Le Ford Freestyle s'y distinguerait assurément, lui qui est beaucoup plus talentueux que pourri. Sans doute que le nom Ford, autrefois adulé mais maintenant mis à l'index par trop de gens snobs y est pour quelque chose. C'est dommage. Tellement dommage !

Le Freestyle, on l'a déjà écrit et on le répète, n'est ni une automobile, ni une familiale, ni un VUS. En fait, il est tout ça à la fois. Bâti sur la même plate-forme que la Ford Five Hundred et celle, quoique modifiée de la Volvo XC90, le Freestyle possède sa propre personnalité. Reprenant des éléments de plusieurs types de véhicules, les designers du Freestyle ont réussi à lui insuffler le meilleur de chacun, surtout au niveau de la carrosserie. Le format du Freestyle est tout simplement parfait. Ni trop gros, ni trop petit, il donne bonne conscience à son propriétaire qui n'a pas l'impression de se promener au volant d'un VUS.

À cause de sa hauteur totale moins élevée que celle des autres véhicules de sa catégorie, le Freestyle semble plus costaud. Pour améliorer l'espace intérieur, les designers ont relevé un tantinet le toit à partir du pilier «C». En fixant des supports pour bagages sur le toit, ce détail de présentation devient pratiquement imperceptible tout en permettant aux passagers des deuxième et troisième rangées (ben oui, le Freestyle possède trois rangées de sièges) de jouir d'une meilleure vue vers l'avant.

Les passagers s'assoyant à la deuxième rangée ont droit à des sièges confortables, où l'espace pour les jambes et la tête ne manque pas. Comme pour toute troisième rangée qui se respecte, celle du Freestyle est difficile d'accès et peu confortable. Par contre, les deux strapontins peuvent accueillir des êtres humains de plus de quatre pieds, ce qui est un exploit ! Même avec tous les sièges relevés, l'espace de chargement étonne. Et lorsque les dossiers de la troisième rangée sont abaissés, l'espace de chargement devient franchement surprenant. Et si on abaisse les dossiers de la deuxième rangée, alors là, ça devient phénoménal ! De plus, ces quatre sièges repliés forment un fond parfaitement plat. Dommage que le hayon soit si malaisé à soulever et à rabattre.

Le tableau de bord du Freestyle est directement copié sur celui de la Five Hundred à quelques détails près. C'est donc dire qu'il est fonctionnel à défaut de se montrer inspirant, que la majorité des plastiques est de bonne qualité et que l'espace habitable ne fait pas défaut. On remarque bien sûr certains irritants comme le rétroviseur intérieur, difficile à ajuster à cause du plafonnier trop envahissant et le coffre à gants, trop peu logeable. Au chapitre de la sécurité, on retrouve les coussins gonflables habituels mais, en option, il est possible d'obtenir des coussins latéraux et des rideaux. Parlant de sécurité, mentionnons que le châssis a été étudié pour offrir une sécurité maximale, autant en cas d'impacts frontaux que latéraux. D'ailleurs, le Freestyle a remporté, en 2005 et 2006, le nombre maximal d'étoiles lors de tests effectués par la NHTSA,

FEU VERT
Dimensions raisonnables
Bon volume de chargement
Performances correctes
Excellents freins
Véhicule sécuritaire

FEU ROUGE
Moteur un peu juste à l'occasion
Troisième rangée de sièges utopique
Consommation assez élevée
Direction hyper légère
Notoriété de Ford à la baisse

l'équivalent américain de notre ministère des transports. Le fait de prendre la plate-forme d'une Volvo ne doit pas nuire…

Le Freestyle n'a droit qu'à un seul moteur. Il s'agit d'un V6 de 3,0 litres de 203 chevaux et 207 livres-pied de couple. Dans cette ère de course à la puissance, ces chiffrent semblent bien maigres mais ce moteur est très bien adapté au véhicule. Les accélérations et reprises se montrent très correctes pour ce type de voiture. Toutefois, une fois chargé de six personnes et de leurs bagages dans une côte et tirant une remorque de 2 000 kilos (le maximum alloué), il y a fort à parier que le Freestyle se ferait barber par une Smart. J'exagère. Disons une Aveo…

MERCURE, L'ENNEMI

Une seule transmission est offerte. Il s'agit d'une CVT, c'est-à-dire que la quantité de rapports est infinie. Ce type de transmission, toujours sur le bon rapport, va invariablement chercher la puissance et le couple maximaux et favorise la consommation d'essence. Par contre, notre Freestyle Limited AWD, testé en décembre, s'est montré glouton avec une moyenne de 14,9 litres aux cent kilomètres. Le froid semble engluer les transmissions continuellement variables, et pas seulement sur le Freestyle. Aussi, elles sont généralement plus bruyantes qu'une transmission ordinaire. Si le Freestyle de base se déplace grâce à ses roues avant motrices, il existe d'autres versions avec le rouage intégral. Provenant, lui aussi, de chez Volvo, le système Haldex fonctionne de façon transparente et ajoute à la sécurité, surtout en hiver.

Sur la route, le Freestyle ne se démarque pas vraiment. Ses suspensions, un peu plus dures que celles de la Five Hundred assurent une bonne tenue de route et absorbent bien les irrégularités de nos chaussées québécoises, irrégularité n'étant sans doute pas le terme approprié… La direction se montre d'une légèreté désolante mais les freins, eux, font preuve de sérieux dans l'accomplissement de leur tâche.

Le Freestyle ne fait rien de façon extraordinaire. Mais il ne fait rien de très mal non plus. Ses qualités dynamiques, son gabarit de dimensions raisonnables et son style qui ne s'est pas encore démodé sont ses principaux avantages. Mais, dès l'an prochain, un Freestyle rafraîchi verra le jour. Souhaitons-lui la meilleure des chances. Il la mérite.

Alain Morin

Photos : Ford

VÉHICULE D'ESSAI

Version :	SEL AWD
Prix de détail suggéré :	37 799 $
Emp/Lon/Lar/Haut(mm) :	2 868/5 082/1 902/1 733
Poids :	1 865 kg
Coffre/Réservoir :	493 à 2 413 litres/72 litres
Coussins de sécurité :	frontaux et rideaux
Suspension avant :	indépendante, jambes de force
Suspension arrière :	indépendante, multibras
Freins av./arr. :	disque (ABS)
Antipatinage/Contrôle de stabilité :	oui/non
Direction :	à crémaillère, assistée
Diamètre de braquage :	12,2 m
Pneus av./arr. :	P215/65R17
Capacité de remorquage :	900 kg

MOTORISATION À L'ESSAI

Moteur :	V6 de 3 litres 24s
Alésage et course :	89,0 mm x 79,5 mm
Puissance :	203 ch (151 kW) à 5 750 tr/min
Couple :	207 lb-pi (281 Nm) à 4 500 tr/min
Rapport poids/puissance :	9,19 kg/ch (12,52 kg/kW)
Système hybride :	aucun
Transmission :	intégrale, CVT
Accélération 0-100 km/h :	8,7 s
Reprises 80-120 km/h :	7,6 s
Freinage 100-0 km/h :	40,1 m
Vitesse maximale :	180 km/h
Consommation (100 km) :	ordinaire, 14,9 litres
Autonomie (approximative) :	483 km
Émissions de CO2 :	5 232 kg/an

GAMME EN BREF

Échelle de prix :	33 295 $ à 43 195 $
Catégorie :	multisegment
Historique du modèle :	1ère génération
Garanties :	3 ans/60 000 km, 5 ans/100 000 km
Assemblage :	Chicago, Illinois, É-U
Autre(s) moteur(s) :	aucun
Autre(s) rouage(s) :	propulsion
Autre(s) transmission(s) :	aucune

DANS LA MÊME CATÉGORIE

Buick RendezVous - Chrysler Pacifica - Nissan Murano - Toyota Highlander

DU NOUVEAU EN 2007

Quelques remaniements de groupes d'options, pas de changement majeur

NOS IMPRESSIONS

Agrément de conduite :	🚗 🚗 🚗 🚗
Fiabilité :	🚗 🚗 🚗 🚗
Sécurité :	🚗 🚗 🚗 🚗
Qualités hivernales :	🚗 🚗 🚗 🚗 ½
Espace intérieur :	🚗 🚗 🚗 🚗 ½
Confort :	🚗 🚗 🚗 🚗

LE CHOIX DE L'ÉQUIPE

SEL AWD

FUSION RÉUSSIE

On ne peut pas dire que Ford nage dans le bonheur par les temps qui courent… L'entreprise à l'ovale bleu sait toujours aussi bien y faire en matière de camions, mais voilà que ce marché tend à se rétrécir, principalement à cause du prix de l'essence. Dans le domaine des automobiles, ce n'est guère reluisant. Il y a bien sûr la superbe Mustang, mais après ? Après, il y a la Fusion. Dire que la Fusion fait du bien à l'ego trop souvent bafoué de Ford tient de l'euphémisme !

Lorsqu'est venu le temps de créer une berline intermédiaire, Ford n'a pas hésité à aller chercher ce qui se faisait de mieux dans l'une de ses filiales, Mazda. Il faut dire que Mark Fields, le vice-président directeur de Ford et président de Ford Amérique (Canada, États-Unis et Mexique) est celui qui a su sortir la marque Mazda du bourbier dans lequel elle s'enfonçait lentement mais sûrement. Ford a donc jeté son dévolu sur le châssis et la mécanique de la Mazda6, une excellente décision puisque cette plate-forme figure parmi les plus réussies depuis quelques années. Il ne fallait pas, cependant, que Ford créée un clone américain d'une voiture japonaise.

Pour ce faire, Ford a donné à la carrosserie de la Fusion une identité propre, à la fois moderne et dynamique. Personnellement, et je sais que ça vous intéresse au plus haut point, je la trouve très jolie. Curieusement et tout à fait inhabituellement, les deux Fusion essayées affichaient des carrosseries bien assemblées et bien peintes. Même les habitacles se montraient fiers de leur qualité d'assemblage ! Bon, ce n'est pas encore égal à ce que l'on retrouve sur la Mazda6, par exemple, mais c'est infiniment mieux que ce que d'autres Ford nous proposent. L'habitacle, puisqu'on en parle, fait preuve, lui aussi, de classe et de modernisme. La pendulette située au beau milieu du tableau de bord fait toujours son petit effet. On dénote ici et là quelques accrocs à l'ergonomie. Comme ce levier de clignotants, placé trop haut. Ou des graphiques de module de chauffage trop petits pour être facilement lisibles. Et que dire de ce thermomètre extérieur qui, dans une des voitures essayées, n'avait aucune idée de la façon de mesurer la température ?

DES PLUS ET QUELQUES MOINS

D'un autre côté, saluons l'habitacle silencieux, sauf peut-être lors de vives accélérations avec le quatre cylindres. La visibilité est sans reproches et l'espace habitable est surprenant. Les sièges avant font preuve de confort, tandis que la banquette arrière offre un excellent dégagement pour les jambes même lorsque le siège avant est reculé au maximum. L'espace pour le coco, sans être aussi généreux, ne fait pas défaut. Les dossiers de cette banquette peuvent être abaissés au moyen de tirettes placées dans le coffre. Malheureusement, lorsqu'ils sont baissés, les dossiers ne forment pas un fond plat même si l'ouverture ainsi créée est très grande. Le coffre se montre plutôt grand, mais son seuil de chargement un peu élevé, son style torturé et la lourdeur de son couvercle ne lui permettront pas de récolter des prix de design.

FEU VERT
Style contemporain
Prix amicaux
Finition sérieuse
Comportement routier assuré
Version AWD en cours d'année

FEU ROUGE
Automatique endormie
Valeur de revente à confirmer
Design du coffre torturé
4 cylindres un peu juste

4 OU 6?

Deux moteurs sont proposés, les mêmes qui officient dans la Mazda6. Il s'agit d'un quatre cylindres en ligne de 2,3 litres qui développe 160 chevaux et 156 livres-pied de couple. Bien qu'un peu mou à bas régime, ses performances s'avèrent très correctes et sa fiabilité ne semble pas problématique. La transmission automatique à cinq rapports, tel un travailleur de nuit dont le téléphone sonne à midi, ne répond pas immédiatement aux sollicitations de l'accélérateur. La manuelle, avec son gros pommeau que certains n'apprécient guère, est précise et améliore un peu les performances du moteur. L'autre moteur, un V6 de 3,0 litres est, curieusement, plus puissant de quelques chevaux que son vis-à-vis de Mazda. Ses 221 chevaux et 205 livres-pied de couple permettent de retrancher presque trois secondes au sacro-saint 0-100 km/h. À vous de décider si le litre d'essence supplémentaire qu'il gobe tous les cent kilomètres vaut la souplesse et le silence en accélération… Seule une transmission automatique à six rapports peut y être boulonnée. On ne parle toujours pas de temps de réaction très rapides.

Qualifier la tenue de route de sportive vaudrait à l'auteur de l'assertion une bonne claque derrière la tête! On peut, par contre, parler d'une tenue de route satisfaisante. En virage serré, on dénote un roulis certain et un sous-virage (l'avant refuse de tourner). Pourtant, la voiture demeure sur la chaussée, sans doute aidée par les pneus de 16" (SE) et 17" (SEL). Le volant, assez précis, communique bien peu avec le conducteur et les freins effectuent correctement leur boulot, sans plus.

Cette année marque l'arrivée de la Fusion AWD ou, si vous préférez, à traction intégrale. D'après l'ingénieur en chef de cette AWD, ce système, différent de celui qui équipe la 500, ajoute environ 100 kilos à l'ensemble. En conduite normale sur chaussée parfaite, le rouage intégral envoie 100 % de sa puissance aux roues avant. Puis, selon les conditions, peut envoyer jusqu'à 100 % à l'arrière. Essayée très brièvement sur les terrains de Ford à Dearborn, nous n'avons pu exploiter les talents de cette intégrale, les pneus Michelin étant à leurs limites bien avant la mécanique! Et pour 2008, on parle d'une version hybride. La Fusion risque de connaître une belle carrière!

Alain Morin

VÉHICULE D'ESSAI

Version:	SEL 4 cylindres
Prix de détail suggéré:	25 613 $
Emp/Lon/Lar/Haut(mm):	2 728/4 831/1 834/1 453
Poids:	1 488 kg
Coffre/Réservoir:	442 litres/66 litres
Coussins de sécurité:	frontaux, latéraux (av.) et rideaux
Suspension avant:	indépendante, bras inégaux
Suspension arrière:	indépendante, multibras
Freins av./arr.:	disque (ABS opt.)
Antipatinage/Contrôle de stabilité:	opt./opt.
Direction:	à crémaillère, assistée
Diamètre de braquage:	12,0 m
Pneus av./arr.:	P205/60R16
Capacité de remorquage:	454 kg

MOTORISATION À L'ESSAI

Pneus d'origine MICHELIN

Moteur:	4L de 2,3 litres 16s atmosphérique
Alésage et course:	86,4 mm x 94,0 mm
Puissance:	160 ch (119 kW) à 6 500 tr/min
Couple:	156 lb-pi (203 Nm) à 4 250 tr/min
Rapport poids/puissance:	9,3 kg/ch (12,61 kg/kW)
Système hybride:	aucun
Transmission:	traction, automatique 6 rapports
Accélération 0-100 km/h:	10,8 s
Reprises 80-120 km/h:	8,3 s
Freinage 100-0 km/h:	40,0 m
Vitesse maximale:	200 km/h
Consommation (100 km):	ordinaire, 11,4 litres
Autonomie (approximative):	579 km
Émissions de CO2:	4 080 kg/an

GAMME EN BREF

Échelle de prix:	22 995 $ à 32 895 $
Catégorie:	berline intermédiaire
Historique du modèle:	1ère génération
Garanties:	3 ans/60 000 km, 5 ans/100 000 km
Assemblage:	Hermosillo, Mexique
Autre(s) moteur(s):	V6 3,0l 221ch/205lb-pi (11,4 l/100km)
Autre(s) rouage(s):	intégrale
Autre(s) transmission(s):	manuelle 5 rapports

DANS LA MÊME CATÉGORIE

Chevrolet Impala - Chevrolet Malibu - Chrysler Sebring - Honda Accord - Kia Magentis - Mazda 6 - Mitsubishi Galant - Nissan Altima - Subaru Legacy - Toyota Camry

DU NOUVEAU EN 2007

Pas de changement majeur

NOS IMPRESSIONS

Agrément de conduite:	🚗🚗🚗🚗
Fiabilité:	🚗🚗🚗🚗
Sécurité:	🚗🚗🚗🚗
Qualités hivernales:	🚗🚗🚗🚗
Espace intérieur:	🚗🚗🚗🚗
Confort:	🚗🚗🚗🚗

LE CHOIX DE L'ÉQUIPE

SEL V6

LA VRAIE NATURE DE LA BÊTE

Ceux qui conduisent une Mustang ou qui ont eu l'occasion de le faire une fois dans leur vie savent de quoi je parle. Les autres penseront sans aucun doute que j'exagère. Pourtant, conduire une Mustang, c'est une expérience unique en son genre. Que la voiture soit vieille (j'ai eu la chance de conduire une 1966 entre autres) ou qu'elle fasse partie de la toute nouvelle gamme complètement redessinée pour l'ère moderne par Ford, la sensation demeure rigoureusement identique : on ressent un petit frisson de plaisir chaque fois que l'on démarre le moteur.

Notez que j'ai volontairement choisi 1966 comme exemple, même si j'ai eu l'occasion de tester d'autres modèles. Pourquoi ? Simplement parce que la Mustang de l'actuelle génération est on ne peut plus proche, en terme d'esthétique du moins, de sa version 66.

UN EFFET BŒUF

D'entrée de jeu, disons-le, la Mustang fait son effet. Les regards sont inévitablement attirés par cette silhouette caractéristique dont on ne sait trop si elle appartient aux temps passés ou à l'ère moderne. Car, même si la nouvelle Mustang a abondamment profité il y a deux ans d'un rajeunissement de ses courbes, elle a su conserver son style rétro unique et distinctif, qui fait de la voiture ce qu'elle a toujours été.

Cette notion nostalgique a aussi été particulièrement bien rendue à l'intérieur. On a ainsi implanté un style rétro pour ne pas dénaturer la tradition, mais on y a jumelé un air moderne en utilisant des matériaux, comme l'aluminium, qui viennent donner une touche de renouveau. Style et personnalité obligent, on a laissé beaucoup de place aux passagers avant, mais on a un peu négligé ceux d'en arrière. Du moins pour les jambes, puisque c'est correct pour la tête et les épaules.

Une fois ces constatations faites, et même si c'est surtout pour le style que l'on achète une Mustang, il ne faudrait pas faire fi de la conduite. Conduite qui, tout comme la silhouette, est propre à ce *muscle car* de l'ère moderne.

Le comportement routier de cette sportive affirmée n'est rien de moins qu'exceptionnel. Pour l'améliorer, on a rigidifié le châssis, ce qui rend la maîtrise plus facile dans toutes les circonstances. En freinage comme en accélération ou dans les courbes, le roulis est bien maîtrisé, notamment en sortie de virage et peu importe la vitesse d'entrée, ce qui permet donc de conserver sa trajectoire sans correction. En virage, la voiture est bien équilibrée, même si elle donne quelquefois des sensations de lourdeur, comme si on s'était inspiré des voitures de NASCAR pour la concevoir.

Le seul petit défaut de cette Mustang, c'est sa suspension arrière. Sans doute encore pour plaire aux puristes, Ford a décidé de conserver l'essieu rigide à l'arrière, ce qui rend les accélérations probablement plus efficaces sur un circuit d'accélération, mais nettement moins confortables en circulation quotidienne. C'est le petit compromis que l'on a cédé à l'histoire sur le plan mécanique. Ce genre de suspension

FEU VERT
Style sans compromis
Performances agréables
Direction précise
Rigidité du châssis
Arrivée de la GT500

FEU ROUGE
Suspension arrière mal adaptée
Passagers arrière à l'étroit
Freinage perfectible
Modèle peu exclusif

permet de mieux absorber l'énorme couple de la machine. Mais qui, parmi les pilotes du dimanche, pourra réellement l'exploiter ?

Ces mêmes amateurs peuvent cependant profiter de la première génération de Mustang avec transmission automatique à cinq rapports, une boîte dont on a amélioré le temps de réponse pour lui conférer une vitesse de réaction sportive. Et on peut toujours compter sur la boîte manuelle 5 vitesses, efficace et précise.

UNE ANNÉE FERTILE ?

La Mustang a connu un vif succès, et a permis à Ford de demeurer au cœur des conversations. Le grand fabricant américain a donc choisi de miser sur cette popularité, et souhaite l'exploiter à toutes les sauces. C'est ainsi que l'année dernière, popularité oblige, on a dévoilé la version cabriolet qui s'est avérée, avouons-le, une belle réussite.

Cette année, on espère augmenter encore la gamme, en proposant des versions survitaminées de la bête. Ainsi, les mordus moins fortunés pourront se rabattre vers le comptoir américain de Hertz le plus près, puisqu'on y offrira en location une Mustang 350h de 350 chevaux, développée par Caroll Shelby.

Mais la véritable bombe de l'année, c'est la GT500, une voiture ultrasportive, et la Mustang la plus puissante jamais produite. Le V8 suralimenté de 5,4 litres qui se cache sous son capot développe pas moins de 500 chevaux pour un couple de 480 lb-pied. La Ford Shelby GT500 hérite de nombreux éléments issus de GT, la super voiture du constructeur dont elle prendra aussi la place au rang des super voitures puisque la GT n'existe plus en tant que modèle 2007.

Le mythe n'a donc rien perdu de son charme, et la Mustang continuera d'être une icône, un modèle qui fait envie et dont tout le monde rêve en secret. Elle a bien quelques défauts, comme le côté peu minutieux de la finition intérieure, mais c'est sans véritable importance. Car une Mustang, c'est un tout, une bête que l'on accepte sans compromis pour pouvoir en apprécier toutes les subtilités. Rendre la Mustang trop douce, ce serait un peu la dénaturer. Et qui aurait envie d'enlever la vraie nature d'une aussi jolie machine ?

Marc Bouchard

Photos : Ford

VÉHICULE D'ESSAI

Version :	GT coupé
Prix de détail suggéré :	36 499 $
Emp/Lon/Lar/Haut(mm) :	2 720/4 775/1 879/1 384
Poids :	1 668 kg
Coffre/Réservoir :	275 litres/60 litres
Coussins de sécurité :	frontaux et latéraux (av.)
Suspension avant :	indépendante, jambes de force
Suspension arrière :	essieu rigide, ressorts elliptiques
Freins av./arr. :	disque (ABS)
Antipatinage/Contrôle de stabilité :	oui/non
Direction :	à crémaillère, assistée
Diamètre de braquage :	11,6 m
Pneus av./arr. :	P235/55ZR17
Capacité de remorquage :	454 kg

MOTORISATION À L'ESSAI

Moteur :	V8 de 4,6 litres 24s atmosphérique
Alésage et course :	90,2 mm x 89,9 mm
Puissance :	300 ch (224 kW) à 5 750 tr/min
Couple :	320 lb-pi (434 Nm) à 4 500 tr/min
Rapport poids/puissance :	5,56 kg/ch (7,55 kg/kW)
Système hybride :	aucun
Transmission :	propulsion, manuelle 5 rapports
Accélération 0-100 km/h :	5,7 s
Reprises 80-120 km/h :	5,2 s
Freinage 100-0 km/h :	38,5 m
Vitesse maximale :	240 km/h
Consommation (100 km) :	ordinaire, 14,0 litres
Autonomie (approximative) :	429 km
Émissions de CO2 :	5 568 kg/an

GAMME EN BREF

Échelle de prix :	23 995 $ à 39 410 $
Catégorie :	coupé/cabriolet
Historique du modèle :	5ème génération
Garanties :	3 ans/60 000 km, 5 ans/100 000 km
Assemblage :	Dearborn, Michigan, É-U
Autre(s) moteur(s) :	V6 4,0l 210ch/240lb-pi (12,6 l/100km)
Autre(s) rouage(s) :	aucun
Autre(s) transmission(s) :	automatique 5 rapports

DANS LA MÊME CATÉGORIE
Sans équivalent

DU NOUVEAU EN 2007
Nouvelle version GT500 Shelby, nouveaux détails esthétiques (GT)

NOS IMPRESSIONS

Agrément de conduite :	🚗 🚗 🚗 🚗
Fiabilité :	🚗 🚗 🚗 ½
Sécurité :	🚗 🚗 🚗 🚗
Qualités hivernales :	🚗 🚗 ½
Espace intérieur :	🚗 🚗 🚗
Confort :	🚗 🚗 🚗 ½

LE CHOIX DE L'ÉQUIPE
GT coupé

Voiture économique

L'ÉQUILIBRE DANS SON ENSEMBLE

La Honda Accord est dans le paysage automobile depuis plus d'une décennie et sa réputation n'est certainement plus à faire. Lauréate de plusieurs prix au fil des années, elle demeure un excellent choix dans le créneau des berlines intermédiaires par rapport à des rivales de plus en plus compétitives. Si certaines présentent quelques caractéristiques supérieures à la Accord, peu peuvent se vanter de briller autant dans leur ensemble. En fait, on ne peut reprocher grand-chose à cette voiture, sauf peut-être son style un peu trop classique ou sobre.

La Honda Accord est proposée en de multiples configurations, si l'on tient compte du type de carrosserie, du niveau d'équipement et de la motorisation. Vous pourrez opter au choix pour le coupé deux portes ou pour la berline. Chacune peut être équipée d'un moteur quatre cylindres de 2,4 litres développant 160 chevaux, ou d'un V6 de 3,0 litres déployant 244 chevaux. Ces deux moteurs peuvent être combinés avec une boîte automatique à cinq rapports ou avec une manuelle à cinq ou six rapports, selon le modèle sélectionné.

Finalement, si, pour vous, la motorisation hybride représente une solution plus verte, vous pourrez choisir la Accord hybride, un modèle qui ne sacrifie en rien les performances et le plaisir de conduite, tout en favorisant l'économie de carburant. Contrairement aux modèles hybrides de chez Toyota, le système utilisé pour la Accord est beaucoup plus transparent. Bref, en conduite, on ne s'aperçoit aucunement de toutes les technologies présentes à bord.

UN DUO DE TECHNOLOGIES

Le cœur du système hybride de Honda repose sur deux technologies complémentaires. Ce système, baptisé IMA pour *integrated motor assist*, est constitué d'un moteur V6 de 3,0 litres jumelé à un moteur électrique de 12 kilowatts qui développe 16 chevaux. Ce petit moteur, intercalé entre le V6 et la transmission automatique à cinq rapports, permet au duo de générer un couple moteur considérable quel que soit le niveau de régime. C'est donc une puissance de 253 chevaux qui est produite, soit quinze de plus que le V6 de la Honda Accord traditionnelle. Finalement, l'ensemble est complété par le VCM pour *variable cylinder management*, un système de désactivation de la cylindrée qui peut couper l'alimentation en carburant à trois des six cylindres du V6 quand le moteur est peu sollicité, en conduite sur l'autoroute par exemple. Ce système peut aussi arrêter complètement le moteur lorsque le véhicule circule à basse vitesse ou si on l'immobilise. Bref, la technologie hybride de Honda allie performance et efficacité.

Les coupé et berline Accord ont subi quelques modifications esthétiques l'an passé, soit les changements les plus notables depuis l'arrivée de cette nouvelle génération. Les lignes de la Honda Accord demeurent sobres et classiques. On a connu mieux au chapitre de la sportivité dans le passé. Il manque à mon sens un peu de vie à ce modèle. Disons qu'il ne fait plus tourner les têtes comme c'était le cas avec les modèles des générations antérieures. Les designers de chez Honda semblent préconiser l'anonymat depuis quelques années. Cette affirmation est aussi

FEU VERT
Finition intérieure
Conduite agréable
Bon choix de modèles
Confort sur route

FEU ROUGE
Prix élevé
Style anonyme
Ergonomie de certaines commandes
Pneumatiques moyens

vraie pour d'autres modèles, incluant la Honda Civic, du moins la berline. Il semble cependant que cela convienne à plusieurs, puisque les chiffres de vente de la Accord demeurent parmi les plus élevés.

À l'intérieur, la Honda Accord profite d'un style rafraîchi depuis 2006. L'habitacle est spacieux alors que les sièges offrent un confort notable. La plupart des commandes sont à portée de la main, présentées d'une manière ergonomique et simple à comprendre. L'instrumentation tout de blanc utilise des diodes lumineuses, affichant un style sophistiqué normalement réservé aux berlines de luxe.

UN QUATRE CYLINDRES PERFORMANT

Sur la route, les sièges ajustables et la colonne de direction télescopique permettent de trouver rapidement une position de conduite juste. Le volant dispose d'une prise en main correcte, ce qui aide à ressentir une bonne maîtrise du véhicule. Vif et nerveux, le moteur quatre cylindres offre un mariage satisfaisant entre puissance et économie d'essence. Ce choix ne représente en aucun cas un sacrifice sur le plan de la sportivité et de l'agrément. Le V6 avec ses 244 chevaux fournit des performances relevées, répondant immédiatement à vos moindres demandes. Combinez le tout avec une suspension bien adaptée et avec un châssis d'une bonne rigidité, vous obtenez une voiture bien équilibrée et performante.

La Accord hybride, de son côté, surprend par son couple généreux produit instantanément par le moteur, ce qui constitue d'ailleurs l'un des avantages des moteurs électriques. Pas étonnant que la Accord hybride boucle le 0-100 km/h un peu plus rapidement que le modèle V6 traditionnel. Pour le reste, la conduite de ce modèle est véritablement transparente. Le seul indice notable apparaît lorsque le moteur s'éteint à basse vitesse ou lors d'un arrêt.

La Honda Accord livre un haut niveau de raffinement et des qualités générales peu communes. Sans être la plus sportive, elle offre un équilibre que la majorité des acheteurs apprécie. De plus, l'éventail de modèles offerts lui permet de cibler un vaste marché, incluant celui des motorisations hybrides.

Sylvain Raymond

Photos : Honda

VÉHICULE D'ESSAI

Version :	berline hybride
Prix de détail suggéré :	37 990 $
Emp/Lon/Lar/Haut(mm) :	2 740/4 813/1 814/1 449
Poids :	1 599 kg
Coffre/Réservoir :	317 litres/64,7 litres
Coussins de sécurité :	front., latéraux, rideaux et genoux
Suspension avant :	indépendante, bras inégaux
Suspension arrière :	indépendante, multibras
Freins av./arr. :	disque (ABS)
Antipatinage/Contrôle de stabilité :	oui/non
Direction :	à crémaillère, assist. variable électronique
Diamètre de braquage :	11,0 m
Pneus av./arr. :	P215/60R16
Capacité de remorquage :	454 kg

Pneus d'origine
MICHELIN

MOTORISATION À L'ESSAI

Moteur :	V6 de 3,0 litres 24s hybride
Alésage et course :	86,0 mm x 86,0 mm
Puissance :	253 ch (189 kW) à 6 000 tr/min
Couple :	232 lb-pi (315 Nm) à 5 000 tr/min
Rapport poids/puissance :	6,32 kg/ch (8,6 kg/kW)
Système hybride :	en assistance, 18ch et 100 lb-pi
Transmission :	traction, auto. mode man. 5 rapports
Accélération 0-100 km/h :	8,8 s
Reprises 80-120 km/h :	6,4 s
Freinage 100-0 km/h :	38,8 m
Vitesse maximale :	200 km/h
Consommation (100 km) :	essence/élect., 9,2 litres
Autonomie (approximative) :	703 km
Émissions de CO2 :	3 360 kg/an

GAMME EN BREF

Échelle de prix :	24 800 $ à 40 590 $ (2006)
Catégorie :	berline intermédiaire/coupé
Historique du modèle :	7ième génération
Garanties :	3 ans/60 000 km, 5 ans/100 000 km
Assemblage :	Marysville, Ohio, É-U
Autre(s) moteur(s) :	4L 2,4l 160ch/160lb-pi (9,7 l/100km)
	V6 3,0l 244ch/211lb-pi (11,5 l/100km)
Autre(s) rouage(s) :	aucun
Autre(s) transmission(s) :	manuelle 5 rapports /
	manuelle 6 rapports

DANS LA MÊME CATÉGORIE

Chevrolet Impala - Chevrolet Malibu - Chrysler Sebring - Ford Fusion - Hyundai Sonata - Kia Magentis - Mazda 6 - Mitsubishi Galant - Nissan Altima - Subaru Legacy - Toyota Camry - Volkswagen Passat

DU NOUVEAU EN 2007

Pas de changement majeur

NOS IMPRESSIONS

Agrément de conduite :	🚗 🚗 🚗 🚗
Fiabilité :	🚗 🚗 🚗 🚗
Sécurité :	🚗 🚗 🚗 🚗
Qualités hivernales :	🚗 🚗 🚗
Espace intérieur :	🚗 🚗 🚗½
Confort :	🚗 🚗 🚗 🚗

LE CHOIX DE L'ÉQUIPE

EX V6

HONDA CIVIC

Voiture économique

LE CARRÉ D'AS

La Civic de huitième génération compte quatre modèles, cette gamme étant composée de la berline, de la berline à motorisation hybride, du coupé et du coupé Si, quatre voitures qui ont leurs propres caractéristiques, et qui sont destinées à des clientèles très différentes. En effet, si la version hybride se distingue en étant la voiture à motorisation essence-électrique la moins chère au pays, la sportive Si se démarque quant à elle par son moteur VTEC de 197 chevaux. De quoi rejoindre à peu près tout le monde...

Dès le premier coup d'œil, on peut constater que l'allure de la berline est résolument plus moderne et sportive, comme en témoigne l'angle très prononcé du pare-brise, ou encore le fait que les roues sont vraiment localisées aux quatre coins de la voiture pour la rendre plus stable. Sous la carrosserie se cache une structure qui en fait une voiture très sécuritaire puisque la nouvelle Civic a obtenu les meilleures cotes de sa catégorie lors de tests de collision réalisés aux États-Unis. Incidemment, la nouvelle Civic est dotée en équipement de série de six coussins gonflables, soit deux à l'avant, deux sur les côtés, et deux rideaux gonflables latéraux.

Sous le capot, on retrouve un moteur 4 cylindres de 1,8 litre qui développe 140 chevaux, ce qui représente une augmentation de la puissance de l'ordre de 25 % comparativement au modèle précédent. Puisque la nouvelle Civic est beaucoup plus lourde, d'environ 55 kilos que l'ancien modèle, on ne ressent pas nécessairement toute cette puissance supplémentaire, quoique les accélérations comme les reprises sont satisfaisantes. Deux transmissions sont au programme, une manuelle et une automatique, les deux comptent cinq rapports, et c'est d'ailleurs une première pour cette catégorie que de retrouver une automatique à 5 rapports, les modèles concurrents ne disposant que de 4 rapports.

Pour ce qui est du comportement routier, la direction et les suspensions ont été revues et recalibrées, avec pour résultat une tenue de route améliorée par rapport au modèle précédent et un confort tout à fait convenable, puisque les suspensions de la berline sont assez souples. Aussi, l'insonorisation est mieux réussie, puisqu'on perçoit 5 décibels de moins au volant de la nouvelle Civic comparativement à l'ancien modèle.

LA SI DE 197 CHEVAUX

Après des années décevantes au cours desquelles le modèle sport de la Civic ne démontrait pas de réelles aptitudes pour la conduite sportive malgré ses apparences, la nouvelle Si a tout pour séduire les amateurs de performances. La Si fait appel à une motorisation très performante, soit le moteur K20Z3 développé pour les versions européennes et japonaises de l'Accord Type R. Avec 197 chevaux et un couple de 139 livres/pied, ce moteur quatre cylindres de 2,0 litres livre la marchandise, particulièrement lorsqu'il atteint les hauts régimes. Sur le circuit Autobahn, en banlieue de Chicago, j'ai eu l'occasion de pousser la Si à la limite et je dois avouer que cette voiture s'est montrée extrêmement à l'aise sur la piste. Le moteur est évidemment doté de la technologie i-VTEC de calage variable des soupapes, qui permet d'extraire le maximum de puissance et qui agit également sur la sonorité du moteur qui ressemble plus à celle

FEU VERT
Moteur performant (Si)
Prix abordable (hybride)
Systèmes de sécurité avancés
Suspensions confortables (berline)

FEU ROUGE
Poids plus élevé (berline)
Agrément de conduite (hybride)
Roulis en virage (berline)

272

VÉHICULE D'ESSAI

Version :	Si
Prix de détail suggéré :	25 880 $
Emp/Lon/Lar/Haut(mm) :	2 650/4 400/1 751/1 396
Poids :	1 178 kg
Coffre/Réservoir :	325 litres/50 litres
Coussins de sécurité :	frontaux, latéraux (av.) et rideaux
Suspension avant :	indépendante, jambes de force
Suspension arrière :	indépendante, multibras
Freins av./arr. :	disque (ABS opt.)
Antipatinage/Contrôle de stabilité :	non/non
Direction :	à crémaillère, assistance variable
Diamètre de braquage :	n.d.
Pneus av./arr. :	P215/45R17
Capacité de remorquage :	non recommandé

d'une moto sport qu'à celle d'une voiture traditionnelle lorsqu'on approche des 8 000 tours/minute. La Si fait également appel à un différentiel à glissement limité hélicoïdal ce qui permet d'obtenir une excellente motricité en sortie de virage, la réaccélération étant plus rapide et plus soutenue. Une comparaison entre les suspensions de la Civic courante et celles de la Si révèle des ressorts plus fermes de 17 pour cent, des amortisseurs arrière qui le sont de 40 pour cent alors que les amortisseurs avant le sont de 45 pour cent, et des barres antiroulis plus rigides de 104 pour cent à l'avant et de 456 pour cent à l'arrière. Sur circuit, cette rigidité structurelle accrue permet d'exploiter pleinement tout le potentiel de performance de la Si qui m'a paru extrêmement solide et stable à haute vitesse, le roulis en virage étant réduit de 30 pour cent. Au volant, le conducteur fait face au nouveau tableau de bord à deux niveaux développé par Honda, et celui de la Si est doté d'un tachymètre muni d'un témoin lumineux de rappel des hauts régimes. Les sièges sont très bien moulés et les côtés surélevés du coussin de même que du dossier sont rembourrés plus rigidement ce qui aide à maintenir le corps en place lors des transitions latérales.

MOTORISATION À L'ESSAI

Pneus d'origine
MICHELIN

Moteur :	4L de 2,0 litres 16s atmosphérique
Alésage et course :	86,0 mm x 86,0 mm
Puissance :	197 ch (147 kW) à 7 800 tr/min
Couple :	139 lb-pi (188 Nm) à 6 200 tr/min
Rapport poids/puissance :	5,98 kg/ch (8,12 kg/kW)
Système hybride :	voir autres moteurs
Transmission :	traction, manuelle 6 rapports
Accélération 0-100 km/h :	6,9 s
Reprises 80-120 km/h :	6,0 s (estimé)
Freinage 100-0 km/h :	38,0 m
Vitesse maximale :	230 km/h
Consommation (100 km) :	ordinaire, 8,5 litres
Autonomie (approximative) :	588 km
Émissions de CO2 :	4 176 kg/an

L'HYBRIDE LA MOINS CHÈRE AU PAYS

Sur le plan technique, la Civic hybride continue de faire appel à un moteur quatre cylindres de 1,3 litre qui est jumelé à un moteur électrique, mais ces deux composantes de la motorisation ont été optimisées à plusieurs égards, et le nouvel ensemble livre une puissance comparable à celle d'un moteur à essence ordinaire de 1,8 litre, soit 110 chevaux. Ainsi, le moteur à essence est doté d'un système de calage variable des soupapes i-VTEC qui comporte maintenant trois phases, et le moteur électrique développe une puissance correspondant à 1,5 fois celle développée par le modèle précédent. La notion du plaisir de conduire est cependant toujours absente de la Civic hybride même si la tenue de route est légèrement améliorée par rapport au modèle précédent dont les pneus étaient conçus afin de réduire la résistance au roulement au détriment des performances en virage. De plus, la pédale de frein demeure sensible en raison du système de freinage régénératif qui transforme le moteur électrique en génératrice et permet de ce fait de récupérer l'énergie kinétique déployée lors du freinage pour réalimenter la batterie. À l'arrêt, le moteur à essence reste éteint et la consommation de carburant est nulle. Il est également possible de continuer à disposer de la climatisation, même lorsque le moteur à essence est inactif.

Gabriel Gélinas

GAMME EN BREF

Échelle de prix :	17 819 $ à 29 355 $
Catégorie :	berline compacte/coupé
Historique du modèle :	7ième génération
Garanties :	3 ans/60 000 km, 5 ans/100 000 km
Assemblage :	Alliston, Ontario, Canada
Autre(s) moteur(s) :	4L 1,8l 140ch/128lb-pi (8,2 l/100km)
	4L 1,3l hybride, puissance combinée = 110ch/123lb-pi
	(4,7l/100km)
Autre(s) rouage(s) :	aucun
Autre(s) transmission(s) :	manuelle 5 rapports / automatique
	5 rapports / CVT (hybride)

DANS LA MÊME CATÉGORIE

Chevrolet Cobalt - Ford Focus - Hyundai Elantra - Mazda 3 - Mitsubishi Lancer - Nissan Sentra - Toyota Corolla - Toyota Prius - Volkswagen Rabbit

DU NOUVEAU EN 2007

Pas de changement majeur

NOS IMPRESSIONS

Agrément de conduite :	🚗🚗🚗🚗
Fiabilité :	🚗🚗🚗🚗
Sécurité :	🚗🚗🚗🚗
Qualités hivernales :	🚗🚗🚗½
Espace intérieur :	🚗🚗🚗½
Confort :	🚗🚗🚗½

LE CHOIX DE L'ÉQUIPE — Si

Photos : Honda

TIMIDE ÉVOLUTION ?

De tous les manufacturiers, Honda et sa division de luxe Acura sont parmi les seuls à dévoiler leurs nouveautés trop tard pour la date de tombée du *Guide de l'auto*. Par exemple, nous savons que le Honda CR-V 2007 sera tout nouveau. Le lancement médiatique avait été prévu à la fin du mois de juillet mais il a été retardé. Au moins, nous avons une petite idée du prochain CR-V puisque nous avons pu mettre la main sur les données techniques juste avant l'impression. Pour les photos, il faudra attendre par contre !

Un CR-V vu à Vancouver sans aucune bâche pour le soustraire aux regards des photographes montre des lignes beaucoup plus dynamiques que celles du CR-V actuel. La partie avant a été considérablement modifiée et, selon plusieurs forums de discussions, est passablement controversée. La calandre serait divisée en deux parties où le chrome serait beaucoup plus présent. Vu de côté, le CR-V nouveau montre un bas relief qui court sur toute la longueur et qui ajoute beaucoup de classe au véhicule tout en le rendant plus moderne. Vu de l'arrière, le CR-V est méconnaissable. Les glaces trois quarts arrière sont arrondies alors que les lumières verticales ont été conservées. On remarque que le pneu de secours ne loge plus sur le hayon. Le dit hayon ouvre désormais vers le haut plutôt que sur des pentures placées à droite comme c'est le cas présentement et la glace pourrait s'ouvrir indépendamment, comme maintenant, mais électriquement.

Sans avoir vu de photos de l'habitacle, nous devons nous en remettre à ce que nos sources veulent bien nous dévoiler. Le tableau de bord reprendrait des éléments de la Honda Civic, à savoir un étagement double et le levier de vitesse serait au plancher ou sur la planche de bord (les informations sont contradictoires), à la manière des Honda Element ou Odyssey. Les sièges arrière deviendraient inclinables et ajustables.

Bâti sur la plate-forme modifiée du Acura RDX dévoilé plus tôt cette année, le CR-V nouveau propose le même empattement que l'an dernier, à quelques millimètres près. C'est surtout au niveau de la largeur qu'il a fait des progrès puisqu'il a gagné près de quatre centimètres, ce qui devrait avoir une incidence directe sur l'habitabilité. Côté moteur, Honda a conservé le quatre cylindres de 2,4 litres qui développe maintenant 166 chevaux et 161 livres-pied de couple, des données très similaires à l'an dernier. Ceux qui attendaient mer et monde de ce nouveau modèle devront faire leur deuil. Une seule transmission est disponible. Il s'agit d'une automatique à cinq rapports. Le changement d'importance se situe au niveau du rouage d'entraînement. Alors que le CR-V n'était auparavant proposé qu'en version intégrale, il sera désormais possible d'obtenir une livrée traction (roues avant motrices seulement). Le CR-V nouveau devrait arriver chez les concessionnaires vers la mi-octobre si mon petit doigt est toujours fiable.

LE CR-V ACTUEL

La spéculation c'est bien beau mais nous préférons nous entretenir du CR-V que nous connaissons et qui fait partie de notre paysage depuis 1998. L'habitacle n'est pas des plus silencieux mais on a déjà vu pire. De plus, notre véhicule d'essai, un modèle 2006 forcément, roulait sur des

FEU VERT
Finition de qualité
Moteur bien adapté
Consommation heureuse
Valeur de revente élevée

FEU ROUGE
Génération actuelle en fin de carrière
Rouage intégral peu performant (2006)
Insonorisation déficiente (2006)
Pneus d'origine très moyens (2006)
Hayon controversé (2006)

pneus bruyants. La qualité des matériaux ne peut être mise en doute, de même que le travail d'orfèvre des employés affectés à la finition. L'ergonomie s'avère sans faille, sauf pour les boutons placés à droite de la radio qui sont trop éloignés du conducteur. Espérons que Honda profitera de la nouvelle génération du CR-V pour donner un peu plus d'ambitions à son système de chauffage/climatisation, toujours juste dès que les températures jouent dans les extrêmes. Tant qu'à être dans le département des demandes, soulignons à Honda que l'insonorisation des glaces latérales n'ayant jamais été sa plus grande réussite technique, il serait temps d'y remédier…

Le moteur actuel est un quatre cylindres de 2,4 litres de 156 chevaux et 160 livres-pied de couple. Il s'avère nerveux et toujours prêt au travail. Certes, il ne peut traîner les 1 500 kilos du CR-V à des vitesses folles, mais sa consommation de 11,1 litres aux cent kilomètres rachète son manque de puissance. Deux transmissions sont proposées, soit une manuelle à cinq rapports ou une automatique à cinq rapports. Le rouage intégral Real Time porte quelquefois mal son nom puisqu'il lui arrive de réagir avec une demi-seconde de retard. Ceci est particulièrement évident lorsqu'on passe d'une surface asphaltée à une surface glacée en pleine accélération. Une fois engagé, par contre, il améliore considérablement la traction et permet de se moquer de quelques pouces de neige. Mais attention, ce n'est pas un véritable système à quatre roues motrices à la manière des Jeep!

Le Honda CR-V va bientôt changer. Pour le mieux sans doute même si la génération actuelle est encore d'actualité. Certes, les lignes commencent à dater un peu et le tableau de bord a pris un coup de vieux depuis deux ou trois ans, mais Honda aurait pu se permettre de conserver son CR-V encore une ou deux années. Mais c'est mal connaître l'entreprise japonaise. À la lecture de la fiche technique du nouveau CR-V, on est en droit de se demander s'il ne s'agit pas d'une évolution plutôt que d'une révolution.

Alain Morin

Photos : Honda

VÉHICULE D'ESSAI

Version :	EX
Prix de détail suggéré :	32 000 $ (2006)
Emp/Lon/Lar/Haut(mm) :	2 620/4 518/1 820/1 650
Poids :	1 604 kg
Coffre/Réservoir :	1 011 à 2 064 litres/58 litres
Coussins de sécurité :	front., latéraux, rideaux et genoux
Suspension avant :	indépendante, jambes de force
Suspension arrière :	indépendante, multibras
Freins av./arr. :	disque (ABS)
Antipatinage/Contrôle de stabilité :	oui/oui
Direction :	à crémaillère, assistance variable
Diamètre de braquage :	10,6 m
Pneus av./arr. :	P225/65R17
Capacité de remorquage :	680 kg

MOTORISATION À L'ESSAI

Moteur :	4L de 2,4 litres 16s atmosphérique
Alésage et course :	87,0 mm x 99,0 mm
Puissance :	166 ch (116 kW) à 5 800 tr/min
Couple :	161 lb-pi (217 Nm) à 4 200 tr/min
Rapport poids/puissance :	10 kg/ch (13,57 kg/kW)
Système hybride :	aucun
Transmission :	intégrale, automatique 5 rapports
Accélération 0-100 km/h :	10,8 s (estimé)
Reprises 80-120 km/h :	8,3 s (estimé)
Freinage 100-0 km/h :	43,0 m (estimé)
Vitesse maximale :	190 km/h
Consommation (100 km) :	ordinaire, 9,3 litres (constructeur)
Autonomie (approximative) :	523 km
Émissions de CO2 :	4 512 kg/an

GAMME EN BREF

Échelle de prix :	29 300 $ à 34 200 $ (2006)
Catégorie :	utilitaire sport compact
Historique du modèle :	3ième génération
Garanties :	3 ans/60 000 km, 5 ans/100 000 km
Assemblage :	Sayama, Japon
Autre(s) moteur(s) :	aucun
Autre(s) rouage(s) :	traction
Autre(s) transmission(s) :	aucun

DANS LA MÊME CATÉGORIE

Dodge Nitro - Ford Escape - Hyundai Santa Fe - Jeep Liberty - Mitsubishi Outlander - Nissan X-Trail - Subaru Forester - Suzuki Grand Vitara - Toyota Rav4

DU NOUVEAU EN 2007

Nouveau modèle 2007 dévoilé sous peu

NOS IMPRESSIONS (2006)

Agrément de conduite :	🚗 🚗 🚗 ½
Fiabilité :	🚗 🚗 🚗 🚗 🚗
Sécurité :	🚗 🚗 🚗 🚗 ½
Qualités hivernales :	🚗 🚗 🚗 🚗 ½
Espace intérieur :	🚗 🚗 🚗 🚗
Confort :	🚗 🚗 🚗 ½

LE CHOIX DE L'ÉQUIPE

EX sans cuir

ÊTRE DANS SON ÉLÉMENT!

Ça vous dit quelque chose? On dit de quelqu'un qu'il est «dans son élément» lorsqu'il est épanoui, à l'aise et maîtrise la situation. Est-ce le cas de Honda et de son petit véhicule polyvalent? Évidemment, certains diront que non (mon voisin déteste ce véhicule), alors que d'autres (ardents défenseurs de la marque nipponne) avanceront que Honda mise de plus en plus sur l'innovation et l'originalité. D'ailleurs, il suffit d'examiner le Ridgeline et la nouvelle Civic pour s'apercevoir que c'est tout à fait vrai.

Mise à part sa silhouette controversée (efficace au niveau marketing néanmoins!), on doit forcément admettre que l'Element est un véhicule pratique, polyvalent, sécuritaire et différent de tout ce qui se fait dans l'industrie. On peut bien rire de son apparence, mais n'a-t-on pas déjà entendu à maintes reprises l'expression «l'habit ne fait pas le moine»?

SUJETS À CONTROVERSE S.V.P.

Évidemment, impossible de passer sous silence la forme plutôt cubique de l'Element qui lui cause tant de préjugés. Outre l'aérodynamisme qui en prend un sacré coup, il faut reconnaître que cette forme, plutôt particulière pour un véhicule, avantage incroyablement la capacité de chargement et le volume disponible pour les passagers. Malheureusement, certains autres éléments alimenteront toujours la controverse dont un toit ouvrant à l'arrière qui semble totalement inutile et dont la manipulation demande idéalement à passer par le hayon arrière. Également, des portes suicides qui permettent d'accéder aux places arrière mais qui nous obligent à ouvrir les portes avant, ce qui devient très désagréable lorsqu'on s'improvise taxi. Soit dit en passant, les sièges arrière se replient vers le haut sur le pilier C afin de libérer complètement l'aire de chargement mais sont très lourds à manipuler et bloquent la visibilité sur les côtés.

Évidemment, n'oublions pas le plancher fait de plastique qui s'avère très glissant s'il est mouillé ou très dur sous des températures hivernales. Ajoutez à cela un pare-brise et des essuie-glace dignes des pick-up des années 80, un intérieur assez plastique et une finition moyenne et vous aurez en quelques lignes une bonne idée des raisons pour lesquelles certains aiment ce véhicule et d'autres pas. Néanmoins, beaucoup de points positifs sont à noter sur l'Element. À commencer par les compartiments de rangement en quantité suffisante, une prise auxiliaire et une prise de courant dans le tableau de bord, un plancher quasiment impossible à salir et une aire de chargement facilement accessible et très modulable. De plus, les sièges avant sont confortables malgré l'absence d'ajustement en hauteur, et le système audio s'avère d'excellente qualité.

EN MANQUE DE SOUFFLE

L'Element est livré en trois versions soit LX, EX et SC. Que ce soit sur le modèle d'entrée de gamme ou sur celui équipé de la traction intégrale, le même moteur de 4 cylindres fait office de monture. Ce moteur, somme toute assez bruyant en accélération développe 166 chevaux et peine à procurer un comportement dynamique au véhicule, fait encore plus marqué sur le modèle à quatre roues motrices. À ce moteur, il est possible de

VÉHICULE D'ESSAI

Version :	EX 4RM
Prix de détail suggéré :	28 995 $
Emp/Lon/Lar/Haut (mm) :	2 575/4 298/1 815/1 788
Poids :	1 553 kg
Coffre/Réservoir :	691 à 2 888 litres/60 litres
Coussins de sécurité :	frontaux et latéraux (av.)
Suspension avant :	indépendante, jambes de force
Suspension arrière :	indépendante, leviers triangulés
Freins av./arr. :	disque (ABS, EBD)
Antipatinage/Contrôle de stabilité :	non/non
Direction :	à crémaillère, assistance variable
Diamètre de braquage :	11,1 m
Pneus av./arr. :	P215/70R16
Capacité de remorquage :	680 kg

MOTORISATION À L'ESSAI

Moteur :	4L de 2,4 litres 16s atmosphérique
Alésage et course :	87,0 mm x 99,0 mm
Puissance :	166 ch (116 kW) à 5 800 tr/min
Couple :	161 lb-pi (217 Nm) à 4 500 tr/min
Rapport poids/puissance :	9,96 kg/ch (13,5 kg/kW)
Système hybride :	aucun
Transmission :	intégrale, automatique 5 rapports
Accélération 0-100 km/h :	11,6 s
Reprises 80-120 km/h :	10,2 s
Freinage 100-0 km/h :	40,0 m
Vitesse maximale :	190 km/h
Consommation (100 km) :	ordinaire, 11,4 litres
Autonomie (approximative) :	526 km
Émissions de CO2 :	4 725 kg/an

jumeler une transmission automatique 5 rapports nouvelle cette année ou la manuelle à 5 rapports. Évidemment, il sera plus approprié de sélectionner la transmission manuelle qui permet une meilleure exploitation de la puissance disponible. Sur la version EX, on trouve le fameux rouage intégral optionnel de Honda qui travaille à merveille et qui mérite une bonne note. La répartition de la puissance aux roues qui en ont le plus besoin est efficace et assure une bonne adhérence en tout temps malgré les conditions de la route. Il est cependant hors de question de se laisser tenter par l'appel de la nature et de s'aventurer dans des sentiers extrêmes sous prétexte que l'on possède un véhicule tout-terrain.

Une fois derrière le volant, on remarque immédiatement l'inhabituel environnement de conduite qui surprend au premier contact : la ceinture de caisse haute, les sièges bas et le pare-brise éloigné et droit nous font réaliser à quel point l'apparence extérieure du véhicule est trompeuse et que l'intérieur est immense et original. Mais cette allure, qui laissait présager un comportement routier solide et agile, n'est qu'une illusion car c'est un peu l'inverse qui se produit. En fait, il est difficile de pointer la cause ou les causes qui rendent l'ensemble du produit lourdaud et anémique, mais la puissance du moteur est manifestement trop juste. De plus, les suspensions sont sèches, la pédale de frein spongieuse et les pneus d'origine loin d'être le meilleur choix. Les accélérations sont donc lentes, les reprises le sont tout autant et les virages laissent entendre des pneus qui crient « au secours, on glissssssse ! » à tue-tête. Imaginez maintenant le résultat lorsque trois amis et quelques bagages se joignent à vous. Évidemment, il ne s'agit pas d'une voiture à vocation sportive direz-vous, et vous avez totalement raison, car l'Element est plutôt un VUS qui ne veut pas ressembler aux autres VUS. Ceci étant dit, son comportement routier est alors cohérent avec sa vocation et il faut avouer qu'il accomplit le boulot avec brio. Cette année, Honda donne à son Element une nouvelle version baptisée SC. Si cette dernière n'ajoute rien en termes de puissance, ses roues de 18 pouces, son aménagement intérieur différent et son gros système de son devraient attirer quelques jeunes.

Malgré son design accrocheur, le véhicule présente une mécanique ordinaire et un style vieillissant, le rendant de moins en moins « dans son élément ». Cependant, compte tenu du prix demandé et du produit livré, l'Elément reste un bon achat pour ceux qui désirent marier à la fois le côté pratique et fonctionnel d'une fourgonnette au côté robuste et sécuritaire d'un VUS.

Guy Desjardins

GAMME EN BREF

Échelle de prix :	23 900 $ à 29 100 $
Catégorie :	utilitaire sport compact
Historique du modèle :	1ière génération
Garanties :	3 ans/60 000 km, 5 ans/100 000 km
Assemblage :	East Liberty, Ohio, É-U
Autre(s) moteur(s) :	aucun
Autre(s) rouage(s) :	traction
Autre(s) transmission(s) :	manuelle 5 rapports

DANS LA MÊME CATÉGORIE
Chevrolet HHR - Chrysler PTCruiser

DU NOUVEAU EN 2007
Moteur plus puissant, transmission automatique 5 rapports, version SC

NOS IMPRESSIONS

Agrément de conduite :	🚗 🚗 🚗
Fiabilité :	🚗 🚗 🚗 🚗 ½
Sécurité :	🚗 🚗 🚗 🚗 ½
Qualités hivernales :	🚗 🚗 🚗 🚗
Espace intérieur :	🚗 🚗 🚗 🚗 ½
Confort :	🚗 🚗 🚗 ½

LE CHOIX DE L'ÉQUIPE
EX traction

Photos : Guy Desjardins

Voiture économique

UNE QUESTION D'HONNEUR

Dès que le succès de la Toyota Echo *hatchback* a été confirmé, ce n'était qu'une question de temps avant que la compagnie Honda s'intéresse à la catégorie des sous-compactes sur notre marché. Après tout, ce dernier constructeur a toujours été fier de ses réalisations dans cette catégorie et il n'allait certainement pas laisser le champ libre à Toyota ou Nissan! Et il ne faut pas ignorer les succès de GM dans ce marché de même que ceux de Kia et de Hyundai.

D'autres constructeurs se seraient précipités pour concevoir à la hâte un nouveau véhicule de classe B. Ce serait mal connaître Honda que de croire que cela aurait été le cas. Mieux vaut toujours attendre et proposer un produit adapté et de qualité plutôt que d'y aller de produits conçus sous le coup de la panique. Mais puisque cette compagnie avait plusieurs petites voitures dans son porte-folio, il n'était pas nécessaire d'attendre d'avoir un nouveau produit à offrir. En effet, le Jazz était commercialisé depuis 2002, ce qui signifie que sa fiabilité était sans inquiétude et son développement rendu à maturité. Et il ne s'agit pas de n'importe quelle Honda, car ce modèle a été nommé voiture de l'année au Japon en 2002, en plus d'être la première Honda à devenir l'automobile la plus vendue sur le marché japonais.

Rebaptisé Fit pour notre marché, ce *hatchback* cinq portes combine une mécanique typique de Honda à un habitacle d'une rare polyvalence. Il faut toutefois mentionner que la silhouette de cette nouvelle venue trahit ses origines quelque peu lointaines. Son style est correct, mais ne peut se comparer à celui des Nissan Versa et Toyota Yaris *hatchback*, deux modèles de conception plus récente.

MÉCANIQUE TYPIQUE

Le moteur utilisé sur cette nouvelle venue est un quatre cylindres de 1,5 litre d'une puissance de 109 chevaux. Ce moteur tout aluminium est de cylindrée et de puissance semblables à celle des autres voitures de cette catégorie à l'exception de la Nissan Versa dont les 122 chevaux la placent en tête de la catégorie. Mais les chiffres de puissance ne veulent pas tout dire. Il faut souligner l'excellent rendement de ce petit quatre en alliage léger dont le

système de calage variable des soupapes permet d'avoir du pep sous le pied droit à tous les régimes, en plus d'une rassurante économie de carburant puisque notre consommation enregistrée a été de 7,8 litres aux 100 km et cela avec un modèle nanti de la boîte automatique. Par contre, cette consommation est encore réduite sur

les versions équipées de la transmission de base, une boîte manuelle à cinq rapports. Notez que l'accélérateur est de type électronique, un élément assez rare sur une voiture de cette catégorie.

Les ingénieurs de Honda ont toujours été reconnus pour adopter des solutions inédites sur plusieurs de leurs véhicules. Cette fois, cette originalité ne se retrouve pas au chapitre de la plate-forme dont la suspension avant MacPherson est ce qu'il y a de plus traditionnel tout comme la suspension arrière à barre de torsion. Non, là où cette voiture se démarque, c'est par une géométrie très étudiée de la suspension avant dont le déport négatif assure une bonne tenue en virage et une excellente stabilité directionnelle. C'est du moins ce que Honda nous affirme. Quant à la suspension arrière, elle utilise une barre de torsion en forme de H, un autre élément original. Et puisque la lutte est féroce dans cette catégorie, la Fit est équipée de série du système ABS et de la répartition électronique du freinage, tandis que le tandem disques/tambours a pour mission d'immobiliser ce véhicule. Et comme le veut la tendance actuelle, la direction est à commande électrique, ce qui permet d'économiser du poids et donc de réduire la consommation de carburant.

Mais l'élément le plus original de cette voiture est le positionnement du réservoir de carburant qui est placé sous le siège du conducteur. Avant de paniquer, sachez que cet emplacement est plus sécuritaire que son positionnement entre le coffre et la banquette arrière. Bien entendu, dans les deux cas, le réservoir de carburant n'est pas dans l'habitacle, mais sous le plancher ! Et cette localisation a permis aux ingénieurs de nous offrir un aménagement intérieur inédit.

PLUS QUE SONGÉ

Il faut admettre que la présentation intérieure est plus moderne que celle de la carrosserie. Il est d'ailleurs plus facile de rajeunir le tableau de bord, car il ne faut pas modifier toute la structure mécanique comme l'exigeraient des changements à l'esthétique extérieure. Mais avant de l'oublier, je tiens à souligner le fait que les tapis semblent un peu minces, mais compte tenu du prix de vente demandé, il faut bien s'attendre à quelques économies ici et là. Par contre, le tableau de bord est fort bien

réussi avec ses trois cadrans principaux avec chiffres blancs sur fond noir, le tout avec une lisière bleue qui permet de démarquer les chiffres. Le cadran principal au centre affiche la vitesse tandis que le compte-tours, plus petit est à gauche. Le cadran de droite est de même dimension que le tachymètre, mais il s'agit de la jauge de carburant. Mais le clou de cette planche de bord est son centre de commande de la chaîne audio. Celui-ci est constitué d'un gros bouton entouré de cinq petites touches et, à sa droite, se situe l'afficheur qui est surmonté du lecteur de CD/MP3. On y retrouve également une prise audio qui vous permettra d'y brancher votre lecteur MP3. Et comme c'est l'habitude chez Honda, la finition est impeccable et la qualité des matériaux est supérieure à la moyenne de la catégorie, à l'exception des tapis, tel que mentionné plus haut.

Ce qui permet à cette Honda de se démarquer davantage est l'incroyable polyvalence de l'habitacle. Contrairement à plusieurs

autres modèles *hatchback* de cette catégorie, la capacité de chargement est impressionnante : 603 litres avec cinq occupants à bord et 1 186 litres une fois la banquette arrière repliée. Mais c'est avant de pouvoir profiter d'un aménagement ingénieux de la banquette arrière. Il est en effet possible de soulever le coussin horizontal afin de pouvoir y loger des objets en hauteur, une bicyclette par exemple. Appelé «Magic Seat» par Honda, ce siège permet quatre configurations intérieures : régulier, polyvalence, hauteur et détente. Et il faut de plus souligner la présence de multiples espaces de rangement, de porte-verres et de points d'ancrage. Le coffre à gants, surplombé par une petite tablette à peine capable d'abriter un stylo, est de bonne dimension. Légère touche de luxe : les glaces à commandes électriques sont de série.

Enfin, en matière de sécurité, cette voiture est dotée de deux coussins de sécurité avant, de deux autres coussins latéraux en plus d'un rideau gonflable. Bref, Honda n'a rien négligé pour rendre cette sous-compacte compétitive face à la concurrence. Reste à savoir si elle est aussi compétente sur la route qu'elle l'est à avaler des objets de toutes sortes !

FIDÈLE À LA MARQUE

Généralement, dans cette catégorie, les voitures étaient bruyantes, le moteur peu performant et la tenue de route sommaire. Bref, la «petite boîte économique», traduction libre de «*Econo box*», qui vous conduit du point A au point B avec un minimum de plaisir. C'était il y a quelques années. À présent, l'arrivée de plusieurs nouvelles venues dans cette catégorie a changé la donne et toute voiture qui veut s'imposer

FEU VERT
Moteur nerveux
Boîte automatique efficace
Aménagement intérieur ingénieux
Agrément de conduite
Glaces à commande électrique de série

FEU ROUGE
Silhouette rétro
Tapis très minces
Insonorisation perfectible
Suspension ferme

VÉHICULE D'ESSAI

Version :	Sport
Prix de détail suggéré :	19 995 $
Emp/Lon/Lar/Haut(mm) :	2 450/3 999/1 682/1 524
Poids :	1 162 kg
Coffre/Réservoir :	603 à 1 186 litres/41 litres
Coussins de sécurité :	frontaux, latéraux (av.) et rideaux
Suspension avant :	indépendante, jambes de force
Suspension arrière :	essieu rigide, ressorts hélicoïdaux
Freins av./arr. :	disque/tambour (ABS)
Antipatinage/Contrôle de stabilité :	no/non
Direction :	à crémaillère, assistance variable électrique
Diamètre de braquage :	11,6 m
Pneus av./arr. :	P195/55R15
Capacité de remorquage :	non recommandé

MOTORISATION À L'ESSAI

Moteur :	4L de 1,5 litre 16s atmosphérique
Alésage et course :	73,0 mm x 89,4 mm
Puissance :	109 ch (81 kW) à 5 800 tr/min
Couple :	105 lb-pi (142 Nm) à 4 800 tr/min
Rapport poids/puissance :	10,66 kg/ch (14,53 kg/kW)
Système hybride :	aucun
Transmission :	traction, automatique 5 rapports
Accélération 0-100 km/h :	12,2 s
Reprises 80-120 km/h :	10,2 s
Freinage 100-0 km/h :	39,4 m
Vitesse maximale :	n.d.
Consommation (100 km) :	ordinaire, 7,8 litres
Autonomie (approximative) :	526 km
Émissions de CO2 :	n.d.

GAMME EN BREF

Échelle de prix :	14 980 $ à 19 480 $
Catégorie :	familiale
Historique du modèle :	1ière génération
Garanties :	3 ans/60 000 km, 5 ans/100 000 km
Assemblage :	Greensburg, Indiana, É-U
Autre(s) moteur(s) :	aucun
Autre(s) rouage(s) :	aucun
Autre(s) transmission(s) :	manuelle 5 rapports / auto. mode man. 5 rapports

dans cette catégorie doit être à la fois pratique et performante tout en se vendant à prix d'aubaine. Pour Honda, il ne fallait pas se faire piéger.

Si de nos jours ce constructeur jouit d'une aussi enviable réputation, c'est qu'il a presque toujours fabriqué des voitures pratiques certes, mais dont l'agrément de conduite était supérieur à la moyenne. Viennent s'ajouter à cela une fiabilité exemplaire et une consommation de carburant qui fait rager les pétrolières. Après avoir passé plusieurs jours avec une Honda Fit Sport avec boîte automatique à cinq rapports en plus d'avoir conduit une version à boîte manuelle pendant plusieurs heures, il est facile de conclure que cette voiture est dans la plus pure tradition de la marque et mène la vie dure à la plupart des autres voitures de la catégorie.

Il est vrai que la silhouette ne fait pas tourner les têtes. Même notre modèle Sport avec ses roues en alliage ne parvenait pas à le faire. Par contre, plusieurs ont remarqué que le conducteur affichait un large sourire derrière le volant. Ce petit moteur de 1,5 litre ne produit que 109 chevaux, mais ceux-ci font sentir leur présence. La boîte manuelle est guidée par un levier de vitesse dont la course est précise, et c'est un plaisir de passer les rapports pour tirer profit des performances de ce moteur. Et si les boîtes automatiques sont généralement une déception dans cette catégorie, la transmission automatique à cinq rapports de la Fit est un modèle du genre avec un bon étagement et des passages de rapports très rapides. En fait, en pleine accélération, la transmission s'empresse de passer les deux premiers rapports afin d'aborder la troisième vitesse qui permet de stabiliser l'accélération. La version Sport est dotée de pastilles de passage des vitesses derrière le volant, ce qui intensifie le caractère ludique de la voiture.

Ajoutez à cela une direction précise, un sous-virage fort bien contrôlé et un roulement de caisse minimum dans les courbes, et le verdict est positif! Grâce à Honda, les mots «pratique, utile, économie et agréable à conduire» peuvent se retrouver dans la même phrase!

Denis Duquet

DANS LA MÊME CATÉGORIE

Chevrolet Aveo - Hyundai Accent - Kia Rio - Nissan Versa - Suzuki Swift+ - Toyota Yaris - Pontiac Wave

DU NOUVEAU EN 2007
nouveau modèle

NOS IMPRESSIONS

Agrément de conduite :	🚗🚗🚗🚗
Fiabilité :	nouveau modèle
Sécurité :	🚗🚗🚗🚗
Qualités hivernales :	🚗🚗🚗
Espace intérieur :	🚗🚗🚗🚗
Confort :	🚗🚗🚗½

LE CHOIX DE L'ÉQUIPE
LX

Photos : Denis Duquet

LA VOIE DE LA RAISON

Quoi de plus beau qu'une fourgonnette avec un volant de cuir ? Beaucoup de choses me direz-vous, ce qui n'est pas loin de la vérité. Car bien que quelques-unes des fourgonnettes actuellement sur le marché soient, hum, esthétiquement intéressantes, elles demeurent tout de même l'expression ultime de l'anticonduite. Du moins, dans la tête des hommes qui se voient tous au volant de leur superbe voiture sport ! Mais famille oblige, ces gros véhicules sept passagers continuent d'avoir la cote lorsque vient le temps de trouver le véhicule capable de transporter efficacement le grand ado, sa petite sœur, sans oublier Max, le berger allemand.

En fait, les fourgonnettes sont essentiellement des outils de transport. Mais ce n'est pas une raison pour en évacuer complètement les qualités d'un bon véhicule de route, comme l'a bien compris Honda avec sa Odyssey.

SANS SURPRISE

Avec la version 2007 de sa minifourgonnette Odyssey, Honda joue la carte de la continuité. Pourquoi changer une formule qui, depuis quelques années, est gagnante ? Car la sept passagers japonaise, même si elle ne jouit pas de la plus grande popularité en raison essentiellement de son prix d'achat, a toutes les qualités d'une grande voiture.

Cette politique s'est également appliquée au stylisme. Ses lignes sobres mais efficaces sont maintenues, et quelques petits détails esthétiques ont été retouchés. Un modèle classique qui ne sera pas victime de la mode des extérieurs trop agressifs ou trop contemporains. En revanche, on a beaucoup misé sur l'intérieur de la fourgonnette. L'espace y est abondant, bien organisé et peut être à la fois pratique et luxueux. En fait, le luxe se retrouve essentiellement dans la version la plus sophistiquée de la gamme, la Touring, qui réunit sellerie de cuir et système multimédia à commande vocale, ainsi qu'une caméra de recul. Il est exact qu'il vous

faudra parfois répéter vos instructions sur une variété de tons avant d'être obéi, mais en général la réponse est rapide et juste.

Cette console multimédia permet aussi à la fourgonnette de mieux jouer son rôle familial en offrant un écran qui descend du plafond pour les passagers arrière, y compris ceux de la troisième rangée qui possèdent leur propre commande sonore. Et si votre famille ne peut s'en contenter, on y a aussi ajouté des prises pouvant servir à des jeux vidéo et des casques d'écoute à infrarouges, donc sans fil. Plus de chicane avec les ados, tout le monde pourra écouter sa musique en toute tranquillité... Ces détails technologiques ont cependant leur prix, et vous devrez accepter d'y consacrer quelques milliers de dollars.

Créateur du système qui permet de cacher les sièges de troisième rangée sous le plancher Honda maintient évidemment cette tradition, ce qui lui permet de multiplier les espaces de chargement, et les nombreuses cachettes pour le rangement. À l'intérieur règnent modularité et espace de rangement. Il suffit de vous tourner d'un côté ou l'autre de l'habitacle pour découvrir un rangement bien logé et pratique. À ce chapitre, vous ne trouverez pas moins de 15 porte-verres dans la Odyssey, et deux de plus dans le modèle Touring. Le vrai désir des acheteurs de

---

FEU VERT

Aménagement intérieur polyvalent
Moteur puissant
Silhouette indémodable
Technologie dernier cri

FEU ROUGE

Prix élevé
Direction trop assistée
Sous-virage omniprésent
Roulis important

minifourgonnette demeure cependant la possibilité de jouir d'un espace de chargement satisfaisant, et d'un habitacle intéressant pour les passagers. À ce point de vue aussi, l'Odyssey est une valeur sûre. La banquette arrière est rabattable dans le plancher, libérant ainsi un espace largement suffisant pour combler les besoins les plus courants. Et même avec la banquette en place, la profondeur du coffre et sa dimension élargie la classent parmi les plus logeables de ses concurrentes.

Toutes les positions à l'intérieur de l'Odyssey sont relativement confortables. Il est facile d'adopter une position de conduite agréable avec des sièges offrant un bon support, et les sièges de deuxième rangée proposent aussi une bonne dose de support. Évidemment, comme toutes les banquettes du genre, la troisième rangée n'est pas idéale, mais surpasse quand même bon nombre de sièges traditionnels.

IL Y AUSSI UN MOTEUR

L'agrément de la Odyssey se retrouve aussi sous le capot. Son moteur V6 de 3,5 litres fait maintenant vrombir 244 chevaux (soit 11 de moins que l'année précédente, gracieuseté des nouvelles normes d'évaluation). On l'a aussi équipé du système baptisé VCM, pour Variable Cylinder Management, qui permet de réduire à trois seulement le nombre de cylindres en action lorsque le véhicule a atteint sa vitesse de croisière. Évidemment, cela joue un rôle important en matière d'économie d'essence, puisqu'à ce chapitre, l'Odyssey trône presque au sommet de la catégorie.

Mais malgré toutes ses qualités, la fourgonnette japonaise n'a pas réussi à ramener ce qui manque cruellement à tous les véhicules du genre : le plaisir de conduite. La direction aseptisée ne permet certainement pas d'être véritablement en contact avec la route. Même son de cloche du côté de la suspension, calibrée à merveille pour le confort des passagers, mais décevante lorsque vient le temps de manifester un peu d'enthousiasme en conduite. Elle provoquera un roulis aisément ressenti lors de virages plus serrés, et la fourgonnette a une propension marquée au sous-virage.

Rien de majeur, me soulignerez-vous avec insistance, puisqu'une fourgonnette est d'abord conçue pour être polyvalente et confortable, et de ce point de vue, Max et la famille sont gâtés.

Marc Bouchard

Photos : Honda

VÉHICULE D'ESSAI

Version :	EX-L
Prix de détail suggéré :	39 500 $ (2006)
Emp/Lon/Lar/Haut(mm) :	3 000/5 105/2 198/1 779
Poids :	2 062 kg
Coffre/Réservoir :	1 934 à 4 174 litres/80 litres
Coussins de sécurité :	front., latéraux (av./arr.) et rideaux
Suspension avant :	indépendante, jambes de force
Suspension arrière :	indépendante, multibras
Freins av./arr. :	disque (ABS)
Antipatinage/Contrôle de stabilité :	oui/oui
Direction :	à crémaillère, assistance variable
Diamètre de braquage :	11,2 m
Pneus av./arr. :	P235/65R16
Capacité de remorquage :	1 588 kg

Pneus d'origine
MICHELIN

MOTORISATION À L'ESSAI

Moteur :	V6 de 3,5 litres 24s atmosphérique
Alésage et course :	89,0 mm x 93,0 mm
Puissance :	244 ch (190 kW) à 5 750 tr/min
Couple :	240 lb-pi (339 Nm) à 4 500 tr/min
Rapport poids/puissance :	8,09 kg/ch (10,97 kg/kW)
Système hybride :	aucun
Transmission :	traction, automatique 5 rapports
Accélération 0-100 km/h :	10,7 s
Reprises 80-120 km/h :	8,6 s
Freinage 100-0 km/h :	43,0 m
Vitesse maximale :	195 km/h
Consommation (100 km) :	ordinaire, 9,9 litres
Autonomie (approximative) :	808 km
Émissions de CO2 :	5 138 kg/an

GAMME EN BREF

Échelle de prix :	32 700 $ à 46 900 $ (2006)
Catégorie :	fourgonnette
Historique du modèle :	3ième génération
Garanties :	3 ans/60 000 km, 5 ans/100 000 km
Assemblage :	Alliston, Ontario, Canada
Autre(s) moteur(s) :	aucun
Autre(s) rouage(s) :	aucun
Autre(s) transmission(s) :	aucune

DANS LA MÊME CATÉGORIE

Buick Terraza - Chrysler Town&Country - Ford Freestar - Nissan Quest - Toyota Sienna

DU NOUVEAU EN 2007

Moniteurs de pression des pneus de série, volant télescopique de série

NOS IMPRESSIONS

Agrément de conduite :	🚗 🚗 🚗 🚗
Fiabilité :	🚗 🚗 🚗 🚗 ½
Sécurité :	🚗 🚗 🚗 🚗 🚗
Qualités hivernales :	🚗 🚗 🚗 🚗
Espace intérieur :	🚗 🚗 🚗 🚗 ½
Confort :	🚗 🚗 🚗 🚗 ½

LE CHOIX DE L'ÉQUIPE

EX

RAMBO EN SOUTANE

Qui ne connaît pas Rambo? Vous savez, ce personnage de cinéma à la musculature impressionnante dont les exploits sont devenus si légendaires? Un combattant féroce, puissant, robuste et d'une endurance à toute épreuve. Celui sur lequel la nation peut compter et qui ne baissera jamais les bras devant les pires épreuves. Un homme découpé au couteau et fiable sur lequel chacun de nous jetterait son dévolu. Maintenant, enfilez-lui une soutane et vous aurez une bonne idée de ce qu'est le Pilot, un corps d'athlète à la carrosserie ordinaire et plutôt anonyme.

Bien qu'il fût lancé en 2003 et esthétiquement remodelé annuellement, le Pilot reste un véhicule au design neutre et fade, ne laissant transparaître aucune originalité. Et contrairement à plusieurs de ses concurrents, le Pilot n'affiche manifestement pas une apparence de virilité et de robustesse. Il est certes de bonne dimension, mais fait plutôt «petit bourgeois désireux de faire une balade à la campagne». D'ailleurs, l'emplacement extérieur de la caméra de recul démontre à quel point l'apparence extérieure du véhicule est secondaire. Espérons que la refonte prévue bientôt lui insufflera un peu de testostérone et de style...

SOUS LA SOUTANE

Ayant fait fi de son apparence, on constate à quel point le véhicule est efficace et d'une certaine façon, intéressant à conduire. Le moteur 6 cylindres affiche une puissance de 244 chevaux et contrairement à plusieurs véhicules sur le marché, cette puissance ne s'avère pas seulement juste, mais abondante et suffisamment disponible sur toute la plage du compte-tours. Les accélérations sont donc impressionnantes et les reprises franches pour un véhicule de ce poids. Nul besoin d'offrir en option un V8 qui ne ferait qu'augmenter la dépense en carburant, déjà élevée sur le V6. Jumelée à cette motorisation, on retrouve une transmission

automatique 5 vitesses qui travaille de façon assez transparente mais qui hésite quelquefois lorsque la situation demande un choix rapide de rapport. Un freinage brusque suivi d'une accélération, une reprise ou une sortie de virage font souvent perdre momentanément la carte à la transmission. Autrement, elle est douce et sans à-coups, laissant la fausse impression qu'on a en fait affaire à une CVT. La tenue de route n'est pas mal non plus grâce au choix de pneumatiques qui offrent un bon compromis entre le confort et l'efficacité hors route. Le véhicule s'avère agile et malgré l'assiette et le centre de gravité élevés, le roulis, bien que notable, est atténué grâce aux suspensions indépendantes adéquatement calibrées. Les virages se prennent d'ailleurs avec une assurance déconcertante oubliant parfois le fait qu'on est au volant d'un VUS de plus de 2 000 kg. Malheureusement, le Pilot souffre d'une faible déficience au niveau de la direction. Évidemment, comme il s'agit d'un camion, il ne faut pas s'attendre à la précision rencontrée sur une Porsche, mais l'assistance électrique rend cette direction un peu trop molle et légère, ce qui entraîne une réaction lente lors des changements de cap. On expérimente alors un «décalage» entre l'action et le résultat, une fraction de seconde seulement, mais qui nous donne l'impression de perdre momentanément le contrôle du véhicule. Pour une voiture à vocation sportive le problème serait de taille mais pour un VUS,

FEU VERT
Excellente fiabilité
Visibilité parfaite
Bonnes performances du moteur
Solidité assurée
Espace intérieur énorme

FEU ROUGE
Sièges décevants
Transmission quelquefois hésitante
Direction imprécise
Troisième rangée de sièges symbolique
Consommation élevée

il est, de toute évidence, secondaire et on finit par s'y habituer, d'autant plus que cela devient une qualité recherchée en situation urbaine ou dans un sentier hors route.

CONTRASTANT

Prendre le volant du Pilot s'avère une tâche assez simple. Malgré la hauteur du véhicule, l'accès est facilité par l'absence d'imposants bas de caisse et par l'assise invitante des sièges. Sièges dont le soutien latéral est, par contre, un peu décevant compte tenu de l'environnement luxueux dont ils font partie. L'habitacle du Pilot contraste avec l'extérieur en proposant des matériaux riches, un design harmonieux et un style innovateur. Les cadrans au tableau de bord affichent les indications clairement alors que la large console centrale abrite l'écran du système de navigation, les commandes de la climatisation et celles de la radio. On doit constater que la finition y est soignée et excellente et que la visibilité est incroyable, les piliers du toit étant très discrets. C'est cependant à l'usage qu'on remarque quelques irritants. Tout d'abord, le levier de vitesse logé sur la colonne de direction nous fait immanquablement actionner les essuie-glace chaque fois qu'on l'utilise. De plus, l'absence de résistance entre les rapports nous fait souvent «rater» notre choix. Sans oublier la troisième rangée de sièges, sympathique mais plutôt symbolique, qui ne pourra accueillir que de jeunes enfants. Ceux-là mêmes qui ne voudront pas s'y asseoir étant donné l'étroitesse de l'endroit. Et que dire de la reconnaissance vocale du système de navigation! Quel beau gadget à première vue pratique, mais combien complexe et inefficace! Ce système permet de choisir ou d'activer certains éléments par la simple commande de notre voix. Évidemment, je me suis attardé à lire l'impressionnant manuel d'instructions afin de bien comprendre ledit système. Puis suite à ma commande «d'augmenter le volume de la radio», le dégivreur arrière s'est mis en marche! Ceci n'est qu'un exemple parmi tant d'autres, mais qui me laisse un peu perplexe sur l'efficacité d'un tel système...

Le Pilot fait partie du paysage automobile depuis maintenant plus de 5 ans. Bien qu'il fut et est encore un véhicule très fiable, sécuritaire, efficace et performant, son *look* l'aura sûrement privé d'une fulgurante carrière dans l'industrie. Avec un prix de base sous les 40 000 $, il représente en effet un excellent rapport qualité/prix. D'autant plus que la réputation de fiabilité chez Honda n'est plus à refaire et compte pour beaucoup dans les ventes du constructeur nippon. Vivement une soutane plus moulante!

Guy Desjardins

Photos : Guy Desjardins

VÉHICULE D'ESSAI

Version :	EX-L Navi
Prix de détail suggéré :	48 395 $
Emp/Lon/Lar/Haut(mm) :	2 700/4 773/1 963/1 793
Poids :	2 015 kg
Coffre/Réservoir :	461 à 2 557 litres/77 litres
Coussins de sécurité :	front., latéraux, rideaux et genoux
Suspension avant :	indépendante, jambes de force
Suspension arrière :	indépendante, multibras
Freins av./arr. :	disque (ABS)
Antipatinage/Contrôle de stabilité :	oui/oui
Direction :	à crémaillère, assistance variable électrique
Diamètre de braquage :	11,6 m
Pneus av./arr. :	P235/70R16
Capacité de remorquage :	2 045 kg

MOTORISATION À L'ESSAI

Moteur :	V6 de 3,5 litres 24s atmosphérique
Alésage et course :	89,0 mm x 93,0 mm
Puissance :	244 ch (190 kW) à 5 600 tr/min
Couple :	240 lb-pi (339 Nm) à 4 500 tr/min
Rapport poids/puissance :	7,9 kg/ch (10,72 kg/kW)
Système hybride :	aucun
Transmission :	intégrale, automatique 5 rapports
Accélération 0-100 km/h :	9,4 s
Reprises 80-120 km/h :	7,5 s
Freinage 100-0 km/h :	43,0 m
Vitesse maximale :	175 km/h
Consommation (100 km) :	ordinaire, 14,2 litres
Autonomie (approximative) :	542 km
Émissions de CO_2 :	5 784 kg/an

GAMME EN BREF

Échelle de prix :	39 400 $ à 50 800 $
Catégorie :	utilitaire sport intermédiaire
Historique du modèle :	1ière génération
Garanties :	3 ans/60 000 km, 5 ans/100 000 km
Assemblage :	Alliston, Ontario, Canada
Autre(s) moteur(s) :	aucun
Autre(s) rouage(s) :	2RM
Autre(s) transmission(s) :	aucune

DANS LA MÊME CATÉGORIE

Acura MDX - Chevrolet Trailblazer - Dodge Durango - Ford Explorer - GMC Envoy - Jeep Grand Cherokee - Nissan Pathfinder - Toyota Highlander

DU NOUVEAU EN 2007

Version deux roues motrices disponible sur LX

NOS IMPRESSIONS

Agrément de conduite :	🚗🚗🚗½
Fiabilité :	🚗🚗🚗🚗½
Sécurité :	🚗🚗🚗🚗½
Qualités hivernales :	🚗🚗🚗🚗½
Espace intérieur :	🚗🚗🚗🚗½
Confort :	🚗🚗🚗🚗

LE CHOIX DE L'ÉQUIPE

EX

LA SPORTIVE RADICALE

Cette sportive sans compromis doit son origine au cinquantième anniversaire de la marque Honda en l'an 2000, pour lequel les ingénieurs ont développé une voiture dans le plus pur esprit d'un roadster, en guise de célébration. La S2000 s'inscrit également dans le respect des traditions établies chez ce constructeur pour ce qui est de la motorisation, puisqu'elle était alors animée par un moteur atmosphérique de 2,0 litres très poussé sur le plan technique qui donnait dans la haute voltige avec sa limite de révolutions-moteur de 8 000 tours/minute.

Revue en 2004, la S2000 adoptait une motorisation plus évoluée dont la cylindrée était augmentée de 200 centimètres cubes pour la porter à 2,2 litres afin de corriger l'une des lacunes les plus évidentes des premiers modèles, soit le manque de couple à moyen régime. Les changements apportés ont donc eu un effet bénéfique sur le moteur, mais on constate toujours que le couple demeure absent à bas régime ce qui force le conducteur à rouler avec le pied pratiquement au plancher pour permettre au moteur de libérer sa pleine puissance à haut régime. Heureusement, l'accélérateur est doté d'une commande électronique qui agit avec une grande précision sur la livrée de la puissance et qui réagit presque instinctivement à la sollicitation de votre pied droit.

Il faut aussi jouer du levier de vitesse afin d'exploiter pleinement les performances du moteur dont le caractère change dès que l'on atteint les régimes élevés, ce qui provoque l'entrée en action du système de calage variable des soupapes VTEC. On ne rechigne pas à l'idée de manipuler le levier, la course étant ultraprécise, exactement comme sur une voiture de course de type Formule 2000. Le parallèle avec une voiture de course est intéressant à d'autres égards, la S2000 se comportant presque avec l'agilité d'un kart de compétition. Le fait qu'il faille constamment rouler

en affichant un régime élevé au compte-tours signifie que c'est un style de conduite plus radical qui doit être préconisé au volant de la S2000 qui partage d'ailleurs ce point faible avec une autre sportive japonaise, soit la Mazda RX-8.

SENSIBLE À LA LIMITE

Par rapport aux tout premiers modèles, l'actuelle S2000 est dotée d'une suspension arrière légèrement assouplie et de pneus plus larges montés sur des jantes de 17 pouces. Ces deux correctifs, apportés à la voiture en 2004, ont été adoptés pour se débarrasser de la tendance au survirage qu'exhibait la première version de la S2000, et qui a parfois pris par surprise certains conducteurs trop téméraires... De plus, les ingénieurs de Honda ont ajouté en 2006 un système de contrôle électronique de la stabilité afin de corriger les impairs des conducteurs qui font preuve de plus d'enthousiasme que de talent. Le confort n'est pas l'un des points forts de la voiture, le moteur étant particulièrement bruyant ce qui peut devenir lassant lors d'un long parcours sur autoroute. Avec la S2000, il faut plutôt privilégier les rendez-vous brefs mais intenses sur routes secondaires, en adoptant le même état d'esprit que lorsque l'on est aux commandes d'une moto relativement performante, le parallèle entre ces deux engins étant assez facile à faire.

FEU VERT
Moteur performant
Précision de la boîte manuelle
Tenue de route
Direction précise
Style réussi

FEU ROUGE
Couple absent à bas régime
Tendance au survirage
Espace et rangement limités
Colonne de direction non ajustable

UN « COCKPIT » POUR HABITACLE

L'habitacle de la S2000 propose un environnement spartiate dans le plus pur esprit d'une voiture de compétition. Le tableau de bord n'est pas composé des traditionnels cadrans, mais présente plutôt l'information sous forme numérique alors que le système audio se cache derrière une plaque métallique. Le pédalier ajouré et le pommeau du levier de vitesse qui est parfaitement situé et qui tombe facilement sous la main ajoutent à cette présentation plus sportive. Parmi les points faibles, on peut relever le fait que les rangements sont limités tout comme le coffre qui propose à peine 152 litres de volume utilisable, ainsi que le fait que la colonne de direction n'est pas ajustable, ce qui représente un réel handicap pour les conducteurs de grande taille. De plus, les sièges qui offrent un très bon soutien latéral en virage s'avéreront peut-être trop étroits pour certains gabarits.

Prière de monter à bord et d'en faire l'essai avant d'apposer votre signature au bas du contrat. Si vous êtes à la recherche d'un cabriolet confortable pour rouler paisiblement pendant la courte saison estivale, je ne vous recommande pas l'achat de la S2000 qui a plutôt été conçue dans l'optique de la performance pure propre à un vrai roadster et qui ne fait pas de compromis côté confort. Si par contre vous cherchez à remplacer votre moto par une authentique voiture sport exaltante qui vous demandera le même niveau de concentration derrière le volant que derrière un guidon, la S2000 conviendra parfaitement à vos besoins.

La S2000 demeure une voiture qui représente un véritable tour de force sur le plan technique et qui est toujours fidèle au concept de base. Pour l'apprécier à sa juste valeur, il faut cependant la considérer comme l'équivalent d'une moto à quatre roues, et donc s'en servir à l'occasion pour ressentir une poussée d'adrénaline. Pour la vie de tous les jours, le choix d'une S2000 est moins évident, dans la mesure où elle demande certains sacrifices de la part du conducteur pour ce qui est du confort et des considérations pratiques. Mais une chose est certaine, tous les amateurs de performances seront servis par ce roadster et tous sont heureux qu'un tel jouet existe.

Gabriel Gélinas

Photos : Honda

VÉHICULE D'ESSAI

Version :	version unique
Prix de détail suggéré :	50 300 $ (2006)
Emp/Lon/Lar/Haut(mm) :	2 400/4 135/1 750/1 270
Poids :	1 301 kg
Coffre/Réservoir :	152 litres/50 litres
Coussins de sécurité :	frontaux
Suspension avant :	indépendante, bras inégaux
Suspension arrière :	indépendante, bras inégaux
Freins av./arr. :	disque (ABS)
Antipatinage/Contrôle de stabilité :	oui/oui
Direction :	à crémaillère, assistée
Diamètre de braquage :	10,8 m
Pneus av./arr. :	P215/45R17 / P245/40R17
Capacité de remorquage :	non recommandé

MOTORISATION À L'ESSAI

Moteur :	4L de 2,2 litres 16s atmosphérique
Alésage et course :	87,0 mm x 90,7 mm
Puissance :	237 ch (177 kW) à 7 800 tr/min
Couple :	162 lb-pi (220 Nm) à 6 800 tr/min
Rapport poids/puissance :	5,49 kg/ch (7,48 kg/kW)
Système hybride :	aucun
Transmission :	propulsion, manuelle 6 rapports
Accélération 0-100 km/h :	6,2 s
Reprises 80-120 km/h :	6,2 s
Freinage 100-0 km/h :	37,0 m
Vitesse maximale :	240 km/h
Consommation (100 km) :	super, 11,1 litres
Autonomie (approximative) :	450 km
Émissions de CO2 :	4 896 kg/an

GAMME EN BREF

Échelle de prix :	50 300 $ (2006)
Catégorie :	roadster
Historique du modèle :	1ère génération
Garanties :	3 ans/60 000 km, 5 ans/100 000 km
Assemblage :	Tochigi, Japon
Autre(s) moteur(s) :	aucun
Autre(s) rouage(s) :	aucun
Autre(s) transmission(s) :	aucune

DANS LA MÊME CATÉGORIE

Audi TT - BMW Z4 - Chrysler Crossfire - Mercedes-Benz SLK - Nissan 350Z

DU NOUVEAU EN 2007

Pas de changement majeur

NOS IMPRESSIONS

Agrément de conduite :	🚗🚗🚗🚗
Fiabilité :	🚗🚗🚗🚗
Sécurité :	🚗🚗🚗🚗
Qualités hivernales :	🚗🚗
Espace intérieur :	🚗🚗
Confort :	🚗🚗🚗

LE CHOIX DE L'ÉQUIPE

Version unique

POLITIQUEMENT INCORRECT

Il suffit d'examiner les caractéristiques mécaniques du Hummer H2 pour en conclure qu'il s'agit d'un excellent véhicule tout-terrain. De plus, sa silhouette taillée à la hache s'inspire du légendaire Humvee des forces armées américaines et a donc tout pour plaire aux Arnold Schwarzenegger de ce monde. Pourtant, il est l'un des véhicules les plus ciblés par les environnementalistes qui le décrivent comme une machine démoniaque qui fait tout pour polluer et détruire l'environnement. Et avec le prix de l'essence qui ne cesse d'augmenter, ce n'est assurément pas un véhicule politiquement correct!

C'est une chose de crier au scandale en raison de sa seule existence. Et il est certain qu'un tel véhicule est encore plus scandaleux à vos yeux si vous résidez sur le Plateau Mont-Royal et vous rendez à votre travail en vélo ou en métro... Le H2 n'est pas un véhicule citadin, je l'admets, et il est vrai que trop de personnes se le procurent pour les mauvaises raisons. Toutefois, si vous êtes propriétaire d'une pourvoirie en Mauricie, d'une ferme en Montérégie ou d'un ranch au Texas, le H2 possède des qualités qui vous le feront apprécier. De plus, il sera utilisé pour ce quoi il a été conçu. Je trouve un peu débile que certaines personnes en fassent un véhicule pour conduire des mariés à l'église...

SILHOUETTE À PART

Si le Hummer est si mal vu par les embrasseurs d'arbres, c'est que sa silhouette en fait l'archétype des gros VUS. Puisqu'il est inspiré d'un véhicule militaire dont la silhouette est uniquement dictée par le côté pratique de sa conduite, il est certain qu'il se démarque des autres par ses parois planes, son énorme grille de calandre et une fenestration relativement petite pour un gros 4X4. C'est pourtant là le charme de ce véhicule, du moins aux yeux de plusieurs. Il leur donne une certaine exclusivité, à coup sûr. Et il faut ajouter que cette disposition permet de

circuler en forêt sans avoir trop d'inquiétude quant aux éraflures et à la disparition de garnitures chromées. De plus, sa garde au sol très généreuse le rend pataud dans la circulation, mais lui donne beaucoup d'agilité en terrain accidenté.

Il faut accorder de bonnes notes aux stylistes qui ont dessiné le tableau de bord. Avec ses faux boulons visibles, son plastique gris mat et des commandes qui ont des allures quasiment commerciales, on a l'impression de s'asseoir dans un véhicule à vocation spécialisée. Le levier de vitesse en forme de «L» inversé ainsi qu'un regroupement de quatre petits cadrans indicateurs placés à droite de l'indicateur de vitesse accentuent cette impression. Cette année, une version spéciale permettra de profiter d'une caméra vidéo de recul qui facilitera les choses lors des marches arrière. Par contre, il faut vraiment être souple et agile pour monter à bord puisque le seuil des portes est très haut. Et le marchepied circulaire n'est pas tellement utile si vous portez des souliers de grande taille. Comme il y a peu de place pour prendre pied, vous avez de fortes chances de glisser et de vous heurter les tibias sur ce tube. Soulignons qu'il est possible de déboulonner rapidement les marchepieds avant de s'aventurer sur des terrains très accidentés afin qu'ils n'entravent pas la marche du H2. Toujours sur une note pratique,

---

FEU VERT

Style unique
Moteur bien adapté
Passe partout
Tableau de bord
Caméra de recul

FEU ROUGE

Marque ostracisée
Peu pratique en ville
Seuil élevé
Moteur gourmand
Habitabilité moyenne

les premières versions étaient dotées d'une énorme roue de secours placée dans la soute à bagages. Non seulement cet objet empiétait sérieusement sur l'espace réservé aux bagages, mais une forte odeur de caoutchouc imprégnait l'habitacle en permanence. La roue de secours est maintenant ancrée à l'extérieur et c'est tant mieux. Cela nécessite une opération en deux étapes pour ouvrir le hayon arrière, mais c'est tout de même un moindre mal. Avec le SUT, pour «Sport Utility Truck», la présence d'une petite boîte de chargement extérieure donne un cachet spécial en plus de faciliter le déplacement d'objets verticaux ou susceptibles de souiller l'habitacle.

RIEN NE L'ARRÊTE!

Il ne faut pas croire que le H2 soit un produit uniquement destiné à faire de l'épate et qu'il soit nul en conduite hors route. C'est tout le contraire. Aussi bien en raison de son poids, de sa largeur et d'une transmission intégrale permettant de verrouiller les trois différentiels qui l'équipent, il passe partout ou presque. Il faut vraiment avoir affaire à des conditions nettement hors-norme pour l'arrêter. J'ai eu l'occasion de le piloter sur un trajet parsemé de grosses pierres et même d'escalader des marches de plusieurs centimètres de haut sans que cela puisse l'immobiliser. Par contre, il faut avouer que son gros gabarit et son poids sont des handicaps sur un parcours serré et étroit. Cependant, en terrain découvert et aux mains d'un expert, il peut passer partout ou presque. Il est vrai que la prise d'air sur le capot et les crochets d'hélitreuillage sont factices, mais le reste est vraiment à la hauteur de la silhouette.

Comme l'an dernier, un seul moteur est au catalogue. Il s'agit du moteur V8 6,0 litres d'une puissance de 325 chevaux dont le couple généreux à bas régime convient fort bien à une utilisation hors route. La boîte automatique à quatre rapports est efficace et solide, mais un ou deux rapports supplémentaires permettraient d'espacer les visites à la pompe. Enfin, sur la route, ce costaud surprend par une suspension confortable et une tenue de route correcte. Soulignons au passage qu'il faut se fier aux gros rétroviseurs extérieurs puisque la visibilité arrière est assez déficiente. Bref, en tant que véhicule tout terrain, le Hummer impressionne. Il est cependant loin de se montrer politiquement correct au moment où le réchauffement de la planète et la lutte à la pollution sont des préoccupations mondiales. Rouler en Hummer, c'est faire tout un pied de nez aux environnementalistes!

Denis Duquet

Photos : Hummer

VÉHICULE D'ESSAI

OnStar® de GM Canada

Version :	H2 SUV
Prix de détail suggéré :	67 180 $
Emp/Lon/Lar/Haut(mm) :	3 118/4 820/2 063/1 993
Poids :	2 909 kg
Coffre/Réservoir :	1 132 à 2 451 litres/121 litres
Coussins de sécurité :	frontaux et latéraux (av.)
Suspension avant :	indépendante, barres de torsion
Suspension arrière :	essieu rigide, multibras
Freins av./arr. :	disque (ABS)
Antipatinage/Contrôle de stabilité :	oui/non
Direction :	à crémaillère, assistance variable
Diamètre de braquage :	13,3 m
Pneus av./arr. :	LT315/70R17
Capacité de remorquage :	3 040 kg

MOTORISATION À L'ESSAI

Moteur :	V8 de 6,0 litres 16s atmosphérique
Alésage et course :	101,6 mm x 92,0 mm
Puissance :	325 ch (242 kW) à 5 200 tr/min
Couple :	365 lb-pi (495 Nm) à 4 000 tr/min
Rapport poids/puissance :	8,95 kg/ch (12,17 kg/kW)
Système hybride :	aucun
Transmission :	intégrale, automatique 4 rapports
Accélération 0-100 km/h :	11,2 s
Reprises 80-120 km/h :	10,5 s
Freinage 100-0 km/h :	47,0 m
Vitesse maximale :	165 km/h
Consommation (100 km) :	ordinaire, 19,6 litres
Autonomie (approximative) :	617 km
Émissions de CO_2 :	8 640 kg/an

GAMME EN BREF

Échelle de prix :	67 085 $ à 67 180 $
Catégorie :	utilitaire sport grand format
Historique du modèle :	1ière génération
Garanties :	3 ans/60 000 km, 3 ans/60 000 km
Assemblage :	Mishawaka, Indiana, É-U
Autre(s) moteur(s) :	aucun
Autre(s) rouage(s) :	aucun
Autre(s) transmission(s) :	aucune

DANS LA MÊME CATÉGORIE

Chevrolet Tahoe - Chrysler Aspen - Ford Expedition - GMC Yukon - Lincoln Navigator - Toyota Sequoia

DU NOUVEAU EN 2007

Nouvelles couleurs, caméra de recul, éditions spéciales Bleu Glacier et Rouge Victoria

NOS IMPRESSIONS

Agrément de conduite :	🚗 🚗 🚗
Fiabilité :	🚗 🚗 🚗 ½
Sécurité :	🚗 🚗 🚗 🚗
Qualités hivernales :	🚗 🚗 🚗 🚗 🚗
Espace intérieur :	🚗 🚗 🚗 🚗
Confort :	🚗 🚗 🚗 ½

LE CHOIX DE L'ÉQUIPE

SUV

L'HÉRITAGE FAMILIAL

Il y a des gens dont la vie est facilitée par le nom de famille dont ils héritent. D'autres, moins chanceux, doivent vivre en essuyant jour après jour les sarcasmes des autres. Bref, on ne choisit pas sa famille! Le H3, introduit en 2006, se veut le dernier-né de la famille Hummer, une famille à la fois réputée et controversée. Les puristes de hors route et d'extravagance l'adulent, alors que les écolos en ont fait leur cible de prédilection. Oui, le Hummer H3 peut paraître un choix illogique dans certaines circonstances, mais l'automobile n'est-elle pas remplie d'illogisme?

Le H3 pourrait être qualifié de bébé Hummer tant par sa taille que par sa position dans la gamme, derrière le H2 et le H1. Il devra cependant faire un deuil cette année, GM ayant annoncé l'arrêt de la production du H1, le premier véritable Hummer offert en production de série. Proposé en modèle unique à un prix de 39 995 $, le Hummer H3 est construit à partir de l'architecture des Chevrolet Trailblazer et de la camionnette Colorado. Il hérite d'un moteur cinq cylindres Vortec de 3,7 litres développant dorenavant 242 chevaux à 5 600 tr/min et un couple de 242 lb/pi à un régime aussi bas que 2 800 tr/min. Ce moteur n'en fait certes pas le plus rapide des VUS intermédiaires, mais son couple développé à bas régime favorise ses performances en conduite hors route, là où ce type de véhicule excelle. Nous aurions apprécié cependant une motorisation alternative, pour plus de puissance. Ce moteur est jumelé de série à une boîte manuelle à cinq rapports, une première pour la marque. Ceux parmi vous qui n'aiment pas jouer du levier pourront se tourner vers la boîte automatique à quatre rapports. Le « petit » H3 constitue un choix abordable pour ceux qui désirent posséder un véhicule de la célèbre famille.

À l'intérieur, le H3 propose un habitacle doté d'une belle finition, dont la planche de bord reprend divers éléments des autres modèles de la famille. Si la visibilité est bonne à l'avant, il en va tout autrement à l'arrière, notamment en raison des surfaces vitrées restreintes. La banquette arrière pourra confortablement accommoder deux adultes, trois si l'on ne craint pas les rapprochements. L'espace de chargement est accessible par un large hayon, dont le poids (le pneu de secours y est aussi accroché) le rend toutefois plus difficile à manipuler.

L'IMITATEUR

Le H3 est sans contredit un Hummer authentique, tant par ses capacités que par son style. À ce chapitre, il calque assez fidèlement les lignes du H2. Plusieurs se sont d'ailleurs laissé tromper, ne remarquant que par la suite le format plus petit de ce modèle. Dans les faits, le H3 comporte des dimensions réduites. Ainsi, il est plus court de 79 mm (3 po), plus bas de 152 mm (6 po) et plus étroit de 165 mm (6,5 po) que le grand frère. L'extérieur profite du même traitement : ligne de caisse élevée, zone vitrée réduite et calandre musclée le caractérisent. Cependant, plusieurs éléments imitent divers composants des autres modèles, sans être véritablement fonctionnels. On note entre autres un conduit d'air dans les jantes qui, sur le modèle H1, permettait de régler la pression des pneus de l'intérieur du véhicule. Néanmoins, il ne faut pas se méprendre, ses capacités à attaquer les terrains les plus difficiles n'ont pas été

FEU VERT

Capacités hors route indéniable
Style distinctif
Aménagement du tableau de bord
Maniabilité accrue
Prix plus compétitif

FEU ROUGE

Habitacle étroit
Hayon lourd à manipuler
Vocation urbaine douteuse
Puissance toujours un peu juste

VÉHICULE D'ESSAI

Version :	version unique
Prix de détail suggéré :	44 845 $
Emp/Lon/Lar/Haut(mm) :	2 842/4 742/1 896/1 893
Poids :	2 132 kg
Coffre/Réservoir :	835 à 1 577 litres/87 litres
Coussins de sécurité :	frontaux et latéraux (av.)
Suspension avant :	indépendante, bras inégaux
Suspension arrière :	essieu rigide, ressorts elliptiques
Freins av./arr. :	disque (ABS)
Antipatinage/Contrôle de stabilité :	oui/oui
Direction :	à crémaillère, assistée
Diamètre de braquage :	11,3 m
Pneus av./arr. :	P265/75R16
Capacité de remorquage :	2 041 kg

mises de côté. J'ai récemment mis à l'épreuve plusieurs VUS et peu ont su affronter avec autant d'aisance que le H3 un parcours digne des grands évènements 4X4.

Plusieurs caractéristiques confèrent de bonnes aptitudes au H3. Il bénéficie d'une garde au sol élevée, de pneus de 32 pouces et de porte-à-faux réduits, un élément qui lui permet d'accéder à des plans inclinés plus aisément. Les purs et durs pourront se tourner vers le groupe Aventure, qui comprend une suspension et des amortisseurs tout-terrain, un différentiel arrière à blocage électronique, une boîte de transfert à gamme basse (low gear) et des pneus de 33 pouces. Une véritable bête!

PLUS CIVILISÉ EN VILLE, MAIS…

Selon GM, le H3 apporte un côté plus civilisé à une gamme de véhicules aussi à l'aise en ville qu'une Smart peut l'être dans un Jeep Jamboree. Il est vrai que le H3 est plus maniable, plus facile à stationner et qu'il profite d'un bon diamètre de braquage, mais sa vocation première le rend plus approprié dans des endroits où seule une infime partie de la population ira. Toutefois, il faut avouer que l'état des routes du Québec constitue un argument pour le H3. Au volant, on découvre un véhicule relativement agréable à conduire tout en faisant tourner les têtes, surtout chez les plus jeunes. Sa conduite est également plus raffinée que celle des autres membres de la famille. Si la puissance ajoutée cette année facilite les dépassements, le H3 inspire une conduite qui vous tiendra loin des points d'inaptitude! Vous obtiendrez par contre une consommation relativement raisonnable et comparable à plusieurs VUS intermédiaires, soit 13,5 l/100 km en moyenne.

Si on évalue le H3 sur la base de ce pour quoi il est conçu, il faut avouer qu'il passe favorablement le test. Cependant, la majorité des acheteurs de VUS n'exploiteront qu'une infime partie du potentiel de ce véhicule, ce qui le rend un peu excessif, à mon avis, pour une utilisation purement urbaine. Si c'est votre choix, il vous faudra toutefois affronter le regard désapprobateur de plusieurs. Plus abordable, plus civilisé et plus frugal, le H3 affiche une mine sympathique dans une robe macho.

Sylvain Raymond

MOTORISATION À L'ESSAI

Moteur :	5L de 3,7 litres 20s atmosphérique
Alésage et course :	95,5 mm x 102,0 mm
Puissance :	242 ch (164 kW) à 5 600 tr/min
Couple :	242 lb-pi (305 Nm) à 2 800 tr/min
Rapport poids/puissance :	9,69 kg/ch (13,16 kg/kW)
Système hybride :	aucun
Transmission :	intégrale, manuelle 5 rapports
Accélération 0-100 km/h :	12,0 s (estimé)
Reprises 80-120 km/h :	10,0 s (estimé)
Freinage 100-0 km/h :	44,0 m
Vitesse maximale :	185 km/h
Consommation (100 km) :	ordinaire, 13,5 litres
Autonomie (approximative) :	644 km
Émissions de CO2 :	6 480 kg/an

GAMME EN BREF

Échelle de prix :	39 995 $ à 46 995 $
Catégorie :	utilitaire sport compact
Historique du modèle :	1ère génération
Garanties :	3 ans/60 000 km, 5 ans/100 000 km
Assemblage :	Mishawaka, Indiana, É-U
Autre(s) moteur(s) :	aucun
Autre(s) rouage(s) :	aucun
Autre(s) transmission(s) :	automatique 4 rapports

DANS LA MÊME CATÉGORIE

BMW X3 - Jeep Grand Cherokee - Nissan XTerra - Toyota 4Runner

DU NOUVEAU EN 2007

Moteur plus puissant

NOS IMPRESSIONS

Agrément de conduite :	🚗 🚗 🚗 ½
Fiabilité :	données insuffisantes
Sécurité :	🚗 🚗 🚗 ½
Qualités hivernales :	🚗 🚗 🚗 🚗 ½
Espace intérieur :	🚗 🚗 🚗 ½
Confort :	🚗 🚗 🚗

LE CHOIX DE L'ÉQUIPE

Version unique

Photos : Denis Duquet

COMME CRISTOBALD HUET

L'automne dernier, le nom Cristobald Huet était inconnu de la plupart des Québécois. Même les dirigeants des Canadiens de Montréal ne le connaissaient pas puisqu'ils avaient oublié de le nommer lors de la présentation des joueurs au public en début de saison! Aujourd'hui, l'histoire est très différente et même l'auteur du présent texte, qui se demande chaque fois si le hockey est bien ce sport qui se joue avec une raquette et une petite balle, connaît le nom de Cristobald Huet. La Hyundai Accent, autrefois oubliée dans un recoin de l'estime populaire, est désormais reconnue. Tant mieux.

Un peu comme Porsche qui a tout d'abord dévoilé la Cayman S avant de présenter la version ordinaire, Hyundai a commencé par révéler le modèle berline de la nouvelle Accent. En cours d'année, la version hatchback trois portes est arrivée sur le marché. Il ne reste plus que le modèle à cinq portes à être présenté et la gamme sera complète.

La trois portes se décline en livrées GS, GS confort, GS sport et GS luxe tandis que la berline s'appelle soit GL, GL confort ou GLS. Il devient rapidement facile de se mêler dans ces dénominations, mais il suffit de savoir que les GS et GL sont des versions de base, peu dispendieuses qui privent les occupants de la climatisation, des glaces et rétroviseurs électriques et de la télécommande d'ouverture des portes. Les versions GS luxe et GLS, par contre, offrent tous ces éléments en plus des coussins gonflables latéraux pour les passagers avant ainsi que des rideaux gonflables et j'en passe. Le prix, cependant, vient de prendre une méchante augmentation de plus ou moins 4 000 $. Rendu à ce point, une Elantra pourrait être une bonne affaire…

BERLINE OU HAYON?

Au niveau du style, c'est une question de goût mais l'Accent trois portes qui a participé à notre match comparatif présenté au début du présent ouvrage a récolté sa large part de commentaires positifs. Des deux modèles de l'Accent, il est indéniable que la berline se révèle plus agréable à vivre. Même si l'empattement demeure le même, la longueur hors tout gagne 23 cm, ce qui n'est pas rien. Cet espace se retrouve surtout dans le coffre. La berline peut engloutir quelque 450 litres de matériel tandis que le hatchback n'en engouffre que 351. Bien entendu, il est possible d'abaisser les sièges des deux cousines pour agrandir davantage cet espace. Soulignons que le hayon de l'Accent trois portes pourrait ouvrir plus haut qu'aucune tête ne s'en porterait plus mal… L'accès aux places arrière, curieusement, n'est pas pénible, même dans le hatchback. Pour le confort, c'est une autre paire de manches, d'autant plus que les glaces de ce modèle ne s'entrebâillent même pas. Sur la berline, les glaces arrière ouvrent complètement, ce qui est rare par les temps qui courent.

Le tableau de bord est relativement joli, mais c'est davantage la quantité élevée d'espaces de rangement et la visibilité très correcte qui étonnent en premier lieu. Les plastiques sont de belle qualité pour une voiture de cette catégorie. Le système audio mérite à peine le qualificatif «audio» tellement sa sonorité fait 78 tours… Parmi les autres éléments moins positifs, mentionnons que le climatiseur peine à fournir par temps de canicule. Les sièges s'avèrent confortables même si leur texture n'est pas des plus engageantes.

FEU VERT	FEU ROUGE
Versions de base économiques	Versions «luxueuses» pas données
Lignes agréables (hatchback)	Système audio désolant
Nombreux espaces de rangement	Pneus d'origine pauvres
Automatique bien adaptée	Moteur bruyant
Tenue de route correcte	Places arrière un peu justes

VÉHICULE D'ESSAI

Version :	Berline GL
Prix de détail suggéré :	16 945 $
Emp/Lon/Lar/Haut (mm) :	2 500/4 280/1 695/1 470
Poids :	992 kg
Coffre/Réservoir :	375 litres/45 litres
Coussins de sécurité :	front., latéraux (av./arr.) et rideaux
Suspension avant :	indépendante, jambes de force
Suspension arrière :	essieu rigide, ressorts hélicoïdaux
Freins av./arr. :	disque/tambour (ABS)
Antipatinage/Contrôle de stabilité :	non/non
Direction :	à crémaillère, assistance variable
Diamètre de braquage :	10,0 m
Pneus av./arr. :	P185/65R14
Capacité de remorquage :	non recommandé

MOTORISATION À L'ESSAI

Moteur :	4L de 1,6 litre 16s atmosphérique
Alésage et course :	76,5 mm x 87,0 mm
Puissance :	110 ch (82 kW) à 6 000 tr/min
Couple :	106 lb-pi (144 Nm) à 4 500 tr/min
Rapport poids/puissance :	9,02 kg/ch (12,25 kg/kW)
Système hybride :	aucun
Transmission :	traction, automatique 4 rapports
Accélération 0-100 km/h :	12,6 s
Reprises 80-120 km/h :	11,3 s
Freinage 100-0 km/h :	43,2 m
Vitesse maximale :	175 km/h
Consommation (100 km) :	ordinaire, 9,0 litres
Autonomie (approximative) :	500 km
Émissions de CO2 :	3 456 kg/an

GAMME EN BREF

Échelle de prix :	13 495 $ à 17 945 $
Catégorie :	sous-compacte
Historique du modèle :	2ième génération
Garanties :	5 ans/100 000 km, 7 ans/120 000 km
Assemblage :	Ulsan, Corée du Sud
Autre(s) moteur(s) :	aucun
Autre(s) rouage(s) :	aucun
Autre(s) transmission(s) :	manuelle 5 rapports

DANS LA MÊME CATÉGORIE

Chevrolet Aveo - Honda Fit - Kia Rio - Nissan Versa - Pontiac Wave - Suzuki Swift+ - Toyota Yaris

DU NOUVEAU EN 2007

Version hatchback

NOS IMPRESSIONS

Agrément de conduite :	🚗 🚗 🚗
Fiabilité :	🚗 🚗 🚗 ½
Sécurité :	🚗 🚗 🚗 ½
Qualités hivernales :	🚗 🚗 🚗 ½
Espace intérieur :	🚗 🚗 🚗
Confort :	🚗 🚗 🚗

LE CHOIX DE L'ÉQUIPE

Berline GL

DOUCEUR ET HURLEMENTS

La Hyundai Accent et la Kia Rio partagent plusieurs éléments, dont le châssis et le groupe motopropulseur, à quelques différences près. Le moteur est un quatre cylindres de 1,6 litre qui développe 1110 chevaux et 106 livres-pied de couple. La puissance, un bien grand mot, est acheminée aux roues avant par l'entremise d'une transmission manuelle à cinq rapports ou, en option, d'une automatique à quatre rapports. Si le 1,6 litre sait se faire économe de son carburant, on ne lui a par contre pas appris à se taire lors d'accélérations. De plus, à bas régime, la puissance est tout simplement absente. Le levier de la transmission manuelle pourrait servir de modèle pour quiconque désire se lancer dans l'industrie de la guimauve mais, au moins, l'embrayage est progressif. À 120 km/h, on cherche en vain un sixième rapport tellement le moteur hurle son désespoir. Pourtant, il ne tourne pas si vite que ça! L'automatique fonctionne avec une douceur insoupçonnée.

D'ailleurs, le mot douceur s'applique à bien des aspects de l'Accent. Malgré une direction pas très précise et un peu déconnectée, la douceur de roulement impressionne sur une aussi petite voiture. Les suspensions, calibrées pour le confort bien plus que pour la tenue de route obligent d'y aller en douceur dans les courbes. De plus, les pneus, de très ordinaires Kumho de 14 pouces, ne sont pas à la hauteur. Il est possible, par le biais des options, de chausser son Accent de pneus de 15 pouces, une initiative que nous ne pouvons qu'encourager. Dans le même ordre d'idées, les freins ABS sont chaudement recommandés, car leur absence provoque un blocage prématuré des pneus en situation d'urgence.

Petite voiture principalement urbaine (son rayon de braquage très court le confirme), la Hyundai Accent marque une évolution importante par rapport à sa devancière. Il n'y a désormais plus raison de la bouder. Mais, comme c'est toujours le cas pour les voitures économiques, il faut faire attention au jeu des options. Sinon l'économie pourrait bien ne pas se réaliser. La Hyundai Accent, en versions trois portes ou berline a beaucoup à offrir malgré ses quelques petits défauts. Après tout, Huet ne peut pas toutes les arrêter!

Alain Morin

COSSUE CORÉENNE

Quand l'Association des journalistes automobiles du Canada a annoncé que c'est à la Hyundai Azera que revenait le titre de voiture de l'année chez les 35 000 $ et plus, j'avoue avoir eu une surprise, voire un choc. Il faut dire que ma connaissance de la nouvelle coréenne de luxe d'entrée de gamme se limitait alors à un essai de quelques minutes, et que la concurrence était plutôt féroce. Après tout, dans cette catégorie, l'Azera n'a battu rien de moins que la Audi A4 Avant, la Audi A3 et la BMW Série 3 Touring.

Une fois le choc initial passé, et surtout après avoir piloté l'Azera sur une plus longue période, il devient plus facile (bien que toujours pas évident) de comprendre pourquoi elle a réussi cet exploit. Il est vrai qu'en parlant de strictes performances, la coréenne n'est peut-être pas aussi sportive que ses rivales de la catégorie. Ce qui, dans les faits, n'a pas une importance considérable, car il est clair que l'Azera s'adresse davantage à un public habitué aux grandes américaines qu'aux germaniques sportives.

UNE CONDUITE SANS SURPRISE
Conduire une Azera durant quelques jours, dans toutes les conditions y compris avec des vents violents est le meilleur moyen d'en évaluer le potentiel. Une évaluation par ailleurs fort positive, puisque la grande berline du fabricant coréen est sans surprise en terme de conduite.

La direction est bien un peu engourdie, surtout au centre de la trajectoire ou sur une route particulièrement rectiligne, et elle ne transmet que bien peu d'informations sur l'état de la route, mais c'est là une caractéristique appréciée par la clientèle ciblée par l'Azera.

Car rappelons-le, celle-ci remplace la défunte XG350, dont la mission était clairement de garder au sein de la famille Hyundai une clientèle vieillissante. Mais autant l'ancienne XG n'avait à offrir qu'un peu de confort, autant l'Azera propose une conduite plus complète et plus agréable.

Concernant la motorisation, l'Azera se déplace sans beaucoup d'hésitation, malgré une accélération assez linéaire. Ainsi, le V6 de 263 chevaux couplé à la boîte de vitesses à cinq rapports (automatique comme il se doit, et un peu lente à réagir) est capable de performances remarquables. Il réalise par exemple un 0-100 km à l'heure en 7,3 secondes, ce qui est plus rapide que la Audi Avant, et réussira à faire le trajet inverse en freinant en moins de 40 mètres, mieux que la BMW série 3 Touring.

Les suspensions sont un tantinet trop molles, ce qui se ressent essentiellement lorsque l'on tente de pousser un peu la machine dans les courbes. Elles constituent tout de même un avantage en ligne droite, alors qu'elles absorbent nids-de-poule et autres catastrophes naturelles de nos routes québécoises sans rebondir outre mesure.

FEU VERT
Coût d'achat
Silhouette agréable
Randonnée confortable
Technologie de pointe
Puissance du moteur

FEU ROUGE
Direction endormie
Accélération trop linéaire
Suspensions à fort débattement
Valeur de revente inconnue

VÉHICULE D'ESSAI

Version :	Base
Prix de détail suggéré :	34 495 $
Emp/Lon/Lar/Haut (mm) :	2 780/4 890/1 850/1 490
Poids :	1 620 kg
Coffre/Réservoir :	410 litres/75 litres
Coussins de sécurité :	front., latéraux (av./arr.) et rideaux
Suspension avant :	essieu rigide, bras inégaux
Suspension arrière :	indépendante, multibras
Freins av./arr. :	disque (ABS)
Antipatinage/Contrôle de stabilité :	oui/non
Direction :	à crémaillère, assistance variable
Diamètre de braquage :	11,4 m
Pneus av./arr. :	P235/55R17
Capacité de remorquage :	909 kg

MOTORISATION À L'ESSAI

Pneus d'origine **MICHELIN**

Moteur :	V6 de 3,8 litres 24s atmosphérique
Alésage et course :	96,0 mm x 87,0 mm
Puissance :	263 ch (198 kW) à 6 000 tr/min
Couple :	255 lb-pi (348 Nm) à 4 500 tr/min
Rapport poids/puissance :	6,11 kg/ch (8,31 kg/kW)
Système hybride :	aucun
Transmission :	traction, automatique 5 rapports
Accélération 0-100 km/h :	7,3 s
Reprises 80-120 km/h :	6,8 s
Freinage 100-0 km/h :	40,5 m
Vitesse maximale :	200 km/h
Consommation (100 km) :	ordinaire, 10,2 litres
Autonomie (approximative) :	735 km
Émissions de CO2 :	4 906 kg/an

Le confort est garanti par un habitacle sans reproche. L'espace y est abondant et bien aménagé, les sièges de la version de base sont en tissu et les matériaux utilisés sont de qualité. Tous les sièges procurent un support convenable même si, encore une fois, l'accent a d'abord été mis sur les longues randonnées plutôt que sur des portions de route plus courtes mais abordées à vive allure.

CONFORT ÉTUDIÉ

Le tableau de bord est sobre mais d'une ergonomie étudiée. La position de conduite est impeccable, et les multiples ajustements du siège du conducteur permettent de la trouver aisément. Fait à noter, conducteur et passagers profitent d'une visibilité sans défaut.

L'accès à bord constitue un des aspects les plus remarquables de l'Azera. Les portières sont de grandes dimensions, et s'ouvrent selon un angle tellement prononcé qu'il approche les 90 degrés. Idéal pour se hisser à bord dans sa cour, mais un peu moins pratique lorsqu'on fréquente le stationnement du centre commercial par exemple!

Notons enfin que l'Azera propose de série un climatiseur thermostatique, un régulateur de vitesse, un ordinateur de bord, des sièges avant chauffants à réglages électriques, un toit ouvrant en verre à commande électrique et des jantes en alliage de 17 pouces.

Difficile de ne pas parler de la silhouette, nettement plus dynamique que la XG350. C'est vrai que l'on retrouve l'influence des Acura dans la calandre, ou des BMW dans la partie arrière, mais l'amalgame rend le tout agréable au regard. Pas certain que la voiture fera tourner les têtes, mais elle dégage au moins une impression visuelle; ce qui n'était pas le cas avec la défunte XG, une voiture qui n'aurait pu être plus anonyme.

Les dirigeants de Hyundai l'ont dit, ils veulent être parmi les cinq plus grands constructeurs mondiaux en 2010. Un objectif qui devient de plus en plus possible avec l'arrivée de modèles aussi intéressants que l'Azera. Cette fois c'est bien vrai, les Coréens pourront dire qu'ils ont une vraie berline de luxe. Et une berline qui remplit la commande pour pas cher de surcroît!

Marc Bouchard

GAMME EN BREF

Échelle de prix :	34 495 $ à 38 945 $
Catégorie :	berline de luxe
Historique du modèle :	1ère génération
Garanties :	5 ans/100 000 km, 7 ans/120 000 km
Assemblage :	Ulsan, Corée du Sud
Autre(s) moteur(s) :	aucun
Autre(s) rouage(s) :	aucun
Autre(s) transmission(s) :	aucune

DANS LA MÊME CATÉGORIE

Buick Allure - Ford 500 - Kia Amanti - Nissan Maxima - Toyota Avalon

DU NOUVEAU EN 2007

Pas de changement majeur

NOS IMPRESSIONS

Agrément de conduite :	🚗 🚗 🚗 ½
Fiabilité :	🚗 🚗 🚗 🚗
Sécurité :	🚗 🚗 🚗 🚗 ½
Qualités hivernales :	🚗 🚗 🚗 🚗
Espace intérieur :	🚗 🚗 🚗 🚗
Confort :	🚗 🚗 🚗 🚗 ½

LE CHOIX DE L'ÉQUIPE

Base

Photos : Hyundai

HUYNDAI ELANTRA

RIEN QUE POUR VOS YEUX !

À l'instar du personnage de James Bond, l'apparence de la nouvelle Elantra change en 2007. En fait, elle ne garde que le nom et la mécanique alors que le design extérieur et intérieur est complètement renouvelé. Ce nouveau *look* est cependant moins controversé que le choix du nouveau Bond puisque l'Elantra en avait vraiment besoin afin de rafraîchir son allure de l'an 2000. La nouvelle venue est maintenant plus attrayante et offre un habitacle encore plus volumineux question de plaire à une Amérique de plus en plus avide de démesure.

En fait, la berline propose un habitacle tellement spacieux que l'agence de la protection de l'environnement américaine, l'EPA, la classe dorénavant dans la catégorie des berlines intermédiaires! Vous avez bien lu, elle se trouve dans la même catégorie que des modèles beaucoup plus imposants dont l'Accord, la Camry et la Chevrolet Impala. «Les Américains, ils l'ont l'affaire!» comme dirait un certain Bob Gratton. Malgré cet imbroglio, l'Elantra restera aux yeux de tous une berline compacte se comparant plutôt aux Corolla, Civic et Mazda 3 de ce monde. Seulement, elle sera la plus spacieuse de son groupe, c'est tout.

UN BON COUP DE PINCEAU

Inutile de vous décrire le nouveau design extérieur arboré par l'Elantra, quelques images valent mille mots, vous en conviendrez. On notera tout d'abord le changement dans les dimensions de la voiture par rapport au modèle de l'an dernier, alors que l'empattement obtient plus de 40 mm malgré une longueur amputée de 20 mm. Les différences les plus notables sont toutefois au niveau de la largeur qui ajoute 50 mm et de la hauteur qui gagne plus de 55 mm. Ces mesures s'expliquent par le choix des designers qui ont opté pour le concept de cabine surélevée afin d'octroyer plus d'espace pour la tête aux occupants, ce qui facilite l'accès à bord. Un simple coup d'œil permettra également de constater à quel point la ligne extérieure s'apparente drôlement avec celle de ses concurrentes. La partie arrière affiche une troublante ressemble avec la Jetta, alors que l'avant reprend le style de la Corolla mais en beaucoup plus mordant et rappelle quelque peu la Série 5 de BMW. Ces «emprunts» disparates procurent cependant un résultat très harmonieux, homogène et plaisant à l'œil. Sur l'Elantra nouvelle cuvée, on remarquera aussi le style de carrosserie emprunté aux modèles européens. Une calandre agressive, des

phares avant surdimensionnés et stylisés ainsi qu'un coffre arrière surélevé sont des caractéristiques amplement exploitées sur le vieux continent afin de donner une allure plus racée à la voiture. Pour compléter l'ensemble, il est maintenant possible de chausser la voiture de pneus de 16 pouces, conférant ainsi une touche plus équilibrée et plus

massive à la berline en plus d'améliorer son comportement routier. Quant au modèle hatchback GT, il devrait être redessiné sous peu et de retour dans sa nouvelle mouture l'an prochain, ça reste à confirmer.

DE LA CLASSE

Le sous-titre du paragraphe précédent aurait très bien pu s'appliquer ici aussi tellement la présentation intérieure a changé. Évidemment, on reprend le style sobre et épuré de la Sonata auquel on ajoute cependant une touche un peu plus moderne allant même jusqu'à proposer un style s'apparentant à certaines berlines japonaises beaucoup plus dispendieuses. Le résultat est agréable à l'œil et procure une sensation de solidité qui était jusqu'à maintenant absente des versions des années antérieures. Les plus attentifs auront sûrement remarqué l'inspiration « à la Volkswagen » de l'habitacle avec des boutons surdimensionnés, l'éclairage bleuté des cadrans ainsi que les accents d'aluminium du tableau de bord et de la console centrale. Les plastiques sont d'ailleurs de bonne qualité et les accents d'aluminium judicieusement utilisés.

Une fois assis au volant, on remarque une amélioration notable au niveau des sièges avant qui offrent maintenant une assise plus élevée de même qu'un soutien latéral accru. Le tissu des sièges respire bien et les appuie-têtes sont dorénavant positionnés de façon à être utiles et confortables. Inutile de mentionner que Hyundai a fait ses devoirs d'ergonomie car le résultat est assez impressionnant. Les commandes de la console centrale sont très facilement accessibles et la présentation en angle permet de garder plus longtemps les yeux sur la route. Trois gros boutons simples, visibles et faciles d'utilisation permettent de régler le chauffage et la climatisation, alors que les boutons de la radio sont très clairement délimités dans le haut de la console en plus d'être restreints en nombre contrairement au troupeau de boutons présentés chez certains concurrents... L'espace disponible est donc bien géré et c'est à croire qu'un éventuel écran de navigation pourrait s'y loger. Pour les audiophiles, mentionnons que la chaîne sonore est de bonne qualité, procurant un son de meilleure qualité que celui proposé chez la plupart des modèles concurrents. Évidemment, la liste des caractéristiques de série est impressionnante et seule la

brochure du constructeur pourra vous en dire plus. Énumérons seulement quelques changements appréciables, dont un repose-pied de plus grande dimension, un volant multifonction, des espaces de rangement nombreux et utiles, ainsi que des commandes placées en pente dans la portière.

Nous avons également été impressionnés par le dégagement intérieur. D'ailleurs, la ligne de toit plus élevée n'y est pas étrangère et permet d'obtenir un volume intérieur de plus de 3 174 litres, déclassant par le fait même presque toutes ses rivales. Le coffre profite aussi de ce nouveau design de carrosserie en proposant encore une fois le plus grand espace de chargement du groupe. De plus, afin de rassurer les plus exigeants, Hyundai a inséré pas moins de 6 coussins gonflables sur le modèle.

FIABILITÉ AVANT TOUT

Les dirigeants de Hyundai ont voulu jouer de prudence en conservant un moteur ayant déjà fait ses preuves par le passé. Ce moteur affiche une modeste puissance de 138 chevaux, mais c'est amplement suffisant pour déplacer la voiture aisément tout en offrant une consommation décente de carburant. Toutefois, quelques ajustements mécaniques ont été apportés à l'Elantra afin de lui donner un comportement routier à la hauteur de son image, une berline compacte sportive aux lignes européennes. Outre l'augmentation du diamètre des barres stabilisatrices avant et arrière, l'Elantra propose également des modifications au niveau des suspensions qui ont été révisées de façon à privilégier un comportement plus sportif. Pour ce qui est des freins arrière des tambours équipent toujours les modèles d'entrée de gamme tandis qu'ils sont à disque sur les modèles plus dispendieux. Et tout comme pour l'an dernier, des pneus de 15 pouces montés sur roues de métal avec enjoliveurs sont l'apanage des versions de base alors que les versions plus sportives hériteront de pneus sur jantes.

SUBTILE MAIS EFFICACE !

Malgré une mécanique similaire à celle de l'an dernier, plusieurs ajustements ont permis à la voiture d'afficher un comportement routier amélioré. L'Elantra propose d'abord un châssis revu dont la rigidité s'est vue augmenté de plus de 49 %. Le résultat est palpable : les bruits de caisse sont pratiquement nuls sur pavé dégradé, la sensation de solidité est bien présente. Avec un empattement de 2 650 mm, la voiture a une stabilité accrue par rapport au modèle précédent. Les balades sur autoroute sont ainsi beaucoup plus confortables et reposantes que celles

FEU VERT
Style extérieur réussi
Habitacle spacieux et élégant
Équipement de série généreux
Qualité de finition élevée
Consommation intéressante

FEU ROUGE
Transmission paresseuse
Automatique 4 rapports seulement
Sous-virage présent
Direction molle

VÉHICULE D'ESSAI

Version :	GLS
Prix de détail suggéré :	19 995 $ (2006)
Emp/Lon/Lar/Haut(mm) :	2 649/4 506/1 775/1 481
Poids :	1 246 kg
Coffre/Réservoir :	402 litres/53 litres
Coussins de sécurité :	frontaux, latéraux (av.) et rideaux
Suspension avant :	indépendante, jambes de force
Suspension arrière :	indépendante, multibras
Freins av./arr. :	disque (ABS)
Antipatinage/Contrôle de stabilité :	opt./non
Direction :	à crémaillère, assistance variable
Diamètre de braquage :	10,3 m
Pneus av./arr. :	P195/65R15
Capacité de remorquage :	680 kg

MOTORISATION À L'ESSAI

Pneus d'origine MICHELIN

Moteur :	4L de 2,0 litres 16s atmosphérique
Alésage et course :	82,0 mm x 93,5 mm
Puissance :	138 ch (103 kW) à 6 000 tr/min
Couple :	136 lb-pi (184 Nm) à 4 600 tr/min
Rapport poids/puissance :	9,03 kg/ch (12,22 kg/kW)
Système hybride :	aucun
Transmission :	traction, automatique 4 rapports
Accélération 0-100 km/h :	11,0 s
Reprises 80-120 km/h :	7,8 s
Freinage 100-0 km/h :	40,0 m
Vitesse maximale :	190 km/h
Consommation (100 km) :	ordinaire, 7,9 litres
Autonomie (approximative) :	671 km
Émissions de CO2 :	3 984 kg/an

GAMME EN BREF

Échelle de prix :	14 995 $ à 20 895 $ (2006)
Catégorie :	berline compacte
Historique du modèle :	4ième génération
Garanties :	5 ans/100 000 km, 7 ans/120 000 km
Assemblage :	Ulsan, Corée du Sud
Autre(s) moteur(s) :	aucun
Autre(s) rouage(s) :	aucun
Autre(s) transmission(s) :	manuelle 5 rapports

DANS LA MÊME CATÉGORIE

Chevrolet Cobalt - Chevrolet Optra - Ford Focus - Honda Civic - Kia Spectra - Mazda 3 - Mitsubishi Lancer - Nissan Sentra - Pontiac Pursuit - Saturn Ion - Suzuki Aerio - Toyota Corolla

DU NOUVEAU EN 2007

Nouveau modèle

NOS IMPRESSIONS

Agrément de conduite :	🚗 🚗 🚗 🚗
Fiabilité :	nouveau modèle
Sécurité :	🚗 🚗 🚗 🚗
Qualités hivernales :	🚗 🚗 🚗 🚗
Espace intérieur :	🚗 🚗 🚗 🚗
Confort :	🚗 🚗 🚗 🚗

LE CHOIX DE L'ÉQUIPE

GLS

effectuées au volant du modèle antérieur. Mais les nombreux changements deviennent carrément plus évidents en conduite sportive lorsque la voiture est poussée à la limite. Et c'est en virage que l'Elantra nous montre ses nouvelles aptitudes : la voiture n'affiche qu'un léger roulis grâce aux suspensions mieux calibrées, à la dimension des barres stabilisatrices augmentée et à la largeur de la voiture qui passe à un intéressant 1 775 mm. Il en résulte une sensation de sécurité bien présente et surtout très appréciée. Par ailleurs, des tests d'accélération nous ont permis de constater à quel point le passage des vitesses de la transmission était encore lent à certains moments. En dépit du travail apporté à l'optimisation de la transmission automatique, une accélération de 0 à 100 km/h nous a démontré une transmission paresseuse et un passage des vitesses trop hâtif. Évidemment, ce réglage favorise la consommation d'essence mais au détriment de la performance. Malgré tout, les temps mesurés représentent la moyenne de la catégorie et on remarque une nette amélioration par rapport au modèle de l'an dernier en ce qui a trait aux temps de reprises. La consommation est également en progrès avec une valeur mesurée combinée de moins de 8,0 l/100km, fixée à 7,9 litres.

Hyundai a mis les efforts nécessaires afin de propulser sa berline compacte à des sommets jusqu'ici inégalés par ses prédécesseurs. L'Elantra, même en version de base représente une excellente affaire tant par son équipement de série que par sa présentation, et propose un rapport qualité/prix difficilement atteignable par la concurrence. Hyundai démontre encore une fois son sérieux et prouve qu'elle ne lésine pas sur les moyens à prendre pour conquérir le marché nord-américain. Avec une excellente finition, une des meilleures garanties au monde et un prix abordable, la nouvelle Elantra possède tout ce qu'il faut pour plaire.

Guy Desjardins

Photos : Hyundai

PLACE AU RAFFINEMENT

Jusqu'à l'arrivée du Santa Fe, les véhicules Hyundai ne se démarquaient pas tellement par leur style. Il y avait bien la Tiburon, mais c'était plutôt normal de la part d'un coupé sport. L'arrivée de ce VUS aux formes si caractéristiques a permis de constater que les stylistes d'Ulsan n'avaient pas peur d'innover. Par contre, au fil des années, cette présentation quelque peu à part est devenue plus caricaturale qu'autre chose. Ce qui explique sans doute pourquoi cette nouvelle génération est plus sophistiquée en fait d'apparence, tout comme l'est la mécanique

Cette fois, le Santa Fe s'invite dans la catégorie des intermédiaires en raison de dimensions plus importantes en plus d'offrir la possibilité de commander une version avec une troisième rangée de sièges. Faute de quoi l'arrivée du Tucson il y a deux années n'aurait pas été très logique. Curieusement, il y a des lunes que les gens de Hyundai nous parlaient du Santa Fe de seconde génération beaucoup plus grosse. Pourtant, en chiffres, les changements ne sont pas spectaculaires, mais ils sont quand même importants.

PLUS LONG, PLUS LARGE

La longueur hors tout de ce nouveau venu est plus long que le modèle précédent de 17,5 cm tandis que l'empattement a progressé de 8 cm, ce qui a facilité l'installation d'une troisième rangée de sièges. Il faut ajouter que ce nouveau Santa Fe est plus large de 4,5 cm et plus haut de 6,5 cm. En comparaison d'un Acura MDX ou d'un Ford Explorer par exemple, le VUS de Hyundai est plus court et son empattement moindre. Par contre, l'espace disponible dans l'habitacle est plus que généreux: les places arrière sont confortables et offrent un excellent dégagement pour les jambes, la tête et les coudes. En revanche, comme c'est toujours le cas, la troisième rangée de sièges convient davantage à des personnes de petite taille. Les porte-parole de Hyundai s'empressent toutefois de souligner que cette troisième rangée présente autant d'espace que celle du gros Mercedes-Benz GL. En plus, puisque les deux dernières rangées sont surélevées l'une par rapport à l'autre, la visibilité vers l'avant n'est pas mauvaise même si vous êtes assis tout au fond.

Toujours à propos d'espace utile dans l'habitacle, un tableau comparatif fourni par le manufacturier permet de constater que le nouveau Santa Fe

ne s'en laisse pas imposer. Et tout porte à croire qu'une version allongée qui devrait être dévoilée en 2007 permettra d'améliorer cette position. Mais peu importe les tableaux de chiffres, le seul fait de monter dans l'habitacle convaincra tous les gens qu'il est possible de prendre ses aises malgré les dimensions extérieures politiquement correctes.

Curieusement, les stylistes du centre de design nord-américain de Hyundai situé à Irvine en Californie n'ont pas tenté de faire paraître ce VUS plus gros qu'il ne l'est en réalité. Ce véhicule est le premier à avoir été conçu dans ces studios et c'est réussi dans l'ensemble. Comme c'est le cas avec plusieurs produits asiatiques, il s'en trouve toujours pour remarquer des ressemblances avec des véhicules déjà en production. Dans le cas du Santa Fe, certains parlaient d'un devant de Toyota Rav 4 et d'un arrière de VW Touareg.

Je ne partage pas nécessairement cet avis quant à la partie avant, mais je dois admettre que les feux arrière horizontaux nous font songer à la Volkswagen. Quoi qu'il en soit, il est évident que cette nouvelle mouture est plus sophistiquée et plus raffinée sur le plan visuel. Le caractère un peu dessin animé de la première génération a été éliminé. Par contre, et c'est tant mieux, on a conservé la poignée arrière en relief qui facilite grandement l'ouverture du hayon.

Le tableau de bord est une nette amélioration par rapport au modèle précédent, et ce, malgré la présence d'une bande en bois en sa partie inférieure qui n'est pas tellement élégante. La grosse console verticale a été remplacée par une unité s'intégrant beaucoup mieux à l'ensemble du tableau de bord. De plus, les boutons de commande de la climatisation sont faciles d'opération tandis qu'un écran LCD affiche les réglages ainsi que la direction des jets d'air. Et l'éclairage bleuté des cadrans indicateurs ajoute une petite touche d'élégance. Enfin, ce véhicule est produit à la nouvelle usine de ce constructeur à Montgomery en Alabama et la qualité de l'assemblage et de la finition m'est apparue impeccable. Il faut également mentionner que les tissus des sièges et les pièces plastiques de l'habitacle sont aussi de très bonne qualité.

TOUT NOUVEAU OU PRESQUE

La plate-forme utilisée précédemment était correcte, mais ne brillait pas particulièrement par sa rigidité. Il n'aurait pas été sage d'allonger cette dernière et de l'élargir afin d'obtenir un véhicule plus imposant. Et puisque les ingénieurs recherchaient en même temps une meilleure

insonorisation, ils se devaient de développer une nouvelle plate-forme plus moderne et plus rigide. C'est ce qui s'est produit et les résultats sont probants. La rigidité de la carrosserie a progressé de 50 pour cent et elle est même plus rigide que celle du Toyota Highlander dixit le communiqué de presse de Hyundai. Les suspensions bénéficient donc d'un point d'ancrage plus ferme, ce qui améliore leur efficacité. La suspension avant est à jambes de force MacPherson dont le bras inférieur en forme de L inversé fournit un meilleur *feedback* de la direction en plus de diminuer le diamètre de braquage.

L'essieu arrière indépendant est à bras multiple. Et l'utilisation d'un acier spécial pour certains éléments de la plate-forme et de la carrosserie permet également de réduire le bruit à l'intérieur de l'habitacle. Et si vous êtes préoccupé par la qualité de la sécurité de votre prochain véhicule, le Santa Fe vous assurera car il est équipé de série

de deux coussins frontaux, de deux autres latéraux à l'avant et de rideaux intégrés au pavillon et assurant une protection latérale aux occupants des places avant et arrière.

Nouvelle plate-forme, nouvelles suspensions, il aurait été dommage de faire appel aux anciens moteurs. Le Santa Fe est donc offert avec de nouvelles motorisations. Du moins presque puisque le V6 de 2,7 litres a la même cylindrée que le moteur qu'il remplace, mais il a été révisé mécaniquement afin d'en améliorer le rendement, la puissance et surtout réduire sa consommation de carburant, l'un de ses points faibles par le passé. Le système d'admission d'air est dorénavant variable tout comme le calage des soupapes.

Sa puissance est désormais de 185 chevaux, soit 15 de plus que précédemment. De plus, on nous assure que la consommation a été améliorée. Ce moteur est de série sur le modèle de base et il est couplé à une boîte manuelle à cinq rapports tandis que l'automatique à quatre vitesses avec passage manuel des rapports est optionnelle.

Mais l'amélioration la plus marquante est l'arrivée d'un nouveau moteur V6 de 3,3 litres en remplacement du V6 de 3,3 litres offert jusqu'en 2006. Ce nouveau V6 produit 242 chevaux et il est couplé de série avec une boîte automatique à cinq rapports. Seuls les modèles dotés de ce moteur peuvent être équipés de la transmission intégrale. Celle-ci est de fonctionnement automatique, mais il est possible de verrouiller le couple dirigé vers les roues avant et arrière dans une proportion 50-50 pour plus d'efficacité en certaines circonstances.

FEU VERT
Bonne tenue de route
Moteurs bien adaptés
Silence de roulement
Habitacle confortable
Équipement complet

FEU ROUGE
Silhouette peu attrayante
Pneumatiques moyens
VUS essentiellement urbain
3e rangée peu confortable

IMPRESSIONNANT !

Si le Santa Fe de la première génération était correct sous presque tous les rapports, ses qualités routières étaient dans la bonne moyenne sans plus et ses moteurs étaient plus gourmands que performants. Ce n'est certainement pas le cas de la seconde génération qui m'a fortement impressionnée. Avant d'aller plus loin, il faut souligner que ce jugement est porté en fonction du prix demandé pour cette américano-coréenne. Il faut savoir que le modèle le plus économique est de 25 995 $ tandis qu'une GLS sept passagers à moteur V6 3,3 litres affiche un prix de détail suggéré de 35 995 $.

Non seulement la douceur de roulement est ce qui est perçu en premier, mais également la stabilité générale de ce véhicule. À son volant, on a davantage l'impression de conduire une grosse berline qu'un VUS intermédiaire. La direction est quelque peu engourdie, mais elle est précise, ce qui permet d'aborder des virages avec assurance. Et vous pouvez rouler sans ambages sur une route sinueuse puisque la tenue de route est très bonne. Par contre, malgré un gain de puissance sur les deux moteurs, les accélérations sont dans la bonne moyenne tandis que l'économie de carburant a été de 10,0 litres aux 100 km lors d'une randonnée Toronto – Montréal à bord d'un modèle à moteur V6 3,3 litres et transmission intégrale.

Le nouveau Santa Fe est une mauvaise nouvelle pour la concurrence. Et comme si ce n'était pas assez, ce constructeur commercialisera l'an prochain un autre VUS plus gros et plus puissant, le Veracruz.

Denis Duquet

VÉHICULE D'ESSAI

Version :	3.3 GL AWD Premium
Prix de détail suggéré :	33 095 $
Emp/Lon/Lar/Haut(mm) :	2 700/4 675/1 795/1 890
Poids :	1 824 kg
Coffre/Réservoir :	864 à 2 209 litres/75 litres
Coussins de sécurité :	frontaux et latéraux (av.)
Suspension avant :	indépendante, jambes de force
Suspension arrière :	indépendante, multibras
Freins av./arr. :	disque (ABS)
Antipatinage/Contrôle de stabilité :	oui/non
Direction :	à crémaillère, assistance variable
Diamètre de braquage :	10,9 m
Pneus av./arr. :	P235/60R18
Capacité de remorquage	1 270 kg

MOTORISATION À L'ESSAI

Moteur :	V6 de 3,3 litres 24s atmosphérique
Alésage et course :	92,0 mm x 83,8 mm
Puissance :	242 ch (180 kW) à 6 000 tr/min
Couple :	226 lb-pi (306 Nm) à 4 500 tr/min
Rapport poids/puissance :	7,54 kg/ch (10,25 kg/kW)
Système hybride :	aucun
Transmission :	intégrale, automatique 5 rapports
Accélération 0-100 km/h :	10,3 s
Reprises 80-120 km/h :	9,1 s
Freinage 100-0 km/h :	37,0 m
Vitesse maximale :	190 km/h
Consommation (100 km) :	ordinaire, 10,2 litres
Autonomie (approximative) :	735 km
Émissions de CO_2 :	n.d.

GAMME EN BREF

Échelle de prix :	25 995 $ à 35 995 $
Catégorie :	utilitaire sport compact
Historique du modèle :	2ième génération
Garanties :	5 ans/100 000 km, 7 ans/120 000 km
Assemblage :	Ulsan, Corée du Sud
Autre(s) moteur(s) :	V6 2,7l 185ch/183lb-pi (13,0 l/100km)
Autre(s) rouage(s) :	traction
Autre(s) transmission(s) :	manuelle 5 rapports / automatique 4 rapports

DANS LA MÊME CATÉGORIE

Ford Escape - Honda CR-V - Jeep Liberty - Kia Sportage - Mitsubishi Outlander - Nissan X-Trail - Suzuki Grand Vitara - Toyota Rav4

DU NOUVEAU EN 2007
Nouveau modèle

NOS IMPRESSIONS

Agrément de conduite :	🚗 🚗 🚗 🚗
Fiabilité :	nouveau modèle
Sécurité :	🚗 🚗 🚗 🚗
Qualités hivernales :	🚗 🚗 🚗 🚗 ½
Espace intérieur :	🚗 🚗 🚗 🚗
Confort :	🚗 🚗 🚗 🚗

LE CHOIX DE L'ÉQUIPE
3.3 GL AWD Premium

Photos : Hyundai

DIRE QU'ON S'EN EST DÉJÀ MOQUÉ...

Si la Sonata représente le passé, le présent et le futur de Hyundai, laissez-moi vous dire que le constructeur coréen n'a pas fini de nous étonner! À ses débuts, la Sonata remplaçait l'ineffable Stellar. Malgré un triste épisode québécois (parlez-en aux gens de Bromont...) la Sonata n'a cessé de gagner en raffinement, en crédibilité et, bien entendu, en popularité. La dernière génération, lancée l'an passé, vient confirmer ce que les Asiatiques craignaient depuis un certain temps : «Les amis de la Corée arrivent...»

Avec cette dernière refonte, la Sonata a pris du gallon. À tel point qu'aux États-Unis, on la classe désormais dans la catégorie des «grandes voitures», un titre qui, à lui seul, lui amène assurément plusieurs ventes. Mais il ne s'agit pas seulement d'une classification. Il suffit d'entrer dans l'habitacle d'une Sonata pour remarquer que l'espace habitable est très vaste. Conducteurs et passagers, à moins de posséder un gabarit hors-norme, ne devraient pas s'y sentir coincés. À l'arrière, l'espace pour les jambes est amplement suffisant, même lorsque les sièges avant sont reculés au maximum. Le coffre aussi se montre généreux et la possibilité d'abaisser les dossiers des sièges arrière de façon 60/40 dégage encore plus d'espace. Dommage que lesdits dossiers, une fois rabattus, ne forment pas un fond plat et que l'ouverture du coffre soit petite.

Dans l'habitacle, la qualité des matériaux ne cause pas de problèmes, sauf peut-être au niveau de certains plastiques moins exposés aux avatars de la vie quotidienne d'une automobile. Les sièges se révèlent confortables à la longue en dépit de leur apparence pour le moins banale et de leur dureté des premiers instants. Le tableau de bord ne devrait pas remporter un prix de design international, mais il est pratique et ergonomique malgré un agencement de couleurs quelquefois surprenant. Une bonne claque derrière la tête de la personne qui a pensé mettre des couvercles noirs aux endroits où, normalement, il devrait y avoir des commandes optionnelles: sur fond crème, ces couvercles jurent et crient à l'univers que votre budget est limité... Soulignons aussi que les boutons les plus éloignés de la radio (à la sonorité correcte sans plus) et du chauffage sont, justement, un peu trop éloignés, que le cuir qui recouvre le volant est trop glissant et que la position de conduite n'est pas facile à trouver pour tous. Cependant, tous les panneaux sont assemblés avec soin et l'ensemble inspire la confiance.

DANSONS LA LAMBDA!

La Sonata a droit à deux moteurs. Le premier est un quatre cylindres de 2,4 litres développant 162 chevaux et 164 livres-pied de couple. Même arrimée à une transmission manuelle à cinq rapports (il y a aussi la possibilité de choisir une automatique à quatre rapports), la Sonata n'est pas une bombe de puissance. Le levier de vitesse se manipule bien mais on dirait qu'il est relié à un élastique. De plus, l'étagement des rapports favorise l'économie d'essence plus que les performances, ce qui est encore plus flagrant lorsqu'on constate que la puissance fait défaut à bas régime. Il faut souvent jouer du levier. L'automatique est mieux indiquée. Le moteur le plus intéressant est, bien entendu, le V6 Lambda

FEU VERT
Excellente habitabilité
V6 bien adapté
Confort assuré
Rapport équipement/prix difficile à battre
Fiabilité très correcte

FEU ROUGE
Tableau de bord «multicolore»
Faible puissance à bas régime
Suspensions un peu molles
ABS en option sur modèle de base
Moteur 4 cylindres un tantinet juste

(c'est son nom… Autrefois, nous avions des Magnum, des 351 Windsor et des Cleveland alors ne venez pas vous moquer de Lambda). Ce V6 de 3,3 litres fait 235 chevaux et 226 livres-pied de couple. Sa douceur et sa souplesse en font notre premier choix et, lors d'accélérations intempestives, on retrouve très peu d'effet de couple, un mal qui afflige pourtant bon nombre de tractions. Il est arrimé à une automatique à cinq rapports au fonctionnement «soyeux». Cette transmission propose même un mode manuel. On reconnaît facilement la voiture porteuse du V6 par son échappement double.

La rigidité du châssis ne peut être prise en défaut et on lui a accroché des suspensions traditionnelles, résolument axées vers le confort. Les modèles V6 bénéficient de suspensions un peu plus rigides. En fait, tout dans la Sonata semble avoir été pensé en fonction du confort. L'habitacle est silencieux, même en accélération (surtout avec le V6) et le passage de trous et de bosses ne secoue pas les occupants, même ceux assis à l'arrière. Une courbe prise avec un peu trop d'allégresse révèle rapidement les limites des suspensions. Certes, la tenue de route se montre à la hauteur, mais la caisse penche passablement et on se rend alors compte que les sièges n'ont pas été dessinés selon les forces G. Si la direction n'est pas des plus précises ou des plus communicatives, les quatre freins à disque, eux, s'acquittent fort bien de leur tâche. L'ABS est offert sans supplément sur tous les modèles, sauf celui de base. La sécurité a un prix… Le comportement routier de la Sonata n'a donc rien d'extraordinaire, mais rares sont ceux qui s'achètent une Sonata pour titiller les limites de l'adhérence en virage !

S'il y a un domaine où la Sonata est imbattable, c'est au niveau du rapport équipement/prix. Autant au chapitre de la sécurité qu'à celui du confort, l'équipement est fort relevé et même une Sonata de base ne rougit pas devant la concurrence, d'autant plus que son prix est toujours inférieur à celui d'une Honda Accord, par exemple, possédant la même dotation.

La Sonata, compte tenu de son raffinement, de son équipement et surtout de son prix, est un coup de maître de Hyundai. Malgré quelques milliers de dollars de moins que certaines concurrentes, elle affiche un haut niveau de sécurité, une excellente garantie et une fiabilité qui l'honore. Qui plus est, elle déploie une sacrée classe ! Mon fils de 19 ans a même avoué l'avoir trouvé «pas pire». C'est tout un exploit pour une «berline de mon oncle» !

Alain Morin

VÉHICULE D'ESSAI

Version :	GL V6
Prix de détail suggéré :	26 595 $ (2006)
Emp/Lon/Lar/Haut(mm) :	2 730/4 800/1 830/1 475
Poids :	1 569 kg
Coffre/Réservoir :	462 litres/67 litres
Coussins de sécurité :	frontaux, latéraux (av.) et rideaux
Suspension avant :	indépendante, bras inégaux
Suspension arrière :	indépendante, multibras
Freins av./arr. :	disque (ABS)
Antipatinage/Contrôle de stabilité :	opt./opt.
Direction :	à crémaillère, assistance variable
Diamètre de braquage :	10,9 m
Pneus av./arr. :	P215/60R16
Capacité de remorquage :	909 kg

MOTORISATION À L'ESSAI

Pneus d'origine MICHELIN

Moteur :	V6 de 3,3 litres 24s atmosphérique
Alésage et course :	88,0 mm x 97,0 mm
Puissance :	235 ch (175 kW) à 6 000 tr/min
Couple :	226 lb-pi (306 Nm) à 3 500 tr/min
Rapport poids/puissance :	6,68 kg/ch (9,07 kg/kW)
Système hybride :	aucun
Transmission :	traction, automatique 5 rapports
Accélération 0-100 km/h :	7,9 s
Reprises 80-120 km/h :	6,6 s
Freinage 100-0 km/h :	41,0 m
Vitesse maximale :	195 km/h
Consommation (100 km) :	ordinaire, 10,5 litres
Autonomie (approximative) :	638 km
Émissions de CO_2 :	4 608 kg/an

GAMME EN BREF

Échelle de prix :	21 995 $ à 28 995 $
Catégorie :	berline intermédiaire
Historique du modèle :	5ième génération
Garanties :	5 ans/100 000 km, 7 ans/120 000 km
Assemblage :	Montgomery, Alabama, É-U
Autre(s) moteur(s) :	4L 2,4l 162ch/164lb-pi (9,9 l/100km)
Autre(s) rouage(s) :	aucun
Autre(s) transmission(s) :	automatique 4 rapports / manuelle 5 rapports

DANS LA MÊME CATÉGORIE

Chevrolet Malibu - Chrysler Sebring - Ford Fusion - Honda Accord - Kia Magentis - Mazda 6 - Mitsubishi Galant - Nissan Altima - Toyota Camry

DU NOUVEAU EN 2007

Pas de changement majeur

NOS IMPRESSIONS

Agrément de conduite :	🚗 🚗 🚗 ½
Fiabilité :	🚗 🚗 🚗 🚗
Sécurité :	🚗 🚗 🚗 🚗 ½
Qualités hivernales :	🚗 🚗 🚗 🚗
Espace intérieur :	🚗 🚗 🚗 🚗 ½
Confort :	🚗 🚗 🚗 🚗

LE CHOIX DE L'ÉQUIPE

GL V6

Photos : Hyundai

LGA ENQUÊTE

Lorsque la Tiburon a été lancée, ce coupé sportif a été immédiatement identifié comme étant la voiture Hyundai la plus belle et la plus agréable à piloter. Pour demeurer dans la lutte, sa silhouette a été rafraîchie en 2003 et cela lui a permis de rester compétitive. Mais la popularité d'un coupé est de courte durée alors que le marché accueille des modèles plus performants et plus élégants au fil des mois. Une fois le coup de foudre passé, les ventes déclinent et il faut rajeunir. Cette année, s'il faut se fier aux rumeurs, le constructeur coréen devait nous éblouir avec une nouvelle version de la Tiburon.

S i vous fréquentez les sites sur l'Internet qui se spécialisent sur les Tiburon, vous avez lu comme moi que la prochaine génération serait une propulsion et que la silhouette serait complètement transformée afin que la voiture ressemble à une italienne sportive valant cinq fois le prix. Et, bien entendu, il y avait la « certitude » de la présence sous le capot d'un moteur V6 dont la puissance serait de plus de 300 chevaux. On fait état d'une version suralimentée du moteur V6 de 2,7 litres ou encore le nouveau V6 3,5 litres dont la puissance serait portée à 340 chevaux. Ces sites nous assurent que ces données proviennent d'un informateur qui travaille chez Hyundai et qui a même conduit ces voitures. Le tout accompagné de photomontages nous montrant une Tiburon que l'on pourrait confondre avec une Ferrari.

CONSTAT D'ENQUÊTE

Après avoir tenté d'aller au fond des choses en faisant appel à des informateurs dignes de foi, tout porte à croire que la nouvelle version qui sera commercialisée au printemps 2007 sera un modèle qui ne serait qu'une timide évolution du modèle actuel. Et cela a été confirmé lorsque la nouvelle Tiburon, appelée Coupé en Orient, a été dévoilée dans le cadre d'un Salon automobile en Chine. Et ces photos nous ont été transmises par Hyundai Canada, ce qui leur donne toute la crédibilité possible.

Notre enquête n'était donc pas erronée. Le Tiburon 2007 ressemblera de très près au modèle 2006. Les lignes sont plus épurées, les parois latérales un peu plus planes tandis que la partie avant est également moins chargée. Le changement le plus important à la partie avant est la prise d'air du pare-chocs qui est plus longue, plus étroite et dotée de deux barres transversales. Les photos fournies par le constructeur ne comprennent pas une vue du tableau de bord. Nous avons alors contacté un journaliste américain qui a déjà conduit le véhicule et qui nous a confirmé que l'habitacle est plus ou moins similaire à celui du modèle actuel. Et cela ne ressemble en rien à la voiture-concept HCD8 dévoilée en 2004 et dont tout le monde disait que ce serait la future Tiburon. À moins que Hyundai nous réserve une méga surprise pour l'Amérique... Et la mécanique est demeurée la même. Voilà le résultat de nos recherches au moment d'aller sous presse. Ce qui signifie que cette nouvelle version aura un comportement routier similaire au modèle 2006.

EN ATTENDANT

Puisqu'il nous est impossible de donner nos impressions de conduite sur un véhicule qui devrait être commercialisé plusieurs mois après la date de sortie de cet ouvrage, et que les changements apportés semblent plus esthétiques qu'autre chose, voici les impressions de conduite

FEU VERT
Équipement complet
Moteur V6
Bonne tenue de route (Tuscani)
Version quatre cylindres
Prix compétitif

FEU ROUGE
Nouveau modèle arrivera bientôt
Faible visibilité arrière
Sous-vireuse
Suspension ferme
Appréciée des voleurs

VÉHICULE D'ESSAI

Version :	Tuscani
Prix de détail suggéré :	28 975 $ (2006)
Emp/Lon/Lar/Haut(mm) :	2 530/4 395/1 760/1 330
Poids :	1 333 kg
Coffre/Réservoir :	418 litres/55 litres
Coussins de sécurité :	frontaux et latéraux (av.)
Suspension avant :	indépendante, jambes de force
Suspension arrière :	indépendante, multibras
Freins av./arr. :	disque (ABS)
Antipatinage/Contrôle de stabilité :	non/non
Direction :	à crémaillère, assistée
Diamètre de braquage :	10,9 m
Pneus av./arr. :	P215/45R17
Capacité de remorquage :	non recommandé

MOTORISATION À L'ESSAI

Pneus d'origine
MICHELIN

Moteur :	V6 de 2,7 litres 24s atmosphérique
Alésage et course :	86,7 mm x 75,0 mm
Puissance :	172 ch (128 kW) à 6 000 tr/min
Couple :	181 lb-pi (245 Nm) à 4 500 tr/min
Rapport poids/puissance :	7,75 kg/ch (10,5 kg/kW)
Système hybride :	aucun
Transmission :	traction, manuelle 6 rapports
Accélération 0-100 km/h :	7,7 s
Reprises 80-120 km/h :	6,8 s
Freinage 100-0 km/h :	43,0 m
Vitesse maximale :	220 km/h
Consommation (100 km) :	ordinaire, 11,4 litres
Autonomie (approximative) :	482 km
Émissions de CO2 :	5 183 kg/an

ressenties au volant d'une Tiburon 2006. Soit dit en passant, au Canada, cette Hyundai est depuis quelques années l'une des voitures les plus «appréciées» des voleurs... Et même si certains lèvent le nez sur cette sportive offerte par Hyundai, il ne faut pas laisser le snobisme prendre le dessus sur le jugement. Son comportement routier et ses performances sont égaux ou supérieurs à plusieurs concurrentes. Mais il faut avoir une certaine souplesse pour se glisser derrière le volant car l'accès à bord n'est pas toujours aisé, surtout pour les personnes de grande taille.

Une fois assis, on est confronté à un tableau de bord que certains trouvent trop chargé, mais qui est relativement bien agencé et dont les commandes sont faciles d'accès et de fonctionnement. Par contre, celles de la radio sont parfois confuses et deviennent la source de quelques frustrations... Et tant qu'à y être, il est certain que la visibilité arrière n'est pas le point fort de ce coupé. Nous sommes assis assez bas et les piliers C sont larges, ce qui contribue à cette piètre visibilité. Enfin, si vous voulez punir quelqu'un, vous le reléguez aux places arrière qui sont minuscules et inconfortables.

En contrepartie, la position de conduite est bonne tandis que l'imposant repose-pied permet de s'appuyer dans les virages pris à vive allure. Et malgré la puissance quelque peu modeste du moteur V6 de 2,7 litres de 172 chevaux, la transmission manuelle à cinq rapports qui équipait notre modèle d'essai permettait de tirer tout le potentiel de ce moteur. Il faut ajouter que la tenue en virage est supérieure à la moyenne. Le prix à payer est une suspension ferme qui pénalise le confort.

Les autres versions sont dotées d'amortisseurs plus souples qui conviennent bien aux routes du Québec. Il est également possible de commander tous les modèles avec une boîte automatique à quatre rapports qui est parfois saccadée lors du passage des vitesses. Et si votre budget ne vous permet pas de vous payer le modèle le plus luxueux, les versions de base et SE sont dotées d'un moteur 4 cylindres 2,0 litres qui tire quand même son épingle du jeu.

Denis Duquet

GAMME EN BREF

Échelle de prix :	20 675 $ à 28 975 $ (2006)
Catégorie :	coupé
Historique du modèle :	3ième génération
Garanties :	5 ans/100 000 km, 7 ans/120 000 km
Assemblage :	Ulsan, Corée du Sud
Autre(s) moteur(s) :	4L 2,0l 138ch/136lb-pi (10,0 l/100km)
Autre(s) rouage(s) :	aucun
Autre(s) transmission(s) :	automatique 4 rapports / manuelle 5 rapports

DANS LA MÊME CATÉGORIE

Chevrolet Cobalt coupé - Ford Mustang - Honda Civic coupé - Mini Cooper - Pontiac G5 coupé - Volkswagen New Beetle

DU NOUVEAU EN 2007

Nouveau modèle en cours de 2007

NOS IMPRESSIONS

Agrément de conduite :	🚗🚗🚗🚗
Fiabilité :	🚗🚗🚗🚗
Sécurité :	🚗🚗🚗½
Qualités hivernales :	🚗🚗🚗
Espace intérieur :	🚗🚗
Confort :	🚗🚗🚗½

LE CHOIX DE L'ÉQUIPE

Tuscani

Photos : Hyundai

DUO CONVAINCANT

Si vous avez encore des doutes quant à la capacité de Hyundai et de Kia de produire des véhicules de classe mondiale, l'arrivée en 2005 des modèles Tucson et Sportage est l'argument qu'il fallait pour mettre fin à toute discussion. En effet, non seulement ces VUS affichent une silhouette capable de faire l'unanimité par son élégance, mais en plus, leur comportement sur la route et en sentier est à la hauteur de leurs concurrentes et même capable d'en supplanter plusieurs. Il faut certainement tenir compte de ce duo lorsque vient le temps de faire son choix dans cette catégorie.

Ce n'est pas non plus le fruit du hasard si le Sportage a obtenu la troisième place lors du test des VUS urbains effectué dans le cadre de l'édition 2006 du *Guide de l'auto*. En plus, nous avons mis un Tucson à l'épreuve sur plus de 11 000 kilomètres l'an dernier et celui-ci s'en est tiré avec honneur en dépit des éraflures sur les parois de la caisse, résultat de visites dans les stationnements des parcs commerciaux.

SILHOUETTE RÉUSSIE

Avant d'aller plus loin, il est important de préciser que le Tucson et le Sportage sont virtuellement identiques. Leur présentation extérieure et intérieure peut varier quelque peu, mais il s'agit de la même plate-forme, de la même mécanique tandis que leur comportement respectif est plus ou moins similaire. Et si vous vous interrogez quant à ces similitudes, c'est tout simplement que les deux constructeurs font partie du même groupe industriel depuis que Hyundai s'est porté acquéreur de Kia en 2000.

Il ne faut donc pas se surprendre si ces deux VUS urbains nous offrent la même silhouette et c'est presque tant mieux puisque les stylistes ont réussi à combiner des lignes d'une certaine élégance avec une allure générale qui confirme leur vocation tout-terrain. Même si la ressemblance entre les deux est très étroite, le Sportage est un tantinet plus élégant en raison de son capot moins tourmenté et d'un pare-chocs avant moins massif que celui du Tucson. L'utilisation de pièces de plastique décoratives se prolongeant du porte-bagages vers les limites du hayon est un détail qui est également apprécié. Mais peu importe les différences, il est certain que les stylistes se sont inspirés du Hyundai Santa Fe, mais en adoptant des formes plus épurées et plus sophistiquées.

Comme c'est le cas sur d'autres modèles, les tableaux de bord respectifs sont pratiquement similaires. Mais les différences sont à l'avantage du Sportage dont la présentation de la planche de bord est un peu plus dynamique. Par contre, l'emplacement des commandes est similaire d'un modèle à l'autre, tandis que les tissus des sièges semblent de meilleure qualité ou tout au moins plus jolis sur le Tucson. Même si la qualité des plastiques s'est améliorée chez ces deux constructeurs, un effort additionnel serait le bienvenu, alors que l'utilisation d'un similibois atroce sur le Sportage devrait être bannie à tout jamais. En revanche, les sièges avant sont confortables, les espaces de rangement nombreux et l'habitabilité est dans la bonne moyenne. Par contre, les piliers des tours de suspension viennent encombrer la soute à bagages.

FEU VERT	FEU ROUGE
Dimensions correctes	Moteur 4 cylindres peu puissant
Excellent rapport qualité/prix	Consommation élevée du V6
Tableau de bord élégant	Tissus des sièges à revoir
Tenue de route sans surprise	Pneumatiques moyens
Silhouette moderne	

VÉHICULE D'ESSAI

Version :	Sportage LX V6
Prix de détail suggéré :	27 995 $ (2006)
Emp/Lon/Lar/Haut(mm) :	2 630/4 350/1 800/1 695
Poids :	1 600 kg
Coffre/Réservoir :	667 à 1 886 litres/65 litres
Coussins de sécurité :	front., latéraux (av./arr.) et rideaux
Suspension avant :	indépendante, jambes de force
Suspension arrière :	indépendante, multibras
Freins av./arr. :	disque (ABS)
Antipatinage/Contrôle de stabilité :	oui/oui
Direction :	à crémaillère, assistée
Diamètre de braquage :	10,8 m
Pneus av./arr. :	P235/60R60
Capacité de remorquage :	907 kg

MOTORISATION À L'ESSAI

Pneus d'origine MICHELIN

Moteur :	V6 de 2,7 litres 24s atmosphérique
Alésage et course :	86,7 mm x 75,0 mm
Puissance :	173 ch (129 kW) à 6 000 tr/min
Couple :	178 lb-pi (241 Nm) à 4 000 tr/min
Rapport poids/puissance :	9,25 kg/ch (12,6 kg/kW)
Système hybride :	aucun
Transmission :	intégrale, auto. mode man. 4 rapports
Accélération 0-100 km/h :	9,3 s
Reprises 80-120 km/h :	8,4 s
Freinage 100-0 km/h :	39,4 m
Vitesse maximale :	185 km/h
Consommation (100 km) :	ordinaire, 12,2 litres
Autonomie (approximative) :	533 km
Émissions de CO2 :	5 280 kg/an

Ces deux quasi-jumeaux nous proposent les mêmes moteurs comme il fallait s'y attendre. Le moteur quatre cylindres de série est un moteur 2,0 litres de 140 chevaux qui n'est pas le plus puissant de sa catégorie. Il suffit à la tâche si on se contente de rouler sans trop de charge et il est couplé à la boîte manuelle à cinq rapports. Il est possible de commander une version intégrale équipée de ce moteur, mais la boîte manuelle est alors recommandée puisque l'automatique vient dérober quelques chevaux qui ne sont pas superflus. Il est tout aussi important de préciser que ce groupe propulseur et la traction intégrale ne sont pas destinés à rouler dans des sentiers boueux ou sablonneux. Pour ce faire, les 33 chevaux additionnels du moteur V6 de 2,7 litres ne seront pas de trop. Lors de notre essai prolongé effectué l'an dernier, ce moteur V6 a été fiable et robuste, mais sa consommation de carburant était étonnamment élevée aussi bien pour la catégorie que pour la cylindrée. C'est en fait l'un des rares défauts de ce moteur. Il serait donc important de pouvoir bénéficier d'un rapport supplémentaire sur la boîte automatique à quatre rapports. Celle-ci est de type manumatique et son fonctionnement est sans histoire.

BEL ÉQUILIBRE

Possédant une certaine élégance, une mécanique tout de même moderne avec une suspension arrière indépendante et des freins à disque ABS aux quatre roues, le Sportage ou le Tucson se défendent également assez bien sur la route. Nous avons surtout testé des versions quatre roues motrices et celles-ci ont démontré une tenue de route sans surprise, ce qui n'est pas toujours le cas avec les intégrales de cette catégorie. Et si le moteur quatre cylindres réussit mieux avec la boîte manuelle, celle-ci déçoit quelque peu en raison d'un guidage imprécis de la course du levier de vitesse. À ce chapitre, la transmission manumatique est plus agréable.

Si jadis le Kia Sportage était l'un des véhicules les plus exerçables à rouler sur les routes du Québec, sa seconde génération nous le fait vite oublier, tandis que le Hyundai Tucson est là pour nous rappeler que ce constructeur n'entend pas prendre de demi-mesures afin de joindre le club des plus importants constructeurs de la planète. D'ailleurs, le groupe Hyundai-Kia se classe maintenant au sixième rang mondial chez les manufacturiers automobiles et la qualité de ces deux produits reflète bien les progrès enregistrés à ce jour.

Denis Duquet

GAMME EN BREF

Échelle de prix :	21 095 $ à 29 530 $ (2006)
Catégorie :	utilitaire sport compact
Historique du modèle :	2ᶦᵉʳᵉ génération
Garanties :	5 ans/100 000 km, 7 ans/120 000 km
Assemblage :	Ulsan, Corée du Sud
Autre(s) moteur(s) :	4L 2,0l 140ch/136lb-pi (11,2 l/100km)
Autre(s) rouage(s) :	traction
Autre(s) transmission(s) :	manuelle 5 rapports

DANS LA MÊME CATÉGORIE

Ford Escape - Honda CR-V - Mazda Tribute - Mitsubishi Outlander - Nissan X-Trail - Suzuki Grand Vitara - Toyota Rav4

DU NOUVEAU EN 2007

Pas de changement majeur

NOS IMPRESSIONS

Agrément de conduite :	🚗 🚗 🚗 ½
Fiabilité :	🚗 🚗 🚗 🚗
Sécurité :	🚗 🚗 🚗 🚗
Qualités hivernales :	🚗 🚗 🚗 🚗
Espace intérieur :	🚗 🚗 🚗 🚗
Confort :	🚗 🚗 🚗 🚗

LE CHOIX DE L'ÉQUIPE

Sportage LX V6 ou Tucson GLS

Photos : Hyundai

LE GUÉPARD BIONIQUE

Le titre *Le guépard bionique* n'a pas été choisi au hasard. Lors du lancement des FX35 et 45, Infiniti avait baptisé ainsi son VUS. À bien y regarder, il est vrai que le FX semble toujours être prêt à bondir. Et, au su des moteurs proposés, il est indéniable qu'il va sauter rapidement sur sa proie ! De plus, trait carrément humain, le FX affiche un air superbement macho, surtout lorsque chaussé de ses pneus de 20 pouces. Le physique c'est bien beau mais qu'en est-il de ses capacités sur et en dehors de la route ?

La plupart des véhicules modernes se reconnaissent facilement grâce à leur calandre ou à leurs phares aux formes spécifiques. Le FX, lui, se distingue facilement grâce à... tout ! Les pneus immenses, la ligne de toit très basse, l'allure générale qui rappelle soit un guépard, soit un soulier ou soit, comme le mentionnait le collègue Gélinas l'an dernier, une Hot Wheels, contribuent au spectacle. Les rails de toit viennent rehausser l'impression de hauteur, mais il suffit de laver le FX à la main pour se rendre compte qu'il demeure tout de même assez haut et très large. Ce type de carrosserie très typée ne fait pas généralement long feu. Pourtant, dans le cas du FX, les gens continuent de se retourner sur son passage, quatre ans après son lancement.

L'accès aux places avant s'avère aisé. Les sièges sont confortables et beaux. Le sigle et le nom Infiniti sont brodés en doré sur le haut des dossiers. Ça n'ajoute absolument rien à la conduite ou au confort mais ça fait classe ! Le conducteur est assis devant un tableau de bord qui se déplace avec la colonne de direction. Il se retrouve toujours bien placé, ce qui facilite grandement la consultation des jauges rétroéclairées. Par contre, il faut noter que l'ensemble du tableau de bord est réalisé dans un plastique noir qui sied très peu avec le côté flyé du FX. Aussi,

plusieurs commandes manquent un peu de style et l'ensemble du tableau de bord semble avoir régressé par rapport à la concurrence. Par exemple, les boutons de mémoire du siège du conducteur, ceux des sièges chauffants (seulement deux positions) et ceux situés sur le volant font un peu grossier, étant donné que la carrosserie du véhicule paraît avoir vingt ans d'avance !

LE CÔTÉ SOMBRE DE L'INGÉNIERIE

Les places arrière s'avèrent confortables et les dossiers s'ajustent. L'espace pour les jambes et la tête est bon mais la place centrale fait montre d'une dureté bien peu appréciée. Design oblige, les vitres ne baissent qu'aux trois quarts et l'accès comme la sortie de l'arrière du FX se révèlent pénibles à cause des puits de roue. Les dossiers s'abaissent pour former un fond plat et agrandir un coffre qui en a bien besoin. Sur la largeur ça va, mais sur la hauteur, c'est moins réussi. Si vous désirez transporter un gâteau de noces, il y a fort à parier que les mariés auront le cou cassé rendus à destination ! Le seuil de chargement est placé très bas et on ne retrouve pas de bande de caoutchouc pour protéger le pare-chocs arrière. Il y a de nombreux espaces de rangement sous le tapis mais c'est surtout le cache-bagages, une pièce d'ingénierie inutilement complexe, lourde et difficile à enlever qui vole la vedette !

FEU VERT	FEU ROUGE
Style toujours spectaculaire	Confort un peu en retrait
Excellents moteurs	Visibilité 3/4 arrière problématique
Tenue de route sportive	Suspension arrière sèche
Bonne fiabilité	Espace de chargement limité
Prix compétitifs	Consommation éhontée (V8)

VÉHICULE D'ESSAI

Version :	FX45 avec ensemble technologie
Prix de détail suggéré :	69 000 $ (2006)
Emp/Lon/Lar/Haut(mm) :	2 850/4 803/1 925/1 674
Poids :	2 057 kg
Coffre/Réservoir :	776 à 1 710 litres/90 litres
Coussins de sécurité :	frontaux, latéraux (av.) et rideaux
Suspension avant :	indépendante, jambes de force
Suspension arrière :	indépendante, multibras
Freins av./arr. :	disque (ABS)
Antipatinage/Contrôle de stabilité :	oui/oui
Direction :	à crémaillère, assistance variable
Diamètre de braquage :	11,8 m
Pneus av./arr. :	P265/50R20
Capacité de remorquage :	1 587 kg

MOTORISATION À L'ESSAI

Moteur :	V8 de 4,5 litres 32s atmosphérique
Alésage et course :	93,0 mm x 82,7 mm
Puissance :	320 ch (239 kW) à 6 200 tr/min
Couple :	335 lb-pi (454 Nm) à 4 000 tr/min
Rapport poids/puissance :	6,43 kg/ch (8,72 kg/kW)
Système hybride :	aucun
Transmission :	intégrale, auto. mode man. 5 rapports
Accélération 0-100 km/h :	7,5 s
Reprises 80-120 km/h :	5,9 s
Freinage 100-0 km/h :	43,0 m
Vitesse maximale :	220 km/h
Consommation (100 km) :	super, 15,6 litres
Autonomie (approximative) :	577 km
Émissions de CO_2 :	6 680 kg/an

Infiniti propose deux FX. Le FX35 est mû par un V6 de 3,5 litres de 275 chevaux et 268 livres-pied de couple tandis que le FX45 reçoit un V8 de 4,5 litres développant 320 chevaux et 335 livres-pied de couple. Les chevaux sont toujours prêts à partir au galop mais, curieusement, je n'ai pas réussi, malgré plusieurs essais, à boucler le 0-100 km/h en moins de 7 secondes, ce qui ne correspond pas à ce que d'autres journalistes ont réussi. Je le prends personnel… La transmission automatique à cinq rapports, d'une belle douceur, fait bien son boulot. Son mode manuel n'est pas des plus intéressants en conduite normale mais le passage des rapports prend moins de temps lorsqu'on sollicite davantage la mécanique. Les suspensions sont relativement dures et la partie arrière perd quelquefois ses moyens sur une chaussée dégradée. Les immenses pneus Goodyear Eagle RS-A de 20 pouces sont en partie responsables de cette dureté. De plus, même s'ils ajoutent au dynamisme des lignes, ils vous soulageront de plusieurs centaines, voire de plus d'un millier de dollars quand viendra le temps de les changer.

DANS LES PETITS POTS…

Le FX35, même s'il affiche une puissance moindre, n'est surtout pas à dédaigner, ne serait-ce que pour les sept ou huit mille dollars qu'il permet d'économiser ! Le 3,5 litres procure des accélérations très correctes puisqu'il effectue le 0-100 km/h en moins de 8 secondes. Et il consomme environ 2 litres de moins aux cent kilomètres, ce qui n'est pas à dédaigner non plus. Et, pour en rajouter, ses suspensions sont moins fermes !

Même si l'Infiniti FX semble sortir tout droit d'un film de science-fiction, sa conduite est plus sportive que surréelle. Si sa transmission intégrale ne lui permet pas de suivre un Jeep Wrangler au bout du monde, elle se montre à la hauteur sur des terrains où certains autres VUS s'enliseraient facilement. La tenue de route est franchement étonnante, surtout avec le FX45 équipé des pneus de 20 pouces. On détecte un bon roulis mais le véhicule s'accroche avec ténacité au bitume. À ce chapitre, le FX35 se révèle plus agile, sa partie avant étant moins lourde que celle du FX45. Si on outrepasse les capacités de l'excellent châssis du FX, le contrôle de la stabilité latérale et de la traction se chargera discrètement mais avec fermeté de ralentir le véhicule. La direction s'avère précise et les freins, qui ont pourtant l'imposante tâche de ralentir plus de 2 000 kilos, accomplissent leur boulot avec passion.

Alain Morin

GAMME EN BREF

Échelle de prix :	54 500 $ à 69 000 $ (2006)
Catégorie :	multisegment
Historique du modèle :	1ère génération
Garanties :	4 ans/80 000 km, 6 ans/110 000 km
Assemblage :	Tochigi, Japon
Autre(s) moteur(s) :	V6 3,5l 275ch/268lb-pi (12,1 l/100km)
Autre(s) rouage(s) :	aucun
Autre(s) transmission(s) :	aucune

DANS LA MÊME CATÉGORIE

Cadillac SRX - Mercedes-Benz Classe R - Volvo XC90

DU NOUVEAU EN 2007

Pas de changement majeur

NOS IMPRESSIONS

Agrément de conduite :	🚗🚗🚗🚗
Fiabilité :	🚗🚗🚗🚗½
Sécurité :	🚗🚗🚗🚗
Qualités hivernales :	🚗🚗🚗🚗½
Espace intérieur :	🚗🚗🚗½
Confort :	🚗🚗🚗½

LE CHOIX DE L'ÉQUIPE

FX35

Photos : Alain Morin

JUSTE À POINT

L'histoire de l'automobile est remplie de cas pathétiques d'excellentes bagnoles qui ont été pensées trop rapidement. Prenez, par exemple, le cas de la Chrysler Airflow. Au milieu des années 30, Chrysler lançait cette voiture aux formes aérodynamiques. Sauf qu'à l'époque, les lignes fluides avaient fait fuir les clients potentiels. L'Airflow était dix ou vingt ans en avance sur les autres. L'Infiniti G35, elle, semble toujours se trouver à la bonne place au bon moment. Dans la première partie de ce *Guide*, lors d'un match entre intégrales, nous soulignions que sa carrosserie du modèle 2006 commençait à dater…

Vous savez quoi ? Pour 2007, Infiniti modifie l'avant de sa G35 berline en plus d'améliorer sa mécanique. Juste à point. Cette nouvelle génération de la G35 avait été dévoilée au Salon de l'auto de New York. Les changements à la silhouette sont assez discrets. Les phares, surtout, ressemblent désormais à ceux d'une certaine Mercedes-Benz CLS. Est-ce que Infiniti voudrait se positionner vers le haut de gamme avec sa voiture d'entrée de gamme ? Le capot est subtilement retouché ainsi que la partie située sous le pare-chocs avant. À l'arrière, les modifications sont encore plus timides. Dans l'habitacle, on remarque immédiatement le nouveau volant et la partie centrale du tableau de bord qui devient la console redessinée. Aussi, excellente nouvelle, les commandes des sièges électriques se trouvent maintenant à l'endroit habituel, soit sur le côté du siège, près de la portière. Personne ne s'ennuiera des commandes placées sur le dessus du rebord du siège. Parmi les autres nouveautés, on retrouve un système audio qui promet. Juste le nom a de quoi inquiéter les tympans. Il s'agit du "Infiniti Studio on Wheels" de Bose qui utilise des «woofers» de 10 pouces dans les portes et un convertisseur audio numérique Burr Brown de 24 bits. Je n'y comprends pas grand-chose mais ça semble invitant !

Nous désirons vous aviser tout de suite. Étant donné que la nouvelle G35 berline ne sera lancée sur le marché qu'en novembre, nous n'avons pas encore eu la chance de la conduire. Mais nous ne vous laisserons pas tomber. Nous vous informerons par l'entremise de notre magazine *Le Monde de l'auto* vendu en kiosque six fois l'an (un peu d'autopromotion, ça n'a jamais fait de tort !) Lorsque la G35 initiale avait été lancée, en 2003, on retrouvait seulement la berline. Le coupé était apparu quelques mois plus tard. Il est donc fort possible que l'histoire se répète cette année.

Le moteur demeure toujours le V6 de 3,5 litres, mais il a été alésé et retouché dans le but d'obtenir 306 chevaux, comparativement à 280 pour la génération actuelle. Le couple serait de 268 livres-pieds. La ligne rouge, si ce genre de détail vous intéresse, est passée de 6600 tours minute à 7500. Souhaitons, malgré tous ces changements, que la sonorité de ce V6 soit demeurée intacte. Les transmissions ne changent pas et on retrouve une automatique à cinq rapports avec mode manuel et une vraie manuelle à six rapports. Ce qui veut dire que l'automatique se montre toujours aussi bien adaptée tandis que la manuelle ne sera probablement pas plus agréable à utiliser qu'avant. Le point fort de la G35 était son châssis d'une rigidité exemplaire. Pour l'occasion, Infiniti a utilisé la deuxième génération de sa plate-forme FM (pour Front Midship), déjà en service sur les M35 et 45. La G35 berline voit donc ses

FEU VERT
Moteur en verve
Transmission automatique bien adaptée
Traction intégrale professionnelle
Châssis exemplaire
Comportement routier à l'avenant

FEU ROUGE
Boîte manuelle désagréable
Places arrière pénibles (coupé 2006)
Intégrale non disponible sur le coupé (2006)
Certaines commandes peu ergonomiques (2006)
Quelques plastiques "cheaps" (2006)

voies avant et arrière augmenter légèrement, ce qui devrait avoir une incidence directe et positive sur le comportement routier… qui se portait déjà assez bien, merci!

INTÉGRALE DE QUALITÉ

La G35 2007 est toujours offerte en version propulsion (roues arrière motrices) et AWD, soit une intégrale. Cette dernière a été mise à l'épreuve avec d'autres voitures à rouage intégral lors du match comparatif et, sans terminer première, elle s'en est tirée avec honneur. Ce rouage au nom aussi compliqué que le système lui-même (ATTESA E-TS (Advanced Total Traction Engineering System of All Electronic Torque Split, ouf) s'avère très sophistiqué. Ses réactions sont rapides mais c'est surtout l'efficacité des systèmes de contrôle de traction et de stabilité qui impressionne. Même lorsque le voyant indiquant la mise en marche de ces systèmes s'allume au tableau de bord, le pilote ne ressent aucun changement au comportement de la voiture. J'ose imaginer que ce sera encore le cas dans la version 2007!

ET LE MODÈLE ACTUEL, LUI?

Mais trêve de spéculation. La livrée 2006, qui est encore en vente au moment de la sortie du présent *Guide de l'auto* demeure une excellente affaire. La berline s'avère mieux équilibrée même si le coupé a plus de punch visuellement. Il ne faut pas avoir étudié la mécanique quantique longtemps pour deviner que les places arrière du coupé sont nettement moins invitantes que celles de la berline. Puisque le coupé se veut plus sportif, il possède un moteur plus puissant de 20 chevaux que celui de la berline. Les performances sont à peine meilleures (admettons qu'elles ne sont pas si mal, peu importe qu'il s'agisse de la berline ou du coupé) et la sonorité de l'échappement devient agaçante à la longue lorsqu'on roule à vitesse constante. Il faut noter que le coupé n'est pas offert en version intégrale. Le comportement routier est à l'image du moteur, soit très enjoué. Les freins et la direction sont à l'avenant.

Esthétiquement, la G35 commençait à prendre quelques rides. Infiniti vient de corriger le tir avec le modèle 2007. Et même si la partie mécanique n'était jamais pointée du doigt, la marque de prestige de Nissan a décidé de prendre le taureau par les cornes et d'en donner un peu plus au consommateur. Souhaitons que les prix ne suivent pas la même tangente…

Alain Morin

VÉHICULE D'ESSAI

Version:	G35x berline (2006)
Prix de détail suggéré:	46 390$ (2006)
Emp/Lon/Lar/Haut(mm):	2 850/4 750/1 773/1 468
Poids:	1 680 kg
Coffre/Réservoir:	397 litres/76 litres
Coussins de sécurité:	frontaux, latéraux (av.) et rideaux
Suspension avant:	indépendante, multibras
Suspension arrière:	indépendante, multibras
Freins av./arr.:	disque (ABS)
Antipatinage/Contrôle de stabilité:	oui/oui
Direction:	à crémaillère, assistance variable
Diamètre de braquage:	11,0 m
Pneus av./arr.:	P225/55R17
Capacité de remorquage:	454 kg

MOTORISATION À L'ESSAI

Moteur:	V6 de 3,5 litres 24s atmosphérique
Alésage et course:	89,0 mm x 93,0 mm
Puissance:	306 ch (209 kW) à 6 800 tr/min
Couple:	268 lb-pi (366 Nm) à 5 200 tr/min
Rapport poids/puissance:	5,64 kg/ch (7,67 kg/kW)
Système hybride:	aucun
Transmission:	intégrale, auto. mode man. 5 rapports
Accélération 0-100 km/h:	7,3 s
Reprises 80-120 km/h:	6,1 s
Freinage 100-0 km/h:	41,0 m
Vitesse maximale:	240 km/h
Consommation (100 km):	ordinaire, 11,3 litres
Autonomie (approximative):	673 km
Émissions de CO2:	5 569 kg/an

GAMME EN BREF

Échelle de prix:	39 990$ à 49 640$ (2006)
Catégorie:	berline sport
Historique du modèle:	1ière génération
Garanties:	4 ans/100 000 km, 6 ans/110 000 km
Assemblage:	Tochigi, Japon
Autre(s) moteur(s):	V6 3,5l 275ch/268lb-pi (coupé automatique)
	V6 3,5l 293ch/258lb-pi (coupé manuel)
Autre(s) rouage(s):	propulsion
Autre(s) transmission(s):	manuelle 6 rapports

DANS LA MÊME CATÉGORIE

Audi A4 - BMW Série 3 - Cadillac CTS - Chrysler 300 - Lexus IS - Saab 9-3 - Subaru Impreza WRX

DU NOUVEAU EN 2007

Nouvelle berline bientôt sur le marché

NOS IMPRESSIONS

Agrément de conduite:	🚗🚗🚗🚗
Fiabilité:	🚗🚗🚗🚗
Sécurité:	🚗🚗🚗🚗
Qualités hivernales:	🚗🚗🚗🚗½
Espace intérieur:	🚗🚗🚗½
Confort:	🚗🚗🚗½

LE CHOIX DE L'ÉQUIPE

G35x

LE LUXE REDÉFINI

La série M du fabricant japonais Infiniti n'a pas toujours connu le succès voulu. Il faut dire que ses formes trop génériques et sa conduite plus que banale n'avaient rien pour écrire à sa mère. Mais aujourd'hui, oubliez cette vieille version: Infiniti a tourné la page et lancé l'année dernière une toute nouvelle génération de M, désormais racée et sophistiquée. Bon, c'est vrai que son design se rapproche à s'y méprendre à celui des autres membres de la famille et qu'il ne fera certainement pas tourner toutes les têtes, mais la voiture a gagné beaucoup en finesse.

L'Infiniti M s'inscrit dans un domaine hautement compétitif, face à des rivales bien établies. On y retrouve notamment les germaniques Mercedes-Benz Classe E et BMW de série 5, mais aussi les nippones Lexus GS et Acura RL. Du côté américain, il faut regarder chez Cadillac pour retrouver une rivale digne de mention avec la STS. Mais avouons-le, la compétition ne provient certainement pas du pays de l'Oncle Sam dans le créneau des voitures sportives de luxe.

DU CHOIX POUR TOUS LES GOÛTS

Plusieurs modèles sont offerts depuis le remodelage, contrairement à la génération précédente qui n'en comportait qu'un seul. De base, la berline M35 propose un moteur V6 de 3,5 litres développant 275 chevaux. Cette version, comme le sont tous les modèles, est équipée d'une boîte automatique à cinq rapports, incluant un mode manumatique d'une grande rapidité.

Les mordus de rouage intégral, et ils sont nombreux, seront heureux de se tourner vers le modèle M35X, un peu plus dispendieux, mais pourvu du système intégral ATESSA, de mise dans toute la gamme Infiniti. Bien qu'il soit relativement efficace et rapide dans le transfert du couple en cas de perte d'adhérence aux roues arrière, le système n'est pas exactement

transparent, et a la fâcheuse tendance à couiner légèrement dès qu'il s'enclenche. Un point faible que l'on peut aussi noter sur la G35X.

Notons que la M35 et sa sœur X proposent une bonne liste d'équipements de série incluant tout ce que l'on attend d'une berline de luxe, et même plus. En fait, à simplement jeter un coup d'œil au tableau de bord, on soupçonne qu'il faut à la fois un permis de conduire, et un diplôme en électronique, pour maîtriser tous les équipements.

Au sommet de la gamme, on retrouve les modèles M45 et M45 Sport, cette dernière s'avérant une véritable bête. Les versions M45 offrent un moteur V8 de 4,5 litres développant 325 chevaux et un couple de 336 lb-pied.

Grâce à cette motorisation, la M passe de voiture performante à un authentique bolide, tout aussi agréable à exploiter que plusieurs rivales de renom, incluant certaines BMW qui sont directement dans la mire du fabricant japonais. Heureusement d'ailleurs, car la M35 a un moteur un peu juste, qui bien que rapide sur les départs, a une forte tendance à l'essoufflement. La version de 4,5 litres corrige cette lacune avec élégance et utilise son poids pour modifier un peu cette inopportune réaction.

FEU VERT
Moteur V8 performant
Luxe omniprésent
Silhouette raffinée
Châssis rigide

FEU ROUGE
Voiture lourde
V6 rapidement essoufflé
Direction peu communicative
Traction intégrale peu transparente

Une fois au volant, on découvre une voiture agile offrant un bon comportement routier même s'il est parfois un peu trop sous-vireur en version de base. Le moteur V6 du modèle M35 livre des performances intéressantes mais légèrement en deçà des attentes. En revanche, prendre le volant de la M45 Sport se transforme en une riche expérience sportive. Elle fournit de puissantes accélérations et reprises. Sa direction est également plus précise, alors que sa suspension sport lui procure un bel aplomb en conduite plus sportive.

ORDI OU HABITACLE

Quant à l'équipement, de série ou en option, la liste est longue et fort impressionnante. Le système de navigation optionnel est un des plus complets actuellement disponible. croyez-le ou non, il inclut les petites rues de la région maskoutaine, même les plus récentes! On retrouve aussi à bord un système Bose de type Surround, équipé de 14 haut-parleurs. Rien de mieux pour faire résonner avec élégance et clarté la bande sonore du DVD que vos passagers arrière pourront regarder sur le système multimédia installé au centre du plafond. Une belle trouvaille pour les passagers, mais un défaut majeur en terme de visibilité pour le conducteur.

Les autres trouvailles sont nombreuses : sièges chauffants et climatisés (appréciés les journées de canicule), régulateur de vitesse qui s'adapte aux voitures environnantes, contrôle de traction, système de détection d'accident et pré tendeur de ceintures, et même détecteur de changement de voies. Sans oublier le système sans clé, qui ouvre les portières et démarre le moteur d'une simple pression du doigt quand on traîne l'émetteur avec soi.

Outre l'équipement, il est indéniable que le nouveau style de la M s'avère beaucoup plus réussi. Elle offre des lignes que l'on associe rapidement à la marque, comme sa sœur G35. Et si vous souhaitez vous faire remarquer un peu plus, la M45 avec le groupe sport vous vaudra certainement plusieurs regards. L'avant se distingue par une grille sport, alors que l'oeil est vite attiré par les jantes de 19 pouces.

Infiniti avait frappé un grand coup avec la G35, acclamée de tous les critiques. La série M lui permet de poursuivre sur sa lancée… Auprès d'une clientèle qui en a les moyens. en tout cas.

Marc Bouchard

Photos : Infiniti

INFINITI M35 / M35X / M45

VÉHICULE D'ESSAI

Version :	M35
Prix de détail suggéré :	56 400 $
Emp/Lon/Lar/Haut(mm) :	2 900/4 900/1 798/1 509
Poids :	1 764 kg
Coffre/Réservoir :	422 litres/76 litres
Coussins de sécurité :	front., latéraux (av./arr.) et rideaux
Suspension avant :	indépendante, bras inégaux
Suspension arrière :	indépendante, multibras
Freins av./arr. :	disque (ABS)
Antipatinage/Contrôle de stabilité :	oui/oui
Direction :	à crémaillère, assistée
Diamètre de braquage :	11,2 m
Pneus av./arr. :	P245/45R18
Capacité de remorquage :	454 kg

MOTORISATION À L'ESSAI

Moteur :	V6 de 3,5 litres 24s atmosphérique
Alésage et course :	95,5 mm x 81,4 mm
Puissance :	275 ch (209 kW) à 6 200 tr/min
Couple :	268 lb-pi (366 Nm) à 4 800 tr/min
Rapport poids/puissance :	6,3 kg/ch (8,56 kg/kW)
Système hybride :	aucun
Transmission :	propulsion, auto. mode man. 5 rapports
Accélération 0-100 km/h :	8,1 s
Reprises 80-120 km/h :	7,1 s
Freinage 100-0 km/h :	39,4 m
Vitesse maximale :	250 km/h
Consommation (100 km) :	super, 12,5 litres
Autonomie (approximative) :	608 km
Émissions de CO2 :	5 376 kg/an

GAMME EN BREF

Échelle de prix :	56 400 $ à 73 400 $
Catégorie :	berline de luxe
Historique du modèle :	2ième génération
Garanties :	4 ans/80 000 km, 6 ans/110 000 km
Assemblage :	Tochigi, Japon
Autre(s) moteur(s) :	V8 4,5l 325ch/336lb-pi (13,5 l/100km) M45
Autre(s) rouage(s) :	intégrale
Autre(s) transmission(s) :	aucune

DANS LA MÊME CATÉGORIE

Audi A6 - BMW Série 5 - Buick Lucerne - Cadillac STS - Jaguar X-Type - Lexus GS 350/430 - Volvo S80

DU NOUVEAU EN 2007

Pas de changement majeur

NOS IMPRESSIONS

Agrément de conduite :	🚗 🚗 🚗 ½
Fiabilité :	🚗 🚗 🚗 🚗 ½
Sécurité :	🚗 🚗 🚗 🚗 ½
Qualités hivernales :	🚗 🚗 🚗 🚗
Espace intérieur :	🚗 🚗 🚗 🚗
Confort :	🚗 🚗 🚗 🚗

LE CHOIX DE L'ÉQUIPE

M35x

EN VOIE D'EXTINCTION

Croyez-le ou non, il existe un modèle de prestige chez Infiniti qui doit concurrencer directement les Lexus LS, Mercedes-Benz de Classe S, BMW Série 7 et Audi A8 pour ne nommer que celles-là. Il s'agit de la Q45, une voiture à l'allure carrément anonyme qui ne suscite tellement pas les passions qu'elle ne figure tout simplement pas sur le radar des acheteurs. Alors que la G35 et la M45 ont su capter l'attention par leurs qualités dynamiques et par leur style, la Q45 poursuit sa route dans l'anonymat le plus complet.

Dur, dur d'exister dans l'ombre d'une voiture qui est pourtant placée en dessous dans la hiérarchie de la marque, et c'est cependant la situation qui a cours chez Infiniti où la Q45 est totalement éclipsée par la M45 qui lui est grandement supérieure sur le plan technique en plus d'être moins chère. En fait, les ventes de la Q45 étant presque confidentielles, on se demande pourquoi elle est encore au catalogue! Chez Infiniti, on précise d'ailleurs qu'elle sera retirée du marché et ne sera plus vendue chez nos voisins du Sud en 2007, mais qu'aucune décision n'avait été prise quant à sa diffusion au Canada ou son retrait de la gamme au moment d'écrire ses lignes. Donc, si Q45 il y a au Canada, c'est une voiture essentiellement inchangée par rapport aux années précédentes qui sera proposée aux acheteurs. Déjà larguée par la concurrence directe depuis quelques années, l'écart entre la Q45 et les ténors de la catégorie s'est encore creusé récemment, prenant désormais les allures d'un gouffre infranchissable.

COMPLÈTEMENT DÉCLASSÉE SUR LE PLAN TECHNIQUE

Pourtant, en faisant la lecture de la fiche technique de la Q45, on s'aperçoit qu'elle n'est pas dépourvue d'atouts pour assurer le confort des passagers puisqu'elle fait montre d'une dotation intéressante pour ce qui est de l'équipement et des accessoires, mais on note également que la voiture est déclassée sur le plan technique par rapport à la concurrence. Prenez simplement la boîte automatique en exemple: celle de la Q45 compte cinq rapports, alors que la Classe S en revendique sept et que la plus récente LS trône au sommet de la catégorie avec huit, ce qui est d'ailleurs une première mondiale.

C'est donc peu reluisant pour une voiture qui est censée représenter le nec plus ultra de la technologie et porter le flambeau de la division de voitures de luxe de Nissan. On ne le dira jamais assez, la concurrence est féroce dans tous les créneaux de l'industrie automobile et plus particulièrement dans celui des voitures de grand luxe, où il est impératif de pouvoir suivre le rythme imposé par la concurrence; ce que la Q45 n'est tout simplement plus en mesure de faire.

La génération actuelle de la voiture ayant été lancée au début du millénaire, son châssis n'est pas aussi rigide que celui des voitures concurrentes actuelles, et c'est en partie pour cette raison qu'elle n'égale pas ses rivales au chapitre des performances et du comportement routier. En effet, dans les virages, la conduite n'est pas aussi précise au volant de la Q45 qu'au volant de la M45 qui, elle, est dotée d'un châssis plus moderne et de suspensions mieux calibrées.

FEU VERT
Luxe assuré
Moteur V8 performant
Qualité de la finition
Phares puissants

FEU ROUGE
Modèle en fin de carrière
Silhouette quelconque
Habitabilité moyenne
Prix élevé
Tenue de route moyenne

Côté moteur ce n'est pas mal, le V8 de 4,5 litres étant en mesure de livrer 340 chevaux grâce au calage variable des soupapes et à l'injection électronique du carburant, mais c'est là le seul point fort de la Q45 qui doit partager ce même moteur avec d'autres modèles de la marque, ce qui lui retire une certaine exclusivité.

La Q45 a subi un léger remodelage en 2005 afin de rafraîchir les parties avant et arrière, mais on avait toujours peine à faire la différence entre une 2004 et une 2005, tellement elles se ressemblaient. Comme me le faisait remarquer mon collègue Denis Duquet, la seule caractéristique frappante de cette voiture sur le plan visuel se résume à l'adoption de phares surdimensionnés composés d'une multitude de lentilles imitant une batterie de missiles antiaériens.

L'ESPACE EST COMPTÉ

La Q45 est plus longue que la M45, et malgré cela, elle offre moins d'espace intérieur, particulièrement du côté des places arrière que l'on peut qualifier d'intimistes. Pour ajouter l'insulte à l'injure, la capacité de son coffre n'est que de 385 litres, ce qui est inférieur au volume d'espace alloué par le coffre d'une simple Chevrolet Cobalt. Quand ça va mal, ça va mal…

La dotation de série est pourtant très complète : sellerie de cuir, système de navigation assisté par satellite, caméra de recul, régulateur de vitesse intelligent avec radar intégré, et j'en passe. Conduire une Q45, c'est un peu comme manger un bol de riz blanc sans aucun assaisonnement. C'est nourrissant certes, mais ça ne déchaîne pas les passions.

Somme toute, la Q45 est tout simplement dénuée de charme et d'intérêt, et bien qu'elle ait été conçue en fonction des goûts et des attentes de la clientèle américaine, qui elle même n'en veut pas, ce qui résume en quelques lignes le sort qui attend cette voiture qui est soit en voie d'extinction complète ou qui devra renaître prochainement de ses cendres. C'est pourquoi nous passons donc immédiatement à un autre appel : amateurs de chars, bonsoir !

Gabriel Gélinas

Photos : Infiniti

INFINITI QX56 / NISSAN ARMADA

VÉHICULE D'ESSAI

Version :	Base
Prix de détail suggéré :	93 200 $
Emp/Lon/Lar/Haut (mm) :	2 870/5 100/1 840/1 490
Poids :	1 854 kg
Coffre/Réservoir :	385 litres/81 litres
Coussins de sécurité :	front., latéraux (av./arr.) et rideaux
Suspension avant :	indépendante, jambes de force
Suspension arrière :	indépendante, multibras
Freins av./arr. :	disque (ABS)
Antipatinage/Contrôle de stabilité :	oui/oui
Direction :	à crémaillère, assist. variable électronique
Diamètre de braquage :	11,0 m
Pneus av./arr. :	P225/55R17
Capacité de remorquage :	n.d.

Pneus d'origine
MICHELIN

MOTORISATION À L'ESSAI

Moteur :	V8 de 4,5 litres 32s atmosphérique
Alésage et course :	93,0 mm x 82,7 mm
Puissance :	340 ch (254 kW) à 6 400 tr/min
Couple :	333 lb-pi (452 Nm) à 4 000 tr/min
Rapport poids/puissance :	5,45 kg/ch (7,42 kg/kW)
Système hybride :	aucun
Transmission :	propulsion, automatique 5 rapports
Accélération 0-100 km/h :	7,2 s
Reprises 80-120 km/h :	6,1 s
Freinage 100-0 km/h :	39,3 m
Vitesse maximale :	250 km/h
Consommation (100 km) :	super, 13,2 litres
Autonomie (approximative) :	614 km
Émissions de CO2 :	5 570 kg/an

GAMME EN BREF

Échelle de prix :	93 200 $
Catégorie :	berline de grand luxe
Historique du modèle :	2ième génération
Garanties :	4 ans/100 000 km, 6 ans/110 000 km
Assemblage :	Tochigi, Japon
Autre(s) moteur(s) :	aucun
Autre(s) rouage(s) :	aucun
Autre(s) transmission(s) :	aucune

DANS LA MÊME CATÉGORIE

Audi A8 - BMW Série 7 - Jaguar XJ8 - Lexus LS 460 - Mercedes-Benz CLS

DU NOUVEAU EN 2007

Pas de changement majeur

NOS IMPRESSIONS

Agrément de conduite :	🚗 🚗 🚗
Fiabilité :	🚗 🚗 🚗 🚗½
Sécurité :	🚗 🚗 🚗 🚗
Qualités hivernales :	🚗 🚗 🚗
Espace intérieur :	🚗 🚗 🚗½
Confort :	🚗 🚗 🚗½

LE CHOIX DE L'ÉQUIPE

Sport

ASSUMER SON POIDS

Les journalistes automobiles sont appelés à conduire tous les véhicules qui circulent sur nos routes. De la minimaliste Smart à l'immense Ford Expedition Max, tout y passe! Le Nissan Armada et son luxueux jumeau, l'Infiniti QX56, font partie de la deuxième catégorie. Les verts auront beau s'époumoner, il restera toujours des acheteurs pour ce type de camion hyperénergivore. Malgré des airs quasiment angéliques, ce duo est bâti sur le châssis d'un camion, le Titan, qui, comme son nom l'indique, possède des dimensions… titanesques!

Même si l'ensemble de la carrosserie est la même pour les deux véhicules, il existe quelques différences permettant de différencier un QX56 (si vous en voyez un sur les routes du Québec!) et un Armada. La partie avant diffère passablement alors que les phares du QX56 se font beaucoup plus discrets et raffinés que ceux de l'Armada. Aussi, les moulures de portes sont plus minces chez le QX. Les deux véhicules affichent une ligne de toit qui semble se rompre entre l'habitacle et la partie arrière. En fait, le toit demeure parfaitement droit mais le design des glaces latérales donne l'impression qu'un arbre est tombé sur le toit et l'a écrasé. Dans l'habitacle, les matériaux du QX s'avèrent de meilleure qualité et le plastique du Nissan fait place à des garnitures en bois.

POUR QUELQUES SOUS DE PLUS…

Avec un prix de base avoisinant les 55 000$, on pourrait croire que l'Armada compte sur une longue liste d'accessoires standard. Eh bien non! L'équipement de base est certes plus relevé que celui d'une Hyundai Accent mais il me semble que le toit ouvrant électrique, les glaces de troisième rangée à ouverture électrique et les rideaux gonflables pour les passagers avant auraient pu être inclus dans la dotation de base. Pour obtenir ces éléments, il faut cocher le modèle LE qui, lui, revient à près de 60 000$! Le QX56, lui, demande moins de réflexion. Signez un chèque d'à peu près 78 000$ et partez avec le véhicule! Et là, c'est vraiment complet!

Tel que mentionné un peu plus haut, les Armada et QX56 possèdent trois rangées de sièges. Contrairement à la plupart de leurs concurrents, cette rangée peut accueillir deux adultes en tout confort. Il y a même de la place pour trois mais n'exagérons pas! Des contrôles séparés de climatisation/chauffage sont même prévus pour eux. Les deux véhicules existent en versions sept ou huit passagers. Dans cette dernière livrée, le siège de deuxième rangée est une banquette. Même si elle s'avère tout de même confortable nous recommandons la version sept passagers avec ses sièges capitaines pour la deuxième rangée, tout simplement parfaits pour de longues randonnées. Ceux situés à l'avant ne s'attirent aucune mauvaise critique sinon un manque de soutien latéral. Mais bien davantage que les sièges, c'est l'espace habitable qui impressionne. C'est grand comme la cathédrale Notre-Dame de Paris là-dedans et il faut quasiment un cellulaire pour communiquer avec les passagers arrière. Le tableau de bord, sorti tout droit de l'imagination d'un comptable déprimé, possède une ergonomie généralement réussie. Par contre, et malgré un prix assez corsé, les plastiques de l'habitacle, autant de l'Armada que du QX56, font assez cheap merci!

FEU VERT	**FEU ROUGE**
Prestige assuré	Consommation immodérée
Habitacle de style cathédrale	Dimensions radicales
Moteur performant	Rayon de braquage énorme
Intégrale bien adaptée	Finition intérieure primitive
Confort de bon aloi	Prix élevé

OH, QUE C'EST DU MOTEUR, ÇA !

Les Armada et QX56 sont énormes. Pour tirer ces brutes de leur position stationnaire, ça prend plus qu'un moteur de tondeuse à gazon. Le V8 de 5,6 litres développe cette année 317 chevaux (320 pour le QX56), soit un tantinet plus que l'an dernier. Cette augmentation de la puissance ne change pas grand-chose puisque le duo se débrouillait déjà fort bien avec des temps d'accélérations surprenants compte tenu du poids à trimballer. L'impressionnant couple de 385 livres-pied (390 pour l'Infiniti) demeure inchangé. On retrouve une seule transmission, soit une automatique à cinq rapports dont le passage entre les vitesses se fait avec une belle douceur. Naturellement, tant qu'à faire un gros *truck*, aussi bien qu'il passe partout ! Plutôt que de le doter d'un rouage 4x4 un peu rustre, Nissan (et Infiniti, bien sûr) a préféré lui adjoindre un rouage intégral sophistiqué. De plus, les Armada et QX56 peuvent compter sur un antipatinage aux quatre roues combiné au système CDV qui détecte tout mouvement inhabituel de la caisse pour ordonner à l'intégrale de modifier instantanément la répartition du couple. La capacité de remorquage se situe parmi les meilleures de l'industrie avec ses 4037 kilos (9000 livres). Avant de clore ce paragraphe portant sur la mécanique, soulignons avec une infinie désolation, que la consommation d'essence de ce monstre est comparable à celle d'un alcoolique en rechute... Sauf qu'il n'y a aucun espoir de réchapper l'Armada et le QX56 !

Ce Nissan/Infiniti possède deux personnalités. La conduite de ce véhicule sur une autoroute ne révèle aucune surprise, si ce n'est celle, heureuse, de constater que la suspension arrière indépendante fait un boulot extraordinaire en ne sautillant pas comme celle d'un camion traditionnel. Il en va autrement aussitôt que le centre-ville approche. Autant il semble à l'aise sur la grand-route, autant il devient lourdaud dès qu'un coin de rue se présente. Une jeune cycliste du centre-ville de Montréal, un peu frondeuse, je dois avouer, a sans doute vu sa vie défiler pendant une seconde, le temps que je réalise que le rayon de braquage était beaucoup plus grand que prévu. Probablement en guise d'appréciation de ma conduite, elle a levé un doigt vers le ciel...

Malgré toutes ses qualités, le duo Armada et QX56 n'ont pas réussi à m'impressionner outre mesure. La qualité de la finition et le coût de l'essence ont eu raison de mon enthousiasme premier.

Alain Morin

VÉHICULE D'ESSAI

Version :	QX56
Prix de détail suggéré :	78 200 $ (2006)
Emp/Lon/Lar/Haut(mm) :	3 130/5 255/2 002/1 998
Poids :	2 568 kg
Coffre/Réservoir :	566 à 2 750 litres/105 litres
Coussins de sécurité :	frontaux, latéraux (av.) et rideaux
Suspension avant :	indépendante, bras inégaux
Suspension arrière :	indépendante, multibras
Freins av./arr. :	disque (ABS)
Antipatinage/Contrôle de stabilité :	oui/oui
Direction :	à crémaillère, assistance variable
Diamètre de braquage :	12,5 m
Pneus av./arr. :	P265/70R18
Capacité de remorquage :	4 037 kg

MOTORISATION À L'ESSAI

Moteur :	V8 de 5,6 litres 32s atmosphérique
Alésage et course :	98,0 mm x 92,0 mm
Puissance :	320 ch (239 kW) à 4 900 tr/min
Couple :	393 lb-pi (533 Nm) à 3 600 tr/min
Rapport poids/puissance :	8,03 kg/ch (10,88 kg/kW)
Système hybride :	aucun
Transmission :	intégrale, automatique 5 rapports
Accélération 0-100 km/h :	9,1 s
Reprises 80-120 km/h :	8,2 s
Freinage 100-0 km/h :	44,3 m
Vitesse maximale :	180 km/h
Consommation (100 km) :	super, 17,9 litres
Autonomie (approximative) :	587 km
Émissions de CO2 :	7 392 kg/an

GAMME EN BREF

Échelle de prix :	78 200 $ (2006)
Catégorie :	utilitaire sport grand format
Historique du modèle :	1ière génération
Garanties :	4 ans/100 000 km, 6 ans/110 000 km
Assemblage :	Canton, Mississipi, É-U
Autre(s) moteur(s) :	V8 5,6l 317ch/385lb-pi (17,4 l/100km) Armada
Autre(s) rouage(s) :	aucun
Autre(s) transmission(s) :	aucune

DANS LA MÊME CATÉGORIE

Cadillac Escalade - Chrysler Aspen - Ford Expedition - Lincoln Navigator

DU NOUVEAU EN 2007

Légère augmentation de la puissance

NOS IMPRESSIONS

Agrément de conduite :	🚗🚗🚗🚗
Fiabilité :	🚗🚗🚗🚗
Sécurité :	🚗🚗🚗🚗½
Qualités hivernales :	🚗🚗🚗🚗½
Espace intérieur :	🚗🚗🚗🚗🚗
Confort :	🚗🚗🚗🚗½

LE CHOIX DE L'ÉQUIPE

QX56

Photos : Infiniti

LE STYLE ET C'EST TOUT

Le lancement de la toute récente XK a beau raviver l'intérêt envers cette célèbre marque britannique, il n'en demeure pas moins que Jaguar vit actuellement dans la tourmente, son bailleur de fonds, qui est le géant américain Ford, étant aux prises avec d'importantes difficultés financières. Cet aspect pour le moins troublant s'ajoute au fait que les ventes de Jaguar sont en baisse et que certains de ses modèles sont en sérieuse perte de vitesse face à une concurrence toujours plus affûtée.

Lancée en 1999, puis rafraîchie en 2005, la S-Type affiche maintenant un âge avancé et elle n'est plus en mesure de faire face aux ténors de la catégorie que sont les européennes BMW Série 5, Mercedes-Benz de Classe E et Audi A6, ainsi que les japonaises Lexus GS, Infiniti M et Acura RL qui sont toutes plus récentes et surtout plus avancées sur le plan technique. Ce retard important dans le renouvellement de la S-Type est dû aux difficultés précitées, ainsi que par l'incertitude qui plane actuellement sur l'avenir de la marque. En effet, l'édition du 2 août 2006 du *Wall Street Journal* nous apprenait que le géant américain Ford entreprenait une révision stratégique complète de ses opérations qui pourrait mener à la vente de certaines de ses marques et de ses divisions ou qui pourrait entraîner des alliances avec d'autres marques. Du côté du Premier Automotive Group de Ford, les ventes vont bien chez Volvo, la marque Land Rover connaît un certain succès avec ses plus récents modèles, mais on continue de perdre beaucoup d'argent chez Jaguar. Déjà l'an dernier, on avait amorcé chez Ford une réflexion profonde sur la direction que devrait adopter Jaguar pour l'avenir, en précisant que l'une des options serait de réduire la taille de la compagnie en délaissant les modèles d'entrée de gamme que sont les X-Type et S-Type pour se concentrer sur le développement des berlines et coupés de luxe que

sont les XJ et XK. Voilà donc le portrait de la situation tel qu'il se présente au moment d'écrire ces lignes.

ÉLÉGANCE CLASSIQUE OU LOOK DÉMODÉ ?

Le choix d'une S-Type relève donc d'une approche plus émotive que cartésienne de la part des acheteurs, dont certains sont encore et toujours séduits par l'élégant classicisme de la marque. De plus, j'ai noté que les Jaguar sont plus populaires auprès des femmes que des hommes, certaines d'entre elles tombant rapidement sous le charme de ces anglaises très stylées qui sont immédiatement reconnaissables et identifiables à leurs yeux. Bref, plus que jamais c'est une question d'attirance pour le look de la marque, jugé intemporel par certains et démodé par d'autres. Prière de choisir votre camp.

Le volume d'espace de l'habitacle étant réduit par rapport à la concurrence, on peut qualifier l'ambiance qui règne à bord d'intimiste ou encore on peut trouver que l'on se sent à l'étroit, dépendamment du point de vue où l'on se place. Une chose est certaine, conducteur et passager avant trouveront que la très large console centrale empiète sur l'espace pour les jambes, alors que les passagers arrière trouveront l'accès à bord difficile et le dégagement pour la tête plutôt juste en raison

FEU VERT
Silhouette réussie
Moteur V8 de 4,2 litres
Confort à l'avant

FEU ROUGE
Fiabilité incertaine
Manque de puissance du V6
Poids élevé
Direction floue

VÉHICULE D'ESSAI

Version :	4.2
Prix de détail suggéré :	75 995 $ (2006)
Emp/Lon/Lar/Haut(mm) :	2 909/4 904/2 060/1 447
Poids :	1 754 kg
Coffre/Réservoir :	400 à 810 litres/69,5 litres
Coussins de sécurité :	frontaux, latéraux (av.) et rideaux
Suspension avant :	indépendante, leviers triangulés
Suspension arrière :	indépendante, leviers triangulés
Freins av./arr. :	disque (ABS)
Antipatinage/Contrôle de stabilité :	oui/oui
Direction :	à crémaillère, assistance variable
Diamètre de braquage :	11,5 m
Pneus av./arr. :	P235/50R17
Capacité de remorquage :	1 850 kg

Pneus d'origine
MICHELIN

de la ligne de toit. Pour le reste, notons que l'ergonomie est plutôt déficiente, certaines commandes étant éloignées du conducteur, et que l'allure générale de la planche de bord ne respire pas tellement le luxe avec la présence d'une multitude de boutons de plastique empruntés à des modèles Ford...

Deux moteurs sont au programme, soit un V6 de 3,0 litres qui développe 235 chevaux et qui s'avère plutôt juste compte tenu du poids de la S-Type. Il faut plutôt opter pour le moteur V8 de 4,2 litres qui développe 300 chevaux, et qui semble être la motorisation la mieux adaptée à la voiture. Peu importe le moteur choisi, il faudra composer avec la grille de sélection en forme de « J » de la boîte automatique à six rapports qui est typique de la marque, mais qui rend le maniement du levier plus délicat en conduite sportive lorsque l'on souhaite commander manuellement le passage des rapports. Et c'est justement en conduite plus sportive ou tout simplement inspirée que la S-Type affiche un comportement qui l'est nettement moins. Les freins manquent d'endurance, la direction est floue et la voiture a tendance au roulis en virage, bref, elle n'aime pas beaucoup être brusquée. En contrepartie, la S-Type est très silencieuse et conviendra certainement à une clientèle qui n'a pas l'intention de s'amuser au volant.

MOTORISATION À L'ESSAI

Moteur :	V8 de 4,2 litres 32s atmosphérique
Alésage et course :	86,0 mm x 90,3 mm
Puissance :	300 ch (224 kW) à 6 000 tr/min
Couple :	310 lb-pi (420 Nm) à 4 100 tr/min
Rapport poids/puissance :	5,85 kg/ch (7,94 kg/kW)
Système hybride :	aucun
Transmission :	propulsion, automatique 6 rapports
Accélération 0-100 km/h :	7,9 s
Reprises 80-120 km/h :	6,2 s
Freinage 100-0 km/h :	41,5 m
Vitesse maximale :	194 km/h
Consommation (100 km) :	super, 11,0 litres
Autonomie (approximative) :	632 km
Émissions de CO2 :	4 656 kg/an

LA VERSION SPORT

Quant à la S-Type R qui est animée par une version suralimentée par compresseur volumétrique du V8 de 4,2 litres produisant 400 chevaux, précisons qu'elle est moins rapide en accélération et moins agile en tenue de route que la plus grande berline XJR qui dispose du même moteur, mais qui est plus légère car réalisée en aluminium. Il serait pourtant logique de penser que la S-Type R devrait être plus agile et rapide en vertu de ses dimensions réduites face à la XJR, mais c'est tout le contraire qui se produit et c'est la différence de poids qui en est la cause. De plus, le châssis de la S-Type manque de rigidité et cette lacune devient plus évidente au volant de la version plus performante.

« On n'arrête pas le progrès » comme le veut le dicton, et malheureusement pour Jaguar, la S-Type n'a pas suivi le défilé. Son évolution a été presque inexistante et c'est pourquoi elle a perdu beaucoup de terrain face à la concurrence. On attend donc le prochain chapitre...

Gabriel Gélinas

GAMME EN BREF

Échelle de prix :	64 295 $ à 90 395 $ (2006)
Catégorie :	berline de luxe
Historique du modèle :	1ère génération
Garanties :	4 ans/80 000 km, 4 ans/80 000 km
Assemblage :	Birmingham, Angleterre
Autre(s) moteur(s) :	V6 3,0l 235ch/216lb-pi (11,1 l/100km)
	V8 4,2l suralimenté 400ch/413lb-pi (12,6 l/100km) R
Autre(s) rouage(s) :	aucun
Autre(s) transmission(s) :	aucune

DANS LA MÊME CATÉGORIE

Acura RL - Audi A6 - BMW Série 5 - Cadillac STS - Infiniti M45 - Lexus GS - Mercedes-Benz Classe E

DU NOUVEAU EN 2007

Pas de changement majeur

NOS IMPRESSIONS

Agrément de conduite :	🚗🚗🚗
Fiabilité :	🚗🚗🚗
Sécurité :	🚗🚗🚗🚗
Qualités hivernales :	🚗🚗🚗
Espace intérieur :	🚗🚗🚗½
Confort :	🚗🚗🚗🚗

LE CHOIX DE L'ÉQUIPE

4.2

Photos : Jaguar

LA CONTINUITÉ

Plusieurs personnes reprochent à la Jaguar XJ8 de trop ressembler aux versions précédentes. Il est vrai que la ligne a peu changé depuis les débuts de la série XJ en 1968. Mais mettez côte à côte un de ces premiers modèles et un de 2007 et vous verrez toute une différence! Et puis, qui oserait accuser Porsche de produire une 911 quasiment identique à celle d'il y a 44 ans? Sans aucun doute que l'acheteur typique de Jaguar voit d'un bon œil ce changement dans la continuité. Le problème de la XJ8 provient plutôt de la concurrence qui a la mauvaise manie de se raffiner sans cesse...

La XJ a été entièrement revue en 2004. La ligne a certes été mise au goût du jour mais c'est surtout ce qui est en dessous qui est tout nouveau. À commencer par la carrosserie, désormais fabriquée en aluminium, question de sauver quelque 200 kilos. Il ne faut pas oublier que la XJ, et à plus forte raison la XJL, est une voiture imposante. La diminution de poids de la carrosserie a sans doute permis d'ajouter de nombreux éléments de sécurité et plusieurs systèmes électroniques. Le châssis aussi est réalisé dans cette même matière, à la fois légère et très résistante. Il n'y a donc pas lieu de s'inquiéter de la modernité des composantes de la XJ. Mais on peut s'inquiéter des coûts de réparation après un accident...

La XJ se présente en deux configurations. «Régulière» (bien que ce mot traduise mal ma pensée...) et version allongée, mieux connue sous le sigle XJL. La livrée «régulière» se décline aussi en version sportive XJR. Quant à la XJL, elle peut également recevoir l'ensemble Vanden Plas ou Super V8 qui est, en fait, une XJR allongée. Les XJ8, XJ8L et XJ8Vanden Plas ont droit au moteur «de base». Il s'agit d'un V8 de 4,2 litres de 300 chevaux et 310 livres-pied de couple qui assure des performances de haut calibre. De plus, tonnes de matériel isolant obligent, les accélérations se font dans la plus grande discrétion. La transmission automatique

ZF à six rapports fonctionne avec une douceur émouvante et la seule critique qu'on pourrait lui faire a trait à la grille de sélection en zigzag, peu commode. Si le «petit» 4,2 litres ne suffit pas à étancher votre soif de performances, on retrouve le même 4,2 mais en version suralimentée. On parle alors de 400 chevaux et 413 livres-pieds de couple. Les accélérations et reprises ne sont rien de moins que phénoménales! Et, ce qui ne gâche rien, ces moteurs sont fort beaux avec leurs belles tubulures noires.

SOUVERAINE

En tout temps, le comportement routier se montre à la hauteur des différents moteurs. Les suspensions semblent toujours parfaitement calibrées entre confort et tenue de route, et il faut pousser plus que de raison pour réaliser que la XJ fait montre d'un certain survirage. Même à des vitesses hautement illégales sur une route secondaire dont l'entretien laissait à désirer, notre XJL a fait preuve d'une stabilité souveraine. Les nombreuses aides électroniques veillent au grain et les contrôles de la traction et de la stabilité interviennent avec beaucoup d'autorité. Mais avant d'en arriver là, il y a de fortes chances que le support latéral déficient des sièges avant vous ait avisé des limites prochaines... Les freins agissent avec détermination tandis que la direction se montre précise mais aussi, malheureusement, légère. À noter que le compteur de vitesse

FEU VERT
La grande classe
Moteurs performants
Comportement routier impressionnant
Consommation étonnante
Fiabilité à la hausse

FEU ROUGE
Lignes trop discrètes
Certaines commandes complexes
Peu d'espace de rangement
Grille de levier de vitesses aberrante
Coûts des réparations exhorbitants

est gradué par 30 km/h (0-30-60-90, etc.), ce qui est un peu stressant pour le non-initié qui voit une auto-patrouille lui coller au derrière et qui se rend compte qu'il a confondu 80 avec 120… D'autant plus que l'impression de vitesse est quasiment inexistante dans une voiture aussi bien insonorisée.

Les larges portes, qui ne possèdent pas tout à fait assez d'angle, ouvrent sur un habitacle où le luxe et le confort font loi. L'accès aux sièges avant n'est pas toujours facile mais, une fois assis, wow! Les sièges arrière font preuve d'autant de précautions envers les occupants. D'ailleurs, tous les sièges sont chauffants, disposent de leur propre support lombaire électrique et mémoire. Si les places arrière de la XJ «de base» se montrent un tantinet justes pour les jambes, il n'y a pas de risques d'éprouver un tel problème dans la XJL. La place centrale, par contre, n'est pas des plus confortables, d'autant plus qu'il n'y a que deux appuie-têtes. Si le coffre n'est pas très haut, il peut tout de même contenir 464 litres. Malheureusement, il ne peut être agrandi en abaissant les dossiers des sièges arrière. Pire, on ne retrouve aucune trappe à skis. Au moins, la moquette qui recouvre le fond du coffre est d'une épaisseur rarement vue dans un salon!

CLASSIQUE

Énumérer la liste de l'équipement standard serait aussi intéressant que la lecture d'un projet de loi par Stephen Harper. Disons simplement que les prix variant de près de 90 000 $ à plus de 125 000 $ sont amplement justifiés. Le superbe volant se prend bien en main, les boiseries (qui me laissent généralement froid) réchauffent l'habitacle, de même que les cuirs de qualité et les plastiques, tout aussi bien choisis. L'écran de navigation est grand et se consulte facilement, mais certains boutons, ceux de la radio par exemple, sont un peu trop difficiles à comprendre. Parmi les autres points négatifs, disons que tant qu'à refaire la XJ, les designers auraient pu en profiter pour doter l'habitacle de quelques espaces de rangement.

Bien qu'elle transpire la classe, la XJ doit se battre contre son vieux démon… le manque de fiabilité. Mais les choses semblent s'être beaucoup améliorées dernièrement. Alors, diantre, pourquoi retrouve-t-on, dans le coffre, 14 (quatorze!) fusibles de rechange? Quoi qu'il en soit, rares sont les voitures sur cette planète à posséder autant de charme que cette belle anglaise. Et c'est souvent tout ce qui compte.

Alain Morin

VÉHICULE D'ESSAI

Version :	XJ8L
Prix de détail suggéré :	99 350 $ (2006)
Emp/Lon/Lar/Haut(mm) :	3 160/5 215/2 108/1 455
Poids :	1 714 kg
Coffre/Réservoir :	464 litres/85 litres
Coussins de sécurité :	frontaux, latéraux (av.) et rideaux
Suspension avant :	indépendante, bras inégaux
Suspension arrière :	indépendante, multibras
Freins av./arr. :	disque (ABS)
Antipatinage/Contrôle de stabilité :	oui/oui
Direction :	à crémaillère, assistance variable
Diamètre de braquage :	12,0 m
Pneus av./arr. :	P235/50R18
Capacité de remorquage :	455 kg

MOTORISATION À L'ESSAI

Pneus d'origine MICHELIN

Moteur :	V8 de 4,2 litres 32s atmosphérique
Alésage et course :	86,1 mm x 90,4 mm
Puissance :	300 ch (224 kW) à 6 000 tr/min
Couple :	310 lb-pi (420 Nm) à 4 100 tr/min
Rapport poids/puissance :	5,71 kg/ch (7,76 kg/kW)
Système hybride :	aucun
Transmission :	propulsion, automatique 6 rapports
Accélération 0-100 km/h :	6,7 s
Reprises 80-120 km/h :	5,5 s
Freinage 100-0 km/h :	41,7 m
Vitesse maximale :	195 km/h
Consommation (100 km) :	super, 11,9 litres
Autonomie (approximative) :	714 km
Émissions de CO2 :	4 512 kg/an

GAMME EN BREF

Échelle de prix :	88 500 $ à 125 650 $ (2006)
Catégorie :	berline de grand luxe
Historique du modèle :	4ième génération
Garanties :	4 ans/80 000 km, 4 ans/80 000 km
Assemblage :	Coventry, Angleterre
Autre(s) moteur(s) :	V8 4,2l suralimenté 400ch/408lb-pi (14,9 l/100km)
Autre(s) rouage(s) :	aucun
Autre(s) transmission(s) :	aucune

DANS LA MÊME CATÉGORIE

Audi A8 / A8L - BMW Série 7 - Infiniti Q45 - Lexus LS 460 - Mercedes-Benz Classe S

DU NOUVEAU EN 2007

Pas de changement majeur

NOS IMPRESSIONS

Agrément de conduite :	🚗 🚗 🚗 🚗
Fiabilité :	🚗 🚗 🚗 🚗
Sécurité :	🚗 🚗 🚗 🚗 ½
Qualités hivernales :	🚗 🚗 🚗 ½
Espace intérieur :	🚗 🚗 🚗 ½
Confort :	🚗 🚗 🚗 🚗

LE CHOIX DE L'ÉQUIPE

Vanden Plas

JAGUAR XK

CHARME À L'ANGLAISE

Les résidants du Royaume-Uni ont la réputation, parfois fausse faut-il l'avouer, d'être flegmatiques et froids. Mais cette froideur apparente ne se traduit pas toujours dans les gestes. On les sait capables des plus grands excès de folie, comme le prouvent annuellement la horde de hooligans qui suivent les matchs de soccer. Mais ils ont aussi prouvé leur amour de la beauté, du style et du charisme. Ce charme tout britannique, la nouvelle Jaguar XK en est l'expression la plus pure.

Déjà réputée pour son design exceptionnel, la XK fait peau neuve pour 2007, et est devenue, comme si cela était possible, encore plus irrésistible. Certaines mauvaises langues lui trouvent un air de famille avec la Aston Martin (il est en effet impossible de ne pas associer les deux calandres), mais avouons que la comparaison est loin d'être négative. Surtout quand le plaisir de conduire est à l'avenant.

PUISSANCE SANS COMPROMIS

Dérivée du concept Advanced Lightweight dont Jaguar avait fait grand cas au fil des ans, et qui ressemble à s'y méprendre à la version de production, la nouvelle XK réunit tous les raffinements dont la marque est capable. Du nombre, un châssis tout aluminium, une recette déjà éprouvée sur la XJ, dont les éléments sont rivetés et collés, qui permet d'abaisser le poids total de la structure. Résultat pour ce qui est de la masse totale : environ 100 kilos de moins que la Mercedes CLK, ce qui permet d'améliorer les performances tout en assurant un ensemble plus sécuritaire.

Pour alimenter le tout, on a choisi de conserver le moteur V8 4,2 l déjà éprouvé, et qui développe 300 chevaux. Et qui a surtout la particularité d'émettre un ronron de chaton. Parce que la voiture est devenue beaucoup plus légère, et parce qu'elle peut compter sur une transmission

automatique à six rapports à contrôle manuel (que l'on manipule à l'aide de commandes derrière le volant), elle fournit bien assez de puissance pour prétendre au titre de véritable sportive.

Ce duo, surtout avec la transmission placée en mode sport qui la fait réagir beaucoup plus rapidement (il est ici question de 600 millisecondes, beaucoup plus rapide que n'importe quel pilote), permet par exemple de réaliser un 0-100 en quelques 6,2 secondes, le quart de mille en 14,4 secondes et une vitesse maximale limitée électroniquement à 250 kilomètres à l'heure. Mieux encore, on retrouve beaucoup de douceur également, lors des changements de vitesses, et ce, quel que soit le mode de conduite adopté.

En matière de comportement routier, c'est sur les parcours sinueux que la XK est le plus à son avantage. Le châssis extrêmement rigide donne de vraies sensations de conduite et rend la voiture presque impossible à prendre en défaut. La suspension active à gestion électronique offre quant à elle un confort tout à fait «jaguaréen» (!). Pour la rendre plus efficace, des capteurs évaluent la plongée, le transfert de poids et les lacets (yaw sensor), et transmettent leurs résultats à un module qui commande électroniquement des valves hydrauliques. On réussit à

FEU VERT
Silhouette sexy
Sonorité du V8
Finition haut de gamme
Suspensions actives efficaces
Châssis ultra rigide

FEU ROUGE
Fiabilité à prouver
Certains choix de matériaux douteux
Prix d'achat élevé
Entretien onéreux

324

varier en permanence le taux d'amortissement des suspensions, indépendamment pour chacune des roues, ce qui limite le roulis et conserve le niveau de confort à son maximum.

ATMOSPHÈRE FEUTRÉE

On ne saurait parler de cette nouvelle XK sans vanter les mérites de sa silhouette raffinée. Les lignes ont été affinées et on a un peu réduit les dimensions de l'ensemble pour amincir un peu le profil. Mais on a gardé les rondeurs séduisantes qui ont fait de la XK ce qu'elle a toujours été.

Fait particulier cependant, les designers de Jaguar ont tenu à développer parallèlement le coupé et le cabriolet. On n'a pas voulu tout simplement retirer le toit du coupé, comme cela se fait traditionnellement. Ce faisant, on avait peur de perdre la sophistication du design et de la performance! On a d'ailleurs dû faire quelques compromis pour le cabriolet, augmentant la largeur à l'arrière afin de laisser place au toit replié. Mais même sur le coupé, la partie arrière a été légèrement augmentée, laissant plus d'espace au transport de bagages, une rare caractéristique dans ce genre de voiture.

Dans l'habitacle, les boiseries incrustées (même si on peut opter pour une version sans bois) et la finition sans reproche de la planche de bord mélangent les styles contemporains et anciens, réunissant le meilleur des deux mondes. L'espace y est aussi abondant, plus en fait que dans l'ancienne génération, tant pour le pilote que pour son passager.

La vraie beauté de la XK cependant, c'est quand on s'y assied pour la conduire. La clé, dissimulée dans l'accoudoir central, ne sert qu'à allumer le contact. Le démarrage se fait au moyen d'un bouton «Start», sur le tableau de bord. Dès la première sollicitation, le ronronnement du V8 flatte l'oreille. Lorsqu'on emprunte l'autoroute, les 300 chevaux vous guident directement vers l'excès de vitesse. Heureusement, en version cabriolet, les bruits éoliens lorsque le toit est ouvert limitent la vitesse de pointe. Ce qui ne se ressent pas dans le coupé, évidemment.

Charme britannique, opulence royale, la XK pourrait bien redonner à Jaguar un peu du lustre perdu. Si elle peut conserver un peu de fiabilité.

Marc Bouchard

Photos : Marc Bouchard

VÉHICULE D'ESSAI

Version :	XK8 Cabriolet
Prix de détail suggéré :	113 000 $
Emp/Lon/Lar/Haut(mm) :	2 752/4 791/1 892/1 329
Poids :	1 635 kg
Coffre/Réservoir :	200 à 283 litres/71,1 litres
Coussins de sécurité :	frontaux et latéraux (av.)
Suspension avant :	indépendante, multibras
Suspension arrière :	indépendante, multibras
Freins av./arr. :	disque (ABS)
Antipatinage/Contrôle de stabilité :	oui/oui
Direction :	à crémaillère, assistance variable
Diamètre de braquage :	11,0 m
Pneus av./arr. :	P245/45ZR18 / P255/45ZR18
Capacité de remorquage :	non recommandé

MOTORISATION À L'ESSAI

Moteur :	V8 de 4,2 litres 32s atmosphérique
Alésage et course :	86,1 mm x 90,4 mm
Puissance :	300 ch (224 kW) à 6 000 tr/min
Couple :	310 lb-pi (420 Nm) à 4 100 tr/min
Rapport poids/puissance :	5,45 kg/ch (7,4 kg/kW)
Système hybride :	aucun
Transmission :	propulsion, auto. mode man. 6 rapports
Accélération 0-100 km/h :	6,2 s (constructeur)
Reprises 80-120 km/h :	5,4 s (constructeur)
Freinage 100-0 km/h :	34,6 m (constructeur)
Vitesse maximale :	250 km/h
Consommation (100 km) :	super, 12,7 litres (estimé)
Autonomie (approximative) :	560 km
Émissions de CO2 :	4 704 kg/an

GAMME EN BREF

Échelle de prix :	103 000 $ à 113 000 $
Catégorie :	coupé/cabriolet
Historique du modèle :	2ière génération
Garanties :	4 ans/80 000 km, 4 ans/80 000 km
Assemblage :	Coventry, Angleterre
Autre(s) moteur(s) :	V8 4,2l 420ch/413lb-pi (12,6 l/100km) XKR
Autre(s) rouage(s) :	aucun
Autre(s) transmission(s) :	aucune

DANS LA MÊME CATÉGORIE

BMW Série 6 - Mercedes-Benz CLK - Porsche 911

DU NOUVEAU EN 2007

Nouveau modèle

NOS IMPRESSIONS

Agrément de conduite :	🚗 🚗 🚗 🚗 ½
Fiabilité :	nouveau modèle
Sécurité :	🚗 🚗 🚗 🚗
Qualités hivernales :	🚗 🚗 🚗
Espace intérieur :	🚗 🚗 🚗
Confort :	🚗 🚗 🚗 🚗

LE CHOIX DE L'ÉQUIPE

XKR

DÉBUT RATÉ, CARRIÈRE DIFFICILE

Depuis que Jaguar a été admis dans le giron de la grande famille Ford, la direction de ce constructeur a toujours souligné que la survie de cette marque passait par un plus grand volume de vente, ce qui signifiait la commercialisation d'un modèle à vocation plus populaire. Somme toute, la réplique du constructeur de Coventry à la Classe C de Mercedes ou encore la Série 3 de BMW. C'est dans ce contexte que la X-Type a été développée à partir d'une plate-forme de Ford Mondeo. Lancée au Salon de Genève en 2001, cette «Jag» n'a jamais connu l'estime du public.

Il faut souligner que cette nouvelle venue était sans doute «trop Ford» à ses débuts, et pas suffisamment Jaguar. Dans un marché où le snobisme des gens influence leur décision d'achat, la généalogie relevée des autres modèles de cette marque n'a pas suffi à faite oublier aux gens que la X était une Mondeo endimanchée. En plus, pour attiser la braise de la critique, la qualité d'assemblage et des matériaux des premiers exemplaires n'était pas à la hauteur de la concurrence. Ce qui a poussé la direction de Jaguar à réagir en remplaçant plusieurs centaines de pièces, en augmentant le contenu de l'équipement de série et en abaissant les prix de vente. Malgré tous ces efforts et de nombreuses campagnes promotionnelles, la X-Type demeure l'os dans la gorge de Jaguar. Non seulement ses ventes ne se sont jamais élevées aux chiffres prédits au départ et révisés par la suite, mais cette mésaventure fait perdre des millions de dollars à la compagnie Ford qui aimerait que ses filiales soient aussi rentables que Volvo.

UN SHOOTING BRAKE?

Curieuse appellation pour une voiture que l'on désigne comme familiale au Québec et comme Touring en Allemagne. Quoi qu'il en soit, devant la mévente de la berline, les ingénieurs ont rapidement travaillé sur une version familiale afin d'offrir une silhouette moins papy et plus d'espace

pour les personnes actives désireuses de rouler en Jaguar tout en transportant tout leur attirail sportif. Et puisque ce modèle cible de jeunes familles, cette version permet de voyager plus facilement avec les enfants. Et force est d'admettre que ce type de carrosserie est plus élégant que la berline qui fait un peu pépère avec son arrière inspiré de la XJ-S mais qui ne convient pas avec les dimensions de la voiture. La familiale est donc d'allure plus jeune et plus équilibrée. Et si l'espace à l'avant est le même pour les deux voitures, le dégagement pour la tête est supérieur sur le shooting brake, pardon la Touring. Oops! La familiale… D'ailleurs, à mon avis, celle-ci est la seule des deux modèles à offrir quelque chose de différent et d'au moins égal à la concurrence. Une X-Type versus une BMW de Série 3 ne fait pas le poids, mais la familiale versus la Touring de cette même série a plus de chances de convaincre les gens.

Il n'en demeure pas moins que ce duo offre une habitabilité moyenne aussi bien aux places avant qu'à l'arrière. Les places arrière possèdent un dégagement pour les jambes assez limité, tandis que l'énorme console avant et un tableau de bord encombrant dérobent beaucoup d'espace pour les occupants assis à l'avant. Et un peu comme la silhouette, la présentation de l'habitacle me semble trop chargée pour une voiture de

FEU VERT	FEU ROUGE
Équipement complet	Habitabilité moyenne
Traction intégrale	Slhouette vieillotte (berline)
Tableau de bord traditionnel	Tableau de bord traditionnel
Bonne tenue de route	Faible valeur de revente
Dimensions compactes	Modèle en sursis

cette taille et de cette catégorie. Pour une fois, les designers auraient pu tourner le dos à la tradition et remplacer les appliques en bois par de l'aluminium brossé et le cuir pompeux par des tissus plus modernes. Le style salon mortuaire ne convient pas tellement à cette petite britannique et encore moins à sa clientèle. Il faut par contre souligner l'amélioration de la qualité de la finition et de l'assemblage.

MOTEUR UNIQUE

Depuis l'an dernier, la X-Type n'est vendue qu'avec le moteur V6 de 3,0 litres. Le risible moteur V6 de 2,5 litres a été abandonné. Ce dernier était nettement incapable de soutenir la comparaison avec la concurrence et tous les chroniqueurs automobiles dignes de ce nom recommandaient le moteur 3,0 litres avec véhémence. Monté transversalement, ce moteur est couplé à une boîte automatique à cinq rapports et à une transmission intégrale Traction-4 qui est d'une surprenante efficacité.

En fait, même si la familiale me semble plus intéressante à tous les points de vue, ces deux modèles offrent une excellente tenue de route et un agrément de conduite que l'on a tendance à négliger en raison de ces garnitures en bois et de cette présentation rétro. La transmission intégrale privilégie le train arrière dans la distribution de couple en conduite normale afin d'offrir des sensations de conduite assimilées à une propulsion. Il faut également ajouter que la direction est d'une bonne précision. Par contre, le levier de commande de la transmission manumatique est en forme de J et convient assez mal à des passages rapides de vitesses en mode manuel. Quant aux sièges, ils sont confortables, mais leur support latéral est plutôt faible.

Somme toute, cette « Jag » possède plusieurs qualités, notamment un logo de prestige, un équipement complet en plus de se vendre à un prix très intéressant. L'erreur commise a été d'appliquer à une compacte des concepts stylistiques demi-rétro qui ont sans doute leur place sur une grosse voiture, mais pas nécessairement dans un format plus petit. Ajoutez un lancement raté, une qualité initiale atroce dont les gens se souviennent encore, et la X-type « en arrache ».

Denis Duquet

VÉHICULE D'ESSAI

Version :	Sport
Prix de détail suggéré :	53 315 $ (2006)
Emp/Lon/Lar/Haut(mm) :	2 710/4 672/2 003/1 483
Poids :	1 706 kg
Coffre/Réservoir :	455 à 1 415 litres/61 litres
Coussins de sécurité :	frontaux, latéraux (av.) et rideaux
Suspension avant :	indépendante, jambes de force
Suspension arrière :	indépendante, multibras
Freins av./arr. :	disque (ABS)
Antipatinage/Contrôle de stabilité :	oui/oui
Direction :	à crémaillère, assistance variable
Diamètre de braquage :	10,8 m
Pneus av./arr. :	P225/40ZR18
Capacité de remorquage :	948 kg

MOTORISATION À L'ESSAI

Moteur :	V6 de 3,0 litres 24s atmosphérique
Alésage et course :	89,0 mm x 80,0 mm
Puissance :	227 ch (169 kW) à 6 800 tr/min
Couple :	206 lb-pi (279 Nm) à 3 000 tr/min
Rapport poids/puissance :	7,52 kg/ch (10,22 kg/kW)
Système hybride :	aucun
Transmission :	intégrale, auto. mode man. 5 rapports
Accélération 0-100 km/h :	7,5 s
Reprises 80-120 km/h :	6,6 s
Freinage 100-0 km/h :	37,0 m
Vitesse maximale :	230 km/h
Consommation (100 km) :	super, 12,5 litres
Autonomie (approximative) :	488 km
Émissions de CO2 :	4 800 kg/an

GAMME EN BREF

Échelle de prix :	42 395 $ à 53 315 $ (2006)
Catégorie :	berline de luxe/familiale
Historique du modèle :	1ière génération
Garanties :	4 ans/80 000 km, 4 ans/80 000 km
Assemblage :	Halewood, Angleterre
Autre(s) moteur(s) :	aucun
Autre(s) rouage(s) :	aucun
Autre(s) transmission(s) :	manuelle 5 rapports

DANS LA MÊME CATÉGORIE

Acura TL - Audi A4 - BMW Série 3 - Lexus IS - Mercedes-Benz Classe C - Saab 9-5 - Volvo S40 / V50

DU NOUVEAU EN 2007

Révision de certains groupes d'options

NOS IMPRESSIONS

Agrément de conduite :	🚗 🚗 🚗 🚗
Fiabilité :	🚗 🚗 🚗
Sécurité :	🚗 🚗 🚗 🚗
Qualités hivernales :	🚗 🚗 🚗 🚗
Espace intérieur :	🚗 🚗 🚗
Confort :	🚗 🚗 🚗 ½

LE CHOIX DE L'ÉQUIPE

Familiale

Photos : Jaguar

DENTELLE DE ROC

La mode étant aux petites voitures (Toyota Yaris, Honda Fit par exemple) et, paradoxalement, aux très gros VUS, Jeep fidèle à lui-même n'a pas hésité à concocter une version encore plus imposante de son légendaire Grand Cherokee, le Commander. Même si les deux véhicules partagent la même plate-forme, ce dernier est un peu plus gros que le Grand Cherokee et propose, comme tant d'autres VUS de grand format, une troisième rangée de sièges.

En fait, le Commander n'est pas tellement plus gros que le Grand Cherokee. Quelques centimètres de plus en largeur, en longueur et en hauteur et des designers inspirés qui lui ont donné des lignes «gossées» à la hache le font paraître beaucoup plus imposant que son petit (!) frère. Les gros blocs optiques carrés renfermant des phares ronds, un pare-brise peu incliné (allô le C_x!), des rivets que l'on n'a absolument pas tenu à cacher et des poignées chromées qui encadrent la vitre du hayon ne sont que quelques-uns des éléments retenus par les stylistes pour nous en mettre plein la vue. Et ça fonctionne puisque beaucoup de personnes (majoritairement des femmes) ont été impressionnées de voir «c'te gros truck d'armée-là» dans ma cour. La couleur kaki, immensément triste sur la plupart des véhicules, lui va à ravir.

Dans l'habitacle, les stylistes ont eu moins de latitude puisqu'ils ont dû s'inspirer du Grand Cherooke et des nouveaux produits Dodge/Chrysler que sont les 300, Magnum et Charger. Le résultat est loin d'être mauvais. On a utilisé des plastiques de belle qualité, les sièges sont confortables même si leur cuir, qui m'est apparu de qualité douteuse, est très glissant. On y est assis haut et carré et la visibilité vers l'avant est sans reproches, ce qui accentue l'impression de sécurité. Par contre, pour bien voir à l'arrière, il faut baisser la troisième rangée de sièges. Cette dernière

demande, pour y accéder, des talents d'escaladeur. Mais d'escaladeur sans jambes puisqu'il y peu d'espace pour celles-ci. En revanche, cette troisième rangée n'est ni meilleure ni pire que celle des concurrents et ne sera utilisée qu'une ou deux fois, en cas de dépannage. De plus, lorsqu'elle est relevée, elle annihile toute possibilité de rangement. Les sièges de la deuxième rangée sont beaucoup mieux foutus et le toit relevé dégage amplement d'espace pour la tête. Et, fait rare dans l'industrie, l'écran DVD, qui faisait partie de l'équipement de notre Commander Hemi Limited, ne bloque pas la vue arrière du conducteur quand il est baissé (l'écran, pas le conducteur!). En fait, le plus gros problème technique que j'ai rencontré avec le Commander se passait juste avant de monter à bord… Les portes sont lourdes et les pentures offrent peu de résistance. Dans un stationnement le moindrement en pente, il n'est pas rare que la portière qu'on vient d'ouvrir revienne durement nous frapper et, ainsi, nous faire prononcer des mots qui font de la peine au petit Jésus…

LA RELATIVITÉ DES PRIX

Un Commander Limited de base demande un déboursé, au moment d'écrire ces lignes, de 51195$. Mais l'ensemble Info-Divertissement (1190$), l'ensemble hors route II avec ses plaques de protection

---

FEU VERT

Lignes respirent la robustesse
Bon choix de moteurs
Habitacle confortable
Rayon de braquage très court
Capacités de franchissement épatantes

FEU ROUGE

Sportivité nulle
Sensibilité aux vents latéraux
Troisième rangée de siège pénible
Moteur Hemi est un buveur invétéré
Direction trop assistée

VÉHICULE D'ESSAI

Version :	Limited
Prix de détail suggéré :	58 660 $
Emp/Lon/Lar/Haut (mm) :	2 781/4 787/1 900/1 826
Poids :	2 289 kg
Coffre/Réservoir :	212 à 1 951 litres / 77,6 litres
Coussins de sécurité :	frontaux et latéraux (av.)
Suspension avant :	indépendante, bras inégaux
Suspension arrière :	essieu rigide, ressorts hélicoïdaux
Freins av./arr. :	disque (ABS)
Antipatinage/Contrôle de stabilité :	oui / non
Direction :	à crémaillère, assistée
Diamètre de braquage :	11,2 m
Pneus av./arr. :	P245/65R17
Capacité de remorquage :	2 955 kg

MOTORISATION À L'ESSAI

Moteur :	V8 de 5,7 litres 16s atmosphérique
Alésage et course :	99,5 mm x 90,9 mm
Puissance :	330 ch (246 kW) à 5 000 tr/min
Couple :	375 lb-pi (509 Nm) à 4 000 tr/min
Rapport poids/puissance :	6,94 kg/ch (9,42 kg/kW)
Système hybride :	aucun
Transmission :	intégrale, automatique 5 rapports
Accélération 0-100 km/h :	8,2 s
Reprises 80-120 km/h :	6,3 s
Freinage 100-0 km/h :	41,8 m
Vitesse maximale :	200 km/h
Consommation (100 km) :	ordinaire, 18,2 litres
Autonomie (approximative) :	426 km
Émissions de CO_2 :	6 816 kg/an

(240 $), le Hemi (1 395 $) et autres douceurs du genre ont tôt fait d'amener la facture à près des 60 000 $. Ce n'est pas donné mais c'est tout de même pas mal moins cher qu'un Land Rover LR3. La fiabilité des deux manufacturiers s'équivaut généralement, ce qui n'est rien pour donner confiance…

Trois moteurs sont proposés pour le Commander. On retrouve tout d'abord un V6 3,7 litres de 210 chevaux, un V8 de 4,7 litres de 235 chevaux et un démentiel V8 5,7 Hemi de 330 bêtes toujours prêtes à partir en peur. Tous ces moteurs sont associés à une transmission automatique à cinq rapports au fonctionnement généralement très doux.

Cette transmission offre aussi la possibilité de changer les rapports manuellement mais, comme sur bien des véhicules, on se lasse vite de ce gadget, surtout en conduite sur route. Si votre priorité est la performance, le Hemi est tout indiqué. Il transporte cette grosse brute de 0 à 100 kilomètres à l'heure en 8,2 secondes, ce qui n'est pas rien. La consommation d'essence non plus, n'est pas rien… À l'autre bout du spectre, on retrouve le V6 qui se débrouille passablement bien compte tenu du poids à traîner. Le meilleur choix est le V8 4,7 litres, plus puissant que le V6 mais consommant moins que le Hemi. Mais peu importe le moteur, le Commander n'a rien d'un sportif. Les suspensions sont définitivement réglées pour le confort et la caisse penche beaucoup en virage. Heureusement, le contrôle de stabilité veille au grain et intervient avec une belle autorité.

L'HIMALAYA EN MOINS DE DEUX

Puisque le Commander est un produit Jeep, il faut, nécessairement, qu'il puisse passer partout. Le V6 comprend un rouage intégral à prise permanente (Quadra-Trac I). Le V8 4,7 litres est associé au rouage Quadra-Trac II, un véritable système à quatre roues motrices. Le Hemi, pour sa part, flirte avec le système Quadra-Drive, ce qui se fait de plus sophistiqué chez Jeep présentement.

Même s'il n'est pas beaucoup plus gros que le Grand Cherokee, le Commander vient remplir une niche de plus en plus populaire et qui n'était pas encore exploitée par DaimlerChrysler, celle de l'utilitaire sport grand format avec une troisième rangée de sièges. Et le Commander a tout pour plaire à ce vaste public.

Alain Morin

GAMME EN BREF

Échelle de prix :	42 595 $ à 66 995 $
Catégorie :	utilitaire sport intermédiaire
Historique du modèle :	1ère génération
Garanties :	3 ans/60 000 km, 7 ans/115 000 km
Assemblage :	Détroit, Michigan, É-U
Autre(s) moteur(s) :	V6 3,7l 210ch/235lb-pi (14,8 l/100km)
	V8 4,7l 235ch/305lb-pi (15,6 l/100km)
Autre(s) rouage(s) :	propulsion
Autre(s) transmission(s) :	aucune

DANS LA MÊME CATÉGORIE

Acura MDX - Dodge Durango - Ford Explorer - GMC Envoy - Honda Pilot - Lexus GX 470

DU NOUVEAU EN 2007

Pas de changement majeur, nouveau modèle Sport

NOS IMPRESSIONS

Agrément de conduite :	🚗 🚗 🚗 🚗
Fiabilité :	données insuffisantes
Sécurité :	🚗 🚗 🚗 🚗
Qualités hivernales :	🚗 🚗 🚗 🚗 🚗
Espace intérieur :	🚗 🚗 🚗 🚗 ½
Confort :	🚗 🚗 🚗 🚗

LE CHOIX DE L'ÉQUIPE

Base

Photos : Denis Duquet

PETITS FORMATS

Vous êtes conviés à la réception de baptême du tout nouveau couple de jumeaux de la grande famille Jeep. La réception se tiendra, comme il se doit, à l'extérieur où les deux nouveau-nés auront l'occasion de vous démontrer leur savoir-faire. Inutile d'apporter des cadeaux, la nature ayant déjà bien pourvu les poupons à tout point de vue. Les parents, Jeep Liberty et Grand Cherokee, seront heureux d'accueillir les félicitations tout au bout du sentier de randonnée.

La double naissance s'est bien déroulée, et toute la famille est heureuse d'accueillir en son sein des enfants aux personnalités bien affirmées, mais uniques. Et quand on y regarde de près, il n'y aucun doute, les deux rejetons sont de fiers descendants de la longue lignée.

LE COMPASS, L'ENFANT DOUILLET

Évidemment, comme dans toute naissance de jumeaux, certains sont physiquement moins forts. C'est exactement le cas du Compass, dont la ressemblance avec le parent Liberty n'est pas que fortuite. Car physiquement, on a voulu lui donner rune allure moins sauvage, plus raffinée. La mission du Compass est claire : attirer au sein de la marque des gens qui, traditionnellement, font confiance au nom Jeep, mais n'ont aucun besoin d'un véhicule capable de traverser le sentier du Rubicon.

Avec le Compass, on a plutôt affaire à la version civilisée, voire timide, de la famille Jeep. En matière de silhouette, impossible de ne pas voir la parenté. On a conservé la grille à sept dents dans la calandre, véritable marque de commerce de la division. Pour l'encadrer, deux phares ronds, comme on les retrouve sur presque tous les modèles de la gamme. De face, on a pratiquement l'impression de voir un petit Jeep Liberty !

De profil cependant, la silhouette n'a plus rien de commun. Alors que traditionnellement les Jeep ont plutôt tendance à faire dans le cubisme, on a opté cette fois pour une silhouette arrondie, quasi trapue et peu élevée. Même si on a préservé les passages de roue trapézoïdaux et les ailes rebondies, on a quand même adouci un peu le look généralement macho de la famille. Rappelons-le, le Compass est aussi cousin germain

de la nouvelle Dodge Caliber, et possède les mêmes prétentions en matière d'espace intérieur.

Parlant d'intérieur, l'habitacle est bien conçu. On a apporté une attention toute particulière à la position de conduite, s'assurant de garder en

Jeep Compass

contact le pilote avec l'ensemble du siège dans toutes les circonstances. On a même redessiné les sièges puisqu'on ne souhaitait pas les partager avec la Caliber dont les assises sont nettement moins confortables.

Quant à l'espace de chargement, il est assez facile d'accès, et lui aussi prêt à recevoir les objets de n'importe quel couple actif. On a installé par exemple un plancher de caoutchouc antidérapant amovible, qu'on peut facilement retirer pour le nettoyer. Une bonne idée quand Fido nous accompagne lors des randonnées en montagne. Car même s'il n'a pas la prétention d'être un véritable hors route, le Compas s'adresse tout de même aux gens actifs, ayant à l'occasion une folle envie de se lancer dans les boueux sentiers campagnards.

DES VERSIONS UNIQUES

Pour satisfaire tous les goûts, trois versions du Compass sont présentées. La version de base, une simple traction, lance le bal avec un prix de départ de 17 995 $. En milieu de gamme, les Canadiens (et les Canadiens seulement) peuvent profiter de la version North, qui ajoute par exemple des sièges ajustables à l'avant et à l'arrière, le climatiseur et même une petite lampe de poche amovible placée au sommet de l'espace de chargement. Finalement, en version haut de gamme, le Limited, propose des roues de 18 pouces ainsi qu'une sellerie de cuir et de sièges chauffants, sans oublier le célèbre logo Compass incrusté directement dans le pare-chocs arrière. Toutes les déclinaisons sont offertes en traction et en 4x4, à l'exception de la North qui ne conserve que le quatre roues motrices.

Dans tous les cas, et peu importe le degré de finition, on retrouve sous le capot le même moteur, une mécanique 4 cylindres de 2,4 litres développant 172 chevaux, gracieuseté du partage de technologie des connaissances entre Daimler-Chrysler, Hyundai et Mitsubishi. C'est d'ailleurs le même que l'on retrouve sous le capot des Caliber R/T.

Souple, le petit moteur peine parfois quand vient le temps d'agir avec autorité lors des dépassements par exemple. En revanche, en raison d'une bonne dose de couple accessible à un régime relativement bas, le Compass sait se tirer d'affaire même dans des conditions plus

difficiles. Durant l'essai, une petite randonnée bien involontaire dans un sentier fort accidenté m'a permis de constater qu'il est capable d'affronter des inclinaisons impressionnantes sans trop d'hésitation.

Pour l'appuyer, une transmission manuelle répondant avec aisance, dont la course de levier est un peu courte mais tout de même agréable. En revanche, sur les versions haut de gamme on mise surtout sur la transmission à rapports continuellement variables, une des faiblesses du véhicule. En accélération comme à vitesse de croisière, la transmission donne l'impression de toujours hésiter entre deux rapports, et fait parfois entendre des sifflements un peu inquiétants. Du même coup, elle limite considérablement les capacités de remorquage (déjà peu élevées) du véhicule, et semble prendre une éternité à se retrouver au régime idéal. Trop sollicitée, elle haussera le régime moteur qui prendra un temps à redescendre à un niveau acceptable.

Autre détail qui a son importance, le Jeep Compas est équipé d'un réservoir à essence d'à peine 50 litres. On a beau être le plus économe de la famille, il y a fort à parier que vous deviendrez rapidement intime avec votre pompiste préféré !

Pour arriver à conserver un certain niveau d'économie, les concepteurs du Compass ont aussi utilisé plusieurs éléments aérodynamiques éliminant ainsi une partie de la friction de l'air. Du nombre, le pare-brise, baptisé Fast Windshield, affiche un angle plus aigu que la moyenne (et certainement plus pentu que son jumeau Patriot), supprimant du même coup la résistance à l'air. En contrepartie, cette configuration oblige la planche de bord à être de forte dimension, créant un véritable espace de rangement directement au-dessus des cadrans, sous le pare-brise intérieur.

Comme tout bon Jeep qui se respecte, le Compass possède aussi un système de 4x4, suffisant pour ses ambitions banlieusardes. Le système de dernière génération, nommé Freedom Drive, peut transférer jusqu'à 60 % du couple aux roues arrière si les capteurs enregistrent une perte de traction. Il est cependant possible de verrouiller le différentiel central et d'ainsi répartir équitablement entre l'avant et l'arrière l'ensemble de la puissance. Et pour l'avoir testé sur le sable et dans les chemins boueux des montagnes, le Freedom Drive réagit avec assez de rapidité pour être sécuritaire. Une version à simple traction avec contrôle du panage est aussi offerte.

LE FRÈRE MUSCLÉ
Pour le Patriot, les dirigeants de Jeep n'ont pas autant ménagé la monture. En fait, malgré sa petite taille (il partage lui aussi la plate-forme de

FEU VERT
Design de Jeep léger
Polyvalence du modèle
Confort de l'habitacle
Prix de base alléchant

FEU ROUGE
Transmission CVT perfectible
Fiabilité inconnue
Options dispendieuses
Réservoir d'essence microscopique

la Caliber et du Compass), on lui a octroyé sans hésiter la mention Trail-Rated, du moins dans la déclinaison Off-Road, ce qui garantit à son propriétaire des capacités hors route bien au-delà de la moyenne. Deux versions plus standard du Patriot sont aussi présentées, et possèdent des caractéristiques semblables au Compass.

Pour y arriver, il a toutefois fallu user d'audace car on met à l'épreuve une toute nouvelle technologie utilisant une fois de plus le principe de la variation continue. Baptisé Freedom Drive II (on sent la recherche...), le système est géré à l'aide d'une transmission CVT de seconde génération qui s'enclenche en mode hors route. Son intervention est cependant différente, puisqu'elle se maintient dans une gamme basse (low range), permettant aux roues du véhicule d'effectuer leur travail plus efficacement en répartissant la puissance comme un boîtier de transfert habituel.

Outre cette CVT2, le Patriot peut aussi compter sur une gamme de supports électroniques embarquées pour les conditions les plus difficiles. Le système appelé Off-Road Brake Traction Control permet par exemple de maintenir la mobilité vers l'avant alors que les articulations de suspension sont en position de déséquilibre, ou qu'une des roues perd de la traction. Le Hill-Descent Control utilise le système hydraulique du freinage, sans intervention du conducteur, pour garder à un niveau stable et sécuritaire la vitesse de descente d'une côte abrupte. Finalement, le Electronic Stability Program dispose de trois modes d'intervention (à l'égal des grandes berlines par exemple), et le dispositif ABS a été calibrés pour un usage hors route.

Autre grande qualité des deux modèles, c'est leur prix d'achat qui, dans la mesure où l'on demeure raisonnable, l'est tout autant. En revanche, ne vous laissez pas aveugler par l'alléchant prix de base. Dès que vous optez pour des options plus sophistiquées, ou l'exclusive version North réservée au Canada, vous additionnerez les dollars. Ce qui vous permettra quand même d'acheter les Jeep les moins dispendieux sur le marché.

Marc Bouchard

Photos : Alain Morin

VÉHICULE D'ESSAI

Version :	Compass Limited
Prix de détail suggéré :	24 995 $
Emp/Lon/Lar/Haut(mm) :	2 635/4 405/1 761/1 607
Poids :	1 450 kg
Coffre/Réservoir :	636 à 1 501 litres/51,5 litres
Coussins de sécurité :	frontaux, latéraux (av.) et rideaux
Suspension avant :	indépendante, jambes de force
Suspension arrière :	indépendante, multibras
Freins av./arr. :	disque (ABS)
Antipatinage/Contrôle de stabilité :	oui/oui
Direction :	à crémaillère, assistance variable
Diamètre de braquage :	11,3 m
Pneus av./arr. :	P215/55R18
Capacité de remorquage :	900 kg

MOTORISATION À L'ESSAI

Moteur :	4L de 2,4 litres 16s atmosphérique
Alésage et course :	88,0 mm x 97,0 mm
Puissance :	172 ch (128 kW) à 6 000 tr/min
Couple :	165 lb-pi (224 Nm) à 4 400 tr/min
Rapport poids/puissance :	8,43 kg/ch (11,42 kg/kW)
Système hybride :	aucun
Transmission :	traction, manuelle 5 rapports
Accélération 0-100 km/h :	9,1 s (estimé)
Reprises 80-120 km/h :	7,5 s (estimé)
Freinage 100-0 km/h :	42,0 m (estimé)
Vitesse maximale :	175 km/h
Consommation (100 km) :	ordinaire, 8,7 litres (estimé)
Autonomie (approximative) :	592 km
Émissions de CO$_2$:	n.d.

GAMME EN BREF

Échelle de prix :	17 995 $ à 28 355 $
Catégorie :	utilitaire sport compact
Historique du modèle :	1ière génération
Garanties :	3 ans/60 000 km, 5 ans/100 000 km
Assemblage :	Belvidere, Illinois, É-U
Autre(s) moteur(s) :	aucun
Autre(s) rouage(s) :	intégrale
Autre(s) transmission(s) :	CVT mode manuel

DANS LA MÊME CATÉGORIE

Ford Escape - Honda CR-V - Hyundai Santa Fe - Nissan X-Trail - Subaru Forester - Suzuki Grand Vitara - Toyota Rav4

DU NOUVEAU EN 2007

Nouveau modèle

NOS IMPRESSIONS

Agrément de conduite :	🚗 🚗 🚗 🚗
Fiabilité :	nouveau modèle
Sécurité :	🚗 🚗 🚗 🚗
Qualités hivernales :	🚗 🚗 🚗 🚗
Espace intérieur :	🚗 🚗 🚗 ½
Confort :	🚗 🚗 🚗 ½

LE CHOIX DE L'ÉQUIPE

North

LES INDIENS ATTAQUENT !

La tribu des Cherokee vivait paisiblement dans les environs de la rivière Tennessee, là où on retrouve aujourd'hui l'État du même nom. Mais c'était avant l'arrivée des grands découvreurs, Colomb (1492) et DeSoto (1540) en tête. Ensuite, rien ne fut plus pareil. Les Jeep Cherokee et Grand Cherokee se la coulaient douce en Amérique du Nord. Mais c'était avant l'arrivée de la mode des VUS. Oh, non, Jeep n'allait pas s'en laisser imposer! Il y a deux ans, le Grand Cherokee (le Cherokee tout court a tiré sa révérence depuis 2001) était sérieusement rajeuni et l'an dernier, on lui apportait le traitement SRT.

Physiquement, le Jeep Grand Cherokee, habitué aux travaux en plein air, en impose. Tout d'abord par son gabarit. Ses lignes, taillées au couteau le font paraître encore plus gros et trapu qu'il ne l'est en réalité. Mais le Grand Cherokee c'est tellement plus qu'une carrosserie! L'habitacle fait preuve d'un raffinement étonnant. Le silence de roulement est notable, la qualité des matériaux ne peut être prise en défaut et l'équipement de base ferait rougir bien des berlines. Notre Grand Cherokee d'essai, un Limited, offrait encore bien plus et il vous serait aussi fastidieux à lire la nomenclature de l'équipement que moi à l'écrire… Mentionnons que les sièges de cuir sont très confortables mais leur couleur beige se salit rapidement. L'espace intérieur ne manque pas même si les places arrière sont un peu justes. Et tant qu'à picosser, picossons sur le levier des clignotants pas assez long à mon goût et sur la température quelquefois difficile à régler (c'est trop chaud et, une coche plus bas, c'est trop froid). Du côté du coffre, on retrouve passablement d'espace mais il se fait mieux dans la catégorie. La vitre ouvre séparément du hayon, une gâterie toujours appréciée. Par contre, il faut souligner la qualité plutôt pauvre de la finition extérieure de notre Grand Cherokee d'essai. La peinture faisait très «pelure d'orange» et plusieurs caoutchoucs étonnaient par leur grossièreté (c'est sans doute plus rapide de fermer un joint par un gros caoutchouc qui prendra la forme désirée

lorsqu'il sera comprimé que de créer une belle moulure, bien ajustée…)

TROP, C'EST COMME PAS ASSEZ

Les modèles de base reçoivent un V6 de 3,7 litres de 210 chevaux. Bien que nous n'ayons pas pu mettre la main sur un Grand Cherokee équipé d'un tel moteur, nous avons toutes les raisons de croire que les acheteurs ne privilégiant pas les performances ou le transport d'une remorque lourde en seront très satisfaits. Ensuite, on retrouve un V8 de 4,7 litres de 235 chevaux. Ses prestations nerveuses, sa souplesse et sa consommation d'essence en font sans doute le choix le plus éclairé pour la plupart des utilisations. De plus, cette année, il est aussi offert en configuration E85, c'est-à-dire qu'il peut fonctionner à l'éthanol. Enfin, il y a le V8 de 5,7 litres. Ce moteur Hemi développe pas moins de 330 chevaux. À moins de vouloir planter les jeunes en Civic aux feux de circulation ou d'aller escalader la Place Ville-Marie, ce moteur tout ce qu'il y a de politiquement incorrect n'est pas nécessaire. De plus, il boit comme une haie de cèdres malgré la technologie de cylindrée variable qui désactive quatre cylindres lorsque la demande en puissance est moindre.

À ces moteurs sont associés différents systèmes 4x4. Le V6 reçoit le rouage intégral Quadra-Trac I tout à fait transparent au conducteur. Le

---

FEU VERT

Habitacle raffiné
Difficile à battre en hors route
Confort certifié
Moteur 4,7 litres bien adapté
SRT-8 deviendra un classique

FEU ROUGE

Finition extérieure très moyenne
Moteur Hemi insatiable
Sportivité nulle (sauf SRT-8)
Fiabilité peu reluisante
Aimant à voleurs

4,7 litres est livré avec le Quadra-Trac II. Il s'agit d'un système 4x4 plus axé sur la conduite hors route que le Quadra-Trac I. Mais un Jeep ne serait pas un Jeep s'il ne pouvait pas affronter les pires sentiers et le moteur 5,7 litres est relié au système Quadra-Drive II, fort de ses différentiels autobloquants électroniques. Mais peu importe le système choisi, le Grand Cherokee est «Trail Rated», c'est-à-dire que si vous l'enlisez, c'est que le trou est vraiment très profond!

Malgré toutes ses qualités, le Grand Cherokee n'est pas fait pour le sport. Les suspensions sont indéniablement trop souples, et la direction est trop peu précise et trop peu communicative pour rassurer le conducteur dans une courbe. En cas de mauvais jugement, le contrôle de stabilité fera sentir sa présence avec une autorité surprenante. Les freins sont efficaces en utilisation normale mais avec une remorque chargée, je laisserais un peu d'espace entre mon Grand Cherokee et le véhicule qui précède. La transmission automatique à cinq rapports fonctionne avec douceur mais son mode manuel n'apporte rien à la conduite de tous les jours.

ET LA SRT8?

J'ai dit plus tôt que le Grand Cherokee n'était pas fait pour la conduite sportive... Sauf le Grand Cherokee SRT8! Avec son V8 6,1 litres de 420 chevaux et 420 livres-pied de couple, sa transmission plus robuste, ses suspensions beaucoup plus fermes et abaissées de 25,4 mm, ses freins Brembo et ses pneus 20 pouces cotés W, le SRT8 donne la chair de poule à tout amateur de belles mécaniques. En plus, il est doté d'un rouage intégral très efficace. Pourtant, ils devraient être rares ceux qui oseront aller jouer dans la boue avec un futur véhicule de collection... En conduite sportive, la caisse du SRT8 penche beaucoup moins que celle du Grand Cherokee ordinaire, mais on déplore toujours un manque de communication de la part de la direction. Par contre, les accélérations sont phénoménales, tout comme les décélérations!

Le Grand Cherokee, à sa treizième année sur le marché, n'a pas l'intention de s'en laisser imposer par la concurrence et demeure un des préférés de la catégorie. Dommage que son manque de fiabilité du passé ternisse sa réputation. Dommage aussi que les gestionnaires de bien d'autrui spécialisés dans le transport outre-mer l'aiment autant...

Alain Morin

Photos : Denis Duquet

VÉHICULE D'ESSAI

Version :	Limited
Prix de détail suggéré :	50 140 $
Emp/Lon/Lar/Haut (mm) :	2 780/4 740/1 860/1 710
Poids :	1 925 kg
Coffre/Réservoir :	1 140 à 2 000 litres / 78,7 litres
Coussins de sécurité :	frontaux et latéraux (av.)
Suspension avant :	indépendante, bras inégaux
Suspension arrière :	essieu rigide, ressorts hélicoïdaux
Freins av./arr. :	disque (ABS)
Antipatinage/Contrôle de stabilité :	oui / non
Direction :	à crémaillère, assistée
Diamètre de braquage :	11,3 m
Pneus av./arr. :	P245/70R17
Capacité de remorquage :	2 903 kg

MOTORISATION À L'ESSAI

Moteur :	V8 de 5,7 litres 16s
Alésage et course :	99,5 mm x 90,9 mm
Puissance :	330 ch (246 kW) à 5 000 tr/min
Couple :	375 lb-pi (509 Nm) à 4 000 tr/min
Rapport poids/puissance :	5,83 kg/ch (7,92 kg/kW)
Système hybride :	aucun
Transmission :	intégrale, automatique 5 rapports
Accélération 0-100 km/h :	7,9 s
Reprises 80-120 km/h :	6,0 s
Freinage 100-0 km/h :	40,8 m
Vitesse maximale :	200 km/h
Consommation (100 km) :	ordinaire, 15,7 litres
Autonomie (approximative) :	501 km
Émissions de CO2 :	6 816 kg/an

GAMME EN BREF

Échelle de prix :	37 955 $ à 51 465 $
Catégorie :	utilitaire sport intermédiaire
Historique du modèle :	3ième génération
Garanties :	3 ans/60 000 km, 7 ans/115 000 km
Assemblage :	Détroit, Michigan, É-U
Autre(s) moteur(s) :	V8 4,7l 235ch/305lb-pi (15,6 l/100km)
	V6 3,7l 210ch/235lb-pi (14,2 l/100km)
	V8 6,1l 420ch/420lb-pi (19,1 l/100km) SRT-8
	V6 3l const 215ch/376lb-pi (13,5 l/100km) Turbodiesel (à venir)
Autre(s) rouage(s) :	aucun
Autre(s) transmission(s) :	aucune

DANS LA MÊME CATÉGORIE

Acura MDX - Dodge Durango - Ford Explorer - GMC Envoy - Honda Pilot - Lexus GX 470

DU NOUVEAU EN 2007

Nouvelles couleurs, feux arrière révisés, V6 3,0 turbodiesel, détails de présentation, V8 4,7 litres E85

NOS IMPRESSIONS

Agrément de conduite :	🚗 🚗 🚗 🚗 ½
Fiabilité :	🚗 🚗 🚗 ½
Sécurité :	🚗 🚗 🚗 🚗 🚗
Qualités hivernales :	🚗 🚗 🚗 🚗 🚗
Espace intérieur :	🚗 🚗 🚗 🚗 🚗
Confort :	🚗 🚗 🚗 🚗 🚗

LE CHOIX DE L'ÉQUIPE Laredo 4,7 litres

UN BON SOUVENIR

Ma première fois, ce fut avec Denis Duquet, notre rédacteur en chef. J'étais nerveux mais l'expérience de Denis a su me mettre en confiance. J'avais déjà conduit des 4x4 mais jamais dans des conditions très sévères. Lors d'un match comparatif entre 4x4 (voir Le Guide de l'auto 2002), nous devions emprunter un chemin très meuble. Au beau milieu de l'étendue de sable, Denis me dit de stopper le Jeep Liberty. J'étais convaincu de m'enliser. Grâce aux conseils de mon co-pilote, j'ai alors pu mesurer les capacités phénoménales de ce 4x4 qui s'en est sorti avec une troublante aisance. Merci Denis!

Puisque le Liberty se porte plutôt bien, on ne retrouve aucun changement pour 2007. Il faut cependant souligner l'abandon du moteur turbodiesel, très mal adapté à notre marché. Ce moteur quatre cylindres faisait un boucan d'enfer et puait en plus de faire grimper la facture. Cette année, le Jeep Grand Cherokee hérite d'un tout nouveau moteur diesel, à la fine pointe de la technologie. Espérons qu'il se retrouve un jour sous le capot du Liberty.

QUE RESTE-T-IL DE NOS MOTEURS?

Donc, il ne reste qu'un moteur au Liberty. Il s'agit d'un V6 de 3,7 litres développant 210 chevaux et 235 livres-pied de couple. Ce moteur s'avère assez prompt, autant lors d'accélérations initiales que lors de dépassements. Ce n'est certes pas un moteur très performant. Si vous désirez un véhicule qui peut passer partout et accélérer comme une Porsche, tournez-vous du côté du Cayenne, un tantinet plus dispendieux! Mais ce qui caractérise le mieux ce moteur, c'est son insatiable appétit en carburant. Deux transmissions ont été retenues pour les besoins de la cause. On retrouve d'abord une manuelle à six rapports dont la pédale d'embrayage empiète royalement dans l'espace réservé au pied gauche. Puis, une transmission automatique à quatre rapports, optionnelle.

Un Jeep étant un Jeep, il lui faut pouvoir passer à peu près partout. Pour transférer le couple aux roues appropriées, le Liberty compte sur deux rouages différents. La boîte Select Trac possède un mode 4RM à prise maintenue. Il s'agit d'un mode intégral très performant qui permet de rouler en quatre roues motrices en permanence sans endommager le rouage d'entraînement. À moins de vouloir participer à tous les «Jeep Jamboree» annuels, ce système est parfaitement adapté à la plupart des utilisations. Mais ceux qui désirent vraiment passer partout, mais alors là partout, choisiront le Command Trac, un véritable 4x4 avec une gamme basse (remarquez que le Select Trac aussi dispose de ce type de gamme) et la possibilité de rouler en deux roues motrices (à l'arrière) seulement. Ce système propose les deux côtés de la médaille. Soit il peut franchir les pires obstacles comme si de rien n'était, soit il s'avère dangereux si on roule en deux roues motrices sur une chaussée le moindrement glissante. L'empattement court et le centre de gravité élevé ont alors tôt fait de déstabiliser le véhicule à la première bosse d'importance. En tel cas, les quatre roues doivent obligatoirement être embrayées, croyez-en la tremblante expérience d'un de nos collaborateurs!

BEDING, BEDANG

Si le Jeep Wrangler s'adresse aux purs et durs qui n'ont pas peur de se

---

FEU VERT	**FEU ROUGE**
Passe-partout incroyable	Suspensions dures
Belles lignes	Abandon du moteur diesel
V6 performant	Sportivité quasiment nulle
Rouage Selec-Trac bien adapté	V6 ivrogne
Bonne visibilité	Coffre étroit

VÉHICULE D'ESSAI

Version :	Limited
Prix de détail suggéré :	33 555 $
Emp/Lon/Lar/Haut(mm) :	2 649/4 430/1 819/1 822
Poids :	1 829 kg
Coffre/Réservoir :	812 à 1 932 litres / 77,6 litres
Coussins de sécurité :	front., latéraux (av./arr.) et rideaux
Suspension avant :	indépendante, bras inégaux
Suspension arrière :	indépendante, multibras
Freins av./arr. :	disque (ABS)
Antipatinage/Contrôle de stabilité :	oui / oui
Direction :	à crémaillère, assistée
Diamètre de braquage :	12,0 m
Pneus av./arr. :	P235/65R17
Capacité de remorquage :	1 587 kg

MOTORISATION À L'ESSAI

Moteur :	V6 de 3,7 litres 12s atmosphérique
Alésage et course :	93,0 mm x 91,0 mm
Puissance :	210 ch (157 kW) à 5 200 tr/min
Couple :	235 lb-pi (319 Nm) à 4 000 tr/min
Rapport poids/puissance :	8,71 kg/ch (11,8 kg/kW)
Système hybride :	aucun
Transmission :	4RM, automatique 4 rapports
Accélération 0-100 km/h :	10,2 s
Reprises 80-120 km/h :	8,7 s
Freinage 100-0 km/h :	40,0 m
Vitesse maximale :	170 km/h
Consommation (100 km) :	ordinaire, 14,6 litres
Autonomie (approximative) :	532 km
Émissions de CO2 :	5 808 kg/an

GAMME EN BREF

Échelle de prix :	28 815 $ à 36 555 $
Catégorie :	utilitaire sport compact
Historique du modèle :	1ière génération
Garanties :	3 ans/60 000 km, 7 ans/115 000 km
Assemblage :	Toledo, Ohio, É-U
Autre(s) moteur(s) :	aucun
Autre(s) rouage(s) :	aucun
Autre(s) transmission(s) :	manuelle 6 rapports / automatique 5 rapports

faire compresser les vertèbres à la première bosse, le Liberty affiche un comportement routier un peu moins extrême. Il ne s'agit toutefois pas d'un modèle de confort et son essieu arrière rigide ne permet pas un amortissement suffisant, surtout sur nos belles routes défoncées. En fait, le Liberty, malgré sa vocation très «nature», se sent très à l'aise dans un centre-ville où, généralement (j'ai bien écrit «généralement»...), les rues sont mieux entretenues. La visibilité ne cause aucun problème et le rayon de braquage s'avère très court. Sur la route, il ne sert à rien de pousser le Liberty dans ses derniers retranchements. Il les trouve tout seul et une personne le moindrement sensée n'a aucune envie de s'éclater à son volant. La tenue de cap est plutôt aléatoire, la direction est vague (un plus en conduite hors route) et les sièges retiennent peu. Si on pousse trop, on peut compter sur un contrôle de la traction doublé d'un contrôle de stabilité (ESP) des plus autoritaires.

L'habitacle se montre plus ou moins bien réussi. Les cadrans se consultent facilement et tous les boutons et commandes tombent bien sous la main. Les sièges sont confortables même si l'assise pourrait être plus longue pour mieux supporter les cuisses. À l'arrière, les places sont plus ou moins faciles d'accès, à cause des portes dont les pentures n'ouvrent pas assez grand. L'espace réservé aux pieds et à la tête se montre très généreux. La personne qui n'aura pas été favorisée par le sort et qui méritera la place centrale, d'une dureté incroyable, risque, par contre, de trouver tout déplacement de plus de 500 mètres très pénible.

La soute à bagages fait preuve, elle aussi, de générosité et il est même possible de baisser les dossiers des sièges arrière. Cependant, les gros crochets qui les retiennent diminuent passablement la largeur disponible. Le hayon ouvre en deux parties. Celle du bas ouvre sur des pentures situées à gauche en même temps que la vitre ouvre vers le haut. La première fois qu'on manipule ce hayon, on reçoit inévitablement la vitre sur la gueule!

Ce Jeep, qui semble toujours plus petit en photo qu'en vrai, est le digne descendant des Jeep Cherokee, un nom bafoué par une fiabilité de tour Eiffel en cure-dents. Le Liberty n'est pas parfait à ce niveau mais il s'agit du plus fiable des produits Jeep...

Alain Morin

DANS LA MÊME CATÉGORIE

Chevrolet Equinox - Honda CR-V - Mitsubishi Outlander - Nissan X-Trail - Saturn Vue - Suzuki Grand Vitara - Toyota RAV4

DU NOUVEAU EN 2007

Abandon du moteur diesel

NOS IMPRESSIONS

Agrément de conduite :	🚗 🚗 🚗 ½
Fiabilité :	🚗 🚗 🚗
Sécurité :	🚗 🚗 🚗 ½
Qualités hivernales :	🚗 🚗 🚗 🚗 ½
Espace intérieur :	🚗 🚗 🚗 🚗 ½
Confort :	🚗 🚗 🚗

LE CHOIX DE L'ÉQUIPE

Sport Selec-Trac

Photos : Alain Morin

IT'S A JEEP THING!

En circulant sur la route, vous avez certainement déjà croisé de ces conducteurs de Jeep arborant fièrement leur autocollant « *It's a Jeep thing* » sur leur pare-brise. Ils font ainsi référence à votre incapacité, vous pauvre conducteur de simple voiture ou de VUS sans âme (selon eux, bien entendu), à comprendre le vrai sens de la vie… et de la circulation hors route. Car conduire un Jeep, essentiellement un TJ comme on en produit depuis quelques années, ce n'est pas de la simple conduite, c'est une véritable philosophie de vie !

Ces mêmes mordus retenaient leur souffle depuis de longs mois, attendant de voir la nouvelle version de leur icône sacrée. On les entendait déjà crier au sacrilège sur la base de rumeurs, toutes non fondées cela va de soi. Car lorsque le tout nouveau Jeep Wrangler (un nom que l'on a finalement récupéré au Canada comme partout dans le monde) a été dévoilé, il leur a fallu se rendre à l'évidence : Jeep n'avait pas vendu son âme au diable et proposait, encore une fois, un véhicule capable de répondre à leurs exigences les plus délirantes.

LA RÈGLE DE L'ÉVOLUTION

Le Jeep Wrangler lancé pour 2007 n'est pas qu'une simple petite retouche à l'ancienne version, même si, au premier regard et pour un non connaisseur, les nuances peuvent sembler peu évidentes. Au contraire, on a complètement refait le véhicule utilitaire pour lui donner encore plus de capacités hors route, et plus de confort sur route.

C'est vrai qu'en fait de style, le Wrangler a peu changé, conservant sa grille distinctive et ses allures rebondies de gros véhicule utilitaire. On a maintenu sa capacité à perdre le toit et les portes, mais on offre cette année de nouvelles options dans ce domaine, permettant des combinaisons encore plus variées, notamment l'utilisation du toit souple comme simple toit ouvrant aux dimensions impressionnantes. Et chose étonnante, combinaisons qui sont à la fois disponibles sur la version ordinaire du Wrangler, et sur la version Unlimited, plus longue.

Le nouveau Wrangler, plus large de 15 centimètres environ, transfère cet espace aux passagers qui profitent de plus d'espace pour les hanches en largeur, mais surtout d'un espace de chargement rehaussé. Même à l'arrière, le dégagement pour les jambes a été augmenté de quelques centimètres.

PLUS SAUVAGE QUE JAMAIS

Ce qui distingue le Wrangler toutefois, c'est son étonnante agilité hors route, et sa capacité à franchir avec aisance les sentiers extrêmes. Une capacité ; que l'on a augmenté encore avec cette génération, offrant une capacité Trail-Rated jamais atteinte. Pour ce faire, on a muni le nouveau Jeep d'un moteur entièrement redessiné, délaissant le 4 litres pour une cylindrée légèrement inférieure (3,8 litres) mais une puissance rehaussée à 205 chevaux. Cependant, c'est surtout l'importante augmentation du couple, jusqu'à 240 livres-pied, qui rend la nouvelle motorisation plus imposante dans toutes les conditions.

FEU VERT

Capacités hors-route sans limites
Système 4X4 Command Trac infatiguable
Look unique
Espace intérieur
Couple abondant

FEU ROUGE

Randonnée bondissante
Direction peu précise
Confort perfectible
Accès à bord difficile

VÉHICULE D'ESSAI

Version :	Wrangler Unlimited
Prix de détail suggéré :	n.d.
Emp/Lon/Lar/Haut(mm) :	2 946/4 404/1 877/1 801
Poids :	2 046 kg
Coffre/Réservoir :	1 300 à 2 429 litres / n.d.
Coussins de sécurité :	front., latéraux (av./arr.) et rideaux
Suspension avant :	indépendante, bras inégaux
Suspension arrière :	indépendante, multibras
Freins av./arr. :	disque (ABS)
Antipatinage/Contrôle de stabilité :	oui/oui
Direction :	à crémaillère, assistance variable
Diamètre de braquage :	12,6 m
Pneus av./arr. :	P255/75R17
Capacité de remorquage :	1 948 kg

MOTORISATION À L'ESSAI

Moteur :	V6 de 3,8 litres 12s atmosphérique
Alésage et course :	96,0 mm x 87,0 mm
Puissance :	205 ch (153 kW) à 5 200 tr/min
Couple :	240 lb-pi (325 Nm) à 4 000 tr/min
Rapport poids/puissance :	9,98 kg/ch (13,55 kg/kW)
Système hybride :	aucun
Transmission :	4X4, manuelle 6 rapports
Accélération 0-100 km/h :	10,1 s (estimé)
Reprises 80-120 km/h :	9,8 s (estimé)
Freinage 100-0 km/h :	42,0 m (estimé)
Vitesse maximale :	150 km/h
Consommation (100 km) :	ordinaire, 13,5 litres (constructeur)
Autonomie (approximative) :	n.d.
Émissions de CO2 :	n.d.

COMME EN BREF

Échelle de prix :	23 600$ à 33 530$ (2006)
Catégorie :	utilitaire sport compact
Historique du modèle :	5ème génération
Garanties :	3 ans/60 000 km, 7 ans/115 000 km
Assemblage :	Toledo, Ohio, É-U
Autre(s) moteur(s) :	aucun
Autre(s) rouage(s) :	aucun
Autre(s) transmission(s) :	automatique 4 rapports

DANS LA MÊME CATÉGORIE

Véhicule unique

DU NOUVEAU EN 2007

Nouveau modèle

NOS IMPRESSIONS

Agrément de conduite :	🚗 🚗 🚗 🚗
Fiabilité :	nouveau modèle
Sécurité :	🚗 🚗 🚗 🚗
Qualités hivernales :	🚗 🚗 🚗 🚗 ½
Espace intérieur :	🚗 🚗 🚗 🚗 ½
Confort :	🚗 🚗 🚗

LE CHOIX DE L'ÉQUIPE

Wrangler Rubicon

Un Wrangler ne saurait être un Wrangler sans un boîtier de transfert 4x4 efficace, et celui de Jeep a fait ses preuves. Les versions X et Sahara profitent du boîtier de seconde génération Command-Trac, jumelé à un différentiel arrière à glissement limité. Dans le cas du Rubicon, la version extrême, c'est une nouvelle génération de Off-Road Roc-Trac que l'on a installé de série. Pour l'améliorer, on lui a octroyé de nouveaux essieux Dana 44s à l'avant et à l'arrière (sur la version Rubicon, car les versions de base comme la Sahara ont des Dana 33s), des composantes plus résistantes et offrant une meilleure réaction aux chocs. On a de surcroît installé de série une barre stabilisatrice avant que l'on peut désormais débrancher électroniquement en conditions extrêmes, ce qui augmente de 28 % la capacité de mobilité des articulations des roues avant .

L'autre changement notable, c'est la nouvelle disposition du châssis qui favorise une garde au sol légèrement plus élevée, mais surtout des angles d'approche améliorés. De face par exemple, il est dorénavant possible d'attaquer une pente de 40,4 degrés de départ, ou d'escalader des roches escarpées de 44,3 degrés.

Les améliorations hors route sont nombreuses et font partie de la tradition Jeep. Mais le constructeur a aussi pensé à rendre la randonnée plus confortable sur la route, grâce à un empattement allongé de 5 centimètres, mais particulièrement au moyen d'un châssis rendu 50 % plus rigide. On a même modifié un peu les suspensions, les calibrant pour éviter les rebonds caractéristiques des petites tournées en Jeep. Pour y arriver, on a utilisé une triangulation différente, capable, affirme-t-on, de réduire les poussées latérales engendrées sur la route.

La direction a été retouchée pour la rendre plus précise, et on a même tenté de diminuer le bruit dans l'habitacle, en employant de nouveaux composés pour le rembourrage des panneaux latéraux.

Mais un Jeep demeure un Jeep, et le Wrangler 2007 ne fait pas exception. Ce n'est ni pour le confort, ni pour la qualité de la randonnée sur l'autoroute qu'on achète un Jeep, mais pour le style unique, et pour la petite note d'exotisme qu'il procure, tout en étant capable de grimper l'Himalaya. De ce point de vue, avec le nouveau Wrangler, Jeep n'a surtout pas trahi la véritable nature de son véhicule.

Marc Bouchard

Photos : Jeep

SECOND DÉBUT

La Kia Amanti a fait les manchettes du mauvais goût dès le jour où elle a été dévoilée en 2003. Pastiche d'une berline de grand luxe, elle s'appelait Opirus un peu partout dans le monde et Amanti en Amérique. Malgré sa silhouette de carnaval, la plus luxueuse des Kia sur notre marché avait quand même des qualités en fait de rapport équipement/prix en plus d'une garantie assez intéressante. Mais sa popularité était assez faible. Le temps était donc venu de donner un coup de pinceau et de tenter d'améliorer les choses.

Pour décrire le modèle 2006, il suffit de dire que la partie avant ressemble à celle d'une Mercedes-Benz dénaturée, la partie arrière à celle de la Lincoln Continental de la dernière génération, tandis que l'habitacle tente d'imiter une Lexus LS. Et sur la route, cette coréenne s'apparente davantage à une Buick Century qu'à tout autre modèle. Cette fumante combinaison d'éléments disparates a contribué à créer l'une des voitures les plus baroques sur le marché. Et comme mentionné précédemment, même une longue liste d'équipements de série n'arrivait pas à convaincre les acheteurs.

OPÉRATION CHARME

Pour des raisons qui nous échappent, la direction de Kia a jugé bon de rafistoler son Amanti en conservant la plate-forme et la silhouette de la version 2006 au lieu d'emprunter les éléments de la Hyundai Azera comme c'est le cas avec la plupart des autres modèles Kia et Hyundai. Certains prétendent que la prochaine Amanti sera un modèle plus luxueux que l'Azera et qu'elle sera associée à la future Hyundai Equus, la berline de grand luxe chez Hyundai qui devrait être dévoilée en 2008, mais il ne s'agit que de pures spéculations. En attendant, il est bien évident au premier coup d'œil que la carrosserie originale a été gardée et que les stylistes se sont surtout appliqués à corriger la partie avant,

l'élément le plus fautif en fait de mauvais goût. Les deux phares autonomes circulaires «à la Mercedes-Benz» ont été conservés, mais la grille de calandre a été révisée quelque peu, ce qui améliore la présentation d'ensemble. Il semble que la nouvelle Opirus bénéficie de changements plus importants au chapitre de cette calandre avec une grille de type chute d'eau surplombée d'une barre chromée. La même remarque s'applique également à la partie arrière. Les feux arrière sont maintenant verticaux sur l'Opirus et sont quasiment similaires sur l'Amanti 2007.

Mais ce qui importe le plus, c'est que l'habitacle a été sérieusement modifié. Au lieu de nous offrir des mètres et des mètres carrés de simili-bois d'un goût discutable, les appliques sont en laque comme c'est présentement la tendance. Et si la configuration du tableau de bord est demeurée sensiblement la même, la console centrale de la planche de bord a été redessinée afin de faire place à un écran LCD. Il faut de plus ajouter que les sièges ont été révisés tandis que la qualité de la finition a progressé. Les vis ne sont plus apparentes et les interstices entre les différentes pièces ont été rétrécis de beaucoup. Bref, les gens n'auront plus l'impression d'être assis dans une Lexus mal assemblée. Mais les modifications ne sont pas limitées à la carrosserie et à l'habitacle.

FEU VERT
Silhouette améliorée
Habitacle plus élégant
Moteur plus puissant
Consommation de carburant à la baisse
Suspension raffermie

FEU ROUGE
Direction engourdie
Silhouette controversée
Valeur de revente toujours faible
Agrément de conduite mitigé

PLUS DE PUISSANCE

En plus de sa silhouette plus que discutable, l'Amanti n'était vraiment pas bien desservie par un moteur V6 de 3,5 litres dont la puissance de 200 chevaux était plutôt modeste pour déplacer une voiture pesant plus de 1 800 kg. Et même la présence d'une boîte automatique à cinq rapports ne parvenait pas à réduire un appétit assez élevé pour les hydrocarbures. Et pour compléter le portrait, la suspension était réellement trop souple. Ce qui expliquait le roulis en virage et le tangage sur mauvaise route. Enfin, la direction avait la précision d'une embarcation à moteur.

Les ingénieurs ont donc raffermi la suspension afin de pouvoir mieux utiliser la puissance du nouveau moteur installé sous le capot. Il s'agit du V6 de 3,8 litres dont la puissance annoncée est de 260 chevaux. Il est toujours couplé à la boîte de vitesses automatique à cinq rapports. Ce qui permet de réduire la consommation de carburant d'environ cinq pour cent. Kia prétend que cette Amanti revue et corrigée est capable de boucler le 0-100 km/h en moins de huit secondes tandis que la vitesse de pointe est de 222 km/h. Précisons que l'auteur de ces lignes n'a nullement l'intention de vérifier cette dernière affirmation et se permet de croire les représentants de Kia! On a beau avoir amélioré la voiture, il ne faut tout de même pas ambitionner... Par ailleurs, les données d'accélération sont réalistes.

La discussion se poursuit toujours quant à la silhouette de cette voiture. Si les changements apportés sont subtils, il faut tout de même admettre que c'est un progrès, surtout sur l'Opirus réservée à d'autres marchés. Par contre, l'unanimité s'est faite concernant l'habitacle. Il est nettement mieux réussi et moins kitsch que sur la version précédente, tandis que la finition et la qualité des matériaux ont également progressé. Et pour harmoniser le tout, l'Amanti est carrément plus performante et sa tenue de route plus équilibrée. Autant de raisons qui devraient inciter les acheteurs à se dorloter en commandant l'une des voitures qui offrent le meilleur rapport équipement/prix sur le marché.

Denis Duquet

Photos : Kia

VÉHICULE D'ESSAI

Version :	Luxe
Prix de détail suggéré :	35 995 $
Emp/Lon/Lar/Haut (mm) :	2 800/4 979/1 850/1 486
Poids :	1 855 kg
Coffre/Réservoir :	440 litres / 70 litres
Coussins de sécurité :	front., latéraux (av./arr.) et rideaux
Suspension avant : :	indépendante, jambes de force
Suspension arrière :	indépendante, multibras
Freins av./arr. :	disque (ABS)
Antipatinage/Contrôle de stabilité :	oui / oui
Direction :	à crémaillère, assistance variable
Diamètre de braquage :	11,4 m
Pneus av./arr. :	P225/60R16
Capacité de remorquage :	454 kg

MOTORISATION À L'ESSAI

Moteur :	V6 de 3,8 litres 24s atmosphérique
Alésage et course :	n.d
Puissance :	260 ch (149 kW) à 5 500 tr/min
Couple :	270 lb-pi (298 Nm) à 3 500 tr/min
Rapport poids/puissance :	9,28 kg/ch (12,62 kg/kW)
Système hybride :	aucun
Transmission :	traction, automatique 5 rapports
Accélération 0-100 km/h :	7,8 s
Reprises 80-120 km/h :	6,7 s
Freinage 100-0 km/h :	41,7 m
Vitesse maximale :	222 km/h
Consommation (100 km) :	ordinaire, 11,5 litres
Autonomie (approximative) :	609 km
Émissions de CO2 :	5 520 kg/an

GAMME EN BREF

Échelle de prix :	30 995 $ à 35 995 $ (2006)
Catégorie :	berline de luxe
Historique du modèle :	1ère génération
Garanties :	5 ans/100 000 km, 5 ans/100 000 km
Assemblage :	Sohari, Corée du Sud
Autre(s) moteur(s) :	aucun
Autre(s) rouage(s) :	aucun
Autre(s) transmission(s) :	aucune

DANS LA MÊME CATÉGORIE

Hyundai Azera - Nissan Maxima - Volvo S60

DU NOUVEAU EN 2007

Partie avant redessinée, habitacle plus élégant, moteur plus puissant, suspensions améliorées

NOS IMPRESSIONS

Agrément de conduite :	🚗 🚗 🚗 ½
Fiabilité :	nouveau modèle
Sécurité :	🚗 🚗 🚗 🚗
Qualités hivernales :	🚗 🚗 🚗 ½
Espace intérieur :	🚗 🚗 🚗
Confort :	🚗 🚗 🚗 🚗

LE CHOIX DE L'ÉQUIPE

Base

PLUS QUE COMPLET

Vous souvenez-vous avoir croisé une Kia Magentis sur nos routes au cours des derniers mois? Les chances sont faibles puisque cette berline a été assez peu populaire auprès des acheteurs. Mais la situation devrait changer spectaculairement avec l'arrivée de la seconde génération de cette intermédiaire. En effet, cette nouvelle venue est non seulement plus élégante et plus puissante, mais son équipement de série lui permet de proposer l'un des meilleurs rapports qualité/prix sur le marché. C'est un argument de vente intéressant, mais il faut également que le comportement routier soit à la hauteur.

Chez Kia, la direction est consciente que si voiture bien équipée vendue à un prix compétitif peut attirer certains clients, elle sera beaucoup plus demandée si sa qualité de fabrication et son comportement routier sont à la hauteur des attentes. C'est pourquoi cette nouvelle Magentis est non seulement super équipée en fonction de son prix, mais elle brille par une finition quasiment impeccable pour la catégorie.

DIFFÉRENCES

Kia et Hyundai sont des constructeurs frères, les deux appartenant au même groupe industriel. Ces marques se partagent donc plusieurs éléments mécaniques, et la Magentis ne fait pas exception à cette règle puisque sa plate-forme est dérivée de celle de la Hyundai Sonata. Par contre, elle diffère de cette dernière en raison d'une suspension de type MacPherson à l'avant tandis que les ingénieurs de Hyundai ont opté pour des bras inégaux. Et si le moteur V6 de la Sonata est d'une cylindrée de 3,3 litres et produisant 235 chevaux, la Magentis est propulsée par un moteur V6 de 2,7 litres d'une puissance de 185 chevaux. Par contre, les deux modèles se partagent le moteur quatre cylindres de 2,4 litres d'une puissance de 161 chevaux sur la Magentis. S'il est vrai que la Sonata possède un moteur V6 plus puissant, les gens de Kia répliquent que leur

moteur propose une consommation de carburant moindre et que plus de 70 pour cent des Magentis qui seront vendues durant l'année modèle 2007 devraient être équipées d'un moteur quatre cylindres. Et encore, reste à savoir si les 185 chevaux du moteur V6 sont suffisants ou pas.

Peu importe la puissance du moteur, la Magentis impressionne drôlement en raison de son équipement de base. Par exemple, sur tous les modèles on retrouve la climatisation, six coussins de sécurité, des freins à disque aux quatre roues avec ABS, une télécommande de verrouillage des portes, des roues de 16 pouces, des glaces à commande électrique, un volant inclinable, des commandes de régulateur de croisière et d'audio sur le volant, des sièges chauffants, et la liste continue. Bref, c'est tout de même impressionnant pour une voiture dont le prix de base est de 21 995$. Il faut de plus ajouter que les matériaux utilisés dans l'habitacle sont de qualité et les plastiques durs de la première génération ont été relégués aux oubliettes. Par contre, le motif des tissus utilisés fait toujours un peu rétro, mais ils sont prisés par bien d'autres marques qu'elles soient coréennes ou japonaises.

GRANDE DOUCEUR

Si vous achetez votre voiture en vous basant sur les statistiques de performances, vous ignorerez certainement la Magentis dont les temps

FEU VERT
Équipement complet
Moteur 4 cylindres puissant
Douceur de roulement
Insonorisation impressionnante
Tenue de route saine

FEU ROUGE
Silhouette timide
Moteur V6 un peu juste
Performances moyennes
Pneumatiques moyens

d'accélération sont corrects mais sans plus. Une version équipée du moteur quatre cylindres couplé à la boîte automatique à cinq rapports a bouclé le 0-100 km/h en moins de neuf secondes, tandis qu'un autre modèle équipé du moteur V6 avec boîte automatique a permis de retrancher un peu moins d'une seconde au temps final de ce même exercice. Par contre, dans les deux cas, la distance de freinage observée a été bonne avec 40,9 mètres en moyenne pour les deux véhicules.

Ces données permettent à la Magentis de se placer dans la moyenne de la catégorie en fait de performances. Toutefois, il est certain que la nouvelle Toyota Camry avec son gros moteur V6 de 3,5 litres la laisse loin dans son sillage. Mais il n'y a pas que les accélérations qui comptent, il y a aussi l'équilibre général. Et c'est là le point fort de cette discrète coréenne dont le comportement routier est sain, le silence et la douceur de roulement sont dignes de mention puisqu'ils sont supérieurs à des voitures coûtant des milliers de dollars de plus. Il faut ajouter à cette équation un prix de vente plus que compétitif et un équipement fort complet.

Lors du lancement de ce modèle, j'ai roulé sur des routes de la Colombie-Britannique qui représentaient une grande variété de conditions d'utilisation et la Magentis a toujours brillé. Elle ne nous a pas impressionnés par con caractère sportif, c'est vrai. Par contre, son homogénéité et son comportement d'ensemble, fort équilibré, ont été soulignés par tous les essayeurs présents. Il est vrai cependant que les performances du moteur V6 ne le démarquent pas suffisamment du quatre cylindres, mais il est plus doux et favorise les dépassements. Dans les deux cas, ces moteurs nous ont agréablement surpris. La même chose pour la boîte automatique dont les passages de rapports s'effectuent sans à-coup tandis que l'étagement est bon. Il faut également ajouter que la direction n'est pas démesurément engourdie, même si le *feedback* de la route pourrait être meilleur. Mais pour cette catégorie, il est difficile de trouver à redire.

Somme toute, la nouvelle cuvée de la Magentis possède tous les éléments nécessaires pour intéresser beaucoup d'acheteurs qui seront initialement attirés par un excellent rapport équipement/prix, et qui seront agréablement surpris par le comportement routier de cette voiture.

Denis Duquet

Photos : Denis Duquet

VÉHICULE D'ESSAI

Version :	LX
Prix de détail suggéré :	21 995$
Emp/Lon/Lar/Haut(mm) :	2 720/4 735/1 805/1 480
Poids :	1 425 kg
Coffre/Réservoir :	420 litres/62 litres
Coussins de sécurité :	frontaux et latéraux (av.)
Suspension avant :	indépendante, jambes de force
Suspension arrière :	demi-ind., poutre déformante
Freins av./arr. :	disque (ABS)
Antipatinage/Contrôle de stabilité :	oui/opt.
Direction :	à crémaillère, assistance variable
Diamètre de braquage :	10,4 m
Pneus av./arr. :	P205/60R16
Capacité de remorquage :	990 kg

Pneus d'origine
MICHELIN

MOTORISATION À L'ESSAI

Moteur :	4L de 2,4 litres 16s atmosphérique
Alésage et course :	n.d.
Puissance :	161 ch (120 kW) à 5 800 tr/min
Couple :	163 lb-pi (221 Nm) à 4250 tr/min
Rapport poids/puissance :	8,85 kg/ch (12,08 kg/kW)
Système hybride :	aucun
Transmission :	traction, manuelle 5 rapports
Accélération 0-100 km/h :	10,9 s
Reprises 80-120 km/h :	9,3 s
Freinage 100-0 km/h :	41,0 m
Vitesse maximale :	190 km/h
Consommation (100 km) :	ordinaire, 10,2 litres
Autonomie (approximative) :	608 km
Émissions de CO2 :	n.d.

GAMME EN BREF

Échelle de prix :	21 895$ à 27 795$
Catégorie :	berline intermédiaire
Historique du modèle :	2ème génération
Garanties :	5 ans/100 000 km, 5 ans/100 000 km
Assemblage :	Sohari, Corée du Sud
Autre(s) moteur(s) :	V6 2,7l 185ch/182lb-pi (11,6 l/100km)
Autre(s) rouage(s) :	aucun
Autre(s) transmission(s) :	automatique 5 rapports

DANS LA MÊME CATÉGORIE

Chevrolet Malibu - Chrysler Sebring - Honda Accord - Hyundai Sonata - Mitsubishi Galant - Nissan Altima

DU NOUVEAU EN 2007

Nouveau modèle, moteur 4 cylindres plus puissant

NOS IMPRESSIONS

Agrément de conduite :	🚗🚗🚗🚗
Fiabilité :	nouveau modèle
Sécurité :	🚗🚗🚗🚗
Qualités hivernales :	🚗🚗🚗🚗
Espace intérieur :	🚗🚗🚗🚗
Confort :	🚗🚗🚗🚗🚗

LE CHOIX DE L'ÉQUIPE

LX

SANS SE PRENDRE POUR UNE AUTRE

Les Québécois, pour diverses raisons, sont de grands amateurs de voitures économiques. Chacun rêve de sa future Lamborghini mais la plupart conduisent une sous-compacte. Alors, tant qu'à être «pogné» pour posséder une petite automobile, aussi bien en posséder une qui a de l'allure! La Kia Rio, revue totalement l'an dernier, fait désormais partie des incontournables de la catégorie. Il ne s'agit certes pas d'une Lamborghini, mais la Rio a au moins l'avantage de ne pas se prendre pour une autre. C'est déjà beaucoup, surtout en ces temps où l'apparence fait loi...

La Rio se présente en deux configurations, soit une berline et une version cinq portes, appelée Rio5, dont le style se situe entre la familiale et le *hatchback*. Les deux modèles partagent la même plate-forme et les mêmes organes mécaniques. Par contre, la Rio5 est moins longue de 25 cm que la Rio tout court. Esthétiquement, la 5 se démarque davantage avec sa ligne de toit très arrondie qui semble descendre bien bas grâce aux feux arrière qui adoptent cette courbe. Cependant, peu importe le modèle, les pare-chocs et les larges moulures de porte sont noirs. C'est peu esthétique, surtout sur les voitures pâles... mais ça, c'est une opinion tout à fait subjective!

QUESTION D'ARGENT

Rio ou Rio5, la dotation de base équivaut grosso modo à ce que la concurrence (Chevrolet Aveo, Toyota Yaris, Hyundai Accent) propose. On retrouve donc un dispositif antidémarrage et d'antivol, le siège du conducteur ajustable en hauteur, chaîne AM/FM/CD MP3 et essuie-glace intermittents à cadence variable. Pour jouir un peu plus de la vie et dépenser 1 700 $ supplémentaires, Kia a prévu le groupe EX Commodité qui ajoute, entre autres, la climatisation, le déverrouillage à distance (une manette, quoi!) et des rétroviseurs et glaces électriques. La Rio5, elle, peut, de plus, recevoir le groupe EX Sport qui, moyennant 600 $, apporte

des roues en alliage un peu plus larges (185/70R14 contre 175/70R14), deux haut-parleurs additionnels et un aileron arrière. Nous voilà donc avec une voiture fort bien équipée qui coûte un peu plus de 16 000 $. Toutefois, ce groupe ne procure rien au confort ou à la conduite.

Cependant, pas besoin d'un groupe d'options pour s'apercevoir de la qualité de fabrication. Les différents panneaux de carrosserie de notre voiture d'essai étaient tous bien alignés et la qualité de la plupart des plastiques de l'habitacle surprenait même si on aimerait que le couvercle du coussin gonflable du passager soit un peu plus discret. Le tableau de bord n'est peut-être pas un modèle de design mais il s'avère pratique, surtout que sa partie centrale est orientée vers le conducteur. J'ai eu un peu de difficultés à trouver une bonne position de conduite et il est fort possible que les grands gabarits en aient encore plus! Je mesure 5' 6'' et mes pieds touchaient les pédales même en reculant le siège, plutôt dur d'ailleurs, au maximum. On retrouve quelques espaces de rangement et deux porte-verres dans la console. Par contre, ces derniers sont trop gros pour des canettes ou des bouteilles de 500 ml.

Compte tenu des dimensions de la Rio, l'espace intérieur se montre très généreux. Même à l'arrière, on retrouve suffisamment d'espace pour que

FEU VERT	FEU ROUGE
Excellent rapport qualité/prix	Moteur plus bruyant que performant
Qualité de fabrication indéniable	Manque de recul du siège du conducteur
Habitacle vaste	Groupe EX Sport peu utile (Rio5)
Comportement routier correct	Embrayage très Jell-O
Bon antirouille	Freins ABS non disponibles

VÉHICULE D'ESSAI

Version :	Rio5 EX Sport
Prix de détail suggéré :	16 295 $
Emp/Lon/Lar/Haut(mm) :	2 500/3 990/1 695/1 470
Poids :	1 135 kg
Coffre/Réservoir :	702 à 1 254 litres/45 litres
Coussins de sécurité :	frontaux
Suspension avant :	indépendante, jambes de force
Suspension arrière :	demi-ind., poutre déformante
Freins av./arr. :	disque/tambour (ABS non offert)
Antipatinage/Contrôle de stabilité :	non/non
Direction :	à crémaillère, assistée
Diamètre de braquage :	10,1 m
Pneus av./arr. :	P175/65R14
Capacité de remorquage :	non recommandé

deux personnes puissent entrevoir un long périple sans sombrer dans une profonde détresse psychologique. Fait à noter, les vitres arrière ouvrent complètement, une rareté à une époque où l'être humain parle de plus en plus de se rendre sur Mars… Peu importe qu'il s'agisse de la berline ou de la familiale, les dossiers du siège arrière s'abaissent, question d'agrandir le coffre. Celui de la berline a une petite ouverture mais son volume est important. La familiale, malgré un seuil un peu élevé, possède une bonne capacité de chargement.

AUSSI SPORTIVE QUE L'AUTEUR DE CES LIGNES…

Un seul moteur est proposé pour les deux Rio. Il s'agit d'un quatre cylindres de 1,6 litre de 110 chevaux et 107 livres-pied de couple. Marié à une transmission automatique à quatre rapports ou à une manuelle à cinq rapports, ce moteur hurle son mécontentement à chaque accélération. Les performances ne sont tout de même pas dramatiques, dans la mesure où la Rio s'adresse à des étudiants ou comme deuxième (ou troisième !) voiture de la famille. L'automatique passe généralement les vitesses avec douceur, sauf à quelques occasions où, sur les rapports inférieurs, elle se montre un peu plus rude. La transmission manuelle est tout aussi indiquée, même si la pédale d'embrayage semble reliée à du Jell-O et que le levier ne peut souffrir d'une utilisation brusque. Très peu recommandée pour le street racing…

Bien entendu, la conduite sportive est à proscrire même si le comportement général de la Rio est très sain. Dans une courbe prise avec trop d'enthousiasme, le véhicule démontre un comportement sous-vireur. Et il ne faut pas trop se fier aux freins pour se sortir d'embarras. L'ABS n'est pas offert, même en option. La direction est plus ou moins précise et devient dure lors de changements de voies brutaux, mais c'est davantage le cuir très glissant du volant de notre Rio5 d'essai qui dérange.

La Rio n'est sans doute pas parfaite mais elle se mesure facilement aux autres voitures de la catégorie. Son prix de base n'est certes pas le meilleur mais sa qualité de fabrication et l'équipement compensent largement. Reste que la version la plus cossue, la Rio5 EX Sport, n'est pas aussi intéressante qu'elle en a l'air puisqu'il s'agit seulement d'ajouts esthétiques ou de luxe. Malgré tout, le rapport qualité/prix de n'importe quelle Rio est infiniment meilleur que celui d'une Lamborghini…

Alain Morin

MOTORISATION À L'ESSAI

Moteur :	4L de 1,6 litre 16s
Alésage et course :	76,5 mm x 87,0 mm
Puissance :	110 ch (78 kW) à 5 800 tr/min
Couple :	107 lb-pi (141 Nm) à 4 700 tr/min
Rapport poids/puissance :	10,91 kg/ch (14,74 kg/kW)
Système hybride :	aucun
Transmission :	traction, automatique 4 rapports
Accélération 0-100 km/h :	12,8 s
Reprises 80-120 km/h :	11,4 s
Freinage 100-0 km/h :	45,0 m
Vitesse maximale :	180 km/h
Consommation (100 km) :	ordinaire, 8,7 litres
Autonomie (approximative) :	517 km
Émissions de CO2 :	3 938 kg/an

GAMME EN BREF

Échelle de prix :	13 295 $ à 17 895 $
Catégorie :	sous-compacte/familiale
Historique du modèle :	2ième génération
Garanties :	5 ans/100 000 km, 5 ans/100 000 km
Assemblage :	Sohari, Corée du Sud
Autre(s) moteur(s) :	aucun
Autre(s) rouage(s) :	aucun
Autre(s) transmission(s) :	manuelle 5 rapports

DANS LA MÊME CATÉGORIE

Chevrolet Aveo - Hyundai Accent - Suzuki Aerio - Toyota Yaris

DU NOUVEAU EN 2007

Pas de changement majeur

NOS IMPRESSIONS

Agrément de conduite :	🚗 🚗 🚗
Fiabilité :	🚗 🚗 🚗 ½
Sécurité :	🚗 🚗 🚗 ½
Qualités hivernales :	🚗 🚗 🚗
Espace intérieur :	🚗 🚗 🚗 ½
Confort :	🚗 🚗 🚗 ½

LE CHOIX DE L'ÉQUIPE

EX Commodité

Photos : Alain Morin

DUO GRAND FORMAT

Un jour, il n'y a pas si longtemps, un savant analyste de la chose automobile avait prédit la fin de la classe des fourgonnettes au profit de tous les multisegments qui ont pris d'assaut le marché. Cet expert des quatre roues devrait cependant expliquer son point de vue aux manufacturiers qui, depuis cette analyse incroyablement précise, n'ont eu de cesse de renouveler et de créer de nouvelles fourgonnettes dans leur gamme. La dernière en lice, c'est la Hyundai Entourage, la première fourgonnette du constructeur coréen.

Difficile de croire à l'éclair de génie soudain quand on regarde l'Entourage puisqu'elle est clairement la sœur jumelle, copie clonée sans trop de recherches, de la Kia Sedona. Une croissance logique d'ailleurs car les deux compagnies sont désormais elles-mêmes jumelles, et c'est ensemble qu'elles veulent atteindre d'ici quelques années le cinquième rang au classement mondial des producteurs d'automobiles.

Les jumelles ainsi présentées au public profitent de la même motorisation, et sensiblement du même design, même si certains éléments diffèrent légèrement d'une bannière à l'autre.

GRANDE COMME LE STADE
La grande qualité de toute fourgonnette qui se respecte, c'est l'espace qu'elle promet. Dans le cas du duo coréen, cette caractéristique n'est certes pas la moins importante. À ce chapitre en effet, les deux fourgonnettes arrivent presque en tête de leur catégorie, ne cédant la première place qu'à la gigantesque Nissan Quest ou à la Toyota Sienna.

Inévitablement, ce choix de dégagement intérieur a des retombées directes sur les dimensions extérieures du véhicule. La Sedona, tout comme l'Entourage, est donc une fourgonnette aux proportions imposantes. Si on les compare à l'ancienne génération de la Sedona par exemple, le véhicule a gagné en corpulence, comptant désormais sur une longueur totale de 5,130 mètres, gagnant ainsi près de 20 centimètres. En largeur aussi la fourgonnette a progressé, atteignant maintenant 1,985 mètre, une hausse avoisinant

10 centimètres. Le résultat se fait principalement sentir à l'intérieur, où les passagers peuvent dorénavant profiter d'un dégagement beaucoup plus vaste, même pour les deuxième et troisième rangées, ce qui n'est pas peu dire. En fait, les sièges de la deuxième rangée, des sièges baquets repliables d'une seule main ou

amovibles (avec un peu d'insistance cependant puisqu'ils sont lourds), sont d'un bon confort.

Même ceux de troisième rangée (que l'on peut dissimuler dans le plancher) offrent assez d'espace pour un adulte de taille moyenne. Ce dernier devra toutefois se contenter d'une banquette un peu trop rigide pour être confortable. Soulignons par contre que les dossiers sont légèrement inclinables, ce qui permet d'offrir une position assise moins coincée que dans les traditionnelles fourgonnettes.

Quant au design, on a, dans un cas comme dans l'autre, opté pour une sobriété de bon aloi. Après tout, jamais fourgonnette ne sera véritablement symbole de sex-appeal. Les calandres diffèrent un peu d'une version à l'autre, mais la filiation est évidente au premier regard. Les phares, allongés à l'avant, utilisent la ligne de caisse pour se prolonger vers le haut, alors que le hayon arrière, un peu plus carré, ajoute une note de modernisme.

LE SYNDROME DE L'ESCARGOT

Avez-vous déjà pensé à la puissance nécessaire à un escargot pour transporter avec lui toute sa maison ? Voilà sans doute ce qui explique sa lenteur légendaire. Mais c'est un syndrome dont ne souffre pas trop l'Entourage, puisque malgré son volume plus grand, et conséquemment son poids plus élevé, elle se « déménage » plutôt bien sur la route.

Elle peut d'ailleurs en remercier le moteur V6 de 3,8 litres (encore une fois partagé avec la Sedona et qui, souhaitons-le, sera plus frugal que le précédent), qui lui fournit un des plus hauts niveaux de puissance de toute la catégorie, soit plus de 242 chevaux. Et certainement un des couples les plus élevés aussi, avec ses 251 livres-pied disponibles, ma foi, à un régime suffisamment bas pour ne pas avoir à trop peiner lors des accélérations et des reprises. On ne parle pas d'une voiture de course, mais avouons que l'on ne ressent pas trop d'hésitation.

La transmission automatique agit avec assez d'ardeur lorsque laissée à elle-même, mais les prétentions semi-manuelles du mode Shiftronic (Steptronic chez Kia) sont toutefois un peu trop lentes pour être utiles.

Le vaste choix d'options et de configurations dans l'une et l'autre de ces fourgonnettes permet de trouver celle qui répondra aux exigences de la famille. Évidemment, de base, elles offrent l'espace et le moteur, mais délaissent un peu la question confort. Il faut se hisser en milieu de gamme pour obtenir une meilleure valeur. Mais ce sont les haut de gamme qui présentent les choix les plus intéressants, incluant par exemple un dispositif électronique de stabilité dont les réactions sont à point, et tellement transparentes qu'elles ne donnent jamais l'impression au conducteur de ne pas être en parfait contrôle.

Et cette offre comprend plusieurs éléments visant à améliorer la sécurité. Les modèles de base respectifs proposent de série six coussins gonflables, des capteurs de pression de pneus, une gestion de la climatisation trizone, des portières et fenêtres électriques, et même un système de sonar qui se met en marche dès que la voiture est embrayée en marche arrière. La même générosité se remarque au chapitre de l'aménagement de l'habitacle. Toutes les gammes proposent des commandes au volant, et le design général est moderne et simple. Seul le haut de gamme ajoute des appliques de bois qui ont plutôt l'allure d'une feuille de tapisserie collée que de véritables boiseries. C'est d'ailleurs dans les versions de luxe que l'on retrouve les sièges en cuir et chauffants. Autre défaut, l'habitacle aurait eu avantage à être un peu mieux insonorisé. On entend un peu le bruit du moteur, et beaucoup les bruits éoliens quand on roule sur l'autoroute.

SUR LA ROUTE

Sur la route, peu importe la marque, ce duo est docile et facile à maîtriser. Une fourgonnette n'est pas, et ne sera jamais, une voiture à vocation sportive mais qu'elle soit une Kia Sedona ou une Hyundai Entourage, l'une et l'autre sont confortables et tiennent la route avec aplomb même dans les courbes plus serrées, prises avec un certain excès d'enthousiasme. Le système de contrôle de traction s'est avéré fort peu intrusif et très efficace. En conduite normale, le roulis est presque absent, et le véhicule enfile gracieusement les courbes les unes après les autres...

FEU VERT
Dimensions impressionnantes
Gamme de prix abordable
Habitacle bien aménagé
Troisième rangée habitable

FEU ROUGE
Consommation élevée
Transmission Shiftronic trop lente
Modèle de base trop dénudé
Silhouette sans recherche

L'accélération sans être fulgurante est aussi suffisante pour tous les besoins. Il est vrai que dans certaines côtes, j'ai dû manipuler plus souvent qu'à mon tour la transmission Steptronic pour garder la vitesse acquise mais rien d'anormal avec un véhicule de ce poids. La puissance se fait cependant sentir un peu trop linéairement, ce qui annihile presque complètement ce qui subsiste des sensations de conduite.

L'Entourage, tout comme la Sedona, a toutes les armes nécessaires pour trouver sa place en tête de liste des achats de fourgonnette. Quant à faire un choix entre les deux, la question n'est que rhétorique, puisque c'est à vous, consommateur, de le faire. La liste d'accessoires, le service après-vente ou la confiance envers votre concessionnaire devraient dicter votre choix. Car les véhicules, eux, s'équivalent sans aucun doute.

Marc Bouchard

Photos : Denis Duquet

VÉHICULE D'ESSAI

Version :	Entourage GL Confort
Prix de détail suggéré :	31 995 $
Emp/Lon/Lar/Haut(mm) :	3 020/5 130/1 990/1 760
Poids :	2 107 kg
Coffre/Réservoir :	617 à 3 610 litres / 75 litres
Coussins de sécurité :	frontaux, latéraux (av.) et rideaux
Suspension avant :	indépendante, jambes de force
Suspension arrière :	semi-ind., multibras
Freins av./arr. :	disque (ABS)
Antipatinage/Contrôle de stabilité :	opt./opt.
Direction :	à crémaillère, assistance variable
Diamètre de braquage :	12,6 m
Pneus av./arr. :	P225/70R16
Capacité de remorquage :	1 588 kg

MOTORISATION À L'ESSAI

Moteur :	V6 de 3,8 litres 24s atmosphérique
Alésage et course :	96,0 mm x 87,0 mm
Puissance :	242 ch (180 kW) à 6 000 tr/min
Couple :	251 lb-pi (340 Nm) à 3 500 tr/min
Rapport poids/puissance :	8,71 kg/ch (11,84 kg/kW)
Système hybride :	aucun
Transmission :	traction, automatique 5 rapports
Accélération 0-100 km/h :	10,3 s
Reprises 80-120 km/h :	9,0 s
Freinage 100-0 km/h :	47,0 m
Vitesse maximale :	180 km/h
Consommation (100 km) :	ordinaire, 12,6 litres
Autonomie (approximative) :	595 km
Émissions de CO2 :	5933 kg/an

GAMME EN BREF

Échelle de prix :	29 995 $ à 37 195 $
Catégorie :	fourgonnette
Historique du modèle :	1ière génération
Garanties :	5 ans/100 000 km, 7 ans/120 000 km
Assemblage :	Asan, Corée du Sud
Autre(s) moteur(s) :	aucun
Autre(s) rouage(s) :	aucun
Autre(s) transmission(s) :	aucune

DANS LA MÊME CATÉGORIE

Chevrolet Uplander - Dodge Grand Caravan - Ford Freestar - Kia Sedona - Pontiac Montana

DU NOUVEAU EN 2007

Nouveau modèle

NOS IMPRESSIONS

Agrément de conduite :	🚗 🚗 🚗 ½
Fiabilité :	nouveau modèle
Sécurité :	🚗 🚗 🚗 🚗
Qualités hivernales :	🚗 🚗 🚗 ½
Espace intérieur :	🚗 🚗 🚗 🚗 ½
Confort :	🚗 🚗 🚗 🚗

LE CHOIX DE L'ÉQUIPE

GL Confort

ALLURE RAJEUNIE ET DU MUSCLE

Le Sorento a été le premier Kia distribué au pays qui a permis à ce constructeur de se faire respecter. Il y avait eu la Sedona l'année précédente, mais ce n'était pas tout à fait au point. Le Sorento de la première génération a impressionné tout le monde par sa qualité de fabrication, son comportement routier et une fiabilité de bon aloi. D'ailleurs, Le Guide avait réalisé un essai à long terme de ce véhicule et l'expérience s'était avérée concluante. En plus, cette coréenne tout usage en a séduit plusieurs par sa silhouette.

C'est sans doute pour cette raison que la Sedona 2007 conserve une allure similaire, même si elle est l'objet de plusieurs modifications. Mais comme on le dit dans le jargon du sport, on ne transforme pas une combinaison gagnante !

ALLURE SOPHISTIQUÉE

Comme vous êtes en mesure de le constater, la présentation générale du Sorento n'a pas beaucoup changé, du moins au premier coup d'œil. C'est tout simplement que le gros pilier C incliné vers l'arrière a été conservé et demeure la signature visuelle de cette Kia. Cette astuce de design allège la présentation et donne de l'élan à la carrosserie. Les passages de roue proéminents ont également été retenus. Par contre, les feux avant sont nouveaux. Leurs formes restent sensiblement les mêmes, mais la lentille ambrée est maintenant localisée au bas du bloc optique. Parmi les autres changements, la grille de calandre est traversée par trois barres transversales au lieu de une sur le modèle 2006. Enfin, le pare-chocs a été redessiné et on remarque la présence d'un bouclier de protection avant qui se prolonge jusque par-dessus le pare-chocs lui-même. Cela donne des airs de baroudeurs à ce VUS. À l'arrière, c'est sensiblement identique à la version antérieure. Les responsables de Kia nous

parlent de feux arrière nouveaux, mais il faut vraiment savoir où regarder car les modifications sont très subtiles.

La silhouette a donc eu droit à une cure de raffinement afin d'accentuer le caractère du véhicule tout en conservant les éléments clés qui ont fait son succès. La même philosophie s'applique à l'habitacle. Si la disposition du tableau de bord est demeurée quasiment identique, le contraste entre le noir et les pièces de couleur titane est du plus bel effet tandis que les appliques en bois chimique ont été éliminées et c'est tant mieux. Soulignons au passage que la qualité des matériaux et de l'assemblage a également progressé. Comme tous les modèles de ce genre, l'accès à bord nécessite de lever la patte assez haut, mais une fois installé, c'est confortable. Par contre, la banquette arrière l'est moyennement, comme cela semble être la norme pour cette catégorie de véhicules. Enfin, la capacité de chargement est bonne.

ENCORE PLUS DE MUSCLES

Si le Sorento s'est refait une beauté, il bénéficie également d'améliorations notables au chapitre de la mécanique. En fait, le changement majeur est le remplacement du moteur V6 3,5 litres de 192 chevaux par un autre moteur V6 dont la cylindrée est de 3,8 litres tandis que sa

FEU VERT

Carrosserie plus raffinée
Meilleure qualité des matériaux
Moteur plus puissant
Rouage intégral efficace
Tenue de route saine

FEU ROUGE

Essieu arrière rigide
Accès à bord pénible
Banquette arrière peu confortable
Fiabilité à prouver

VÉHICULE D'ESSAI

Version:	EX
Prix de détail suggéré:	36 995 $
Emp/Lon/Lar/Haut(mm):	2 710/4 590/1 885/1 811
Poids:	1 990 kg
Coffre/Réservoir:	889 à 1 880 litres / 80 litres
Coussins de sécurité:	front., latéraux, rideaux et genoux
Suspension avant:	indépendante, jambes de force
Suspension arrière:	essieu rigide, ressorts hélicoïdaux
Freins av./arr.:	disque (ABS)
Antipatinage/Contrôle de stabilité:	oui/oui
Direction:	à crémaillère, assistance variable
Diamètre de braquage:	10,8 m
Pneus av./arr.:	P245/70R16
Capacité de remorquage:	2268 kg

MOTORISATION À L'ESSAI

Pneus d'origine MICHELIN

Moteur:	V6 de 3,8 litres 24s atmosphérique
Alésage et course:	96,0 mm x 87,0 mm
Puissance:	262 ch (195 kW) à 6000 tr/min
Couple:	260 lb-pi (353 Nm) à 4500 tr/min
Rapport poids/puissance:	7,6 kg/ch (10,31 kg/kW)
Système hybride:	aucun
Transmission:	4X4, auto. mode man. 6 rapports
Accélération 0-100 km/h:	8,5 s
Reprises 80-120 km/h:	7,1 s
Freinage 100-0 km/h:	42,0 m
Vitesse maximale:	190 km/h
Consommation (100 km):	ordinaire, 11,0 litres
Autonomie (approximative):	727 km
Émissions de CO2:	6672 kg/an

GAMME EN BREF

Échelle de prix:	27995$ à 38695$ (2006)
Catégorie:	utilitaire sport intermédiaire
Historique du modèle:	1ère génération
Garanties:	5 ans/100000 km, 5 ans/100000 km
Assemblage:	Hwasung, Corée du Sud
Autre(s) moteur(s):	aucun
Autre(s) rouage(s):	propulsion
Autre(s) transmission(s):	manuelle 5 rapports

DANS LA MÊME CATÉGORIE

Chevrolet Equinox - Mitsubishi Endeavor - Nissan Pathfinder - Pontiac Torrent - Saturn VUE - Toyota Highlander

DU NOUVEAU EN 2007

Silhouette révisée, nouveau moteur, habitacle plus moderne

NOS IMPRESSIONS

Agrément de conduite:	🚗🚗🚗🚗
Fiabilité:	nouveau modèle
Sécurité:	🚗🚗🚗🚗
Qualités hivernales:	🚗🚗🚗🚗
Espace intérieur:	🚗🚗🚗🚗
Confort:	🚗🚗🚗½

LE CHOIX DE L'ÉQUIPE

EX

puissance est 262 chevaux, un gain de 72 chevaux par rapport à l'an dernier. Ce V6 est couplé à une boîte de vitesses automatique à six rapports de type manumatique. Chez Kia, ce mécanisme est appelé Sport Matic et permet de passer les rapports manuellement. En conduite de tous les jours, cette caractéristique n'est pas tellement intéressante, mais en conduite hors route, cela peut s'avérer pratique.

Un peu comme l'apparence extérieure, la mécanique a donc été modifiée de peu, à part le moteur de 3,8 litres. Le Sorento est toujours ralenti par des freins à disque aux quatre roues qui sont réglés par un système ABS. Le train avant est à jambes de force tandis que l'essieu arrière est rigide et maintenu en place par des liens multiples. Et il ne faut pas oublier de mentionner que le Sorento peut être commandé avec deux roues motrices, la puissance est dirigée aux roues arrière, ou encore en mode intégral. Dans ce cas, ce véhicule est vraiment très efficace en tout-terrain, surtout quand on considère le fait que sa vocation est essentiellement urbaine.

Contrairement à plusieurs de ces véhicules qui se débrouillent assez bien en forêt, le Sorento n'est pas vilain non plus sur la route. Il ne faut cependant pas s'emballer, ce n'est pas aussi agile qu'une auto, mais la tenue de route en général est saine, particulièrement dans la circulation. Et il faut ajouter que l'essieu arrière rigide ne fait pas trop sentir sa présence sur mauvais revêtement. L'arrivée d'un nouveau moteur a fait des merveilles pour l'agrément de conduite, les temps d'accélérations ont été raccourcis de plus d'une seconde et demie, mais ce qui impressionne le plus, c'est la vivacité des reprises, une caractéristique qui n'était pas le point fort de la première génération. Et la très bonne nouvelle, c'est que ce moteur de 3,8 litres est beaucoup moins glouton que le V6 de 3,5 litres qui était assoiffé en permanence.

La première version du Sorento était correcte à presque tous les points de vue. La seconde génération est meilleure quasiment partout. L'idéal aurait été d'avoir un moins gros moteur qui aurait consommé moins et qui aurait eu la même puissance. Mais, il aurait fallu des astuces technologiques qui auraient mis le véhicule hors de prix. Donc, compte tenu du prix demandé pour un Sorento, le résultat d'ensemble est un compromis fort honorable.

Denis Duquet

Photos : Kia

SURPRISE ! SURPRISE !

La compagnie Kia ne cesse de nous surprendre. Il n'y a pas si longtemps la seule mention de cette marque faisait penser à une voiture assez mal foutue, dépourvue de tenue de route, de qualité d'assemblage et vendue par un concessionnaire qui se spécialisait dans les voitures usagées. Cette description était sans doute plus ou moins vraie au début de la décennie, mais les choses ont beaucoup changé chez Kia. Non seulement leurs concessionnaires ont maintenant des établissements dignes de ce nom, mais les véhicules qui y sont offerts sont à souligner.

La Spectra fait partie de ce renouveau. La version actuelle a été commercialisée en 2005 et elle est venue apporter un peu plus de sérieux à une gamme de véhicules dont la qualité ne cessait alors de s'améliorer. La fourgonnette Sedona et l'utilitaire sport Sorento avaient déjà fait leur marque sur le marché, et la Spectra était la première berline d'une nouvelle génération qui nous permettait de croire au sérieux de ce constructeur.

INSPIRATION GERMANIQUE

Lors du dévoilement de la berline, les responsables du stylisme ne se sont pas gênés pour nous affirmer qu'ils s'étaient inspirés de la Audi A4. Il suffit de jeter un regard aux feux arrière et au profil de la caisse pour découvrir une similitude. Par contre, la partie avant est typiquement Kia avec sa grille de calandre surplombée par une barre de chrome. De plus, quelques rondeurs viennent donner une certaine personnalité à cette berline. Je dois cependant avouer que la version *hatchback* cinq portes, la Spectra 5, est mieux réussie sur le plan esthétique. L'équilibre des masses est accompli et la silhouette est moins générique que celle de la berline qui ressemble trop à d'autres modèles similaires de la catégorie. Toutefois, peu importe qu'il s'agisse de la berline ou du *hatchback*, l'habitacle est identique et le tableau de bord est plus pratique qu'autre

chose. C'est vraiment basique en fait de design alors que les éléments sont à la bonne place et faciles d'accès, mais sans plus d'inspiration. Heureusement que le volant à quatre branches de type sport vient donner un peu plus de pep à l'ensemble. Et si les sièges sont confortables et offrent un support latéral correct, les tissus utilisés ont tendance à retenir la poussière et les éléments de tout genre. Enfin, certains les trouvent trop fermes, mais c'est une simple question de goût. Il faut ajouter que si la texture de certains plastiques laisse à désirer, la qualité de la finition et de l'assemblage est excellente.

Les places arrière proposent une habitabilité moyenne tandis que le coffre de la berline est aussi spacieux que celui de ses concurrentes. Par contre, la Spectra 5 permet de transporter des objets plus encombrants et une fois le dossier du siège arrière abaissé, la capacité de chargement est de beaucoup supérieure avec une capacité totale de 1 494 litres.

DES ESSAYEURS SURPRIS...

Chaque fois que nous avons eu à essayer une Spectra, nous nous sommes fait un point d'honneur à la faire conduire par une personne qui n'avait jamais été en contact avec les produits de cette marque. La plupart du temps, notre essayeur ou essayeuse impromptue n'avait pas

FEU VERT
Assemblage soigné
Version hatchback pratique
Moteur bien adapté
Tenue de route correcte
Fiabilité éprouvée

FEU ROUGE
Berline moins attrayante
Moteur bruyant
Tissus des sièges peu élégant
Pneumatiques moyens

nécessairement une perception très positive des voitures Kia. Pour ces gens, il s'agissait « d'un p'tit char cheap tant en fait du prix que des performances ». C'était un moyen de transport de base et tous s'attendaient à souffrir à son volant. Lorsque ces personnes revenaient de leur essai, elles étaient impressionnées par le confort, le comportement général de la voiture de même que par la qualité de la finition. Il est certain qu'ils ne la comparaient pas à une Mercedes ou à une Volvo, mais leur impression d'ensemble était positive.

En effet, bien que son moteur quatre cylindres de 2,0 litres produisant 138 chevaux soit rugueux et bruyant lorsque trop fortement sollicité, il se débrouille assez bien en fait d'accélération et de reprises, tandis que sa consommation de carburant est plutôt modeste. La boîte de vitesses manuelle à cinq rapports est bien étagée, même si la précision du levier de sélection pourrait être un peu meilleure. Il suffirait d'augmenter quelque peu la friction de la course du levier pour remédier au problème. La transmission automatique à quatre rapports a été remplacée l'an dernier et elle est nettement plus efficace. Celle-ci chasse moins, les passages de rapports sont plus doux et l'étagement des vitesses est meilleur.

Sur la route, les accélérations sont dans la bonne moyenne alors qu'il faut un peu plus de dix secondes pour boucler le 0-100 km/h. Le comportement routier est correct et la stabilité sur la grand-route est bonne pour une voiture de cette dimension. Il faut ajouter que la présence d'un essieu arrière indépendant permet d'augmenter le niveau de confort sur mauvaises routes. Par contre, la voiture est passablement sous-vireuse quand elle est poussée et l'agrément de conduite en souffre. La Spectra excelle lorsqu'on roule avec souplesse sans la brusquer et sans vouloir jouer les Fernando Alonso. D'autant plus que la monte pneumatique ne se prête pas à une conduite agressive. Somme toute, cette Kia surprend par son homogénéité et un comportement routier sain. Mais il faut bien choisir le modèle et les options afin de maintenir le prix compétitif. Faute de quoi, on atteint le prix de concurrents mieux nantis au chapitre des performances et de la tenue de route.

Denis Duquet

VÉHICULE D'ESSAI

Version :	Spectra5 SX
Prix de détail suggéré :	22 395 $
Emp/Lon/Lar/Haut(mm) :	2 610/4 340/1 735/1 470
Poids :	1 317 kg
Coffre/Réservoir :	518 à 1 494 litres / 55 litres
Coussins de sécurité :	frontaux et latéraux (av./arr.)
Suspension avant :	indépendante, jambes de force
Suspension arrière :	indépendante, multibras
Freins av./arr. :	disque (ABS opt.)
Antipatinage/Contrôle de stabilité :	opt./non
Direction :	à crémaillère, assistée
Diamètre de braquage :	10,9 m
Pneus av./arr. :	P205/50R16
Capacité de remorquage :	454 kg

MOTORISATION À L'ESSAI

Moteur :	4L de 2,0 litres 16s atmosphérique
Alésage et course :	86,5 mm x 100,0 mm
Puissance :	138 ch (103 kW) à 6000 tr/min
Couple :	136 lb-pi (184 Nm) à 4500 tr/min
Rapport poids/puissance :	9,54 kg/ch (12,91 kg/kW)
Système hybride :	aucun
Transmission :	traction, manuelle 5 rapports
Accélération 0-100 km/h :	10,7 s
Reprises 80-120 km/h :	8,2 s
Freinage 100-0 km/h :	43,0 m
Vitesse maximale :	185 km/h
Consommation (100 km) :	ordinaire, 9,3 litres
Autonomie (approximative) :	591 km
Émissions de CO2 :	3936 kg/an

GAMME EN BREF

Échelle de prix :	15 995 $ à 22 375 $
Catégorie :	berline compacte/familiale
Historique du modèle :	2ème génération
Garanties :	5 ans/100 000 km, 5 ans/100 000 km
Assemblage :	Asan Bay, Corée du Sud
Autre(s) moteur(s) :	aucun
Autre(s) rouage(s) :	aucun
Autre(s) transmission(s) :	automatique 4 rapports

DANS LA MÊME CATÉGORIE

Chevrolet Optra - Ford Focus - Honda Civic - Hyundai Elantra- Mazda 3 / 3 Sport - Mitsubishi Lancer - Nissan Sentra - Suzuki Aerio - Toyota Corolla

DU NOUVEAU EN 2007
Pas de changement majeur

NOS IMPRESSIONS

Agrément de conduite :	🚗🚗🚗🚗
Fiabilité :	🚗🚗🚗🚗
Sécurité :	🚗🚗🚗🚗
Qualités hivernales :	🚗🚗🚗½
Espace intérieur :	🚗🚗🚗🚗
Confort :	🚗🚗🚗½

LE CHOIX DE L'ÉQUIPE
Spectra5 base

Photos : Kia

RAPIDE : OUI. FIABLE : NON.

Ayant passé une vingtaine de journées avec la Lamborghini Gallardo au circuit Mont-Tremblant dans le cadre des activités du Challenge Trioomph (trioomph.com) au cours des deux dernières saisons, j'ai pu apprécier les bons comme les mauvais côtés de cette exotique sportive, qui est un pur produit italo-germanique, Lamborghini étant une marque appartenant au groupe Volkswagen. En constatant le manque de fiabilité de la Gallardo, j'ai pensé que Ferruccio Lamborghini devait se retourner dans sa tombe, lui qui avait commencé à construire des voitures sport justement parce que sa Ferrari tombait trop souvent en panne...

Le talon d'Achille de la Gallardo s'avère être sa boîte robotisée E-Gear qui a fait défaut à plusieurs reprises. Après avoir complété plusieurs tours de circuit, la boîte a montré ses premiers signes de faiblesse, en refusant de sélectionner le premier rapport ou la marche arrière dans les puits de ravitaillement. Pour pallier cette condition inattendue, il m'a suffi de couper le contact et de redémarrer le moteur, corrigeant ainsi temporairement le problème qui s'est cependant aggravé au point où la boîte refusait carrément de fonctionner, entraînant une longue visite dans les ateliers du concessionnaire. De plus, la torture du circuit a infligé une autre blessure à la Gallardo, soit la rupture d'un point d'ancrage de la suspension arrière. Bref, un bilan qui n'est pas nécessairement reluisant au chapitre de la fiabilité pour cette voiture qui devrait faire mieux à cet égard. Pour sa défense, précisons que le traitement que je lui ai imposé était beaucoup plus sévère que la simple conduite sur routes publiques, mais personnellement je m'attendais à mieux de sa part.

UN EXOTIQUE « POIDS PLUME »

Sa construction tout aluminium signifie que cette exotique sportive appartient à la catégorie des poids plume puisqu'elle n'affiche que 1 535 kilos à la pesée, malgré le fait qu'elle soit animée par un moteur V10 de 5,0 litres développant 500 chevaux, ce qui représente tout un exploit sur le plan technique. Le style est très représentatif de la marque avec des lignes ciselées et des angles droits, mais ce qui est véritablement frappant sur le plan visuel c'est de constater que les roues de 19 pouces semblent surdimensionnées en raison du faible gabarit de la voiture. Contrairement à la Murcielago qui est dotée de portières en élytre, celles de la Gallardo sont de conception habituelle et l'accès à bord s'en trouve facilité. L'habitacle est cependant très exigu et certains conducteurs dont la taille est supérieure à six pieds s'y sentiront à l'étroit même si la colonne de direction est ajustable en hauteur et télescopique. Si vous êtes familiarisé avec les intérieurs des voitures Audi, vous vous retrouverez ici en terrain connu puisque le système de chauffage/climatisation, la chaîne stéréo et plusieurs autres commandes proviennent directement des voitures de la marque allemande. La visibilité vers l'avant est bonne, mais ça se gâte vers l'arrière. Quant à l'espace de chargement localisé à l'avant, son volume est limité à 4 pieds cubes, donc on oublie le panier à pique-nique !

Logé en position centrale, le V10 est jumelé à une boîte manuelle ordinaire à six vitesses ou encore à la boîte robotisée E-Gear qui compte autant de rapports et qui est dotée de paliers de commande au volant,

FEU VERT	FEU ROUGE
Puissance du moteur V10	Prix très élevé
Style unique	Boîte robotisée E-Gear peu fiable
Traction intégrale de série	Faible visibilité vers l'arrière
Très bonne tenue de route	Habitacle exigu
	Coffre symbolique

la motricité étant livrée aux 4 roues par l'entremise d'un rouage intégral selon une répartition de deux tiers vers les roues arrière et d'un tiers vers les roues avant en conduite normale. Pour décoller rapidement avec la Gallardo, il suffit de désactiver le système de contrôle de la motricité, de sélectionner le mode sport qui commande le passage des vitesses en 12 millièmes de seconde et simplement d'accélérer à fond. La motricité initiale est fabuleuse et le bond en avant prodigieux, gracieuseté de la traction intégrale. Une fois bien lancée en piste au circuit Mont-Tremblant, la traction intégrale s'est toutefois avérée être un léger handicap puisque j'ai ressenti un peu de sous-virage, mais je dois avouer que l'adhérence était tout de même impressionnante, la Gallardo étant capable de tenir 1G en virage. Pour la conduite sur circuit, il faut cependant composer avec un point faible assez évident, étant donné que les paliers de changements de vitesse demeurent fixes, et donc ne suivent pas le mouvement du volant. De plus, ils ne sont pas aussi longs que ceux de la Ferrari F430, ce qui exige une certaine gymnastique de la part du conducteur lorsque vient le temps de sélectionner le rapport supérieur en sortie de virage.

DÉCLASSÉE PAR LA F430

Pour ce qui est des performances, la Gallardo était en mesure de rivaliser avec celles de la Ferrari 360 Modena, comme en témoignent les données recueillies lors de notre match comparatif de l'édition 2005 du Guide de l'auto, mais elle est maintenant carrément déclassée par la nouvelle F430 qui lui concède 10 chevaux mais qui pèse 85 kilos de moins. Sur le circuit du Mont-Tremblant, la Gallardo s'incline donc devant la plus récente des voitures au cheval cabré, qui s'est montrée non seulement plus rapide, mais également plus fiable. Mais il faut bien avouer que lorsqu'il est question de l'acquisition d'une voiture aussi exotique qu'une Ferrari ou une Lamborghini, bien des facteurs entrent en ligne de compte et la fiabilité ne figure pas nécessairement au sommet des priorités. N'empêche que la Gallardo confère à son propriétaire une exclusivité assurée en raison de la production limitée de la marque.

Gabriel Gélinas

VÉHICULE D'ESSAI

Version :	Coupé
Prix de détail suggéré :	255 000 $
Emp/Lon/Lar/Haut(mm) :	2 560/4 300/1 900/1 165
Poids :	1 535 kg
Coffre/Réservoir :	110 litres / 90 litres
Coussins de sécurité :	frontaux et latéraux (av.)
Suspension avant :	indépendante, bras inégaux
Suspension arrière :	indépendante, multibras
Freins av./arr. :	disque (ABS)
Antipatinage/Contrôle de stabilité :	oui/oui
Direction :	à crémaillère, assistance variable
Diamètre de braquage :	11,5 m
Pneus av./arr. :	P235/35ZR19 / P295/30ZR19
Capacité de remorquage :	non recommandé

MOTORISATION À L'ESSAI

Moteur :	V10 de 5,0 litres 40s atmosphérique
Alésage et course :	82,5 mm x 92,8 mm
Puissance :	500 ch (373 kW) à 7 800 tr/min
Couple :	376 lb-pi (510 Nm) à 4 500 tr/min
Rapport poids/puissance :	3,07 kg/ch (4,17 kg/kW)
Système hybride :	aucun
Transmission :	intégrale, manuelle 6 rapports
Accélération 0-100 km/h :	4,2 s
Reprises 80-120 km/h :	4,5 s
Freinage 100-0 km/h :	33,4 m
Vitesse maximale :	309 km/h
Consommation (100 km) :	super, 19,5 litres
Autonomie (approximative) :	462 km
Émissions de CO_2 :	8 000 kg/an

GAMME EN BREF

Échelle de prix :	255 000 $ à 265 000 $
Catégorie :	coupé/roadster
Historique du modèle :	1ère génération
Garanties :	2 ans/km illimité, 2 ans/km illimité
Assemblage :	Sant'Agata, Italie
Autre(s) moteur(s) :	aucun
Autre(s) rouage(s) :	aucun
Autre(s) transmission(s) :	séquentielle 6 rapports

DANS LA MÊME CATÉGORIE

Aston Martin DB9 - Ferrari F430 - Porsche 911 turbo - Chevrolet Corvette Z06 - Dodge Viper SRT-10 - Mercedes-Benz SL55 AMG

DU NOUVEAU EN 2007

Pas de changement majeur

NOS IMPRESSIONS

Agrément de conduite :	🚗 🚗 🚗 🚗 ½
Fiabilité :	🚗 🚗 🚗
Sécurité :	🚗 🚗 🚗 ½
Qualités hivernales :	🚗 🚗 ½
Espace intérieur :	🚗 🚗 🚗
Confort :	🚗 🚗 🚗

LE CHOIX DE L'ÉQUIPE

Coupé

Photos : Lamborghini

LP640 POUR 640 CHEVAUX

Lorsque la Gallardo est arrivée en 2003, la Murcielago a pris un sérieux coup de vieux, la plus petite et la plus récente des Lamborghini étant presque aussi rapide que sa grande sœur. Cependant, au dernier Salon de l'auto de Genève, Lamborghini a retenu l'attention en dévoilant une version encore plus performante de l'exotique Murcielago appelée LP640 qui est animée par une version plus puissante du moteur V12 dont la cylindrée est passée de 6,2 à 6,5 litres ce qui permet de livrer 640 chevaux. Ce nouveau modèle a été conçu afin de rivaliser directement avec les Mercedes-Benz SLR et Porsche Carrera GT.

La table est donc mise pour la reprise des hostilités dans la course vers la suprématie en termes de puissance brute dans ce monde parallèle des gens riches, insensible aux fluctuations de l'économie ou du prix du carburant. La LP640 a été développée pour ceux qui sont incapables de se contenter des 580 chevaux de la Murcielago originale qui représente la quatrième génération de la voiture à moteur central de la marque, et qui fut précédée par des modèles ayant marqué l'histoire et portant les noms Countach et Diablo. La LP640 se démarque également par ses parties avant et arrière redessinées ainsi que par ses roues en alliage d'un nouveau design. Parmi les acheteurs de Lamborghini, les plus extrovertis pourront commander un capot moteur transparent afin d'admirer la mécanique, la marque au taureau imitant de ce côté sa rivale Ferrari qui propose de série un tel capot sur sa F430.

LE ROADSTER

Le modèle roadster de la Murcielago est équipé d'un toit tellement simpliste que l'acheteur est prévenu de ne pas rouler à plus de 160 kilomètres/heure si celui-ci est en place parce qu'il pourrait tout simplement partir au vent... Lorsque le toit est retiré et remisé dans le coffre, on peut apprécier la sonorité particulière du V12

au-delà de la barre des 5 000 tours/minute. Comme la poussée est de 580 chevaux, il est possible de dépasser la limite légale de 100 kilomètres/heure au Québec en n'utilisant que la première vitesse de la Murcielago dont les boîtes manuelle et robotisée comptent toutes deux six vitesses. L'influence germanique du groupe Volkswagen se remarque par la présence d'un rouage intégral emprunté chez Audi que l'on retrouve à la fois sur la Murcielago et sur la Gallardo. La carrosserie de ce bolide italien est réalisée presque entièrement en fibre de carbone à l'exception du toit et des portières qui sont en acier. Quant à la conception des portières en élytre de la Murcielago, il est évident que cela ajoute une touche d'exotisme à la voiture tout en permettant une certaine filiation avec les modèles précédents, mais ces portières ne facilitent pas l'accès à bord.

En approchant la Murcielago, on ne manque pas d'être frappé par le fait que la voiture est très basse puisqu'elle ne fait que 42 pouces en hauteur, alors que sa largeur hors tout est de 80 pouces et demi. En s'installant au volant, on note immédiatement que l'on est assis très bas dans la voiture ce qui gêne un peu la visibilité tout en créant un habitacle plus intimiste en raison de la ceinture de caisse qui paraît alors surélevée. Il y a cependant assez d'espace pour accommoder les grands gabarits qui

FEU VERT

Lignes racées
Puissance du moteur
Tenue de route performante
Visibilité vers l'arrière
Exclusivité assurée

FEU ROUGE

Freins peu endurants
Accès à l'habitacle
Position de conduite un peu basse

souffriront moins aux commandes de la Murcielago qu'au volant de certaines rivales. L'ergonomie déficiente des défuntes Countach et Diablo fait désormais place à un habitacle signé Audi qui ne prête pas flanc à la critique à cet égard, exception faite des boutons de la chaîne audio qui sont très petits. Le design du levier de vitesse de la boîte manuelle offre une touche rétro avec sa grille de sélection métallique et son pommeau métallique qui devient vite brûlant lorsque la voiture est exposée au soleil.

Le degré de sophistication technique de la Murcielago se retrouve rehaussé d'un cran par la présence d'amortisseurs à calibration électronique ainsi que d'éléments mobiles qui apportent notamment un plus grand flot d'air au moteur afin d'assurer un refroidissement plus efficace. On aurait cependant aimé que la même attention soit accordée aux freins qui ont tendance à s'échauffer rapidement, ce qui affecte inversement les distances de freinage lors de la conduite sur circuit, et ce qui constitue le principal point faible de la Murcielago.

Elle a de la gueule et du cœur, mais la Murcielago souffre un peu de la comparaison avec les modèles en provenance de chez Ferrari, et même avec la Gallardo qui offre des performances relevées tout en étant moins chère. La mission donnée à la nouvelle LP640 est donc de rehausser la barre d'un cran pour assurer la pérennité du modèle.

Gabriel Gélinas

Photos: Lamborghini

LAMBORGHINI MURCIELAGO

VÉHICULE D'ESSAI

Version :	roadster
Prix de détail suggéré :	449 860 $
Emp/Lon/Lar/Haut(mm) :	2 665/4 580/2 045/1 135
Poids :	1 650 kg
Coffre/Réservoir :	n.d./100 litres
Coussins de sécurité :	frontaux
Suspension avant :	indépendante, bras inégaux
Suspension arrière :	indépendante, bras inégaux
Freins av./arr. :	disque
Antipatinage/Contrôle de stabilité :	oui/oui
Direction :	à crémaillère, assistée
Diamètre de braquage :	12,5 m
Pneus av./arr. :	P245/35ZR18/P335/30ZR18
Capacité de remorquage :	non recommandé

MOTORISATION À L'ESSAI

Moteur :	V12 de 6,2 litres 48s atmosphérique
Alésage et course :	87,0 mm x 86,8 mm
Puissance :	580 ch (433 kW) à 7 500 tr/min
Couple :	480 lb-pi (651 Nm) à 5 400 tr/min
Rapport poids/puissance :	2,84 kg/ch (3,86 kg/kW)
Système hybride :	aucun
Transmission :	intégrale, manuelle 6 rapports
Accélération 0-100 km/h :	3,8 s
Reprises 80-120 km/h :	4,4 s
Freinage 100-0 km/h :	30,7 m
Vitesse maximale :	330 km/h
Consommation (100 km) :	super, 22,0 litres
Autonomie (approximative) :	455 km
Émissions de CO2 :	11 000 kg/an

GAMME EN BREF

Échelle de prix :	450 000 $
Catégorie :	GT
Historique du modèle :	2ième génération
Garanties :	2 ans/km illimité, 2 ans/km illimité
Assemblage :	Sant'Agata, Italie
Autre(s) moteur(s) :	aucun
Autre(s) rouage(s) :	aucun
Autre(s) transmission(s) :	aucune

DANS LA MÊME CATÉGORIE

Aston Martin Vanquish - Ferrari 599 Fiorano - Porsche Carrera GT

DU NOUVEAU EN 2007

Pas de changement majeur, nouvelle version LP640

NOS IMPRESSIONS

Agrément de conduite :	🚗🚗🚗🚗
Fiabilité :	🚗🚗🚗
Sécurité :	🚗🚗🚗½
Qualités hivernales :	🚗🚗
Espace intérieur :	🚗🚗🚗
Confort :	🚗🚗🚗

LE CHOIX DE L'ÉQUIPE

Coupé LP640

LE PRINCE DES MARAIS

Il y a des jours où je ne sais plus quoi penser. Ma bonne fée marraine, préoccupée par l'environnement, l'économie et la justice sociale me susurre par-dessus l'épaule que je devrais faire attention à ce que je conduis, et que je devrais me limiter à quelques voitures économiques à l'achat et en carburant. Mais quand je me retrouve au volant d'un Land Rover, je deviens un autre homme. J'ai les mains moites, le pied pesant, et je ressens comme une folle envie de franchir le Grand Canyon, tout en sachant pertinemment que la consommation de ce véhicule se mesure davantage à l'échelle Kelvin qu'à l'échelle habituelle.

Finie l'égalité sociale, au diable l'économie ! Je me lance à l'assaut des marécages les plus profonds au volant de mon luxueux utilitaire sport, tout en me riant de la consommation moyenne de quelque 15 litres aux 100 kilomètres que me promet mon Land Rover. Mais j'ai quand même une conscience, et j'ai décidé de faire un peu plaisir à ma bonne fée marraine. Et c'est pourquoi j'ai choisi de m'amuser au volant du plus petit de la gamme, le LR3. Le résultat est le même, mais ça me donne au moins l'impression de faire un effort !

LE CHARME DES ANGLES

La silhouette du LR3 n'a rien de gracieux ou de raffiné. Sans ambages ni détour, on a maintenu le look ultra-austère qui fait la réputation du véhicule depuis son lancement. Ne cherchez pas ici de courbes sexy ou d'angles tout en douceur : le LR3 a indéniablement la personnalité bien affirmée de la gamme. Ce qui, en quelque sorte, fait son charme. Ce style unique finit par rendre le véhicule sympathique. À force de le regarder, on en vient presque à s'attacher à la petite bête, et à oublier son air parfois un peu trop sérieux.

Mais cette allure sans égale dans l'industrie n'est que le préambule. Il suffit d'ouvrir la portière pour pénétrer dans un habitacle ou la simplicité des

lignes laisse plutôt place à une certaine complexité. Il faut dire que les multiples commandes, notamment les boutons de réglage des accessoires indispensables à la conduite hors route, sont multiples et agencées selon un ordre probablement tout britannique, mais qui n'est pas toujours marqué du sceau de l'ergonomie et de la facilité.

Les matériaux sont nobles, certes, les cuirs d'une qualité sans reproche, et les sections d'aluminium brossé s'intègrent sans jurer. C'est plutôt cet amalgame complexe de boutons de la taille d'une mouche, de commandes au volant et de cadrans foncés qui confèrent un aspect confus.

Sans doute que la longue liste d'équipements de série, dans toutes les versions d'ailleurs, oblige à de tels agencements. L'espace est vaste, la position de conduite idéale facile à trouver, les sièges confortables, et même les passagers arrière profitent d'une visibilité presque sans obstacle en raison d'une fenestration de grande dimension. Les passagers de troisième rangée (une option désormais de série sur la version HSE) bénéficient aussi de cet espace plus qu'adéquat.

BÊTE DE BROUSSE

Une fois ces simples considérations esthétiques exprimées, il est temps

---

FEU VERT

Capacité hors route
Liste d'équipements complète
Bonne position de conduite
Moteur performant
Suspensions efficaces

FEU ROUGE

Silhouette peu gracieuse
Tableau de bord complexe
Fiabilité à définir
Consommation herculéenne
Prix d'achat élevé

VÉHICULE D'ESSAI

Version :	HSE V8
Prix de détail suggéré :	67 900$
Emp/Lon/Lar/Haut(mm) :	2 885/4 848/1 915/1 891
Poids :	2 461 kg
Coffre/Réservoir :	2 558 litres/86 litres
Coussins de sécurité :	frontaux, latéraux (av.) et rideaux
Suspension avant :	indépendante, double triangles
Suspension arrière :	indépendante, double triangles
Freins av./arr. :	disque (ABS)
Antipatinage/Contrôle de stabilité :	oui/oui
Direction :	à crémaillère, assistée
Diamètre de braquage :	11,5 m
Pneus av./arr. :	P255/60R18
Capacité de remorquage :	3 500 kg

d'en venir au cœur de la bête : ses capacités sur la route, et en dehors de la route. Sur la chaussée, le LR3 se comporte en véritable gentleman britannique qu'il est. Évidemment, lorsqu'il est muni du moteur V6 de 216 chevaux qu'on lui a implanté l'an dernier, le LR3 mugit un peu en accélération et fait parfois ressentir son mécontentement à traîner sa lourde masse.

En revanche, le moteur V8 de 300 chevaux n'a pas cette hésitation, bien au contraire. Un coup d'accélérateur, même timide, permet de constater toute sa volonté à se déplacer avec célérité. Les suspensions sont complètement indépendantes, supportées par des ressorts pneumatiques ajustables pour changer l'assiette, et par deux triangles à chaque extrémité. Évidemment, avec un tel équipement, le confort sur nos routes asphaltées, mais parsemées de nids-de-poule, est intéressant ! Mais le véritable avantage, c'est en usage extrême, alors que les ajustements pneumatiques permettent de franchir des obstacles qui seraient autrement trop élevés pour le véhicule. La direction est précise mais peu communicative, un atout lorsqu'on circule sur les sentiers, mais un handicap sur le tarmac.

On n'a pas non plus oublié l'électronique embarquée : antipatinage indépendant sur chaque roue (ETC), systèmes de stabilité électronique (DSC) et de retenue en pente (HDC), freinage ABS auquel se joint un répartiteur électronique de la force de freinage (EBD). Il faut ajouter une assistance aux arrêts d'urgence en plus de la boîte de transfert à gamme basse et du sélecteur de types de terrain (5). Ce sont tous des accessoires qui vous vous en doutez, demandent une certaine maîtrise, mais favorisent presque l'exploration lunaire tellement le LR3 donne l'impression de pouvoir en prendre.

Avec son charme britannique et ses capacités herculéennes, le LR3 est certainement capable de vous mener avec aisance et noblesse là où bon vous semble. La qualité de finition étant au rendez-vous, on n'a pas encore trop à déplorer les problèmes de fiabilité ce qui, pour Land Rover, est un exploit digne de mention.

Marc Bouchard

MOTORISATION À L'ESSAI

Moteur :	V8 de 4,4 litres 32s atmosphérique
Alésage et course :	88,0 mm x 90,3 mm
Puissance :	300 ch (224 kW) à 5 500 tr/min
Couple :	315 lb-pi (427 Nm) à 4 000 tr/min
Rapport poids/puissance :	8,2 kg/ch (11,14 kg/kW)
Système hybride :	aucun
Transmission :	intégrale, automatique 6 rapports
Accélération 0-100 km/h :	10,5 s
Reprises 80-120 km/h :	8,8 s
Freinage 100-0 km/h :	42,1 m
Vitesse maximale :	193 km/h
Consommation (100 km) :	super, 15,0 litres
Autonomie (approximative) :	573 km
Émissions de CO2 :	6960 kg/an

GAMME EN BREF

Échelle de prix :	61 900$ à 67 900$
Catégorie :	utilitaire sport intermédiaire
Historique du modèle :	1ière génération
Garanties :	4 ans/80 000 km, 4 ans/80 000 km
Assemblage :	Solihull, Angleterre
Autre(s) moteur(s) :	V6 4,0l 216ch/269lb-pi (16,9 l/100km)
Autre(s) rouage(s) :	aucun
Autre(s) transmission(s) :	aucune

DANS LA MÊME CATÉGORIE

BMW X5 - Lexus GX 470 - Mercedes-Benz Classe M - Volkswagen Touareg

DU NOUVEAU EN 2007

Pas de changement majeur

NOS IMPRESSIONS

Agrément de conduite :	🚗🚗🚗½
Fiabilité :	🚗🚗🚗½
Sécurité :	🚗🚗🚗🚗½
Qualités hivernales :	🚗🚗🚗🚗🚗
Espace intérieur :	🚗🚗🚗½
Confort :	🚗🚗🚗🚗

LE CHOIX DE L'ÉQUIPE

HSE

Photos : Marc Bouchard

359

SALON DE THÉ

Je me suis largement trompé. Lorsque j'ai pris le volant de cet utilitaire sport, sans avoir au préalable regardé le nom, je me croyais au volant de la version Supercharged et son moteur suralimenté. Pourtant, c'était le modèle de base. Si la puissance est étonnante, l'agilité du mastodonte l'est tout autant. Indéniablement, la version 2007 comporte la conception, la puissance et les formes classiques qui ont permis à ce véhicule de franchir les âges sans trop vieillir tout en conservant son aura de quasi-invincibilité.

Malgré ses dimensions imposantes, la silhouette même du Range Rover a un quelque chose d'élégant. Ses angles abrupts permettent de découper le design lui conférant un style que beaucoup ont tenté de copier, mais que peu ont réussi à imiter. Redessiné complètement en 2002, légèrement retouché l'année dernière, le Range Rover classique a conservé sa grille traditionnelle. En revanche, la version Supercharged est pour sa part ornée d'une grille de conception différente, mariant les mailles en coupe de diamant. Quant à l'habitacle, il a beau être sobre d'apparence, il offre le confort d'un salon de thé. Ses sièges de cuir sont confortables, présentent un support que l'on apprécie tant lors de longues randonnées que lors d'escapades extrêmes, et sont ajustables de façon quasi infinie. Petit détail ajouté pour 2007, il est désormais possible d'obtenir les sièges chauffants et ventilés. On aussi modifié un peu la présentation générale de la cabine pour y installer quelques espaces supplémentaires de rangement.

Le tableau de bord, souvent dénigré, est pourtant d'une beauté toute classique. De nouveaux matériaux utilisés cette année lui confèrent d'ailleurs encore plus de prestance. Quelques draperies victoriennes, un majordome et on se croirait dans un salon britannique !

GENTIL MAIS SAUVAGE

Au volant d'un Range Rover, rouler en ville n'a rien de désagréable. C'est vrai que les dimensions hors du commun du véhicule nécessitent une certaine adaptation, mais la généreuse fenestration donne au conducteur une vision panoramique. Sans oublier la caméra de recul qui permet de se glisser en toute sécurité dans des espaces plus restreints.

Sans tambour ni trompette, la version HSE du Range Roger se déplace avec aisance grâce au moteur V8 4,4 litres de 305 chevaux remanié l'année dernière. Puissant, son accélération vive fait à peine ressentir le poids pourtant imposant du véhicule. Il demeure toutefois un peu bruyant, surtout lorsqu'on insiste un peu pour des démarrages plus vifs. Et ceux qui sont constamment pressés se tourneront vers la version suralimentée du Range Rover Supercharged, développant 400 chevaux, au moyen d'un moteur turbo de 4,4 litres. Silencieuse, souple et exemplaire de comportement, cette puissante mécanique est toujours jumelée à la boîte automatique séquentielle ZF Command Shift à six rapports, de série sur toutes les livrées. Quant à la direction, elle est assistée électriquement, son appui variant selon les vitesses atteintes. Elle fournit assez de précision à basse vitesse, mais est toutefois peu

FEU VERT
Capacités hors-route exemplaires
Système Terrain Response
Suspensions pneumatiques
Moteur puissant
Espace intérieur abondant

FEU ROUGE
Fiabilité douteuse
Freinage hésitant (HSE)
Assemblage à revoir
Consommation d'autobus

communicative lorsque la vitesse augmente, faisant perdre un peu du contact nécessaire entre le pilote et la route.

LE BAROUDEUR

Pour garantir toute la stabilité de ce lourd véhicule, un système de suspension pneumatique à ajustement continu (calibrée différemment sur la version Supercharged évidemment) s'adapte aux différentes conditions. Et pour 2007, on a ajouté à toute la gamme le mécanisme baptisé « Terrain response » qui permet, sur simple pression d'un bouton, de modifier le comportement du véhicule pour une performance optimale, quelles que soient les conditions. Cinq modes sont ainsi disponibles, allant de la chaussée normale à l'escalade de pic rocheux. Pour avoir mis à l'épreuve ce système dans diverses conditions, il est facile de constater son efficacité, et de ressentir les modifications dans le comportement du gros VUS.

L'action du système est multiple. Il modifie bien entendu le débattement des suspensions, pour assurer le plus grand confort peu importe l'état de la route. Mais son intervention est beaucoup plus raffinée. Il influencera par exemple la pression des freins, et jouera même avec finesse sur l'accélérateur pour assurer des départs moins brusques lorsque les conditions ne le permettent pas.

Ne négligeons pas non plus le système de freinage, parfois hésitant sur notre modèle d'essai, mais d'une redoutable efficacité en mode Supercharged qui profite de freins Brembo à disque surdimensionné.

La seule véritable interrogation du Range Rover, c'est sa fiabilité. On a beau dire que tout a été repensé depuis la venue de Ford, et que cet aspect de la chose est en nette progression, le doute subsiste toujours, et il faudra sans doute plusieurs années pour l'effacer. On a aussi amélioré considérablement l'assemblage, mais certaines lacunes persistent, le toit ouvrant de notre véhicule d'essai n'ayant pas résisté, par exemple, à un certain lavage à pression, inondant littéralement mon collègue installé dans le siège du passager ! Mais ce n'est là qu'un détail qui n'empêche pas le Range Rover de demeurer au sommet des grands VUS de classe.

Marc Bouchard

Photos : Land Rover

VÉHICULE D'ESSAI

Version :	HSE
Prix de détail suggéré :	99 900 $
Emp/Lon/Lar/Haut(mm) :	2 880/4 950/1 956/1 902
Poids :	2 621 kg
Coffre/Réservoir :	530 à 1 760 litres / 104,5 litres
Coussins de sécurité :	frontaux, latéraux (av.) et rideaux
Suspension avant :	indépendante, jambes de force
Suspension arrière :	indépendante, multibras
Freins av./arr. :	disque (ABS)
Antipatinage/Contrôle de stabilité :	oui / oui
Direction :	à crémaillère, assistance variable
Diamètre de braquage :	11,6 m
Pneus av./arr. :	P255/55R19
Capacité de remorquage :	3 500 kg

MOTORISATION À L'ESSAI

Moteur :	V8 de 4,4 litres 32s atmosphérique
Alésage et course :	88,0 mm x 90,3 mm
Puissance :	305 ch (227 kW) à 5 750 tr/min
Couple :	325 lb-pi (441 Nm) à 4 000 tr/min
Rapport poids/puissance :	8,59 kg/ch (11,7 kg/kW)
Système hybride :	aucun
Transmission :	intégrale, automatique 6 rapports
Accélération 0-100 km/h :	10,2 s
Reprises 80-120 km/h :	9,1 s
Freinage 100-0 km/h :	44,0 m
Vitesse maximale :	225 km/h
Consommation (100 km) :	super, 17,1 litres
Autonomie (approximative) :	611 km
Émissions de CO_2 :	6960 kg/an

GAMME EN BREF

Échelle de prix :	99 900 $ à 118 900 $ (2006)
Catégorie :	utilitaire sport grand format
Historique du modèle :	3ième génération
Garanties :	4 ans/80 000 km, 4 ans/80 000 km
Assemblage :	Solihull, Angleterre
Autre(s) moteur(s) :	V8 4,2l compressé 400ch/ 420lb-pi (18,1 l/100km)
Autre(s) rouage(s) :	aucun
Autre(s) transmission(s) :	aucune

DANS LA MÊME CATÉGORIE

Lexus LX 470 - Mercedes-Benz Classe G

DU NOUVEAU EN 2007

Terrain Response de série, nouveaux sièges ventilés

NOS IMPRESSIONS

Agrément de conduite :	🚗🚗🚗🚗½
Fiabilité :	🚗🚗🚗½
Sécurité :	🚗🚗🚗🚗½
Qualités hivernales :	🚗🚗🚗🚗½
Espace intérieur :	🚗🚗🚗🚗
Confort :	🚗🚗🚗🚗

LE CHOIX DE L'ÉQUIPE

Supercharged

DOUBLE PERSONNALITÉ

Règle générale, je ne suis pas un admirateur de véhicules sport utilitaires, à l'exception de ceux appartenant à la sous-catégorie composée de modèles plus performants tels les BMW X5, Infiniti FX ou Porsche Cayenne. Le nouveau venu dans ce club sélect est le Range Rover Sport qui découle non pas du Range Rover mais bien du LR3, et qui est également offert avec un moteur suralimenté par compresseur de 390 chevaux.

C'est donc une sérieuse dichotomie qui est proposée par le Range Rover Sport qui allie à la fois les caractéristiques d'un baroudeur qui sont propres aux véhicules de la marque et un niveau de performances routières digne d'une authentique sportive. Plus court d'environ cinq centimètres que le LR3 dont il est dérivé, le Range Rover Sport affiche des lignes résolument plus sportives et un look qui s'apparente beaucoup plus à celui du Range Rover qui est le modèle le plus luxueux présenté par Land Rover.

LE SECRET

En virage, la tenue de route est carrément surprenante pour un véhicule de ce gabarit et de ce poids, les mouvements de la caisse du Range Rover Sport étant très bien contrôlés. Le secret de cette compétence sur asphalte trouve ses origines dans la conception des suspensions composées de ressorts pneumatiques et de barres antiroulis qui s'adaptent automatiquement aux conditions routières, de même que dans le choix de pneumatiques à profil bas montés sur des roues surdimensionnées de 20 pouces de diamètre. De plus, la répartition des masses du Range Rover Sport est presque idéale, ce qui rend le comportement du véhicule très prévisible. L'intervention du système de contrôle électronique de la stabilité se fait assez hâtivement en conduite sportive, mais il est possible

de le désactiver pour mieux exploiter le potentiel de performance, tout en prenant soin de toujours tenir compte de la masse du Range Rover Sport avant d'attaquer les virages avec aplomb. Le seul hic de ce côté, c'est que la direction ne communique pas parfaitement les sensations de la route.

Le moteur du Range Rover Sport Supercharged est dérivé de celui qui anime les Jaguar XJR et XKR, et il est jumelé à une boîte automatique qui permet aussi la sélection manuelle des rapports. La puissance de ce moteur est amplement suffisante pour permettre au Range Rover Sport de dépasser des véhicules plus lents sans problème. En conduite normale à vitesse d'autoroute, j'ai été étonné par le silence qui régnait à bord compte tenu du fait que le Range Rover Sport est loin d'être un véhicule aérodynamique. Le freinage étant assuré par des étriers Brembo à quatre pistons à l'avant, les arrêts sont toujours sûrs et bien contrôlés, les pneus de performance à profil bas aidant grandement la cause du Range Rover Sport de ce côté.

EN CONDUITE HORS ROUTE

Il est clair que le Range Rover Sport est un authentique Land Rover lorsqu'on quitte les sentiers battus pour s'aventurer en conduite hors

---

FEU VERT

Moteur suralimenté performant
Comportement routier assuré
Aptitudes en conduite hors-route
Freins performants

FEU ROUGE

Design conservateur
Fiabilité relative
Espace limité aux places arrière
Direction peu communicative

route. Il suffit alors de choisir entre cinq niveaux de calibrations affectant plusieurs paramètres, notamment les suspensions mais également la réponse de l'accélérateur et des freins, au moyen d'un bouton de commande localisé sur la console centrale. L'un de ces modes est appelé "rock crawling" et permet le franchissement d'obstacles avec une facilité déconcertante. Malgré toutes ses aptitudes hors route, je ne suis pas sûr que je m'aventurerais sur un terrain totalement inconnu avec le Range Rover Sport, le risque de fendre ou de couper l'un des pneus à profil bas sur une roche ou un caillou étant toujours présent.

L'habitacle du Range Rover Sport n'est pas aussi spacieux que celui du LR3 et c'est du côté des places arrière que cette lacune est la plus évidente. À l'avant, les sièges sont confortables et offrent un bon soutien latéral en virage, ce qui est apprécié en conduite sportive. Le côté luxueux est quant à lui assuré par d'élégantes appliques de bois, de même que par la présence d'une chaîne stéréo Harman\Kardon Logic 7 avec 14 haut-parleurs. Le système de navigation assisté par ordinateur est optionnel de même que le système de divertissement avec DVD. Malheureusement, j'ai constaté quelques défauts sur notre modèle d'essai puisqu'une pièce de caoutchouc assurant la justesse de fermeture du capot avant s'est détachée et que le témoin signalant que le capot était ouvert se faisait voir et entendre à répétition même si le capot était bien fermé. Pour un véhicule de ce prix, c'est tout simplement désolant....

À plus de 90 000 dollars, le prix est élevé et la consommation de carburant du Range Rover Sport Supercharged est importante, mais l'agrément de conduite et les performances sont réellement au rendez-vous, pour le plus grand plaisir des amateurs. Voilà donc pourquoi ce véhicule sport utilitaire peut vraiment prétendre au qualificatif de «sport».

Gabriel Gélinas

VÉHICULE D'ESSAI

Version :	Supercharged
Prix de détail suggéré :	93 800$
Emp/Lon/Lar/Haut(mm) :	2 745/4 788/2 170/1 817
Poids :	2 572 kg
Coffre/Réservoir :	960 à 2 013 litres / 88 litres
Coussins de sécurité :	frontaux, latéraux (av.) et rideaux
Suspension avant :	ind. pneumatique, jambes de force
Suspension arrière :	ind. pneumatique, multibras
Freins av./arr. :	disque (ABS)
Antipatinage/Contrôle de stabilité :	oui / oui
Direction :	à crémaillère, assistance variable
Diamètre de braquage :	11,6 m
Pneus av./arr. :	P275/40R20
Capacité de remorquage :	3 500 kg

MOTORISATION À L'ESSAI

Moteur :	V8 de 4,2 litres 32s suralimenté
Alésage et course :	86,0 mm x 90,3 mm
Puissance :	390 ch (291 kW) à 5 750 tr/min
Couple :	410 lb-pi (556 Nm) à 3 500 tr/min
Rapport poids/puissance :	6,59 kg/ch (8,96 kg/kW)
Système hybride :	aucun
Transmission :	4X4, automatique 6 rapports
Accélération 0-100 km/h :	8,9 s
Reprises 80-120 km/h :	7,0 s (estimé)
Freinage 100-0 km/h :	41,0 m
Vitesse maximale :	225 km/h
Consommation (100 km) :	super, 18,1 litres
Autonomie (approximative) :	486 km
Émissions de CO2 :	7296 kg/an

GAMME EN BREF

Échelle de prix :	77 800$ à 93 800$
Catégorie	utilitaire sport grand format
Historique du modèle :	1ère génération
Garanties :	4 ans/80 000 km, 4 ans/80 000 km
Assemblage :	Solihull, Angleterre
Autre(s) moteur(s) :	V8 4,4l 300ch/315lb-pi (17,1 l/100km) HSE
Autre(s) rouage(s) :	aucun
Autre(s) transmission(s) :	aucune

DANS LA MÊME CATÉGORIE

Audi Q7 - BMW X5 - Cadillac Escalade - Lexus LX 470 - Lincoln Navigator - Mercedes-Benz Classe M - Porsche Cayenne - Volkswagen Touareg - Volvo XC90

DU NOUVEAU EN 2007

Pas de changement majeur

NOS IMPRESSIONS

Agrément de conduite :	🚙 🚙 🚙 🚙
Fiabilité :	🚙 🚙 🚙
Sécurité :	🚙 🚙 🚙 🚙
Qualités hivernales :	🚙 🚙 🚙 🚙 🚙
Espace intérieur :	🚙 🚙 🚙 ½
Confort :	🚙 🚙 🚙 🚙

LE CHOIX DE L'ÉQUIPE

Supercharged

Photos : Land Rover

LA PASSION DE LA PERFECTION

Malgré son design un tantinet baroque, la Lexus GS respire le luxe, le calme et la classe. En d'autres mots, elle impressionne les voisins! L'an dernier, une toute nouvelle génération voyait le jour. Esthétiquement, la GS 2006 a été la première à utiliser la philosophie «L-Finesse» qui combine simplicité, élégance, vigueur et fonctionnalité. Même si le nom «L-Finesse» peut paraître un peu tiré par les cheveux, il n'en demeure pas moins que les nouvelles Lexus sont fort jolies, à défaut de se démarquer dans la circulation.

La GS nouvelle reprend donc les lignes générales de génération précédente mais en les alourdissant un peu. La partie arrière, surtout, semble moins délicate que le reste. Au-delà d'un concept de design philosophique, la GS se veut une réussite à plusieurs points de vue. Techniquement d'abord. La GS350 reçoit un V6 de 3,5 litres qui développe 303 chevaux. Pour un moteur de base, ce n'est pas si mal! Cette propulsion abat le 0-100 en moins de 6,5 secondes et les reprises s'avèrent aussi convaincantes. Il existe aussi une version intégrale de la GS350. La version AWD ajoute à peu près 60 kilos à sa fiche technique mais les performances ne sont pas affectées. Ou si peu. C'est surtout le compte de banque qui se voit privé d'environ 2 500$ supplémentaires! Sur une surface normale, les roues arrière reçoivent 70% du couple tandis que les 30 % restants vont vers l'avant. Lorsque le besoin se fait sentir, cette répartition peut aller jusqu'à 50/50. Pour optimiser l'efficacité de cette intégrale, Lexus a prévu un régulateur électronique de traction. Enfin, on retrouve la GS430. Forte d'un V8 de 4,3 litres de 300 chevaux, cette GS accélère et décélère de façon impressionnante. Sûr qu'à 75 000$, on ne s'attend pas à un moteur de tondeuse!

BIENVENUE AU SALON DES TECHNOLOGIES

Peu importe le modèle, une transmission automatique à six rapports (avec mode manuel) relaie la puissance aux roues arrière. Pour aviser BMW de sa présence de plus en plus incontestable dans le créneau des voitures de luxe, Lexus a concocté une direction électrique semblable à celle du constructeur munichois. La précision de cette direction étonne mais, au chapitre de la sensation, BMW demeure le maître. Les suspensions procurent un grand confort mais aussi une tenue de route de haut niveau. De plus, la GS430 possède, de série, une suspension variable adaptive qui permet au conducteur de choisir un des quatre modes, allant de confort à sport ferme. Ce système électronique (un mot qui revient souvent chez Lexus…) prend aussi compte de la direction et de la vitesse des roues pour diminuer les mouvements de plongée, d'inclinaison et de roulis. Dans la catégorie des voitures de luxe, les constructeurs n'hésitent pas à utiliser (même à abuser!) des aides électroniques d'aide à la conduite. La GS n'est pas différente des autres et s'avère ainsi très sécuritaire, autant au niveau actif (avant l'impact) qu'au niveau passif (après l'impact). VSC, HAC, TRAC, ABS, EBD, BA et une panoplie de coussins gonflables veillent au grain.

Mais à force d'être performante, silencieuse et sécuritaire, la GS est platte… Elle est trop parfaite! Prenez l'habitacle, par exemple. Les matériaux sont d'une qualité exquise, l'assemblage fait preuve d'un fanatisme

FEU VERT	FEU ROUGE
Excellente tenue de route	Passion mitigée
Moteurs performants	Mécanique et électronique complexes
Voiture très sécuritaire	Prix de certaines options dégueulasse
Fiabilité suprême	Version hybride trop dispendieuse
Finition maniaque	

rarement vu, le silence n'est rien de moins que monacal, l'équipement s'avère ultracomplet et le confort est digne d'une suite du Palais de Buckingham. Malheureusement, on n'y retrouve pas d'âme. Peut-être qu'on peut tenter de l'acheter… Le groupe Touring ajoute, pour environ 2 500 $, un pare-soleil arrière, des sièges avant chauffants et ventilés, un sonar de recul et de stationnement, des coussins latéraux arrière et autres douceurs de la vie. Pour ceux qui désirent beaucoup d'âme, il y a le groupe Premium facturé entre 10 et 13 000 $! Il comprend ce que le groupe Touring propose, plus une chaîne audio Mark Levinson à la sonorité enivrante, un système de navigation et du cuir et du bois. Pour la GS430, ce groupe ajoute un système très sécuritaire de précollision qui anticipe un impact imminent.

UN HYBRIDE POUR GENS RICHES

Toyota (et Lexus, bien entendu) propose de plus en plus de modèles hybrides. La croyance populaire veut que la raison d'être d'un moteur hybride soit l'économie d'essence. Faux. Chez Toyota/Lexus du moins. Le but premier d'un moteur hybride est de réduire au maximum les émanations polluantes et de rendre le véhicule plus performant. L'économie d'essence n'est que la résultante des deux premières raisons. Et quand on a les moyens de se payer une voiture de plus de 65 000 $, ce ne sont pas un ou deux sous du litre qui vont changer quoi que ce soit. La GS450h s'adresse donc aux gens riches qui ont la planète à cœur. Déjà que la 430 était très performante, disons que la 450h, avec ses 339 chevaux vous en mettra plein la testostérone dans un silence de roulement digne d'un studio d'enregistrement. Outre la mention hybrid sur le coffre arrière, il y a peu de différence entre la 450h et les autres GS. Qui peut reconnaître un capot tout alu d'un simple coup d'œil ? La transmission CVT nous est apparue moins empotée que dans d'autres véhicules. Les freins, cependant, affichent encore cette sensation de ressort qui se détend lors des arrêts. Au moins, ils font preuve d'une puissance à vous en décoller les oreilles.

Avec une gamme fort complète, la GS de Lexus a tout pour plaire. Sa qualité de fabrication, son haut niveau de sophistication technique, ses éléments de sécurité électroniques et, surtout, sa fiabilité font des GS des voitures quasiment parfaites et capables d'en découdre avec les meilleures allemandes. Au chapitre de la personnalité, par contre, la perfection n'est pas nécessaire…

Alain Morin

Photos : Marc Bouchard

VÉHICULE D'ESSAI

Version :	GS350/RWD
Prix de détail suggéré :	n.d.
Emp/Lon/Lar/Haut(mm) :	2 850/4 825/1 820/1 430
Poids :	1 640 kg
Coffre/Réservoir :	360 litres/71 litres
Coussins de sécurité :	frontaux, latéraux (av.) et rideaux
Suspension avant :	essieu rigide, bras inégaux
Suspension arrière :	indépendante, multibras
Freins av./arr. :	disque (ABS)
Antipatinage/Contrôle de stabilité :	oui/oui
Direction :	à crémaillère, assistance variable électrique
Diamètre de braquage :	11,2 m
Pneus av./arr. :	P225/50R17
Capacité de remorquage :	non recommandé

MOTORISATION À L'ESSAI

Moteur :	V6 de 3,5 litres 24s
Alésage et course :	87,0 mm x 90,7 mm
Puissance :	303 ch (203 kW) à 6200 tr/min
Couple :	274 lb-pi (366 Nm) à 4800 tr/min
Rapport poids/puissance :	6,03 kg/ch (8,2 kg/kW)
Système hybride :	voir autres moteurs
Transmission :	propulsion, automatique 6 rapports
Accélération 0-100 km/h :	6,5 s (estimé)
Reprises 80-120 km/h :	6,3 s (estimé)
Freinage 100-0 km/h :	37,0 m
Vitesse maximale :	240 km/h
Consommation (100 km) :	super, 11,0 litres
Autonomie (approximative) :	645 km
Émissions de CO2 :	4368 kg/an

GAMME EN BREF

Échelle de prix :	64 300 $ à 88 000 $ (2006)
Catégorie :	berline de luxe
Historique du modèle :	3ième génération
Garanties :	4 ans/80 000 km, 6 ans/110 000 km
Assemblage :	Tahara, Japon
Autre(s) moteur(s) :	V8 4,3l 300ch/325lb-pi GS430
	V6 3,5l 339ch/267lb-pi moteur essence GS450h
Autre(s) rouage(s) :	intégrale
Autre(s) transmission(s) :	aucune

DANS LA MÊME CATÉGORIE

Acura RL - Audi A6 - BMW Série 5 - Jaguar S-Type - Mercedes-Benz Classe E - Saab 9-5

DU NOUVEAU EN 2007

Pas de changement majeur, version hybride (GS450h), GS350 dévoilée en cours d'année

NOS IMPRESSIONS

Agrément de conduite :	🚗 🚗 🚗 🚗
Fiabilité :	🚗 🚗 🚗 🚗 ½
Sécurité :	🚗 🚗 🚗 🚗 ½
Qualités hivernales :	🚗 🚗 🚗 🚗
Espace intérieur :	🚗 🚗 🚗 🚗
Confort :	🚗 🚗 🚗 🚗 ½

LE CHOIX DE L'ÉQUIPE

GS350 propulsion

TALENTUEUX MAIS DISCRET

Les grands artistes ne sont pas toujours les plus extrovertis. Ils s'expriment davantage par leur art que par leur présence. Souvent peu soucieux de leur apparence, on doit les prendre comme ils sont ou s'en aller. Le Lexus GX470 est, à sa façon, un artiste de talent qui cultive l'anonymat comme peu savent le faire. Apparu en 2005 et venant jouer dans la galerie des Acura MDX, BMW X5, Mercedes-Benz ML et compagnie, le GX470 n'a pas autant dérangé qu'on le croyait à l'époque.

Si on voit si peu de GX470 sur nos routes, ce n'est certainement pas en raison de son prix avoisinant les 70 000 $ (pour les personnes bien nanties, à partir d'un certain seuil psychologique propre à chacun, un prix élevé n'est plus dissuasif mais plutôt un incitatif!). Si ce n'est pas son prix, il faut donc que soit à cause de son apparence. Apparence qui, pour tout dire, n'est pas très emballante. La notion de courbe n'avait sans doute pas été apprise à l'école de design fréquentée par les dessinateurs de Lexus… Mais le GX470 n'est pas laid non plus. Je dirais même qu'il en impose. Dérivé du Toyota 4Runner, le GX470 en conserve les dimensions générales même si la hauteur gagne près de 10 cm, ce qui le fait ressembler à un frigo couché. Mais un frigo de grande classe!

HABITACLE DE LUXE

L'habitacle se veut du même moule que la carrosserie, c'est-à-dire sobre mais un tout petit peu soporifique. La qualité des matériaux ne fait aucun doute. Les cuirs ne font pas simili cuir et les boiseries sont réalisées en véritable bois, ce qui est plus rare qu'on le croit dans cette industrie qui mise d'abord sur le tape-à-l'œil. La liste de l'équipement standard suffirait à remplir deux ou trois pages du Guide mais il suffit de mentionner qu'outre le Groupe Premium, facturé à 6 300 $, il n'existe aucune option. Ce Groupe Premium ajoute un système de navigation avec écran de recul et un

système DVD pour les places arrière. Parlant de celles-ci, elles s'avèrent aussi confortables que celles situées à l'avant. Le GX470 arrive d'office avec une troisième banquette, désespérément inaccessible aux adultes. Malgré la hauteur du véhicule, l'espace disponible pour le chargement arrière se situe dans la moyenne de la catégorie. Lorsque les deuxième et troisième rangées de sièges sont abaissées (ou, mieux, enlevées) on se retrouve avec 2 513 litres. Ce qui est beaucoup mieux que les BMW X5 et Mercedes-Benz ML, mais pire que l'Escalade qui remporte la palme avec ses 3 084 litres. Malheureusement, on ne retrouve pas de hayon dans le GX470 mais plutôt une porte dont les pentures sont à droite. Lorsque dans un stationnement l'avant d'une voiture vous serre de trop près, qu'il fait -800 degrés avec le facteur vent et qu'on a des paquets dans les mains, on maudit ce type de porte… Parmi les notes plus positives, mentionnons que le tableau de bord ne souffre d'aucune faille au niveau de la finition. Par contre, la multitude de boutons qui s'offre au conducteur demande un certain temps d'adaptation. Fiez-vous à l'excellent système audio Mark Levinson de 240 watts pour vous le faire trouver moins long!

UN JOUET POUR ADULTE

Au chapitre de la motorisation, c'est relativement simple. Un seul moteur est proposé pour le GX470. Il s'agit d'un V8 de 4,7 litres de

FEU VERT	FEU ROUGE
Prestige de la marque	Style anodin
Fiabilité toujours au poste	Prix indécent
Capacités 4X4 étonnantes	Troisième banquette ridicule
Équipement très complet	Consommation d'alcoolique en rechute
Finition exceptionnelle	

275 chevaux et 332 livres-pied de couple. Sa douceur et sa souplesse n'ont d'égales que sa discrétion et sa puissance. En effet, ce n'est pas parce qu'on l'entend à peine lorsqu'on roule à vitesse constante qu'il ne travaille pas! Ses prestations sont étonnantes, compte tenu du gabarit du véhicule. De plus, son couple très élevé obtenu relativement tôt dans les tours (3 400) fait de la conduite hors route un jeu d'enfant. Sa consommation, cependant, est celle d'un adulte. D'un adulte qui a très soif… On ne retrouve qu'une seule transmission, soit une automatique à cinq rapports, aussi subtile que le moteur auquel on l'a associée. Bien que le moteur et la transmission soient sophistiqués, c'est le rouage intégral qui vole la vedette. En conditions normales, le différentiel central Torsen (qui signifie Torque Sensitive) envoie 40 % du couple aux roues avant et 60 % aux roues arrière. Dès que le différentiel central détecte un besoin de traction plus élevé à l'arrière, il compense automatiquement. Mais, comme un vrai 4x4, le GX470 possède aussi une gamme basse et il est possible de verrouiller le différentiel central. Le conducteur peut, de plus, compter sur le régulateur de traction qui contrôle la traction sur surfaces meubles, un contrôle d'assistance en descente et un autre de démarrage en montée. Et dire que la majorité des GX470 ne rouleront jamais dans la boue!

Sur un véhicule aussi avancé technologiquement, il est un peu surprenant de retrouver une suspension arrière à essieu rigide. Des ressorts pneumatiques autorisent cependant un confort de haut niveau et permettent, à l'aide d'un dispositif électronique contrôlé depuis l'habitacle, d'augmenter ou diminuer la hauteur, question de passer au-dessus d'un obstacle ou, au contraire, faciliter l'accès à bord. Qui plus est, le GX470 possède une suspension active (AVS) que l'on retrouve sur d'autres modèles Lexus et qui propose quatre niveaux de confort. Lexus, fidèle à son habitude, ne s'est pas gêné pour utiliser l'électronique à des fins sécuritaires. En plus d'une quantité quasiment indécente de coussins et rideaux gonflables, on retrouve plusieurs aides au pilotage, des freins ABS au contrôle de la stabilité en passant par l'antipatinage et autres anges gardiens.

Bien qu'il ait été élaboré sur la plate-forme du prolétaire Toyota 4Runner, le GX470 est suffisamment différent pour bien s'en démarquer. Ne lui reste qu'à s'affirmer un peu plus, visuellement parlant.

Alain Morin

VÉHICULE D'ESSAI

Version :	version unique
Prix de détail suggéré :	68 400 $
Emp/Lon/Lar/Haut(mm) :	2 790/4 780/1 880/1 895
Poids :	2 150 kg
Coffre/Réservoir :	1 238 à 2 513 litres / 87 litres
Coussins de sécurité :	frontaux, latéraux (av.) et rideaux
Suspension avant :	indépendante, bras inégaux
Suspension arrière :	essieu rigide, ressorts elliptiques
Freins av./arr. :	disque (ABS)
Antipatinage/Contrôle de stabilité :	oui/oui
Direction :	à crémaillère, assistée
Diamètre de braquage :	11,7 m
Pneus av./arr. :	P265/65R17
Capacité de remorquage :	2 948 kg

MOTORISATION À L'ESSAI

Pneus d'origine
MICHELIN

Moteur :	V8 de 4,7 litres 32s
Alésage et course :	94,0 mm x 84,0 mm
Puissance :	275 ch (201 kW) à 5 400 tr/min
Couple :	332 lb-pi (447 Nm) à 3 400 tr/min
Rapport poids/puissance :	7,96 kg/ch (10,8 kg/kW)
Système hybride :	aucun
Transmission :	intégrale, automatique 5 rapports
Accélération 0-100 km/h :	10,0 s
Reprises 80-120 km/h :	9,1 s
Freinage 100-0 km/h :	42,0 m
Vitesse maximale :	186 km/h
Consommation (100 km) :	ordinaire, 16,7 litres
Autonomie (approximative) :	521 km
Émissions de CO2 :	6 528 kg/an

GAMME EN BREF

Échelle de prix :	67 700 $ à 74 000 $
Catégorie :	utilitaire sport intermédiaire
Historique du modèle :	1ière génération
Garanties :	4 ans/80 000 km, 6 ans/110 000 km
Assemblage :	Tahara, Japon
Autre(s) moteur(s) :	aucun
Autre(s) rouage(s) :	aucun
Autre(s) transmission(s) :	aucune

DANS LA MÊME CATÉGORIE

Acura MDX - BMW X5 - Cadillac Escalade - GMC Envoy - Mercedes-Benz Classe M

DU NOUVEAU EN 2007

Pas de changement majeur

NOS IMPRESSIONS

Agrément de conduite :	🚗 🚗 🚗 ½
Fiabilité :	🚗 🚗 🚗 🚗 🚗
Sécurité :	🚗 🚗 🚗 🚗 ½
Qualités hivernales :	🚗 🚗 🚗 🚗 🚗
Espace intérieur :	🚗 🚗 🚗 🚗
Confort :	🚗 🚗 🚗 🚗 ½

LE CHOIX DE L'ÉQUIPE

GX470 sans groupe Premium

Photos : Lexus

LA SPORTIVE DES LEXUS

Si Lexus n'a jamais joué la carte de la sportivité à tout prix, la gamme IS avait été lancée à l'époque pour rivaliser avec les grandes berlines sport, dont BMW et sa Série 3. Il faut avouer que l'ancienne IS300 m'a toujours attiré, tant par sa conduite emballante que par son aménagement intérieur. J'appréhendais donc la refonte de cette gamme en espérant que Lexus saurait pousser d'un cran les qualités de cette berline sport sans toutefois miner ses atouts. Grâce à un choix plus varié et à sa puissance intéressante, la nouvelle gamme IS s'approche de très près de sa grande rivale allemande. Cependant, on note quelques ombres au tableau.

Introduite l'année passée comme seconde génération, la gamme IS compte peu de changements pour 2007. Trois modèles sont proposés alors que deux moteurs V6 sont au catalogue. La IS250 est offerte en modèle à propulsion ou à traction intégrale. Elle dispose d'un moteur V6 de 2,5 litres qui développe une puissance de 204 chevaux à 6 400 tr/min pour un couple de 185 lb-pi à 4 800 tr/min. La IS250 à propulsion reçoit de série une boîte manuelle à six rapports, tandis que la traction intégrale est équipée d'une boîte automatique, également à six rapports. Cette boîte est optionnelle dans la IS250 à propulsion.

UNE BOMBE, LA IS350

La vedette de la gamme est sans contredit la IS350 qui livre avec son moteur V6 de 3,5 litres une puissance de 306 chevaux à 6 400 tr/min pour un couple de 277 lb-pi à 4 800 tr/min. Grâce à cette puissance, la IS350 boucle le *sprint* du 0-100 km/h plus rapidement que la plupart de ses rivales, soit en un peu plus de cinq secondes. Dommage qu'elle ne puisse être livrée avec une boîte manuelle. Vous devrez vous contenter de la boîte automatique à six rapports, mais à sa défense, cette boîte propose un mode manuel dont les changements de rapports peuvent être commandés par le biais de palettes situées derrière le volant. Fait intéressant, le moteur de la IS350 dispose d'un système d'admission unique qui lui aura valu quelques prix technologiques. Ce système combine l'injection directe, qui envoie le carburant directement dans les chambres de combustion, avec l'injection par les orifices, qui achemine le carburant dans les orifices d'admission, afin de maximiser le mélange d'air et de carburant et sa combustion à plusieurs niveaux de régime moteur.

Tous les modèles sont dotés d'un équipement de base bien étudié et assez complet. On obtient une voiture bien équipée pour un prix relativement abordable si on le compare à celui de ses plus proches rivales. Plusieurs groupes d'options viendront certes hausser le niveau de confort et de luxe, mais préparez-vous à voir la facture grimper rapidement !

Si le comportement d'une berline sport est important, son style l'est tout autant. À l'extérieur, la IS adopte le nouveau style de la gamme Lexus, maintenant insufflé à tous les nouveaux modèles. Elle demeure par contre celle qui affiche le plus de sportivité chez Lexus. Sa ligne de caisse élevée, son nez plongeant et son empattement plus large lui donnent une allure drôlement réussie.

FEU VERT
Comportement dynamique
Style sportif
Aménagement intérieur
Fiabilité
Finition impeccable

FEU ROUGE
Boîte manuelle à diffusion limitée
Options dispendieuses
Système de contrôle de la traction intrusif
Puissance un peu juste (IS250)

UN HABITACLE SOIGNÉ ET SPACIEUX

La grande force de la IS est certainement son aménagement intérieur. Fidèle au souci de qualité propre à Lexus, la IS bénéficie d'une finition irréprochable. Le choix de matériaux rehausse également l'habitacle alors que plusieurs petites attentions, ici et là, mettent en valeur l'esprit sportif de la voiture. Grâce à ses dimensions plus généreuses par rapport au modèle de première génération, la IS accueille les passagers avec plus d'aisance. L'espace de chargement est plus généreux, permettant de transporter l'attirail familial ou récréatif. Plus spacieuse et confortable que la BMW de Série 3, la Lexus IS offre un meilleur compromis entre sportivité et confort.

UN COMPORTEMENT ASEPTISÉ

Sur la route, la IS250 offre un équilibre intéressant. Ses 204 chevaux dotent la voiture d'un comportement relativement sportif, sans toutefois révéler une puissance excessive. Voilà une version qui présente le style IS, mais qui ne laisse cependant pas la concurrence loin derrière. La version à traction intégrale ajoute un élément de sécurité sur pavé moins favorable, mais les performances se voient également amputées. Les vrais amateurs de voitures sport seront comblés par la IS350 qui, grâce à ses 306 chevaux, offre des performances relevées. Enfoncez l'accélérateur et vous serez littéralement cloué au siège! Si la IS300 de la génération précédente s'est avérée un réel plaisir à conduire, laissant tout le contrôle au conducteur, la nouvelle IS affiche un comportement beaucoup plus aseptisé, notamment en raison d'éléments électroniques plus restrictifs. Le système de contrôle de la traction est certes plus permissif dans la IS350, mais il freinera rapidement tout excès d'enthousiasme, ce qui empêche d'exploiter pleinement le potentiel de la voiture. Cet inconvénient est d'autant plus marqué dans la version IS250.

Si la Lexus IS doit s'incliner devant sa grande rivale allemande au chapitre de la sportivité pure, elle se révèle cependant plus luxueuse et confortable. Voilà un compromis que certains apprécieront. La IS de seconde génération est une voiture beaucoup plus sophistiquée et technologique. Espérons qu'avec le temps, tous ces éléments ne viendront pas miner l'essence même de cette voiture.

Sylvain Raymond

Photos : Lexus

LEXUS IS250 / IS250 AWD / IS350

VÉHICULE D'ESSAI

Version :	IS250
Prix de détail suggéré :	37 900 $
Emp/Lon/Lar/Haut(mm) :	2 730/4 575/1 800/1 425
Poids :	1 557 kg
Coffre/Réservoir :	378 litres/65 litres
Coussins de sécurité :	frontaux, latéraux (av.) et rideaux
Suspension avant :	indépendante, bras inégaux
Suspension arrière :	indépendante, multibras
Freins av./arr. :	disque (ABS)
Antipatinage/Contrôle de stabilité :	oui/oui
Direction :	à crémaillère, assistance variable
Diamètre de braquage :	10,2 m
Pneus av./arr. :	P225/45R17 / P245/45R17
Capacité de remorquage :	n.d.

MOTORISATION À L'ESSAI

Pneus d'origine MICHELIN

Moteur :	V6 de 2,5 litres 24s atmosphérique
Alésage et course :	n/a
Puissance :	204 ch (152 kW) à 6 400 tr/min
Couple :	185 lb-pi (251 Nm) à 4 800 tr/min
Rapport poids/puissance :	10 kg/ch (13,6 kg/kW)
Système hybride :	aucun
Transmission :	propulsion, manuelle 6 rapports
Accélération 0-100 km/h :	7,7 s
Reprises 80-120 km/h :	5,5 s
Freinage 100-0 km/h :	40,0 m (estimé)
Vitesse maximale :	n.d.
Consommation (100 km) :	super, 9,5 litres
Autonomie (approximative) :	684 km
Émissions de CO_2 :	4 704 kg/an

GAMME EN BREF

Échelle de prix :	36 300 $ à 48 900 $
Catégorie :	berline sport
Historique du modèle :	1ère génération
Garanties :	4 ans/80 000 km, 6 ans/110 000 km
Assemblage :	Tahara, Japon
Autre(s) moteur(s) :	V6 3,5l 306ch/277lb-pi (10,8 l/100km) IS350
Autre(s) rouage(s) :	intégrale
Autre(s) transmission(s) :	manuelle 6 rapports

DANS LA MÊME CATÉGORIE

Audi A4 - BMW Série 3 - Cadillac CTS / CTS-V - Infiniti G35 / G35x - Mercedes-Benz Classe C - Volvo S60 / S60R

DU NOUVEAU EN 2007

Pas de changement majeur

NOS IMPRESSIONS

Agrément de conduite :	🚗 🚗 🚗 🚗
Fiabilité :	🚗 🚗 🚗 🚗 ½
Sécurité :	🚗 🚗 🚗 🚗 ½
Qualités hivernales :	🚗 🚗 🚗 🚗
Espace intérieur :	🚗 🚗 🚗 🚗
Confort :	🚗 🚗 🚗 🚗

LE CHOIX DE L'ÉQUIPE

IS250 AWD

TOUJOURS PLUS RAFFINÉE

Les premières Lexus ont été commercialisées en 1989 aux États-Unis d'abord et au Canada l'année suivante. Même si la première LS400 était une mauvaise copie d'une Mercedes-Benz de Classe S et la ES250 carrément une mauvaise voiture, la qualité de la fabrication, du service, de l'attention aux détails, du silence de roulement a non seulement permis à Lexus de s'imposer sur un marché dominé par les constructeurs allemands, mais a forcé ceux-ci à revoir leur façon de procéder. Voilà la quatrième génération qui se pointe la calandre. Encore une fois, la technologie et la qualité sont au programme.

Mais avant de parler tôle, cuir et mécanique, il est important de préciser que Lexus est devenue une entité autonome de Toyota. Et la marque n'est plus uniquement nord-américaine comme à ses débuts. Elle est distribuée au Japon, en Chine ainsi qu'en Europe de même que sur plusieurs autres continents. Bref, la marque est globale. Ce qui n'a pas empêché les responsables de son développement de cibler les mêmes critères qu'au tout début. Pas question par exemple de transformer la nouvelle LS en grande sportive. La qualité de fabrication a encore été améliorée et l'attention aux détails poussée encore plus loin. Le roulement silencieux des moteurs Lexus est devenu quasi légendaire et la nouvelle génération de leur modèle le plus prestigieux est l'objet de soins encore plus attentifs. Chaque moteur est analysé dans une cabine d'examen spécialement étudiée afin de pouvoir s'assurer que le moteur est ultrasilencieux. De plus, les techniciens utilisent même un stéthoscope spécial pour déceler s'il n'y aurait pas des bruits parasites à l'intérieur du moteur! Un autre point fort de la marque est la qualité de la peinture des carrosseries. Cette fois, les carrosseries des nouvelles LS sont polies au moyen d'un robot à six axes polissant de façon tridimensionnelle. Antérieurement, la machine se contentait de polir de haut en bas. Et entre les couches de peinture et de laque, chaque LS est sablée à la main à deux reprises! Je dois avouer être sceptique, mais on me jure chez Lexus que c'est rigoureusement exact. Et le cuir des sièges est encore plus doux qu'auparavant car il est traité plus longtemps que précédemment. Quant aux coutures, elles ont été révisées et les plis éradiqués. Comme vous pouvez le constater, cette nouvelle cuvée est une « plus que Lexus » avec une qualité de fabrication qui ne semble jamais satisfaire ses constructeurs. Mais cette attention apportée aux

détails ne se limite pas à la carrosserie et à l'habitacle, la mécanique est ultraraffinée et l'habitacle est truffé de gadgets.

UNE TRANSMISSION HUIT RAPPORTS?
La voiture a beau être fabriquée comme un bijou rare au chapitre de la

caisse et de l'habitacle, la mécanique est vraiment ce qui démarque cette nouvelle berline. Ce qui devrait surtout impressionner les acheteurs, c'est la nouvelle transmission automatique à huit rapports. Vous avez bien lu, huit rapports! Auparavant, la palme de la catégorie revenait à Mercedes-Benz avec sept. Pour avoir le dessus à ce chapitre, la LS 460 en propose un de plus. Il est intéressant de savoir que Satory Maruyakamo, l'ingénieur-chef de la voiture a passé 17 de ses 28 années chez Lexus/Toyota à concevoir des transmissions. Il était l'homme de la situation. Et interrogé à savoir pourquoi huit rapports et non pas neuf ou dix, il a souligné que c'était pour l'instant la capacité du carter de la transmission. Il était donc tout naturel de coupler cette nouvelle boîte à un moteur tout neuf, le premier V8 en 17 ans chez Lexus. Sa cylindrée est de 4,6 litres et la puissance de 380 chevaux, un gain de 102 chevaux par rapport au modèle 2006. Le couple a également progressé de 58 lb-pi. Précisons que ce moteur est le premier sur le marché à offrir un double calage variable des soupapes à commande électronique. Ce qui explique sans doute sa consommation de carburant annoncée qui devrait être inférieure à 11 litres aux 100 km. Malgré un poids de 1 980 kg pour la version à empattement court, cette LS est capable de boucler le 0-100 km/h en 5,7 secondes selon les données du constructeur, tandis que le 80-120 km/h est l'affaire de moins de cinq secondes.

Parmi les autres innovations techniques dignes de mention, la suspension pneumatique a été redessinée. Elle est dotée de cylindres pneumatiques plus sophistiqués. Plus petits et plus légers, ils assurent une meilleure réaction. Ce qui est essentiel avec la suspension adaptive variable offerte sur la version allongée de la LS. J'allais l'oublier, il est aussi possible de commander une LS 460L dont l'empattement et la longueur ont été tous deux allongés de 122 mm. La direction est à assistance variable à commande électrique en plus d'être à rapport d'assistance variable. Les systèmes de freins ABS et de stabilité latérale, quant à eux, sont ce qu'il y a de plus sophistiqué. Ajoutons au passage que le système électronique de stabilité latérale peut être désactivé en appuyant pendant trois secondes sur un bouton placé à cet effet sur la console.

L-FINESSE !

Toute la philosophie de design de Lexus est basée sur cette appellation qui incite les stylistes à créer des lignes de carrosserie et une atmosphère dans l'habitacle qui sont toujours en avant de leur époque tout en en étant relativement simples d'exécution. Ce qui explique pourquoi la silhouette est demeurée plutôt conservatrice et s'apparente tout de même d'assez près au modèle précédent. La partie arrière est celle qui a été le plus transformée. De profil, cette partie ressemble quelque peu à une BMW Série 7. Pour avoir la vue la plus impressionnante, il faut suivre la voiture : ses feux imposants, son double échappement intégré dans le pare-chocs et un dessin plutôt agressif nous font savoir qu'on a affaire à une auto d'exception. L'avant a été redessiné alors que la grille de calandre a été réduite en dimension. De profil, la partie arrière relevée et des lignes un peu plus carrées donnent plus de prestance à la voiture,

tout comme la bande de chrome placée tout le long de la paroi latérale, juste au bas des portières.

Bref, sans être spectaculaire, la silhouette de la nouvelle LS a plus de caractère. Et cette remarque est également vraie pour l'habitacle. Contrairement à la Mercedes-Benz de Classe S dont le tableau de bord a été complètement redessiné, celui de la LS 2007 est une évolution de la version précédente. Les cadrans indicateurs sont toujours à affichage électroluminescent. Mais l'écran d'affichage central est plus grand, tandis qu'une foule de détails sont à souligner comme le cuir perforé des sièges, des interstices réduits entre les panneaux de finition de même que des commandes encore plus intuitives. Et les ingénieurs ont résisté à la tentation d'utiliser une manette universelle à la I-Drive. Le système Audio de luxe Mark Levinson offert en option est d'une sonorité impressionnante. Il est doté d'un lecteur DVD multifonction, mais aussi d'un disque dur 30 GB dont 13 GB sont réservés à de la musique enregistrée.

La version L peut être commandée avec le groupe d'options Exécutif comprenant un siège arrière droit avec tabouret intégré et système de massage. Bien entendu, comme sur toutes les versions, le dossier s'incline, tandis que plusieurs autres accessoires optionnels comme l'écran LCD à déploiement motorisé permettent d'en faire une limousine de luxe.

SILENCE !
Comme la LS 430 précédente, cette LS 460 est d'un silence de roulement et d'une insonorisation hors-norme. Et si le feedback de la

---

FEU VERT
Silhouette plus dynamique
Boîte automatique 8 rapports
Silence de roulement exemplaire
Tenue de route améliorée
Système de stationnement automatique

FEU ROUGE
Direction toujours engourdie
Agrément de conduite toujours perfectible
Gros véhicule
Tableau de bord anonyme

direction est amélioré, il y a encore place à l'amélioration. Le moteur tourne comme une turbine et les accélérations sont linéaires et ultradouces. Et même si on fait tout un plat avec cette boîte automatique à huit rapports, sa présence ajoute en douceur mais pas nécessairement en performance. Les ingénieurs présents au lancement nous ont avoué que les deux rapports supplémentaires permettent non seulement d'avoir des accélérations initiales plus incisives, mais une consommation de carburant moindre.

Le comportement routier est exemplaire et il faudra vraiment dépasser les limites de vitesse affichées pour prendre cette grosse berline en défaut. Il est vrai que la direction est trop assistée, ce qui nous a obligés à corriger la trajectoire en entrée de virage, mais au fil des kilomètres, je me suis habitué à cette assistance électrique et les trajectoires sont devenues plus précises. Il faut également ajouter que le roulis en virage est à peine perceptible.

Somme toute, cette nouvelle génération est certainement plus intéressante. Le moteur est non seulement plus puissant, mais encore plus silencieux si c'était possible. Et si l'agrément de conduite et le feedback de la route sont encore trop mitigés, des progrès ont été réalisés à ce chapitre. Et il ne faut pas oublier non plus que plusieurs acheteurs se procurent une LS pour ces mêmes raisons. Il ne fallait pas les décevoir.

Denis Duquet

LEXUS LS 460 / LS 460 L / LS 600h L

VÉHICULE D'ESSAI

Version :	LS 460 L
Prix de détail suggéré :	108 995 $
Emp/Lon/Lar/Haut (mm) :	3 091/5 151/1 875/1 476
Poids :	1 810 kg
Coffre/Réservoir :	n.d./90 litres
Coussins de sécurité :	front., latéraux, rideaux et genoux
Suspension avant :	indépendante, multibras
Suspension arrière :	indépendante, multibras
Freins av./arr. :	disque (ABS)
Antipatinage/Contrôle de stabilité :	oui/oui
Direction :	à crémaillère, assistance variable électrique
Diamètre de braquage :	12,1 m
Pneus av./arr. :	P245/40R18
Capacité de remorquage :	non recommandé

MOTORISATION À L'ESSAI

Moteur :	V8 de 4,6 litres 32s atmosphérique
Alésage et course :	94,0 mm x 83,0 mm
Puissance :	380 ch (283 kW) à 5 600 tr/min
Couple :	370 lb-pi (502 Nm) à 3 400 tr/min
Rapport poids/puissance :	4,76 kg/ch (6,46 kg/kW)
Système hybride :	voir autres moteurs
Transmission :	propulsion, auto. mode man. 8 rapports
Accélération 0-100 km/h :	5,7 s (constructeur)
Reprises 80-120 km/h :	5,0 s (constructeur)
Freinage 100-0 km/h :	38,5 m (estimé)
Vitesse maximale :	250 km/h
Consommation (100 km) :	super, 10,8 litres (constructeur)
Autonomie (approximative) :	833 km
Émissions de CO_2 :	5 080 kg/an

GAMME EN BREF

Échelle de prix :	85 700 $ à 106 200 $ (2006)
Catégorie :	berline de grand luxe
Historique du modèle :	4ième génération
Garanties :	4 ans/80 000 km, 6 ans/110 000 km
Assemblage :	Tahara, Japon
Autre(s) moteur(s) :	V8 5,0l hybride 430ch/450lb-pi (LS 600h)
Autre(s) rouage(s) :	intégrale
Autre(s) transmission(s) :	aucune

DANS LA MÊME CATÉGORIE
Audi A8 - BMW Série 7 - Infiniti Q45 - Mercedes-Benz Classe S

DU NOUVEAU EN 2007
Nouveau modèle

NOS IMPRESSIONS

Agrément de conduite :	🚗 🚗 🚗½
Fiabilité :	nouveau modèle
Sécurité :	🚗 🚗 🚗 🚗½
Qualités hivernales :	🚗 🚗 🚗 🚗
Espace intérieur :	🚗 🚗 🚗 🚗
Confort :	🚗 🚗 🚗 🚗 🚗

LE CHOIX DE L'ÉQUIPE
LS 460

Photos : Denis Duquet

QUAND ON PEUT SE LE PERMETTRE

C'est drôle, mais j'aurais un peu de difficulté à aller jouer dans la boue avec un véhicule dont le prix dépasse les 100 000 $. Les branches qui se frotteraient à la carrosserie et qui érafleraient chaque côté du véhicule m'angoisseraient… Je crois qu'à ce prix, j'en aurais une crise cardiaque ! À moins bien sûr d'avoir un compte bancaire très garni et de rechercher un jouet pour aller en forêt dans un luxe suprême. Dans ces conditions, le LX470 me comblerait d'un confort plus que douillet et je serais en mesure de constater justement à quel point il est efficace sur la route ou hors route.

Les principaux compétiteurs de ce véhicule sont la BMW X5, le Range Rover, l'Infiniti QX56, la Mercedes-Benz GL et quelques autres modèles de même catégorie. Ils sont tous très bons et luxueux, mais on dirait que les ingénieurs de Lexus y ont mis plus la gomme en matière de luxe et de qualité des composantes.

HÉRITAGE

Le LX470 emprunte beaucoup de technologie provenant de la berline LS430, maintenant devenue la LS460, comme l'écran témoin qui permet de voir s'il y a un objet ou un enfant derrière, en plus d'un système Bluetooth permettant de communiquer avec les autres tout en gardant les deux mains sur le volant. Pour ce qui est de la chaîne audio, elle saura satisfaire le plus difficile des mélomanes. Tous les matériaux sont de grande qualité alors que tout a été pensé et repensé dans l'habitacle.

Pour ce qui est de la sécurité du conducteur et des passagers, outre les coussins gonflables frontaux, le LX470 est aussi pourvu de rideaux gonflables et d'autres coussins insérés de chaque côté des sièges avant. Au chapitre de la sécurité active, cette Lexus est équipée de freins ABS, d'un dispositif de stabilité et de contrôle de la traction aux quatre roues qui travaillent tous conjointement dans le but de vous offrir un maximum de contrôle, et cela, peu importe les conditions routières.

Sous le capot réside un moteur V8 de 4,7 litres à 32 soupapes et DACT qui développe 275 chevaux et 332 lb-pi de couple. Comme on jouit d'un couple important, on l'apprécie beaucoup quand on doit circuler à basse vitesse dans les bois et sur les rochers. En plus, cela lui permet de tracter environ 2 200 kilos, ce qui n'est pas mal ! Le LX470 est rapide, mais la consommation d'essence en prend pour son rhume et c'est normal car nous parlons d'un véhicule qui est très lourd. Les reprises sont très bonnes en sortie de virage, je dirais même surprenantes et on peut rouler avec une excellente cadence. Une seule transmission est disponible, soit la boîte automatique à 5 rapports qui travaille un peu paresseusement, mais d'une incroyable douceur lors des passages de rapports. Avec le LX, on bénéficie d'une traction à 4 roues motrices en tout temps avec la possibilité de verrouiller le différentiel central. Bref, ce mastodonte est capable d'en prendre et il peut vous emmener où vous le désirez.

CLASSE AFFAIRES

Huit personnes peuvent s'installer très confortablement à bord et ce n'est pas l'espace qui manque, à moins d'être un adulte assis complète-

FEU VERT	FEU ROUGE
Confort princier	Véhicule très lourd
Équipement complet	Silhouette anonyme
Insonorisation suprême	Prix élevé
Assemblage de très haut calibre	Consommation ahurissante

ment à l'arrière où c'est un peu plus étroit. La suspension procure un confort absolu en condition hors route et sur le bitume, tandis que les manœuvres serrées effectuées à basse vitesse se font avec précision grâce à la direction à crémaillère. Cette Lexus est équipée de série d'un système de suspension variable qui permet de configurer l'amortissement entre doux et ferme. Ce mécanisme est contrôlé électroniquement grâce à différents capteurs, ce qui fait qu'il calibre constamment les amortisseurs semi-actifs à travers une plage étendue de 16 réglages différents. Ce système est très sophistiqué et travaille vraiment bien dans toutes les conditions imaginables. Notez qu'on peut aussi abaisser ou monter la hauteur du véhicule au moyen d'un système hydropneumatique, ce qui permet d'augmenter la garde au sol si on doit circuler en terrain accidenté. Vous pouvez également abaisser le véhicule si des gens de petite taille veulent grimper à bord, car il faut le dire, ce véhicule est assez haut sur pattes !

Pour celui qui a presque tout et qui veut se payer « LE jouet », le LX470 est tout indiqué. Avec un prix d'achat qui frôle le prix d'une maison unifamiliale, on est en droit de s'attendre au maximum de luxe et ici, ce véhicule impressionne. On peut comparer l'intérieur à un salon où chaque composante est étudiée pour vous en donner vraiment pour votre argent. Par contre, la silhouette du LX470 est discutable et commence à faire vieux jeu.

Mais, peu importe, si vous avez les moyens financiers, gâtez-vous ! Vous ne serez pas déçu.

Robert Jetté

Photos : Lexus

VÉHICULE D'ESSAI

Version :	version unique
Prix de détail suggéré :	101 400 $ (2006)
Emp/Lon/Lar/Haut(mm) :	2 850/4 890/1 940/1 850
Poids :	2 450 kg
Coffre/Réservoir :	535 à 2 531 litres / 96 litres
Coussins de sécurité :	frontaux, latéraux (av.) et rideaux
Suspension avant :	indépendante, barres de torsion
Suspension arrière :	indépendante, bras inégaux
Freins av./arr. :	disque (ABS)
Antipatinage/Contrôle de stabilité :	oui / oui
Direction :	à crémaillère, assistance variable
Diamètre de braquage :	12,1 m
Pneus av./arr. :	P275/60R18
Capacité de remorquage :	2 948 kg

MOTORISATION À L'ESSAI

Pneus d'origine **MICHELIN**

Moteur :	V8 de 4,7 litres 32s atmosphérique
Alésage et course :	94,0 mm x 84,0 mm
Puissance :	275 ch (205 kW) à 5 400 tr/min
Couple :	332 lb-pi (450 Nm) à 3 400 tr/min
Rapport poids/puissance :	8,91 kg/ch (12,13 kg/kW)
Système hybride :	aucun
Transmission :	intégrale, automatique 5 rapports
Accélération 0-100 km/h :	9,5 s
Reprises 80-120 km/h :	7,2 s
Freinage 100-0 km/h :	44,3 m
Vitesse maximale :	180 km/h
Consommation (100 km) :	super, 18,2 litres
Autonomie (approximative) :	527 km
Émissions de CO2 :	7 440 kg/an

GAMME EN BREF

Échelle de prix :	101 400 $ (2006)
Catégorie :	utilitaire sport grand format
Historique du modèle :	2ᵉ génération
Garanties :	4 ans/80 000 km, 6 ans/110 000 km
Assemblage :	Araco, Japon
Autre(s) moteur(s) :	aucun
Autre(s) rouage(s) :	aucun
Autre(s) transmission(s) :	aucune

DANS LA MÊME CATÉGORIE

Cadillac Escalade - Infiniti QX56 - Land Rover Range Rover - Lincoln Navigator - Mercedes-Benz Classe GL

DU NOUVEAU EN 2007

Pas de changement majeur

NOS IMPRESSIONS

Agrément de conduite :	🚗 🚗 🚗 🚗 ½
Fiabilité :	🚗 🚗 🚗 🚗
Sécurité :	🚗 🚗 🚗 🚗
Qualités hivernales :	🚗 🚗 🚗 🚗
Espace intérieur :	🚗 🚗 🚗 ½
Confort :	🚗 🚗 🚗 🚗

LE CHOIX DE L'ÉQUIPE

Version unique

LEXUS LX470

Voiture économique

LE ROI DES MULTISEGMENTS

Je n'ai jamais aimé donner des qualificatifs comme royal ou impérial aux voitures. Rarement en effet ces véhicules, aussi bien construits soient-ils, méritent autant d'éloges, même si la plupart sont des merveilles de raffinement. Dans le cas du Lexus RX 400h, je ne peux m'en empêcher, pas tellement parce ses qualités sont uniques, mais parce que le multisegment à rouage hybride de la sérieuse famille nippone dame le pion à tous ceux qui se mesurent à lui. Bref, c'est, pour l'instant du moins, le roi des hybrides sur le marché, et un des multisegments les plus populaires, même en version à essence.

C omme tout bon roi qui a mérité sa couronne, le Lexus a définitivement des qualités de leader. Concrètement, il est inspiré de la version RX à motorisation traditionnelle et qui a comme qualité d'être la Lexus la plus vendue de l'histoire. Ce qui, avouons-le, mérite tout de même quelques considérations.

Mais c'est surtout parce qu'il a été le premier véhicule de grand luxe à offrir la motorisation hybride, et qu'il est encore un des plus avancés technologiquement que le RX400h (h pour hybride, vous l'aurez deviné) mérite le titre de roi dans cette catégorie.

QUE LE SILENCE SOIT !
Comme dans tout bon véhicule hybride muni du système Hybrid Synergy Drive propre à Toyota et à sa gamme, le démarrage de la voiture s'effectue dans un silence quasi religieux. Un silence qui s'explique notamment parce que le rouage hybride Toyota mise d'abord sur le moteur électrique pour lancer la machine. On doit donc surveiller avec attention toutes les lumières du tableau de bord où s'affichent les informations quand le véhicule est prêt à rouler.

Une fois le moteur en route, et armé de beaucoup de patience et de

délicatesse, il est possible de rouler jusqu'à 40 kilomètres à l'heure, uniquement en utilisant le moteur électrique. Mais attention, pas de départ à la Villeneuve car lorsque vous sollicitez un peu trop vertement le moteur, rapidement l'électricité laisse la place au traditionnel moteur à essence. Vous en êtes donc quittes pour une économie en zone urbaine, à la condition de ne pas être pressé. Voilà pour l'hybride, dont le moteur électrique est jumelé à un moteur V6 de 3,3 litres, capable de développer 270 chevaux en mode combiné.

Mais la véritable nouveauté de la famille cette année, c'est plutôt l'augmentation de puissance de la version ordinaire du RX, appelée désormais la 350. Vous l'aurez compris, cette dernière appellation faisant référence à la nouvelle cylindrée du moteur, passant de 3,3 à 3,5 litres. Avec une telle augmentation, c'est toute la puissance de la machine qui se trouve améliorée, atteignant dorénavant elle aussi, même en version à essence, le chiffre de 270 chevaux.

Réglons la chose tout de suite : Lexus mise d'abord sur la puissance et le raffinement pour attirer les consommateurs. L'ajout du moteur hybride a bien entendu pour effet de diminuer légèrement la consommation mais vise surtout à augmenter la cavalerie disponible. L'augmentation de

FEU VERT
Système hybride efficace
Habitacle grand confort
Insonorisation haut de gamme
Mécanique silencieuse
Finition noble

FEU ROUGE
Suspensions trop souples
Freinage étonnant
Direction peu communicative
Coût d'achat

VÉHICULE D'ESSAI

Version :	RX 400h
Prix de détail suggéré :	62 200 $
Emp/Lon/Lar/Haut(mm) :	2 715/4 755/1 844/1 687
Poids :	1 980 kg
Coffre/Réservoir :	490 à 2 050 litres/65 litres
Coussins de sécurité :	frontaux, latéraux (av.) et rideaux
Suspension avant :	indépendante, jambes de force
Suspension arrière :	indépendante, multibras
Freins av./arr. :	disque (ABS)
Antipatinage/Contrôle de stabilité :	oui/oui
Direction :	à crémaillère, assistance variable
Diamètre de braquage :	11,4 m
Pneus av./arr. :	P235/55R18
Capacité de remorquage :	1 587 kg

MOTORISATION À L'ESSAI

Pneus d'origine MICHELIN

Moteur :	V6 de 3,3 litres 24s atmosphérique
Alésage et course :	92,0 mm x 83,0 mm
Puissance :	208 ch (155 kW) à 5 600 tr/min
Couple :	212 lb-pi (287 Nm) à 4 400 tr/min
Rapport poids/puissance :	9,52 kg/ch (12,94 kg/kW)
Système hybride :	double en assistance 235ch, 343lb-pi
Transmission :	intégrale, CVT
Accélération 0-100 km/h :	9,2 s
Reprises 80-120 km/h :	7,3 s
Freinage 100-0 km/h :	42,0 m
Vitesse maximale :	190 km/h
Consommation (100 km) :	essence/élect., 8,1 litres
Autonomie (approximative) :	802 km
Émissions de CO2 :	3 744 kg/an

GAMME EN BREF

Échelle de prix :	37 400 $ à 69 700 $
Catégorie :	utilitaire sport intermédiaire
Historique du modèle :	2ième génération
Garanties :	4 ans/80 000 km, 6 ans/110 000 km
Assemblage :	Kyushu, Japon
Autre(s) moteur(s) : V6 3,5l 270ch/251lb-pi (12,8 l/100km)	
	RX350
Autre(s) rouage(s) :	aucun
Autre(s) transmission(s) :	automatique 5 rapports

DANS LA MÊME CATÉGORIE

Acura MDX - BMW X5 - Jeep Commander -
Land Rover LR3 - Mercedes-Benz Classe M -
Saab 9-7x - Volkswagen Touareg

DU NOUVEAU EN 2007

Moteur 3,5 litres, retouches esthétiques

NOS IMPRESSIONS

Agrément de conduite :	🚗🚗🚗🚗
Fiabilité :	🚗🚗🚗🚗
Sécurité :	🚗🚗🚗🚗½
Qualités hivernales :	🚗🚗🚗🚗
Espace intérieur :	🚗🚗🚗🚗
Confort :	🚗🚗🚗🚗

LE CHOIX DE L'ÉQUIPE

RX400h

---

puissance du moteur de base devrait donc logiquement se traduire par une augmentation similaire du moteur hybride, puisque normalement il est celui qui sert de base au rouage à vocation environnementale.

Dans un cas comme dans l'autre, il faut avouer que Lexus a bien relevé le défi. Les accélérations sont puissantes et souples, et le moteur se meut dans un silence parfois étonnant, alors que le temps de réponse est réduit presque à néant par l'utilisation d'un système d'accélération contrôlé électroniquement.

Tandis que le 400h est livré de série avec une transmission à rapports continuellement variables, c'est sur une bonne vieille boîte à cinq rapports bien étagée, bien que quelquefois lente à réagir, que compte la version à essence. Notons enfin que le freinage est assuré par des disques ventilés aux quatre roues, mais que la version hybride a une propension à un freinage un peu plus court, aidé au ralentissement par le système de récupération de l'énergie qui recharge les batteries.

STYLE SANS COMPROMIS

La vie dans un RX n'a rien de pénible. Les matériaux sont nobles, la finition bien au-delà de la moyenne, et le silence qui y règne, si ce n'est du système Lexus Premium à commandes redondantes au volant, est sans reproche. Il va de soi que les sièges sont aussi d'un grand confort, apportant un soutien adéquat bien qu'un peu relâché lorsque la trajectoire change trop brusquement. Et parce qu'il s'agit d'un multisegment, on a réservé un espace de chargement à l'arrière dont les dimensions, sans être imposantes, sont suffisantes.

Seule hésitation, les suspensions semblent à l'occasion offrir un peu trop de débattement pour jouir pleinement du confort de l'ensemble. Un roulis important se fera alors sentir en courbe, tellement que l'on a parfois une impression de sous-virage (ce qui, techniquement, n'est pas réellement possible puisque la voiture profite d'un rouage intégral de grande qualité).

Le roi est mort, vive le roi! dit la maxime. Cette fois, aucun risque, le roi est en bonne santé, et paraît plus que jamais déterminé à garder sa place en tête du peloton.

Marc Bouchard

Photos : Marc Bouchard

EN ATTENDANT MIEUX

Lancée en 2002, la Lexus SC 430 a demandé un certain temps d'adaptation puisque son style très bulbeux n'était pas pour tous les goûts. Puis, après s'être habitués, on a commencé à moins apprécier les limites de ce coupé cabriolet. En effet, le châssis n'est pas des plus rigides et la sportivité des lignes ne se ressent pas sur la route. Mais une Lexus décapotable demeure, pour plusieurs, le trophée d'une retraite bien méritée. Au moins, la qualité Lexus est au rendez-vous!

La Lexus SC 430 n'est pas une voiture déplaisante, loin de là. Mais quand on se bat contre des vedettes telles que les Mercedes-Benz SL, les BMW Série 6 et Cadillac XLR, il faut posséder de sérieuses munitions. Jusqu'à cette année, la SC 430 pouvait toujours soutenir la comparaison avec la vieillissante XK de Jaguar mais l'entreprise anglaise a eu la très mauvaise idée de nous arriver avec une voiture entièrement renouvelée, donc plus moderne. La SC 430, tel un oiseau rencontrant une raquette de tennis, en perd des plumes…

LE BON CÔTÉ

L'an dernier, la SC 430 a été très légèrement retouchée. Ceux qui appréciaient la ligne, continuent de l'apprécier et ceux qui la détestaient n'en sont guère plus entichés…

Bien entendu, le seul fait d'apposer le logo Lexus sur la calandre ordonne une finition sans faille et la branche de prestige de Toyota ne fait pas mentir sa réputation. Le toit rigide rétractable demeure une merveille de technologie mais, l'être humain moderne devenant rapidement blasé, on ne le remarque plus. À la simple pression d'un bouton, ce toit met 25 secondes pour rentrer dans le coffre ou pour venir coiffer le véhicule. Le coffre n'étant déjà pas très grand si le toit est relevé,

imaginez sa capacité lorsque ledit toit l'occupe… Quand le toit passe de l'intérieur à l'extérieur ou l'inverse, le système audio et le système de chauffage/climatisation s'ajustent automatiquement. La conduite avec le toit baissé s'avère des plus agréables et on peut soutenir une conversation sans avoir à élever le ton. Quand le toit est relevé, la visibilité est passablement réduite. Pour en revenir à la chaîne stéréo, il s'agit d'une Mark Levinson de 240 watts dont la sonorité, d'une richesse émouvante, saura satisfaire les oreilles les plus exigeantes.

C'est principalement dans l'habitacle que la SC 430 impressionne. La finition rendrait jaloux n'importe quel moine, mais ce sont les appliques de bois qui accrochent le regard. Ne me demandez surtout pas de quelle sorte de bois il s'agit! Mon expertise des arbres s'arrête aux bâtons de popsicle. L'équipement de base est pléthorique, rien de moins et il convient de souligner qu'il n'y a pas d'options sauf l'ensemble Pebble Beach qui apporte, moyennant environ 1 200 $, une couleur extérieure exclusive, un ensemble de valises en cuir et un bois brun foncé expresso (je ne crois pas que les bâtons de popsicle soient faits de ce bois…) Il est toutefois possible que certains agencements de couleurs agacent votre rétine. Parmi les accessoires standard, on retrouve le climatiseur à deux zones, du bois partout, du cuir partout et, comble du raffinement,

FEU VERT
Style particulier
Moteur performant
Équipement très complet
Finition exemplaire

FEU ROUGE
Style particulier
Châssis en manque de rigidité
Places arrière hilarantes
Sportivité nulle
Prix démentiel

des plaques de seuil de portières marquées du nom Lexus et éclairées! Les sièges avant profitent de dix réglages chacun et tiennent plus du fauteuil de salon que du mobilier automobile. Ceux situés à l'arrière tiennent plutôt du microscope…

« BOULEVARD CRUISER »

On ne dote pas une voiture aussi exclusive d'un moteur de tondeuse. La SC 430 profite d'un excellent et moderne V8 de 4,3 litres qui a déjà officié dans plusieurs Lexus. Dans la SC, il développe 288 chevaux et 317 livres-pied de couple. Sa douceur n'a d'égale que sa souplesse, et il propulse la SC 430 de zéro à 100 km/h en 6,5 petites secondes. Les reprises sont tout aussi enlevantes. Le tout s'effectue linéairement et ce moteur, tellement silencieux qu'il se fait oublier, semble toujours avoir quelques chevaux en réserve, peu importe son régime. Une seule transmission relaie tous ces chevaux aux roues arrière. Il s'agit d'une automatique à six rapports. Mais un moteur puissant n'est pas nécessairement gage de sportivité. Le châssis de la SC n'est tout simplement pas à la hauteur. Même avec le toit relevé, ce qui devrait ajouter une certaine rigidité, on entend des bruits de caisse dès qu'on roule sur une route dégradée. Si j'étais un journaliste de la Floride, je n'en ferais pas un plat mais étant Québécois… De plus, la SC est trop lourde pour être vraiment maniable et la direction ne jouit pas d'une précision adéquate. Sur une voiture de ce prix (près de 95 000 $), il est inutile de préciser que les assistances électroniques de toutes sortes veillent au grain (VSC, TRAC, ABS, EDB, BA et j'en passe). La tenue de route se révèle tout de même assez solide, en partie grâce aux pneus très larges (P245/40R18) cotés Z, donc capables de soutenir de hautes vitesses sans broncher.

Malgré un équipement de base des plus relevés, une finition maniaque, un moteur exaltant et un toit très bien exécuté, la Lexus SC 430 laisse l'amateur de voitures sport sur sa faim. Sur Internet, cet allié des moins fiables, on parle d'une SC 460 pour l'an prochain. Ce n'est pas d'un moteur plus performant dont cette Lexus a besoin… Nous croyons que la SC 430 est déjà arrivée au bout de son rouleau d'autant plus que la compétition est sans pitié. Une nouvelle génération serait la bienvenue.

Alain Morin

Photos : Lexus

VÉHICULE D'ESSAI

Version :	version unique
Prix de détail suggéré :	92 300 $ (2006)
Emp/Lon/Lar/Haut(mm):	2 620/4 534/1 825/1 350
Poids :	1 742 kg
Coffre/Réservoir :	249 litres / 75 litres
Coussins de sécurité :	frontaux et latéraux (av.)
Suspension avant :	indépendante, bras inégaux
Suspension arrière :	indépendante, bras inégaux
Freins av./arr. :	disque (ABS)
Antipatinage/Contrôle de stabilité :	oui/oui
Direction :	à crémaillère, assistance variable
Diamètre de braquage :	10,8 m
Pneus av./arr. :	P245/40R18
Capacité de remorquage :	non recommandé

MOTORISATION À L'ESSAI

Moteur :	V8 de 4,3 litres 32s atmosphérique
Alésage et course :	91,0 mm x 82,5 mm
Puissance :	288 ch (215 kW) à 5 600 tr/min
Couple :	317 lb-pi (430 Nm) à 3 400 tr/min
Rapport poids/puissance :	6,05 kg/ch (8,22 kg/kW)
Système hybride :	aucun
Transmission :	propulsion, automatique 6 rapports
Accélération 0-100 km/h :	6,5 s
Reprises 80-120 km/h :	4,9 s
Freinage 100-0 km/h :	36,6 m
Vitesse maximale :	250 km/h
Consommation (100 km) :	super, 12,5 litres
Autonomie (approximative) :	600 km
Émissions de CO2 :	5 520 kg/an

GAMME EN BREF

Échelle de prix :	92 300 $ (2006)
Catégorie :	coupé/cabriolet
Historique du modèle :	1ière génération
Garanties :	4 ans/80 000 km, 6 ans/110 000 km
Assemblage :	Tahara, Japon
Autre(s) moteur(s) :	aucun
Autre(s) rouage(s) :	aucun
Autre(s) transmission(s) :	aucune

DANS LA MÊME CATÉGORIE

Jaguar XK8 - Mercedes-Benz SL500

DU NOUVEAU EN 2007

Pas de changement majeur

NOS IMPRESSIONS

Agrément de conduite:	🚗🚗🚗½
Fiabilité:	🚗🚗🚗🚗½
Sécurité:	🚗🚗🚗
Qualités hivernales:	🚗🚗½
Espace intérieur:	🚗🚗½
Confort:	🚗🚗🚗

LE CHOIX DE L'ÉQUIPE

Version unique

SECOND DÉBUT

Il n'y a pas si longtemps, la meilleure recette chez Ford pour commercialiser un véhicule à succès était de produire un VUS. Donc l'Aviator, venu pour appuyer le Lincoln Navigator, était assuré d'être en aussi forte demande que ce dernier. Mais cela a été tout le contraire. Bien que quasi similaire au populaire Explorer de chez Ford, l'Aviator a été presque totalement ignoré à tel point qu'il a été retiré du marché. Malgré tout, les analystes de ce constructeur sont d'ailleurs certains que cette division se doit de proposer un VUS intermédiaire et cette tâche revient au MKX.

Il est intéressant de savoir que ce véhicule s'appelait l'Aviator jusqu'au mois de janvier 2006 alors que les responsables de la division Lincoln annonçaient que les véhicules de cette marque allaient dorénavant être identifiés par les deux lettres MK, pour Mark, et une autre lettre servant à désigner le modèle lui-même. Donc, l'Aviator dévoilé en avant-première en novembre est devenu le MKX quelques semaines plus tard, tandis que la Zephyr est devenue la MK Z. C'est à se demander si on connaît l'existence de la planification à long terme chez ce constructeur!

HOMMAGE À LEXUS

Vous connaissez sans doute ces groupes musicaux qui imitent les grandes formations de la chanson populaire du genre Hommage aux Beatles, Hommage à Pink Floyd, Hommage à Metallica et j'en passe. Ces musiciens jouent des répliques identiques des succès d'hier. Je suis persuadé que quelqu'un chez Lincoln a déjà fait partie de l'un de ces ensembles. En fait, le MK X pourrait être appelé «Hommage à la Lexus RX 350» tant ces deux véhicules ont des points en commun.

Sachez d'abord que ce VUS urbain intermédiaire est un monocoque et qu'il n'a pas les attributs de costaud du Navigator par exemple. Il faut davantage se tourner vers le Edge de Ford pour trouver des similitudes. Cela dit, la silhouette est fort élégante et de profil il est facile de trouver des ressemblances avec la RX 350. L'avant de la Lincoln est toutefois typique de cette marque avec une imposante grille de calandre toute chromée qui s'intègre bien au reste de la partie avant. Et contrairement à la tendance actuelle qui est d'incliner la calandre et d'utiliser des phares de route en forme d'amande, celle-ci est presque verticale et les blocs optiques sont rectangulaires. La partie arrière est tout en rondeurs, un peu à la RX 350. Je sais je me répète, mais c'est comme cela. Les stylistes ont fait appel à un déflecteur sur la partie supérieure du hayon afin de donner un peu plus de relief à la présentation. Le hayon est traversé de part en part par une bande lumineuse constituée de diodes électroluminescentes qui permet de se démarquer dans la circulation en plus de contribuer à la sécurité.

Les récents produits Lincoln ont mérité des critiques positives en fait de stylisme et les tableaux de bord ont également eu droit à des louanges. Celui du MK X ne fait pas exception à la règle même si c'est un peu trop austère. Les cadrans indicateurs carrés dans une nacelle assez profonde ne m'ont pas trop inspiré. Par contre, les appliques en bois de couleur pâle et les pièces métallisées de couleur titane s'harmonisent fort bien.

FEU VERT	FEU ROUGE
Silhouette agréable	Deux rangées de sièges seulement
Moteur puissant	Fiabilité inconnue
Transmission six rapports	Toit ouvrant géant non éprouvé
Équipement complet	Qualité initiale à déterminer
Habitacle polyvalent	

L'écran de navigation en plein centre de la console verticale est grand et son éclairage blanc, comme les instruments, a un effet apaisant. Il faut ajouter que les sièges sont à la fois chauffants et climatisés, tandis qu'un toit ouvrant de grande dimension permet de «communiquer avec la nature» pour citer les documents de presse. Par contre, le verre utilisé pour le pare-brise et les glaces latérales et celle du hayon est plus épais afin d'assurer une meilleure insonorisation.

La soute à bagages est de bonne dimension et il est possible d'abaisser les éléments du dossier 60/40 de la banquette arrière à l'aide de boutons placés sur les parois du coffre arrière. Mais je suis persuadé que le système audio visuel offert avec son ambiophonique doté de 14 haut-parleurs influencera davantage la décision des gens lors de l'achat.

MÉCANIQUE MODERNE

Traditionnellement, un VUS intermédiaire était dérivé d'une camionnette, avait un châssis à échelle, une suspension arrière rigide et un moteur tout en couple pour effectuer les travaux anticipés. Cette approche est passablement révolue avec l'utilisation de ces véhicules pour circuler en ville ou pour vaquer à des occupations quotidiennes. Les gens exigent plus de raffinement et de confort, ce qui explique l'utilisation d'une plate-forme monocoque et d'une suspension arrière indépendante, ce que possède le nouveau Mark X.

Il s'agit en fait d'une toute nouvelle plate-forme qui est également celle du Ford Edge qui sera lui aussi commercialisé au début de 2007. Et la mécanique aussi est nouvelle puisque le moteur offert est un V6 de 3,5 litres d'une puissance de 250 chevaux et couplé à une boîte automatique à six rapports. Nous sommes loin des moteurs à tiges et culbuteurs d'une époque pas trop lointaine... Complétons cette tournée de la mécanique en soulignant que le rouage intégral est automatique tandis que les phares avant sont directionnels. Reliés à la direction, ils se déplacent pour suivre le profil des virages.

Bref, cette fois, on a pris les moyens pour éviter le désastre de l'Aviator.

Denis Duquet

Photos : Alain Morin

VÉHICULE D'ESSAI

Version :	version unique
Prix de détail suggéré :	n.d.
Emp/Lon/Lar/Haut(mm) :	2 825/4 737/1 925/1 753
Poids :	2 004 kg
Coffre/Réservoir :	896 à 1 923 litres/75 litres
Coussins de sécurité :	frontaux, latéraux (av.) et rideaux
Suspension avant :	indépendante, jambes de force
Suspension arrière :	indépendante, multibras
Freins av./arr. :	disque (ABS)
Antipatinage/Contrôle de stabilité :	oui/oui
Direction :	à crémaillère, assistance variable
Diamètre de braquage :	12,5 m
Pneus av./arr. :	P245/60R18
Capacité de remorquage :	1 587 kg

Pneus d'origine MICHELIN

MOTORISATION À L'ESSAI

Moteur :	V6 de 3,5 litres 24s atmosphérique
Alésage et course :	92,5 mm x 86,7 mm
Puissance :	265 ch (198 kW) à 6 250 tr/min
Couple :	250 lb-pi (339 Nm) à 4 500 tr/min
Rapport poids/puissance :	7,56 kg/ch (10,28 kg/kW)
Système hybride :	aucun
Transmission :	intégrale, auto. mode man. 6 rapports
Accélération 0-100 km/h :	7,7 s (estimé)
Reprises 80-120 km/h :	6,7 s (estimé)
Freinage 100-0 km/h :	41,5 m (estimé)
Vitesse maximale :	190 km/h
Consommation (100 km) :	super, 12,7 litres (estimé)
Autonomie (approximative) :	591 km
Émissions de CO2 :	n.d.

GAMME EN BREF

Échelle de prix :	n.d.
Catégorie :	multisegment
Historique du modèle :	1ière génération
Garanties :	3 ans/60 000 km, 5 ans/100 000 km
Assemblage :	Oakville, Ontario, Canada
Autre(s) moteur(s) :	aucun
Autre(s) rouage(s) :	traction
Autre(s) transmission(s) :	aucune

DANS LA MÊME CATÉGORIE

Cadillac SRX - Infiniti FX35/45 - Mazda CX-9 - Subaru Tribeca - Volvo XC90

DU NOUVEAU EN 2007

Nouveau modèle

NOS IMPRESSIONS

Agrément de conduite :	données insuffisantes
Fiabilité :	nouveau modèle
Sécurité :	🚗 🚗 🚗 🚗 ½
Qualités hivernales :	🚗 🚗 🚗 🚗 ½
Espace intérieur :	🚗 🚗 🚗 🚗
Confort :	données insuffisantes

LE CHOIX DE L'ÉQUIPE

Version unique

LA RETRAITE APPROCHE

Votre vie professionnelle a été bien remplie et c'est avec le sentiment du devoir accompli que vous prendrez bientôt votre retraite. Il y a de fortes chances que vous profitiez de ce moment important pour renouveler votre voiture. Si la Mazda MX-5 ne vous dit rien, il est probable qu'un véhicule comme la Lincoln Town Car vous interpelle davantage. Vous serez fait pour bien vous entendre! Car la Town Car aussi pourrait prendre sa retraite bientôt!

En juillet dernier, lors d'un entretien avec quelques journalistes québécois, Mark Fields, le numéro deux de Ford, n'a pas voulu élaborer, ne serait-ce qu'un peu, sur le futur de la Town Car, répétant, laconiquement «Aucune décision n'a encore été prise». Pourtant, son avenir semble improbable (celui de la Town Car, pas celui de Fields!). L'usine de Wixom au Michigan qui fabrique cette voiture fermera ses portes l'été prochain... Il aurait donc été logique que la production soit transférée à celle de St-Thomas, en Ontario, où les chaînes de montage sont déjà prêtes pour ce type de véhicule puisqu'elles fabriquent déjà les Ford Crown Victoria et Mercury Grand Marquis, deux propulsions. Mais non! Ford restructure présentement ses activités selon le plan «Way Forward» (droit devant) et il se pourrait que la Lincoln Town Car n'y ait pas sa place. Il s'agit pourtant d'une sacrée bonne voiture, quasiment unique en son genre. Mais attendons, on ne sait jamais! Peut-être que Ford lui offrira un nouveau poste, l'obligeant ainsi à faire quelques années supplémentaires.

C'EST LONG LONGTEMPS

Soixante pour cent des Lincoln Town Car sont achetées par des flottes de taxi, des agences spécialisées dans le transport de dignitaires, des salons funéraires ou des firmes qui n'hésiteront pas à couper la voiture pour lui ajouter plusieurs centimètres supplémentaires et ainsi en faire une limousine. Mais pour monsieur ou madame Tout-le-Monde, la version courante avec ses 299 cm et, mieux, la version allongée de 314 cm, devrait faire amplement l'affaire. Les flottes de limousines ou de voituriers ont droit aux modèles Executive et Executive L, tandis que les particuliers ont le choix entre le Signature Limited, Signature L (allongé) et Designer Series.

Curieusement, si l'on se fie au site Internet de Ford, les livrées Signature Limited et Designers Series ne diffèrent que par des roues chromées, optionnelles dans le premier cas et de série dans l'autre. La Signature L, par contre, se distingue par sa préoccupation envers les occupants des places arrière puisqu'elle leur offre des commandes pour le système audio ainsi que pour la climatisation et le chauffage, des sièges chauffants, des miroirs avec lumière et un appuie-bras avec espace de rangement. Ceci en plus d'offrir pratiquement autant d'espace qu'un autobus dont on aurait gardé que les sièges de la dernière rangée et de la première! Car, bien qu'on soit porté à l'oublier, on retrouve aussi des sièges à l'avant. Pardon, une banquette. Car la Town Car est une six places. Lorsque la place centrale avant n'est pas prise, on y retrouve un large appuie-bras. Le cuir des sièges, tout comme l'ensemble des matériaux de l'habitacle, est d'une excellente qualité. Pour le style, par contre, on

VÉHICULE D'ESSAI

Version :	Signature Limited
Prix de détail suggéré :	58 199 $
Emp/Lon/Lar/Haut(mm) :	2 990/5 471/1 986/1 488
Poids :	1 971 kg
Coffre/Réservoir :	595 litres/72 litres
Coussins de sécurité :	frontaux, latéraux (av.) et rideaux
Suspension avant :	indépendante, bras inégaux
Suspension arrière :	essieu rigide, ressorts elliptiques
Freins av./arr. :	disque (ABS)
Antipatinage/Contrôle de stabilité :	oui/oui
Direction :	à crémaillère, assistance variable
Diamètre de braquage :	12,4 m
Pneus av./arr. :	P225/60R17
Capacité de remorquage :	680 kg

MOTORISATION À L'ESSAI

Pneus d'origine
MICHELIN

Moteur :	V8 de 4,6 litres 16s atmosphérique
Alésage et course :	90,2 mm x 90,0 mm
Puissance :	239 ch (178 kW) à 4 900 tr/min
Couple :	287 lb-pi (389 Nm) à 4 100 tr/min
Rapport poids/puissance :	8,25 kg/ch (11,2 kg/kW)
Système hybride :	aucun
Transmission :	propulsion, automatique 4 rapports
Accélération 0-100 km/h :	9,0 s
Reprises 80-120 km/h :	7,2 s
Freinage 100-0 km/h :	44,0 m
Vitesse maximale :	180 km/h
Consommation (100 km) :	ordinaire, 14,5 litres
Autonomie (approximative) :	497 km
Émissions de CO2 :	5 520 kg/an

GAMME EN BREF

Échelle de prix :	58 199 $ à 65 099 $
Catégorie :	berline grand format
Historique du modèle :	3ième génération
Garanties :	4 ans/80 000 km, 4 ans/80 000 km
Assemblage :	Wixom, Michigan, É-U
Autre(s) moteur(s) :	aucun
Autre(s) rouage(s) :	aucun
Autre(s) transmission(s) :	aucune

DANS LA MÊME CATÉGORIE

Cadillac DTS - Lexus LS 460

DU NOUVEAU EN 2007

Pas de changement majeur

NOS IMPRESSIONS

Agrément de conduite :	🚗 🚗 🚗
Fiabilité :	🚗 🚗 🚗 🚗
Sécurité :	🚗 🚗 🚗 🚗
Qualités hivernales :	🚗 🚗 🚗
Espace intérieur :	🚗 🚗 🚗 🚗 🚗
Confort :	🚗 🚗 🚗 🚗 ½

LE CHOIX DE L'ÉQUIPE

Signature Limited

---

repassera... D'un autre côté, la mode étant ce qui se démode le plus, on peut affirmer que l'habitacle de la Town Car est à la fine pointe de la mode puisqu'il ne l'a jamais été... Je me comprends. Le tableau de bord, par exemple, est d'une simplicité à en émouvoir un volontaire. À tout le moins, il s'avère fonctionnel en dépit d'une pléthore de commandes, et est de nature à plaire aux gens en âge de s'acheter une telle voiture. Quant au coffre, ses dimensions rappellent celles d'un avion-cargo malgré un design torturé. Il est, bien entendu, à ouverture et à fermeture électrique.

PUISQU'IL FAUT EN PARLER...

Le moteur, un V8 de 4,6 litres, développe 239 chevaux et un honorable 287 livres-pied de couple. D'une douceur incomparable et isolé du reste de la voiture, ce moteur, très fiable, est tributaire de belles accélérations. Une seule transmission est offerte et il s'agit d'une automatique (le mot « manuel » est banni du lexique de la Town Car !) à quatre rapports seulement. Mais puisque son fonctionnement ne cause aucun souci, nous ne mentionnerons pas que nous préférerions deux rapports supplémentaires, question d'économiser de l'essence. Ce n'est pas notre genre.

Les suspensions (ça, ça vous allume, hein ?) sont, évidemment, axées sur le confort plutôt que sur la tenue de route. À l'avant, on retrouve une suspension indépendante tandis que celle située à l'arrière est à essieu rigide, une solution technique dépassée mais qui permet d'obtenir un grand coffre. La direction, à défaut de se montrer très dégourdie, représente une nette amélioration sur celle qui officiait il y a cinq ou six ans. Quant aux freins, Ford leur a confié une mission quasiment impossible. Ralentir 2 000 kilos de 100 km/h à un arrêt complet demande un certain sang-froid de la part du conducteur. Même au chapitre de la sécurité, la Town Car semble un peu en retrait de la concurrence avec seulement quatre coussins gonflables pour les passagers avant et son contrôle de traction. Pourtant, cette voiture rafle constamment le maximum d'étoiles lors de tests de collision. C'est que, quoi qu'on dise, la grosseur a toujours une importance...

Il est fort possible que la Town Car nous quitte bientôt. Malgré de bonnes ventes, et peut-être à cause de ces bonnes ventes, la Town Car empêche la marque Lincoln de rajeunir son image. De plus, après 27 années de loyaux services, elle est sans doute mûre pour une retraite bien méritée.

Alain Morin

Photos : Lincoln

UNE LINCOLN PURE LAINE

Certaines compagnies ne font rien pour se faire des amis. Parfois elles produisent des véhicules dont le niveau de finition laisse à désirer. Mais parfois, plus simplement encore, elles s'organisent pour mettre sur pied une campagne de marketing qui va à l'encontre de ses propres clients. Prenons l'exemple, purement hypothétique, d'une voiture née l'année dernière, et achetée par quelques personnes. Si jamais l'année suivante, elle disparaissait pour céder sa place à une version renommée et remodelée, les anciens acheteurs seraient furieux. Non sans raison d'ailleurs.

Heureux acheteurs de Lincoln Zephyr, c'est exactement ce que Ford a concocté pour vous! Votre Zephyr tant aimée est devenue la MKZ en 2007 et même si mécaniquement on a conservé presque le même cœur, la grille avant a été entièrement transformée. Tant et si bien qu'il y a fort à parier que votre spécimen unique de Zephyr ait aujourd'hui perdu plus de valeur que vous ne pouvez en absorber.

La réalité cependant c'est que la Zephyr dans sa forme originale a trouvé tellement peu de preneurs que l'impact sera négligeable. Bien sûr, il y aura quelques mécontents, mais les autres ne jureront pas trop. On espère par contre que la nouvelle MKZ saura davantage toucher le cœur des gens (et leur mémoire pour ne pas confondre le nom avec l'utilitaire MKX par exemple) et que davantage d'unités seront vendues.

UN CŒUR PLUS MUSCLÉ

Dans les faits, la mécanique de la nouvelle MKZ a été modifiée, conservant le V6 de 3,5 litres, mais augmentant sa puissance à 263 chevaux. Il faut admettre que dans sa première mouture la Zep… non, la MKZ se montrait parfois hésitante en reprise, et on espère avoir corrigé cette lacune avec cette modification.

Mieux encore, c'est une transmission automatique à 6 rapports qui acheminera désormais la puissance aux roues. Peu de changement me direz-vous, ce qui est exact… et complètement faux! On affirme en effet du côté du constructeur avoir aussi légèrement remanié la transmission, de façon à lui donner un meilleur temps de réponse, et à la rendre plus apte à gérer les 40 chevaux supplémentaires de la voiture. Avouons tout de même que dans l'ancienne génération, elle constituait une des belles surprises du véhicule, et répondait déjà sans coup férir aux changements de situation. La nouvelle version utilise un contrôle électronique du couple, jumelé au contrôle électronique de la transmission, pour faire correspondre les vitesses de toutes les composantes. Avec cette précision, les changements de rapports sont presque imperceptibles.

Mais le point le plus décevant de la Zephyr, c'était cependant sa direction qui annihilait littéralement toute sensation de conduite. Ce qui représentait une bonne nouvelle pour les acheteurs, disons plus mûrs, qui avaient la Lincoln dans leur ligne de mire. Mais qui s'avérait une déception importante pour les acheteurs un peu plus dévergondés, qui voulaient profiter du luxe de la berline américaine, tout en pouvant s'amuser un peu à son volant.

FEU VERT
Reprises plus dynamiques
Transmission agréable
Confort de salon
Châssis plus rigide

FEU ROUGE
Direction engourdie
Texture des sièges irritante
Renommée à refaire
Coût d'achat élevé

La MKZ tente donc de répondre avec bonheur aux désirs de tout le monde. Pour ce faire, on a augmenté de plus de 20 % la rigidité structurelle du châssis, augmenté la dimension de la barre stabilisatrice, remodelé le ratio de la direction, et modifié le débattement des suspensions. Tous ces changements ont pour effet de permettre de mieux ressentir les mouvements de la voiture, et d'avoir un contact plus direct avec la chaussée sur laquelle elle circule.

Mieux encore, la nouvelle MKZ est désormais vendue en traction intégrale optionnelle, un mécanisme dit intelligent qui permet de transférer le couple aux quatre roues, avant même que le patinage ne survienne. Le temps de réaction de la transmission intégrale est, selon les bonzes du grand fabricant américain, inférieur à celui du Freestyle, pourtant bien pourvu dans ce domaine.

UNE LINCOLN PURE LAINE

Malgré ses modifications, la MKZ demeure une véritable Lincoln. On a préservé le niveau de luxe et la longue liste d'accessoires qui distinguent la bannière. Dans l'habitacle par exemple, la planche de bord propose des boiseries bien adaptées, des cadrans électroluminescents faciles à lire et la gamme complète de commandes au volant pour le système audio. Système qui, par ailleurs, n'est rien de moins que THX II.

Si tout comme moi, vous êtes profane en matière d'audio, la notion de THX ne vous dit peut-être rien. Mais c'est exactement la même technologie employée au cinéma pour rendre la sonorisation plus réaliste. Et même mon oreille peu musicale a pu remarquer la différence entre un système ordinaire et celui de la MKZ, doté de 14 haut-parleurs.

Les sièges de cuir offrent un confort acceptable, bien que parfois leur texture même rende le contact un peu moins réconfortant. L'espace est abondant, et quatre adultes s'assoiront avec aisance (l'accès à bord est facile) à l'intérieur de la cabine.

Mais Lincoln a beau essayer, personne ne s'y laissera prendre : la MKZ n'a rien d'une véritable berline sport comme l'est, par exemple, la Cadillac CTS. Bien sûr, elle est capable physiquement de s'y mesurer, mais la personnalité même de la marque touche encore et toujours davantage les acheteurs un tantinet plus conservateurs. Et je ne suis pas certain que le nouveau nom et la nouvelle grille y changeront quelque chose...

Marc Bouchard

Photos : Lincoln

VÉHICULE D'ESSAI

Version :	FWD
Prix de détail suggéré :	37 499 $
Emp/Lon/Lar/Haut (mm) :	2 728/4 839/1 834/1 453
Poids :	1 559 kg
Coffre/Réservoir :	1 500 litres/66 litres
Coussins de sécurité :	frontaux, latéraux (av.) et rideaux
Suspension avant :	indépendante, bras inégaux
Suspension arrière :	indépendante, multibras
Freins av./arr. :	disque (ABS)
Antipatinage/Contrôle de stabilité :	oui/oui
Direction :	à crémaillère, assistance variable
Diamètre de braquage :	12,2 m
Pneus av./arr. :	P225/50R17
Capacité de remorquage :	454 kg

MOTORISATION À L'ESSAI

Pneus d'origine MICHELIN

Moteur :	V6 de 3,5 litres 24s atmosphérique
Alésage et course :	92,5 mm x 86,7 mm
Puissance :	263 ch (196 kW) à 6 250 tr/min
Couple :	249 lb-pi (338 Nm) à 4 500 tr/min
Rapport poids/puissance :	5,93 kg/ch (8,04 kg/kW)
Système hybride :	aucun
Transmission :	traction, auto. mode man. 6 rapports
Accélération 0-100 km/h :	7,8 s
Reprises 80-120 km/h :	6,9 s
Freinage 100-0 km/h :	n.d.
Vitesse maximale :	210 km/h
Consommation (100 km) :	ordinaire, 12,0 litres
Autonomie (approximative) :	550 km
Émissions de CO2 :	4 848 kg/an

GAMME EN BREF

Échelle de prix :	36 999 $
Catégorie :	berline de luxe
Historique du modèle :	1ière génération
Garanties :	4 ans/80 000 km, 4 ans/80 000 km
Assemblage :	Hermosillo, Mexique
Autre(s) moteur(s) :	aucun
Autre(s) rouage(s) :	intégrale
Autre(s) transmission(s) :	aucune

DANS LA MÊME CATÉGORIE

Acura TL - Hyundai Azera - Jaguar X-Type - Kia Amanti - Nissan Maxima - Saab 9-5 - Volvo S60

DU NOUVEAU EN 2007

Nom Zéphyr abandonné, nouvelle calandre, moteur plus puissant, transmission améliorée, roues de 17 pouces

NOS IMPRESSIONS

Agrément de conduite :	🚗🚗🚗🚗
Fiabilité :	🚗🚗🚗🚗
Sécurité :	🚗🚗🚗🚗
Qualités hivernales :	🚗🚗🚗🚗
Espace intérieur :	🚗🚗🚗🚗
Confort :	🚗🚗🚗🚗

LE CHOIX DE L'ÉQUIPE

MKZ AWD

L'HÉRITAGE DE COLIN CHAPMAN

Enfin la voilà ! Elle nous a fait patienter cette Elise qui se retrouve maintenant en sol canadien alors qu'elle écume déjà les routes et surtout les circuits européens depuis plusieurs années, sa vocation étant plus celle d'un véritable jouet pour adultes que d'une voiture pour tous les jours. Fidèle à l'héritage de Colin Chapman, fondateur de Lotus et figure dominante de la Formule Un pendant plusieurs décennies, l'Elise respecte en tous points le credo de ce génie de la course automobile qui a toujours favorisé les poids plume plutôt que la puissance brute.

Quelle gueule sympathique ! L'Elise séduit par ses formes très typées et par sa taille réduite. À côté de la Porsche Cayman S qui en plus a l'air deux fois plus grosse, l'Elise semble tirée d'un dessin animé. Sous la couleur vive se cache une carrosserie réalisée en composite de fibre de verre qui repose sur un châssis en aluminium de 69 kilos seulement. Le poids total de la voiture est inférieur à 900 kilos et l'Elise est dotée d'un diffuseur à l'arrière au centre duquel sont localisés les échappements doubles. Habiles contorsions

On ne monte pas à bord de l'Elise, on y descend... En fait, s'installer dans cette voiture exige les mêmes contorsions que l'on exécute en montant dans une Formule 2000 de l'école de pilotage Jim Russell, et j'exagère à peine. Contrairement à la monoplace de course, en s'y asseyant, on ne peut pas retirer le volant de l'Elise, et comme les longerons inférieurs du châssis sont très larges, une certaine gymnastique - loin d'être élégante - est à prévoir. L'habitacle est à ce point exigu que plusieurs conducteurs de grande taille ne seront tout simplement pas capables de s'y asseoir, et que les autres s'y trouveront sans doute à l'étroit, à moins d'être familiers avec l'environnement spartiate et dépouillé d'une voiture de course. Un rapide coup d'œil permet en effet de constater que la dotation d'équipement de série est très faible, la chaîne stéréo avec lecteur CD ne

comptant que quatre haut-parleurs, et les rétroviseurs extérieurs étant ajustables à la main. Mais comme le luxe ou même le confort le plus élémentaire n'est pas l'apanage de l'Elise, on ne s'en formalisera pas trop tout en appréciant la parfaite disposition du pédalier qui facilite la manœuvre du talon-pointe au rétrogradage ou encore le fait que le levier de vitesse tombe parfaitement sous la main.

DÉLICATE À CONTRÔLER

Conduire l'Elise sur le Circuit Mont-Tremblant, c'est conduire une voiture aux réactions aussi vives et directes que celles d'une monoplace de type formule, tellement la voiture est incisive. La direction est ultraprécise et l'adhérence est tout simplement phénoménale, l'Elise étant capable d'atteindre 1,06 G en accélération latérale en virage. Elle demande cependant une grande précision de la part de son conducteur lorsque vient le temps d'explorer ses limites. En effet, il ne faut jamais perdre de vue que l'Elise est une voiture à moteur central et surtout que sa répartition de poids est de 39,1 pour cent sur le train avant et 60,9 pour cent sur le train arrière, ce qui est semblable à celle d'une monoplace de Formule 2000 et exactement le contraire d'une berline traditionnelle. Ainsi, il faut absolument éviter de lever le pied en virage car la voiture partirait alors en tête-à-queue avec une rapidité stupéfiante. Ayant eu

FEU VERT
Tenue de route délirante
Voiture ultra-légère
Freinage performant
Exclusivité assurée

FEU ROUGE
Délicate à piloter
Confort nul
Diffusion limitée

VÉHICULE D'ESSAI

Version :	version unique
Prix de détail suggéré :	49 990 $ (estimé)
Emp/Lon/Lar/Haut(mm) :	2 263/3 725/1 693/1 100
Poids :	896 kg
Coffre/Réservoir :	112 litres/48 litres
Coussins de sécurité :	frontaux
Suspension avant :	indépendante, bras inégaux
Suspension arrière :	indépendante, bras inégaux
Freins av./arr. :	disque (ABS)
Antipatinage/Contrôle de stabilité :	opt. /non
Direction :	à crémaillère, assistance variable
Diamètre de braquage :	10,0 m
Pneus av./arr. :	P175/55R16 / P225/45R17
Capacité de remorquage :	non recommandé

MOTORISATION À L'ESSAI

Moteur :	4L de 1,8 litre 16s atmosphérique
Alésage et course :	82,0 mm x 85,0 mm
Puissance :	190 ch (142 kW) à 7 800 tr/min
Couple :	138 lb-pi (187 Nm) à 6 800 tr/min
Rapport poids/puissance :	6,13 kg/ch (8,31 kg/kW)
Système hybride :	aucun
Transmission :	propulsion, manuelle 6 rapports
Accélération 0-100 km/h :	5,0 s
Reprises 80-120 km/h :	n.d.
Freinage 100-0 km/h :	33,0 m
Vitesse maximale :	240 km/h
Consommation (100 km) :	super, 12,8 litres
Autonomie (approximative) :	375 km
Émissions de CO2 :	4 160 kg/an

l'occasion non seulement de piloter l'Elise mais également d'accompagner des pilotes inexpérimentés à la découverte de cette sportive anglaise lors du Challenge Trioomph, je peux vous préciser qu'il est très difficile pour un novice de bien sentir la voiture puisque le roulis en virage est presque nul et que c'est là la première indication pour un conducteur inexpérimenté qu'il s'approche de la limite. Bref, l'Elise tient et tient encore jusqu'à ce qu'elle décroche presque sans avertissement. Je peux également vous dire que l'Elise n'aime pas vraiment la pluie, parce que ses pneus Yokohama Advan sont conçus afin d'offrir un maximum d'adhérence sur l'asphalte sec, et ne comportent que très peu de sillons pour évacuer l'eau puisqu'ils ressemblent quasiment à des pneus slicks de compétition. C'est un moteur Toyota qui a été retenu pour l'Elise et ce 4 cylindres de 1,8 litre développant 190 chevaux exige qu'on le cravache sérieusement pour en extraire sa cavalerie. En effet, la puissance maximale est obtenue à 7 800 tours/minute et le couple maximal n'arrive qu'à 6 800 tours/minute. Heureusement, les rapports de la boîte manuelle ont été sélectionnés de façon à ce que l'on puisse facilement faire tourner le moteur à plein régime. L'insonorisation étant inexistante, on a droit à une voiture qui peut vite s'avérer invivable pour l'automobiliste non averti !

Par ailleurs, Lotus a récemment entrepris aux États-Unis la commercialisation de l'Exige, qui est essentiellement une version coupé de l'Elise. Mais il est peu probable que ce modèle nous parvienne en sol canadien, Lotus devant d'abord s'assurer de sa conformité aux normes canadiennes ce qui entraîne un déboursé considérable qui n'est peut-être pas justifiable étant donné le marché limité pour ce modèle chez nous. Lotus entend également lancer la remplaçante de la défunte Esprit en 2008, un projet auquel travaillent présentement 160 employés. On se souviendra que la Esprit avait été rendue célèbre par son apparition dans le film de James Bond *The spy who loved me*, et que cette voiture qui a été produite pendant 28 ans est devenue pour plusieurs la figure emblématique de la marque. Cette nouvelle voiture rendrait donc hommage à la création originale de Giorgetto Giugiaro de 1972, mais le style serait résolument plus moderne puisqu'elle ressemblerait à l'actuelle Lamborghini Gallardo, selon plusieurs. Cette nouvelle sportive serait élaborée sur la base de la plate-forme flexible qui a servi au développement du véhicule-concept Lotus APX dévoilé au Salon de l'auto de Genève, et cette même architecture serait également retenue pour la prochaine Europa S.

Gabriel Gélinas

GAMME EN BREF

Échelle de prix :	49 990 $ (estimé)
Catégorie :	GT
Historique du modèle :	1ière génération
Garanties :	3 ans/60 000 km, 3 ans/60 000 km
Assemblage :	Hethel, Norwich, Angleterre
Autre(s) moteur(s) :	aucun
Autre(s) rouage(s) :	aucun
Autre(s) transmission(s) :	aucune

DANS LA MÊME CATÉGORIE
Modèle unique

DU NOUVEAU EN 2007
Nouveau modèle

NOS IMPRESSIONS

Agrément de conduite :	🚗 🚗 🚗 🚗½
Fiabilité :	🚗 🚗 🚗
Sécurité :	🚗 🚗 🚗
Qualités hivernales :	nulles
Espace intérieur :	🚗 🚗
Confort :	🚗 🚗

LE CHOIX DE L'ÉQUIPE
Version unique

Photos : Lotus

PATIENCE! PATIENCE!

Les constructeurs de voitures sport nous font souvent miroiter l'arrivée prochaine d'un nouveau modèle. En fidèles rapporteurs, nous vous transmettons l'information en soulignant que le présent modèle sera remplacé incessamment, pour finalement nous retrouver douze mois plus tard avec une voiture qui est toujours inchangée... C'est ce qui se produit avec ce duo Maserati. Cette fois, les rumeurs parlent d'un dévoilement qui devrait avoir lieu au Salon de l'auto de Genève en 2007 pour une commercialisation à l'automne 2007 en tant que modèle 2008.

Pour l'instant, l'édition 2007 nous revient pratiquement inchangée à l'exception d'un habitacle légèrement modifié. En attendant la relève de ces deux sportives dont la silhouette n'est pas particulièrement excitante, il est important de souligner que cette marque, qui était dans le giron de Ferrari depuis 1997, a été rachetée par Fiat en 2005. D'ailleurs, ces deux marques de prestige s'étaient échangé des composantes mécaniques dans le cadre de cette courte association. Il est tout de même curieux que Fiat rachète Maserati de sa filiale Ferrari alors qu'elle est en difficulté financière... Plusieurs parlent d'un jumelage avec Alfa Romeo. Le temps nous le dira.

TANDEM ÉNIGMATIQUE

Les carrossiers italiens nous ont toujours habitués au meilleur et au pire en fait de design automobile. Autant les formes des Ferrari sont envoûtantes, autant celles des Maserati Coupe et Spyder déçoivent. Si la partie avant est relativement intéressante, l'arrière est tout ce qu'il y a de plus banal. En fait, la laideur de ces voitures peut être considérée comme un élément de design! Et ci ce n'était du trident qui trône au centre de la grille de calandre, ces sportives se feraient durement critiquer. Imaginez si Hyundai nous présentait une voiture

affublée d'une telle silhouette, rares sont celles et ceux qui trouveraient quelque chose de positif à écrire!

Par contre, lorsque vient le temps de décrire la mécanique, c'est toute autre chose. En effet, le magnifique moteur V8 4,2 litres de 390 chevaux est non seulement une véritable sculpture mécanique qui fait triper les maniaques, mais c'est également un groupe propulseur qui assure des performances impressionnantes. Le tout en émettant une sonorité qui est de la musique aux oreilles des tifosi. Si une boîte manuelle six rapports est au catalogue, la boîte séquentielle CambioCorsa, elle aussi à six vitesses, est celle qui est le mieux adaptée. Et malgré ses allures de voitures de papy, les performances sont ahurissantes avec un temps de cinq secondes pour boucler le 0-100 km/h, tandis que la vitesse de pointe est de 283 km/h!

Il ne faut pas prendre non plus ces Maserati pour des bourgeoises en tenue sport. Leur suspension est ultraferme, les freins sont super puissants et leur comportement en virage est impressionnant. Le coupé est celui qui offre le meilleur comportement routier puisque la Spyder ne s'accommode pas d'avoir perdu son toit rigide. Et comme si c'était pour se faire pardonner de cette suspension ultraferme qui nous permet de

FEU VERT
Moteur puissant
Habitacle luxueux
Marque de prestige
Performances supérieures
Freins puissants

FEU ROUGE
Silhouette atroce
Places arrière inutiles (Coupé)
Suspension archi sèche
Fiabilité à revoir

déceler la moindre irrégularité sur la chaussée, les concepteurs nous ont concocté un habitacle tout de cuir garni qui est d'un luxe sans égal.

BOULE DE CRISTAL

Au cours des douze derniers mois, les rumeurs concernant les futures Maserati n'ont pas dérogé de celles qui circulaient l'an passé. Donc, selon toute vraisemblance, la plateforme utilisée serait dérivée de celle de la Quattroporte et modifiée pour en accentuer le caractère sportif. Et puisque ce petit constructeur n'a pas les moyens de concevoir un tout nouveau moteur et que le V8 actuel est excellent, on devrait se contenter d'augmenter la cylindrée de quelques centimètres cubes afin de pouvoir franchir le cap des 400 chevaux. Et il est certain que les suspensions à réglage électronique, déjà disponibles, seront encore améliorées, sans doute pour mieux tirer profit de cette motorisation et de cette nouvelle plate-forme.

Assurément, le design de la prochaine cuvée sera primordial pour le succès de ce duo. À ce jour, la renommée de la marque ainsi que le potentiel routier de leurs autos ont convaincu bien des gens, tandis que ceux qui se sont fait harponner par le trident de Maserati doivent avoir l'œil qui cloche. Toujours d'après les échos de couloir, le contact initial du design a d'abord été confié à la firme Italdesign, mais il semble que les résultats n'étaient pas assez audacieux au goût de la direction et ce serait Pininfarina qui aurait hérité de la tâche. Selon toute vraisemblance, il y aurait donc quelques affinités avec la Quattroporte qui est le modèle le plus populaire de la gamme. Cette approche permettrait également d'avoir un look plus homogène que présentement. En attendant, il faut se dire qu'à part une présentation extérieure moche, autant le Coupé que le Spyder constituent des voitures de haut de gamme offrant des performances vraiment dignes de mention. Et puis, une fois dans la voiture, l'allure extérieure n'a pas tellement d'importance, d'autant plus que l'habitacle est impeccable.

Denis Duquet

Photos: Maserati

VÉHICULE D'ESSAI

Version :	Coupé GranSport
Prix de détail suggéré :	145 000 $
Emp/Lon/Lar/Haut(mm) :	2 660/4 523/1 822/1 295
Poids :	1 710 kg
Coffre/Réservoir :	315 litres/88 litres
Coussins de sécurité :	frontaux et latéraux (av./arr.)
Suspension avant :	indépendante, bras inégaux
Suspension arrière :	indépendante, bras inégaux
Freins av./arr. :	disque (ABS)
Antipatinage/Contrôle de stabilité :	oui/oui
Direction :	à crémaillère, assistée
Diamètre de braquage :	11,5 m
Pneus av./arr. :	P235/35ZR19 / P265/30ZR19
Capacité de remorquage :	non recommandé

MOTORISATION À L'ESSAI

Moteur :	V8 de 4,2 litres 32s atmosphérique
Alésage et course :	92,0 mm x 79,8 mm
Puissance :	390 ch (298 kW) à 7 000 tr/min
Couple :	351 lb-pi (476 Nm) à 4 500 tr/min
Rapport poids/puissance :	4,28 kg/ch (5,82 kg/kW)
Système hybride :	aucun
Transmission :	propulsion, séquentielle 6 rapports
Accélération 0-100 km/h :	5,2 s
Reprises 80-120 km/h :	5,0 s
Freinage 100-0 km/h :	37,0 m
Vitesse maximale :	290 km/h
Consommation (100 km) :	super, 16,4 litres
Autonomie (approximative) :	537 km
Émissions de CO2 :	7392 kg/an

GAMME EN BREF

Échelle de prix :	113 500 $ à 138 500 $
Catégorie :	coupé/roadster
Historique du modèle :	1ère génération
Garanties :	3 ans/80 000 km, 3 ans/80 000 km
Assemblage :	Modène, Italie
Autre(s) moteur(s) :	aucun
Autre(s) rouage(s) :	aucun
Autre(s) transmission(s) :	manuelle 6 rapports

DANS LA MÊME CATÉGORIE

Jaguar XK8 - Lexus SC 430 - Mercedes-Benz CLK - Porsche 911

DU NOUVEAU EN 2007

Habitacle plus luxueux

NOS IMPRESSIONS

Agrément de conduite :	🚗🚗🚗🚗
Fiabilité :	🚗🚗🚗
Sécurité :	🚗🚗🚗🚗
Qualités hivernales :	🚗🚗
Espace intérieur :	🚗🚗🚗
Confort :	🚗🚗🚗

LE CHOIX DE L'ÉQUIPE

Coupé Cambiocorsa

VARIATIONS SUR THÈME

La destinée de Maserati étant maintenant jumelée à celle d'Alfa Roméo (toutes deux faisant partie du groupe Fiat), il faut s'attendre à ce que la prochaine génération des Coupé et Spyder trouvent leurs origines chez la marque au trèfle, mais pour ce qui est de l'actuelle Quattroporte, le lien avec Ferrari demeure très évident. En 2006, la marque au trident a développé deux nouvelles variantes de sa berline sport afin de mieux répondre à deux catégories d'acheteurs différents en proposant la Sport GT et la Executive GT.

Ainsi, l'électronique de la boîte manuelle à commande électro-hydraulique de la Sport GT a été modifiée de façon à réduire de 35 % le temps de passage des vitesses, et les calibrations de la suspension ont été adaptées aux nouvelles jantes de 20 pouces. De plus, la sonorité des échappements a été revue, le son du moteur étant maintenant plus présent à vitesse d'autoroute. Quant à l'Executive GT, on a simplement choisi d'y ajouter plusieurs équipements qui étaient précédemment offerts en option, soit les sièges avant chauffés et ventilés, ainsi que des commandes auxiliaires pour le système de chauffage/climatisation, des tablettes repliables et des stores pour les passagers arrière. Ces deux nouvelles versions ont pour but de concurrencer directement une étendue plus vaste de modèles en provenance de BMW, Jaguar, Mercedes-Benz et Porsche.

DANS LA BOULE DE CRISTAL

Pour l'année modèle 2007, Maserati offrira également une véritable transmission automatique en plus de la manuelle à commande électro-hydraulique afin de répondre aux attentes d'une certaine partie de la clientèle qui trouvait la boîte DuoSelect trop brusque. Dans un avenir plus lointain, il est possible qu'une autre version plus performante de la Quattroporte soit proposée avec le moteur V12 de 533 chevaux qui anime déjà la Ferrari 612 Scaglietti. En effet, certains observateurs ont aperçu des prototypes circulant dans la région de Stuttgart où les ingénieurs de Porsche agiraient à titre de consultants pour ce projet spécial. Également en vue, mais pour l'année modèle 2009 cette fois, l'arrivée d'un coupé GT qui sera élaboré à partir de la Quattroporte, afin de permettre à la marque au trident de concurrencer directement l'Aston Martin DB9, la Bentley Continental GT ou encore la Mercedes-Benz CL.

QUELQUES TOURS DE PISTE

Avec son groupe motopropulseur composé d'un V8 de 4,2 litres qui développe 400 chevaux et de la boîte DuoSelect, la Quattroporte est capable de performances inspirées en accélération, comme en témoigne un chrono de 5,2 secondes pour le sprint vers les 100 kilomètres/heure. Cette performance s'explique en partie par le fait que les ingénieurs ont retenu des rapports de boîte plutôt courts afin de profiter du fait que le couple maximum du moteur est développé à un régime élevé, soit 4500 tours/minute. Attendez-vous donc à une consommation de carburant qui ira de pair avec ces performances et qui est par conséquent plus élevée que celle des voitures rivales. Ayant eu l'occasion de boucler quelques tours du circuit Mont-Tremblant au volant de la Quattroporte, je peux vous préciser que le comportement routier de la voiture est

FEU VERT
Puissance du moteur
Comportement routier équilibré
Exclusivité assurée
Disponibilité de la boîte automatique

FEU ROUGE
Freinage peu endurant
Espace limité aux places arrière
Commandes multiples

résolument sportif, cette berline étant dotée d'une répartition des masses de 47 pour cent à l'avant et 53 pour cent à l'arrière, tout comme pour la Ferrari 612 Scaglietti. Cette répartition s'explique par la localisation du moteur qui est placé derrière l'axe des roues avant alors que la boîte de vitesses et le différentiel sont jumelés au train arrière. Le seul handicap pour la conduite sur circuit demeure l'endurance des freins, ce qui est également le cas pour la plupart des berlines de grande taille. En conduite sur route, l'endurance des freins ne pose aucun problème et la Quattroporte séduit également par la grande précision de sa direction.

Certains observateurs lui trouveront cette élégance un brin désinvolte parfois typique des réalisations italiennes, alors que le style de la Quattroporte semblera presque tarabiscoté pour d'autres. La calandre surdimensionnée arbore fièrement le célèbre trident, tandis que les trois ouvertures pratiquées juste derrière les ailes avant ainsi que la forme quasi triangulaire du pilier «C» sont typiques de l'héritage Maserati et assurent ainsi la filiation avec les modèles précédents.

Le design de l'habitacle permet à la Quattroporte de se démarquer de ses rivales. Ici, l'acheteur devra faire un choix parmi dix teintes différentes pour le cuir, mais il devra aussi apprendre à composer avec la multitude de boutons agencés sur la planche de bord. Quant aux passagers arrière, ils se trouveront plus à l'étroit qu'à bord d'une Audi A8L ou d'une BMW Série 7 à empattement allongé, et le coussin de la banquette leur semblera très ferme. Ils pourront cependant se consoler avec l'inclinaison variable du dossier.

Maserati ayant vendu 3 500 exemplaires de sa Quattroporte à travers le monde en 2005, la direction entend rehausser ses variantes plus typées Sport GT et Executive GT. De plus, le fait qu'une véritable transmission automatique soit également proposée aux acheteurs devrait permettre une diffusion élargie à cette berline sport.

Gabriel Gélinas

MASERATI QUATTROPORTE

VÉHICULE D'ESSAI

Version :	GT
Prix de détail suggéré :	135 000 $
Emp/Lon/Lar/Haut(mm) :	3 065/5 050/1 895/1 440
Poids :	1 930 kg
Coffre/Réservoir :	450 litres / 90 litres
Coussins de sécurité :	frontaux, latéraux (av.) et rideaux
Suspension avant :	indépendante, bras inégaux
Suspension arrière :	indépendante, bras inégaux
Freins av./arr. :	disque (ABS)
Antipatinage/Contrôle de stabilité :	oui/oui
Direction :	à crémaillère, assistée
Diamètre de braquage :	12,3 m
Pneus av./arr. :	P245/45ZR18 / P285/40ZR18
Capacité de remorquage :	non recommandé

MOTORISATION À L'ESSAI

Moteur :	V8 de 4,2 litres 32s atmosphérique
Alésage et course :	92,0 mm x 79,8 mm
Puissance :	400 ch (298 kW) à 7 000 tr/min
Couple :	333 lb-pi (452 Nm) à 4 500 tr/min
Rapport poids/puissance :	4,83 kg/ch (6,56 kg/kW)
Système hybride :	aucun
Transmission :	propulsion, séquentielle 6 rapports
Accélération 0-100 km/h :	5,2 s
Reprises 80-120 km/h :	4,8 s
Freinage 100-0 km/h :	38,0 m
Vitesse maximale :	275 km/h
Consommation (100 km) :	super, 17,5 litres
Autonomie (approximative) :	514 km
Émissions de CO2 :	8 064 kg/an

GAMME EN BREF

Échelle de prix :	135 000 $
Catégorie :	berline de grand luxe
Historique du modèle :	5ième génération
Garanties :	3 ans/80 000 km, 3 ans/80 000 km
Assemblage :	Modène, Italie
Autre(s) moteur(s) :	aucun
Autre(s) rouage(s) :	aucun
Autre(s) transmission(s) :	automatique

DANS LA MÊME CATÉGORIE

BMW Série 7 - Jaguar XJ8 - Lexus LS 460 - Mercedes-Benz Classe S

DU NOUVEAU EN 2007

Pas de changement majeur

NOS IMPRESSIONS

Agrément de conduite :	🚗 🚗 🚗 🚗
Fiabilité :	🚗 🚗 🚗 ½
Sécurité :	🚗 🚗 🚗
Qualités hivernales :	🚗
Espace intérieur :	🚗 🚗 🚗
Confort :	🚗 🚗 🚗 ½

LE CHOIX DE L'ÉQUIPE

Sport GT

Photos : Maserati

UNE VOITURE « SPEZIAL »

Cette année, la gamme Maybach s'enrichit d'un nouveau modèle, la 57S. Cette version a été ajoutée à la famille de grosses berlines parce que plusieurs propriétaires qui conduisent leur Maybach ont manifesté le désir de rouler au volant d'une voiture plus performante et plus sportive. Vous avez bien lu, plus sportive. Une Maybach sportive ! C'est l'oxymoron de la décennie. Mais pour contourner quelque peu la situation et surtout pour ne pas devoir accoler l'épithète « Sport » à une berline de deux tonnes et demie, le « S » de la 57 S signifie « Spezial ».

Et cette voiture est spéciale en raison de la puissance de son moteur et d'une suspension raffermie. Et vous l'avez devinez, si vous ne le saviez pas auparavant, le modèle 57 chez Maybach est celui qui est le plus court et qui se prêtait le mieux à cette musculation mécanique. Et pour terminer mon explication, la 62 est la voiture la plus longue, la plus lourde mais pas nécessairement la plus puissante des deux. Le muscle, c'est l'affaire de la « Spezial ».

CINQ SECONDES !

Cinq secondes ! C'est le temps que met la 57S pour atteindre 100 km/h départ arrêté. C'est impressionnant, mais quand on sait que la voiture pèse 2 780 kg, ça l'est encore plus. Vous voulez doubler, le 80-120 km/h est bouclé en 3,2 secondes dixit Maybach. Et cette vélocité n'est pas le fruit du hasard, mais une simple application des lois de la physique impliquant une masse et la puissance nécessaire pour la déplacer. Pour ce faire, les ingénieurs de AMG ont concocté une version encore plus musclée du moteur V12 dont la cylindrée a été portée à 6 litres et la puissance à 612 chevaux. Ce moteur est assemblé à la main chez AMG et comprend plusieurs nouvelles pièces réalisées dans des alliages fort exotiques. Il est presque accessoire de le mentionner, mais la consommation annoncée par le constructeur est de 16,4 litres aux 100 km. Ce qui signifie sans

doute qu'elle est plus près de 20 litres aux 100 km en conduite normale. C'est-à-dire lorsque le conducteur ne peut résister à la tentation de solliciter toute cette cavalerie de manière un peu plus sportive.

Et pour répondre aux demandes de la clientèle, la suspension a été raffermie. Les ingénieurs ont donc utilisé des barres antiroulis plus grosses, modifié la programmation du système de suspension adaptative ADS II et fait appel à des jantes spéciales de 20 pouces garnies de pneus Michelin Pilot Sport. Résultat : la voiture est plus stable dans les virages, s'accroche davantage et freine mieux. Je n'ai pas eu le privilège de conduire une « S », mais un confrère américain de chez Road & Track m'a résumé son expérience en ces termes : « Ça donne les mêmes sensations que de conduire un camion Freightliner de course sur un circuit routier. C'est gros en diable mais ça accroche. »

Malgré son caractère relativement plus pointu, la 57S peut être commandée avec encore plus de choix d'options et de personnalisations que les versions « ordinaires » que sont les 57 et 62. Et si vous voulez passer pour une personne branchée lors de l'achat de votre prochaine 57S, sachez que la couleur « noir laque de piano » est la rage par les temps qui courent !

FEU VERT
Performances élevées
Luxe à gogo
Exclusivité garantie
Habitabilité
Possibilité d'individualisation

FEU ROUGE
Boîte automatique 5 rapports
Silhouette quelconque
Prix indécent
Agrément de conduite mitigé
Consommation pour riches

LE MENU FRETIN !

Après la «Spezial», les modèles ordinaires de la 57 et de la 62 passent pour du menu fretin ou presque. J'admets que c'est un peu exagéré quand le prix de base de la 57 la plus économique est tout près de 400 000 $ canadiens. Et si cela peut vous influencer, le prix des Maybach est toujours affiché en dollars américains, une devise qui est la référence mondiale et puisque notre dollar ne se comporte pas trop mal face aux billets verts de Washington, cela permettra peut-être d'amortir le choc et les coûts.

Mais je ne crois pas que cela fasse grande différence pour les vrais acheteurs de ces voitures. Pour eux, plus c'est cher, meilleur c'est. Donc pas question de prix réduits. Mais revenons à nos deux belles germaniques qui sont toutes deux propulsées par un gros moteur V12 biturbo de 5,5 litres dont la puissance est de 550 chevaux. Ce qui est tout de même impressionnant même si la 57 S en propose 62 de plus. Curieusement, pour une marque qui se pique d'être à l'avant-scène de la technologie, toutes les Maybach sont livrées avec une boîte automatique à cinq rapports. Ce qui est plutôt embêtant compte tenu du prix. La nouvelle Mercedes-Benz de Classe S est dotée d'une boîte à sept rapports, tandis que la Lexus LS 460 a une transmission à huit rapports en plus de se stationner quasiment toute seule !

J'ai eu l'occasion de piloter une 62 et je dois avouer que ce qui m'a le plus intimidé, c'était la crainte de me faire rentrer dedans. Le comportement routier est correct, d'autant plus que je ne crois pas que les propriétaires de Maybach se la procurent pour participer à des gymkhanas, mais le prix demandé n'est pas pour l'expérience derrière le volant. L'acheteur éventuel sera davantage attiré par le prestige de la marque et surtout par la possibilité de personnaliser son gros bateau au maximum que ce soit en fait de couleur, de catégorie de cuir, d'accessoires électroniques ou autres joujoux du même genre.

Et tout récemment, une enquête a démontré que la marque Maybach était la plus prestigieuse de toutes dans les domaines des produits de luxe, tous secteurs confondus. Et pour bon nombre de milliardaires, c'est la principale raison pour s'en procurer une...

Denis Duquet

Photos : Maybach

VÉHICULE D'ESSAI

Version :	57 S
Prix de détail suggéré :	380 000 $ (US)
Emp/Lon/Lar/Haut(mm) :	3 391/5 723/1 981/1 575
Poids :	2 744 kg
Coffre/Réservoir :	420 litres / 110 litres
Coussins de sécurité :	front., latéraux, rideaux et genoux
Suspension avant :	indépendante, bras inégaux
Suspension arrière :	indépendante, multibras
Freins av./arr. :	disque (ABS)
Antipatinage/Contrôle de stabilité :	oui / oui
Direction :	à billes, assistée
Diamètre de braquage :	13,4 m
Pneus av./arr. :	P275/45R20
Capacité de remorquage :	non recommandé

MOTORISATION À L'ESSAI

Pneus d'origine **MICHELIN**

Moteur :	V12 de 6,0 litres 36s biturbo
Alésage et course :	82,5 mm x 93,0 mm
Puissance :	604 ch (450 kW) à 4 800 tr/min
Couple :	738 lb-pi (1 001 Nm) de 2 000 à 4 000 tr/min
Rapport poids/puissance :	4,54 kg/ch (6,17 kg/kW)
Système hybride :	aucun
Transmission :	propulsion, auto. mode man. 5 rapports
Accélération 0-100 km/h :	5,0 s (constructeur)
Reprises 80-120 km/h :	3,2 s (constructeur)
Freinage 100-0 km/h :	39,2 m
Vitesse maximale :	250 km/h
Consommation (100 km) :	super, 16,4 litres (constructeur)
Autonomie (approximative) :	671 km
Émissions de CO2 :	7 660 kg/an

GAMME EN BREF

Échelle de prix :	380 000 $ (US)
Catégorie :	berline de grand luxe
Historique du modèle :	1ière génération
Garanties :	4 ans/km illimité, 4 ans/km illimité
Assemblage :	Sindelfingen, Allemagne
Autre(s) moteur(s) :	V12 5,5l 543ch/664lb-pi (16,7 l/100km)
Autre(s) rouage(s) :	aucun
Autre(s) transmission(s) :	aucune

DANS LA MÊME CATÉGORIE

Bentley Arnage - Mercedes-Benz Classe S - Rolls-Royce Phantom

DU NOUVEAU EN 2007

Nouvelles options

NOS IMPRESSIONS

Agrément de conduite :	🚗🚗🚗
Fiabilité :	🚗🚗🚗🚗🚗
Sécurité :	🚗🚗🚗🚗🚗
Qualités hivernales :	🚗🚗🚗
Espace intérieur :	🚗🚗🚗🚗
Confort :	🚗🚗🚗🚗🚗

LE CHOIX DE L'ÉQUIPE

57 S

Voiture
économique

TOUJOURS AFFUTÉE

On a tous un voisin ou une belle-sœur à qui tout sourit. Cette personne réussit tellement bien qu'au lieu d'en être fier, on en est plutôt jaloux... C'est sans doute ce sentiment peu honorable qui envahit les concurrentes de la Mazda3 ! Introduite en 2004, cette voiture a connu un succès immédiat et bien mérité. Un look intéressant mais pas trop flyé, un châssis très bien né, des moteurs adéquats, et un plaisir de conduite de haut niveau ont fait de la Mazda3 la chouchou des Québécois même si la fiabilité, au début, n'était pas parfaite.

P uisqu'on ne modifie pas une recette gagnante, Mazda n'apporte, cette année, que de très subtils changements à sa 3, cosmétiques pour la plupart. On a aussi un peu remanié les groupes d'options. Rien pour écrire à sa mère. On retrouve donc la Mazda3 ordinaire (lire berline) et un joli hatchback, surnommé Sport. Deux moteurs de quatre cylindres se disputent les honneurs pour la berline. Les modèles de base reçoivent un 2,0 litres de 148 chevaux et 135 livres-pied de couple. Ses performances sont tout à fait correctes dans la plupart des situations. Pour un peu plus de pep, on peut toujours se rabattre sur le 2,3 litres de 156 chevaux. Vous remarquerez que la puissance est moindre que l'année dernière. En fait, il s'agit de la même puissance mais calculée selon les nouveaux standards de la SAE. Les accélérations avec le 2,3 sont certes plus vives mais c'est surtout en souplesse que ce moteur se distingue. Par contre, il consomme environ un demi-litre de plus aux cent kilomètres. Déjà que ces moteurs ne sont pas des modèles de frugalité... Au chapitre des transmissions, autant la manuelle que l'automatique s'avèrent des choix gagnants. La première possède cinq rapports tandis que la deuxième en présente quatre ou cinq selon la version choisie. La manuelle se manipule avec joie alors que les automatiques ont le bonheur de se faire oublier. La version Sport, elle, ne propose que le 2,3 litres.

COMME UNE VOLKS !

Tous ceux qui ont déjà conduit une Volkswagen Golf (pardon, Rabbit...) ne seront pas dépaysés par le comportement routier de la Mazda3. Le châssis fait preuve d'une rigidité qui ferait plaisir à tante Louise, surtout depuis que tonton Gilles... Enfin, passons. La direction s'avère vive et précise, le freinage adéquat (l'ABS est désormais offert sur TOUTES les Mazda3) et les suspensions, un peu dures, avouons-le, assurent une tenue de route relevée. Les pneus de 16" font partie de l'équipement de base mais il est possible d'opter pour des pneus 17" au profil assez bas (50). Ces pneus, plus dispendieux, garantissent peut-être une tenue de route encore meilleure mais ils atténuent davantage le confort.

Dans l'habitacle, l'excellence se poursuit. La finition est fort bien exécutée, les plastiques de belle qualité et le design du tableau de bord n'ont rien à envier à des voitures de luxe beaucoup plus dispendieuses. D'ailleurs, la nuit, les cadrans et commandes se parent d'un rouge et d'un bleu du plus bel effet. L'accès aux places avant peut s'avérer douloureux pour les grandes personnes qui risquent de se cogner le coco sur le pilier « A », situé entre le pare-brise et les vitres latérales. Les sièges des quelques Mazda3 essayées étaient confortables malgré leur dureté. Ils supportent bien en virage, mais le tissu qui recouvrait ceux des

FEU VERT
Comportement routier agréable
Finition sérieuse
MazdaSpeed3 = dynamite sur roues
Moteurs bien adaptés
ABS désormais généralisé

FEU ROUGE
Consommation exagérée
Version GT dispendieuse
Accès aux places arrière ardu
Petite ouverture du coffre

VÉHICULE D'ESSAI

Version :	Sport GT
Prix de détail suggéré :	22 645 $
Emp/Lon/Lar/Haut(mm) :	2 640/4 540/1 755/1 465
Poids :	1 272 kg
Coffre/Réservoir :	323 litres/55 litres
Coussins de sécurité :	frontaux et rideaux gonflables
Suspension avant :	indépendante, jambes de force
Suspension arrière :	indépendante, multibras
Freins av./arr. :	disque (ABS)
Antipatinage/Contrôle de stabilité :	non/non
Direction :	à crémaillère, assistée
Diamètre de braquage :	10,4 m
Pneus av./arr. :	P205/50R17
Capacité de remorquage :	non recommandé

versions moins dispendieuses attirait les cheveux et les poussières comme c'est pas possible. On prévoit de nouveaux tissus cette année. La position de conduite se trouve rapidement, gracieuseté d'un siège ajustable en hauteur et en profondeur, tout comme le volant, et ce, sur tous les modèles. Les places arrière sont moins heureuses. Elles demandent certaines contorsions pour accéder à une banquette un peu dure. L'espace pour les pieds et les jambes est suffisant pour autant que les sièges avant ne soient pas trop reculés, mais les grands six pieds se frotteront la tête sur le plafond à cause de la ligne du toit. Le coffre à gants mérite vraiment son titre de coffre, tout comme celui situé à l'arrière. Il est certes possible d'agrandir davantage le volume de ce dernier en abaissant les dossiers de la banquette arrière mais son ouverture demeure toujours trop petite. Naturellement, la Sport, qui est, en réalité, une hatchback, ne présente pas ce problème. Côté sécurité, pas question pour la 3 de se laisser damer le pion par la concurrence. Désormais, tous les modèles reçoivent, de série, des rideaux gonflables.

UNE MAZDA3 À LA SAUCE SPEED

Au début de ce texte nous mentionnions que la Mazda3 ne changeait pratiquement pas pour 2007. Mais on note un ajout à la gamme, et de taille ! Après avoir concocté une Mazda6 ultra sportive, la MazdaSpeed6, voici que le constructeur japonais remet ça avec une MazdaSpeed3 ! La division Speed de Mazda équivaut un peu à M pour BMW ou SRT pour Chrysler. La MazdaSpeed3 berline, produite en petite série, se démarquera de la 3 ordinaire par divers décalques ou ajouts aérodynamiques et par son rouge franc, pour reprendre le nom donné par Mazda à cette couleur exclusive. L'habitacle aussi connaîtra sa part d'altérations. Mais c'est surtout sur la mécanique que les ingénieurs nippons se sont concentrés. Imaginez un quatre cylindres 2,3 litres turbo qui devrait développer aux alentours de 250 chevaux selon certaines sources. Les roues avant demeureront motrices tandis que la transmission manuelle aura six rapports. Les freins, les suspensions et le châssis ont, naturellement, été corrigés pour pouvoir accepter une telle augmentation de puissance.

Malgré la compétition qui se raffine (pensons à la nouvelle Honda Civic apparue l'an dernier), la Mazda3 continue son chemin la tête haute, et avec raison. Heureusement, les problèmes de fiabilité des débuts semblent chose du passé. Alors, profitons de la vie !

Alain Morin

MOTORISATION À L'ESSAI

Moteur :	4L de 2,3 litres 16s atmosphérique
Alésage et course :	87,5 mm x 94,0 mm
Puissance :	156 ch (119 kW) à 6 500 tr/min
Couple :	150 lb-pi (203 Nm) à 4 500 tr/min
Rapport poids/puissance :	7,95 kg/ch (10,78 kg/kW)
Système hybride :	aucun
Transmission :	traction, automatique 5 rapports
Accélération 0-100 km/h :	8,2 s
Reprises 80-120 km/h :	7,8 s
Freinage 100-0 km/h :	40,0 m
Vitesse maximale :	188 km/h
Consommation (100 km) :	ordinaire, 9,6 litres
Autonomie (approximative) :	573 km
Émissions de CO2 :	3 923 kg/an

GAMME EN BREF

Échelle de prix :	16 495 $ à 21 695 $
Catégorie :	berline compacte/familiale
Historique du modèle :	1ière génération
Garanties :	3 ans/80 000 km, 5 ans/100 000 km
Assemblage :	Hiroshima, Japon
Autre(s) moteur(s) :	2,3l 148ch/135lb-pi (9,1 l/100km)
	4L 2,3l 250ch/280lb-pi (11,8l/100km) (Speed3)
Autre(s) rouage(s) :	aucun
Autre(s) transmission(s) :	manuelle 5 rapports /
	automatique 4 rapports / manuelle 6 rapports

DANS LA MÊME CATÉGORIE

Chevrolet Optra - Ford Focus - Honda Civic - Kia Spectra Mitsubishi Lancer - Nissan Sentra - Subaru Impreza - Toyota Corolla

DU NOUVEAU EN 2007

MazdaSpeed3 à venir, freins ABS avec répartiteur électronique, quelques détails de présentation

NOS IMPRESSIONS

Agrément de conduite :	🚗 🚗 🚗 🚗 ½
Fiabilité :	🚗 🚗 🚗 🚗
Sécurité :	🚗 🚗 🚗 🚗
Qualités hivernales :	🚗 🚗 🚗 ½
Espace intérieur :	🚗 🚗 🚗 ½
Confort :	🚗 🚗 🚗 🚗

LE CHOIX DE L'ÉQUIPE   GT

Photos : Mazda

TITRE MÉRITÉ

L'an dernier, Le Guide de l'auto 2006 décernait à la Mazda5 le titre de véhicule de l'année alors que la majorité des regroupements de journalistes et des publications spécialisées accordait ce titre à la Honda Civic. Cette dernière est une remarquable voiture et loin de moi l'idée de critiquer le choix de mes collègues. Par contre, si la Mazda5 l'a devancée dans notre jugement, c'est qu'il s'agit d'un excellent véhicule en premier lieu et, en second lieu, d'un concept fort ingénieux permettant de transporter plusieurs personnes dans un véhicule de format relativement petit.

D'ailleurs, il n'y a pas que l'équipe du Guide qui a apprécié cette fourgonnette compacte puisque les ventes tant au Québec qu'au Canada ont prouvé que le public était d'accord avec ce concept. Mazda a fait la preuve qu'il n'est pas nécessaire de concevoir un mastodonte pour transporter six personnes. Ce véhicule possède un bel équilibre et un amalgame de qualités qui l'ont placé en tête.

UNE ANNÉE PLUS TARD

Il est arrivé par le passé que nous nous soyons emballés pour un modèle pour le regretter par la suite. J'ai en tête une Nissan Pulsar modulaire dont le concept était intéressant au tout début, mais qui nous a fait regretter notre choix ultérieurement tant la voiture a mal vieilli au cours des 12 mois qui ont suivi. Ce n'est heureusement pas le cas de la Mazda dont la silhouette est encore dans le coup. Les feux arrière surélevés à lentille cristalline étaient un point d'interrogation, mais au fil des mois, cette caractéristique continue de plaire et ne fait toujours pas élément rapporté. Au contraire, d'autres manufacturiers ont emboîté le pas. Le tableau de bord était un autre point d'interrogation avec sa console centrale accrochée au tableau de bord et dont le recouvrement de couleur titane était un candidat idéal pour les éraflures et une détério-

ration rapide du fini. Même si notre véhicule d'essai à long terme a subi quelques éraflures très légères, le bilan à cet égard est quand même positif. De plus, l'utilisation d'appliques de cette couleur se multiplie sur les autres marques. Par contre, le tableau indicateur superposant cette console est toujours aussi vulnérable aux rayons de soleil.

Mais avant de parler de conduite et de comportement routier, précisons que c'est le caractère utilitaire de la 5 qui demeure son point fort. En premier lieu, les portes coulissantes sont très légères, ce qui les rend faciles à ouvrir ou fermer. De plus, la version GT est équipée de portières coulissantes pourvues d'une assistance électrique en fin de course favorisant ainsi leur fermeture. C'est beaucoup mieux à mon avis que les lourdes portières à commandes électriques des grosses fourgonnettes qui prennent un temps fou à s'ouvrir ou se fermer. Enfin, le hayon arrière dont la hauteur peut être augmentée de quelques centimètres pour accommoder les grandes personnes est une autre trouvaille intéressante. Il est vrai par contre que les places de la troisième rangée de sièges ne sont destinées qu'à de petits gabarits, mais ça dépanne. Il faut également souligner que les sièges de la rangée médiane sont très confortables et dotés d'un appuie-coude. Bref, on retrouve pratiquement tous les éléments propres à une fourgonnette de grandeur normale

FEU VERT
Polyvalence assurée
Bonne tenue de route
Mécanique éprouvée
Prix alléchant
Six places

FEU ROUGE
Boîte auto 5 rapports non offerte
Affichages oblitérés par le soleil
Troisième rangée minimaliste
Direction engourdie

VÉHICULE D'ESSAI

Version :	GS
Prix de détail suggéré :	20 995 $
Emp/Lon/Lar/Haut (mm) :	2 750/4 610/1 755/1 630
Poids :	1 512 kg
Coffre/Réservoir :	1 256 litres/60 litres
Coussins de sécurité :	frontaux, latéraux (av.) et rideaux
Suspension avant :	indépendante, jambes de force
Suspension arrière :	indépendante, multibras
Freins av./arr. :	disque (ABS)
Antipatinage/Contrôle de stabilité :	non/non
Direction :	à crémaillère, assistance variable électrique
Diamètre de braquage :	10,6 m
Pneus av./arr. :	P205/50R17
Capacité de remorquage :	non recommandé

en plus de posséder de multiples espaces de rangement. Il est même possible de ranger des objets dans un compartiment « secret » placé sous les sièges individuels arrière.

AGILE ? CERTAINEMENT !

Mais ce qui m'impressionne le plus sur ce véhicule est non seulement sa polyvalence, mais également son agrément de conduite. La voiture n'est pas parfaite, mais à mon avis, c'est la fourgonnette qui offre le plus d'agrément de conduite. Ses seules dimensions expliquent en partie cette qualité. Comme il s'agit en fait d'une Mazda3 transformée en fourgonnette, la tenue de route est donc bonne et la maniabilité de bon aloi. L'idée d'utiliser une automobile pour la transformer en fourgonnette ne donne pas toujours de bons résultats, et il faut souligner le travail des ingénieurs qui ont été en mesure de concevoir une fourgonnette agile et dont le comportement routier ne s'éloigne pas trop de la Mazda3 Sport. En plus de posséder la suspension arrière indépendante de cette dernière, la Mazda5 est propulsée par le même moteur. Cette année, la puissance de ce quatre cylindres de 2,3 litres passe de 157 chevaux à 153 chevaux. Pourtant, ce moteur n'a subi aucun changement par rapport à l'an dernier C'est tout simplement que l'industrie automobile nord-américaine a adopté une nouvelle norme de calcul SAE qui a pour effet de réduire la puissance annoncée de plusieurs modèles, notamment chez les constructeurs japonais. Mais 157 ou 153, le rendement est toujours le même. D'ailleurs, même l'an denier, on souhaitait pouvoir bénéficier d'une dizaine d'équidés supplémentaires. Si les gourous des moteurs à Hiroshima ont été capables de nous fournir un moteur de 244 chevaux sur la CX-7, ils devraient au moins en trouver une dizaine ou même plus sur la Mazda5. Et tant qu'à y être, pourquoi pas une boîte de vitesses automatique à cinq rapports ? Il s'agit en fait du seul vrai défaut de la 5 : une boîte automatique quatre rapports qui augmente le niveau sonore et ne permet pas d'obtenir tout le potentiel de ce véhicule. La boîte manuelle à cinq rapports lui est supérieure. Il faut par ailleurs comprendre qu'il fallait bien épargner quelque part compte tenu du prix très compétitif de cette fourgonnette dont l'équipement de série est plus que complet.

Denis Duquet

MOTORISATION À L'ESSAI

Moteur :	4L de 2,3 litres 16s atmosphérique
Alésage et course :	87,5 mm x 94,0 mm
Puissance :	153 ch (117 kW) à 6 500 tr/min
Couple :	148 lb-pi (201 Nm) à 4 500 tr/min
Rapport poids/puissance :	9,63 kg/ch (13,03 kg/kW)
Système hybride :	aucun
Transmission :	traction, auto. mode man. 4 rapports
Accélération 0-100 km/h :	9,7 s
Reprises 80-120 km/h :	8,7 s
Freinage 100-0 km/h :	42,4 m
Vitesse maximale :	192 km/h
Consommation (100 km) :	ordinaire, 9,8 litres
Autonomie (approximative) :	612 km
Émissions de CO2 :	4 752 kg/an

GAMME EN BREF

Échelle de prix :	19 995 $ à 26 090 $
Catégorie :	fourgonnette
Historique du modèle :	1ière génération
Garanties :	3 ans/80 000 km, 5 ans/100 000 km
Assemblage :	Hiroshima, Japon
Autre(s) moteur(s) :	aucun
Autre(s) rouage(s) :	aucun
Autre(s) transmission(s) :	manuelle 5 rapports

DANS LA MÊME CATÉGORIE

Chevrolet HHR - Chrysler PTCruiser - Pontiac Vibe - Toyota Matrix

DU NOUVEAU EN 2007

Nouvelles couleurs, option cuir ajoutée

NOS IMPRESSIONS

Agrément de conduite :	🚗 🚗 🚗 🚗
Fiabilité :	🚗 🚗 🚗 🚗
Sécurité :	🚗 🚗 🚗 🚗 ½
Qualités hivernales :	🚗 🚗 🚗 🚗
Espace intérieur :	🚗 🚗 🚗 🚗
Confort :	🚗 🚗 🚗 🚗

LE CHOIX DE L'ÉQUIPE

GS manuelle

Photos : Denis Duquet

COUP DE FOUDRE

Il faut avouer que les stylistes de Mazda ont travaillé en harmonie avec une équipe d'ingénieurs chevronnés pour réaliser une voiture qui a du caractère et du style, et ce, à un prix qui lui permet de hisser la barre concernant le rapport qualité/prix. Les gens demeurent rarement indifférents à la vue de la Mazda6, et cela démontre que les penseurs de ce manufacturier nippon ont réussi à toucher une corde sensible. Mais on en veut toujours plus et ça augmente quand on a l'occasion de piloter une Mazda Speed6!

Quatre versions sont présentées; soit la berline, la sport ou la familiale sport et pour ceux qui sont en quête de sensations fortes, la Mazda6 Speed avec sa transmission intégrale et son moteur turbocompressé (voir le match des intégrales).

BELLE ALLURE

Les stylistes de Mazda ont vraiment fait du bon travail. Son museau pointu combiné aux phares avant angulaires lui confère une allure plus agressive et très distinctive. Les lignes sont en général très fluides et la qualité de l'assemblage est de haut niveau. La partie arrière est tout aussi élégante, surtout avec l'aileron qui donne un aspect plus dynamique à la berline.

Peu importe la version choisie, la Mazda6 mérite une très bonne note pour le modernisme de l'habitacle. Quand on s'installe derrière le volant, on a l'impression d'être assis dans une sportive étant donné que les sièges offrent un bon support et le levier de vitesse est très bien situé. En plus du volant qui procure une belle emprise, j'adore l'instrumentation avec ses larges cadrans avec faisceau lumineux rouges. En revanche, je dois dire qu'il n'y a pas beaucoup de dégagement autour de soi et c'est pire à l'arrière... Les personnes de grande taille souffriront car il y a peu d'espace pour la tête et les jambes.

Pour ce qui est du groupe motopropulseur, vous avez le choix entre le moteur 4 cylindres de 2,3 L à DACT et 16 soupapes, avec calage variable des soupapes ou bien le moteur V6 de 3,0 L à DACT et 24 soupapes, avec calage variable des soupapes (VVT). Ce dernier est certainement mon premier choix pour sa grande puissance avec ses 215 chevaux et ses 199 lb-pi de couple. Dès qu'on enfonce l'accélérateur, on est gratifié d'une accélération très vive et soutenue, tandis que les dépassements se font avec une aisance assez déconcertante et sans qu'il soit nécessaire de rétrograder d'un rapport. Ce moteur a vraiment du cœur au ventre et il est aussi très doux quand il s'approche de la ligne rouge. Ce 6 cylindres devient encore plus amusant quand on le combine à la boîte manuelle à 5 rapports. Par contre, je dois préciser que la boîte manuelle gagnerait à être un peu moins hésitante lors des changements de rapports. Rien de majeur, mais parfois un peu agaçant. Sinon, vous pouvez y aller avec une boîte automatique surmultipliée à 6 vitesses à commande électronique avec mode sport.

Le 4 cylindres est aussi très plaisant et il offre une bonne dose de puissance avec ses 160 chevaux. Si vous n'êtes pas friand d'une boîte manuelle, une transmission automatique surmultipliée à 5 vitesses est également disponible avec ce moteur. Comme toujours, les deux choix de moteurs sont gourmands en essence, d'autant plus qu'ils sont si nerveux

---

FEU VERT

Excellent rapport qualité/prix
Bonne valeur de revente
Ligne sportive
Belle tenue de route
MazdaSpeed6 hallucinante

FEU ROUGE

Manque de dégagement intérieur
Boîte manuelle parfois rude
Consommation élevée
Freins chauffent rapidement

qu'on a souvent tendance à vouloir faire grimper le régime moteur dans la zone rouge, ce qui en fin de compte augmente beaucoup sa consommation.

DE LA MAGIE

Le côté magique de ce bolide est sa suspension entièrement indépendante qui est bien équilibrée. Elle n'est pas trop sèche quand on roule sur nos belles (!) routes québécoises et les ressorts hélicoïdaux combinés aux barres stabilisatrices sont très bien calibrés et demeurent juste assez fermes pour ne pas créer trop de roulis en virage. La conduite est vraiment sportive et on peut enfiler une série de virages à des vitesses très surprenantes. En plus, la Mazda6 pardonne aisément les erreurs de pilotage, ce qui prouve le bel équilibre dont cette voiture jouit. Dans les zigzags, la conduite est très précise et le véhicule n'a pas à rougir devant des compétiteurs qui se vendent plus cher. Au moindre coup de volant, la Mazda réagit sans hésitation et elle obéit instantanément à nos volontés.

Le point faible de cette auto se situe aux freins. Bien qu'elle soit pourvue de 4 gros freins à disque pincé par de larges étriers, ils ont tendance à vouloir chauffer rapidement, et cela, malgré le fait que les disques avant soient ventilés. Durant une de mes séances d'essai, plus je pilotais vigoureusement, plus la pédale devenait spongieuse et à l'arrêt, je pouvais immédiatement sentir cette odeur unique de garnitures qui chauffent. Est-ce un présage à une usure rapide? Tout dépend de la manière de conduire, bien sûr. Les freins ABS répondent correctement lors de freinages brutaux et le contrôle de traction fait aussi son travail efficacement.

Ai-je aimé mon essai avec ce bolide? Ma réponse est oui, avec un large sourire, en plus! Pour le prix, on a droit à une voiture performante qui offre une conduite sportive et précise. Selon moi, elle se situe certainement en haut de sa catégorie par son bel équilibre. Bien que je n'ai pas encore eu l'occasion de tester autant de voitures que mes estimés confrères, celle-ci est celle qui m'a le plus impressionné jusqu'à maintenant, surtout la Speed6 qui incite carrément à la délinquance... Cette traction intégrale offre des accélérations vraiment très vives et il n'est pas rare de dépasser les limites de vitesse car on ne se rend pas compte à quel point on roule vite. Son seul défaut est que le quatre cylindres turbo ne dégage pas un son à la hauteur. Voilà pour mon coup de cœur.

Robert Jetté

Photos : Alain Morin

VÉHICULE D'ESSAI

Version :	Berline GS V6
Prix de détail suggéré :	27 095 $
Emp/Lon/Lar/Haut(mm) :	2 675/4 745/1 780/1 440
Poids :	1 530 kg
Coffre/Réservoir :	429 litres/68 litres
Coussins de sécurité :	frontaux et latéraux (av./arr.)
Suspension avant :	indépendante, bras inégaux
Suspension arrière :	indépendante, multibras
Freins av./arr. :	disque (ABS)
Antipatinage/Contrôle de stabilité :	oui/non
Direction :	à crémaillère, assistance variable
Diamètre de braquage :	11,8 m
Pneus av./arr. :	P205/60R16
Capacité de remorquage :	454 kg

MOTORISATION À L'ESSAI

Pneus d'origine
MICHELIN

Moteur :	V6 de 3,0 litres 24s atmosphérique
Alésage et course :	89,0 mm x 79,5 mm
Puissance :	212 ch (158 kW) à 6 000 tr/min
Couple :	197 lb-pi (267 Nm) à 5 000 tr/min
Rapport poids/puissance :	7,22 kg/ch (9,81 kg/kW)
Système hybride :	aucun
Transmission :	traction, automatique 5 rapports
Accélération 0-100 km/h :	7,7 s
Reprises 80-120 km/h :	6,6 s
Freinage 100-0 km/h :	39,0 m
Vitesse maximale :	210 km/h
Consommation (100 km) :	ordinaire, 12,2 litres
Autonomie (approximative) :	557 km
Émissions de CO2 :	4 896 kg/an

GAMME EN BREF

Échelle de prix :	24 395 $ à 41 395 $
Catégorie :	berline intermédiaire/familiale/hatchback
Historique du modèle :	1ière génération
Garanties :	3 ans/60 000 km, 5 ans/100 000 km
Assemblage :	Flat Rock, Michigan, É-U
Autre(s) moteur(s) :	4L 2,3l 156ch/154lb-pi (10,0 l/100km)
	4L 2,3l 274ch/280lb-pi (12,5 l/100km) MazdaSpeed6
Autre(s) rouage(s) :	aucun
Autre(s) transmission(s) :	manuelle 5 rapports /
	automatique 6 rapports / manuelle 6 rapports

DANS LA MÊME CATÉGORIE

Chevrolet Malibu - Chrysler Sebring - Ford Fusion - Honda Accord - Hyundai Sonata - Kia Magentis - Mitsubishi Galant - Nissan Altima - Subaru Legacy - Toyota Camry

DU NOUVEAU EN 2007

Coussins latéraux et rideaux de série sur tous les modèles, ABS et contrôle de traction de série sur tous les modèles

NOS IMPRESSIONS

Agrément de conduite :	🚗🚗🚗🚗
Fiabilité :	🚗🚗🚗🚗
Sécurité :	🚗🚗🚗🚗
Qualités hivernales :	🚗🚗🚗
Espace intérieur :	🚗🚗🚗½
Confort :	🚗🚗🚗½

LE CHOIX DE L'ÉQUIPE

MazdaSpeed6

LA CATÉGORIE REMISE EN CAUSE

Mazda n'est pas un constructeur comme les autres. Non seulement sa direction ne semble pas être affectée outre mesure de devoir opérer dans le giron de Ford, mais elle sait conserver une douce indépendance vis-à-vis des grands patrons de Dearborn. D'ailleurs, Mazda fait souvent cavalier seul et c'est Ford qui emboîte le pas un peu plus tard.

Malgré cela, lorsque la CX-7 a été dévoilée, plusieurs l'ont automatiquement associée au Ford Edge qui fait aussi ses débuts cette année. C'est sans doute pourquoi les dirigeants de Mazda Canada ont précisé que ce modèle n'avait pratiquement rien en commun avec le Edge. En fait, ce dernier s'apparente davantage à la CX-9 également toute nouvelle cette année. Ce modèle fera son apparition à la fin de 2006 et sera capable d'accueillir sept personnes à bord tandis que son vis-à-vis nord-américain ne propose que cinq places. Les deux par contre sont dotés d'un moteur V6. Autre détail concernant la CX-9, elle sera elle aussi assemblée au Japon.

Donc, une fois de plus, la compagnie d'Hiroshima n'a pas craint de faire cavalier seul avec la CX-7, un VUS à vocation sportive qui a de fortes chances de venir chambouler la catégorie aussi bien en raison de son stylisme que par son comportement routier.

LE DESIGN D'ABORD
À de rares exceptions, les VUS de cette catégorie lancés à ce jour tentaient d'avoir un air macho avec des formes équarries s'inspirant des gros utilitaires sport capables d'affronter les conditions les plus intimidantes, histoire d'annoncer à vos voisins que vous ne reculez pas devant une randonnée sur des terres hostiles. Mais à Hiroshima, les stylistes ont choisi une attitude diamétralement opposée. Un véhicule peut être pratique et être équipé d'une transmission intégrale mais posséder des lignes élégantes, voire sportives.

C'est la politique qui a été appliquée sur la CX-7 dont la silhouette est fortement inspirée des véhicules à vocation sportive. Il suffit d'ailleurs de

la comparer à la RX-8 pour se rendre compte que les deux véhicules ont des airs en commun. Mais puisque la CX-7 affiche des dimensions plus importantes et doit être capable de transporter plus de personnes et davantage de bagages, les stylistes ont adopté une ligne ceinture de caisse qui s'élève vers l'arrière. Cette approche donne beaucoup d'élan

à la silhouette et a pour effet de l'affiner. Il est évident que la partie arrière du coupé sport a servi d'inspiration pour celle de la CX-7. Et si ces éléments visuels ne suffisent pas à vous convaincre, l'énorme prise d'air à l'avant est un indice incontestable que cet utilitaire possède également des aspirations sportives.

Lors de notre essai, la CX-7 a été reçue avec enthousiasme et la quasi-totalité des gens a émis des commentaires élogieux quant à son allure. Et il est certain que le verdict à propos de l'habitacle aurait été tout aussi positif si ces mêmes personnes avaient pu monter à bord.

Les stylistes ont conservé une apparence similaire à celle proposée sur plusieurs modèles Mazda et l'amalgame est fort bien réussi. C'est ainsi que les buses de ventilation à volets sont semblables à celles utilisées sur plusieurs autres modèles et leur efficacité est sans reproche. Il en est de même de l'éclairage orangé de certains tableaux d'affichage tandis que l'utilisation de pièces contrastantes en aluminium contribue à donner un air sportif et raffiné à la fois. Il faut de plus souligner que la qualité des matériaux est bonne et c'est pareil pour la finition.

Toujours dans le but de styliser la présentation au maximum, les trois cadrans indicateurs sont cerclés par une bande de couleur titane, et confinés dans une nacelle fort bien dégagée de la partie supérieure de la planche de bord. Leur consultation est aisée. Ce qui n'est pas le cas du tableau d'information affichant les réglages de la ventilation et de la climatisation. Il est placé dans un espace horizontal logé en partie supérieure de la planche de bord et sa consultation n'est pas facile, surtout en plein jour.

UNE AUTHENTIQUE MAZDA

Les ingénieurs affectés au développement de ce véhicule ont travaillé avec plus de rapidité que d'habitude, tout simplement parce qu'ils ont fait appel à plusieurs composantes mécaniques provenant de différents véhicules existants. Il ne faut pas conclure pour autant que la CX-7 manque d'homogénéité. En fait, c'est tout le contraire. Sur le plan de la mécanique, la CX-7 est un heureux mélange entre les MazdaSpeed6 et la Mazda5 qui est elle-même dérivée de la Mazda3 qui demeure la base

principale de la CX-7. C'est ainsi que la suspension avant et les freins sont empruntés à cette dernière. Le moteur et le rouage d'entraînement, quant à eux, proviennent de la MazdaSpeed6. Enfin, pour améliorer le comportement routier, la suspension arrière à bras inégaux est indépendante. Le véhicule offre par conséquent un bon comportement routier et un confort surprenant pour un VUS. Et pour freiner cette sportive des champs, on retrouve des freins à disque ventilés aux quatre roues, une caractéristique qui n'est pas offerte sur plusieurs voitures de sport.

Ces greffes d'éléments mécaniques sont réussies parce que lesdits éléments sont bien harmonisés et ont été modifiés afin de bien remplir leur nouveau rôle. Il faut de plus ajouter que si le moteur propose la même cylindrée que le quatre cylindres 2,3 litres de la MazdaSpeed6, il a été l'objet de nombreuses modifications. Le bloc moteur a même été modifié en vue de cette utilisation plus spécifique. Soulignons au

passage que ce moteur est l'un des rares sur le marché à faire appel à l'injection directe, du moins sur un modèle de production. Appelé DISI, pour Direct Injection Sport Induction, ce système assure une combustion plus complète du carburant et un taux de compression plus élevé. Le turbo se manifeste à bas régime, et le refroidisseur d'air est monté directement sur le moteur afin de mieux utiliser l'espace disponible d'une part et de raccourcir le trajet de l'air frais d'autre part. Une seule transmission est offerte, soit une boîte automatique à six rapports. Il est également important de préciser que la transmission intégrale de type Torsen, en provenance de la MazdaSpeed6, est offerte en option même sur la version de base. Pas besoin donc de choisir la version «ultra tout équipée» pour en bénéficier.

PRATIQUE ET LUDIQUE

Avant de parler du comportement routier proprement dit, il est bon de préciser que le hayon arrière donne accès à une soute à bagages relativement large. Sous ses airs de sportive, la CX-7 peut recevoir beaucoup de bagages. Elle est quelque peu pénalisée par sa silhouette plus sportive que pratique, mais c'est quand même plus que correct. Toujours au chapitre de l'habitabilité, Mazda aime souligner que la CX-7 est vendue à un prix de Honda CR-V et se conduit comme une Nissan Murano. Par rapport à la première, elle est plus spacieuse tandis que la qualité de sa finition est un cran au-dessus de celle de la Nissan.

Passons à la conduite maintenant. La première chose qui nous frappe lorsque le véhicule roule est son moteur silencieux et d'une grande souplesse. Il faut également accorder de bonnes notes à la transmission dont les passages de rapports s'effectuent avec beaucoup de douceur. Il

FEU VERT
Moteur nerveux
Traction intégrale en option simple
Boîte automatique 6 rapports
Silhouette élégante
Bon agrément de conduite

FEU ROUGE
Hésitation de la boîte automatique au départ
Centre d'information difficile à lire
Certaines flexions du chassis en conduite hors route
Visibilité arrière moyenne

VÉHICULE D'ESSAI

Version :	GT
Prix de détail suggéré :	42 995 $
Emp/Lon/Lar/Haut(mm) :	2 750/4 675/1 872/1 645
Poids :	1 782 kg
Coffre/Réservoir :	848 à 1 658 litres/69 litres
Coussins de sécurité :	frontaux, latéraux (av.) et rideaux
Suspension avant :	indépendante, jambes de force
Suspension arrière :	indépendante, multibras
Freins av./arr. :	disque (ABS)
Antipatinage/Contrôle de stabilité :	oui/oui
Direction :	à crémaillère, assistance variable
Diamètre de braquage :	11,4 m
Pneus av./arr. :	P235/60R18
Capacité de remorquage :	907 kg

MOTORISATION À L'ESSAI

Moteur :	4L de 2,3 litres 16s turbocompressé
Alésage et course :	87,5 mm x 94,0 mm
Puissance :	244 ch (182 kW) à 5 000 tr/min
Couple :	258 lb-pi (350 Nm) à 2 500 tr/min
Rapport poids/puissance :	7,3 kg/ch (9,9 kg/kW)
Système hybride :	aucun
Transmission :	intégrale, auto. mode man. 6 rapports
Accélération 0-100 km/h :	7,5 s
Reprises 80-120 km/h :	6,8 s
Freinage 100-0 km/h :	41,2 m
Vitesse maximale :	190 km/h
Consommation (100 km) :	super, 9,7 litres
Autonomie (approximative) :	711 km
Émissions de CO2 :	7 416 kg/an

GAMME EN BREF

Échelle de prix :	31 995 $ à 35 195 $
Catégorie :	multisegment
Historique du modèle :	1ière génération
Garanties :	3 ans/80 000 km, 5 ans/100 000 km
Assemblage :	Hiroshima, Japon
Autre(s) moteur(s) :	aucun
Autre(s) rouage(s) :	traction
Autre(s) transmission(s) :	aucune

y a bien un certain boom sonore en troisième, mais il s'agit d'une peccadille. Les accélérations et les reprises sont presque similaires à celles d'une berline sport de puissance égale. À cela s'ajoute une direction précise, directe et dont l'assistance est bien dosée. Toujours au chapitre du guidage, le cercle de braquage est extrêmement court pour une intégrale.

La tenue de route est tout aussi bonne que celle d'une berline sport malgré un centre de gravité élevé. De plus, le niveau sonore dans l'habitacle est correct tandis que la suspension n'est pas trop ferme. Les ingénieurs de la compagnie nous ont souligné que ce véhicule était le premier dans l'histoire de ce constructeur à avoir été spécifiquement conçu pour l'Amérique du Nord. Il faut croire qu'ils ont pris l'état de nos routes en considération !

Voilà donc un véhicule fort bien équilibré tant sur le plan de la mécanique que de la conduite. Et la meilleure nouvelle de toutes est que le prix est très compétitif. Celui du modèle GS à traction avant est inférieur à 32 000 $ et il n'est pas nécessaire de choisir une version truffée d'options pour pouvoir commander la transmission intégrale en option. La version GT est pourvue de la même mécanique, mais la liste d'équipements de série est plus étoffée, comprenant entre autres des sièges avant chauffants, un toit ouvrant à commande électrique, des phares à décharge à haute intensité et la liste s'allonge ainsi.

En faisant bande à part de Ford, Mazda n'a pas fait fausse route avec sa CX-7 qui possède tous les éléments pour convaincre les personnes recherchant un véhicule pratique et polyvalent, mais qui ne veulent pas se priver de l'agrément de conduite.

Par contre, j'émets tout de suite des réserves vis-à-vis de l'appellation « Faucon urbain » qui a été utilisée lors du lancement de la CX-7. Je veux bien croire que la « clarté vibrante » de Toyota ou encore le « guépard bionique » utilisé pour identifier la FX35/45 sont sans doute appréciés au pays du soleil levant, mais « par cheu nous », le faucon ne vole pas trop haut. Mieux vaut s'en tenir au marketing « Vroom Vroom », même si c'est à la limite.

Denis Duquet

DANS LA MÊME CATÉGORIE

Acura RDX - Ford Edge - Nissan Murano

DU NOUVEAU EN 2007

Nouveau modèle

NOS IMPRESSIONS

Agrément de conduite :	🚗 🚗 🚗 🚗 ½
Fiabilité :	nouveau modèle
Sécurité :	🚗 🚗 🚗 🚗
Qualités hivernales :	🚗 🚗 🚗 🚗 ½
Espace intérieur :	🚗 🚗 🚗 🚗
Confort :	🚗 🚗 🚗 🚗

LE CHOIX DE L'ÉQUIPE

GT

Photos : Denis Duquet

AVANTAGE MAZDA

Si la politique à long terme de la part de Mazda est de produire de plus en plus de véhicules dont les composantes mécaniques et la plate-forme seraient exclusives à Mazda, il faut quand même certaines exceptions pour confirmer cette règle. Et c'est le cas de la CX-9 qui ne peut se décrire comme une version allongée de la CX-7 qui a fait un malheur à ses débuts sur le marché canadien au printemps 2006. Cette fois, la CX-9 est une version « mazdaïfiée » de la Ford Edge. Les deux véhicules se partagent plate-forme et mécanique, tandis que la version Mazda bénéficie de certaines exclusivités.

I faut en premier lieu souligner que cette nippone est une version à sept passagers alors que la Edge se contente de cinq places. C'est tout de même curieux que ce soit une marque japonaise, souvent associée à des formats plus petits, qui nous propose le modèle pouvant accommoder le plus d'occupants! La raison de cette décision n'a pas été annoncée lors du dévoilement de la CX-9 dans le cadre du Salon de l'auto de New York au printemps 2006. La réponse la plus logique est que la CX-9 se devait d'offrir plus de places que la CX-7 afin de mieux les départager. Chez Ford, ce choix ne s'impose pas puisque ce constructeur ne commercialise pas de modèles qui pourraient s'apparenter avec le Edge. Il faut également souligner que de nombreux acheteurs potentiels n'envisageront jamais de se rendre chez un concessionnaire nord-américain, pas plus Ford que les autres. Ce qui permettra à Mazda de tirer son épingle du jeu avec la CX-9 face à son équivalent chez Ford. De plus, il faut noter que le stylisme de la japonaise est de nature à en convaincre plusieurs.

UN AIR DE FAMILLE

Tout le monde s'accorde pour souligner l'équilibre des formes et l'élégance de la silhouette de la CX-7. Sans vouloir jouer le connaisseur en stylisme, je dois préciser que je la trouve particulièrement élégante et que son design correspond bien à sa vocation de VUS à tendance sportive. Il aurait été plutôt débile de la part des stylistes de trop s'éloigner de cette approche. Mais puisque la CX-9 se vendra plus cher et vise une clientèle plus familiale que sportive, la silhouette s'est quelque peu embourgeoisée, mais juste ce qu'il faut. Un peu comme ce que les studios de Mercedes-Benz ont fait avec la GL par rapport à la ML. L'utilisation de pneus de grande taille ajoute à cette impression de puissance et de caractère sportif. Les versions Sport et Touring sont livrées avec des pneumatiques de 18 pouces, ce qui est déjà pas mal. Par contre, commandez le modèle Grand Touring et votre CX-9 vous sera livrée avec des pneus P245/50R20. Des roues de 20 pouces, ça remplit les passages de roue et permet au propriétaire du véhicule d'être en harmonie avec la tendance actuelle privilégiant les jantes de 20 pouces et plus.

La qualité des matériaux et de la finition dans l'habitacle est nettement supérieure à la moyenne, surtout la version équipée de sièges en cuir. Quant au tableau de bord, il fait songer à celui de la CX-7, mais un examen plus sérieux permet de voir de nombreuses différences. Il y a toujours ce contraste entre la planche de bord noire et des appliques de couleur titane, mais le surplomb qui abrite les cadrans indicateurs des rayons du soleil est plus prononcé. Quant à l'écran de navigation par

FEU VERT
Silhouette élégante
Moteur bien adapté
Transmission six rapports
Trois rangées de sièges
Habitacle accueillant

FEU ROUGE
Concurrent indirect du CX7
Fiabilité inconnue
Toit ouvrant géant non éprouvé
Qualité initiale à déterminer

satellite, il est placé au milieu de la console centrale. Soulignons au passage que ce véhicule peut être relié au réseau de radio satellite Sirius.

La seconde rangée de sièges de type 60/40 permet à trois adultes de taille moyenne de s'y retrouver tandis que la troisième rangée est conçue pour deux personnes. Le dossier 50/50 de cette dernière ajoute à la polyvalence de l'habitacle. Bien entendu, ces dossiers peuvent être rabattus pour augmenter la capacité de rangement qui est de 487 litres lorsque les trois rangées de sièges sont déployées.

MÉCANIQUE MODERNE

À une certaine époque, lorsque Mazda héritait d'un produit provenant de chez Ford, les modèles issus de cette hybridation étaient souvent propulsés par des mécaniques pas toujours à la fine pointe du raffinement technique... Ce n'est pas le cas cette fois puisque le CX-9 propose les toutes dernières nouveautés en provenance de Dearborn et elles peuvent soutenir la comparaison avec ce qu'il se fait de mieux ailleurs. Le moteur V6 de 3,5 litres produit 250 chevaux et il est relié à une nouvelle boîte automatique à six rapports. Cet impressionnant tandem est déjà reconnu comme l'un des meilleurs de la catégorie. Il faut ajouter à cette fiche technique des suspensions indépendantes à l'avant comme à l'arrière. Il en est de même pour les freins à disque.

Le rouage intégral est également à souligner. Le système qui équipe les versions AWD est dérivé de celui utilisé sur la Mazdaspeed 6 et il s'est avéré l'un des meilleurs sur le marché. Il semble donc que Mazda ait réussi à nous concocter un nouveau produit qui respecte de très près le credo de conception des nouveaux véhicules de la marque. Il est certain que les gens préféreront davantage être au volant d'un véhicule agréable à conduire et agile en ville, plutôt que de manœuvrer un gros VUS traditionnel dont la conception semble avoir été réalisée de concert avec les pétrolières... Sur ce plan, tout comme la CX-7, la CX-9 suit la tendance actuelle.

Denis Duquet

Photos : Mazda

VÉHICULE D'ESSAI

Version :	GT
Prix de détail suggéré :	n.d.
Emp/Lon/Lar/Haut(mm) :	2 875/5 071/1 936/1 734
Poids :	n.d.
Coffre/Réservoir :	481 litres / n.d.
Coussins de sécurité :	frontaux, latéraux (av.) et rideaux
Suspension avant :	indépendante, jambes de force
Suspension arrière :	indépendante, multibras
Freins av./arr. :	disque (ABS)
Antipatinage/Contrôle de stabilité :	oui/oui
Direction :	à crémaillère, assistance variable
Diamètre de braquage :	n.d.
Pneus av./arr. :	P245/50R20
Capacité de remorquage :	n.d.

MOTORISATION À L'ESSAI

Moteur :	V6 de 3,5 litres 24s atmosphérique
Alésage et course :	n.d.
Puissance :	250 ch (186 kW) à 5 800 tr/min
Couple :	240 lb-pi (325 Nm) à 4 500 tr/min
Rapport poids/puissance :	n.d.
Système hybride :	aucun
Transmission :	intégrale, automatique 6 rapports
Accélération 0-100 km/h :	7,3 s (estimé)
Reprises 80-120 km/h :	6,6 s (estimé)
Freinage 100-0 km/h :	40,5 m (estimé)
Vitesse maximale :	n.d.
Consommation (100 km) :	ordinaire, 12,4 litres (estimé)
Autonomie (approximative) :	n.d.
Émissions de CO2 :	n.d.

GAMME EN BREF

Échelle de prix :	n.d.
Catégorie :	multisegment
Historique du modèle :	1ère génération
Garanties :	3 ans/60 000 km, 5 ans/100 000 km
Assemblage :	0
Autre(s) moteur(s) :	aucun
Autre(s) rouage(s) :	traction
Autre(s) transmission(s) :	aucune

DANS LA MÊME CATÉGORIE

Acura RDX - Buick RendezVous - Chrysler Pacifica - Infiniti FX35/45 - Lincoln MKX - Mercedes-Benz Classe B - Nissan Murano - Subaru Tribeca - Volvo XC70

DU NOUVEAU EN 2007

Nouveau modèle, moteur V6 3,5 litres, boîte automatique six rapports

NOS IMPRESSIONS

Agrément de conduite :	données insuffisantes
Fiabilité :	nouveau modèle
Sécurité :	🚗 🚗 🚗 🚗 ½
Qualités hivernales :	🚗 🚗 🚗 🚗 ½
Espace intérieur :	🚗 🚗 🚗 🚗
Confort :	données insuffisantes

LE CHOIX DE L'ÉQUIPE

GT

TOUJOURS LA RÉFÉRENCE

Il a été certainement difficile de développer un modèle de remplacement pour le roadster le plus populaire de l'histoire de l'automobile. La Mazda Miata a connu une carrière hors du commun et les stylistes étaient placés devant une alternative : nous offrir une version complètement différente ou concevoir un modèle évolutif. C'est la seconde solution qui a été choisie et c'est de bonne guerre puisque c'est celle adoptée par la plupart des constructeurs dans de pareilles situations.

À première vue, il est difficile de départager la seconde génération de la troisième et plusieurs auraient apprécié des changements plus spectaculaires. Un examen plus attentif de la nouvelle MX-5 nous permet de réaliser que les modifications sont plus importantes qu'il n'y paraît. En tout premier lieu, le véhicule est un peu plus long et un peu plus large. Ce qui donne plus de présence sur la route. Il suffit de croiser l'ancienne et la nouvelle MX-5 pour remarquer immédiatement cette différence. Il faut ajouter à cela des passages de roue plus imposants et une bosse sur le capot qui permet aux ingénieurs d'installer le tout nouveau moteur 2,0 litres de 170 chevaux. Pour le reste, c'est passablement identique au modèle antérieur, notamment la partie arrière qui conservé la même courbe et les mêmes feux.

BRAVO ! PLUS D'ESPACE !

Les dimensions de la carrosserie n'ont pas beaucoup augmenté. En fait, l'empattement a progressé de 6,5 cm et la largeur de 4,0 cm. Pourtant, lorsqu'on s'installe dans l'habitacle, l'espace pour les coudes, la tête et les jambes permet maintenant d'accommoder les «grands six pieds». Auparavant, c'était vraiment exigu pour les personnes de grande taille. Il faut toujours se contorsionner quelque peu pour monter à bord ou pour s'extirper de la voiture. Mais une fois en place, la position de conduite est bonne. Par contre, il est certain qu'un volant réglable en hauteur et… en profondeur serait idéal. Pour l'instant, il l'est seulement en hauteur.

Le tableau de bord a été redessiné. Comme pour la carrosserie, il s'agit d'un design évolutif qui continue de marier l'ancien et le moderne. Les cadrans indicateurs, toujours cerclés de chrome, sont de grandes dimensions. En revanche, la console centrale qui abrite les commandes de la radio et de la climatisation fait quelque peu rétro. Si le levier du frein d'urgence est maintenant à droite de la console, le levier de vitesse de la boîte manuelle est aussi facile d'accès. Et il faut également ajouter qu'une boîte automatique à cinq rapports à mode manuel est optionnelle. Et contrairement aux versions antérieures dont l'automatique était tellement nulle qu'elle n'était offerte qu'en commande spéciale (et encore !), cette nouvelle boîte est vraiment efficace et les gens qui la choisiront ne le regretteront pas.

Plusieurs ont fait état que le coffre à bagages pourrait être plus grand. C'est vrai et il ne peut accepter aucun sac de golf. Mais il semble démesurément spacieux lorsque comparé aux Pontiac Solstice et Saturn

FEU VERT
Agrément de conduite
Version avec toit rigide
Habitacle confortable
Levier de vitesse précis
Boîte automatique six rapports

FEU ROUGE
Coffre relativement petit
Certaines versions onéreuses
Sautillement sur mauvaise route
Puissance un peu juste

VÉHICULE D'ESSAI

Version :	GT
Prix de détail suggéré :	33 995 $
Emp/Lon/Lar/Haut(mm) :	2 330/3 990/1 720/1 245
Poids :	1 134 kg
Coffre/Réservoir :	150 litres/48 litres
Coussins de sécurité :	frontaux
Suspension avant :	indépendante, bras inégaux
Suspension arrière :	indépendante, multibras
Freins av./arr. :	disque (ABS)
Antipatinage/Contrôle de stabilité :	non/non
Direction :	à crémaillère, assistance variable
Diamètre de braquage :	9,4 m
Pneus av./arr. :	P205/45R17
Capacité de remorquage :	non recommandé

MOTORISATION À L'ESSAI

Moteur :	4L de 2,0 litres 16s atmosphérique
Alésage et course :	87,5 mm x 83,1 mm
Puissance :	170 ch (127 kW) à 6 700 tr/min
Couple :	140 lb-pi (190 Nm) à 5 000 tr/min
Rapport poids/puissance :	6,67 kg/ch (9,07 kg/kW)
Système hybride :	aucun
Transmission :	propulsion, manuelle 6 rapports
Accélération 0-100 km/h :	7,5 s
Reprises 80-120 km/h :	7,1 s
Freinage 100-0 km/h :	37,8 m
Vitesse maximale :	206 km/h
Consommation (100 km) :	super, 7,8 litres
Autonomie (approximative) :	615 km
Émissions de CO2 :	4 128 kg/an

Sky. Il faut également ajouter que, contrairement à ces deux voitures, le toit souple est une merveille d'efficacité et de simplicité. Il suffit de déverrouiller le loquet central et de pousser le toit dans son réceptacle. Et pas besoin de capote, puisque la partie supérieure de ce toit joue ce rôle à merveille. Pour le remettre en place, on n'a qu'à soulever un autre loquet pour dégager le toit de son ancrage et venir l'appuyer sur le rebord du pare-brise. C'est simple comme bonjour! L'arrivée d'un modèle à toît rigide rétractable en 2007 vient ajouter à l'attrait de cette Mazda.

VROOM-VROOM !

Quelques kilomètres au volant de la MX-5 permettent de conclure que la publicité «Vroom-Vroom!» de Mazda n'est pas de la frime. Cette voiture est plaisante à conduire comme ce n'est pas possible. Ici, ce plaisir ne provient pas d'accélérations intempestives, mais plutôt d'un moteur que l'on monte en régime à l'aide d'un levier de vitesse aussi précis qu'agréable à manipuler. À cette équation s'ajoutent une direction ultra poussée et un comportement routier neutre propre aux propulsions. Cette petite nippone est d'un équilibre presque parfait. Il est vrai qu'une vingtaine de chevaux de plus rendrait la voiture encore plus exquise à piloter. Mais la formule actuelle est fort satisfaisante merci, car pas besoin d'aller vite pour s'amuser.

D'autant plus que le châssis est plus rigide, ce qui permet d'aborder les virages avec assurance tout en s'amusant à jouer du levier de vitesse. Soulignons en terminant que les modèles les plus économiques sont livrés avec la boîte manuelle à cinq rapports et les modèles GS et GT offrent un rapport supplémentaire. Et contrairement à l'ancienne boîte six vitesses, il est très facile d'enclencher le sixième rapport. L'agrément de conduite est augmenté d'autant.

Si vous faites partie de celles et ceux qui auraient préféré une transformation plus radicale de la silhouette, vous n'avez qu'à faire un essai au volant de la nouvelle cuvée pour avoir un coup de coeur envers ce roadster.

Denis Duquet

GAMME EN BREF

Échelle de prix :	27 995 $ à 38 495 $
Catégorie :	roadster
Historique du modèle :	3ième génération
Garanties :	3 ans/80 000 km, 5 ans/100 000 km
Assemblage :	Hofu, Japon
Autre(s) moteur(s) :	4L 2,0l 166ch/140lb-pi (10,3 l/100km)
	(boîte auto)
Autre(s) rouage(s) :	aucun
Autre(s) transmission(s) :	auto. mode man. 6 rapports /
	manuelle 5 rapports

DANS LA MÊME CATÉGORIE

Ford Mustang - Mitsubishi Eclipse - Pontiac Solstice - Saturn Sky - Toyota Solara - Volkswagen New Beetle

DU NOUVEAU EN 2007

Freins ABS de série, toit rétractable électrique

NOS IMPRESSIONS

Agrément de conduite :	🚗 🚗 🚗 🚗 ½
Fiabilité :	🚗 🚗 🚗 🚗
Sécurité :	🚗 🚗 🚗 ½
Qualités hivernales :	🚗 🚗
Espace intérieur :	🚗 🚗 🚗
Confort :	🚗 🚗 🚗 ½

LE CHOIX DE L'ÉQUIPE

GT manuelle 6 rapports

Photos : Mazda

LA SPORTIVE ASSOIFFÉE

Qu'est-ce qu'elle aime boire celle-là, et du super par surcroît… La Mazda RX-8 est certes une sportive accomplie, mais sa consommation de carburant (et d'huile moteur) joue malheureusement contre elle. Conduire une RX-8 tous les jours, c'est accepter d'évoluer dans deux univers parallèles. En effet, la voiture est agile et rapide lorsqu'on a l'occasion de rouler sur de belles routes sinueuses, mais il faut également composer avec ses caprices quand il est simplement question de se rendre du point A au point B.

Sur circuit, c'est un scalpel, rien de moins. En fait, la RX-8 a tout pour réussir en conduite sportive. Dans un premier temps, il s'agit d'une voiture légère, ce qui est le premier critère à considérer dans le cas d'une voiture sport. Ajoutez à cela, la localisation du moteur dans sa position centrale-avant qui donne une répartition des masses idéale de 50/50 à la RX-8, et le fait que cette voiture soit équipée de pneus d'origine très performants, et l'on n'est pas loin de l'équation parfaite. Comme la direction est extrêmement précise, la RX-8 est très à l'aise pour le pilotage sur piste où l'on peut faire valoir le caractère pointu et typé de son moteur rotatif en jouant dans les régimes de haute voltige. Et du fait que le levier de vitesse de la boîte manuelle est également un modèle de précision, on ne se lasse pas de changer de vitesse afin d'exploiter pleinement tout le potentiel de performance de la RX-8 sur circuit.

LES ALÉAS DU MOTEUR ROTATIF

Il faut toutefois compter avec un phénomène particulier qui est propre au moteur rotatif : l'absence totale de frein-moteur. C'est la première chose que j'ai notée lors de ma toute première expérience avec ce type de moteur. Expérimentation qui n'a pas eu lieu au volant d'une voiture de série, mais bien au volant d'une Formule Russell Pro Series (maintenant appelée Formule Star Mazda) qui était alors dotée du moteur rotatif de la RX-7 de première génération. Ce principe est encore valide aujourd'hui puisque le relâchement de l'accélérateur de la RX-8 actuelle n'est pas accompagné par un début de ralentissement comme celui que l'on perçoit avec un moteur ordinaire, mais bien par la perception que l'on est en roue libre et qu'il faut tout de suite freiner afin de ralentir. L'autre particularité du moteur rotatif, c'est bien sûr l'absence de couple à bas régime qui oblige le conducteur à toujours pousser le moteur vers les révolutions les plus élevées. Une simple manoeuvre de dépassement sur route secondaire exige donc de rétrograder, parfois jusqu'au troisième rapport, afin de disposer de suffisamment de puissance, contrairement à un moteur habituel avec lequel il suffit des fois d'enfoncer l'accélérateur sans nécessairement avoir à rétrograder. Comme tous les moteurs rotatifs qui l'ont précédé, le birotor de la RX-8 est lui aussi doté d'un appétit vorace pour les produits pétroliers, non seulement le carburant mais également l'huile moteur… En effet, la consommation d'huile d'un moteur rotatif est nettement plus élevée que celle d'un moteur ordinaire et les acheteurs devraient prendre la bonne habitude de vérifier le niveau d'huile régulièrement en plus de transporter un litre ou deux dans le coffre.

FEU VERT
Très bonne tenue de route
Précision de la boîte manuelle
Prix intéressant
Moteur inédit
Style réussi

FEU ROUGE
Consommation importante
Faible couple du moteur
Place arrière occasionelles
Visibilité vers l'arrière

Côté style, certains la jugent trop radicale, mais personnellement, je la trouve très réussie, et même si Mazda prétend que la RX-8 peut accueillir quatre adultes à son bord, je vous précise que les claustrophobes devront s'abstenir de voyager à l'arrière.

MOTEUR ROTATIF ET HYDROGÈNE COMPRIMÉ

Il peut sembler paradoxal de réunir les mots «écologie» et «voiture sport» dans la même phrase, mais c'est pourtant ce que Mazda a fait en créant quelques prototypes de la RX-8 capables de fonctionner à la fois avec de l'essence et de l'hydrogène comprimé. Depuis les débuts de la recherche du constructeur japonais en 1991, les récents prototypes représentent ainsi le neuvième véhicule roulant à l'hydrogène créé par Mazda. Cette RX-8 biénergie est donc dotée de son moteur rotatif habituel qui est alimenté soit par le réservoir à essence ou soit par le réservoir d'hydrogène comprimé qui occupe tout l'espace de chargement de la voiture. L'autonomie de la voiture est d'une centaine de kilomètres lorsqu'elle fonctionne à l'hydrogène et de plus de 400 kilomètres avec l'essence. L'ajout de l'alimentation en hydrogène entraîne également une augmentation du poids de la voiture de l'ordre de 140 kilos, et à l'heure actuelle, deux voitures de ce type circulent au Japon afin de recueillir des données permettant aux ingénieurs de poursuivre leurs recherches.

Pour l'instant, la RX-8 demeure une authentique sportive qui présente les défauts de ses qualités puisque les performances de la voiture sont doublées d'une consommation d'essence et d'huile que l'on ne peut que qualifier d'excessive.

Gabriel Gélinas

VÉHICULE D'ESSAI

Version :	GT
Prix de détail suggéré :	40 295 $
Emp/Lon/Lar/Haut(mm) :	2 700/4 424/1 770/1 340
Poids :	1 389 kg
Coffre/Réservoir :	290 litres/60 litres
Coussins de sécurité :	frontaux, latéraux (av.) et rideaux
Suspension avant :	indépendante, bras inégaux
Suspension arrière :	indépendante, multibras
Freins av./arr. :	disque (ABS)
Antipatinage/Contrôle de stabilité :	oui/oui
Direction :	à crémaillère, assist. variable électronique
Diamètre de braquage :	10,6 m
Pneus av./arr. :	P225/45R18
Capacité de remorquage :	non recommandé

MOTORISATION À L'ESSAI

Moteur :	Rotatif de 1,3 litre électromagnétique
Alésage et course :	n.d.
Puissance :	238 ch (177 kW) à 8 500 tr/min
Couple :	159 lb-pi (216 Nm) à 5 500 tr/min
Rapport poids/puissance :	5,84 kg/ch (7,94 kg/kW)
Système hybride :	aucun
Transmission :	propulsion, manuelle 6 rapports
Accélération 0-100 km/h :	6,7 s
Reprises 80-120 km/h :	7,9 s
Freinage 100-0 km/h :	35,0 m
Vitesse maximale :	235 km/h
Consommation (100 km) :	super, 13,5 litres
Autonomie (approximative) :	444 km
Émissions de CO2 :	5 366 kg/an

GAMME EN BREF

Échelle de prix :	36 995 $ à 42 995 $
Catégorie :	coupé
Historique du modèle :	1ère génération
Garanties :	3 ans/80 000 km, 5 ans/100 000 km
Assemblage :	Hiroshima, Japon
Autre(s) moteur(s) :	Rotatif 1,3l 212ch/159lb-pi
	(12,9 l/100km) automatique
Autre(s) rouage(s) :	aucun
Autre(s) transmission(s) :	auto. mode man. 6 rapports

DANS LA MÊME CATÉGORIE

BMW 328i - Chrysler Crossfire - Honda Accord Coupé - Infiniti G35 Coupé - Nissan 350Z

DU NOUVEAU EN 2007

Pas de changement majeur

NOS IMPRESSIONS

Agrément de conduite :	🚗 🚗 🚗 🚗 ½
Fiabilité :	🚗 🚗 🚗 🚗
Sécurité :	🚗 🚗 🚗 🚗 ½
Qualités hivernales :	🚗 🚗 🚗
Espace intérieur :	🚗 🚗 🚗
Confort :	🚗 🚗 🚗 ½

LE CHOIX DE L'ÉQUIPE

Boîte manuelle

Photos : Mazda

VITRINE TECHNOLOGIQUE

Étroitement dérivé de la berline de Classe S, le coupé CL représente en quelque sorte la vitrine technologique de Mercedes-Benz qui ne manque pas de faire étalage de son savoir-faire sur le plan technique avec cette septième génération du coupé de luxe dont la lignée remonte à la 300S de 1952. Le modèle précédent datant de 1999, la refonte fut totale pour ce nouveau coupé CL présenté en avant-première à Stuttgart avant ses débuts officiels au Mondial de l'Automobile de Paris.

« **P**ureté moderne », c'est en ces termes que Peter Pfeiffer, l'actuel chef du design chez Mercedes-Benz, qualifie le stylisme qui a été adopté à la fois pour la berline de Classe S et pour le coupé CL qui représente une évolution plus avancée de ce concept par rapport à la berline, toujours selon le designer. Dans ce créneau du marché où la concurrence a pour nom Aston Martin DB9, Bentley Continental GT ou BMW Série 6, le design a une influence démesurée dans le choix de l'acheteur. Et dans le cas du coupé CL, la filiation avec les modèles précédents est assurée par la présence de la calandre traditionnelle qui est toutefois plus inclinée sur ce nouveau modèle en plus de recevoir des appliques de chrome. Il est également à noter que le coupé CL ne partage aucun panneau de carrosserie avec la berline de Classe S dont il est dérivé, et que les dimensions extérieures ont été légèrement bonifiées par rapport au modèle antérieur, le coupé CL faisant maintenant plus de 5 mètres de longueur et 1 mètre 87 en largeur.

Dans un premier temps, deux motorisations sont au programme, soit les mêmes qui ont été retenues pour la berline de Classe S. Ainsi, le V8 de 5,5 litres et 382 chevaux et le V12 biturbo de 517 chevaux officieront sous le capot des coupés CL500 et CL600. Dans un deuxième temps, les amateurs de performances seront comblés par la venue de la version AMG du CL dont le moteur devrait développer plus de 600 chevaux... Même si le poids est en hausse par rapport au modèle précédent (2 034 kilos pour le CL500 et 2 218 pour le CL600), Mercedes-Benz prétend que des chronos de 5,6 et 4,7 secondes sont à prévoir pour le sprint de 0 à 100 kilomètres/heure pour les deux premières versions du coupé de luxe. Le moteur V8 est jumelé à la boîte automatique avec commandes manuelles 7G-TRONIC et, tout comme sur la Classe S et le sport utilitaire ML, le traditionnel levier de vitesse fait place à un petit levier localisé près du volant. Quant au CL600, le couple énorme de son moteur V12 biturbo (612 livres-pied entre 1 800 et 3 500 tours/minute) n'autorise pas le jumelage à la nouvelle boîte à sept rapports et c'est pourquoi la boîte automatique à cinq rapports du modèle précédent a été retenue.

CONSULTEZ LE LEXIQUE

La désignation CL doit vouloir signifier « consultez lexique ». C'est du moins le constat que l'on fait en prenant contact avec ce coupé truffé de dispositifs électroniques de toutes sortes, tous désignés par une série d'acronymes à faire pâlir d'envie les ingénieurs de la NASA. Jugez-en par vous-même : le coupé CL reçoit en dotation de série le système de

---

FEU VERT

Technologie de pointe
Moteurs puissants
Boîte automatique à sept rapports
Systèmes de sécurité avancés
Finition soignée

FEU ROUGE

Prix élevé
Diffusion limitée
Complexité de certains systèmes
Espace limité aux places arrière

télématique multifonction COMAND, la suspension pneumatique AIRMATIC, le freinage électrohydraulique Brake Assist Plus, et le dispositif PRE-SAFE décelant la potentialité d'une situation d'urgence et préparant la voiture à l'impact. Le coupé CL reçoit aussi le régulateur de vitesse intelligent assisté par radar DISTRONIC Plus, le système de contrôle actif du châssis ABC (Active Body Control) de même que le dispositif ESP qui intervient automatiquement sur le moteur et les freins en vue d'éviter les sorties de route provoquées par une maladresse du conducteur. Ce n'est là qu'un rapide survol de la dotation de série du coupé CL qui regorge également d'accessoires conçus en vue de rendre la vie à bord plus sereine et agréable pour conducteur et passagers.

LA VIE À BORD

Ainsi, le dispositif Keyless Go permet d'accéder sans clé à la voiture et de démarrer le moteur à la seule pression d'un bouton, le conducteur n'ayant qu'à conserver sur lui l'émetteur d'un signal électronique dont les dimensions sont semblables à celles d'une carte de crédit. La planche de bord et la console centrale sont grandement inspirées de la berline de Classe S, mais le coupé CL propose un environnement exclusivement décliné sur un choix de quatre agencements de couleurs mêlant le cuir, l'aluminium et les bois exotiques avec une rare harmonie. De plus, l'habitacle est illuminé au moyen de diodes et de câblage à fibre optique, ce qui permet de localiser précisément le faisceau de certaines sources d'éclairage de façon à créer une ambiance feutrée et intimiste qui est du plus bel effet la nuit.

La diffusion du coupé CL sera limitée par sa production annuelle qui est prévue à 10 000 exemplaires, les marchés les plus importants pour ce modèle étant l'Amérique du Nord et l'Allemagne. Aucun prix n'a été communiqué par le constructeur au moment d'écrire ces lignes, mais il est à prévoir que le coupé CL coûtera plus cher que la berline de Classe S, comme c'était d'ailleurs le cas pour les modèles de la génération précédente.

Gabriel Gélinas

VÉHICULE D'ESSAI

Version :	CL500
Prix de détail suggéré :	n.d.
Emp/Lon/Lar/Haut(mm) :	2 955/5 065/1 871/1 418
Poids :	1 995 kg
Coffre/Réservoir :	n.d./90 litres
Coussins de sécurité :	frontaux, latéraux (av.) et rideaux
Suspension avant :	indépendante, multibras
Suspension arrière :	indépendante, multibras
Freins av./arr. :	disque (ABS)
Antipatinage/Contrôle de stabilité :	oui/oui
Direction :	à crémaillère, assistance variable
Diamètre de braquage :	11,5 m
Pneus av./arr. :	P235/55R17
Capacité de remorquage :	non recommandé

MOTORISATION À L'ESSAI

Pneus d'origine MICHELIN

Moteur :	V8 de 5,5 litres 48s atmosphérique
Alésage et course :	98,0 mm x 90,5 mm
Puissance :	388 ch (289 kW) à 6 000 tr/min
Couple :	391 lb-pi (530 Nm) de 2 800 à 4 800 tr/min
Rapport poids/puissance :	5,14 kg/ch (6,98 kg/kW)
Système hybride :	aucun
Transmission :	propulsion, auto. mode man. 7 rapports
Accélération 0-100 km/h :	5,6 s (constructeur)
Reprises 80-120 km/h :	5,0 s (estimé)
Freinage 100-0 km/h :	38,1 m (estimé)
Vitesse maximale :	250 km/h
Consommation (100 km) :	super, 12,1 litres (constructeur)
Autonomie (approximative) :	744 km
Émissions de CO2 :	5 904 kg/an

GAMME EN BREF

Échelle de prix :	138 750 $ à 254 500 $ (2006)
Catégorie :	coupé
Historique du modèle :	1ière génération
Garanties :	4 ans/80 000 km, 4 ans/80 000 km
Assemblage :	Stuttgart, Allemagne
Autre(s) moteur(s) :	V12 5,5l biturbo 517ch/613lb-pi (14,3 l/100km) CL600
Autre(s) rouage(s) :	aucun
Autre(s) transmission(s) :	automatique 5 rapports

DANS LA MÊME CATÉGORIE

Bentley Continental GT - BMW Série 6 - Maserati Coupé - Jaguar XK

DU NOUVEAU EN 2007

Nouveau modèle

NOS IMPRESSIONS

Agrément de conduite :	🚗 🚗 🚗 🚗
Fiabilité :	nouveau modèle
Sécurité :	🚗 🚗 🚗 🚗 ½
Qualités hivernales :	🚗 🚗 🚗
Espace intérieur :	🚗 🚗 🚗 ½
Confort :	🚗 🚗 🚗 🚗 ½

LE CHOIX DE L'ÉQUIPE

CL600

Photos : Mercedes-Benz

COUTEAU SUISSE ALLEMAND !

Mercedes-Benz fait rarement les choses à moitié. Comprenant que le marché des fourgonnettes en Amérique demeurait tout de même lucratif, le constructeur allemand décidait, l'année dernière de présenter deux modèles, forts différents. La fourgonnette est représentée par la Classe R, très imposante et très dispendieuse. En contrepartie, Mercedes proposait aussi une minifourgonnette, la Classe B, moins intimidante et beaucoup plus accessible. Heureusement, il s'agit d'une Mercedes-Benz à part entière.

Pour situer la Classe B, il suffit de mentionner qu'elle est un tantinet plus courte qu'une Matrix tout en étant plus haute de quelques centimètres. Pourtant, l'aménagement intérieur est tellement bien structuré qu'il nous amène à imaginer secrètement que les designers viennent donner des conseils aux dirigeants du *Guide de l'auto* qui veulent agrandir leurs locaux pour une dixième fois. L'espace de chargement peut engloutir 544 litres si les dossiers du siège arrière sont relevés et 1530 s'ils sont baissés. C'est plus que notre «coqueron»... En plus de s'abaisser de façon 60/40, on retrouve une trappe à skis. Le seuil de chargement est situé très bas et le plancher s'ajuste en hauteur.

En fait, c'est tout l'habitacle qui se révèle convivial. L'espace disponible, autant aux places avant qu'aux places arrière, est impressionnant. Par contre, les fessiers de format américain risquent de trouver les sièges avant pas assez larges... Quant au siège arrière, on y retrouve bien trois ceintures mais la place centrale est utopique. Le tableau de bord est de facture Mercedes-Benz, c'est-à-dire austère mais efficace. Tout est à la portée de la main ou de l'œil, mais le régulateur de vitesse se veut un modèle d'incompréhension tant qu'on ne s'est pas arrêté un moment pour bien le comprendre. La qualité des matériaux ne se dément pas,

tout comme celle de la finition. Tout cela dans un véhicule dont le prix de base débute tout juste au dessus de 30 000 $! Remarquez, cependant, que Mercedes se reprend lorsque vient le temps de facturer certaines options !

PASSEZ À LA SÉCURITÉ, S.V.P.

S'il y une chose qui ne vient pas en option sur la Classe B, c'est bien la sécurité des occupants. En plus des huit coussins gonflables, on retrouve le plancher en sandwich, plus haut qu'un plancher normal. Lors d'un impact frontal, le moteur et la transmission (il s'agit d'une traction), placés stratégiquement, glissent sous le véhicule et non à l'intérieur. Lorsqu'on monte à bord d'une Classe B, on remarque que le plancher est plus haut que d'habitude et il est un peu plus pénible d'y monter pour les gens de petite taille. Ce plancher épais permet aussi de loger la batterie et le module des fusibles sous les pieds du passager avant (souhaitons que cet emplacement soit étanche à l'eau et au calcium qui risquent de se retrouver sur le plancher).

Il n'y a pas que la sécurité qui a reçu l'attention des ingénieurs de Mercedes-Benz. La mécanique aussi. Au Canada (la Classe B est une exclusivité canadienne en Amérique, le saviez-vous ?), un seul moteur

FEU VERT	FEU ROUGE
Niveau de sécurité élevé	Très peu sportive
Espace de chargement impressionnant	Moteur 2,0 litres peu performant
Habitacle convivial	Version de base peu équipée
Prix étudié	Prix de certaines options assomant
Comportement routier très correct	

est proposé mais en deux configurations différentes. On retrouve tout d'abord un quatre cylindres de 2,0 litres de 134 chevaux et 136 livres-pied de couple associé à une boîte manuelle à cinq rapports ou à une transmission à rapports continuellement variables (CVT). Peu importe la transmission, les 134 chevaux s'époumonent (et on les entend très bien!) à tenter de déplacer les 1 265 kilos du véhicule. Avec la CVT, au fonctionnement fort doux, nous avons réussi à boucler le fameux 0-100 en 10,3 secondes. Cette transmission propose aussi un mode manuel mais dès que l'on passe un rapport, le régime moteur descend beaucoup trop faisant ainsi perdre bien du temps. De toute façon, ceux qui désirent s'amuser à faire descendre les temps opteront pour le 2,0 turbo de 193 chevaux et 206 livres-pied de couple. Les accélérations et les reprises en bénéficient royalement! On retrouve toujours la CVT mais la manuelle compte six rapports. Souhaitons qu'un jour, Mercedes importe le moteur 2,0 litres diesel présentement offert en Europe.

POUR LA ROUTE, PAS POUR LA PISTE

Le Classe B ne peut prétendre à la sportivité même si son comportement routier est très honnête. En courbe serrée, la caisse penche passablement et on détecte un certain roulis. Mais la voiture s'accroche dignement au bitume, grâce aux lois de la physique ou aux nombreuses aides électroniques à la conduite. Les suspensions, MacPherson à l'avant et à essieu parabolique à l'arrière jouent un grand rôle, autant au niveau dynamique qu'au niveau du confort. La direction n'est pas un modèle de précision mais on a déjà vu pire tandis que les freins, quatre disques, font correctement leur boulot, mais perdent leur motivation lorsqu'on tente de jouer les Villeneuve. En fait, la Classe B est plus du genre autoroute, et il faut souvent jeter un coup d'œil à l'indicateur de vitesse pour ne pas dépasser outre mesure les limites.

Lorsqu'on prend la Classe B pour ce qu'elle est, une minifourgonnette (un Compact Sports Tourer selon la définition de Mercedes!), on ne peut pas être déçu. Certes, on peut trouver à redire sur certains accessoires manquants à la dotation de base (des essuie-glace intermittents et à vitesse variable, par exemple) et, surtout, sur le prix de certaines options. Mais, entre vous et moi, la Classe B de Mercedes-Benz est une aubaine. Son rapport qualité/prix/sécurité est dur à battre! Bref, un couteau suisse à la mode germanique!

Alain Morin

Photos : Alain Morin

VÉHICULE D'ESSAI

Version :	B200
Prix de détail suggéré :	32 450$
Emp/Lon/Lar/Haut(mm) :	2 778/4 270/1 777/1 604
Poids :	1 295 kg
Coffre/Réservoir :	544 à 1 530 litres/54 litres
Coussins de sécurité :	frontaux et latéraux (av.)
Suspension avant :	indépendante, jambes de force
Suspension arrière :	demi-ind., essieu parabolique
Freins av./arr. :	disque (ABS)
Antipatinage/Contrôle de stabilité :	oui/oui
Direction :	à crémaillère, assistance variable électrique
Diamètre de braquage :	11,9 m
Pneus av./arr. :	P205/55R16
Capacité de remorquage :	1 500 kg

MOTORISATION À L'ESSAI

Moteur :	4L de 2,0 litres 8s
Alésage et course :	83,0 mm x 94,0 mm
Puissance :	134 ch (144 kW) à 5 750 tr/min
Couple :	136 lb-pi (279 Nm) de 3 500 à 4 000 tr/min
Rapport poids/puissance :	6,71 kg/ch (9,12 kg/kW)
Système hybride :	aucun
Transmission :	traction, CVT
Accélération 0-100 km/h :	10,3 s
Reprises 80-120 km/h :	7,8 s
Freinage 100-0 km/h :	42,0 m
Vitesse maximale :	190 km/h
Consommation (100 km) :	ordinaire, 10,8 litres
Autonomie (approximative) :	500 km
Émissions de CO2 :	4 128 kg/an

GAMME EN BREF

Échelle de prix :	33 500$ à 46 000$
Catégorie :	multisegment
Historique du modèle :	1ère génération
Garanties :	4 ans/80 000 km, 5 ans/120 000 km
Assemblage :	Rastatt, Allemagne
Autre(s) moteur(s) :	4L 2,0l turbo 193ch/206lb-pi (9,2 l/100km)
Autre(s) rouage(s) :	aucun
Autre(s) transmission(s) :	manuelle 5 rapports / manuelle 6 rapports

DANS LA MÊME CATÉGORIE

Chevrolet HHR - Chrysler PTCruiser - Mazda 5 - Pontiac Vibe - Toyota Matrix

DU NOUVEAU EN 2007

Pas de changement majeur

NOS IMPRESSIONS

Agrément de conduite :	🚗 🚗 🚗 ½
Fiabilité :	🚗 🚗 🚗 ½
Sécurité :	🚗 🚗 🚗 🚗
Qualités hivernales :	🚗 🚗 🚗 🚗
Espace intérieur :	🚗 🚗 🚗 🚗
Confort :	🚗 🚗 🚗 ½

LE CHOIX DE L'ÉQUIPE

Turbo manuelle

EN ATTENTE

Selon la rumeur publique et les affirmations de certaines personnes haut placées chez Mercedes-Benz, la Classe C devait être la première à subir une cure de rajeunissement. Pourtant, la Classe S a été transformée à l'automne 2005, la Classe E remaniée a fait ses débuts une année plus tard ainsi que la CLS tandis que la GL est une nouvelle mouture. Et il ne faut pas oublier la SL qui a eu droit à plusieurs retouches. Pendant ce temps, la Classe C a plus au moins progressé depuis quelques années. Il y a eu plusieurs changements en 2006, mais pour 2007, il faudra patienter.

Néanmoins, malgré d'indéniables qualités, il est de plus en plus évident que cette Classe prend de l'âge face à une concurrence de plus en plus affûtée. Il ne faut pas croire pour autant que cette Mercedes-Benz soit désuète, loin de là. Elle demeure très populaire et même le Consumer Reports en vante les mérites en fait de performance et de comportement routier. Non sans avoir égratigné ce constructeur au passage quant à la fiabilité de cette voiture. En dépit des pronostics pas tellement encourageants pour le modèle 2006, toujours selon CR, il est important de souligner que la fiabilité a progressé au cours des derniers mois. Mieux encore, cet état de fait est rapporté dans plusieurs publications européennes.

LE COUPÉ D'ABORD

L'an dernier, lors de la rédaction de cet ouvrage, nous étions tous convaincus de la disparition du Coupé de la Classe C. Nous étions sérieusement dans les patates puisque ce modèle a été reconduit et avec un nouveau moteur V6 2,5 litres de 201 chevaux! Cette motorisation était ce qui pouvait arriver de mieux à cette Mercedes-Benz économique qui a pourtant beaucoup à offrir, notamment une silhouette assez bien réussie. Avec cette nouvelle cavalerie, le Coupé Sport a connu un second souffle de vie. Et malgré les mauvaises langues, il s'agit d'une

Mercedes-Benz à part entière en raison de son comportement routier correct, du design de l'habitacle et de la solidité de la caisse. Il reste maintenant aux «bollés» de Stuttgart de trouver un moyen de remédier à la distorsion de la glace du hayon. Ce serait alors presque top niveau comme disent les amants de la langue de Molière. Et, au moment d'aller sous presse, il semble une fois de plus que les jours de ce modèle soient comptés. Et bien alors!

LA BERLINE ENSUITE

La disparition l'an dernier de la familiale qui s'est éclipsée au bénéfice de la Classe B nouvellement arrivée était de l'opinion de tous le signal du remplacement du modèle actuel. On réduisait l'offre pour la renouveler. Pourtant, une année après ces prédictions, ce même modèle est toujours dans les salles de démonstration. Et ce n'est pas le choix qui fait défaut. La version la plus économique de la berline est livrée avec le même moteur V6 2,5 litres que le coupé. Avec ce moteur, la boîte manuelle à six rapports est de série, mais il est possible de commander en option une boîte automatique à sept rapports. Cette transmission vous permet de réduire la consommation de carburant et d'impressionner la parenté. Par ailleurs, si vous avez à déplacer trois passagers dans votre Classe C, le V6 3,0 litres de la C280 - je sais, ces appellations ne sont pas logiques – produit

FEU VERT	FEU ROUGE
Fabrication solide	Modèle en sursis
Nombreux modèles	Certaines options onéreuses
Rouage intégral	Fiabilité inégale
Sécurité exemplaire	Tableau de bord vieillot

VÉHICULE D'ESSAI

Version :	C350
Prix de détail suggéré :	55 680$
Emp/Lon/Lar/Haut(mm) :	2 715/4 526/1 728/1 400
Poids :	1 585 kg
Coffre/Réservoir :	345 litres/62 litres
Coussins de sécurité :	frontaux, latéraux (av.) et rideaux
Suspension avant :	indépendante, bras inégaux
Suspension arrière :	indépendante, multibras
Freins av./arr. :	disque (ABS)
Antipatinage/Contrôle de stabilité :	oui/oui
Direction :	à crémaillère, assistance variable
Diamètre de braquage :	10,7 m
Pneus av./arr. :	P205/55HR16
Capacité de remorquage :	454 kg

MOTORISATION À L'ESSAI

Pneus d'origine **MICHELIN**

Moteur :	V6 de 3,5 litres 24s atmosphérique
Alésage et course :	92,9 mm x 86,0 mm
Puissance :	268 ch (200 kW) à 6 000 tr/min
Couple :	258 lb-pi (350 Nm) de 2 400 à 5 000 tr/min
Rapport poids/puissance :	5,91 kg/ch (8,05 kg/kW)
Système hybride :	aucun
Transmission :	propulsion, auto. mode man. 7 rapports
Accélération 0-100 km/h :	7,4 s
Reprises 80-120 km/h :	6,0 s
Freinage 100-0 km/h :	42,0 m
Vitesse maximale :	225 km/h
Consommation (100 km) :	super, 11,5 litres
Autonomie (approximative) :	539 km
Émissions de CO$_2$:	5 280 kg/an

GAMME EN BREF

Échelle de prix :	36 950$ à 73 600$
Catégorie :	berline intermédiaire/coupé
Historique du modèle :	2ième génération
Garanties :	4 ans/80 000 km, 5 ans/120 000 km
Assemblage :	Sindelfingen, Allemagne
Autre(s) moteur(s) :	V6 2,5l 201ch/181lb-pi (11,5 l/100km) C230
	V6 3,0l 228ch/221lb-pi (12,1 l/100km) C280
Autre(s) rouage(s) :	intégrale
Autre(s) transmission(s) :	automatique 5 rapports /
	manuelle 6 rapports

27 chevaux de plus. Par contre, seule la boîte à cinq rapports est disponible. Il est également possible de commander une C280 4Matic à rouage intégral. Mais si vous consultez notre match de la glisse au début de cet ouvrage, vous constaterez que ce modèle ne s'impose plus face à ses concurrentes.

En fait de motorisation, le meilleur choix demeure toujours le moteur V6 de 3,5 litres d'une puissance de 268 chevaux, ce qui permet de boucler le 0-100 km/h en moins de huit secondes. Avec la version sport, il est possible de choisir entre une boîte manuelle à six rapports ou l'automatique à sept rapports. Optez pour la 4Matic et seule l'automatique à cinq rapports est offerte. Enfin, il y a la C55 AMG dont le moteur V8 de 5,5 litres produit 362 chevaux et, fait inhabituel pour un moteur sport, un couple de 376 lb-pi. Pas besoin d'un dessin pour comprendre qu'un gros moteur V8 dans une voiture aussi légère ne peut qu'avoir des effets positifs sur les performances. Le 0-100 km/h est l'affaire de 5 secondes et des poussières, tandis que les reprises vous collent dans le siège. Avec ses pneus ultralarges et une suspension qui n'apprécie pas trop les mauvais revêtements, il est possible qu'on se lasse de se faire «brasser le Québécois» au fil des kilomètres. Mais dès qu'une courbe invitante s'annonce, on a le réflexe du "boy racer" et on enfonce l'accélérateur pour se faire plaisir. Pour certaines personnes, c'est un réflexe pavlovien au volant d'une telle auto. Par contre, une fois qu'on a fini de s'extasier sur le rendement du moteur et de la qualité de la tenue en virage, on se rend compte que la planche de bord a l'air vieillotte par rapport à celle des nouvelles venues de la marque et que l'espace pour les coudes dans l'habitacle est un peu juste. Abandonné au catalogue en 2007, il est sans doute possible de dénicher un modèle invendu à bon prix.

Bref, une foule de petits détails qui, lorsque comparés à la Classe E par exemple, nous permettent de conclure que la Classe C est non seulement la plus économique des berlines de la marque, mais celle qui est la plus vieille. Il est fascinant de constater une telle chose chez une voiture dont les prestations sur la route continuent d'être supérieures à la moyenne! Et si jamais vous cherchez un argument pour craquer pour cette belle allemande qui possède toujours bien des atouts, vous pouvez souligner l'excellence de la marque en fait de sécurité tant active que passive.

Denis Duquet

DANS LA MÊME CATÉGORIE

Acura TL - Audi A4 / S4 - BMW Série 3 - Buick Lucerne - Cadillac CTS / CTS-V - Infiniti G35 / G35x - Jaguar X-Type - Lexus IS - Saab 9-5 - Volvo S60 / S60R

DU NOUVEAU EN 2007

Pas de changement majeur, abandon coupé et C55 AMG

NOS IMPRESSIONS

Agrément de conduite :	🚗 🚗 🚗 🚗
Fiabilité :	🚗 🚗 🚗 ½
Sécurité :	🚗 🚗 🚗 🚗 ½
Qualités hivernales :	🚗 🚗 🚗 🚗 ½
Espace intérieur :	🚗 🚗 🚗 ½
Confort :	🚗 🚗 🚗 🚗

LE CHOIX DE L'ÉQUIPE

C350 4Matic

Photos: Mercedes-Benz

MISE À JOUR

La concurrence est de plus en plus féroce, et ce, même dans la catégorie des berlines de luxe. À une époque pas trop lointaine, les changements s'effectuaient pratiquement une fois par décennie chez les grosses bagnoles. De nos jours, là aussi, c'est la course à la technologie. Puisque la nouvelle Classe S dévoilée à l'automne 2005 à Francfort a bénéficié de plusieurs améliorations sur le plan mécanique et technique, il était plus que normal que les catégories inférieures utilisent une bonne portion de cette technologie pour les modèles 2007. C'est justement le cas de la Classe E.

Même si les communiqués de Mercedes-Benz font grand état de plus de 2000 changements sur ces voitures, il est certain qu'il faut les regarder à la loupe pour découvrir les modifications sur le plan du design. J'ai eu l'occasion de parler à la personne responsable du stylisme, et je dois avouer que les changements qu'elle me montrait ne sautaient pas aux yeux. En tous les cas, sachez que la grille de calandre est nouvelle tandis que les phares de route ainsi que les feux arrière ont été révisés. Aussi, les roues sont d'un nouveau design. À cela s'ajoutent des rétroviseurs plus aérodynamiques, un nouveau volant, l'intégration du lecteur I-Pod au système audio et quelques autres petites retouches ici et là. En contrepartie, il y a beaucoup de nouveau au chapitre de la mécanique.

MOTEURS À GOGO

Si on compte tous les marchés sur lesquels la Classe E est commercialisée, l'acheteur a le choix parmi une dizaine de moteurs, notamment un quatre cylindres diesel de 2,0 litres produisant 136 chevaux et dont la consommation de carburant est de 6,3 litres aux 100 km/h. Il est économique mais pas tellement adapté à notre marché. Au Canada, il sera possible de choisir parmi quatre moteurs qui ont tous connu des modifications mécaniques importantes. Le V8 de 5,5 litres est le même que celui

qui équipe la nouvelle Classe S et sa puissance est de 391 chevaux. Contrairement à la version précédente, le jeu de soupapes est dorénavant de quatre par cylindres au lieu de trois. De plus, les ingénieurs ont apporté une attention poussée au "mapping" thermique de ce moteur afin que la température de l'huile et du liquide de refroidissement soit toujours optimale. Ce V8 est couplé à une boîte automatique à sept rapports sur la propulsion et une boîte à cinq rapports avec le rouage intégral 4Matic. C'est le cas d'ailleurs avec tous les autres moteurs de la gamme. Le V6 de la E350 produit 258 chevaux et est le seul moteur offert sur la familiale aussi bien en version habituelle que 4Matic.

Ce duo est proposé en plus de deux autres moteurs. Le premier est pour les gens sages et l'autre est réservé aux sportifs! Ainsi, le V6 diesel Bluetec de 3,0 litres génère 200 chevaux, ce qui est déjà impressionnant pour un diesel, mais son couple est de 376 lb-pi! Ce moteur BLUETEC est très économique avec une consommation moyenne de 8,0 litres aux 100 km. De plus, le système BLUETEC rend en plus ce moteur ultrapropre en fait d'émissions de gaz. Sur une note moins écologique, le moteur V8 AMG de 6,2 litres produit 507 chevaux, de quoi vous impressionner, ainsi que vos voisins et les membres des différents corps policiers de tout le continent!

FEU VERT
Caisse solide
Moteur Bluetec
Version AMG 6,3 litres
Boîte automatique 7 rapports
Modèle familiale pratique

FEU ROUGE
Places arrière moyennes
Fiabilité à démontrer
Certaines versions onéreuses
Changements esthétiques très discrets

Comme Mercedes-Benz a toujours été un pionnier de la sécurité, ces nouveaux modèles sont à l'avant-garde en la matière. Le mécanisme Pre-Safe, autrefois une exclusivité de la Classe S, est de série sur tous les modèles de la Classe E. Lors d'un freinage d'urgence, les glaces se referment, le volant et les sièges avant se positionnent de façon à offrir une meilleure protection tandis que les tendeurs de ceintures de sécurité entrent en jeu. Le système Neck-Pro est également de série. Il avance les appuie-têtes en cas de collision afin de mieux supporter la tête. Malheureusement, les nouveaux systèmes révolutionnaires de phares de route intelligents et de feux de freinage adaptatifs ne seront pas disponibles au Canada, du moins pour le moment.

DE SAGE À FURIEUX

Compte tenu de tout ce choix de moteurs, il est possible d'adapter le type de performance recherché. C'est ainsi que la E320 Bluetec sera la plus sage du lot mais aussi la plus économique en carburant. Malgré tout, lors d'un essai d'environ 200 kilomètres sur les routes de Bavière, ce moteur V6 nous a surpris par son silence, ses accélérations et ses reprises. La boîte 7G-Tronic contribue à tirer tout le potentiel de ce diesel. Quant au moteur V6 de la E350, c'est sans doute le plus polyvalent du lot avec des prestations et une consommation de carburant dans la bonne moyenne pour la catégorie. Par contre, il s'éclipse en fait de performance devant le V8 de 5,5 litres de la E550. Ce dernier assure des accélérations nerveuses et il apprécie les régimes plus élevés. Sur la route, c'est celui qui offre le meilleur rapport performances/consommation de carburant. Soulignons que sur la route, tous les modèles de la Classe E essayés étaient équipés de la nouvelle direction Direct Control qui est de série. Cette direction permet une meilleure stabilité en ligne droite, c'est certain. Par contre, son *feedback* est censé être meilleur que précédemment, mais la différence ne m'a pas semblé tellement importante.

Du moins jusqu'à ce que je prenne le volant de la E63 AMG avec son moteur V8 de 507 chevaux qui permet de boucler le 0-100 km/h en 4,5 secondes. À 250 km/h sur l'autobahn, j'appréciais la stabilité directionnelle de la direction Direct Control! Mais en plus de rouler comme une balle de fusil en ligne droite, la E63 AMG est une magnifique routière qui associe le caractère pratique d'une berline aux performances d'une voiture de sport, Mama mia!

Denis Duquet

Photos : Denis Duquet

VÉHICULE D'ESSAI

Version :	E350
Prix de détail suggéré :	75 000 $
Emp/Lon/Lar/Haut(mm) :	2 854/4 856/2 063/1 483
Poids :	1 785 kg
Coffre/Réservoir :	450 litres/80 litres
Coussins de sécurité :	frontaux, latéraux (av.) et rideaux
Suspension avant :	indépendante, multibras
Suspension arrière :	indépendante, multibras
Freins av./arr. :	disque (ABS)
Antipatinage/Contrôle de stabilité :	oui/oui
Direction :	à crémaillère, assistance variable
Diamètre de braquage :	11,4 m
Pneus av./arr. :	P245/45R17
Capacité de remorquage :	non recommandé

MOTORISATION À L'ESSAI

Pneus d'origine MICHELIN

Moteur :	V6 de 3,5 litres 24s atmosphérique
Alésage et course :	93,0 mm x 85,0 mm
Puissance :	268 ch (200 kW) à 6 000 tr/min
Couple :	258 lb-pi (350 Nm) de 2 400 à 5 000 tr/min
Rapport poids/puissance :	6,66 kg/ch (9,06 kg/kW)
Système hybride :	aucun
Transmission :	intégrale, auto. mode man. 7 rapports
Accélération 0-100 km/h :	7,2 s
Reprises 80-120 km/h :	6,3 s
Freinage 100-0 km/h :	37,0 m
Vitesse maximale :	220 km/h
Consommation (100 km) :	super, 13,4 litres
Autonomie (approximative) :	597 km
Émissions de CO2 :	5 280 kg/an

GAMME EN BREF

Échelle de prix :	74 300 $ à 117 745 $
Catégorie :	berline de luxe/familiale
Historique du modèle :	3ième génération
Garanties :	4 ans/80 000 km, 5 ans/120 000 km
Assemblage :	Stuttgart, Allemagne
Autre(s) moteur(s) :	V6 3,0l diesel 210ch/388lb-pi (8,9 l/100km)
	V8 5,5l 382ch/391lb-pi (14,8 l/100km) E550
	V8 6,2l 507ch/465lb-pi (16,1 l/100km) E63 AMG
Autre(s) rouage(s) :	propulsion
Autre(s) transmission(s) :	automatique 5 rapports

DANS LA MÊME CATÉGORIE

Acura RL - Audi A6 - BMW Série 5 - Jaguar S-Type - Infiniti M45 - Lexus GS 350/430 - Volvo S80

DU NOUVEAU EN 2007

Moteurs à essence plus puissants, système Bluetec, changements mineurs à la carrosserie

NOS IMPRESSIONS

Agrément de conduite :	🚗 🚗 🚗 🚗
Fiabilité :	nouveau modèle
Sécurité :	🚗 🚗 🚗 🚗 ½
Qualités hivernales :	🚗 🚗 🚗 🚗
Espace intérieur :	🚗 🚗 🚗 ½
Confort :	🚗 🚗 🚗 🚗

LE CHOIX DE L'ÉQUIPE

E550

TOUJOURS VIVANT !

La première surprise que les journalistes ont eue lors du dévoilement de la Classe GL était que ce modèle ne venait pas remplacer la Classe G qui poursuivait sa longue carrière sans changement majeur. Mieux encore, le constructeur allemand a renouvelé l'entente qui le liait à la compagnie autrichienne Steyr-Puch pour l'assemblage de ce mastodonte d'une autre époque. Alors que Mercedes-Benz met les bouchées doubles pour remodeler l'ensemble de sa gamme, vous avouerez que cette décision est paradoxale.

Mais il suffit de causer quelques instants avec les responsables du marketing de la compagnie pour comprendre très rapidement. Malgré sa silhouette taillée à la hache, et en dépit d'une conception qui remonte à quelques décennies maintenant, ce gros calibre est plus populaire que jamais. À une époque où voitures et VUS se ressemblent comme des frères jumeaux, les gens riches et célèbres apprécient de pouvoir se démarquer au volant d'un produit qui fait tourner les têtes par son esthétique d'hier et qui affiche un encombrement leur permettant de se faire remarquer dans la circulation. Il faut toutefois préciser que le G500 n'est pas le plus colossal de sa catégorie, il y a plusieurs autres grosses pointures dans ce club des mastodontes, mais ses angles aigus le font paraître plus volumineux qu'il ne l'est en réalité. Ce qui est jugé comme étant très positif avec les acheteurs potentiels. Et parlant d'éléments hors-norme, un prix de vente excédant de beaucoup la barre psychologique des 100 000 $ est un autre facteur qui plaît aux BCBG au porte-monnaie bien garni !

Conçu initialement pour les forces policières et l'armée, le Gelandewagen - véhicule tout-terrain en allemand - s'est embourgeoisé au fil des ans - pour ce qui est des modèles destinés au grand public -, tout en poursuivant une brillante carrière sous les drapeaux de plusieurs pays. D'ailleurs, depuis l'an passé, il est devenu le véhicule de transport de prédilection des forces armées canadiennes en remplacement de la défunte Iltis, un autre véhicule militaire d'origine allemande. Dans ce dernier cas, il s'agissait d'un produit développé par le groupe Volkswagen-Audi ag.

DÉCOUVREZ L'ÉVOLUTION

Ce qui me fascine le plus sur ce véhicule est le travail d'évolution que les ingénieurs ont dû réaliser pour transformer ce 4X4 plus que spartiate en objet de grand luxe. Au fil des années, l'habitacle s'est amélioré alors que plusieurs des éléments de confort et de luxe de la berline de la Classe S ont été aménagés dans le G Wagon. Mais on aura beau tapisser les parois intérieures des cuirs les plus fins, couvrir la console centrale des bois les plus exotiques et choisir des sièges confortables, le fait demeure que les parois sont archiplanes, et la planche de bord quelque peu rétro. Bref, il est facile de percevoir qu'il a fallu effectuer plusieurs compromis pour nous proposer un habitacle à la hauteur du prix. Mais ce n'est pas toujours le cas. Par exemple, le porte-verre avant tient plus du bricolage qu'autre chose...

FEU VERT
Exclusivité assurée
Passe partout
Équipement complet
Rouage intégral élaboré
Excellente visibilité

FEU ROUGE
Nouveau modèle attendu
Silhouette rétro
Consommation élevée
Ergonomie d'une autre époque
Peu d'espace pour les coudes

Il est intéressant par ailleurs de constater à quel point l'utilisation de l'espace dans l'habitacle a été optimisée au fil des ans sur les véhicules modernes. Sur le G500, on est surpris de voir notre épaule effleurer la glace extérieure en raison d'une absence totale de rondeurs. Tant et si bien qu'on se sent à l'étroit dans l'un des plus gros véhicules sur la route. Par contre, les portières se referment avec un bruit qui ne permet pas de douter de la solidité de l'ensemble. C'est un peu comme si on fermait une porte de coffre-fort. D'ailleurs, son design semble avoir été inspiré de cet objet.

RIEN NE L'ARRÊTE

Si la silhouette fait sourire, en revanche, la fenestration permet au conducteur de bénéficier d'une excellente visibilité. De plus, la position de conduite relativement haute facilite la tâche lorsqu'on roule en terrain accidenté. Cette vue de haut permet de déceler plus rapidement les pièges du terrain. Du reste, tout dans ce véhicule semble avoir été initialement dessiné pour aller se promener loin en forêt et sur des sentiers impraticables. Il y a cette position de conduite, mais également une direction à bille dont la précision n'est pas le point fort. Par contre, ce «jeu» dans la direction permet d'éviter un retour du volant qui pourrait blesser le conducteur si jamais les roues heurtent un billot, une pierre ou un obstacle du genre. Et si le roulis de caisse en virage est prononcé en raison d'une suspension trop souple, cette caractéristique se transforme en avantage lorsque la route perd son nom. Les cahots et les bosses sont alors absorbés avec douceur au grand plaisir du pilote et des occupants. Mais comme chacun sait, la conduite tout-terrain ne s'effectue pas en roulant à tombeau ouvert, mais lentement et avec précaution.

Dans de telles circonstances, les 292 chevaux du moteur V8 5 litres ne sont pas de trop étant donné que ce cabanon de jardin sur quatre roues fait osciller la balance à environ 2 500 kg. Pour se sortir des ornières les plus profondes, il est possible de verrouiller les trois différentiels - avant, central et arrière. Inutile de souligner que le G500 peut passer littéralement partout.

Pour terminer, il faut mentionner que la Classe G peut être commandée en version AMG. Mais c'est pratiquement de la démence puisque le G55 AMG est propulsé par un moteur V8 de 5,5 litres d'une puissance de 469 chevaux dont la consommation inquiéterait même un dirigeant d'un pays producteur de pétrole...

Denis Duquet

Photos : Mercedes-Benz

VÉHICULE D'ESSAI

Version :	G500
Prix de détail suggéré :	115 900 $
Emp/Lon/Lar/Haut(mm) :	2 850/4 680/1 760/1 945
Poids :	2 460 kg
Coffre/Réservoir :	1 280 à 2 250 litres/96 litres
Coussins de sécurité :	frontaux
Suspension avant :	essieu rigide, ressorts hélicoïdaux
Suspension arrière :	essieu rigide, ressorts hélicoïdaux
Freins av./arr. :	disque (ABS)
Antipatinage/Contrôle de stabilité :	oui/oui
Direction :	à billes, assistée
Diamètre de braquage :	13,3 m
Pneus av./arr. :	P265/60R18
Capacité de remorquage :	3 175 kg

MOTORISATION À L'ESSAI

Pneus d'origine
MICHELIN

Moteur :	V8 de 5,0 litres 24s atmosphérique
Alésage et course :	97,0 mm x 84,0 mm
Puissance :	292 ch (218 kW) à 5 500 tr/min
Couple :	336 lb-pi (456 Nm) de 2 800 à 4 000 tr/min
Rapport poids/puissance :	8,42 kg/ch (11,44 kg/kW)
Système hybride :	aucun
Transmission :	4X4, automatique 5 rapports
Accélération 0-100 km/h :	9,7 s
Reprises 80-120 km/h :	7,7 s
Freinage 100-0 km/h :	47,1 m
Vitesse maximale :	190 km/h
Consommation (100 km) :	super, 16,7 litres
Autonomie (approximative) :	575 km
Émissions de CO2 :	8 041 kg/an

GAMME EN BREF

Échelle de prix :	111 900 $ à 152 450 $
Catégorie :	utilitaire sport grand format
Historique du modèle :	1ière génération
Garanties :	4 ans/80 000 km, 5 ans/120 000 km
Assemblage :	Graz, Autriche
Autre(s) moteur(s) :	V8 5,5l 469ch/516lb-pi (18,1 l/100km) G55 AMG
Autre(s) rouage(s) :	aucun
Autre(s) transmission(s) :	aucune

DANS LA MÊME CATÉGORIE

Hummer H2 - Infiniti QX56 - Land Rover Range Rover - Lexus LX 470

DU NOUVEAU EN 2007

Nouvelle version bientôt disponible

NOS IMPRESSIONS

Agrément de conduite :	🚗 🚗 🚗 ½
Fiabilité :	🚗 🚗 🚗 🚗
Sécurité :	🚗 🚗 🚗 🚗
Qualités hivernales :	🚗 🚗 🚗 🚗 🚗
Espace intérieur :	🚗 🚗 🚗 🚗
Confort :	🚗 🚗 🚗 ½

LE CHOIX DE L'ÉQUIPE

G500

UNE GROSSE POINTURE

Il est sans doute regrettable que Mercedes-Benz soit arrivé un peu tard au party des gros VUS sept places, mais il est certain que le modèle proposé par ce constructeur permettra à plusieurs personnes bien nanties de se retrouver au volant d'un utilitaire sport de cette catégorie apte à concilier confort, tenue de route et comportement hors route surprenant.

Ce nouveau venu est d'ailleurs capable de se mesurer aux Cadillac Escalade et Lincoln Navigator en fait de dimensions et les largue allégrement au chapitre de la tenue de route, du confort et même de la sophistication du rouage d'entraînement. Notons au passage que la GL n'a rien en commun avec la vétuste Classe G qui demeure toujours au catalogue et est encore produite dans une usine en Autriche. La GL est, pour sa part, assemblée à l'usine de Tuscaloosa en Alabama, au même endroit que les modèles ML et R. Qui plus est, les trois se partagent la même plate-forme, le même châssis monocoque ainsi que le rouage d'entraînement.

UNE SILHOUETTE PLUS RÉSERVÉE

Alors que les véhicules de la Classe M font l'unanimité par leurs formes vraiment équilibrées et modernes, la GL se rallie quelque peu aux tendances des stylistes américains pour les gros VUS. La filiation avec la ML est évidente, principalement lorsque vue de face, par contre, de profil, les angles sont moins accentués, tandis que les rondeurs tentent de donner un peu de convivialité à l'ensemble. Et il faut ajouter que la GL est plus haute et que le pilier D n'est pas masqué comme c'est le cas sur la ML, permettant de la faire paraître plus longue et plus haute.

Bref, une présentation extérieure qui devrait plaire aux acheteurs ciblés, généralement plus conservateurs que la moyenne. En revanche, personne ne viendra critiquer l'habitacle avec sa finition impeccable et surtout son tableau de bord fortement dérivé de la Classe M. Le volant sport avec ses deux rayons inférieurs en aluminium brossé et les deux buses centrales de ventilation légèrement superposées sur la planche de bord apportent un petit quelque chose de spécial.

Les dimensions généreuses de ce tout-terrain ont permis aux ingénieurs de placer une troisième rangée de sièges. Ces deux places supplémentaires conviendront à des personnes de petite taille ou à des adolescents. Il faut souligner que leur déploiement est à moteur électrique. Bien entendu, leur dossier est divisible 50/50.

TROIS MOTEURS AU PROGRAMME

Les premières versions GL qui seront commercialisées, les GL 450, proposeront le moteur V8 de 4,7 litres de 335 chevaux. Ce V8 fait partie d'une toute nouvelle génération de moteurs dotés de quatre soupapes par cylindre. Un peu plus tard, le GL 550 viendra s'ajouter au catalogue. Son moteur est le même V8 de 5,5 litres de la Classe S et sa puissance est de 388 chevaux. Les deux sont couplés à une boîte

FEU VERT
Moteur bien adapté
Bonne tenue de route
Groupe optionnel hors route efficace
Bonne finition

FEU ROUGE
Prix corsé
3e rangée difficile d'accès
Gabarit encombrant en ville
Pédale de frein sensible

automatique à sept rapports qui est d'un étagement et d'un fonctionnement sans reproche.

Mais ce n'est pas tout! Pour la première fois de son histoire sans doute, Mercedes-Benz offrira un moteur en Amérique du Nord avant de le commercialiser en Europe. Il s'agit du moteur V6 turbodiesel de 3,2 litres d'une puissance de 224 chevaux dont la consommation anticipée est de moins de 10 litres aux 100 km. En plus, il sera également possible de commander sa GL avec le système Bluetec qui transforme ce moteur diesel en modèle de propreté grâce à l'injection d'urée dans le filtre à particule. Pour ce faire, il faut utiliser le nouveau gazole à faible teneur en soufre. La suspension pneumatique est de série tandis que le groupe d'options «Off Road» comprend la suspension pneumatique réglable, un régulateur de vitesse de pente et la possibilité de bloquer deux des trois différentiels.

Les essais sur route se sont effectués au volant d'une GL 450 dotée d'un équipement plus que complet qui incluait même des écrans LCD montés sur les appuie-têtes avant. Comme toute Mercedes-Benz qui se respecte, l'insonorisation était remarquable et les sièges avant étaient confortables tout en offrant un bon support latéral. Le moteur de 4,7 litres nous a fait boucler le 0-100 km/h en un peu moins de huit secondes, ce qui n'est pas vilain pour la catégorie. Mais ce qui est le plus impressionnant sur la GL est son comportement routier qui nous a permis de rouler sans effort sur des routes secondaires très sinueuses qui auraient fait mal paraître plus d'une berline. Il est vrai que le roulis de caisse était perceptible, mais pas au point de devenir agaçant. La direction était précise et son assistance juste ce qu'il faut à mon goût. Par contre, comme sur les ML et R, il est difficile de doser l'effort de la pédale de frein. Ce qui entraîne parfois des arrêts brusques.

Excellente routière, la GL a également brillé en conduite hors route. Nous avons circulé sur un parcours très escarpé recouvert d'une bonne couche de boue et le système a effectué le travail sans difficulté. Voilà de quoi rassurer ceux qui ont toujours été intimidés par de telles conditions de conduite.

La silhouette est quelque peu discrète, mais le GL est un gros VUS sept places qui devrait combler ses propriétaires et inquiéter la concurrence. La nouvelle Cadillac Escalade est à la hauteur mais le Lincoln Navigator a du retard.

Denis Duquet

Photos : Denis Duquet

VÉHICULE D'ESSAI

Version :	GL450
Prix de détail suggéré :	76 500 $
Emp/Lon/Lar/Haut(mm) :	3 075/5 088/2 127/1 840
Poids :	2 430 kg
Coffre/Réservoir :	300 à 2 300 litres/100 litres
Coussins de sécurité :	front., latéraux (av./arr.) et rideaux
Suspension avant :	indépendante, multibras
Suspension arrière :	indépendante, multibras
Freins av./arr. :	disque (ABS)
Antipatinage/Contrôle de stabilité :	oui/oui
Direction :	à crémaillère, assistance variable
Diamètre de braquage :	11,6 m
Pneus av./arr. :	P265/60HR18
Capacité de remorquage :	3 402

MOTORISATION À L'ESSAI

Pneus d'origine MICHELIN

Moteur :	V8 de 4,7 litres 32s atmosphérique
Alésage et course :	92,9 mm x 86,0 mm
Puissance :	335 ch (250 kW) à 6 000 tr/min
Couple :	339 lb-pi (460 Nm) de 2 700 à 5 000 tr/min
Rapport poids/puissance :	7,25 kg/ch (9,84 kg/kW)
Système hybride :	aucun
Transmission :	intégrale, auto. mode man. 7 rapports
Accélération 0-100 km/h :	7,7 s
Reprises 80-120 km/h :	6,8 s
Freinage 100-0 km/h :	41,5 m
Vitesse maximale :	205 km/h
Consommation (100 km) :	super, 17,3 litres
Autonomie (approximative) :	578 km
Émissions de CO2 :	n.d.

GAMME EN BREF

Échelle de prix :	76 500 $
Catégorie :	utilitaire sport grand format
Historique du modèle :	1ière génération
Garanties :	4 ans/80 000 km, 5 ans/120 000 km
Assemblage :	Tuscaloosa, Alabama, É-U
Autre(s) moteur(s) :	V8 5,5l 388ch/392lb-pi (19,8l) GL 550
	V6 3,2l Turbo-diesel 224ch/377lb-pi
Autre(s) rouage(s) :	aucun
Autre(s) transmission(s) :	aucune

DANS LA MÊME CATÉGORIE

Audi Q7 - Cadillac Escalade - Infiniti QX56 - Land Rover Range Rover - Lexus LX 470 - Lincoln Navigator

DU NOUVEAU EN 2007

Nouveau modèle

NOS IMPRESSIONS

Agrément de conduite :	🚗🚗🚗🚗
Fiabilité :	nouveau modèle
Sécurité :	🚗🚗🚗🚗🚗
Qualités hivernales :	🚗🚗🚗🚗🚗
Espace intérieur :	🚗🚗🚗🚗🚗
Confort :	🚗🚗🚗🚗½

LE CHOIX DE L'ÉQUIPE

GL450

MERCEDES-BENZ CLASSE ML

BEAUCOUP D'EAU SOUS LES PONTS

Lancée l'an dernier, la deuxième génération du ML corrigeait les erreurs de jeunesse qui ont affligé les modèles précédents de ce sport utilitaire assemblé aux États-Unis et arrivé sur le marché en 1997. La refonte a été à ce point complète que mon collègue Denis Duquet n'a pas hésité à lui accorder le titre de nouvelle référence de la catégorie dans l'édition 2006 du *Guide de l'auto*. Le ML poursuit donc sa route en 2007, année qui marquera également l'arrivée d'une version survitaminée proposée par la division AMG.

Avec sa calandre grillagée, son capot plongeant, son pare-brise incliné et surtout l'angle prononcé du pilier C faisant le lien entre les glaces latérales arrière, l'allure dynamique et racée du ML de deuxième génération ne manque pas de séduire. De plus, les ailes élargies et la présence d'éléments de protection sous les pare-chocs avant et arrière lui donnent une apparence plus masculine.

LE DIESEL AU PROGRAMME

L'an dernier, le ML n'était proposé qu'avec un V6 ou un V8 à essence, mais la gamme de motorisations sera plus élargie pour l'année modèle 2007. Les motorisations diesel jouissent d'une diffusion importante sur le vieux continent, mais sont moins populaires chez nous. Pourtant, un tel moteur offre souvent un couple largement supérieur à un moteur à essence de cylindrée équivalente, et plusieurs automobilistes québécois en sont des inconditionnels. Ces derniers seront donc heureux d'apprendre que le ML sera également offert au Canada avec un V6 diesel de 3,0 litres et 221 chevaux dès octobre 2006. Des deux moteurs à essence proposés, le V8 de 5,0 litres et 301 chevaux livre les performances les plus inspirées, mais le V6 de 3,5 litres et 268 chevaux n'est pas à dédaigner pour autant, son niveau de performances étant suffisant pour la conduite de tous les jours. Sur la route, le ML affiche une tendance au sous-virage en conduite sportive, mais le roulis en virage est bien contrôlé et la direction est d'une grande précision, ce qui en fait un sport utilitaire au comportement très civilisé.

LA BOMBE AMG

Pour 2007, la division AMG propose sa version du ML qui se veut la réplique au Porsche Cayenne Turbo. Le ML63 AMG se distingue non seulement par son look beaucoup plus agressif, mais surtout par son moteur qui n'est cependant pas dérivé d'un moteur Mercedes-Benz, mais qui est plutôt une création originale de la division sport. En effet, ce V8 atmosphérique de 6,2 litres ne partage aucun élément avec l'un ou l'autre des moteurs Mercedes-Benz, il est entièrement réalisé en aluminium et il est doté de quatre arbres à cames en tête actionnant quatre soupapes par cylindre avec calage variable de ces soupapes. Ce nouveau moteur développe 503 chevaux à 6 800 tours/minute et 465 livres-pied de couple à 5 200 tours/minute, soit un couple maximal inférieur à celui du moteur précédent qui était un V8 suralimenté par compresseur capable de livrer 516 livres-pied. Cette réduction du couple maximal autorise donc le jumelage du moteur à la nouvelle boîte automatique 7G-TRONIC qui compte sept rapports avec commandes manuelles du passage des vitesses. La livrée de la puissance se fait

FEU VERT

Style réussi
Choix de motorisations
Rouage intégral
Boîte automatique à sept rapports
Bon comportement routier

FEU ROUGE

Prix élevé
Consommation élevée
Coût des options

toujours aux quatre roues par l'entremise du rouage intégral qui adopte ici une répartition de 40 pour cent au train avant et 60 pour cent à l'arrière. Il est à noter que ce nouveau moteur se retrouve non seulement sous le capot du ML63 AMG, mais qu'il sera également adapté pour les autres véhicules éventuellement développés par AMG.

En raison de l'accroissement de la puissance, les freins du ML63 AMG sont composés de disques d'un diamètre supérieur à ceux que l'on retrouve sur le ML500, et ils sont à la fois ventilés et percés afin de dissiper la chaleur plus rapidement lorsque fortement sollicités. Les suspensions pneumatiques ont également été revues puisqu'elles sont plus fermes dans une proportion de 100 pour cent à l'avant et de 60 pour cent à l'arrière par rapport au ML500. Pour vous donner une idée du potentiel de performance du ML63 AMG, précisons que le bloc d'instruments comporte un chronomètre, tout comme l'ensemble Sport Chrono Plus de Porsche... De là à vouloir se chronométrer en bouclant des tours de circuit, il n'y a qu'un pas, mais il ne faudrait surtout pas perdre de vue le fait que le ML63 AMG pèse plus de 2 300 kilos...

La catégorie des véhicules sport utilitaires a beau connaître un certain ralentissement des ventes en raison de la hausse des prix du carburant, il n'en demeure pas moins que les inconditionnels de ce type de véhicule sont nombreux et que le ML s'avère être l'un des meilleurs choix que l'on puisse faire dans cette catégorie. La concurrence étant féroce et persévérante, BMW réplique avec un tout nouveau modèle du X5 en 2007.

Gabriel Gélinas

VÉHICULE D'ESSAI

Version :	ML500
Prix de détail suggéré :	75 300 $
Emp/Lon/Lar/Haut (mm) :	2 915/4 788/1 910/1 815
Poids :	2 185 kg
Coffre/Réservoir :	833 à 2 050 litres / 83 litres
Coussins de sécurité :	frontaux, latéraux (av.) et rideaux
Suspension avant :	indépendante, barres de torsion
Suspension arrière :	indépendante, multibras
Freins av./arr. :	disque (ABS)
Antipatinage/Contrôle de stabilité :	oui/oui
Direction :	à crémaillère, assistance variable
Diamètre de braquage :	11,6 m
Pneus av./arr. :	P255/55R18
Capacité de remorquage :	2 500 kg

MOTORISATION À L'ESSAI

Pneus d'origine **MICHELIN**

Moteur :	V8 de 5,0 litres 24s atmosphérique
Alésage et course :	96,8 mm x 84,0 mm
Puissance :	301 ch (225 kW) à 5 600 tr/min
Couple :	339 lb-pi (460 Nm) de 2 700 à 4 750 tr/min
Rapport poids/puissance :	7,24 kg/ch (9,84 kg/kW)
Système hybride :	aucun
Transmission :	intégrale, séquentielle 7 rapports
Accélération 0-100 km/h :	6,9 s
Reprises 80-120 km/h :	6,1 s
Freinage 100-0 km/h :	36,4 m
Vitesse maximale :	210 km/h
Consommation (100 km) :	super, 16,8 litres
Autonomie (approximative) :	494 km
Émissions de CO2 :	6 960 kg/an

GAMME EN BREF

Échelle de prix :	55 750 $ à 98 600 $
Catégorie :	utilitaire sport intermédiaire
Historique du modèle :	2ième génération
Garanties :	4 ans/80 000 km, 5 ans/120 000 km
Assemblage :	Tuscaloosa, Alabama, É-U
Autre(s) moteur(s) :	V6 3,0l 221ch/398lb-pi (diesel, ML320)
	V6 3,5l 268ch/258lb-pi (14,6 l/100km) ML350
	V8 6,2l 503ch/465lb-pi (16,7 l/100km) ML63 AMG
Autre(s) rouage(s) :	aucun
Autre(s) transmission(s) :	aucune

DANS LA MÊME CATÉGORIE

Acura MDX - Audi Q7 - BMW X5 - Cadillac SRX - Infiniti FX35/45 - Lexus LX 470 - Land Rover Range Rover

DU NOUVEAU EN 2007

Nouveaux moteurs

NOS IMPRESSIONS

Agrément de conduite :	🚗 🚗 🚗 🚗
Fiabilité :	🚗 🚗 🚗 🚗
Sécurité :	🚗 🚗 🚗 🚗 ½
Qualités hivernales :	🚗 🚗 🚗 🚗 🚗
Espace intérieur :	🚗 🚗 🚗 🚗
Confort :	🚗 🚗 🚗 🚗

LE CHOIX DE L'ÉQUIPE

ML500

Photos : Mercedes-Benz

LE NOUVEAU CRÉNEAU

Mercedes-Benz a choisi de s'attaquer au marché des véhicules multifonctions avec un peu de retard par rapport à certains concurrents, mais avec une certaine avance face à ses rivaux germaniques BMW et Audi, la marque d'Ingolstadt venant tout juste de lancer son Q7, alors que la marque de Munich planche encore sur son prototype F-Sport à sept places. Ce créneau est-il appelé à croître au cours des prochaines années? Plusieurs nouveaux modèles sont effectivement en route, mais Mercedes-Benz est forcé de reconnaître que les ventes de la Classe R ne sont pas à la hauteur des attentes, du moins pour le moment.

Véhicule sport utilitaire d'asphalte ou minifourgonnette de luxe? C'est la question que l'on se pose au premier contact avec la Classe R qui reprend plusieurs caractéristiques communes à ces deux genres de véhicules tout en leur associant les critères de luxe qui ont fait l'apanage de la marque. La plupart des gens qui m'ont questionné au sujet de la R500 que j'avais à l'essai semblaient intéressés par le concept et l'exécution de ce nouveau modèle, jusqu'à ce qu'ils apprennent son prix qui était de 81,667 dollars… De quoi freiner bien des ardeurs!

DIMENSIONS HORS-NORME

Les dimensions de la Classe R sont semblables à celles des plus grandes minifourgonnettes (avec une longueur de plus de 5,1 mètres!), mais le style fait nettement moins «van de madame», comme le dit si bien ma collègue Josée Lavigueur de Salut Bonjour, qui ne manquera pas de plaire à une certaine clientèle féminine soucieuse de se démarquer. Vue de profil, la Classe R fait montre d'un capot plongeant et d'un pare-brise à forte inclinaison qui se fond dans une ligne de toit s'abaissant vers l'arrière. De plus, les ailes sont prononcées et les roues en alliage de 18 pouces aident à donner plus de caractère au véhicule. Le gabarit surdimensionné de la Classe R, de

même que son rouage intégral, a cependant une incidence directe sur le poids qui est extrêmement élevé, soit plus de 2 300 kilos pour la R500.

Sur la route, la R500 se défend bien en ce qui a trait aux accélérations, le rouage intégral aidant beaucoup pour la motricité initiale, mais c'est à la pompe que l'on en paye le prix comme le démontre la moyenne enregistrée de 18,1 litres aux 100 kilomètres, et ce, malgré le fait que la R500 soit dotée d'une boîte automatique à sept rapports. La mission première de la Classe R étant de transporter six personnes avec un confort digne de la classe affaires, son comportement routier met l'accent sur le confort de roulement et le silence à bord. C'est donc le véhicule idéal pour faire le trajet de Montréal à New York avec plusieurs passagers, mais il faut carrément évacuer toute notion d'agrément de conduite sur routes sinueuses. La tenue de route est compétente et le freinage adéquat pour un véhicule de ce gabarit et de ce poids, mais sans plus. Compte tenu du fait que les spécialistes de la mise en marché de la marque présentent la Classe R comme un "sports tourer", on se demande où est passé le mot sport qui ne fait assurément pas partie de l'équation…

FEU VERT
Habitacle spacieux
Confort et silence de roulement
Traction intégrale
Choix de moteurs
Équipement complet

FEU ROUGE
Prix élevé
Coût des options
Agrément de conduite mitigé
Troisième rangée moins confortable

LA GRANDE VIE À BORD

Les portières habituelles, plutôt que coulissantes, donnent accès à bord de la Classe R qui propose amplement d'espace. En fait, les places avant sont aussi spacieuses que celles de la Classe S, alors que celles de la deuxième rangée offrent autant de dégagement que la Classe E. Quant aux deux places de la troisième rangée, précisons que le confort accordé n'égale pas celui des deux premières, mais que des adultes pourront quand même s'y installer sans trop de mal. Soit dit en passant, les sièges se rabattent facilement pour transformer l'habitacle en une gigantesque soute à bagages de plus de 2 000 litres. La vocation «luxe» du véhicule est assurée par les systèmes audio et vidéo qui y sont intégrés, la Classe R étant dotée à la fois d'une interface iPod et d'un lecteur DVD avec deux écrans. De plus, il est possible de commander en option, le toit ouvrant surdimensionné de 179 cm de long (3 195 dollars), le hayon à commande électrique (1 025 dollars), ainsi que le système de navigation assisté par satellite (1 495 dollars). Une version R350 avec moteur V6 de 3,5 litres et 268 chevaux est également au programme, et même si ce modèle n'offre pas de performances aussi relevées en accélération que celles de la R500, il conviendra amplement à ceux qui n'ont pas l'habitude de rouler avec un maximum d'armes et de bagages. Il faut ajouter que la R sera offerte en version AMG avec le moteur V8 6,2 litres de 503 chevaux. Voilà de quoi déplacer cette grosse caisse.

Pour l'instant, la Classe R ne répond pas aux attentes des dirigeants de la marque au chapitre des ventes, mais la haute direction est persuadée que les automobilistes sauront l'adopter dans un délai assez court. On donne donc la chance au coureur chez Mercedes-Benz.

Gabriel Gélinas

MERCEDES-BENZ CLASSE R

VÉHICULE D'ESSAI

Version :	R500
Prix de détail suggéré :	81 667 $
Emp/Lon/Lar/Haut (mm) :	3 210/5 150/2 170/1 660
Poids :	2 225 kg
Coffre/Réservoir :	266 à 2 044 litres/95 litres
Coussins de sécurité :	frontaux, latéraux (av.) et rideaux
Suspension avant :	indépendante, bras inégaux
Suspension arrière :	indépendante, multibras
Freins av./arr. :	disque (ABS)
Antipatinage/Contrôle de stabilité :	oui/oui
Direction :	à crémaillère, assistance variable
Diamètre de braquage :	12,4 m
Pneus av./arr. :	P255/50R19
Capacité de remorquage :	1 136 kg

Pneus d'origine **MICHELIN**

MOTORISATION À L'ESSAI

Moteur :	V8 de 5,0 litres 24s atmosphérique
Alésage et course :	96,8 mm x 84,0 mm
Puissance :	302 ch (225 kW) à 5 600 tr/min
Couple :	339 lb-pi (460 Nm) de 2 400 à 4 750 tr/min
Rapport poids/puissance :	7,37 kg/ch (10,02 kg/kW)
Système hybride :	aucun
Transmission :	intégrale, automatique 7 rapports
Accélération 0-100 km/h :	7,0 s
Reprises 80-120 km/h :	6,0 s (estimé)
Freinage 100-0 km/h :	45,0 m
Vitesse maximale :	210 km/h
Consommation (100 km) :	super, 18,1 litres
Autonomie (approximative) :	525 km
Émissions de CO2 :	6 144 kg/an

GAMME EN BREF

Échelle de prix :	65 000 $ à 85 000 $
Catégorie :	multisegment
Historique du modèle :	1ière génération
Garanties :	4 ans/80 000 km, 5 ans/120 000 km
Assemblage :	Tuscaloosa, Alabama, É-U
Autre(s) moteur(s) :	V6 3,5l 268ch/258lb-pi (13,8 l/100km)
	V8 6,2l 503ch/465lb-pi (17,0l/100km) R63 AMG
Autre(s) rouage(s) :	aucun
Autre(s) transmission(s) :	aucune

DANS LA MÊME CATÉGORIE

Chrysler Pacifica - Infiniti FX35/45 - Lexus RX 350/400h - BMW X5

DU NOUVEAU EN 2007

Nouveaux moteurs

NOS IMPRESSIONS

Agrément de conduite :	🚗🚗🚗
Fiabilité :	🚗🚗🚗🚗
Sécurité :	🚗🚗🚗🚗
Qualités hivernales :	🚗🚗🚗🚗
Espace intérieur :	🚗🚗🚗🚗
Confort :	🚗🚗🚗🚗

LE CHOIX DE L'ÉQUIPE

R500

Photos : Denis Duquet

LA NEUVIÈME GÉNÉRATION

Pour l'année modèle 2007, la gamme de la Classe S sera grandement simplifiée chez Mercedes-Benz qui proposait autrefois toute une série de variantes de sa plus grande berline. La Classe S de neuvième génération se décline donc avec les S550 et S600, de même que la S65 AMG, alors que les modèles à traction intégrale 4MATIC feront leur entrée en octobre 2006. Un autre modèle d'entrée de gamme (si l'on peut s'exprimer ainsi en parlant de la Classe S), arrivera au printemps 2007 avec la S450 4MATIC qui sera disponible en versions à empattement court et allongé.

Sur le plan technique, la S550 est le modèle qui propose l'évolution la plus avancée à ce jour de la Classe S, puisqu'elle reçoit le nouveau moteur V8 à doubles arbres à cames en tête et 32 soupapes, alors que la génération précédente de ce modèle faisait appel à un V8 à simple arbre à cames en tête qui n'avait que 3 soupapes par cylindre. De plus, la S550 est dotée de la nouvelle boîte automatique 7G-TRONIC à sept rapports, tandis que l'actuelle S600 hérite encore de la boîte automatique à cinq rapports ainsi que du moteur V12 de la génération précédente, tout comme la S65 AMG d'ailleurs.

Le style de la S550 représente une évolution plus moderne et plus émotive du design parfois trop conservateur de la marque comme en témoignent les ailes élargies et le fait que la forme du coffre rappelle un peu la Série 7 de BMW. Les ingénieurs ont choisi l'aluminium pour la construction des panneaux du capot et des ailes avant ainsi que des portières et du coffre. Malgré cela, la S550 affiche tout de même un poids plutôt élevé de 2025 kilos.

Pour ce qui est de l'habitacle, il est évident que Mercedes-Benz s'est librement inspiré de la Série 7 et de son système iDrive, puisque l'écran témoin du système télématique COMAND est localisé à la même hauteur que le bloc d'instruments, et que ce système est désormais contrôlé non seulement par une série de touches mais également par un bouton de contrôle localisé sur la console centrale. De plus, le traditionnel levier de vitesse de la boîte automatique fait maintenant place à un petit levier situé à la droite de la colonne direction qui contrôle électroniquement la boîte de vitesses. Tout comme sur la Série 7, il suffit de déplacer le levier vers le haut pour sélectionner la marche arrière, vers le bas pour engager sur «Drive» et d'appuyer sur le bouton localisé au bout du levier pour sélectionner «Park». Le volant est également doté de commutateurs permettant la sélection manuelle des rapports de la boîte automatique.

PLUS AXÉE SUR LE CONFORT QUE LA PERFORMANCE

Le nouveau moteur impressionne non seulement par la livrée très linéaire de sa puissance de 382 chevaux, mais surtout par une totale absence de vibrations et par le fait qu'on l'entend à peine, l'insonorisation de l'habitacle étant l'un des points forts de la voiture. Ayant eu l'occasion de rouler à la fois à bord de la S550 et de la Bentley Continental Flying Spur au cours de la même semaine, je peux affirmer sans l'ombre d'un doute que la Mercedes-Benz était à la fois plus silencieuse et plus agréable à conduire. La nouvelle boîte automatique à sept rapports s'est

FEU VERT
Nouveau moteur V8 performant
Boîte automatique à 7 rapports
Disponibilité de la traction intégrale
Confort suprême
Habitacle plus luxueux

FEU ROUGE
Agrément de conduite mitigé
Complexité du système de télématique
Prix élevé
Coût des options

également distinguée par sa souplesse et sa très grande discrétion, les changements de vitesses étant presque imperceptibles. La conduite sportive n'est cependant pas le point fort de la S550, à moins que l'acheteur ne choisisse d'y ajouter le système de contrôle de châssis actif (ABC pour Active Body Control) qui est offert en option au coût de 4 500 dollars... En poussant un peu en virages notre modèle d'essai dépourvu du dispositif ABC, j'ai noté une forte tendance au sous-virage, et ce, même après avoir sélectionné le mode sport qui agit à la fois sur les suspensions de la voiture et sur l'accélérateur électronique et la boîte à sept rapports. Ce relatif manque d'entrain en conduite sportive est tempéré par le fait que la vie à bord est d'un confort suprême autorisant la conduite sur de longues distances avec plusieurs passagers. Justement, lors d'un long périple, le système Distronic Plus qui est offert en option (4 700 dollars) permet au conducteur de relaxer un peu, puisque ce régulateur de vitesse intelligent et assisté par radar permet de suivre un autre véhicule tout en maintenant une distance sécuritaire par rapport à celui-ci. Ce système peut même commander le ralentissement de la voiture jusqu'à l'arrêt complet si le véhicule qui roule devant en vient à s'immobiliser.

UN PEU PLUS « BLING »

Longtemps cantonné dans une sobriété toute germanique, l'habitacle de la S550 adopte maintenant un style plus moderne et plus expressif que l'on remarque grâce aux nombreuses touches chromées localisées sur les portières ainsi que sur la console centrale, de même que par l'intégration des touches du téléphone sous le couvercle articulé et gainé de cuir qui sert de repose-main lors de la manipulation de la molette du système COMAND. Les cadrans électroluminescents sont très agréables à consulter et ajoutent une touche de modernité à l'ensemble. Les passagers qui monteront à l'arrière y trouveront un environnement très confortable avec beaucoup d'espace, notamment en ce qui a trait au dégagement pour les jambes.

Cette neuvième génération de la Classe S est donc supérieure à la précédente à plusieurs égards et elle est surtout plus luxueuse et confortable, deux aspects importants pour la clientèle établie qui a cependant parfois un peu de difficulté à composer avec toutes ses subtilités électroniques.

Gabriel Gélinas

VÉHICULE D'ESSAI

Version :	S550
Prix de détail suggéré :	124 300 $
Emp/Lon/Lar/Haut(mm) :	3 165/5 210/1 872/1 473
Poids :	2 025 kg
Coffre/Réservoir :	462 litres/88 litres
Coussins de sécurité :	front., latéraux (av./arr.) et rideaux
Suspension avant :	indépendante, multibras
Suspension arrière :	indépendante, multibras
Freins av./arr. :	disque (ABS)
Antipatinage/Contrôle de stabilité :	oui/oui
Direction :	à crémaillère, assistance variable
Diamètre de braquage :	12,2 m
Pneus av./arr. :	P255/45R18
Capacité de remorquage :	n.d.

MOTORISATION À L'ESSAI

Pneus d'origine MICHELIN

Moteur :	V8 de 5,5 litres 32s atmosphérique
Alésage et course :	98,0 mm x 90,5 mm
Puissance :	382 ch (285 kW) à 6 000 tr/min
Couple :	391 lb-pi (530 Nm) de 2 800 à 4 800 tr/min
Rapport poids/puissance :	5,3 kg/ch (7,21 kg/kW)
Système hybride :	aucun
Transmission :	propulsion, automatique 7 rapports
Accélération 0-100 km/h :	5,6 s
Reprises 80-120 km/h :	3,5 s
Freinage 100-0 km/h :	37,0 m
Vitesse maximale :	250 km/h
Consommation (100 km) :	super, 14,5 litres
Autonomie (approximative) :	607 km
Émissions de CO2 :	7 488 kg/an

GAMME EN BREF

Échelle de prix :	118 500 $ à 182 000 $
Catégorie :	berline de grand luxe
Historique du modèle :	9ième génération
Garanties :	4 ans/80 000 km, 5 ans/120 000 km
Assemblage :	Stuttgart, Allemagne
Autre(s) moteur(s) :	V12 5,5l 510ch/612lb-pi (18,5 l/100km) S600
	V12 6l 612ch/738lb-pi (19,5 l/100km) S65 AMG à venir
Autre(s) rouage(s) :	intégrale
Autre(s) transmission(s) :	automatique 5 rapports

DANS LA MÊME CATÉGORIE

Audi A8 - BMW Série 7 - Jaguar XJR - Lexus LS 460

DU NOUVEAU EN 2007

Nouveau modèle

NOS IMPRESSIONS

Agrément de conduite :	🚗 🚗 🚗 ½
Fiabilité :	nouveau modèle
Sécurité :	🚗 🚗 🚗 🚗 ½
Qualités hivernales :	🚗 🚗 🚗 🚗
Espace intérieur :	🚗 🚗 🚗 🚗 ½
Confort :	🚗 🚗 🚗 🚗 ½

LE CHOIX DE L'ÉQUIPE

S550

Photos : Alain Morin

MERCEDES-BENZ CLK

PLUS, TOUJOURS PLUS

Quand on pense à la Mercedes CLK, on a toujours à l'esprit la version cabriolet. C'est vrai, c'est elle qui a connu un succès bœuf depuis son entrée en scène, mais la CLK a aussi une gamme plus étendue, pouvant répondre aux exigences des conducteurs aimant allier performances et sophistication. Car c'est bien de cet heureux compromis dont la nouvelle CLK 2007 est capable, grâce notamment à des changements de motorisation aptes à lui insuffler encore un peu plus de puissance.

Inutile pensez-vous ? Peut-être, mais quand on s'appelle Mercedes, et que le plaisir de conduite de notre clientèle passe par la cavalerie qui s'agite sous le capot, on s'efforce de mettre au point des moteurs à la hauteur des aspirations des pilotes qui s'y trouveront.

DE LA PUISSANCE SANS LIMITES

La CLK s'est d'abord inspirée de la berline de classe C. Mais depuis, elle a gagné en raffinement et en taille, ce qui lui confère désormais une personnalité bien à elle. Et parce qu'on propose une gamme complète, allant du coupé sport au coupé version AMG sans oublier le cabriolet, la CLK est devenue à sa façon un modèle de popularité, gagnant plus de 225 000 adeptes de par le monde.

On ne pouvait cependant s'asseoir sur cette popularité établie. L'an dernier, quelques retouches essentiellement esthétiques ont permis d'affiner la silhouette et de la rendre plus racée. Cette année, c'est à la motorisation que l'on s'attaque puisque quelques versions, parmi les plus sportives, verront leur moteur modifié.

La CLK 350 coupé (tout comme le cabriolet), continuera de se mouvoir sous l'impulsion d'un moteur V6 de 268 chevaux. Et même si le chiffre

semble élevé, le poids de l'ensemble et la configuration même de la direction et des autres systèmes embarqués ne permettent pas d'utiliser la 350 comme une véritable bête sportive.

En revanche, la 550, qui éprouvait l'an dernier quelques problèmes d'hésitation dans la puissance, n'aura pas à revivre ces affres : cette année elle pourra plutôt compter sur une augmentation de puissance substantielle, atteignant les 382 chevaux. Comme une retouche des moteurs ne serait pas complète sans la version AMG, elle n'a pas été délaissée, et son nouveau moteur de 475 chevaux lui permettra de franchir la barre des 0 à 100 kilomètres à l'heure en moins de 4,8 secondes.

Outre cette dernière version, mentionnons tout de même que la CLK n'a de sportif que le nom. Sa puissance est bien canalisée, sa direction parfois un peu trop assistée (au point où on se demande si le conducteur est seul maître à bord), et les suspensions pas assez rigides pour véritablement profiter des capacités disponibles. Même en trajectoire serrée, la voiture aura une nette tendance au sous-virage, ce qui force le conducteur à concevoir sa trajectoire en fonction des réactions de la voiture. Le poids imposant de toute la voiture, qui frôle les deux

FEU VERT
Style éblouissant
Tableau de bord superbe
Sièges de grand confort
Moteur AMG puissant

FEU ROUGE
Ergonomie parfois déficiente
Poids imposant
Direction trop assistée
Places arrière mal conçues

tonnes métriques (1 850 kilos en moyenne) explique probablement cette réticence en conduite sportive.

CALME ET BEAUTÉ

Si malgré sa puissance la CLK n'offre pas la conduite inspirée qu'on aimerait avoir, on peut certes se reposer sur le luxe et l'atmosphère feutrée qui règnent à bord. Le tableau de bord est sans accroc, et reflète l'excellence à tout point de vue. Les accessoires, nombreux, sont simples à comprendre et utiliser. En revanche, la multiplicité des boutons qui entourent l'écran de contrôle de la console centrale demande un certain effort d'adaptation. Une fois le système compris, il devient tout à fait instinctif cependant.

Le coupé bénéficie d'une insonorisation haut de gamme, ce qui permet de profiter du système audio Harman Kardon Surround Logic 7 vendu en option. Digne d'une salle de concert, ce petit (?) système rend aussi de fiers services, même avec la capote du cabriolet baissé.

Capote que l'on peut d'ailleurs relever en une vingtaine de secondes seulement, d'une simple pression du doigt, et qui a la grande qualité d'assurer elle aussi insonorisation et isolation en toute saison. Une fois la capote relevée, on se croirait presque au volant d'un coupé tellement les couches successives de tissu réussissent à laisser à l'extérieur les bruits indésirables.

Les sièges sont d'un support sans reproche. Ajustables électriquement en un nombre quasi infini de positions, ils permettent de trouver rapidement la position de conduite idéale, tout en préservant suffisamment de dégagement pour la tête et les jambes. Le passager de droite, ce chanceux, profite lui aussi de ce type d'ajustement. En revanche, les passagers arrière devront probablement être des résidants du pays de Gulliver pour s'y asseoir confortablement pour de longues randonnées... Une situation qui empire encore avec la version cabriolet qui ampute d'une partie l'espace arrière afin de remiser le toit ouvert.

Marc Bouchard

Photos : Mercedes-Benz

VÉHICULE D'ESSAI

Version :	Cabriolet CLK350
Prix de détail suggéré :	76 800 $
Emp/Lon/Lar/Haut(mm) :	2 715/4 652/1 991/1 413
Poids :	1 626 kg
Coffre/Réservoir :	244 litres/62 litres
Coussins de sécurité :	front., latéraux (av./arr.) et rideaux
Suspension avant :	indépendante, jambes de force
Suspension arrière :	indépendante, multibras
Freins av./arr. :	disque (ABS)
Antipatinage/Contrôle de stabilité :	oui/oui
Direction :	à crémaillère, assistée
Diamètre de braquage :	10,8 m
Pneus av./arr. :	P225/45ZR17 / P245/40ZR17
Capacité de remorquage :	non recommandé

MOTORISATION À L'ESSAI

Pneus d'origine **MICHELIN**

Moteur :	V6 de 3,5 litres 24s atmosphérique
Alésage et course :	97,0 mm x 84,0 mm
Puissance :	268 ch (200 kW) à 6 000 tr/min
Couple :	258 lb-pi (350 Nm) de 2 400 à 5 000 tr/min
Rapport poids/puissance :	6,07 kg/ch (8,25 kg/kW)
Système hybride :	aucun
Transmission :	propulsion, automatique 7 rapports
Accélération 0-100 km/h :	6,6 s
Reprises 80-120 km/h :	4,7 s
Freinage 100-0 km/h :	35,6 m
Vitesse maximale :	250 km/h
Consommation (100 km) :	super, 12,8 litres
Autonomie (approximative) :	484 km
Émissions de CO2 :	5 136 kg/an

GAMME EN BREF

Échelle de prix :	65 290 $ à 112 050 $
Catégorie :	coupé/cabriolet
Historique du modèle :	2ième génération
Garanties :	4 ans/80 000 km, 5 ans/120 000 km
Assemblage :	Stuttgart, Allemagne

Autre(s) moteur(s) : V8 5,5l 382ch/391lb-pi (14,0 l/100km) CLK550
V8 6,2l 475ch/465lb-pi (14,4 l/100km) CLK63 AMG

Autre(s) rouage(s) :	aucun
Autre(s) transmission(s) :	automatique 5 rapports

DANS LA MÊME CATÉGORIE

BMW Série 3 - Lexus SC 430 - Nissan 350Z - Porsche Cayman

DU NOUVEAU EN 2007

Moteurs 550 et AMG plus puissants

NOS IMPRESSIONS

Agrément de conduite :	🚗 🚗 🚗 🚗 ½
Fiabilité :	🚗 🚗 🚗
Sécurité :	🚗 🚗 🚗 🚗 🚗
Qualités hivernales :	🚗 🚗 🚗
Espace intérieur :	🚗 🚗 🚗
Confort :	🚗 🚗 🚗 ½

LE CHOIX DE L'ÉQUIPE

CLK550

QUELLE BELLE AUTO !

Le printemps dernier, un groupe de chroniqueurs automobiles discutait à savoir quelles étaient les plus belles voitures de production sur le marché. La Mercedes-Benz CLS a été sans doute la plus souvent mentionnée. En fait, elle a été l'une des rares à faire l'unanimité à son sujet. D'ailleurs, lors de mon essai, chaque fois que je la stationnais dans un endroit public, des gens venaient gentiment me dire : « Monsieur, vous avez une belle voiture ! » Cette année, ce chic coupé quatre portes conserve son élégante silhouette, mais obtient de nouveaux moteurs.

Il aurait été incompréhensible que ce modèle garde ses moteurs de 2006 alors qu'ils sont tout nouveaux sur les modèles la Classe E. Et puisque la CLS peut se décrire comme une Classe E endimanchée, elle bénéficie des mêmes nouveautés que cette dernière. Ce qui signifie que les modifications au chapitre du design sont pratiquement inexistantes. Il y a bien quelques options différentes, des choix de couleurs révisés ou encore quelques petits changements de détail ici et là, mais c'est limité. C'est sous le capot que cela se passe.

507 CHEVAUX !

C'est la puissance du V8 de 6,2 litres qui équipe la CLS 63 AMG. Ce moteur est identique à celui de la E 63 AMG et il est couplé à une boîte de vitesses à sept rapports. Ce modèle est pour plusieurs l'ultime Mercedes-Benz, même si les berlines de Classe S sont vendues plus cher et possèdent un équipement technique plus complet. En effet, en raison de sa carrosserie qui réussit à concilier comme par magie les tendances rétro et moderne, c'est le choix de plusieurs.

Bien entendu, ce modèle est très cher et sa diffusion est parcimonieuse. Il est certain que les premières CLS 63 AMG qui seront acheminées au Canada seront vendues d'avance et il faudra s'armer de patience pour

être l'un des premiers élus. La majorité devra se « contenter » de la CLS 550, même si cette expression est vraiment déplacée. On ne peut simplement se « contenter » d'une telle voiture, on l'apprécie, même si son moteur V8 de 5,5 litres doit concéder 125 chevaux au coupé quatre portes. Dans les deux cas, ces moteurs V8 sont couplés à une boîte automatique à sept rapports. Par contre, la boîte 7G-Tronic des modèles AMG a été révisée afin d'assurer des passages de rapports encore plus rapides. De plus, des pastilles montées derrière le volant permettent de passer les rapports manuellement. Malgré ses allures de grande dame du monde, la CLS AMG peut intimider.

Comme il se doit, les améliorations apportées à la mécanique de la Classe E se retrouvent aussi sur la CLS, notamment le système de sécurité Pre Safe qui est de série, la suspension pneumatique AIRMATIC, la direction Direct Control de même que les freins adaptatifs. Ceux-ci ont été lancés pour la première fois sur la nouvelle Classe E lancée à l'automne 2005 et se retrouvent également sur la CLS 2007. Entre autres choses, lorsqu'il pleut, ce système permet aux pastilles de frein d'entrer légèrement en contact avec le disque pour en enlever l'eau afin d'optimiser le freinage. De plus, lors d'un arrêt, il suffit d'appuyer sur la pédale quelques secondes supplémentaires pour que le frein demeure engagé même si on

FEU VERT
Allure distinctive
Freins performants
Moteurs puissants
Comportement routier sûr

FEU ROUGE
Dégagement pour la tête aux places arrière
Visibilité limitée
Prix élevé

VÉHICULE D'ESSAI

Version :	CLS550
Prix de détail suggéré :	92 600 $
Emp/Lon/Lar/Haut(mm) :	2 854/4 910/1 873/1 390
Poids :	1 810 kg
Coffre/Réservoir :	450 litres/80 litres
Coussins de sécurité :	frontaux, latéraux (av.) et rideaux
Suspension avant :	indépendante, bras inégaux
Suspension arrière :	indépendante, multibras
Freins av./arr. :	disque (ABS)
Antipatinage/Contrôle de stabilité :	oui/oui
Direction :	à crémaillère, assistée
Diamètre de braquage :	n.d.
Pneus av./arr. :	P245/45ZR18 / /
Capacité de remorquage :	non recommandé

MOTORISATION À L'ESSAI

Moteur :	V8 de 5,5 litres 32s atmosphérique
Alésage et course :	97,0 mm x 84,0 mm
Puissance :	382 ch (285 kW) à 6 000 tr/min
Couple :	391 lb-pi (530 Nm) de 2 800 à 4 800 tr/min
Rapport poids/puissance :	4,74 kg/ch (6,44 kg/kW)
Système hybride :	aucun
Transmission :	propulsion, automatique 7 rapports
Accélération 0-100 km/h :	5,4 s (constructeur)
Reprises 80-120 km/h :	5,0 s (estimé)
Freinage 100-0 km/h :	39,0 m (estimé)
Vitesse maximale :	250 km/h
Consommation (100 km) :	, 12,8 litres (constructeur)
Autonomie (approximative) :	625 km
Émissions de CO2 :	6 144 kg/an

GAMME EN BREF

Échelle de prix :	92 600 $ à 125 600 $ (2006)
Catégorie :	berline de grand luxe
Historique du modèle :	1ière génération
Garanties :	4 ans/80 000 km, 5 ans/120 000 km
Assemblage :	Stuttgart, Allemagne
Autre(s) moteur(s) :	V8 6,2l 507ch/465lb-pi (14,4 l/100km)
	CLS63 AMG
Autre(s) rouage(s) :	aucun
Autre(s) transmission(s) :	aucune

enlève son pied de la pédale. Cela permet d'éliminer les reculs dans les côtes et de favoriser les départs sur les plans inclinés. Ce mécanisme augmente également la pression dans le système de freinage dès que vous enlevez votre pied précipitamment de l'accélérateur, comme c'est le cas en situation d'urgence, pour une réaction plus rapide au freinage. En outre, les pastilles se rapprochent des disques afin d'optimiser l'efficacité des freins en cas de freinage d'urgence.

TASSEZ-VOUS !

Les capacités routières de ce modèle sont à la hauteur des attentes qu'il s'agisse de la CLS 550 ou encore de la CLS 63 AMG. Lors de la présentation de ce modèle, je me suis payé la traite au volant d'une élégante 63 AMG sur les autoroutes en banlieue de Munich. Il faut d'entrée de jeu souligner que les performances sont très impressionnantes avec un temps de 4,5 secondes pour le 0-100 km/h, ce qui est pas mal pour une berline dont la silhouette fait plus BCBG que "muscle car". Curieusement, malgré cette accélération capable de nous coller à notre siège, cela se passe en douceur et ce n'est que lorsque l'aiguille atteint la barre des 100 km/h et qu'on vérifie les instruments de mesure qu'on se rend compte des capacités de cette voiture. Et je vous prie de me croire, boucler le 80-120 km/h s'effectue pratiquement le temps d'un clin d'œil ! Et puisque certaines portions d'autoroutes allemandes sont sans limites de vitesse, notre CLS 63 AMG a atteint en un rien de temps la limite des 250 km/h, la vitesse maximale de la voiture étant limitée électroniquement. C'est suffisamment rapide si vous voulez mon opinion ! Et à cette vitesse, la voiture demeure stable comme le roc ! Et si la direction Direct Control m'avait plus ou moins convaincu précédemment, ce «galop» m'a permis d'apprécier sa stabilité et son feedback. Malgré tout, en conduite de tous les jours, ce n'est pas aussi direct qu'on le dit.

Revenu des mes émotions, une fois sur les routes secondaires bavaroises, cette AMG était neutre dans les virages et se pilotait au doigt et à l'œil. De bonnes notes également pour les sièges qui offrent un bon support latéral sans être intrusifs.

Bref, toujours aussi élégante, cette Mercedes-Benz bénéficie cette année de plus de puissance tout en nous proposant une panoplie d'innovations techniques permettant d'améliorer la sécurité active et passive.

Denis Duquet

DANS LA MÊME CATÉGORIE

Audi A8 - BMW Série 7 - Infiniti Q45 - Jaguar XJ8 - Lexus LS 460

DU NOUVEAU EN 2007

Nouveaux moteurs, transmission automatique 7 rapports de série, système "PreSafe" de série

NOS IMPRESSIONS

Agrément de conduite :	🚗 🚗 🚗 🚗 ½
Fiabilité :	🚗 🚗 🚗 ½
Sécurité :	🚗 🚗 🚗 🚗 🚗
Qualités hivernales :	🚗 🚗 🚗 🚗
Espace intérieur :	🚗 🚗 🚗 🚗
Confort :	🚗 🚗 🚗 🚗 ½

LE CHOIX DE L'ÉQUIPE

CLS550

Photos : Denis Duquet

NOUVEAU VISAGE DE STAR

Il y a des voitures qui sont nées pour être une star. Certaines parce qu'elles ont un look unique, d'autres parce qu'elles offrent des performances à couper le souffle. Mais d'autres encore, et c'est le cas de la Mercedes SL, simplement parce qu'elles sont un équilibre parfait entre performances, confort, luxe et efficacité. La Mercedes SL, depuis ses célèbres débuts il y a 50 ans jusqu'à aujourd'hui, a toujours été l'apanage de ces vedettes qui donnent l'impression de savoir de quoi la véritable vie est faite.

Cette longue et éclatante présence n'a en rien diminué l'attrait pour le roadster de luxe. C'est vrai, au fil des ans, l'auto s'est un peu embourgeoisée. Réputée pour ses portières en ailes de mouettes à une certaine époque, elle est aujourd'hui devenue plus sobre dans ses lignes. Elle a aussi gagné en raffinement et en luxe, ajoutant le cuir et autres nobles matériaux à la finition de base. Sans oublier un toit rigide rétractable en moins de 20 secondes d'une simple pression du doigt, ce qui lui confère une personnalité encore plus affirmée de mégavedette de la route.

Mais sous le capot, vibre encore un moteur capable de fournir de nombreux frissons. Pour rendre le tout encore plus efficace, toute la gamme des SL a d'ailleurs subi pour 2007 un sérieux remodelage à la fois physique (même s'il faut un oeil averti pour en être pleinement conscient) et mécanique. De ce point de vue cependant, le changement est parfois radical… et jamais à la baisse ! Toute la partie avant est redessinée, la grille de calandre est modifiée et a retrouvé de nouveaux phares antibrouillard. Tous ces changements (!) sont évidemment le fruit de longues études… Mais viennent surtout affirmer davantage le profil BCBG de la SL.

UNE SL DE BASE…

Comme si cela pouvait exister, il faut bien parler de la version de base, la SL 350. Ce terme étant bien sûr un euphémisme quand on constate le niveau d'équipement et de mécanique qui s'abrite dans cette voiture. Comme les autres, cette petite sœur a subi une refonte du moteur. C'est désormais un V6 de 272 chevaux qui l'anime, plus puissant mais plus économique puisque la nouvelle configuration a permis une diminution marquée de plus de 10 % de la consommation d'essence. C'est sans doute pour cette raison qu'elle n'est pas vendue au Canada !

Le milieu de gamme, c'est la SL550 qui représente près des deux tiers des ventes mondiales du modèle. Cette fois encore, on a considérablement remodelé le V8 (qui est notamment passé d'une cylindrée de 5,0 à 5,5 litres). Sous le capot, un petit rien, une puissance timide (!) de quelque 382 chevaux, soit une hausse de plus de 80 chevaux face à son ancienne version. Pour les seules fins de statistiques, mentionnons que cette nouvelle mouture réussit le 0-100 en 5,4 secondes selon le constructeur, soit près d'une seconde de mieux que l'ancienne version.

Dans les deux cas, pour canaliser toute cette puissance on compte de série sur une transmission séquentielle 7G-Tronic à sept rapports. Les

FEU VERT
Look de star
Performances de F1
Finition grand luxe
Transmission automatique ultra efficace

FEU ROUGE
Poids élevé (SL600)
Transmission manuelle lente
Version mal adaptée
Coût d'achat prohibitif

vrais passionnés y ajouteront sans doute le mode sport qui permet d'installer derrière le volant des palets servant de levier de changement de vitesse, comme cela se fait en formule 1. Et lorsqu'utilisée en mode manuel, cette transmission nerveuse permet des passages rapides et sans hésitation. Ce qui est moins le cas de la version manuelle qui souffre de quelques retards désarmants lors de passages trop brusque des rapports.

Notons cependant que ces voitures peuvent compter sur le "Active Body Control" (en option sur la version 350) de nouvelle génération développé par le manufacturier germanique. Concrètement, ce nouveau système de suspension actif lit et anticipe les mouvements du châssis et rend plus ou moins rigides les suspensions pour assurer une plus grande stabilité. On a alors droit à une maniabilité sans égale, d'autant plus qu'il est jumelé à un nouveau système de direction plus sensible.

LA BELLE ET LA BÊTE

Les deux versions de base ainsi équipées, il est temps maintenant de passer aux choses sérieuses. Et la SL600, c'est vraiment du sérieux. Elle a aussi obtenu une hausse de puissance, passant de 493 à 510 chevaux. Une puissance radicale certes, mais qui s'adapte mal à cette superbe voiture. Le V12 vient ajouter une lourdeur au train avant, rendant la conduite de la voiture moins souple et moins preste, tout comme il pénalise le freinage. Elle brille surtout sur les grands trajets, sur les autoroutes.

Pour de la véritable puissance, c'est vers les versions AMG qu'il faut se tourner. Cette fois, pas d'hésitation possible. Si on se fie uniquement aux données de base, les performances de la SL55 AMG sont similaires à la version 600 : un moteur de 510 chevaux (quoique cette fois, on parle d'un V8...), un 0-100 en 4,5 secondes, et une vitesse maximale de 250 kilomètres à l'heure. Et si cela ne vous impressionne pas, il y a la SL65 AMG avec son moteur V12 6,0 litres de 604 chevaux!

Notons cependant que les AMG tout comme la SL 600 doivent compter sur la transmission 5 rapports, puisque la version à 7 rapports est incapable de supporter le couple, nettement trop élevé, de ces modèles.

Marc Bouchard

Photos : Mercedes-Benz

VÉHICULE D'ESSAI

Version :	SL550
Prix de détail suggéré :	133 500 $
Emp/Lon/Lar/Haut(mm) :	2 560/4 532/2 033/1 298
Poids :	1 844 kg
Coffre/Réservoir :	235 à 317 litres/80 litres
Coussins de sécurité :	frontaux, latéraux (av.) et rideaux
Suspension avant :	indépendante, bras inégaux
Suspension arrière :	indépendante, multibras
Freins av./arr. :	disque (ABS)
Antipatinage/Contrôle de stabilité :	oui/oui
Direction :	à crémaillère, assistance variable électrique
Diamètre de braquage :	11,0 m
Pneus av./arr. :	P255/40R18 / P285/35R18
Capacité de remorquage :	non recommandé

MOTORISATION À L'ESSAI

Pneus d'origine **MICHELIN**

Moteur :	V8 de 5,5 litres 24s atmosphérique
Alésage et course :	n/a
Puissance :	382 ch (285 kW) à 6 000 tr/min
Couple :	391 lb-pi (530 Nm) à 4 800 tr/min
Rapport poids/puissance :	4,83 kg/ch (6,56 kg/kW)
Système hybride :	aucun
Transmission :	propulsion, automatique 7 rapports
Accélération 0-100 km/h :	5,4 s
Reprises 80-120 km/h :	4,1 s
Freinage 100-0 km/h :	37,0 m
Vitesse maximale :	250 km/h
Consommation (100 km) :	super, 13,5 litres
Autonomie (approximative) :	593 km
Émissions de CO2 :	5 952 kg/an

GAMME EN BREF

Échelle de prix :	133 100 $ à 259 950 $
Catégorie :	roadster
Historique du modèle :	9ième génération
Garanties :	4 ans/100 000 km, 5 ans/120 000 km
Assemblage :	Bremen, Allemagne
Autre(s) moteur(s) :	V8 5,5l 510ch/531lb-pi (15,0 l/100km) SL55 AMG
	V12 5,5l 510ch/612lb-pi (18,5 l/100km) SL600
	V12 6,0l 604ch/738lb-pi (18,1 l/100km) SL65 AMG
Autre(s) rouage(s) :	aucun
Autre(s) transmission(s) :	automatique 5 rapports

DANS LA MÊME CATÉGORIE

Dodge Viper - Jaguar XKR - Porsche 911 turbo

DU NOUVEAU EN 2007

Nouvelle motorisation, nouvelle calandre

NOS IMPRESSIONS

Agrément de conduite :	🚗🚗🚗🚗½
Fiabilité :	🚗🚗🚗🚗
Sécurité :	🚗🚗🚗🚗
Qualités hivernales :	🚗🚗½
Espace intérieur :	🚗🚗½
Confort :	🚗🚗🚗½

LE CHOIX DE L'ÉQUIPE

SL550

ÉLÉGANCE CLASSIQUE

Les constructeurs germaniques sont aussi persévérants que leurs homologues nippons. Après une première génération décevante, la SLK est revenue en force en 2005 avec un modèle entièrement transformé qui a permis de corriger du tout au tout ses faiblesses. En fait, on ne retrouvera que le stylisme élégant de la première, tout le reste ayant été radicalement changé. Nous sommes loin du joli roadster propulsé par un moteur anémique dont la sonorité nous rappelait la Ford Pinto.

I faut dire que les ingénieurs avaient procédé à de multiples améliorations avant d'arriver au modèle de remplacement en 2005, mais cette Mercedes-Benz deux places était considérée par les puristes comme «un char de fille». Ce qui est loin d'être le cas de la version actuelle puisque son élégant plumage est accompagné d'un ramage qui nous permet de conclure que le qualificatif «sport» s'applique dorénavant à cette voiture. Mais il faut apporter des nuances. Comme le soulignait fort judicieusement Jacques Duval dans l'édition 2006 du Guide, une SLK propulsée par un moteur V6 de 3,5 litres de 268 chevaux couplé à une boîte manuelle à six rapports est capable de tenir tête à une Porsche Boxster. De plus, son niveau de confort et la qualité de la finition sont de loin supérieurs à la Porsche, et ce, pour un prix identique. Il faut également ajouter que Mercedes a accompli d'énormes progrès au chapitre de ses boîtes de vitesses manuelles, notamment en fait de guidage et de précision de la course du levier de passage des rapports. Auparavant, on avait l'impression que ces boîtes manuelles provenaient de la division des camions!

Bref, cette version représente un bon compromis entre les performances, la tenue de route et l'agrément de conduite. La direction est précise et c'est un plaisir d'enfiler les virages sur une route secondaire. Et même si certains lui reprochent son confort, car cela n'est pas l'apanage d'une sportive, je fais partie des gens qui se refusent de se faire brasser le québécois sur nos routes, alors que je peux bénéficier du même comportement routier avec une suspension confortable. Toujours dans la même veine, la Boxster exige davantage de son pilote et cette implication est appréciée de plusieurs. Depuis l'an passé, il est possible de commander la SLK 280 qui est propulsée par un moteur V6 de 3,0 litres et de 228 chevaux. Les performances de ce dernier modèle sont tout de même intéressantes compte tenu de l'économie réalisée à l'achat. Si le moteur V6 de 3,5 litres s'accommode assez bien de la boîte automatique à sept rapports, dont les pastilles de contrôle sous le volant permettent d'effectuer des changements de rapports très rapidement, la boîte manuelle est recommandée pour le «petit modèle».

VALET CHAUFFARD?

Avec son nez profilé et sa partie arrière tronquée, la SLK est l'une des voitures les plus élégantes sur le marché. Plusieurs trouvent que sa silhouette est mieux réussie que la SL plus grosse et plus chère. Mais cette élégance se paie... parfois. En effet, l'un des aspects visuels les plus frappants est ce nez avant profilé et près du sol doté en plus d'un pare-chocs dont les extrémités se prolongent un peu vers l'extérieur.

FEU VERT
Toit rigide rétractable
Boîte automatique à sept rapports
Moteur V6 performant
Système de chauffage pour le cou
Style réussi

FEU ROUGE
Volume limité du coffre
Direction peu communicative
Performances limitées en tenue de route
Prix élevé
Options coûteuses

C'est très joli, mais il appert que cette configuration ne convient pas aux personnes qui conduisent sans ménagement. L'an dernier, j'ai confié ma SLK de presse au responsable du stationnement d'un restaurant du centre-ville de Montréal. Ce quidam semble avoir fait fi des caractéristiques de la voiture... Avec pour résultat que le bouclier avant était éraflé de même que les extrémités du pare-chocs. Il faut donc éviter les entrées de cour trop raides et se méfier des chaînes de trottoir. C'est tout penaud que j'ai rapporté la voiture à Mercedes-Benz le lundi suivant. Mais comme le veut le dicton, il faut souffrir pour être beau.

Depuis sa création, la SLK a toujours été pourvue d'un toit repliant rigide qui permet de rouler en cabriolet par beau temps et dans un coupé le reste du temps. Cette caractéristique a également permis aux stylistes d'épurer la silhouette. Et s'il faut moins de 25 secondes pour abaisser cette capote rigide, une fois fait, une bonne partie du coffre à bagages est subtilisée par la présence du toit. En poursuivant au chapitre des aménagements, le tableau de bord est très design avec ses cuirs gris et l'utilisation de boutons et commandes de couleur titane. Le volant à trois branches est très réussi, tandis que les deux principaux cadrans indicateurs circulaires cadrent bien avec l'ensemble. Enfin, Mercedes-Benz propose en option un «foulard virtuel» une traduction libre pour Air Scarf. Il s'agit en fait d'une buse de ventilation à la hauteur du cou qui permet de nous garder la gorge au chaud lorsqu'on roule le toit baissé par temps frais.

ET LA SLK55 AMG?

Il ne faut pas oublier la version AMG de la SLK avec son moteur V8 de 5,5 litres d'une puissance de 362 chevaux. L'an dernier, nous avions organisé un affrontement entre ce modèle et la Porsche Boxster S. Compétition qui avait été remportée par la Porsche au chapitre des performances en slalom et dans le cadre d'un tour de piste. Par contre, la SLK AMG accélérait plus rapidement et freinait sur une plus courte distance. Bref, elle se veut davantage une voiture de grand tourisme. Dans les manœuvres sportives, le poids de son moteur V8 sur les roues avant nuit à l'équilibre dynamique du véhicule. Ce qui ne l'empêche pas d'être une voiture de grande qualité combinant le confort d'une GT et les accélérations d'un bolide de course.

Denis Duquet

Photos: Mercedes-Benz

GUIDE DE L'AUTO 2007

VÉHICULE D'ESSAI

Version :	SLK350
Prix de détail suggéré :	71 800 $
Emp/Lon/Lar/Haut(mm) :	2 430/4 082/1 778/1 298
Poids :	1 465 kg
Coffre/Réservoir :	185 à 277 litres / 70 litres
Coussins de sécurité :	frontaux et latéraux (av.)
Suspension avant :	indépendante, multibras
Suspension arrière :	indépendante, multibras
Freins av./arr. :	disque (ABS)
Antipatinage/Contrôle de stabilité :	oui / oui
Direction :	à crémaillère, assistée
Diamètre de braquage :	10,6 m
Pneus av./arr. :	P225/45ZR17 / P245/40ZR17
Capacité de remorquage :	non recommandé

MOTORISATION À L'ESSAI

Pneus d'origine MICHELIN

Moteur :	V6 de 3,5 litres 24s atmosphérique
Alésage et course :	92,9 mm x 86,0 mm
Puissance :	268 ch (200 kW) à 6 000 tr/min
Couple :	258 lb-pi (350 Nm) à 5 000 tr/min
Rapport poids/puissance :	5,47 kg/ch (7,44 kg/kW)
Système hybride :	aucun
Transmission :	propulsion, auto. mode man. 7 rapports
Accélération 0-100 km/h :	5,6 s
Reprises 80-120 km/h :	5,5 s
Freinage 100-0 km/h :	37,0 m
Vitesse maximale :	250 km/h
Consommation (100 km) :	super, 11,7 litres
Autonomie (approximative) :	598 km
Émissions de CO2 :	6 096 kg/an

GAMME EN BREF

Échelle de prix :	60 500 $ à 85 500 $
Catégorie :	roadster
Historique du modèle :	2ième génération
Garanties :	4 ans/80 000 km, 5 ans/120 000 km
Assemblage :	Bremen, Allemagne
Autre(s) moteur(s) :	V6 3,0l 228ch/221lb-pi
	(12,1 l/100km) SLK280
	V8 5,5l 355ch/376lb-pi (15,0 l/100km) SLK55 AMG
Autre(s) rouage(s) :	aucun
Autre(s) transmission(s) :	manuelle 6 rapports

DANS LA MÊME CATÉGORIE

Audi TT - BMW Z4 - Porsche Boxster - Honda S2000

DU NOUVEAU EN 2007

Pas de changement majeur, nouveau matériau recouvrant le tableau de bord

NOS IMPRESSIONS

Agrément de conduite :	🚗🚗🚗🚗
Fiabilité :	🚗🚗🚗🚗
Sécurité :	🚗🚗🚗🚗
Qualités hivernales :	🚗🚗🚗
Espace intérieur :	🚗🚗🚗
Confort :	🚗🚗🚗🚗

LE CHOIX DE L'ÉQUIPE

SLK350

LA « RÉTROMOBILE »

La seule représentante de la marque Mercury au Canada vise une clientèle pour le moins particulière qui aime se remémorer le bon vieux temps et qui apprécie des voitures dotées d'une suspension confortable et dont les dimensions étaient considérées comme correctes il n'y a pas si longtemps.

Plusieurs chroniqueurs automobiles s'amusent à ridiculiser le genre sous prétexte que cette voiture ne les inspire pas au chapitre de la conduite. Mon but n'est pas de défendre la Grand Marquis pour autant, mais il faut tout de même respecter les goûts de chacun. Par ailleurs, avec un nom aussi pompeux que Grand Marquis, il faut s'interroger sur la perspicacité des preneurs de décisions à Dearborn. Quoi qu'il en soit, cette Mercury est devenue de moins en moins populaire auprès de la population en général, mais reste appréciée des propriétaires de flottes de taxi, des autorités gouvernementales et des salons funéraires! Pourquoi? Tout simplement parce que cette berline est de dimensions suffisamment imposantes pour transporter cinq ou six personnes dans le plus grand des conforts. Il faut également ajouter que son châssis autonome lui donne une solidité qu'aucune plate-forme monocoque ne peut offrir. Enfin, son gros moteur V8 relié aux roues arrière est aux yeux de plusieurs la seule configuration mécanique correcte pour une utilisation commerciale. Un atout habituellement jugé crucial pour les parcs automobiles.

L'inconvénient de cette vocation est que les particuliers qui roulent en Grand Marquis sont souvent perçus comme faisant partie des forces policières ou comme travaillant pour un ministère gouvernemental. D'ailleurs, lors de chaque essai routier de cette Mercury, il est toujours comique de voir les autres utilisateurs de la route ralentir précipitamment lorsqu'ils voient arriver cette voiture dans leur rétroviseur. La plupart sont convaincus qu'il s'agit d'un véhicule de police banalisé.

L'ANCIEN À LA MODERNE

Il ne faut pas en conclure pour autant que ce gabarit d'une autre époque et cette silhouette qui semble inspirée des années 70 sont le gage d'une mécanique de cette période. En 2003, cette berline a bénéficié de plusieurs améliorations au chapitre du châssis, alors que ce dernier a été renforcé par des pièces formées par pression hydraulique qui réduisent les coûts de fabrication en plus d'être plus rigides et plus légères. Par contre, l'essieu arrière est toujours rigide, comme sur la Lincoln Town Car par exemple. Il est vrai que cette configuration est carrément rétro et s'apparente davantage aux VUS et camionnettes, mais il faut avouer que les ingénieurs de Ford ont réussi tout de même à concevoir une suspension qui assure un bon confort et un comportement routier correct. L'utilisation d'une barre Watts permet de maîtriser les élans verticaux de l'essieu arrière et de rouler sans trop de dérobade du train arrière sur mauvaise route.

FEU VERT
Habitabilité
Mécanique éprouvée
Grand coffre
Tenue de route saine
Silence de roulement

FEU ROUGE
Roulis en virage
Silhouette rétro
Dimensions encombrantes
Direction engourdie

Comme les gens qui s'intéressent à ce modèle ont des goûts pour le moins classiques en fait de mécanique et de comportement routier, il est donc normal que cette grosse Mercury soit dotée d'une silhouette rétro avec ses flancs plats, sa ceinture de caisse plutôt basse et son énorme pare-chocs avant qui semble avoir pour but d'allonger les mensurations hors tout de cette voiture.

QUE D'ESPACE !

Avec une longueur hors tout de 538 cm, il n'est pas surprenant de pouvoir prendre vos aises dans l'habitacle, tandis que les 583 litres du coffre à bagages ne vous obligent pas à devoir être un champion du voyage avec petite valise. Tous les occupants pourront traîner tout ce qu'ils veulent et même une couple de sacs de golf pour faire bonne mesure. Il faut souligner au passage que la Ford 500 est de dimensions moindres que cette Mercury, mais propose une meilleure habitabilité et un coffre à bagages plus pratique.

Curieusement, les cadrans indicateurs du tableau de bord sont de type numérique et analogique avec de gros chiffres pour afficher la vitesse. Sans doute un témoignage de l'âge moyen des acheteurs. Si vous n'avez jamais possédé un véhicule datant des années 70, il suffit de jeter un coup d'œil sur le tableau de bord de la Grand Marquis pour savoir de quoi il en retourne. Et puisque ce modèle peut être livré avec une banquette avant, pas question d'avoir une console centrale. L'énorme partie centrale du volant vous informe que les ingénieurs n'ont pas investi une minute à la recherche d'un coussin gonflable plus petit. Ce volant doit être bien ancré, car le conducteur doit s'y cramponner souvent aussi bien en raison du manque total de support latéral du siège que du roulis prononcé qui accompagne tout changement de direction quelque peu dynamique. Il faut de plus un certain temps pour s'accommoder de la direction engourdie qui éponge pratiquement tout *feedback* de la route. Cette berline est donc plus à l'aise sur les autoroutes alors que son empattement long, son insonorisation supérieure à la moyenne et sa suspension confortable vous font apprécier cet agencement lors de longs trajets. Dans ces circonstances, l'agrément de conduite fait place au confort. Il ne faut pas oublier non plus que malgré une direction amorphe et le roulis en virage, cette Mercury est capable de se débrouiller en fait de tenue de route, pour autant que le pilote soit capable de s'accrocher au volant dans les courbes.

Denis Duquet

Photos : Mercedez

VÉHICULE D'ESSAI

Version :	LS
Prix de détail suggéré :	39 999 $
Emp/Lon/Lar/Haut(mm) :	2 911/5 362/2 146/1 481
Poids :	1 875 kg
Coffre/Réservoir :	583 litres / 71 litres
Coussins de sécurité :	frontaux et latéraux (av.)
Suspension avant :	indépendante, bras inégaux
Suspension arrière :	essieu rigide, ressorts hélicoïdaux
Freins av./arr. :	disque (ABS)
Antipatinage/Contrôle de stabilité :	opt. / non
Direction :	à crémaillère, assistée
Diamètre de braquage :	12,0 m
Pneus av./arr. :	P225/60R16
Capacité de remorquage :	680 kg

MOTORISATION À L'ESSAI

Pneus d'origine MICHELIN

Moteur :	V8 de 4,6 litres 16s atmosphérique
Alésage et course :	90,0 mm x 90,0 mm
Puissance :	224 ch (167 kW) à 4 800 tr/min
Couple :	272 lb-pi (369 Nm) à 4 000 tr/min
Rapport poids/puissance :	8,37 kg/ch (11,36 kg/kW)
Système hybride :	aucun
Transmission :	propulsion, automatique 4 rapports
Accélération 0-100 km/h :	8,9 s
Reprises 80-120 km/h :	7,4 s
Freinage 100-0 km/h :	39,4 m
Vitesse maximale :	190 km/h
Consommation (100 km) :	ordinaire, 13,8 litres
Autonomie (approximative) :	514 km
Émissions de CO2 :	5 456 kg/an

GAMME EN BREF

Échelle de prix :	37 099 $ à 39 999 $
Catégorie :	berline grand format
Historique du modèle :	4ème génération
Garanties :	3 ans/60 000 km, 5 ans/100 000 km
Assemblage :	St-Thomas, Ontario, Canada
Autre(s) moteur(s) :	aucun
Autre(s) rouage(s) :	aucun
Autre(s) transmission(s) :	aucune

DANS LA MÊME CATÉGORIE

Chrysler 300 - Kia Amanti - Toyota Avalon

DU NOUVEAU EN 2007

Pas de changement majeur

NOS IMPRESSIONS

Agrément de conduite :	🚗 🚗 ½
Fiabilité :	🚗 🚗 🚗 🚗
Sécurité :	🚗 🚗 🚗 🚗
Qualités hivernales :	🚗 🚗 🚗 ½
Espace intérieur :	🚗 🚗 🚗 🚗
Confort :	🚗 🚗 🚗 🚗

LE CHOIX DE L'ÉQUIPE

GS

MINI COOPER / COOPER S

Voiture
économique

MINI COOPER REDUX

2007 marque la refonte complète de la Mini Cooper avec l'arrivée de la deuxième génération de ce modèle dont le succès a largement dépassé les attentes du groupe BMW, avec plus de 800 000 exemplaires vendus à travers le monde. Si l'on peut parler d'évolution en ce qui a trait au style de la carrosserie, c'est plutôt de révolution dont il s'agit pour ce qui est des motorisations et des réglages de suspension.

Essentiellement élaborée sur la même plate-forme que le modèle précédent (l'empattement reste le même), la nouvelle Mini Cooper est plus longue de 60 millimètres et sa voie arrière est plus large de 8 millimètres, la voie avant demeurant inchangée. Pour ce qui est du look, seuls les connaisseurs pourront faire la différence entre le modèle de première génération et la nouvelle Mini Cooper, alors que les autres pourront s'adonner avec joie au jeu des sept différences, tellement les deux voitures se ressemblent. Le nouveau moteur conçu pour la Mini Cooper étant plus haut que l'ancien, le capot a été légèrement surélevé et est également un peu plus long, ce qui permet par ailleurs à la voiture de se conformer aux nouvelles normes de collision qui exigent, entre autres choses, que les nouveaux modèles réduisent les blessures infligées à un piéton en cas d'impact.

PLACE AU TURBO POUR LA S

Les changements les plus importants pour les deux versions de la nouvelle Mini Cooper ont donc été apportés aux motorisations qui sont maintenant assurées par un nouveau moteur 4 cylindres de 1,6 litre qui adopte l'injection directe de carburant pour le modèle de base et la turbocompression pour la Cooper S. Développé par BMW, ce nouveau moteur a intéressé le groupe PSA qui s'est allié à BMW dans un nouveau

partenariat permettant de réaliser des économies d'échelle. Ainsi, les pièces de ce moteur seront produites par le constructeur français Peugeot, et BMW les assemblera à son usine britannique située non loin de Birmingham, où sont d'ailleurs assemblés tous les moteurs 4 cylindres de la marque allemande. Fort de 175 chevaux, le moteur turbocompressé par deux turbines de la Cooper S est doté d'une plage de couple maximal très large, soit de 1 600 à 5 000 tours/minute, et l'abandon de la suralimentation par compresseur au profit de la turbocompression a permis d'atteindre deux objectifs, soit celui d'améliorer les performances et de réduire la consommation de carburant de l'ordre de 20 pour cent, selon Johannes Guggenmos, responsable du développement des motorisations pour la nouvelle Mini.

SUR LE CIRCUIT DE ZANDVOORT

Les admirateurs du regretté Gilles Villeneuve se souviennent encore de l'incroyable exploit réalisé par le pilote québécois sur ce circuit, alors qu'il avait dépassé Alan Jones par l'extérieur du virage Tarzan en 1979 au Grand Prix de Hollande. C'est donc avec ce souvenir de jeunesse en mémoire que j'ai pris contact sur ce même circuit avec des modèles de préproduction de la Cooper S, qui étaient «maquillés» afin d'échapper aux regards inquisiteurs. Premier constat, la nouvelle Cooper S est plus

FEU VERT	FEU ROUGE
Motorisations améliorées	Look presqu'identique au modèle précédent
Très bonne tenue de route	Volume réduit du coffre
Confort amélioré	Espace limité aux places arrière
Boîte manuelle et automatique à 6 rapports	Visibilité réduite vers l'arrière

438

rapide que l'ancienne tout en étant plus facile à conduire à la limite, les suspensions ayant été à la fois allégées et recalibrées tout en adoptant des barres antiroulis à l'avant comme à l'arrière. Alors que le modèle précédent faisait figure de véritable kart avec sa grande agilité mais également sa nervosité en virages rapides, la nouvelle Mini est beaucoup plus prévisible à la limite. Tout en conservant cette agilité propre à un kart qui faisait le charme du modèle précédent, la direction du nouveau modèle étant maintenant électromécanique plutôt qu'électrohydraulique. Bref, il s'agit toujours d'une voiture agile et incisive, mais elle est plus facile à piloter en conduite sportive, ses réactions étant prévisibles. Ces premières impressions ont d'ailleurs été confirmées par Horst Radivojevic, le directeur du projet de développement de la nouvelle Mini, qui a insisté pour faire quelques tours du circuit en tant que passager alors que je poussais «sa» voiture à la limite. Selon lui, le nouveau modèle avait retranché 20 secondes au tour sur les chronos réalisés sur le célèbre Nordschleife au Nurburgring, ce que je n'ai aucune peine à croire. Le secret de ces performances améliorées tient non seulement au nouveau moteur turbo, mais aussi aux nouvelles boîtes de vitesse, dont les versions manuelle ainsi qu'automatique comptent six rapports qui ont été allongés comparativement au modèle précédent. Vous noterez également que la transmission à variation continue qui équipait la Mini Cooper de première génération a été délaissée au profit d'une boîte automatique conventionnelle, la transmission CVT n'ayant pas été à la hauteur des attentes de la clientèle. Selon ses concepteurs, un différentiel à glissement limité sera offert en option sur la Cooper S à une date ultérieure.

Le démarrage de la nouvelle Mini Cooper se fait désormais à la pression d'un bouton, le conducteur ayant préalablement inséré la télécommande circulaire de déverrouillage des portières dans une fente localisée sur la planche de bord. Par ailleurs, l'indicateur de vitesse circulaire est surdimensionné par rapport au modèle précédent, et intègre également l'écran témoin du système de navigation assisté par satellite qui est proposé en option ainsi que la chaîne stéréo.

Même si les apparences n'en font pas nécessairement foi, la Mini Cooper se retrouve entièrement transformée sous la carrosserie, le modèle de base étant plus confortable et le modèle Cooper S plus performant. Belle refonte.

Gabriel Gélinas

MINI COOPER / COOPER S

VÉHICULE D'ESSAI
DONNÉES PROVISOIRES

Version :	S
Prix de détail suggéré :	34 100 $ (2006)
Emp/Lon/Lar/Haut(mm) :	2 530/3 655/1 690/1 420
Poids :	1 290 kg
Coffre/Réservoir :	150 litres / 50 litres
Coussins de sécurité :	frontaux et latéraux (av.)
Suspension avant :	indépendante, bras inégaux
Suspension arrière :	indépendante, multibras
Freins av./arr. :	disque (ABS)
Antipatinage/Contrôle de stabilité :	oui / oui
Direction :	à crémaillère, assistée
Diamètre de braquage :	10,6 m
Pneus av./arr. :	P205/45ZR17
Capacité de remorquage :	non recommandé

MOTORISATION À L'ESSAI

Moteur :	4L de 1,6 litre 16s turbocompressé
Alésage et course :	77,0 mm x 85,1 mm
Puissance :	175 ch (130 kW) à 6 000 tr/min
Couple :	177 lb-pi (220 Nm) à 4 000 tr/min
Rapport poids/puissance :	7,37 kg/ch (10 kg/kW)
Système hybride :	aucun
Transmission :	traction, manuelle 6 rapports
Accélération 0-100 km/h :	7,0 s (estimé)
Reprises 80-120 km/h :	7,5 s (estimé)
Freinage 100-0 km/h :	41,1 m (estimé)
Vitesse maximale :	215 km/h
Consommation (100 km) :	super, 11,2 litres (estimé)
Autonomie (approximative) :	446 km
Émissions de CO2 :	n.d.

GAMME EN BREF

Échelle de prix :	23 500 $ à 36 600 $ (2006)
Catégorie :	coupé/cabriolet
Historique du modèle :	2ième génération
Garanties :	4 ans/80 000 km, 4 ans/80 000 km
Assemblage :	Oxford, Angleterre
Autre(s) moteur(s) :	4L 1,6l 120ch/118lb-pi (n.d. l/100km)
Autre(s) rouage(s) :	aucun
Autre(s) transmission(s) :	CVT 6 rapports

DANS LA MÊME CATÉGORIE

Acura RSX - Ford Focus ST - Honda Civic Si - Mazda MX-5 - Volkswagen GTI - Volkswagen New Beetle / Cabrio

DU NOUVEAU EN 2007
Nouveau modèle à venir en 2007

NOS IMPRESSIONS

Agrément de conduite :	🚗🚗🚗🚗
Fiabilité :	nouveau modèle
Sécurité :	🚗🚗🚗½
Qualités hivernales :	🚗🚗🚗🚗
Espace intérieur :	🚗🚗🚗
Confort :	🚗🚗🚗½

LE CHOIX DE L'ÉQUIPE
S

Photos : Mini Cooper

AVEC OU SANS TOI...

L'an dernier, Mitsubishi frappait un grand coup en dévoilant la très belle Eclipse. Bien loin de la génération précédente mais tout en conservant ce qui fait d'une Eclipse une Eclipse, Mitsubishi s'assurait la clientèle des jeunes et de quelques moins jeunes. Mais déjà, les esprits des amateurs de la marque s'enflammaient à la simple évocation d'une future version décapotable. Au su des problèmes financiers de Mitsubishi, plusieurs désespéraient. Pour le plus grand bonheur de tous, la Spyder est maintenant réalité.

Même si l'avenir de Mitsubishi n'est pas encore garanti, l'entreprise japonaise continue de présenter dans les différents Salons automobiles de la planète plusieurs prototypes et voitures-concept tous plus intéressants les uns que les autres. D'ailleurs, l'Eclipse dévoilée l'an dernier avait déjà été un concept dans une vie antérieure.

TOIT, TOIT MON TOIT...

La version coupé, avec ses lignes bulbeuses à souhait, sa partie arrière reprenant un peu celle d'une certaine Porsche 911 et sa ceinture de caisse relevée vers l'arrière sort du rang et de belle façon. Mais la grande vedette, c'est la version décapotable appelée Spyder. Oh qu'elle n'est pas laide, cette voiture sans toit! Malgré tout, plusieurs personnes lui trouvent un tantinet moins de charme que la version coupé.

Quoi qu'il en soit, le toit de toile, lorsqu'installé, reprend les lignes du coupé, selon les designers de Mitsubishi. Peut-être, mais il faut un brin d'imagination pour en arriver à ce constat. Il est cependant vrai qu'il ne défigure pas la voiture même s'il bloque sérieusement la visibilité vers l'arrière. Quand il est remisé, il vient se placer sous une capote de la même couleur que celle de la carrosserie. La belle ligne créée par la ceinture de caisse est alors préservée. Ce toit, dessiné par l'entreprise spécialisée ASC, se replie ou s'installe en 19 secondes. Lorsque le toit est remisé, il est possible de tenir une conversation à plus de 100 km/h sans avoir à crier à tue-tête. Et lorsqu'il est relevé, les bruits de vent ne sont jamais incommodants. Ce toit est très bien exécuté et l'ensemble n'ajoute qu'environ 80 kilos à l'Eclipse coupé.

Malgré des différences de toit, l'Eclipse coupé et Spyder ont beaucoup de choses en commun. L'habitacle, même s'il fait un peu moins tourner les têtes que la carrosserie, fait tout de même preuve d'une certaine recherche. On peut certes déplorer l'envahissement du noir dans les versions moins dispendieuses mais ce n'est pas dramatique au point d'avoir des pensées suicidaires. En fait, Mitsubishi offre trois niveaux de présentation intérieure. Nous venons de parler du Techo-Sport! On retrouve aussi le Hi-Q Sport (gris moyen) et Avant-Garde (terra cotta). Cette dernière couleur s'avère très jolie et donne un peu de prestige à l'habitacle. Une bonne partie du tableau de bord, les sièges avant et l'intérieur des portes est alors recouvert de matériaux de cette couleur chaude. Mais les sièges arrière demeurent d'un noir désolant, ce qui fait plutôt bizarre. Parlant des sièges arrière, il faut déplorer leur existence. Mitsubishi a dû payer cher ses designers pour qu'ils parviennent à créer

FEU VERT
Silhouette superbe
Version Spyder fort bien exécutée
Moteur V6 en forme
Système audio Rockford performant
Confort surprenant

FEU ROUGE
Visibilité arrière pauvre
Moteur 4 cylindres un tantinet juste
Places arrière inhumaines
Effet de couple dans le volant
Triste valeur de revente

VÉHICULE D'ESSAI

Version :	Spyder GT-P V6
Prix de détail suggéré :	36 998 $
Emp/Lon/Lar/Haut(mm) :	2 575/4 565/1 835/1 381
Poids :	2 025 kg
Coffre/Réservoir :	147 litres / 67 litres
Coussins de sécurité :	frontaux et latéraux (av.)
Suspension avant :	indépendante, jambes de force
Suspension arrière :	indépendante, multibras
Freins av./arr. :	disque (ABS)
Antipatinage/Contrôle de stabilité :	oui / non
Direction :	à crémaillère, assistance variable
Diamètre de braquage :	12,2 m
Pneus av./arr. :	P235/45R18
Capacité de remorquage :	non recommandé

MOTORISATION À L'ESSAI

Moteur :	V6 de 3,8 litres 24s atmosphérique
Alésage et course :	95,0 mm x 90,0 mm
Puissance :	260 ch (194 kW) à 5 750 tr/min
Couple :	258 lb-pi (350 Nm) à 4 500 tr/min
Rapport poids/puissance :	7,79 kg/ch (10,6 kg/kW)
Système hybride :	aucun
Transmission :	traction, manuelle 6 rapports
Accélération 0-100 km/h :	6,9 s
Reprises 80-120 km/h :	6,5 s
Freinage 100-0 km/h :	39,7 m
Vitesse maximale :	215 km/h
Consommation (100 km) :	ordinaire, 11,8 litres
Autonomie (approximative) :	568 km
Émissions de CO2 :	5 232 kg/an

de telles insultes aux corps qui oseront s'y aventurer. Dans la Spyder, on retrouve un gros «sub» en plein centre du dossier, juste derrière l'endroit où s'encrera le siège de bébé. Souhaitons que ce dernier aime la musique... De plus, dans la Spyder, ces dossiers ne s'abaissent pas pour améliorer l'espace de chargement du coffre qui en aurait pourtant bien besoin...

DEUX MOTEURS, TROIS PUISSANCES

Tout comme pour le coupé, le Spyder a droit à deux moteurs. On retrouve d'abord un quatre cylindres de 162 chevaux et 162 livres-pied de couple. Ce moteur s'avère un peu juste au chapitre des performances mais sa sonorité n'est pas vilaine, il consomme moins que le V6 et le fait qu'il soit plus léger que ce dernier rend la voiture plus agile. Voilà donc un moteur à ne pas dédaigner. Mais il y a aussi un V6 de 3,8 litres. Dans la version Coupé, il développe 263 chevaux et 260 livres-pied de couple tandis qu'il fait 260 chevaux et 258 livres-pied de couple dans la Spyder. Cette différence s'explique par des échappements un peu plus restrictifs dans la Spyder, question de réduire le bruit quand le toit est baissé. Si vous voulez mon avis, c'est à moitié réussi puisque le V6, malgré sa belle sonorité en accélération, devient quelquefois agaçant lorsqu'il tourne au ralenti, à un feu rouge par exemple. L'Eclipse V6 étant une traction très puissante, il est indéniable qu'on retrouve un certain effet de couple dans le volant lors d'accélérations très vives.

La version dotée du quatre cylindres a droit à une transmission manuelle à cinq rapports et à une automatique à cinq rapports alors que le six cylindres se paie la même automatique et une manuelle à six rapports. Des trois transmissions, cette dernière s'avère la mieux adaptée au tempérament sportif de l'Eclipse.

Avec ses airs de jeune sportive, l'Eclipse se doit de bien se tenir. La tenue de route est généralement très neutre, un peu sous-vireuse à la limite, avec un soupçon de roulis malgré un châssis qui n'affiche pas toute la rigidité désirée, surtout dans la Spyder. Les freins effectuent du bon boulot tandis que la direction se montre précise et offre un bon feedback.

S'il est une voiture que Mitsubishi doit publiciser davantage, c'est bien l'Eclipse qui s'avère, de loin, la plus agréable de la gamme.

Alain Morin

GAMME EN BREF

Échelle de prix :	25 998 $ à 36 998 $
Catégorie :	coupé/cabriolet
Historique du modèle :	4ième génération
Garanties :	5 ans/100 000 km, 10 ans/160 000 km
Assemblage :	Normal, Illinois, É-U
Autre(s) moteur(s) :	4L 2,4l 162ch/162lb-pi (10,5 l/100km)
Autre(s) rouage(s) :	aucun
Autre(s) transmission(s) :	automatique 5 rapports / automatique 4 rapports / manuelle 5 rapports

DANS LA MÊME CATÉGORIE

Ford Mustang - Honda Accord Coupé - Hyundai Tiburon - Mini Cooper - Pontiac G6 coupé - Toyota Solara - Volkswagen New Beetle / Cabrio

DU NOUVEAU EN 2007

Pas de changement majeur

NOS IMPRESSIONS

Agrément de conduite :	🚗 🚗 🚗 🚗
Fiabilité :	🚗 🚗 🚗 🚗
Sécurité :	🚗 🚗 🚗 ½
Qualités hivernales :	🚗 🚗 ½
Espace intérieur :	🚗 🚗 🚗 ½
Confort :	🚗 🚗 🚗 ½

LE CHOIX DE L'ÉQUIPE

Coupé GS manuelle

MITSUBISHI ENDEAVOR

L'OUBLIÉ DE LA FAMILLE

Mitsubishi Canada tente par tous les moyens d'accélérer son expansion sur notre marché et ce constructeur a récemment mis l'accent sur ses modèles Outlander et Lancer. Le modèle Sportback tout particulièrement. Mais cela ne devrait pas nous faire oublier l'Endeavor dont les caractéristiques générales méritent que les gens l'inscrivent sur leur liste de magasinage. Il est vrai que sa silhouette à la Buck Rogers peut ne pas faire l'unanimité, mais ses qualités et ses caractéristiques ne sont pas à dédaigner.

Curieusement, ce modèle a été l'un des premiers véhicules Mitsubishi de la nouvelle génération à arriver sur notre marché. Mais il n'a pas eu droit à l'attention des médias comme certains autres, plus anciens de conception, qui ont bénéficié d'une couverture plus que généreuse. Ce qui est curieux puisque la plate-forme et le moteur de ce modèle ont servi de base à d'autres voitures qui sont arrivées par la suite, la Galant notamment.

PRESQUE UNE AUTO

Malgré ses airs de gros dur, ce Mitsubishi fait partie de la catégorie des véhicules multifonction dont le châssis est dérivé de celui d'une plate-forme d'automobile. Dans le cas qui nous concerne, la Galant et l'Endeavor ont des points mécaniques similaires même si notre VUS urbain est apparu sur le marché plusieurs mois avant la berline. Ce dernier propose donc une suspension indépendante aux quatre roues, une transmission intégrale dépourvue de démultipliée et une garde au sol pas trop exagérée. Les freins à disques aux quatre roues et le système ABS font également partie de son caractère privilégiant la route plutôt que les sentiers. Et vous avez certainement remarqué que le tableau de bord est presque une copie conforme de celui de la Galant. D'ailleurs, le confort de l'habitacle fait l'envie de plusieurs berlines intermédiaires.

Ces caractéristiques plus urbaines que rustiques sont dissimulées par des formes plus agressives tandis qu'une transmission intégrale lui permet de prétendre à l'étiquette multifonction.

Un détail en passant, à une certaine époque les gens ont fortement critiqué ce constructeur pour le manque de caractère de son design. La direction a alors embauché le styliste français Olivier Boulay dont la feuille de route est fort bien garnie. Avant de joindre les rangs de la compagnie japonaise, celui-ci avait dessiné la Maybach. Moins d'une année plus tard, il avait quitté le constructeur, faute de pouvoir s'entendre avec la direction.

Il a pu se défendre avant de partir de chez Mitsubishi de ne pas être responsable de la silhouette de l'Endeavor qui avait été conçue avant son arrivée. Il est certain que cette allure a soulevé les controverses alors que certains ont applaudi le caractère caricatural de cette silhouette tandis que d'autres ont émis des commentaires négatifs. Quoi qu'il en soit, il est évident que personne ne s'est cassé la tête pour intégrer les multiples éléments visuels. Le porte-bagages tubulaire vient rehausser le caractère «aventurier» de l'Endeavor mais les rétroviseurs extérieurs qui semblent provenir d'un ancien modèle viennent tout saboter...

FEU VERT
Présentation moderne
Moteur bien adapté
Tableau de bord original
Bonne habitabilité
Garantie rassurante

FEU ROUGE
Diffusion limitée
Dépréciation rapide
Performances moyennes
Échappement vulnérable (AWD)
Absence de troisième banquette

442

MÉLI-MÉLO

C'est sans doute le caractère brouillon de ce modèle qui n'incite pas les gens à se le procurer. Par exemple, la planche de bord est dans une catégorie à part avec ses vastes surfaces en plastique de couleur titane, son écran d'affichage coincé entre le module des instruments et le surplomb du coffre à gants. À défaut de système de navigation, ce panneau d'affichage nous indique l'heure, les fonctions de la climatisation et sert également de boussole. Cette présentation est jugée loufoque par certains et géniale par d'autres. J'ai personnellement apprécié l'affichage bleuté des cadrans indicateurs et les boutons de commande rétroéclairés qui nous donnent l'impression d'être à bord d'un véhicule futuriste.

Mais sous ces allures inédites, se cache une mécanique quelque peu rétro, bien que révisée il n'y a pas si longtemps. La boîte de vitesses se limite à quatre rapports, tandis que le moteur V6 3,8 litres est une version modernisée du V6 3,5 litres utilisé antérieurement sur le Montero Sport. Avec une puissance de 225 chevaux et une consommation moyenne de 12,7 litres aux 100 km de carburant ordinaire, ce n'est pas vilain compte tenu des dimensions de la carrosserie.

En plus d'une cote de consommation raisonnable, le rendement de ce moteur V6 est bien adapté à l'usage anticipé. Doux et silencieux, ses performances permettent de ne jamais être pris au dépourvu aussi bien sur l'autoroute qu'en ville. Il est d'ailleurs aidé par la boîte automatique à quatre rapports qui est très efficace bien qu'un cinquième rapport lui permettrait de faire encore mieux. À l'usage, l'Endeavor est pratique, confortable et silencieux tandis que l'espace de chargement est plus que suffisant. Sur une note moins positive, il faut toujours se souvenir à son volant que la tenue de route a ses limites et que le centre de gravité est plus élevé que celui d'une berline.

L'Endeavor n'est pas parfait, mais en plus de ses qualités routières, il a assez de caractère pour que plus de gens s'y intéressent.

Denis Duquet

Photos : Mitsubishi

VÉHICULE D'ESSAI

Version :	LS AWD
Prix de détail suggéré :	41 985$
Emp/Lon/Lar/Haut (mm) :	2 750/4 830/1 870/1 770
Poids :	1 850 kg
Coffre/Réservoir :	1 153 à 2 163 litres / 81 litres
Coussins de sécurité :	frontaux et latéraux (av.)
Suspension avant :	indépendante, jambes de force
Suspension arrière :	indépendante, multibras
Freins av./arr. :	disque (ABS)
Antipatinage/Contrôle de stabilité :	oui / oui
Direction :	à crémaillère, assistance variable
Diamètre de braquage :	12,5 m
Pneus av./arr. :	P235/65R17
Capacité de remorquage :	907 kg

MOTORISATION À L'ESSAI

Moteur :	V6 de 3,8 litres 24s atmosphérique
Alésage et course :	95,0 mm x 90,0 mm
Puissance :	225 ch (168 kW) à 5 000 tr/min
Couple :	255 lb-pi (346 Nm) à 3 750 tr/min
Rapport poids/puissance :	8,22 kg/ch (11,14 kg/kW)
Système hybride :	aucun
Transmission :	intégrale, auto. mode man. 4 rapports
Accélération 0-100 km/h :	8,8 s
Reprises 80-120 km/h :	7,9 s
Freinage 100-0 km/h :	43,0 m
Vitesse maximale :	195 km/h
Consommation (100 km) :	super, 12,7 litres
Autonomie (approximative) :	648 km
Émissions de CO2 :	5 808 kg/an

GAMME EN BREF

Échelle de prix :	34 298$ à 42 698$ (2006)
Catégorie :	utilitaire sport intermédiaire
Historique du modèle :	1ière génération
Garanties :	5 ans/100 000 km, 10 ans/160 000 km
Assemblage :	Normal, Illinois, É-U
Autre(s) moteur(s) :	aucun
Autre(s) rouage(s) :	traction
Autre(s) transmission(s) :	aucune

DANS LA MÊME CATÉGORIE

Chevrolet Trailblazer - Ford Explorer - Honda Pilot - Hummer H3 - Jeep Grand Cherokee - Kia Sorento - Nissan Pathfinder - Toyota Highlander

DU NOUVEAU EN 2007

Pas de changement majeur

NOS IMPRESSIONS

Agrément de conduite :	🚗 🚗 🚗½
Fiabilité :	🚗 🚗 🚗
Sécurité :	🚗 🚗 🚗 🚗
Qualités hivernales :	🚗 🚗 🚗 🚗
Espace intérieur :	🚗 🚗 🚗 🚗
Confort :	🚗 🚗 🚗 🚗

LE CHOIX DE L'ÉQUIPE

Limited AWD

COMME UN CHÈQUE-CADEAU

Vous est-il déjà arrivé de vous rendre dans un grand magasin dans l'espoir de dénicher le cadeau idéal pour votre tendre moitié, d'y passer de longues minutes à scruter tous les comptoirs, sautant du parfum au bijou, sans jamais rien trouver? Un peu comme si chaque objet que vous regardiez convenait tout à fait à votre conjoint ou conjointe, mais en même temps risquait de la décevoir par son petit côté ordinaire? Vous vous résignez alors à lui acheter un chèque-cadeau qui lui permettra d'avoir ce qu'il ou elle veut, mais qui démontrera aussi votre manque d'imagination.

La Mitsubishi Galant, c'est exactement cela. Une voiture qui fera l'affaire de tous les conducteurs qui souhaitent une conduite agréable et sans souci, mais qui ne fera frissonner personne de plaisir. Un handicap majeur, dans le créneau des berlines intermédiaires. Un segment du marché difficile à percer puisque la compétition qui y règne est féroce. Il suffit de penser à la Mazda6, à la Honda Accord ou même à la Nissan Altima toute refaite cette année, qui visent sensiblement la même clientèle pour s'en convaincre.

Mitsubishi avait donc de larges visées, mais malheureusement, la Galant ne les a pas toutes atteintes. Et même si elle présente assurément de grandes qualités, son prix relativement élevé (qui peut aller jusqu'à 34 000 $) et sa finition peu raffinée la rendent moins attirante que ses rivales.

SANS SURPRISE

Côté silhouette, la Galant n'a rien d'une véritable innovation. Au contraire, à l'exception d'une calandre un peu aplatie à l'image de plusieurs modèles américains, on a plutôt une impression de déjà-vu chaque fois que l'on regarde la voiture. Comble de malheur, notre voiture d'essai était d'un gris argenté devenu plus commun qu'un Tremblay au

Lac Saint-Jean. Alors côté *look*, on repassera. Un peu dommage d'ailleurs, puisque la silhouette a tout de même un certain charme.

Dans l'habitacle, le problème est le même. Les tissus ne sont pas ce qu'il y a de plus agréable à l'oeil, même si au toucher ils se sont avérés très doux pour le popotin. Le rembourrage exceptionnel des sièges avant contribue aussi au confort du conducteur et de son passager. À l'arrière, une banquette assez large pour accueillir sans encombre deux ou trois passagers sur une base temporaire (et même prolongée puisque la place du milieu est aussi confortable) car l'espace est abondant. Les jambes n'ont pas à payer le prix d'une étroitesse de mauvais aloi! Une situation qui s'applique aussi pour la tête. Les portières s'ouvrent dans un grand angle, rendant facile l'accès à toutes les places.

Il faut savoir que la Galant se décline en plusieurs versions, notamment la DE et la ES pour le 4 cylindres, la GTS et la LS munie d'un moteur 6 cylindres. Évidemment, plus on monte dans la gamme et plus la finition varie, mais sans jamais égaler la qualité des rivales de la Galant.

Le tableau de bord est d'une simplicité presque désarmante. Rien de sophistiqué (principalement sur les modèles de base), et une finition

FEU VERT
Silhouette agréable quoique anonyme
Espace intérieur
Accès facile à l'habitacle
Banquette arrière confortable
Ergonomie bien conçue

FEU ROUGE
Moteur sans âme
Finition de Dollorama
Coût d'achat élevé
Comportement routier peu inspiré

plastique qui paraît un peu trop simplette. En revanche, toutes les commandes sont faciles à atteindre et surtout enfantines à utiliser. Et en soirée, les lumières bleutées donnent véritablement à la planche de bord un air de raffinement que l'on souhaiterait retrouver aussi durant la journée.

SANS ÉCLAT

Dans le domaine du comportement routier, la Galant est efficace, mais sans plus. Le moteur quatre cylindres est un peu juste en puissance (160 chevaux), et ne fournit pas d'accélérations ou de reprises fulgurantes, loin de là. Par surcroît, parce qu'il doit toujours puiser dans sa puissance maximale, il est bruyant et rugueux mais conserve une excellente cote de consommation.

Heureusement, le V6 corrige un peu les lacunes en proposant des accélérations plus franches avec ses 230 chevaux. Et surtout, en diminuant considérablement le bruit dans l'habitacle. Sur la route, la direction est fortement assistée et un peu vague en ligne droite, mais elle se compare avantageusement à bon nombre de ses rivales dans ce domaine, notamment les américaines.

La suspension est souple et absorbe bien les imperfections de la route, même si, sur une chaussée fortement accidentée, elle aura tendance à faire dévier la voiture (ce qui n'est pas le cas de la GTS et de sa suspension plus sportive). Au cours de virages rapides et prononcés, elle sera portée à rouler un peu, mais sa faible hauteur lui permet de fournir une promenade stable et sans trop de mouvements. En fait, sur l'autoroute, elle donne même l'impression d'une voiture beaucoup plus grosse, tant question confort que conduite. Ce qui permet ce confort, c'est notamment une transmission automatique Sportronic bien adaptée, qui enclenche les quatre rapports tout en douceur. Notons aussi qu'en matière de freinage, la Galant fournit un effort remarquable, arrêtant complètement sa carcasse en moins de temps que la plupart de ses compétiteurs, et ce, même en situation d'urgence.

Contraste étonnant, en raison de ses qualités et de ses défauts, la Galant est à la fois trop chère (plus de 34 000 $) et économique (modèle de base à 23 900 $ environ). Son choix devra donc se faire réellement en fonction des options disponibles.

Marc Bouchard

Photos : Mitsubishi

VÉHICULE D'ESSAI

Version :	GTS
Prix de détail suggéré :	33 798 $ (2006)
Emp/Lon/Lar/Haut (mm) :	2 750/4 835/1 840/1 470
Poids :	1 655 kg
Coffre/Réservoir :	377 litres / 62 litres
Coussins de sécurité :	frontaux
Suspension avant :	indépendante, jambes de force
Suspension arrière :	indépendante, multibras
Freins av./arr. :	disque (ABS opt.)
Antipatinage/Contrôle de stabilité :	non / non
Direction :	à crémaillère, assistée
Diamètre de braquage :	13,2 m
Pneus av./arr. :	P215/55R17
Capacité de remorquage :	454 kg

MOTORISATION À L'ESSAI

Moteur :	V6 de 3,8 litres 24s atmosphérique
Alésage et course :	95,0 mm x 90,0 mm
Puissance :	230 ch (172 kW) à 5 250 tr/min
Couple :	250 lb-pi (339 Nm) à 4 000 tr/min
Rapport poids/puissance :	7,2 kg/ch (9,79 kg/kW)
Système hybride :	aucun
Transmission :	traction, automatique 4 rapports
Accélération 0-100 km/h :	8,5 s
Reprises 80-120 km/h :	5,5 s
Freinage 100-0 km/h :	42,0 m
Vitesse maximale :	185 km/h
Consommation (100 km) :	ordinaire, 12,5 litres
Autonomie (approximative) :	496 km
Émissions de CO2 :	4 970 kg/an

GAMME EN BREF

Échelle de prix :	23 948 $ à 34 995 $ (2006)
Catégorie :	berline intermédiaire
Historique du modèle :	3ième génération
Garanties :	5 ans/100 000 km, 10 ans/160 000 km
Assemblage :	Normal, Illinois, É-U
Autre(s) moteur(s) :	4L 2,4l 160ch/157lb-pi (10,4 l/100km)
Autre(s) rouage(s) :	aucun
Autre(s) transmission(s) :	auto. mode man. 4 rapports

DANS LA MÊME CATÉGORIE

Chevrolet Impala - Chrysler Sebring - Ford Fusion - Honda Accord - Hyundai Sonata - Kia Magentis - Mazda 6 - Nissan Altima - Subaru Legacy - Toyota Camry

DU NOUVEAU EN 2007

Version Ralliart, améliorations esthétiques

NOS IMPRESSIONS

Agrément de conduite :	🚗 🚗 🚗 ½
Fiabilité :	🚗 🚗 🚗 ½
Sécurité :	🚗 🚗 🚗 🚗
Qualités hivernales :	🚗 🚗 🚗 🚗
Espace intérieur :	🚗 🚗 🚗 🚗
Confort :	🚗 🚗 🚗 ½

LE CHOIX DE L'ÉQUIPE

Ralliart

445

JUSTE COMPROMIS

Cette année, je me suis fait une promesse : ne pas aborder la question financière quand vient le temps de parler du constructeur Mitsubishi. Car au fil des ans, c'est cette question qui a d'abord pris le dessus, bien au-delà des voitures elles-mêmes, et des amateurs. Car ne nous leurrons pas, même si les Mitsubishi ne sont pas toutes des voitures qui passeront à l'histoire, elles possèdent un noyau de purs et durs conducteurs qui affronteront vents et marées pour prendre la route au volant de leur Mitsu.

On croit souvent, à tort, que c'est l'Eclipse qui attire le plus d'adeptes. Que nenni! Oserais-je dire, puisque le coupé sport, avec toutes ses qualités, a aussi le vilain défaut d'être fort dispendieux pour les moyens des jeunes amateurs. C'est plutôt la Lancer, dans toutes ses déclinaisons, qui attire la fièvre des jeunes conducteurs.

FAMILIALE D'ABORD

Réglons la chose tout de suite : ce n'est pas demain la veille que la Lancer Evolution franchira la frontière nord des États-Unis pour se retrouver sur nos routes. La toute dernière version de la Evo, bien qu'offrant d'excellentes performances, n'a pas encore réussi tous les tests de sécurité pour rouler au Canada. On maintient donc le cap pour la nouvelle génération, la Evo X, mais sans que personne veuille se compromettre. Si j'étais vous, je ne retiendrais pas mon souffle en attendant.

Pourquoi? Parce que désormais, Mitsubishi Canada n'est plus une filiale à part entière de Mitsubishi USA. Ce qui concrètement, est une excellente nouvelle. En relevant directement du Japon, le chapitre canadien de la marque peut plus facilement orienter sa propre destinée. Et le premier exemple de cette différence, c'est le retour de la Lancer Sportback après une année d'absence au catalogue, et un arrêt des ventes aux États-Unis.

Cette petite familiale n'a certes pas les lignes les plus séduisantes de l'industrie, au contraire. L'avant a tout d'une Lancer traditionnelle, alors que l'arrière s'allonge dans un format digne des anciens *station wagon*. Le hayon se termine abruptement, et est encadré de deux blocs optiques qui n'en finissent plus de grimper jusqu'au toit. Ce n'est donc pas par souci d'esthétisme que l'on a relancé la Sportback chez nous, et à regarder le modèle actuel, on se surprend à attendre avec impatience la relève qui devrait faire son apparition l'an prochain.

Malgré cet aspect un tantinet rébarbatif, la Sportback n'a rien d'une voiture désagréable. Proposée en version Ralliart, elle se démène avec aisance, acceptant avec un certain bonheur les petits coups d'accélérateurs qui permettent les départs précipités. Ses 162 chevaux sont plus que suffisants, mais doublé d'une transmission automatique à quatre rapports dont la vitesse d'intervention équivaut à celle d'un escargot au galop, le moteur ne peut toujours se rendre justice. Il suffit de voir avec quelle lenteur il rétrograde en décélération pour s'en rendre compte. Au total, on réussit donc un 0-100 en 10 secondes exactement, ce qui n'a rien d'exceptionnel ni de réellement catastrophique.

FEU VERT
Garantie quasi éternelle
Moteur Ralliart suffisant
Équipement abondant
Direction sans surprise

FEU ROUGE
Habitacle à revoir
Mécanique chevrotante
Freinage longuet
Design ennuyeux (Sportback)
Transmission automatique lente

UNE GAMME OUVERTE

La Sportback n'est cependant qu'une infime partie du marché de la Lancer et s'adresse surtout aux petites familles désireuses d'avoir un véhicule de deuxième usage. En revanche, une gamme complète de Lancer berline fait appel cette fois directement aux plus jeunes.

La base, c'est la Lancer ES, la plus simple. Son petit moteur 4 cylindres développe à peine 120 chevaux, et la liste d'équipements est d'une longueur telle qu'on peut aisément la retenir par cœur... La gamme supérieure, c'est la version OZ Rally, ainsi nommée, probablement, en l'honneur d'un illustre inconnu. Car ce n'est certes pas un compliment de voir son nom s'attacher à une voiture dont le seul avantage est d'offrir quelques options supplémentaires, incluant un aileron, mais la même mécanique hésitante et chevrotante. Ne soyons pas foncièrement méchants: la Lancer a ses adeptes car elle demeure une voiture économique, aux performances à la hauteur de son prix.

Heureusement, pour sauver un peu la mise, on retrouve la version Ralliart qui, comme la Sportback, met à profit un moteur de 162 chevaux. On est encore loin de la Evo, mais elle se rapproche tout de même plus d'une petite voiture sportive, une prétention qu'elle affiche clairement. La différence de puissance, et l'écart d'équipement, valent bien les dollars supplémentaires qui s'ajoutent à la facture pour l'obtention d'un tel modèle. Notons que dans un cas comme dans l'autre, la transmission automatique est à proscrire, mais la transmission manuelle favorise une meilleure relation entre votre voiture et vous.

L'habitacle de la Lancer aurait aussi avantage à être revu. Le *look* est intéressant avec ses gros cadrans à fond blanc et son pommeau de vitesse gainé de cuir sur les modèles sportifs, mais la finition laisse parfois à désirer. Héritage, encore une fois, d'un prix de base très accessible.

La Lancer n'est plus dans sa prime jeunesse, et tout le monde espère la nouvelle génération prévue pour 2008. D'ici ce temps, la petite Lancer constitue un honnête compromis. Efficace, peu coûteuse et surtout facile à personnaliser (les "tuners" de ce modèle abondent), la Lancer est une entrée de gamme sans prétentions.

Marc Bouchard

VÉHICULE D'ESSAI

Version :	Sportback Ralliart
Prix de détail suggéré :	24 998 $ (2006)
Emp/Lon/Lar/Haut(mm) :	2 600/4 605/1 695/1 400
Poids :	1 380 kg
Coffre/Réservoir :	705 à 1 719 litres/50 litres
Coussins de sécurité :	frontaux et latéraux (av.)
Suspension avant :	indépendante, jambes de force
Suspension arrière :	indépendante, multibras
Freins av./arr. :	disque (ABS)
Antipatinage/Contrôle de stabilité :	non/non
Direction :	à crémaillère, assistée
Diamètre de braquage :	11,4 m
Pneus av./arr. :	P205/50R16
Capacité de remorquage :	454 kg

MOTORISATION À L'ESSAI

Moteur :	4L de 2,4 litres 16s atmosphérique
Alésage et course :	87,0 mm x 100,0 mm
Puissance :	162 ch (121 kW) à 5 750 tr/min
Couple :	162 lb-pi (220 Nm) à 4 000 tr/min
Rapport poids/puissance :	8,52 kg/ch (11,6 kg/kW)
Système hybride :	aucun
Transmission :	traction, automatique 4 rapports
Accélération 0-100 km/h :	10,0 s
Reprises 80-120 km/h :	8,4 s
Freinage 100-0 km/h :	42,4 m
Vitesse maximale :	190 km/h
Consommation (100 km) :	ordinaire, 9,1 litres
Autonomie (approximative) :	549 km
Émissions de CO2 :	4 416 kg/an

GAMME EN BREF

Échelle de prix :	15 998 $ à 24 998 $ (2006)
Catégorie :	berline compacte
Historique du modèle :	4ième génération
Garanties :	5 ans/100 000 km, 7 ans/160 000 km
Assemblage :	Mizushima, Japon
Autre(s) moteur(s) :	4L 2,0l 120ch/130lb-pi (9,4 l/100km)
Autre(s) rouage(s) :	aucun
Autre(s) transmission(s) :	manuelle 5 rapports

DANS LA MÊME CATÉGORIE

Acura CSX - Chevrolet Cobalt - Ford Focus - Honda Civic - Hyundai Elantra - Kia Spectra - Mazda 3 - Nissan Sentra - Saturn Ion - Suzuki Aerio - Toyota Corolla - Volkswagen Rabbit

DU NOUVEAU EN 2007

Pas de changement majeur

NOS IMPRESSIONS

Agrément de conduite :	🚗 🚗 🚗
Fiabilité :	🚗 🚗 🚗 🚗 ½
Sécurité :	🚗 🚗 🚗
Qualités hivernales :	🚗 🚗 🚗 ½
Espace intérieur :	🚗 🚗 🚗 🚗
Confort :	🚗 🚗 🚗 ½

LE CHOIX DE L'ÉQUIPE

Lancer Ralliart

Photos : Marc Bouchard

DE MIEUX EN MIEUX !

Après avoir connu sa part de déboires sur le marché des États-Unis et une arrivée relativement discrète chez nous, les choses semblent se replacer pour ce constructeur, alors que les ventes progressent et les bilans financiers sont moins désolants. De plus, Mitsubishi Canada fait maintenant directement affaire avec la maison mère au Japon et non plus par l'intermédiaire de l'organisation des États-Unis. Un était de fait qui plaît à la direction de Mitsubishi Canada qui pourra obtenir des produits qui conviennent mieux à notre marché.

Pour en revenir au Outlander, ce modèle est l'un des plus intéressants de la gamme Mitsubishi au Canada. Sa silhouette sympathique est celle qui bénéficie le plus des éléments visuels propres à cette marque. La calandre avant prononcée, les feux arrière en verre cristallin, les passages de roue en relief sont autant de caractéristiques typiques de Mitsubishi, mais ils semblent se conjuguer plus élégamment sur ce modèle. C'est beaucoup mieux réussi que le Lancer Sportback qui effectue un retour sur le marché cette année, et dont le stylisme est carrément rétro tandis que celui de l'Endeavor est quasiment caricatural.

L'ART DU COMPROMIS

Alors que l'habitacle de la plupart des autres modèles Mitsubishi est fade ou trop agressif, celui du Outlander me semble un bon compromis. Comme le véhicule est dérivé du Lancer, il est certain que la disposition des commandes, de l'instrumentation et des buses de ventilation demeure identique, mais la planche de bord du Outlander est mieux réussie avec ses buses de ventilation à volets, ses cadrans à fond blanc mieux disposés et une applique en aluminium sur une bonne partie de la planche de bord. Et pour rompre la monotonie, on retrouve une pendulette analogique en plein centre. Il semble que ce VUS urbain soit

destiné aux non-fumeurs puisque l'allume-cigare est remplacé par une fiche 12 volts, que le cendrier est maintenant un vide-poche. Les buveurs de café apprécieront les deux porte-verres situés sur la console centrale, juste derrière le levier de vitesse. De plus, les espaces de rangement prolifèrent : l'accoudoir central possède un vide-poche à deux étages, tandis que les portières peuvent accueillir des bouteilles d'eau! Bien qu'il faille déplorer la présence de plastiques durs sur le tableau de bord, la finition est bonne et les sièges avant confortables. En plus d'assurer un bon support latéral.

Terminons ce tour du propriétaire en mentionnant que le dossier de la banquette arrière est de type 60/40 et qu'il se replie à plat assez facilement à l'aide d'un levier monté sur l'extrémité de chaque partie du dossier. Cette commande permet également d'incliner chaque partie du dossier afin d'obtenir un meilleur confort. Finalement, la soute à bagages est de bonne dimension, et le hayon s'ouvre assez haut pour que même les personnes de grande taille n'aient pas à se pencher pour profiter de son abri.

SURPRENANTE !

Les personnes qui ont lu Le Guide de l'auto 2006 savent que cette

FEU VERT	FEU ROUGE
Tenue de route saine	Moteur bruyant
Silhouette élégante	Boîte auto 4 rapports seulement
Sièges avant confortables	Direction engourdie
Rouage intégral	Rembourrage siège arrière
Bonne garantie	Dépréciation rapide

VÉHICULE D'ESSAI

DONNÉES 2006

Version :	SE AWD
Prix de détail suggéré :	32 495 $
Emp/Lon/Lar/Haut(mm) :	2 625/4 550/1 750/1 685
Poids :	1 570 kg
Coffre/Réservoir :	420 à 1 708 litres/59 litres
Coussins de sécurité :	frontaux et latéraux (av.)
Suspension avant :	indépendante, jambes de force
Suspension arrière :	indépendante, multibras
Freins av./arr. :	disque (ABS)
Antipatinage/Contrôle de stabilité :	non/non
Direction :	à crémaillère, assistée
Diamètre de braquage :	11,4 m
Pneus av./arr. :	P225/60R17
Capacité de remorquage :	680 kg

MOTORISATION À L'ESSAI

Moteur :	4L de 2,4 litres 16s atmosphérique
Alésage et course :	86,5 mm x 100,0 mm
Puissance :	160 ch (119 kW) à 5 750 tr/min
Couple :	162 lb-pi (220 Nm) à 4 000 tr/min
Rapport poids/puissance :	9,81 kg/ch (13,31 kg/kW)
Système hybride :	aucun
Transmission :	intégrale, auto. mode man. 4 rapports
Accélération 0-100 km/h :	11,2 s
Reprises 80-120 km/h :	10,0 s
Freinage 100-0 km/h :	43,6 m
Vitesse maximale :	185 km/h
Consommation (100 km) :	ordinaire, 11,5 litres
Autonomie (approximative) :	513 km
Émissions de CO2 :	4 896 kg/an

GAMME EN BREF

Échelle de prix :	23 348 $ à 33 048 $
Catégorie :	utilitaire sport grand format
Historique du modèle :	1ième génération
Garanties :	5 ans/100 000 km, 10 ans/160 000 km
Assemblage :	Mizushima, Japon
Autre(s) moteur(s) :	aucun
Autre(s) rouage(s) :	traction
Autre(s) transmission(s) :	manuelle 5 rapports

DANS LA MÊME CATÉGORIE

Ford Escape - Honda CR-V - Hyundai Santa Fe - Kia Sportage - Nissan X-Trail - Subaru Forester - Suzuki Grand Vitara - Toyota Rav4

DU NOUVEAU EN 2007

Pas de changement majeur, nouvelle génération dévoilée durant l'année

NOS IMPRESSIONS

Agrément de conduite :	🚗🚗🚗🚗
Fiabilité :	🚗🚗🚗🚗
Sécurité :	🚗🚗🚗½
Qualités hivernales :	🚗🚗🚗🚗
Espace intérieur :	🚗🚗🚗½
Confort :	🚗🚗🚗½

LE CHOIX DE L'ÉQUIPE

SE AWD

Mitsubishi s'est classée au second rang du match comparatif des VUS urbains. À la surprise générale, il faut l'avouer, le Outlander ne s'est fait devancer que par la Subaru Forester. Et non, les personnes qui participaient à cet essai n'avaient pas le jugement dérangé! D'ailleurs, un essai à long terme de ce même véhicule permit de confirmer que cette seconde place n'était pas usurpée, d'autant plus que les six mois passés à son volant nous ont démontré une rassurante fiabilité.

Il faut se rappeler que la première génération du Outlander était propulsée par un moteur de misère qui n'était certainement pas à la hauteur. Depuis ce temps, des progrès ont été enregistrés et le moteur de 2,4 litres produit dorénavant 160 chevaux. Ce qui n'en fait pas un bolide à tout casser, mais permet tout au moins de pouvoir compter sur des performances dans la bonne moyenne. Notre modèle d'essai était une version à boîte automatique et transmission intégrale; la consommation moyenne a été de moins de 12 litres aux 100 km, ce qui n'est pas vilain. Il est certain qu'un rapport de plus à la boîte automatique à quatre rapports aurait aidé à réduire la consommation de carburant et à diminuer le niveau sonore du moteur en raison d'un régime moteur moins élevé. Il faut également souligner que l'Outlander peut être livré avec une boîte manuelle cinq rapports et en versions deux roues motrices. Quant au comportement routier, il est sans surprise et sans histoire, tandis que le rouage d'entraînement intégral est tout de même adéquat pour affronter toutes les conditions routières au cours d'une année.

Mais ce n'est pas tout! Au premier trimestre de l'année 2007, une nouvelle version sera commercialisée. Celle-ci a été dévoilée au Salon de l'auto de New York en avril 2006 et il s'agit d'un modèle beaucoup plus substantiel. Non seulement les dimensions du véhicule sont plus importantes, mais la silhouette est beaucoup mieux réussie, même si le modèle actuel est jugé élégant par la plupart des gens. Le rouage d'entraînement est tout aussi spectaculaire puisqu'il sera envisageable de commander ce modèle avec un moteur V6 de 3,0 litres d'une puissance de 220 chevaux. Quant au rouage intégral, il est nettement plus sophistiqué et efficace. Il serait en effet possible de verrouiller les différentiels.

En attendant, l'Outlander actuel n'est pas à dédaigner d'autant plus que son successeur sera certainement vendu plus cher.

Denis Duquet

Photos : Mitsubishi

LE PLAISIR DU PILOTAGE

La Nissan 350Z fait partie du paysage automobile depuis quelques années maintenant. Le temps lui aura permis d'acquérir une certaine maturité sans toutefois que son style devienne trop désuet. Dans le monde des coupés sport, l'innovation et la nouveauté sont gages de succès. Voilà pourquoi le renouvellement de ce type de véhicule est normalement plus rapide et que les nouveautés s'attirent bien souvent la faveur des acheteurs. Dans cette optique, l'année 2004 aura vu l'apparition du modèle cabriolet alors qu'une légère refonte aura été opérée l'an passé. Cependant, il est grand temps pour Nissan d'innover une fois de plus afin de soutenir l'intérêt des acheteurs.

La Nissan 350Z 2007 est offerte en deux modèles, un coupé et un cabriolet. Voilà le magasinage simplifié ! On retrouve au cœur de cette voiture un moteur éprouvé chez Nissan et certainement l'un des meilleurs dans l'industrie, c'est-à-dire le V6 de 3,5 litres, VQ pour les intimes. Ce moteur équipe d'ailleurs nombre d'autres modèles du constructeur. Greffé à la 350Z, il développe cette année une puissance légèrement supérieure. Avec uniquement deux modèles offerts, il ne vous restera donc comme autre décision majeure qu'à choisir entre la boîte manuelle ou automatique.

À FAIRE TOURNER LES TÊTES

Malgré un léger *remodelage* en 2006, la 350Z a peu changé depuis son introduction. À l'extérieur, on retrouve l'ADN « Z » qui a marqué les modèles précédents, incluant la 240Z offerte il y a 30 ans. Ses lignes, son large empattement, ainsi que la position des roues aux extrémités confèrent à la 350Z une allure robuste et stable. L'arrière est mis en évidence par un double échappement chromé, alors que sa ceinture de caisse élevée combinée avec un toit très bas lui donne un style plutôt mystérieux. Le tout est aussi bien réussi dans la version cabriolet tandis que la capote souple permet en quelques secondes d'expérimenter le plaisir de la conduite à ciel ouvert. Une fois rabattue, la capote se loge sous un panneau solide et moulé, ce qui n'enlève rien au style de la voiture.

UN INTÉRIEUR PLUS AUSTÈRE

L'intérieur propose quelques éléments appuyant l'effort de style, mais la finition générale de la 350Z déçoit. Un pédalier en aluminium, des tapis affichant la lettre « Z » ainsi que des sièges sport sont certes bien appréciés, mais le reste semble avoir été oublié. Plusieurs panneaux arborent des plastiques qui font bon marché, alors que l'intégration des commandes, disposées ici et là, aurait pu être un peu plus soignée. Que dire des panneaux de porte pratiquement plats, dont l'effet austère est amplifié par la ceinture de caisse élevée ? Bref, un peu plus d'effort aurait permis d'obtenir un habitacle plus chaleureux ou du moins plus riche...

Du reste, le groupe d'instruments est bien mis en évidence, surtout le compte-tours situé au centre, directement sous les yeux. L'habitacle est indéniablement axé sur le plaisir de conduite. La partie centrale du tableau de bord comporte trois baies d'instruments, soit celles de l'ordinateur de bord, du manomètre d'huile et du voltmètre. Tout le bloc est lié à la colonne de direction, ce qui assure sa bonne lisibilité en tout temps. Le système de sonorisation de marque Bose est suffisamment

VÉHICULE D'ESSAI

Versionc :	Coupé Performance M6
Prix de détail suggéré :	48 898 $
Emp/Lon/Lar/Haut(mm) :	2 650/4 314/1 815/1 323
Poids :	1 543 kg
Coffre/Réservoir :	193 litres / 76 litres
Coussins de sécurité :	frontaux, latéraux (av.) et rideaux
Suspension avant :	indépendante, bras inégaux
Suspension arrière :	indépendante, multibras
Freins av./arr. :	disque (ABS)
Antipatinage/Contrôle de stabilité :	oui / oui
Direction :	à crémaillère, assistance variable
Diamètre de braquage :	10,8 m
Pneus av./arr. :	P225/45WR18 / P245/45WR18
Capacité de remorquage :	non recommandé

puissant avec ses 240 watts ; il offre une bonne puissance à l'avant, alors que ses deux haut-parleurs de 8 pouces, situés directement derrière les sièges, favorisent une bonne présence dans les basses fréquences.

DU VRAI PILOTAGE

Une fois le moteur en marche, vous serez agréablement surpris par sa riche sonorité, filtrée par un échappement aux harmoniques bien étudiés. Le tout est juste assez bien dosé pour vous procurer du plaisir sans devenir désagréable à la longue. Bien enfoncé dans le siège, on retrouve une position de conduite basse, typique des roadsters. Le volant offre une bonne prise en main ; on sent que l'on a véritablement la maîtrise de la voiture.

Forte de ses chevaux, la 350Z affiche d'excellentes performances, supérieures à celles de plusieurs autres modèles plus chers. Les accélérations sont franches et la puissance est disponible à un couple relativement bas. Vivement la boîte manuelle à six rapports, puisque la boîte automatique, quoique plus pratique en ville, inhibe vraisemblablement les performances de la voiture. Même son mode manuel ne suffit pas à rendre justice à cette voiture.

Là où la 350Z Roadster exhibe ses plus beaux atouts, c'est certainement au chapitre de la tenue de route. Sa suspension indépendante aux quatre roues combinée avec une direction précise permet à cette voiture d'enchaîner les courbes sans broncher et, surtout, sans pratiquement aucun transfert de masse. Elle est également un délice en piste. Côté freinage, rien à lui reprocher puisque les quatre freins à disque ventilé, jumelés au système de répartition électronique de la force de freinage, permettent à la voiture de s'immobiliser aussi rapidement qu'elle peut bondir.

Malgré la perte de son toit, le châssis de la 350Z décapotable conserve une excellente rigidité et son gain de poids de près de 100 kilos par rapport à la 350Z coupé ne se fait pas trop sentir. Nissan a en effet ajouté au roadster des renforts afin de solidifier la carrosserie monocoque. De plus, la plate-forme FM (moteur avant en position intermédiaire) du coupé 350Z est reprise dans le roadster, lui offrant ainsi une répartition de poids plus favorable. Les amateurs de tuning pourront équiper la voiture de plusieurs accessoires signés Nismo et installés par le concessionnaire. Une belle façon de donner à sa « Z » un style encore plus accrocheur.

Sylvain Raymond

MOTORISATION À L'ESSAI

Moteur :	V6 de 3,5 litres 24s atmosphérique
Alésage et course :	95,5 mm x 81,4 mm
Puissance :	300 ch (224 kW) à 6 400 tr/min
Couple :	260 lb-pi (353 Nm) à 4 800 tr/min
Rapport poids/puissance :	5,14 kg/ch (6,98 kg/kW)
Système hybride :	aucun
Transmission :	propulsion, manuelle 6 rapports
Accélération 0-100 km/h :	5,9 s
Reprises 80-120 km/h :	6,0 s
Freinage 100-0 km/h :	34,0 m
Vitesse maximale :	250 km/h
Consommation (100 km) :	super, 11,5 litres
Autonomie (approximative) :	661 km
Émissions de CO2 :	5 136 kg/an

GAMME EN BREF

Échelle de prix :	46 198 $ à 53 698 $
Catégorie :	coupé/roadster
Historique du modèle :	1ière génération
Garanties :	3 ans/60 000 km, 5 ans/100 000 km
Assemblage :	Tochigi, Japon
Autre(s) moteur(s) :	V6 3,5l 287ch/274 lb-pi (11,5l/100km) (automatique)
Autre(s) rouage(s) :	aucun
Autre(s) transmission(s) :	auto. mode man. 5 rapports

DANS LA MÊME CATÉGORIE

Audi TT - BMW Z4 - Chrysler Crossfire - Honda S2000 - Mercedes-Benz SLK - Porsche Boxster

DU NOUVEAU EN 2007

Pas de changement majeur, moteur plus puissant à venir

NOS IMPRESSIONS

Agrément de conduite :	🚗🚗🚗🚗½
Fiabilité :	🚗🚗🚗½
Sécurité :	🚗🚗🚗½
Qualités hivernales :	🚗🚗🚗
Espace intérieur :	🚗🚗🚗½
Confort :	🚗🚗🚗½

LE CHOIX DE L'ÉQUIPE

Performance M6

Photos : Nissan

DANS LE « BLITZ »

L'année modèle 2007 en est une où Nissan fait flèche de tout bois avec le renouvellement très attendu et presque complet de sa gamme alors que les ventes commençaient sérieusement à fléchir. Ainsi, la nouvelle Versa fait son entrée accompagnée d'une Sentra redessinée, la Maxima et la Quest subissent des changements importants et l'Altima adopte une nouvelle plate-forme de même qu'une nouvelle évolution du moteur V6 pour sa variante haut de gamme.

Nissan continue donc de proposer une stratégie à trois berlines avec la Sentra, l'Altima et la Maxima afin de rejoindre une clientèle plus large et de procure des alternatives valables à tous les acheteurs selon leurs besoins et leurs budgets. La nouvelle Altima représente la quatrième génération de ce modèle qui est maintenant développé sur la plate-forme « D », est plus rigide que celle qui a été utilisée pour les modèles de la génération précédente. Cette rigidité accrue permet également l'usage de suspensions redessinées, particulièrement à l'avant, dans le but d'endiguer le phénomène d'effet de couple qui était très présent sur le modèle antérieur doté du moteur V6, et qui faisait louvoyer la voiture de gauche à droite en accélération franche. Comme la localisation du moteur est plus basse de 30 millimètres, cela a permis aux ingénieurs de faire en sorte de que les demi-arbres de transmission (ceux qui font le lien entre le différentiel et les roues) aient un angle moins prononcé et soient plus parallèles au sol, ce qui devrait permettre de corriger ou d'atténuer ce problème qui affligeait le modèle précédent.

L'ADOPTION DE LA TRANSMISSION À VARIATION CONTINUE

Deux moteurs traditionnels continuent d'être proposés pour animer la voiture, soit une version améliorée du 4 cylindres de 2,5 litres permettant de meilleures accélérations ainsi qu'une sonorité bonifiée, toutes les versions de l'Altima étant maintenant dotées d'un échappement double. Au sujet du moteur V6, précisons qu'il s'agit là d'une évolution de l'excellent moteur VQ de 3,5 litres que Nissan utilise allègrement sous le capot de plusieurs modèles de sa gamme, ainsi que pour certains modèles de la division Infiniti. À la lecture des caractéristiques techniques de ces deux moteurs, on s'aperçoit que la puissance chiffrée est inférieure d'environ 10 chevaux par rapport aux motorisations des modèles précédents, ce qui est le reflet de nouvelles procédures quant à la mesure de la performance des moteurs adoptés par la SAE (Society of Automotive Engineers) en août 2004, et non pas d'un recul en ce qui a trait à la puissance développée par ces mêmes moteurs. Toujours du côté des motorisations, des modifications importantes ont également été apportées aux transmissions, les deux moteurs pouvant être jumelés à une nouvelle boîte manuelle à six vitesses ou encore à la nouvelle boîte à variation continue Xtronic qui a été conçue afin d'optimiser les performances et de réduire la consommation de carburant, présentant ainsi les points forts d'une boîte manuelle avec la facilité d'usage d'une automatique. Le choix d'une transmission à variation continue étonne toutefois dans la mesure où certains constructeurs, notamment BMW avec la nouvelle Mini, ont plutôt choisi de délaisser ce type de transmission dont le fonctionnement ne répondait pas aux attentes des acheteurs. Par ailleurs, les freins ABS font partie de la

FEU VERT
Silhouette élégante
Moteurs fiables
Choix de modèles
Bonne habitabilité
Position de conduite confortable

FEU ROUGE
Effet de couple dans le volant (2006)
Suspension arrière à revoir (2006)
Finition inégale (2006)

dotation de série sur tous les modèles, tout comme les coussins gonflables latéraux conçus afin de protéger le torse du conducteur et du passager avant en cas d'impact, de même que les rideaux gonflables latéraux qui se déploient à la hauteur de la tête sur les deux rangées de sièges.

HYBRIDE ET SE-R

Un modèle à motorisation hybride est également au programme, Nissan devant absolument suivre la voie tracée par la concurrence avec les Civic et Accord ainsi que les Prius et Camry. Il faut aussi à s'attendre à voir arriver une version SE-R de l'Altima qui permettrait à Nissan de continuer à proposer une variante à vocation sportive de sa berline, en y ajoutant des suspensions sport, des jantes distinctives avec pneus à profil bas et des éléments de carrosserie, bref de suivre la recette établie permettant de la différencier des autres versions de la gamme.

De même, la refonte a permis aux stylistes de revoir l'allure de l'Altima qui affiche dorénavant une nouvelle calandre en forme de «T», et qui continue de présenter une silhouette dynamique comme en témoigne l'angle prononcé du pare-brise ou encore l'espace réduit entre les pneus et les ailes de la voiture, sans parler de la forme particulière des phares qui se retrouvent «étirés» jusque sur les ailes avant.

Quant à l'habitacle, précisons que le bloc d'instruments est d'un nouveau design, que le volant sport intègre certaines commandes, et que la console centrale est maintenant surplombée de trois buses de ventilation circulaires. De plus, le démarrage se fait désormais à la pression d'un bouton sur la planche de bord, ce qui devient de plus en plus répandu non seulement sur les modèles sport ou de luxe, mais aussi sur des voitures à plus grande diffusion comme la nouvelle Altima. Le système de navigation assisté par satellite sera proposé en option, de même que la caméra de recul dont les images sont projetées sur l'écran du système de navigation à la sélection de la marche arrière par le conducteur.

L'arrivée de l'Altima sur notre marché ne survenant qu'après la date limite pour la rédaction et l'impression du *Guide de l'auto 2007*, nous ne pouvons malheureusement pas vous livrer nos impressions de conduite pour ce nouveau modèle, ce que nous ne manquerons pas de faire lors de notre prochaine parution, de même que dans une prochaine édition du magazine *Le Monde de l'auto*.

Gabriel Gélinas

Photos : Nissan

VÉHICULE D'ESSAI
DONNÉES PROVISOIRES

Version :	2.5S fiche temporaire 2007
Prix de détail suggéré :	36 098 $ (2006)
Emp/Lon/Lar/Haut(mm) :	2 776/4 821/1 796/1 471
Poids :	1 381 kg
Coffre/Réservoir :	n.d./76 litres
Coussins de sécurité :	frontaux et latéraux (av.)
Suspension avant :	indépendante, jambes de force
Suspension arrière :	indépendante, multibras
Freins av./arr. :	disque (ABS)
Antipatinage/Contrôle de stabilité :	oui/oui
Direction :	à crémaillère, assistance variable
Diamètre de braquage :	11,8 m
Pneus av./arr. :	P215/60R16
Capacité de remorquage :	454 kg

MOTORISATION À L'ESSAI

Moteur :	4L de 2,5 litres 16s atmosphérique
Alésage et course :	n.d.
Puissance :	165 ch (123 kW) à 6 000 tr/min
Couple :	170 lb-pi (231 Nm) à 4 000 tr/min
Rapport poids/puissance :	8,37 kg/ch (11,41 kg/kW)
Système hybride :	aucun
Transmission :	traction, manuelle 5 rapports
Accélération 0-100 km/h :	8,8 s (estimé)
Reprises 80-120 km/h :	7,1 s (estimé)
Freinage 100-0 km/h :	40,9 m (estimé)
Vitesse maximale :	190 km/h
Consommation (100 km) :	super, 9,8 litres (estimé)
Autonomie (approximative) :	776 km
Émissions de CO2 :	4 080 kg/an

GAMME EN BREF

Échelle de prix :	24 798 $ à 36 098 $ (2006)
Catégorie :	berline intermédiaire
Historique du modèle :	4ième génération
Garanties :	3 ans/60 000 km, 5 ans/100 000 km
Assemblage :	Smyrna, Tennessee, É-U
Autre(s) moteur(s) :	V6 3,5l 265ch/255lb-pi (11,0 l/100km)
	V6 3,5l 260ch/251lb-pi (11,6 l/100km) SE-R 2006
Autre(s) rouage(s) :	aucun
Autre(s) transmission(s) :	automatique 4 rapports / manuelle 6 rapports

DANS LA MÊME CATÉGORIE

Chevrolet Impala - Chrysler Sebring - Ford Fusion - Honda Accord - Hyundai Sonata - Kia Magentis - Mazda 6 - Mitsubishi Galant - Subaru Legacy - Toyota Camry - Volkswagen Passat

DU NOUVEAU EN 2007

Nouveau modèle en cours d'année, version hybride ajoutée

NOS IMPRESSIONS (2006)

Agrément de conduite :	🚗 🚗 🚗 🚗 ½
Fiabilité :	🚗 🚗 🚗 🚗 ½
Sécurité :	🚗 🚗 🚗 🚗 ½
Qualités hivernales :	🚗 🚗 🚗 🚗 ½
Espace intérieur :	🚗 🚗 🚗 🚗
Confort :	🚗 🚗 🚗 ½

LE CHOIX DE L'ÉQUIPE　　　　　3.5SE

NIP/TUCK

Je sais, il s'agit de termes anglais, mais c'est également le titre d'une série diffusée sur le Canal Plus mettant en scène des chirurgiens esthétiques. Pourquoi appeler cet essai routier Nip/Tuck ? Tout simplement parce que la Maxima 2007 s'est fait refaire une beauté, un peu comme les patientes de ladite série. En effet, pour secouer des ventes passablement tièdes, la direction de Nissan a décidé de refaire une beauté à cette berline tout en profitant de l'occasion pour apporter des modifications et des améliorations à la mécanique.

Il faut également ajouter que la gamme de modèles a été simplifiée et le contenu des SE et SL rendu plus complet. Si la Maxima 2006 était fort intéressante à tous les points de vue, elle était quand même affectée par plusieurs irritants tant au chapitre de la conception que de la finition. Et soyez assuré que Carlos Ghosn a certainement dû insister pour qu'ils soient éradiqués. Bref, c'est une Maxima revigorée qui sera commercialisée en 2007.

NOUVEAU NEZ, NOUVEL ARRIÈRE

Toujours pour respecter notre association avec la série Nip/Tuck, cette berline s'est fait refaire le nez et son arrière-train. À l'avant, la grille de calandre, le capot, les phares de route ainsi que le pare-chocs sont tout nouveaux. L'incontournable grille de calandre avec la séparation de forme trapézoïdale au centre de la grille a été remplacée par une grille à cinq points, un peu comme celle des Mazda, et au centre de laquelle trône le logo de Nissan. Le pare-chocs est plus agressif avec une prise d'air rectangulaire davantage en évidence. Et si les phares de route ont une forme similaire, ils sont améliorés et plus efficaces. Si modifier l'avant est la chose la plus facile lorsqu'on veut transformer une voiture, il est plus difficile de s'attaquer à la silhouette, surtout si la plate-forme demeure inchangée. La modification du pilier C a permis aux stylistes de

donner une silhouette plus agressive à la Maxima qui paraît moins balourde et plus prête à bondir. Au premier coup d'œil, la voiture semble plus courte, mais il s'agit d'une impression visuelle en raison de la modification de ce pilier. La partie arrière est pratiquement inchangée sauf que le pare-chocs a été redessiné afin de mieux intégrer les capteurs du sonar de stationnement. Et même si ce détail est d'importance secondaire, chez ce constructeur, on s'est empressé de nous mentionner que les tuyaux d'échappement doubles ont des embouts redessinés. Quoi qu'il en soit, les arcs-boutants si typiques de cette Nissan ont été conservés. Il s'agit d'une accumulation de détails, mais l'effet d'ensemble est positif. En outre, le dessin des jantes en alliage a été modifié aussi bien sur les roues de 17 pouces que sur celles de 18 pouces.

L'habitacle a également eu droit à de multiples améliorations et la qualité des matériaux a été grandement rehaussée. Ce qui est tant mieux puisque cela était l'une des faiblesses de la version 2006. La SL propose dorénavant des appliques en bois, et il est maintenant possible de commander des sièges en cuir perforé sur la SE. Les sièges ont aussi été redessinés alors que le support pour les épaules est plus large tandis que les surpiqûres ont été repositionnées afin d'offrir un meilleur coup d'œil. L'accoudoir central coulissant a été repositionné afin d'améliorer le

confort des occupants des places avant. À la liste des changements, il faut ajouter une clé de contact de type «intelligente», une fiche pour les lecteurs MP3, un système de navigation par satellite, un système de téléphonie sans fil Bluetooth et la liste est longue. Pour terminer, les cadrans indicateurs sont maintenant de type «Fine Vision» pour faciliter leur consultation. Bref, ce modèle a été fortement modifié.

CVT XTRONIC

Sur le plan de la mécanique, la modification la plus importante est le remplacement des boîtes manuelle et automatique par une transmission à rapports continuellement variables. Il s'agit en fait de la même boîte CVT qui a été initialement utilisée sur la Murano et qui est maintenant disponible sur plusieurs modèles notamment la nouvelle Altima, la Versa et la Sentra. Appelée Xtronic, cette transmission est couplée sur le seul modèle offert, soit l'incontournable moteur V6 3,5 litres dont la puissance affichée est dorénavant de 255 chevaux, une diminution de 10 équidés par rapport au modèle 2006. C'est tout simplement qu'une nouvelle méthode de calcul de la SAE a contraint les constructeurs à réviser la puissance de leurs moteurs. Curieusement, ce sont surtout les voitures des marques japonaises qui ont été obligées de réduire la puissance affichée de plusieurs de leurs moteurs. Mais il s'agit d'une donnée qui n'a pas d'influence sur les performances.

À ce chapitre, la Maxima propose une tenue de route similaire au modèle antérieur alors que la boîte CVT ajoute un élément de douceur au groupe propulseur. L'effet de couple dans le volant semble avoir été considérablement réduit, mais mon expérience au volant de ce modèle 2007 a été passablement limitée et sur des routes assez peu propices à un essai routier, mais il fallait faire avec dans le peu de temps mis à notre disposition... Somme toute, la Maxima 2007 se comporte ni plus ni moins comme le modèle 2006 mais avec un habitacle plus luxueux, constitué de matériaux de meilleure qualité et avec une insonorisation également améliorée.

Denis Duquet

Photos : Nissan

VÉHICULE D'ESSAI

Version :	3,5 SE 4 places
Prix de détail suggéré :	41 995 $
Emp/Lon/Lar/Haut(mm) :	2 825/4 938/1 821/1 481
Poids :	1 640 kg
Coffre/Réservoir :	388 litres / 76 litres
Coussins de sécurité :	frontaux, latéraux (av.) et rideaux
Suspension avant :	indépendante, jambes de force
Suspension arrière :	indépendante, multibras
Freins av./arr. :	disque (ABS)
Antipatinage/Contrôle de stabilité :	oui / oui
Direction :	à crémaillère, assistance variable
Diamètre de braquage :	12,2 m
Pneus av./arr. :	P245/45R18
Capacité de remorquage :	454 kg

MOTORISATION À L'ESSAI

Moteur :	V6 de 3,5 litres 24s atmosphérique
Alésage et course :	95,5 mm x 81,4 mm
Puissance :	255 ch (190 kW) à 6 000 tr/min
Couple :	252 lb-pi (342 Nm) à 4 400 tr/min
Rapport poids/puissance :	6,43 kg/ch (8,72 kg/kW)
Système hybride :	aucun
Transmission :	traction, CVT mode man.
Accélération 0-100 km/h :	7,3 s
Reprises 80-120 km/h :	5,7 s
Freinage 100-0 km/h :	42,6 m
Vitesse maximale :	225 km/h
Consommation (100 km) :	super, 12,8 litres
Autonomie (approximative) :	594 km
Émissions de CO_2 :	4 752 kg/an

GAMME EN BREF

Échelle de prix :	36 998 $ à 46 448 $
Catégorie :	berline de luxe
Historique du modèle :	5ième génération
Garanties :	3 ans/60 000 km, 5 ans/100 000 km
Assemblage :	Smyrna et Decherd TN, É-U
Autre(s) moteur(s) :	aucun
Autre(s) rouage(s) :	aucun
Autre(s) transmission(s) :	aucune

DANS LA MÊME CATÉGORIE

Acura TL - Hyundai Azera - Jaguar X-Type - Kia Amanti - Lincoln MKZ - Saab 9-5 - Volvo S60

DU NOUVEAU EN 2007

Modèle révisé esthétiquement, tableau de bord plus élégant, transmission CVT

NOS IMPRESSIONS

Agrément de conduite :	🚗🚗🚗🚗
Fiabilité :	🚗🚗🚗 ½
Sécurité :	🚗🚗🚗🚗
Qualités hivernales :	🚗🚗🚗 ½
Espace intérieur :	🚗🚗🚗🚗
Confort :	🚗🚗🚗🚗

LE CHOIX DE L'ÉQUIPE

3,5 SL

LE VERRE DE MURANO

À la manière des célèbres souffleurs de verre de l'île de Murano, les designers de Nissan ont créé une pièce d'art en dotant le véhicule de courbes somptueuses et de lignes galbées auxquelles se joignent plusieurs éléments judicieusement accentués. De plus, en choisissant le nom de Murano, les concepteurs ont voulu coller la réputation mondiale de ce verre légendaire à leur véhicule multisegment. La Murano, à la manière du verre soufflé, se veut donc d'une richesse incomparable et d'une admiration sans borne qui suscite l'envie de tous les collectionneurs. C'est du moins ce que proclame Nissan.

Malgré tout, les avis sont partagés sur le design extérieur de la Murano. Et sans parler de perfection visuelle, il faut admettre que les détails apportés à la carrosserie amènent une touche artistique et fluide au véhicule dont le niveau de finition est impeccable. Le style de la carrosserie est d'ailleurs rehaussé par certains détails extérieurs qui sont volontairement exagérés, dont des roues de 18 pouces, des feux arrière immenses et une garde au sol imposante, procurant ainsi un effet de solidité et de robustesse bien présent. En fait, seule la calandre semble fragile et menue. Trois versions sont proposées. La version d'entrée de gamme, la SL à traction avant, la SL à traction intégrale et la SE livrée en version intégrale d'office. Étant donné les nombreux éléments de série présents sur la version SL AWD, seules quelques options viennent nourrir le catalogue de la version SE dont un système de navigation par GPS, des sièges en cuir et un toit ouvrant. À l'intérieur, on remarque la console centrale au design intéressant et innovateur, de même que l'espace généreux et la sensation de luxe qui s'y dégage. Même sans l'option GPS, un écran trône au haut de la console centrale servant à l'affichage de l'information. Malheureusement, en plein jour, il est souvent impossible de lire les données à cause des nombreux reflets omniprésents. Il faut également mentionner que les sièges avant sont extrêmement confortables et que l'assise est digne d'un

«La-Z-Boy». Le soutien latéral est, lui, suffisant étant donné la vocation principalement utilitaire du véhicule. Le tissu de la version à l'essai, un suède très douillet, respire mal par temps chaud et procure un certain désagrément à la longue. Quant aux places arrière, elles offrent un confort intéressant, amplement d'espace pour les jambes, de nombreux compartiments pour le rangement, et des sièges dont les dossiers s'inclinent afin de trouver la position de sommeil idéale. Pour ce qui est du volume de chargement, il est énorme et plusieurs crochets sont disponibles pour arrimer les objets dangereux. Et bonne chance lorsque vous devrez utiliser le pneu de secours, profondément logé dans la soute de l'aire de chargement, car il est très difficile à extirper compte tenu de son gabarit, de son poids et du fait qu'on doive forcément retirer le module des graves livré avec le système audio.

QUE DEMANDER DE PLUS ?

Lorsqu'on possède une pièce qui fait l'envie de l'industrie, on aime bien s'en servir aussi souvent que possible. C'est le cas du moteur 6 cylindres de 3,5 litres de Nissan qui figure encore cette année parmi les 10 meilleurs moteurs au monde. Équilibre parfait, puissance disponible impressionnante et douceur de roulement incomparable en ont fait une mécanique dont Nissan peut être fière. C'est pourquoi il est livré sur les

---

FEU VERT
Transmission épatante
Insonorisation impressionnante
Volume de l'habitacle généreux
Moteur exemplaire
Sièges avant très confortables

FEU ROUGE
Direction lourde
Forte consommation
Poids élevé
Quelques bruits de caisse

VÉHICULE D'ESSAI

Version :	SL AWD
Prix de détail suggéré :	42 500 $
Emp/Lon/Lar/Haut(mm) :	2 824/4 765/1 880/1 709
Poids :	1 813 kg
Coffre/Réservoir :	923 à 2 311 litres / 82 litres
Coussins de sécurité :	frontaux, latéraux (av.) et rideaux
Suspension avant :	indépendante, bras inégaux
Suspension arrière :	indépendante, multibras
Freins av./arr. :	disque (ABS)
Antipatinage/Contrôle de stabilité :	oui / oui
Direction :	à crémaillère, assistance variable
Diamètre de braquage :	11,4 m
Pneus av./arr. :	P235/65R18
Capacité de remorquage :	1 588 kg

MOTORISATION À L'ESSAI

Moteur :	V6 de 3,5 litres 24s atmosphérique
Alésage et course :	95,5 mm x 81,4 mm
Puissance :	240 ch (179 kW) à 5 800 tr/min
Couple :	244 lb-pi (331 Nm) à 4 400 tr/min
Rapport poids/puissance :	7,55 kg/ch (10,24 kg/kW)
Système hybride :	aucun
Transmission :	intégrale, CVT
Accélération 0-100 km/h :	10,1 s
Reprises 80-120 km/h :	7,8 s
Freinage 100-0 km/h :	41,0 m
Vitesse maximale :	195 km/h
Consommation (100 km) :	super, 13,1 litres
Autonomie (approximative) :	626 km
Émissions de CO_2 :	5 089 kg/an

GAMME EN BREF

Échelle de prix :	39 850 $ à 48 598 $
Catégorie :	multisegment
Historique du modèle :	1ière génération
Garanties :	3 ans/60 000 km, 5 ans/100 000 km
Assemblage :	Kyushu, Japon
Autre(s) moteur(s) :	aucun
Autre(s) rouage(s) :	traction
Autre(s) transmission(s) :	aucun

trois versions de la Murano et il accomplit merveilleusement bien la tâche. J'aurais normalement ici enchaîné avec quelques points négatifs mais malheureusement, je dois avouer que mécaniquement il est difficile de trouver des failles. Et encore moins évident lorsqu'on jumelle ce moteur à la transmission à variation continue.

CVT

C'était ma première expérience en «CVT» et j'avais quelques appréhensions face à cette nouvelle technologie. Honte à moi, car cette transmission à variation continue n'offre que des avantages : accélération constante surprenante, élimination des à-coups ressentis lors des changements de vitesses des boîtes automatiques, niveau sonore réduit significativement, révolutions du moteur minimales et consommation de carburant réduite. Évidemment, quelques points négatifs sont ressortis pendant l'essai dont une compression moteur agaçante à quelques occasions lorsqu'on relâche l'accélérateur. On pourrait également reprocher à la transmission la lenteur de ses changements de vitesse. Une fraction de seconde de trop qui nous laisse souvent sur notre appétit. De plus, il arrive qu'au moment d'appuyer de nouveau sur l'accélérateur suite à un freinage d'urgence, la transmission CVT cherche la variation de rapport la plus appropriée, ce qui nous donne l'impression de manquer de puissance. Néanmoins, en situation de tous les jours, la CVT est une révélation par ses changements de rapports qui s'effectuent, la majorité du temps, sous les 1 700 tr/mn.

Le fort gabarit de la Murano n'est pas seulement une impression visuelle mais bien réelle. Avec un poids de plus de 1 800 kg, il faut s'attendre à ce que son comportement en soit affecté. Les ingénieurs se sont donc appliqués pour que ce ne soit pas le cas. Les suspensions ont admirablement bien été ajustées à ce type de véhicule et judicieusement calibrées afin de procurer au Murano une tenue de route solide et digne d'une berline sport. Les freins sont d'une efficacité étourdissante et arrêtent le lourd véhicule en moins de 39 mètres.

La Murano de Nissan revêt un style accrocheur, audacieux et artistique par sa sculpture profilée et sa ligne fluide rappelant le verre de Murano. À l'opposé, son côté robuste, solide et pataud s'assure d'enlever l'idée de fragilité amenée par cette association avec le verre. Quoi qu'il en soit, ce véhicule aura été un pionnier dans le domaine du multisegment, et malgré l'arrivée de nombreux compétiteurs dans ce créneau il restera, à mon avis, une référence pendant encore quelques années grâce à sa mécanique sans faille.

Guy Desjardins

DANS LA MÊME CATÉGORIE

Mitsubishi Endeavor - Subaru Forester - Toyota Highlander - Volkswagen Touareg

DU NOUVEAU EN 2007

Moniteur de pression des pneus de série

NOS IMPRESSIONS

Agrément de conduite :	🚗🚗🚗🚗
Fiabilité :	🚗🚗🚗🚗
Sécurité :	🚗🚗🚗🚗
Qualités hivernales :	🚗🚗🚗🚗½
Espace intérieur :	🚗🚗🚗🚗½
Confort :	🚗🚗🚗🚗½

LE CHOIX DE L'ÉQUIPE

SL AWD

Photos : Guy Desjardins

L'ÉVOLUTION D'UNE PIONNIÈRE

La remontée de Nissan est l'une des plus spectaculaires de l'histoire de l'automobile. Jadis l'une des puissances du marché, ce constructeur a accumulé les bourdes en fait de mise en marché et se retrouvait dans l'eau chaude. Il a fallu la direction inspirée du légendaire Carlos Ghosn et le talent des stylistes maison pour remonter la pente. Ces derniers se sont sans doute inspiré de l'histoire du Pathfinder qui a déjà été le véhicule le plus vendu par Nissan en Amérique du Nord.

En effet, tandis que les berlines de la marque étaient plus ou moins ignorées du public, ce VUS intermédiaire était l'un des meneurs du marché des 4X4. Et même s'il possédait d'indéniables qualités, c'est surtout son stylisme qui lui valait cette popularité. Alors que la plupart des véhicules de ce genre étaient d'une désarmante nullité en fait de design, ce Nissan des champs et des bois était en grande demande. Principalement en raison de son look branché qui s'associait à des touches d'originalité comme les poignées des portières arrière qui étaient placées à la hauteur de la glace arrière. C'est un détail secondaire, me direz-vous, mais plusieurs ont craqué pour cet élément de style qui donnait un cachet bien particulier.

D'ailleurs, cette poignée est toujours au même endroit sur la version actuelle qui a été lancée il y a à peine deux ans et qui permet à ce modèle de convaincre de nouveau les acheteurs. Il faut préciser que la direction de la compagnie avait attendu trop longtemps avant de moderniser l'un de ses meilleurs vendeurs et les ventes en avaient subi les conséquences. Qui plus est, avant sa révision, le Pathfinder avait l'air d'un véhicule usagé aux côtés des nouveautés de Nissan dont le stylisme était vraiment poussé.

DE BONS ÉLÉMENTS

Cette nouvelle génération a été élaborée à partir des mêmes éléments qui ont permis à la camionnette Titan et au spectaculaire Armada d'impressionner dès leur lancement. Le châssis autonome de type échelle est dérivé de celui utilisé sur les deux autres. Comme il s'agit d'un châssis plus petit, il est encore plus rigide. Même si les deux mastodontes font appel à un gros moteur V8, le Pathfinder ne possède qu'un moteur V6 de 4,0 litres dont la puissance est de 266 chevaux, ce qui est bien adapté compte tenu des dimensions du véhicule et de sa catégorie. Et comme il est dérivé de l'incontournable moteur V6 de 3,5 litres, sa fiabilité ne devrait pas être problématique. Les ingénieurs ont adapté sa courbe de couple à une utilisation mi-urbaine, mi-utilitaire et les 288 lb-pied de couple font sentir leur présence. Non seulement ce moteur V6 est-il le seul offert, mais il est impossible de le commander avec une boîte manuelle, car seule l'automatique à cinq rapports est proposée. Ce qui est quelque peu logique compte tenu des nombreux éléments d'aide électronique au pilotage qui sont offerts sur le Pathfinder. Et précisons que seules les versions 4X4 sont sur notre marché alors que les Américains peuvent également commander une propulsion. Ce système est passablement élémentaire sur les modèles de base puisqu'il s'agit d'un mécanisme à temps partiel. Il faut se tourner

FEU VERT

Excellent tout terrain
Rouage intégral efficace
Moteur bien adapté
Finition soignée
Tenue de route

FEU ROUGE

Freins parfois spongieux
Consommation élevée
Places arrière peu confortables
Boîte manuelle non disponible

Version :	LE
Prix de détail suggéré :	47 498 $ (2006)
Emp/Lon/Lar/Haut(mm) :	2 850/4 765/1 849/1 852
Poids :	2 210 kg
Coffre/Réservoir :	493 à 2 093 litres/80 litres
Coussins de sécurité :	frontaux, latéraux (av.) et rideaux
Suspension avant :	indépendante, bras inégaux
Suspension arrière :	indépendante, multibras
Freins av./arr. :	disque (ABS)
Antipatinage/Contrôle de stabilité :	oui/oui
Direction :	à crémaillère, assistance variable
Diamètre de braquage :	11,9 m
Pneus av./arr. :	P265/65R17
Capacité de remorquage :	2 722 kg

MOTORISATION À L'ESSAI

Moteur :	V6 de 4,0 litres 24s atmosphérique
Alésage et course :	95,5 mm x 92,0 mm
Puissance :	266 ch (198 kW) à 5 600 tr/min
Couple :	288 lb pi (391 Nm) à 4 000 tr/min
Rapport poids/puissance :	8,31 kg/ch (11,28 kg/kW)
Système hybride :	aucun
Transmission :	intégrale 4X4, automatique 5 rapports
Accélération 0-100 km/h :	8,9 s
Reprises 80-120 km/h :	7,8 s
Freinage 100-0 km/h :	42,0 m
Vitesse maximale :	185 km/h
Consommation (100 km) :	super, 14,1 litres
Autonomie (approximative) :	552 km
Émissions de CO2 :	7 243 kg/an

vers la version la plus luxueuse pour retrouver un système permettant de passer en mode manuel ou automatique.

Parmi les autres mécanismes destinés à vous faciliter la vie, Nissan offre de série le Downhill Assist qui est un système de retenue de pente empêchant le véhicule de prendre de la vitesse lors de la descente d'une pente abrupte et de reculer lorsque vient le temps de repartir. Et si on prend des risques au volant, un système de stabilité latérale permet d'éviter les catastrophes en ralentissant le véhicule et en utilisant les freins de façon sélective. Ceux-ci sont bien entendu reliés à un système ABS.

RÉPUTATION MÉRITÉE

Lors de son lancement sur le marché, cette nouvelle génération du Pathfinder a été favorablement accueillie par nos voisins du Sud qui en ont fait le véhicule le plus titré de l'année. Il faut également souligner que cet ouvrage l'avait nommé «Véhicule utilitaire de l'année». La raison de ces places d'honneur est le bel équilibre qu'il propose en fait de conduite sur route et hors route. Sur le bitume, il est difficile de trouver à redire tant la suspension est bien calibrée et la tenue de route sans surprise. Il faut par contre mentionner une pédale de frein quelque peu spongieuse et une masse importante qui s'associe à un centre de gravité élevé pour nous faire parfois réfléchir aux lois de la physique si jamais on se prend à jouer les pilotes sportifs. D'autre part, en conduite hors route, le couple de ce moteur, une bonne garde au sol et un châssis rigide nous permettent de passer presque partout dans un confort supérieur à la moyenne puisque l'habitacle est élégant et le tableau de bord quasi similaire à celui d'une berline.

Il est certain que ce Nissan tout usage perd des points en raison du prix du pétrole sans cesse à la hausse et de ses généreuses dimensions qui le classent d'emblée parmi les «gros et méchants 4X4», même si la consommation de son moteur V6 est tout de même dans la bonne moyenne avec ses 14,1 litres aux 100 km. Mais les circonstances font que ces VUS n'ont plus la cote après avoir été les meneurs du marché. Il faut maintenant en avoir grand besoin pour en acheter un; il ne s'agit plus de frimer ou de faire comme les autres...

Denis Duquet

GAMME EN BREF

Échelle de prix :	37 698 $ à 47 498 $ (2006)
Catégorie :	utilitaire sport intermédiaire
Historique du modèle :	4ème génération
Garanties :	3 ans/60 000 km, 5 ans/100 000 km
Assemblage :	Kyushu, Japon
Autre(s) moteur(s) :	aucun
Autre(s) rouage(s) :	aucun
Autre(s) transmission(s) :	aucune

DANS LA MÊME CATÉGORIE

Buick Rainier - Chevrolet Trailblazer - Ford Explorer - Honda Pilot - Hummer H3 - Jeep Commander - Kia Sorento - Mitsubishi Endeavor - Toyota 4Runner

DU NOUVEAU EN 2007

Pas de changement majeur

NOS IMPRESSIONS

Agrément de conduite :	🚗🚗🚗🚗
Fiabilité :	🚗🚗🚗🚗½
Sécurité :	🚗🚗🚗🚗½
Qualités hivernales :	🚗🚗🚗🚗½
Espace intérieur :	🚗🚗🚗🚗½
Confort :	🚗🚗🚗🚗½

LE CHOIX DE L'ÉQUIPE

SE

Photos : Nissan

FAUTE AVOUÉE, FAUTE PARDONNÉE

Cette grosse fourgonnette a fortement ébranlé la catégorie lors de son entrée en scène en 2004. Sa silhouette s'inspirait de l'automobile, son habitacle était le plus spacieux de l'industrie, tandis que son tableau de bord semblait emprunté à un film de science-fiction des années cinquante. Malheureusement, certaines faiblesses de design et de conception ont ralenti les ventes. Pour 2007, le temps est venu de réviser la copie originale.

Si le succès s'est fait attendre, c'est tout simplement que cette fourgonnette était accablée d'une insonorisation fortement perfectible. Le vaste espace intérieur servait de caisse de résonance à tout bruit parasite. De plus, les sièges pliants que l'on disait uniques en leur genre émettaient des grincements et des cliquetis dont le son était amplifié dans l'habitacle qui faisait fonction de caisse de résonnance. Ajoutez un troisième siège qui était lui aussi la source de bruits de friction et des grondements provenant de la route, et vous vous retrouvez au volant d'un véhicule passablement bruyant. Avec une caisse plus ou moins rigide et de nombreux autres bruits parasites, l'image de la Quest a rapidement pâli, silhouette révolutionnaire ou pas.

Comme si cela n'était pas suffisant, le tableau de bord avec ses cadrans indicateurs au centre ne faisait pas l'unanimité. Et ces foutues commandes de la climatisation dont le fonctionnement mettait au défi toute logique. Les responsables de la mise en marché et du développement se sont donc concertés afin d'apporter les solutions appropriées. Le résultat : une version 2007 qui vous fera rapidement oublier la première génération.

LA RAISON PRÉDOMINE

Même si la présentation extérieure n'a jamais été mise en cause pour expliquer les déboires de la Quest sur le marché, plusieurs améliorations ont été apportées à son apparence. La grille de calandre a été modifiée, les phares avant remodelés de même que les feux antibrouillard. En plus, les poignées extérieures sont dorénavant en chrome tandis que le porte-bagages a été amélioré. À cela s'ajoutent des portières latérales plus grandes, de nouveaux feux arrière ainsi que des pare-chocs légèrement transformés alors que les roues en alliages sont également nouvelles.

Mais les changements les plus spectaculaires se retrouvent à l'intérieur. La planche de bord est plus traditionnelle et les cadrans indicateurs ont quitté la partie centrale pour apparaître devant le pilote. Et pour les protéger des rayons du soleil, une casquette de bonne dimension surplombe le tout. C'est efficace, mais pas nécessairement élégant. Par contre, là où se trouvaient les cadrans indicateurs, on remarque un écran indicateur affichant les réglages de la climatisation, de la radio ainsi qu'un écran de navigation par satellite. Enfin, cet écran permet d'avoir une excellente vue de l'arrière lorsqu'on recule grâce à la caméra placée au-dessus de la plaque d'immatriculation. Et, autre bonne nouvelle, les commandes de la radio et de la climatisation sont toujours aussi faciles d'accès, et nettement plus simples d'opération. Soulignons au passage que le lecteur DVD est dorénavant situé sur la planche de bord alors qu'il

FEU VERT
Caisse plus rigide
Insonorisation améliorée
Tableau de bord simplifié
Sièges plus confortables
Finition en progrès

FEU ROUGE
Visibilité 3/4 arrière
Dimensions encombrantes
Assistance de la direction inégale
Sièges arrière moyennement confortables

était auparavant sous le siège avant droit. Tous les sièges sont également dotés de commandes plus simples d'opération et plus efficaces.

L'autre changement majeur est l'ajout d'une troisième banquette avec appuie-têtes escamotables, tandis que le siège se replie en un tournemain grâce à un système de ressorts. L'effort nécessaire pour le replier dans sa soute ou le déployer est assez faible. Comme sur le modèle précédent, il y a deux écrans LCD au pavillon et les petits puits de lumière Skyview sont de retour. Ajoutons également la présence aux places arrière de commandes de la ventilation et du système audio visuel.

SANS RAPPORT

Même si les responsables de Nissan ont refusé de dévoiler si des changements avaient été apportés à la plate-forme, il n'est pas nécessaire de rouler longtemps pour réaliser que l'insonorisation est dorénavant impeccable. Lorsque nous franchissons des trous et des ornières, la rigidité de la plate-forme est suffisante pour empêcher les portes coulissantes de heurter le cadre de porte comme c'était trop souvent le cas auparavant. De plus, le bruit des pneus ne s'infiltre plus dans l'habitacle pour provoquer un grondement sourd. Et les sièges arrière ont cessé de vibrer et d'émettre toutes sortes de bruits, une fois repliés.

Pour la première fois depuis son arrivée sur le marché, la Quest est à la hauteur de nos attentes en fait de conduite. La direction est précise, la transmission nettement plus efficace que précédemment, et l'incontournable moteur V6 de 3,5 litres est toujours aussi performant, doux et efficace. Il ne faut pas conclure pour autant que ce groupe propulseur transforme la Quest en bolide de course, mais c'est quand même plus que correct. Ce moteur est couplé à une boîte automatique à cinq rapports. Ces derniers ont été révisés afin d'améliorer les accélérations. Curieusement, alors que Nissan utilise des transmissions de type CVT sur presque tous les nouveaux véhicules, ce n'est pas le cas sur la Quest.

Quoi qu'il en soit et malgré une direction qui manque parfois d'assistance dans les virages abordés à moyenne vitesse et nécessitant une correction de trajectoire, cette nouvelle génération nous permet de conduire une fourgonnette qui semble vouloir tenir ses promesses.

Denis Duquet

Photos: Denis Duquet

VÉHICULE D'ESSAI

Version :	SL
Prix de détail suggéré :	40 995 $
Emp/Lon/Lar/Haut(mm) :	3 150/5 185/1 826/1 971
Poids :	1 888 kg
Coffre/Réservoir :	926 à 6 000 litres / 76 litres
Coussins de sécurité :	frontaux, latéraux (av.) et rideaux
Suspension avant :	indépendante, jambes de force
Suspension arrière :	indépendante, multibras
Freins av./arr. :	disque (ABS)
Antipatinage/Contrôle de stabilité :	oui / oui
Direction :	à crémaillère, assistance variable
Diamètre de braquage :	n.d.
Pneus av./arr. :	P225/60R17
Capacité de remorquage :	1 588 kg

MOTORISATION À L'ESSAI

Pneus d'origine
MICHELIN

Moteur :	V6 de 3,5 litres 24s atmosphérique
Alésage et course :	95,5 mm x 81,4 mm
Puissance :	235 ch (179 kW) à 5 800 tr/min
Couple :	240 lb-pi (328 Nm) à 4 400 tr/min
Rapport poids/puissance :	7,87 kg/ch (10,67 kg/kW)
Système hybride :	aucun
Transmission :	traction, automatique 5 rapports
Accélération 0-100 km/h :	9,4 s
Reprises 80-120 km/h :	7,2 s
Freinage 100-0 km/h :	40,0 m
Vitesse maximale :	185 km/h
Consommation (100 km) :	ordinaire, 13,6 litres
Autonomie (approximative) :	559 km
Émissions de CO2 :	5 280 kg/an

GAMME EN BREF

Échelle de prix :	32 498 $ à 49 948 $
Catégorie :	fourgonnette
Historique du modèle :	3ième génération
Garanties :	3 ans/60 000 km, 5 ans/100 000 km
Assemblage :	Canton, Mississippi, É-U
Autre(s) moteur(s) :	aucun
Autre(s) rouage(s) :	aucun
Autre(s) transmission(s) :	aucun

DANS LA MÊME CATÉGORIE

Dodge Grand Caravan - Ford Freestar - Honda Odyssey - Hyundai Entourage - Kia Sedona - Pontiac Montana - Toyota Sienna

DU NOUVEAU EN 2007

Tableau de bord révisé, insonorisation améliorée, châssis plus rigide, carrosserie retouchée

NOS IMPRESSIONS

Agrément de conduite :	🚗🚗🚗🚗
Fiabilité :	🚗🚗🚗
Sécurité :	🚗🚗🚗🚗
Qualités hivernales :	🚗🚗🚗
Espace intérieur :	🚗🚗🚗🚗🚗
Confort :	🚗🚗🚗🚗

LE CHOIX DE L'ÉQUIPE

SL

Voiture économique

CURE DE JOUVENCE

Peu de choses dans l'industrie automobile font l'unanimité. Il y a bien l'opinion de quelques journalistes automobiles les uns sur les autres qui font consensus, mais en général tout le monde souhaite avoir une certaine exclusivité de son opinion. Heureusement, dans ce domaine comme ailleurs, il existe l'exception qui confirme la règle, et cette exception c'était la nécessité, devenue urgente, de renouveler le modèle de la Nissan Sentra dont la dernière génération remontait déjà à trop d'années.

La prière des chroniqueurs, et celle des acheteurs aussi ne l'oublions pas, a été exaucée, et c'est une Sentra nouveau genre que Nissan a dévoilé le printemps dernier. Une compacte d'entrée de gamme capable de rivaliser avec ses féroces concurrentes, et qui pour une fois, dispose des outils pour mener une véritable compétition.

ENFIN, UN PEU DE STYLE

Que les amateurs me pardonnent, mais j'étais devenu littéralement incapable de regarder de près la silhouette de l'ancienne Sentra. Ses lignes vieillottes et sans raffinement lui méritaient le titre peu enviable, de voiture la moins joyeuse de sa catégorie. Heureusement, les stylistes l'ont compris, et la toute nouvelle version est nettement plus dynamique, et devrait s'attirer les regards d'une foule d'acheteurs beaucoup plus jeunes.

Fondée sur la nouvelle plate-forme « C » de Nissan, cette Sentra de sixième génération dispose d'un empattement plus long de 167 mm (5,9 po) que celui de la version 2006. Elle est aussi plus longue de 65 mm (2,3 po), plus large de 91 mm (3,2 po) et plus haute de 113 mm (4 po), ce qui lui permet d'offrir un meilleur dégagement pour la tête et facilite l'accès à l'habitacle.

Avec de telles dimensions, les designers ont réussi à insuffler un peu de style à l'ensemble. La calandre avant est sans conteste digne de Nissan. La grille carrelée qui s'étire en demi-cercle comme un sourire n'est pas sans rappeler les plus grandes berlines que sont l'Altima et la Maxima. Bien que le toit soit désormais plus arrondi, les angles de capot présentent des arêtes plus carrées, et un profil plus anguleux. On profite d'ailleurs de ces angles pour y intégrer des blocs optiques qui s'allongent.

La rondeur du toit se poursuit évidemment jusqu'à la lunette arrière, qui se termine aux abords d'un coffre arrière carré et légèrement surélevé. L'ensemble confère une allure un peu rebondie, plus compacte, comme si la voiture était tout en muscles.

Les fortes dimensions ont aussi l'heureuse propriété de se retransmettre à l'intérieur, donnant à la Sentra un des plus spacieux habitacle de toute sa catégorie. Au total, il offre un volume de 2 767 litres (97,7 pi), soit 255 litres (9,2 pi) de plus que la précédente génération de la Sentra. À l'avant, le dégagement à la tête, aux épaules et aux hanches a été accru, tout comme le dégagement aux épaules, aux genoux et à la tête à l'arrière. Les appuie-cuisses redessinés à l'avant et à l'arrière permettent aux occupants de monter plus facilement dans le véhicule et d'en

FEU VERT
CVT efficace
Design plus moderne
Mécanique renouvelée
Espace de rangement ingénieux

FEU ROUGE
Fiabilité à tester
Tableau de bord conservateur
Places arrière limitées
Équipement de série peu abondant

descendre tout aussi aisément. Notons aussi que c'est matière d'espace de rangement que la Sentra innove le plus puisque, en plus d'offrir une multitude de vide-poches et autres porte-verres dans l'habitacle, la nouvelle Nissan dispose d'un coffre arrière divisible, appelé à partition rétractable. Simplement dit, un panneau coulissant crée dans le coffre arrière un sous-coffre dissimulé aux regards, et qui peut abriter les marchandises que l'on amène avec nous en permanence.

Le look contemporain de la silhouette a aussi été retransmis au tableau de bord qui ressemble à s'y méprendre à celui des berlines haut de gamme de la famille. Au menu, même en version de base, un système audio avec lecteur CD, des essuie-glace à balayage intermittent et, en matière de sécurité, des coussins gonflables latéraux.

MÉCANIQUE MODERNE

Chez Nissan, on l'a déjà dit, la transmission à rapport continuellement variable fait partie des plans dans toutes les gammes, et sur tous les modèles. Ce qui en soit n'est pas une mauvaise nouvelle puisque le constructeur nippon a réussi à maîtriser la technologie mieux que la plupart de ses concurrents, et utilise trois versions différentes de cette transmission selon les tailles et les exigences de chacun des modèles. Avec la Sentra, on a donc opté pour la version la plus petite de la CVT, la même qui équipe aussi la Versa. En accélération prononcée, la transmission fait bien entendre quelques bruits de glissement impossibles à ignorer, mais généralement, elle parvient à jouer son rôle avec efficacité, assurant l'utilisation maximale de la plage de puissance du moteur tout en maintenant le régime moteur au niveau le plus économique.

Un moteur 4 cylindres de 2 litres à bloc entièrement construit en aluminium est jumelé à cette CVT. Sous le capot se retrouve donc une mécanique de 140 chevaux, mais surtout 147 livres-pied de couple dont la plus grande partie, soit environ 90 %, est disponible en deçà du régime de 2 400 tours/minute. La conséquence de ce couple à bas régime est donc une plus grande souplesse dans la répartition de la puissance et moteur..

Finalement, la cure de Jouvence de la Sentra n'aura eu que de bons côtés puisque désormais, cette compacte bénéficie de la technologie de pointe, et promet enfin de faire une vraie bataille aux ténors bien établis de la catégorie.

Marc Bouchard

VÉHICULE D'ESSAI

Version :	Base
Prix de détail suggéré :	16 798 $ 2006
Emp/Lon/Lar/Haut(mm) :	2 685/4 567/1 791/1 571
Poids :	1 273 kg
Coffre/Réservoir :	371 litres/50 litres
Coussins de sécurité :	frontaux, latéraux (av.) et rideaux
Suspension avant :	indépendante, jambes de force
Suspension arrière :	demi-ind., poutre déformante
Freins av./arr. :	disque/tambour (ABS opt.)
Antipatinage/Contrôle de stabilité :	non/non
Direction :	à crémaillère, assistance variable
Diamètre de braquage :	10,6 m
Pneus av./arr. :	P205/60R15
Capacité de remorquage :	454 kg

MOTORISATION À L'ESSAI

Moteur :	4L de 2,0 litres 16s atmosphérique
Alésage et course :	n/a
Puissance :	140 ch (104 kW) à 0 tr/min
Couple :	147 lb-pi (199 Nm) à 0 tr/min
Rapport poids/puissance :	8,36 kg/ch (11,36 kg/kW)
Système hybride :	aucun
Transmission :	traction, manuelle 6 rapports
Accélération 0-100 km/h :	10,0 s (estimé)
Reprises 80-120 km/h :	8,8 s (estimé)
Freinage 100-0 km/h :	42,0 m (estimé)
Vitesse maximale :	185 km/h
Consommation (100 km):ordinaire, 7,0 litres (constructeur)
Autonomie (approximative) :	714 km
Émissions de CO_2 :	n.d.

GAMME EN BREF

Échelle de prix :	16 798 $ à 22 298 $ (2006)
Catégorie :	berline compacte
Historique du modèle :	4ème génération
Garanties :	3 ans/60 000 km, 5 ans/100 000 km
Assemblage :	Aguascalientes, Mexique
Autre(s) moteur(s) :	aucun
Autre(s) rouage(s) :	aucun
Autre(s) transmission(s) :	CVT

DANS LA MÊME CATÉGORIE

Chevrolet Cobalt - Ford Focus - Honda Civic - Hyundai Elantra - Kia Spectra - Mazda 3 - Saturn Ion - Toyota Corolla

DU NOUVEAU EN 2007

Nouveau modèle

NOS IMPRESSIONS

Agrément de conduite :	🚗 🚗 🚗 🚗
Fiabilité :	nouveau modèle
Sécurité :	🚗 🚗 🚗 ½
Qualités hivernales :	🚗 🚗 🚗 🚗
Espace intérieur :	🚗 🚗 🚗 ½
Confort :	🚗 🚗 🚗 ½

LE CHOIX DE L'ÉQUIPE

Base avec CVT

Photos : Nissan

Voiture économique

UN CONCURRENT DE TAILLE

La catégorie des sous-compactes était jadis la chasse gardée des petites voitures à vocation économique dont la seule qualité ou presque était un prix de base plus que compétitif. Pour pouvoir rouler à bas prix, les gens acceptaient un moteur bruyant, une insonorisation quasiment inexistante, un confort plus que moyen et une tenue de route à la limite. Et ces gens se disaient sans doute : «Quand on est né pour un petit pain!» Mais la situation a radicalement changé et la nouvelle Versa est une recrue de choix dans cette catégorie.

Jusqu'à l'arrivée de la Toyota Echo hatchback en 2005, le petit monde des sous-compactes était sous la domination des voitures sans saveur et sans intérêt. Cette japonaise et la Yaris qui lui a succédé ont littéralement mis le feu aux poudres. Et conjointement, Chevrolet et Pontiac y allaient des modèles Aveo et Wave, tandis que les Hyundai Accent et Kia Rio faisaient l'objet d'une transformation radicale. Sans oublier Honda qui tente de profiter de cette manne avec la Fit qui est également toute nouvelle en 2007. Il était donc normal que Nissan s'amène dans cette catégorie qui ne cesse de croître. Et il est certain que les sempiternelles hausses du prix du pétrole incitent de plus en plus de gens à se tourner vers cette catégorie. La dernière fois que ce constructeur s'y est intéressé, c'est au début des années 90 avec la Nissan Sentra Classic dont la carrière s'est terminée en 1993. Il s'agissait à l'époque d'un modèle fort dépouillé fabriqué au Mexique et dont la principale qualité était un prix compétitif. Mais les temps ont changé, et la Versa qui reprend le flambeau partage seulement ses origines mexicaines avec le dernier représentant de Nissan, chez les sous-compactes sur notre marché.

L'UNE ARRIVE, L'AUTRE ÉVOLUE

La première pensée qui nous vient à l'esprit en examinant la Versa est qu'elle vient concurrencer la Sentra. Ce serait correct si cette dernière demeurait inchangée. Mais elle est transformée du tout au tout en 2007 et ciblera un autre marché tout en ayant un prix de vente plus élevé que précédemment. Mais revenons à la Versa! Celle-ci est le fruit d'une collaboration entre les partenaires Nissan et Renault. D'ailleurs, cette plate-forme sera également utilisée par Renault. Pour Nissan, la plate-forme a été conçue pour un marché global. À titre d'exemple, elle porte le nom

de Tiida pour les marchés du Mexique, de la Chine et du Japon. L'identification «Versa» est dérivée de «versatile», car s'il faut croire les dirigeants de Nissan, cette petite sous-compacte peut tout faire ou presque. Du reste, ce modèle sera initialement offert en version *hatch-back* et une berline sera commercialisée plus tard, les deux seront

assemblées à l'usine mexicaine d'Aguascalientes. J'ai déjà visité cette usine qui comprend tout ce qu'il y a de plus moderne en fait de machinerie et de robots, et les ouvriers mexicains sont tout aussi compétents que leurs vis-à-vis dans les autres usines de ce constructeur, tant au Japon qu'aux États-Unis. La seule différence étant leur salaire horaire…

Quoi qu'il en soit, cette sous-compacte est très spacieuse et même le coffre arrière est de bonne dimension pour un hatchback puisque même avec la banquette arrière en position, sa capacité est de 478 litres. Mais je crois que pour gonfler les chiffres, les ingénieurs ont mesuré l'espace du plancher au plafond et ne se sont pas limités à la hauteur des glaces latérales comme le font plusieurs. Par contre, le dossier ne fait que se replier sur le coussin de la banquette et il est impossible de faire basculer le tout pour obtenir plus d'espace. À ce chapitre, la Honda Fit fait la leçon par son incroyable versatilité. En revanche, les places arrière de la Nissan offrent un bon dégagement pour la tête et les jambes, tandis que les places avant sont également spacieuses et confortables. Nissan utilise une mousse de double intensité qui prodigue un confort moelleux et un bon support. De plus, la qualité des matériaux, l'épaisseur des tapis et l'utilisation de plastiques souples nous donnent l'impression d'être à bord d'une voiture de prix nettement plus élevé. Toutefois, le levier servant à incliner le dossier des sièges est placé du côté central. On a tenté de nous faire croire que c'était un plus au chapitre de l'ergonomie, mais en réalité, il n'y a pratiquement pas de place entre le siège et la portière! Il a fallu faire avec.

Le tableau de bord est sobre et pratique à deux exceptions près. Premièrement, le coffre à gants est placé nettement trop bas. Une fois ouvert, il repose sur nos tibias et il est alors difficile d'accès. Deuxièmement, les cadrans indicateurs et l'afficheur de l'odomètre étaient difficiles à lire, mais la position de conduite est bonne. Et si la sécurité est une priorité pour vous, toutes les voitures Nissan sont offertes en 2007 avec des coussins frontaux, latéraux et des rideaux de sécurité.

Un mot à propos du design extérieur avant de passer à la mécanique. Il est certain que les stylistes ont eu le coup de crayon inspiré. Avec ce modèle et surtout avec la hatchback, les feux arrière chevauchant la paroi latérale rendent la voiture facile à identifier. Il en est de même pour la calandre avant encadrée par des feux de routes elliptiques débordant sur l'aile avant. La berline est plus sobre à ce chapitre en raison de feux presque triangulaires.

LE PLUS PUISSANT MOTEUR

Les constructeurs aiment bien mettre en évidence les éléments d'un véhicule qui sont supérieurs à la concurrence. Dans le cas de la Versa, son moteur 1,8 litre est le plus puissant de la catégorie. Avec ses 122 chevaux, il surclasse tous les autres. Par exemple, la Yaris Hatchback propose 106 chevaux, la Honda Fit 108 et aucun autre véhicule de la catégorie ne peut offrir mieux. Par contre, ce moteur ne

possède pas de calage de soupapes variable comme c'est le cas sur la Fit et la Yaris, entre autres.

En outre, la Versa est la seule de cette catégorie à présenter trois boîtes de vitesses. La transmission de série est une boîte manuelle à six rapports tandis que la boîte automatique privilégiée est la Xtronic CVT à rapports continuellement variables. Et si cette technologie vous inquiète, vous pourrez toujours opter pour une boîte automatique à quatre rapports. La Versa est également dotée d'une direction à assistance électrique, comme c'est la tendance du jour. Cela économise du poids et par conséquent du carburant, car le moteur n'est pas obligé de faire tourner une pompe hydraulique en permanence.

Comme cela semble la règle sur toutes les sous-compactes, la suspension avant est de type MacPherson. Cet élément est non seulement peu coûteux à fabriquer, mais il prend peu de place et ses performances sont bonnes. Par contre, la suspension arrière est à poutre déformante. Là encore, cela permet de réduire les coûts de fabrication et d'assemblage. Mais en plus, ce type de suspension permet d'avoir un coffre à bagages plus spacieux en raison de l'absence de tours de suspension dans le coffre. Terminons notre tournée de la mécanique en soulignant que les freins à disque à l'avant et à tambour à l'arrière peuvent être associés à un système ABS. La répartition du freinage électronique et le « Brake Assist » sont disponibles selon le modèle choisi. La Versa est l'une des rares de cette catégorie à rouler sur des pneus de 15 pouces.

FEU VERT
Habitacle spacieux
Moteur 122 chevaux
Boîte CVT efficace
Plate-forme rigide
Silhouette moderne

FEU ROUGE
Fiabilité inconnue
Boîte manuelle imprécise
Certains détails d'aménagement à revoir
Boîte automatique 4 rapports (S)

VÉHICULE D'ESSAI	
Version :	SL
Prix de détail suggéré :	17 098 $
Emp/Lon/Lar/Haut (mm) :	2 600/4 295/1 695/1 535
Poids :	1 242 kg
Coffre/Réservoir :	504 à 1 427 litres/50 litres
Coussins de sécurité :	frontaux, latéraux (av.) et rideaux
Suspension avant :	indépendante, jambes de force
Suspension arrière :	demi-ind., poutre déformante
Freins av./arr. :	disque/tambour (ABS)
Antipatinage/Contrôle de stabilité :	non/non
Direction :	à crémaillère, assistance variable électrique
Diamètre de braquage :	10,4 m
Pneus av./arr. :	P185/65R15
Capacité de remorquage :	non recommandé

BONNES ET MAUVAISES NOUVELLES

L'essai de la Versa hatchback m'a permis de constater que la voiture est dotée d'un moteur assez puissant, que la tenue de route est très bonne pour la catégorie et que la suspension offre un bon compromis entre le confort et la tenue de route. De plus, notre modèle d'essai initial s'est montré avare de bruits aérodynamiques. Ce qui est excellent étant donné que les voitures essayées étaient des modèles de début de production. En outre, les sièges se sont révélés confortables même après avoir passé plus de trois heures dans la voiture.

Voilà pour les bonnes nouvelles. Mais il y en a une moins agréable : la direction à assistance électrique est un peu trop assistée, ce qui nous a parfois fait chevaucher la ligne blanche dans les virages en raison d'un coup de volant qui s'est révélé trop accentué. Quant à la vraie mauvaise nouvelle, c'est le levier de vitesse de la boîte manuelle à six rapports dont l'imprécision est hors-norme, et qui semble relié à la transmission par quelques gros élastiques. Il est fréquemment arrivé de passer en sixième alors que je voulais engager le quatrième rapport. Espérons que cela sera corrigé le plus rapidement possible. Par contre, autre bonne nouvelle, la transmission Xtronic CVT fonctionne à merveille tout en permettant d'obtenir une consommation similaire à la boîte manuelle.

Donc, malgré quelques bémols, la Versa est une voiture dont le comportement routier est sain, et qui est aussi à l'aise sur l'autoroute que dans la circulation urbaine. De plus, les sièges sont confortables et la finition correcte.

Denis Duquet

MOTORISATION À L'ESSAI

Moteur :	4L de 1,8 litre 16s atmosphérique
Alésage et course :	84,0 mm x 81,1 mm
Puissance :	122 ch (91 kW) à 5 200 tr/min
Couple :	127 lb-pi (172 Nm) à 4 800 tr/min
Rapport poids/puissance :	10,18 kg/ch (13,8 kg/kW)
Système hybride :	aucun
Transmission :	traction, manuelle 6 rapports
Accélération 0-100 km/h :	9,5 s
Reprises 80-120 km/h :	8,3 s (4e)
Freinage 100-0 km/h :	41,5 m
Vitesse maximale :	175 km/h
Consommation (100 km) :	ordinaire, 7,7 litres
Autonomie (approximative) :	649 km
Émissions de CO2 :	n.d.

GAMME EN BREF

Échelle de prix :	14 498 $ à 17 098 $
Catégorie :	sous-compacte
Historique du modèle :	1ière génération
Garanties :	3 ans/60 000 km, 5 ans/100 000 km
Assemblage :	Aguascalientes, Mexique
Autre(s) moteur(s) :	aucun
Autre(s) rouage(s) :	aucun
Autre(s) transmission(s) :	automatique 4 rapports/CVT

DANS LA MÊME CATÉGORIE

Chevrolet Aveo - Honda Fit - Hyundai Accent - Kia Rio - Pontiac Wave - Suzuki Swift+ - Toyota Yaris

DU NOUVEAU EN 2007
Nouveau modèle

NOS IMPRESSIONS

Agrément de conduite :	🚗🚗🚗½
Fiabilité :	nouveau modèle
Sécurité :	🚗🚗🚗🚗
Qualités hivernales :	🚗🚗🚗🚗
Espace intérieur :	🚗🚗🚗🚗
Confort :	🚗🚗🚗🚗

LE CHOIX DE L'ÉQUIPE
Base

Photos : Denis Duquet

NISSAN VERSA

BOUE OU PAS, J'Y VAIS...

Si vous êtes un amant de la nature et que vous transportez souvent un kayak ou une bicyclette jusqu'au fin fond des bois, le Xterra est conçu pour vous. L'âme de ce véhicule est de pouvoir vous emmener pratiquement partout. Peu importe si vous êtes sur un chemin boueux ou sur la grand-route, ou pire, sur la neige et la glace, ce Nissan vous procurera un peu le meilleur de tout.

Les véhicules qui s'adressent aux amants de la nature sont de plus en plus légion; or dans bien des cas, le prix à payer est assez élevé. On tente donc de trouver un moyen de transport qui nous permettra d'aller au fin fond de la forêt et de pouvoir en revenir sains et saufs, sans nous ruiner. C'est ici que le Xterra devient un 4x4 à envisager. Il est un vrai couteau suisse, capable de faire face à ses compétiteurs sans rougir, et cela, malgré le fait que d'autres sont pas mal plus dispendieux que lui.

Le moteur en V6 de 4 litres à DACT et 24 soupapes est assez fougueux en accélération et la transmission automatique à 5 rapports travaille bien, avec des passages de rapports assez doux. Il aurait été plaisant de profiter d'une version avec la transmission manuelle de manière à mieux gérer le couple soi-même quand on se retrouve hors de la route. Ça sera pour une prochaine fois, nous le souhaitons. Pour revenir au moteur, il est important de vous dire que malgré son poids élevé, ce 4x4 déploie tout de même 265 ch à 5 600 tr/min et 284 lb-pi à 4 000 tr/min. Il est donc en mesure de faire face à n'importe lequel de ses compétiteurs directs en matière de couple et de puissance. Les reprises en sortie de virage ou lors d'un dépassement sont assez surprenantes, mais son plus bel attribut est la solidité de la conduite.

SUR LA ROUTE

Sur la grand-route, le Xterra impressionne par sa conduite relativement silencieuse pour un véhicule équipé de pneus destinés à la conduite hors route, par contre, sous la pluie, ils ont un comportement exécrable. S'il pleut et qu'on roule à 100 km/h, les pneus ont une si grande empreinte au sol et si peu d'efficacité à extraire l'accumulation d'eau que l'on a droit à de sérieuses séances d'aquaplanage... Assez pour que le train avant déporte et qu'il faille lever le pied. Mais bon, il ne faut pas s'attendre à plus d'un pneu qui a une semelle plus agressive qu'un pneu à profil bas et à gomme tendre. Ce 4X4 n'est pas fait pour rouler à fond, mais pour rouler dans le fond des bois en tout confort. De toute manière, si vous y allez trop fort, l'essieu rigide arrière vous obligera à lever le pied sur les portions accidentées de la route. C'est mieux qu'il y a quelques années, mais n'importe quel châssis qui est suspendu à l'arrière par un essieu de ce type, au lieu d'une suspension indépendante, a ce type de réaction.

Quand il y a de forts vents latéraux, il faut faire face à des soubresauts, ce qui vous obligera à garder les deux mains sur le volant si vous êtes sur l'autoroute, car le centre de gravité est assez haut avec les 24,1 cm (9,5 pouces) de garde au sol. La même règle s'applique dans les virages

FEU VERT

Habitacle spatieux
Vrai passe-partout
Beaucoup de couple moteur
Construction robuste
Gallerie de toit solide

FEU ROUGE

Pneus de mauvaise qualité
Sensible aux vents latéraux
Tableau de bord banal
Suspension ferme
Finition ordinaire

serrés. Il faut y aller avec douceur pour ne pas provoquer un tonneau. Pour ce qui est du comportement sur un chemin de gravier, le châssis étant assez rigide, il est très facile de bien le contrôler. De plus, le Xterra a cette belle qualité qui est de pardonner l'erreur du conducteur sur les sols plus mous et glissants. Son empattement étant long, le train arrière réagit plus lentement, donc en contrebraquant doucement, on le ramène rapidement dans sa trajectoire initiale. Comme n'importe quel véhicule du genre, il faut s'attendre à des amortisseurs fermes. Robustesse donc avant le grand confort, Nissan a quand même fait un bon travail.

HORS ROUTE

Si vous faites sérieusement du hors route, nous vous recommandons de faire installer un pare-chocs en tubulure d'acier à l'avant, car les garnitures en plastique, trop coûteuses, s'arrachent au moindre frottement contre un arbre. Des compagnies comme Warn en fabriquent et ça vaut l'investissement.

Même recouvert de boue, ne craignez pas de salir l'intérieur, car vous pourriez presque arroser l'habitacle avec un boyau d'arrosage pour laver le tout! Il n'y a quasiment pas de tissu, mais que du plastique, donc aisément lavable. Un des aspects les plus amicaux du Xterra est sa galerie de toit qui peut accommoder pratiquement tout. Vous retrouverez des endroits appropriés pour ranger vos sangles d'attache et sécuriser votre bicyclette ou votre canot. Le chargement de la portion arrière est facilité par une grande portière qui cache un très bon espace. En fait, pas mal plus qu'un Jeep Liberty. Au pire, rabattez les sièges pour faire apparaître une assez grande plate-forme de chargement.

Pour ce qui est de l'habitacle, les sièges procurent un confort raisonnable. L'instrumentation est facilement accessible et aisément lisible et le volant a une emprise très confortable. L'espace est suffisant pour des gens de bonne stature, mais l'accès arrière demeure quand même étroit pour ces mêmes personnes.

Ce Nissan tout usage est un bon véhicule. Il se débrouille vraiment bien dans la forêt grâce à sa robustesse. La version SE bénéficie d'un pont arrière autobloquant qui assiste électroniquement et ses caractéristiques sont plus axées vers le Daniel Boone qui réside en vous.

Robert Jetté

Photos: Nissan

VÉHICULE D'ESSAI

Version :	SE
Prix de détail suggéré :	37 748 $
Emp/Lon/Lar/Haut(mm) :	2 700/4 540/1 850/1 903
Poids :	1 995 kg
Coffre/Réservoir :	997 à 1 861 litres/80 litres
Coussins de sécurité :	frontaux
Suspension avant :	indépendante, multibras
Suspension arrière :	essieu rigide, ressorts elliptiques
Freins av./arr. :	disque (ABS)
Antipatinage/Contrôle de stabilité :	oui/non
Direction :	à crémaillère, assistance variable
Diamètre de braquage :	11,3 m
Pneus av./arr. :	P265/65R17
Capacité de remorquage :	2 268 kg

MOTORISATION À L'ESSAI

Moteur :	V6 de 4,0 litres 24s atmosphérique
Alésage et course :	95,0 mm x 92,0 mm
Puissance :	265 ch (198 kW) à 5 600 tr/min
Couple :	284 lb-pi (385 Nm) à 4 000 tr/min
Rapport poids/puissance :	7,53 kg/ch (10,23 kg/kW)
Système hybride :	aucun
Transmission :	4X4, automatique 5 rapports
Accélération 0-100 km/h :	8,0 s
Reprises 80-120 km/h :	6,2 s
Freinage 100-0 km/h :	42,0 m
Vitesse maximale :	195 km/h
Consommation (100 km) :	ordinaire, 14,8 litres
Autonomie (approximative) :	541 km
Émissions de CO2 :	6 240 kg/an

GAMME EN BREF

Échelle de prix :	32 898 $ à 38 995 $
Catégorie :	utilitaire sport compact
Historique du modèle :	2ième génération
Garanties :	3 ans/60 000 km, 5 ans/100 000 km
Assemblage :	Smyrna, Tenessee, É-U
Autre(s) moteur(s) :	aucun
Autre(s) rouage(s) :	aucun
Autre(s) transmission(s) :	manuelle 6 rapports

DANS LA MÊME CATÉGORIE

Ford Escape - Honda CR-V - Hyundai Santa Fe - Jeep Liberty - Kia Sorento - Mazda Tribute - Toyota Rav4

DU NOUVEAU EN 2007

Pas de changement majeur

NOS IMPRESSIONS

Agrément de conduite :	🚗 🚗 🚗 🚗
Fiabilité :	🚗 🚗 🚗 🚗
Sécurité :	🚗 🚗 🚗 🚗
Qualités hivernales :	🚗 🚗 🚗 🚗 ½
Espace intérieur :	🚗 🚗 🚗 🚗 🚗
Confort :	🚗 🚗 🚗 🚗

LE CHOIX DE L'ÉQUIPE

Base

UN PETIT QUI VOIT GRAND

Ce petit véhicule utilitaire très compact est non seulement populaire au Canada, mais en Europe et dans son pays d'origine. Certes, il n'y a vraiment rien d'intimidant sous le capot et à première vue on peut le trouver minimaliste. Or quand on apprend à le connaître, on le trouve de plus en plus sympathique.

Comme nous avons quatre saisons bien distinctes et des routes qui ressemblent à celles d'un pays du tiers-monde, les véhicules de ce genre semblent avoir été spécialement dessinés pour nous. Durant l'hiver, ils nous permettent de jouir d'un véhicule à 4 roues motrices, et l'été, ils nous amènent au chalet même si ce dernier est situé au bout d'un chemin de terre d'une longueur interminable. À vrai dire, ce ne sera pas le grand confort, mais un citadin et aimant sortir en banlieue ou plus loin y trouvera son compte.

SILHOUETTE À PART

L'allure du X-Trail lui donne vraiment un petit côté amical et si vous avez choisi le X-Trail Xtreme, vous attirerez bien des regards, c'est certain. Cette version est pourvue de jupes de la même couleur que la carrosserie, ainsi que de jantes plus sportives ce qui lui confère un *look* frôlant le tuning.

L'intérieur offre, étonnamment, pas mal d'espace. En ouvrant les portières arrière, les sièges se trouvent à la bonne hauteur pour les papas et mamans qui doivent sécuriser leur enfant dans le siège d'appoint sans se donner un tour de rein. Durant l'essai, mes deux adolescents n'ont pas souffert du mal du mouvement comme à l'habitude. Avec le X-Trail, je pouvais les emmener n'importe où sans problème, car la clarté qui entre dans ce véhicule, créée par le toit Pana (de plus, celui-ci s'ouvre d'une touche!), éclaircit entièrement l'habitacle. Et il semble que cette caractéristique leur permettait de subir sans problème mon style de conduite.

L'espace pour le conducteur et le passager avant est surprenant, car quoique je frôle les 6 pieds, il y avait suffisamment de dégagement pour la tête et les jambes. Je me suis aussi offert le luxe de m'installer à l'arrière et j'ai bien aimé la position des dossiers et du dégagement pour les jambes. Il est vrai que l'immense toit panoramique rend le voyage beaucoup plus plaisant.

Je dois donner une mauvaise note pour la qualité ordinaire de certaines commandes de ventilation qui semblaient sortir tout droit de la quincaillerie du coin. Ça paraissait fragile et il ne serait pas surprenant qu'au bout de quelques années elles se brisent. En tout cas, ça n'inspirait pas confiance! Le tableau de bord est situé au centre et ça fait un drôle d'effet. Je trouve cet emplacement distrayant et il me semble qu'on perd cette petite fraction de seconde pour bien réagir. Même si j'ai un avis plutôt mitigé sur cet aspect, il faut reconnaître que de retrouver un petit coffre à gants des 2 côtés du véhicule est aussi pratique.

FEU VERT
Rouage intégral
Beaucoup d'espace de rangement
Intérieur moderne
Allure sympathique
Freinage puissant

FEU ROUGE
Tableau de bord central
Direction trop assistée
Reprises moyennes
Certaines commandes fragiles
Tenue de route moyenne

ROUTE ET CHAMP

Le X-Trail est motorisé par un 4 cylindres à DACT et il est pourvu d'une culasse 16 soupapes. Cela lui permet de monter assez rapidement vers les hauts régimes pour qu'il puisse déployer ses 165 chevaux et 170 lb-pi de couple. À bas régime, le moteur offre un comportement sain et des départs rapides, et cela, jusqu'à mi-régime. Mais au-delà, toutefois, le surplus de poids causé par une lourde carrosserie fait en sorte que les 4 cylindres s'essoufflent assez rapidement, et cela se fait surtout sentir lors des dépassements sur l'autoroute. Si vous roulez à 110 km/h et que vous attendez un coup de pied dans le derrière en appuyant sur le champignon, vous serez vite rappelé à la réalité. L'accélérateur étant assisté électroniquement, il y a aussi une certaine perte de sensation, mais en revanche, cela permet une réaction nettement plus rapide du moteur.

Lors de l'essai, la direction se montrait pas mal trop assistée à bas régime. À une vitesse de croisière et sur la grand-route tout était correct, mais en ville, on avait l'impression que le volant tournait dans le vide lorsque je négociais un coin de rue. Le freinage est puissant, et en plus, il est doté d'un système antiblocage, en équipement de série. Comme il a un empattement d'une bonne longueur, le X-Trail se montre très docile sur la route.

Pour ce qui est de son comportement en virage, il est à la hauteur, mais il ne faut pas trop pousser, car ce genre de véhicule n'est pas conçu pour négocier une courbe à grande vitesse. Tant que vous roulez à l'intérieur des limites, il n'y a aucun souci, mais ayez en tête qu'il est peu large et haut sur pattes, donc moins stable. Sur la route, il est assez sensible aux forts vents latéraux, ce qui est typique de tous les 4x4. Malheureusement, je n'ai pas eu la chance de le tester durant l'hiver, mais disons que je n'aurais pas vraiment de craintes à me déplacer malgré la neige. On se sent vraiment bien à l'intérieur et il semble prêt pour affronter une bordée de neige.

Le X-Trail offre un espace de chargement de bonne dimension et il se prête très bien à une utilisation de tous les jours. Il conservera sans aucun doute une bonne valeur de revente.

Robert Jetté

NISSAN X-TRAIL

VÉHICULE D'ESSAI

Version :	LE TI
Prix de détail suggéré :	33 948 $
Emp/Lon/Lar/Haut(mm) :	2 624/4 455/1 765/1 674
Poids :	1 488 kg
Coffre/Réservoir :	827 à 2 061 litres/60 litres
Coussins de sécurité :	frontaux et latéraux (av.)
Suspension avant :	indépendante, jambes de force
Suspension arrière :	indépendante, multibras
Freins av./arr. :	disque (ABS)
Antipatinage/Contrôle de stabilité :	oui/oui
Direction :	à crémaillère, assistance variable
Diamètre de braquage :	10,6 m
Pneus av./arr. :	P215/65R16
Capacité de remorquage :	907 kg

MOTORISATION À L'ESSAI

Moteur :	4L de 2,5 litres 16s atmosphérique
Alésage et course :	89,0 mm x 100,0 mm
Puissance :	165 ch (123 kW) à 6 000 tr/min
Couple :	170 lb-pi (231 Nm) à 4 000 tr/min
Rapport poids/puissance :	9,02 kg/ch (12,3 kg/kW)
Système hybride :	aucun
Transmission :	intégrale, automatique 4 rapports
Accélération 0-100 km/h :	9,8 s
Reprises 80-120 km/h :	8,6 s
Freinage 100-0 km/h :	42,0 m
Vitesse maximale :	180 km/h
Consommation (100 km) :	ordinaire, 11,3 litres
Autonomie (approximative) :	531 km
Émissions de CO2 :	4 608 kg/an

GAMME EN BREF

Échelle de prix :	26 495 $ à 36 000 $
Catégorie :	utilitaire sport compact
Historique du modèle :	1ière génération
Garanties :	3 ans/60 000 km, 5 ans/100 000 km
Assemblage :	Kyushu, Japon
Autre(s) moteur(s) :	aucun
Autre(s) rouage(s) :	traction
Autre(s) transmission(s) :	manuelle 5 rapports

DANS LA MÊME CATÉGORIE

Chevrolet Equinox - Ford Escape - Honda CR-V - Jeep Liberty - Mazda Tribute - Mitsubishi Outlander - Subaru Forester - Toyota Rav4

DU NOUVEAU EN 2007

pas de changement majeur

NOS IMPRESSIONS

Agrément de conduite :	🚗 🚗 🚗
Fiabilité :	🚗 🚗 🚗 🚗
Sécurité :	🚗 🚗 🚗 🚗
Qualités hivernales :	🚗 🚗 🚗 ½
Espace intérieur :	🚗 🚗 🚗 ½
Confort :	🚗 🚗 🚗 ½

LE CHOIX DE L'ÉQUIPE

Base

UNE ORIGINALE

Même si cette marque est inconnue du grand public, elle est en voie de se tailler une enviable réputation auprès des amateurs de courses et de voitures sport. Si le nom de Panoz était initialement associé aux 24 Heures du Mans en raison des voitures de la catégorie prototype du même nom, c'est également devenu une marque de voitures de tourisme de haute performance. Et il ne faut pas oublier qu'une autre filiale du groupe Panoz produit des voitures de course, notamment celle qui sera utilisée l'an prochain par toutes les équipes de la série Champ car.

Mais puisque ce sont les voitures de production qui nous intéressent, l'Esperante est une auto qui est sur le marché depuis le début du siècle et qui est le résultat de plusieurs années de développement. Elle est le fruit du labeur de Danny Panoz, le fils de Don Panoz, celui qui a fondé l'écurie qui porte son nom. C'est fiston qui a développé la première voiture, la Roadster qui a servi de base à l'Esperante plusieurs années plus tard. Cette voiture a d'ailleurs été en première page de l'édition 1999 du *Guide de l'auto*.

L'ESPOIR

Danny Panoz savait que son roadster pouvait tenir tête à bien des sportives, mais son caractère plutôt radical en fait de confort, d'imperméabilisation et d'accès à bord militait en faveur d'un modèle plus sophistiqué, plus performant et aussi plus confortable. La petite équipe de Hoshton en Georgie s'est attaquée à son second projet : l'Esperante. La petite taille de l'entreprise ne l'a pas empêché d'avoir recours à des technologies et des matériaux d'avant-garde. Cette fois, le châssis est réalisé à partir de pièces d'aluminium extrudé qui sont collées par un processus spécial développé en collaboration de RAMCo, une filiale de Reynolds Aluminium. Cette technologie est empruntée à celle de l'aérospatiale et permet d'obtenir un châssis

périphérique très léger et très rigide. L'aluminium est en vedette chez Panoz puisque les 14 panneaux de la carrosserie sont également en alu. Ceux-ci sont formés selon le procédé SPF- Superplastic Forming – qui a été utilisé pour le revêtement extérieur de la Station Spatiale Internationale. Inutile de préciser que ce roadster ou ce coupé, nommé GT, est essentiellement assemblé à la main dans la petite usine installée non loin du Circuit Road Atlanta qui appartient, bien entendu, à Don Panoz !

CRAMPONNEZ-VOUS

Une Panoz, cela signifie construction limitée, mais cela signifie également performance. Comme sur toute voiture ultrasportive qui se respecte, le groupe propulseur est l'élément clé de la voiture. Si vous n'appréciez pas la silhouette de l'Esperante évoquant moyennement les années 60, son habitacle étroit ou encore le module des cadrans indicateurs au centre de la planche de bord, vous ne pourrez demeurer indifférent au son de l'échappement. Avec leur gros moteur V8, les Panoz de course ont une sonorité bien distinctive qui en fait triper plus d'un. Les ingénieurs qui ont développé l'Esperante se sont assurés que la sonorité des gros V8 américains fasse partie de l'expérience Esperante.

FEU VERT
Performances époustouflantes
Exclusivité assurée
Mécanique facile d'entretien
Châssis rigide
Possibilité de personalisation

FEU ROUGE
Visibilité arrière limitée
Réseau de distribution ténu
Habitacle exigu
Suspension ferme

Ce moteur V8 de 4,6 litres modifié par Panoz produit 302 chevaux tandis que son couple est de 320 lb-pi. Il est couplé à une boîte manuelle à cinq rapports et il est même possible de commander en option une transmission automatique à quatre rapports. La version équipée de la boîte manuelle est d'ailleurs capable boucler le 0-100 km/h en 5,1 secondes et sa vitesse de pointe est de 250 km/h. Si les accélérations fumantes vous passionnent, la version GT fait mieux avec un temps de 4,9 secondes pour le 0-100 km/h. Mais la GTML est encore plus spectaculaire avec une version suralimentée de ce même moteur V8 dont la puissance est de 426 chevaux.

Cette propulsion atteint un équilibre des masses de 50/50 en raison du positionnement du moteur qui est placé derrière l'essieu avant. Ce qui assure une zone de déformation plus grande en cas d'impact frontal. Comme il se doit, l'expérience en piste de l'écurie Panoz a été mise à profit lors du développement des suspensions avant et arrière. Les deux sont de types asymétriques avec des amortisseurs montés à l'intérieur des ressorts hélicoïdaux. Pour ralentir cette sportive, quatre freins à disque et un système ABS travaillent de concert. La distance de freinage est de 36 mètres, ce qui surpasse bien des grandes sportives vendues beaucoup plus cher.

Cette petite américaine ne possède pas un habitacle très vaste, et il faut littéralement se glisser dans le siège du conducteur. Une fois en place, la position de conduite est correcte. Mais nous n'avons pas beaucoup le temps de contempler le tableau de bord puisque ce roadster, notre modèle d'essai, nous incite fortement à le conduire de façon sportive. Il faut se cramponner au volant car les impulsions sont incisives. La voiture est douce, mais le *feedback* de la conduite est immédiat. Par contre, malgré son gros moteur V8 placé à l'avant, la voiture est neutre en virage et se place facilement dans les courbes. De bonnes notes également pour le levier de la boîte de vitesses dont la course est courte et précise. Et si on s'excite trop, les freins sont ultrapuissants !

Bref, une voiture de petite série qui vous en donne pour votre argent en performance et en exclusivité. Et vous pouvez la commander à votre goût car elle est pratiquement fabriquée à la pièce.

Jean Léon

Photos : Panoz

VÉHICULE D'ESSAI

Version :	GT
Prix de détail suggéré :	105 000 $ (US)
Emp/Lon/Lar/Haut(mm) :	2 715/4 475/1 860/1 355
Poids :	1 450 kg
Coffre/Réservoir :	n.d./58 litres
Coussins de sécurité :	frontaux et latéraux (av.)
Suspension avant :	indépendante, bras inégaux
Suspension arrière :	indépendante, multibras
Freins av./arr. :	disque (ABS)
Antipatinage/Contrôle de stabilité :	oui/non
Direction :	à crémaillère, assistée
Diamètre de braquage :	n.d.
Pneus av./arr. :	P245/45ZR17
Capacité de remorquage :	non recommandé

MOTORISATION À L'ESSAI

Moteur :	V8 de 4,6 litres 32s atmosphérique
Alésage et course :	90,2 mm x 90,0 mm
Puissance :	302 ch (225 kW) à 5 800 tr/min
Couple :	320 lb-pi (434 Nm) à 4 200 tr/min
Rapport poids/puissance :	4,53 kg/ch (6,14 kg/kW)
Système hybride :	aucun
Transmission :	propulsion, manuelle 5 rapports
Accélération 0-100 km/h :	5,1 s
Reprises 80-120 km/h :	5,0 s
Freinage 100-0 km/h :	36,0 m
Vitesse maximale :	250 km/h
Consommation (100 km) :	super, 13,5 litres
Autonomie (approximative) :	430 km
Émissions de CO_2 :	n.d.

GAMME EN BREF

Échelle de prix :	105 000 $ (US)
Catégorie :	roadster
Historique du modèle :	1ère génération
Garanties :	3 ans/60 000 km, 3 ans/60 000 km
Assemblage :	Hoschton, Géorgie, É-U
Autre(s) moteur(s) :	V8 4,6l 426ch/390lb/pi (14,8/100) GTLM
Autre(s) rouage(s) :	aucun
Autre(s) transmission(s) :	automatique 4 rapports/ manuelle 6 rapports

DANS LA MÊME CATÉGORIE
Cadillac XLR - Chevrolet Corvette - Lexus SC 430 - Maserati Coupé/Spyder - Mercedes-Benz SL

DU NOUVEAU EN 2007
Pas de changement majeur

NOS IMPRESSIONS

Agrément de conduite :	🚗🚗🚗🚗
Fiabilité :	🚗🚗🚗½
Sécurité :	🚗🚗🚗
Qualités hivernales :	🚗
Espace intérieur :	🚗🚗
Confort :	🚗🚗🚗

LE CHOIX DE L'ÉQUIPE
GT

ET TOURNENT LES TÊTES

La beauté est dans les yeux de celui qui regarde, disait le renard de Saint-Exupéry. Il arrive tout de même parfois que plusieurs soient nombreux à se mettre d'accord sur un certain type de beauté. C'est exactement le constat que l'on fait lorsqu'on prend le temps d'admirer la toute nouvelle G6 coupé, et son pendant cabriolet, deux voitures ayant des silhouettes qui font tourner les têtes. Mais comme beaucoup d'autres choses, les G6 sont belles, mais n'ont peut-être pas toutes les qualités.

En matière de beauté, Pontiac a cependant bien réussi. La G6 semble inspirée de quelques grandes voitures allemandes racées, avec ses lignes fluides et son arrière aux angles plus abrupts. Même le nouveau cabriolet à toit rigide, une première dans cette catégorie, attire les regards.

CABRIO À GOGO

Alors que le coupé GTP avait gagné quelques adeptes l'année dernière, c'est la version cabriolet qui a retenu l'attention des amateurs. Car dans cette catégorie, Pontiac a véritablement misé gros en offrant un toit rétractable rigide, un système traditionnellement coûteux pour une voiture de cette gamme de prix.

Évidemment, le toit qui se déplie sur simple pression d'un doigt est un apport intéressant dans un environnement comme le nôtre. Victimes plus souvent qu'à leur tour des caprices de Mère Nature, les propriétaires de cabriolet pourront ainsi prolonger leur saison sans trop d'hésitation. Précisons tout de suite que le toit est l'une des belles réussites de la voiture. Le mécanisme est efficace (pas des plus rapides avec ses 30 secondes de mise en place, mais tout de même), et une fois le toit bien en place, il est hermétique et ne laisse passer ni gouttelettes ni bruit de vent.

Vous aurez cependant compris qu'en utilisant un tel système, il faut accepter de faire quelques sacrifices sur l'espace de chargement qui devient alors presque symbolique, ne laissant la place que pour quelques sacs. En revanche, avec le toit en place, le coffre propose pratiquement autant de possibilités que sur la version berline.

Malheureusement, ce n'est pas le seul compromis auquel on doit se soumettre lorsqu'on choisit d'utiliser le cabriolet. Le châssis, même s'il a été solidifié pour les besoins de la cause, ne peut plus profiter du support du toit pour le rendre plus rigide. Comme pour compenser cette perte de rigidité, on a ajusté les suspensions en mode confort. Le résultat de cette combinaison n'est pas des plus heureux. En trajectoire plus serrée, la voiture offre un roulis assez marqué. Heureusement, la direction précise et très communicative permet tout de même d'apprécier la conduite. Le freinage s'est aussi avéré fort efficace, même si la courte course de la pédale nous donne parfois l'impression d'appuyer inutilement fort.

Il faut dire que la puissance du cabriolet n'est pas en cause. Le V6 de 3,9 litres développe quelque 240 chevaux. Les accélérations se font sans gêne, et les reprises avec enthousiasme au moyen d'une transmission

FEU VERT
Silhouette bien réussie
Freinage efficace
Direction précise
Reprises enthousiastes

FEU ROUGE
Toit rétractable lent
Espace de chargement trop petit
Châssis peu rigide (cabriolet)
Roulis prononcé

PONTIAC G6

automatique à six rapports. Ce duo moteur-transmission est aussi partagé, en option, avec la version GT de la berline.

Outre le cabriolet, la G6 se décline aussi en version de base, une berline équipée d'un moteur quatre cylindres un peu juste pour la taille du véhicule. Cette année, GM a greffé un tout nouveau moteur V6 de 3,6 litres sous le capot, des modèles sportifs GTP ajoutant ainsi quelques chevaux à une cavalerie déjà bien garnie, pour un total de 252.

Cette dernière déclinaison est d'ailleurs la seule proposée avec une transmission manuelle à six rapports, alors que les versions GT et de base doivent se contenter d'une boîte automatique à quatre rapports. De telles combinaisons sont cependant incapables de fournir autant d'économie que souhaité, et tant le coupé que le cabriolet se sont avérés plus gourmands que ne le prédisait la fiche officielle. L'ordinateur de bord du cabriolet, au terme de notre bref essai, affichait par exemple une consommation moyenne de 12,9 litres aux 100 kilomètres.

UN PEU DE RAFFINEMENT

On s'est longtemps plaint du relatif anonymat des habitacles des voitures américaines. De ce point de vue, Pontiac s'est refait une beauté et propose avec la G6 un concept plus dynamique de planche de bord. Les cadrans cerclés de chrome (c'est vrai, la lumière s'y reflète parfois) donnent un beau genre à l'ensemble et procure une impression de sportivité. Si certains plastiques sont encore de qualité douteuse (GM utilise parfois en abondance des plastiques durs), la plupart des matériaux ont été étudiés et soignés. Même les appliques de bois disponibles sur certains modèles ont l'air vraies. Dans l'ensemble, la finition est intéressante. Rien n'étant parfait en ce bas monde, il faut cependant ajouter que quelques joints sont inutilement larges et inégaux, tant sur le tableau de bord qu'à l'extérieur. On pourrait assurément souhaiter un peu plus de rigueur dans l'assemblage.

La G6 ne fera peut-être pas histoire en matière de cabriolet. Mais le reste de la gamme mérite notre attention.

Marc Bouchard

Photos : Alain Morin

VÉHICULE D'ESSAI	
Version :	GT convertible
Prix de détail suggéré :	34 995 $
Emp/Lon/Lar/Haut(mm) :	2 852/4 802/1 789/1 450
Poids :	1 732 kg
Coffre/Réservoir :	396 litres/64 litres
Coussins de sécurité :	frontaux et latéraux (av.)
Suspension avant :	indépendante, jambes de force
Suspension arrière :	indépendante, multibras
Freins av./arr. :	disque (ABS)
Antipatinage/Contrôle de stabilité :	oui/non
Direction :	à crémaillère, assistance variable électrique
Diamètre de braquage :	11,6 m
Pneus av./arr. :	P225/50R17
Capacité de remorquage :	454 kg

MOTORISATION À L'ESSAI

Moteur :	V6 de 3,5 litres 12s atmosphérique
Alésage et course :	94,0 mm x 84,0 mm
Puissance :	217 ch (150 kW) à 5 800 tr/min
Couple :	217 lb-pi (301 Nm) à 4 000 tr/min
Rapport poids/puissance :	8,62 kg/ch (11,7 kg/kW)
Système hybride :	aucun
Transmission :	traction, automatique 4 rapports
Accélération 0-100 km/h :	8,0 s
Reprises 80-120 km/h :	7,0 s
Freinage 100-0 km/h :	41,0 m
Vitesse maximale :	190 km/h
Consommation (100 km) :	ordinaire, 10,8 litres
Autonomie (approximative) :	593 km
Émissions de CO2 :	5 088 kg/an

GAMME EN BREF

Échelle de prix :	22 995 $ à 35 725 $
Catégorie :	berline compacte/coupé/cabriolet
Historique du modèle :	1ière génération
Garanties :	3 ans/60 000 km, 3 ans/60 000 km
Assemblage :	Orion, Michigan, É-U
Autre(s) moteur(s) :	4L 2,4l 169ch/162lb-pi (10,0 l/100km)
	V6 3,9l 240ch/241lb-pi (13,3 l/100km) GTP
	V6 3,5l 224ch/220lb-pi (coupé)
	V6 3,6l 252ch/251lb-pi
Autre(s) rouage(s) :	aucun
Autre(s) transmission(s) :	manuelle 6 rapports/
	automatique 6 rapports

DANS LA MÊME CATÉGORIE

Acura CSX - Ford Focus - Honda Civic - Subaru Impreza - Volkswagen Jetta

DU NOUVEAU EN 2007

Nouveau moteur, nouvelle transmission de série

NOS IMPRESSIONS

Agrément de conduite :	🚗 🚗 🚗 🚗
Fiabilité :	🚗 🚗 🚗 ½
Sécurité :	🚗 🚗 🚗 🚗
Qualités hivernales :	🚗 🚗 🚗 🚗
Espace intérieur :	🚗 🚗 🚗 ½
Confort :	🚗 🚗 🚗 🚗

LE CHOIX DE L'ÉQUIPE
G6 coupé

PONTIAC GRAND PRIX

LA GRAND PRIX DES ÉTATS-UNIS

S'il est une voiture qui reflète bien l'industrie automobile américaine, c'est bien la Pontiac Grand Prix. Fort différente des canons de la catégorie des berlines grand format que sont les Ford 500, Chrysler 300, Toyota Avalon et Volkswagen Passat entre autres, l'éternelle Grand Prix est sur le marché depuis 1962 (et pratiquement sans intermissions). Et il s'agit, sans doute, de la dernière vraie américaine, celle qui ne tente pas d'amadouer les acheteurs dévoués aux japonaises et aux européennes, ni de flatter les hérétiques qui préfèrent Dodge ou, pire, Ford. Elle a donc tout intérêt à ne pas trop brusquer les traditions.

Malgré des lignes qui tentent de nous faire croire que la Grand Prix est un modèle de sportivité, il faut avouer, d'entrée de jeu, que son comportement routier se veut des plus placides, du moins dans les versions de base. Je dirais même que la Grand Prix a résisté aux modes esthétiques, et présente encore quelques solutions qui étaient populaires il y a plusieurs années. Le très imposant porte-à-faux à l'avant (la partie avant suspendue dans le vide lorsqu'on regarde la voiture de côté) en est le meilleur exemple alors que la tendance tente de le réduire au minimum. Même la finition nous rappelle la vieille époque! Notre voiture d'essai affichait certains plastiques lâches, quelques interstices entre les panneaux de carrosseries inégaux et des soudures du couvercle du coffre mal foutues. Mais si on n'y regarde pas de trop près, je dois avouer que la Grand Prix a une fort belle gueule!

DESIGNERS DEMANDÉS

Les mêmes remarques s'appliquent à l'habitacle. Certains aiment le design du tableau de bord tandis que d'autres l'abhorrent. Personnellement, et je sais que ça vous intéresse, je trouve que ce ramassis de boutons et de buses de ventilation est mal intégré au tableau de bord. La plupart des boutons sont grossiers et les gros cadrans situés en face du conducteur font preuve d'une triste simplicité même s'ils s'avèrent beaux

la nuit venue. Sur une note plus heureuse, mentionnons la sonorité du système audio Monsoon, proposé sur les versions les plus luxueuses. Les disques compacts doivent être rangés dans la console centrale. Il existe bien un espace de rangement sous la radio mais il n'est pas assez incliné et, lors de départs intempestifs, les CD qui s'y trouvent se ramassent invariablement par terre. Un autre bel exemple du bureau de design de GM... À tout le moins, les sièges sont confortables et fort jolis dans leur livrée en cuir perforé. À l'arrière, les places font preuve d'un relatif confort. Cependant, l'assise basse combinée à une ceinture de caisse particulièrement élevée donne l'impression d'être assis dans un bain! Les dossiers des sièges s'abaissent pour agrandir l'espace de chargement. Curieusement, pour une voiture de ce gabarit, l'espace habitable n'est pas généreux. À l'avant, par exemple, le module vertical du tableau de bord, incliné vers le conducteur, gruge beaucoup d'espace. Mais, au moins, les commandes tombent automatiquement sous les doigts dudit conducteur. Soulignons au passage que le système GPS qui équipait notre voiture d'essai était à la fois simple d'utilisation et complet. Même les rues de Granby et St-Hyacinthe apparaissaient sur l'écran!

Trois moteurs ont été désignés pour mouvoir la Grand Prix. On retrouve tout d'abord un V6 de 3,8 litres de 200 chevaux dont les performances

---

FEU VERT
Allure sportive
Système GPS complet
Moteurs en forme
Sonorité V8 exquise
Consommation étonnante (GXP)

FEU ROUGE
Finition de la carrosserie très ordinaire
Espaces de rangements inexistants
Transmission à quatre rapports seulement
Direction peu précise
Faible valeur de revente

sont, ma foi, très correctes. Pour un peu plus de punch, il y a ensuite le même V6 mais sur-compressé. Fort de ses 260 chevaux, ce moteur assure des accélérations et des reprises encore plus dynamiques même s'il s'essouffle rapidement. Pour ceux dont le pied droit contient plus de testostérone que de sang, il y a le V8 de 5,3 litres de 303 chevaux. Mais 303 chevaux c'est une écurie très imposante pour une traction (les roues motrices de la Grand Prix sont passées, avec les années, de l'arrière à l'avant!). En accélération franche, il faut tenir le volant à deux mains au risque de voir sa monture prendre le mors aux dents, ou le champ! Cependant, le contrôle de traction veille au grain et son intervention discrète suggère d'y aller mollo plus qu'elle n'y oblige. Là où on apprécie vraiment toute cette ca-valerie, c'est lors des dépassements. Il faut à peine cinq secondes pour passer de 80 à 120 km/h, ce qui ajoute à la sécurité. De plus, le V8 possède une sonorité qu'aucun V6 ne pourra jamais égaler. Juste ça, ça vaut quasiment le déboursé supplémentaire!

Peu importe le moteur choisi, on retrouve une seule transmission, soit une automatique à quatre rapports. Cette boîte a fait la preuve de sa fiabilité et de son efficacité depuis longtemps, mais un ou deux rapports supplémentaires aideraient la consommation d'essence. Lors de notre essai d'une GXP, nous avons maintenu une moyenne de 11,6 litres aux cent kilomètres, ce qui est tout de même excellent compte tenu de la forte cylindrée de 5,3 litres du moteur. Les suspensions s'avèrent un peu trop dures à mon goût mais elles reflètent bien la personnalité sportive de la Grand Prix. Elles sont accrochées à un châssis très rigide, rehaussant ainsi la tenue de route. La GXP, surtout, peut vraiment se targuer de porter l'étiquette «sportive». Il n'en demeure pas moins que l'avant n'hésite pas à glisser dans une courbe serrée prise à trop vive allure. Ce qui est tout de même bizarre lorsqu'on constate que les pneus avant de la GXP sont plus gros que ceux instal-lés à l'arrière (255/45R18 contre 225/50R18!) Enfin, passons… La direction n'est pas plus empressée qu'il ne le faut tandis que les freins s'acquittent fort bien de leur tâche.

La Pontiac Grand Prix, malgré ses nombreux défauts, sait toujours se faire aimer des purs et durs de General Motors qui préféreraient sans doute mieux prendre une douche à Tchernobyl plutôt que d'être vus au volant d'une voiture d'une autre marque. Mais pour les autres, sa faible valeur de revente, la qualité quelquefois déficiente de sa finition et son espace intérieur restreint sont des irritants majeurs. Vivement la prochaine génération.

Alain Morin

Photos : Denis Duquet

VÉHICULE D'ESSAI

Version :	GXP
Prix de détail suggéré :	36 525 $
Emp/Lon/Lar/Haut(mm) :	2 800/5 040/1 870/1 410
Poids :	1 577 kg
Coffre/Réservoir :	453 litres/64 litres
Coussins de sécurité :	frontaux et latéraux (av.)
Suspension avant :	indépendante, jambes de force
Suspension arrière :	indépendante, multibras
Freins av./arr. :	disque (ABS)
Antipatinage/Contrôle de stabilité :	oui/oui
Direction :	à crémaillère, assistance variable
Diamètre de braquage :	11,3 m
Pneus av./arr. :	P225/60R16
Capacité de remorquage :	454 kg

MOTORISATION À L'ESSAI

Pneus d'origine MICHELIN

Moteur :	V8 de 5,3 litres 16s
Alésage et course :	96,0 mm x 92,0 mm
Puissance :	303 ch (226 kW) à 5 600 tr/min
Couple :	323 lb-pi (438 Nm) à 4 400 tr/min
Rapport poids/puissance :	5,2 kg/ch (7,07 kg/kW)
Système hybride :	aucun
Transmission :	traction, automatique 4 rapports
Accélération 0-100 km/h :	7,5 s
Reprises 80-120 km/h :	5,2 s
Freinage 100-0 km/h :	43,2 m
Vitesse maximale :	175 km/h
Consommation (100 km) :	ordinaire, 11,6 litres
Autonomie (approximative) :	566 km
Émissions de CO2 :	5 088 kg/an

GAMME EN BREF

Échelle de prix :	25 995 $ à 36 525 $
Catégorie :	berline grand format
Historique du modèle :	6ième génération
Garanties :	3 ans/60 000 km, 3 ans/60 000 km
Assemblage :	Oshawa, Ontario, Canada
Autre(s) moteur(s) :	V6 3,8l 200ch/230lb-pi (12,9 l/100km)
	V6 3,8l surcompressé 260ch/280lb-pi (12,7 l/100km)
Autre(s) rouage(s) :	aucun
Autre(s) transmission(s) :	aucune

DANS LA MÊME CATÉGORIE

Buick Allure - Chrysler 300 - Honda Accord - Nissan Maxima - Mazda 6 - Mitsubishi Galant - Toyota Camry - Volkswagen Passat

DU NOUVEAU EN 2007

Nouvelles couleurs, aucun changement majeur

NOS IMPRESSIONS

Agrément de conduite :	🚗🚗🚗½
Fiabilité :	🚗🚗🚗½
Sécurité :	🚗🚗🚗½
Qualités hivernales :	🚗🚗🚗½
Espace intérieur :	🚗🚗🚗
Confort :	🚗🚗🚗½

LE CHOIX DE L'ÉQUIPE

Base

CIEL QU'ELLE EST BELLE !

Certaines expressions prennent tout leur sens quand on a l'occasion de les vivre pour vrai. Et « attirer les regards » en fait partie. Pour s'en convaincre, il suffit de s'asseoir au volant d'une Pontiac Solstice durant quelques kilomètres. Ce superbe petit roadster lancé l'année dernière a gagné, sans surprise d'ailleurs, le titre de plus belle voiture de l'année. Rarement ai-je vu une voiture faire autant l'unanimité sur sa silhouette et ses courbes. Et même si les femmes semblent plus attirées par ce deux places, les hommes ne peuvent s'empêcher de jeter des regards envieux.

Car avouons-le, ses lignes sont uniques. La calandre ultra-rebondie et son arrière galbé lui confèrent un charme peu souvent appliqué à une voiture. Même avec le toit en toile relevé, elle conserve son élégance, se donnant des petits airs de Porsche des années 50. Au chapitre du look, la Solstice est sans conteste au sommet.

DANS LE SIÈGE DU CONDUCTEUR

L'habitacle jouit lui aussi de cette géniale inspiration qui a guidé les designers pour l'extérieur. On a su conserver le style et les courbes qui sont la base même de la personnalité de la voiture. La planche de bord est aussi tout en rondeurs, ainsi que les cadrans cerclés d'aluminium et les commandes de la console centrale, tout comme les boutons de climatisation et les buses qui les accompagnent.

Au volant, le conducteur et son passager profitent d'un dégagement acceptable pour les jambes et les hanches malgré la présence de l'imposant tunnel qui abrite l'arbre de transmission. Même les plus grands n'éprouveront aucune difficulté à se glisser au volant, et n'auront pas constamment le front en contact avec le toit puisque l'espace y est aussi assez vaste.

Mieux encore, nonobstant la relative petite taille de la Solstice, on n'a jamais l'impression de s'asseoir par terre comme c'est souvent le cas dans ce type de voiture. L'accès à bord est facile et ne demande aucune contorsion, ni à l'embarquement ni au débarquement. Par contre, les petites personnes trouveront que le capot est élevé.

Néanmoins, un peu plus d'espace aurait peut-être eu avantage à être utilisé pour le rangement puisque toute tentative de ranger quelque chose dans l'habitacle s'avère complètement vaine. Les coffrets de rangement ne faisaient tout simplement pas partie du plan original des designers. Pas plus d'ailleurs que le coffre arrière, dont les dimensions sont uniques et minuscules. Tout le monde a beau le dire, personne ne semble avoir réagi, et on a laissé en 2007 un espace de rangement lilliputien dans le coffre, dont la majeure partie est amputée par la présence du réservoir à essence. Et quand il reste de l'espace, il suffit d'y remiser le toit (selon un procédé complexe et risqué qui provoquera certainement une guirlande de gros mots) pour le perdre...

PROMESSE TENUE

Lors de son lancement l'année dernière, les plus grandes critiques à l'égard de la voiture ne portaient certainement pas sur sa tenue de

FEU VERT	FEU ROUGE
Design exceptionnel	Espace de chargement minuscule
Châssis bien conçu	Mécanisme de toit complexe
Direction sans reproche	Fiabilité à revoir
Nouveau moteur turbo	Voiture poids lourd
Tenue de route agréable	Moteur de base anémique

VÉHICULE D'ESSAI

Version :	Base
Prix de détail suggéré :	24 495 $
Emp/Lon/Lar/Haut(mm) :	2 415/3 992/1 810/1 273
Poids :	1 330 kg
Coffre/Réservoir :	107 litres / 52 litres
Coussins de sécurité :	frontaux
Suspension avant :	indépendante, bras inégaux
Suspension arrière :	indépendante, bras inégaux
Freins av./arr. :	disque (ABS)
Antipatinage/Contrôle de stabilité :	non / non
Direction :	à crémaillère, assistée
Diamètre de braquage :	10,7 m
Pneus av./arr. :	P245/45R18
Capacité de remorquage :	non recommandé

route. L'utilisation de la plate-forme Kappa, relativement rigide, avantage évidemment le comportement routier du petit roadster. Concrètement, cette plate-forme favorise la rigidité de l'ensemble par la présence au centre de la construction d'une « moelle épinière », sorte de support unique aux éléments hydroformés composant toute la plate-forme. Cette même Kappa a d'ailleurs servi à d'autres modèles, notamment la Saturn Sky.

Il y avait cependant un hic, et tout un. Le moteur présent sous le capot de la Solstice n'était pas tout à fait aussi puissant que le laissait présager le véhicule. Le petit quatre cylindres Ecotec rend certes de fiers services, mais ses 177 chevaux ont un peu de difficulté à déplacer cette masse de plus de 1 330 kilos. Les pneus sont très larges et ne sont pas nécessaires avec une telle puissance, tout comme les amortisseurs Bilstein installés de série.

Cette lacune, la version turbo de la Solstice la corrige. La GXP offre désormais une cavalerie de 260 chevaux, animée par le premier moteur à injection directe du constructeur, une version 2,0 litres turbo. On a cependant insufflé à la GXP quelques attraits supplémentaires, capables de mieux canaliser cette nouvelle énergie. Ainsi, même si les deux versions sont proposées à la fois avec une transmission manuelle cinq rapports et automatique cinq rapports, celles de la GXP sont calibrées différemment, offrant un ratio final de 3.73:1 et des rapports plus courts et plus précis. La version automatique de l'une et l'autre des motorisations répond avec douceur, mais parfois avec un peu de retard, aux sollicitations.

Avec son nouveau moteur, et sa nouvelle couleur jaune éclatant, la Solstice aura désormais de quoi faire tourner toutes les têtes. Du moins, les quelques têtes qui ne s'étaient pas encore retournées sur le passage de celle qui mérite bien le titre de plus beau design de l'année.

Marc Bouchard

MOTORISATION À L'ESSAI

Moteur :	4L de 2,4 litres 16s atmosphérique
Alésage et course :	88,0 mm x 98,0 mm
Puissance :	177 ch (132 kW) à 6 600 tr/min
Couple :	166 lb-pi (225 Nm) à 4 800 tr/min
Rapport poids/puissance :	7,33 kg/ch (9,98 kg/kW)
Système hybride :	aucun
Transmission :	propulsion, manuelle 5 rapports
Accélération 0-100 km/h :	8,1 s
Reprises 80-120 km/h :	7,0 s
Freinage 100-0 km/h :	40,5 m
Vitesse maximale :	190 km/h
Consommation (100 km) :	ordinaire, 10,0 litres (constructeur)
Autonomie (approximative) :	520 km
Émissions de CO2 :	4 800 kg/an

GAMME EN BREF

Échelle de prix :	24 495 $
Catégorie :	roadster
Historique du modèle :	1ière génération
Garanties :	3 ans/60 000 km, 3 ans/60 000 km
Assemblage :	Wilmington, Delaware, É-U
Autre(s) moteur(s) :	4L, 2,0 turbo 260/260 (GXP)
Autre(s) rouage(s) :	aucun
Autre(s) transmission(s) :	automatique 5 rapports

DANS LA MÊME CATÉGORIE

BMW Z4 - Chrysler Crossfire - Honda S2000 - Mazda MX-5 - Saturn Sky

DU NOUVEAU EN 2007

Version turbo GXP, système Stabilitrak amélioré, nouvelle couleur jaune

NOS IMPRESSIONS

Agrément de conduite :	🚗 🚗 🚗 ½
Fiabilité :	🚗 🚗 🚗
Sécurité :	🚗 🚗 🚗
Qualités hivernales :	🚗
Espace intérieur :	🚗 🚗 ½
Confort :	🚗 🚗 🚗

LE CHOIX DE L'ÉQUIPE

GXP

Photos : Pontiac

TURBO ET GT3 FONT LA LOI

La gamme des 911 Carrera étant maintenant si étendue, chaque année qui passe nous amène de nouvelles variantes de la sportive par excellence de Stuttgart. Cette année, c'est au tour des 911 Turbo et GT3 de prendre l'avant-scène, ces deux nouvelles voitures ayant été dévoilées au récent Salon de l'auto de Genève. Si la 911 Turbo représente le summum de la gamme en termes de puissance, la GT3 s'avère être la variante qui comblera les attentes de tous les amateurs qui roulent à l'occasion sur circuit.

Au premier coup d'œil, il est assez évident que la GT3 est inspirée des modèles de course développés par Porsche pour la série monotype mettant en vedette les GT3 Cup. L'avant est truffé d'ouvertures pour assurer le refroidissement, et la partie arrière nous montre un échappement double localisé en plein centre de la voiture de même qu'un aileron ajustable. Les concepteurs ont également tenté de conserver le poids plume du modèle précédent par l'adoption de l'aluminium pour les portières et le capot avant, et du plastique pour le capot moteur. Toutefois, l'ajout d'un nouveau moteur, de freins de plus grand diamètre, d'un plus grand réservoir d'essence et du système de suspension PASM (Porsche Active Suspension Management) fait en sorte que le poids de la GT3 est maintenant semblable à celui de la 911 Carrera.

LA HAUTE VOLTIGE

Le concept d'un moteur à régime élevé a été retenu pour le nouveau moteur de 3,6 litres de la GT3 qui développe 415 chevaux à 7600 tours/minute et dont la limite de révolutions a été fixée à 8400 tours/minute, soit 200 tours de plus que le modèle précédent. Le ratio puissance/cylindrée se chiffre donc à 115,3 chevaux par litre ce qui représente un nouveau record pour cette catégorie de voitures, et cela

est dû en partie au fait que le moteur «respire» mieux car la ligne d'admission variable présente un papillon élargi et l'échappement est moins restrictif que sur le modèle antérieur. La boîte manuelle a également été revue, les rapports de la deuxième à la sixième vitesse étant légèrement plus courts, et la GT3 est maintenant pourvue d'un témoin lumineux intégré au compte-tours qui signale au conducteur le moment optimal pour passer au rapport supérieur. Pour la première fois de son histoire, la GT3 adopte le système de suspension active de Porsche qui offre des calibrations optimisées pour la conduite sur route ainsi qu'un tarage plus dur pour la conduite sur circuit. La vocation de sportive «pure et dure» est par ailleurs confirmée par le fait que le nouveau modèle ne compte que deux places, les sièges arrière ayant été retirés, tout comme sur le modèle de la génération précédente.

LE MISSILE

Conduire la 911 Turbo, c'est un peu comme être aux commandes d'un missile, tellement les accélérations sont foudroyantes et le couple du moteur impressionnant. Son moteur est dérivé de celui de la GT3, mais les turbines des turbocompresseurs sont maintenant à géométrie variable. À bas régime, les turbines se ferment pour accélérer les gaz d'échappement et diminuer le temps de réponse à l'accélération alors

FEU VERT
Lignes intemporelles
Accélération spectaculaire (turbo)
Tenue de route impressionnante
Freins très performants
Option Sport Chrono Plus

FEU ROUGE
Prix élevé
Coûts d'utilisation élevés
Places arrière symboliques

qu'elles s'ouvrent à haut régime pour que le moteur livre sa puissance maximale. L'ajout du système Sport Chrono Plus permet aussi de disposer d'une fonction de suralimentation qui augmente la pression des turbocompresseurs, ce qui rehausse le couple maximal de 460 à 505 livres-pied.

Sur la route, la sélection des réglages sport réduit le roulis en virage au point où il est presque imperceptible, mais l'adoption de ces calibrations fait en sorte que le confort en souffre royalement sur routes dégradées. Ce qui est impressionnant c'est de constater que la 911 Turbo est incroyablement stable, presque en toutes circonstances, grâce à ses systèmes de contrôle dynamique de la stabilité et bien sûr de la traction intégrale. En fait, la voiture est tellement bien au point qu'il faudrait absolument commettre une gaffe monumentale comme lever le pied brutalement en virage pour sentir l'arrière se dérober. De ce côté-là, on est à des années-lumière des 911 Turbo des années 80 qui ne pardonnaient pas l'erreur commise par un conducteur inexpérimenté ou téméraire. Le fait que les concepteurs aient réussi à conjuguer stabilité et performances radicales dans cette voiture où le moteur est localisé à l'arrière relève de l'exploit, ce type de voiture ayant normalement une tendance marquée pour le survirage. On peut donc confirmer que la 911 Turbo est docile malgré ses performances hallucinantes, alors que la GT3 s'avère un peu plus radicale.

Au volant, le conducteur fait face à cette disposition typique de la marque pour ce qui est de la planche de bord, le tachymètre occupant encore et toujours la position centrale dans le bloc d'instruments qui compte cinq cadrans. Pour le côté pratique, on repassera, les places arrière demeurant symboliques et le volume du coffre avant étant réduit par la présence des éléments du rouage intégral. La suite des choses laisse entrevoir l'arrivée d'une version cabriolet de la 911 Turbo, pour ceux qui choisissent de dénaturer l'engin et de s'afficher au volant d'une décapotable tellement performante qu'ils n'en exploiteront jamais le plein potentiel en conduite à ciel ouvert.

Je l'ai souvent répété, lorsqu'il est question de voitures performantes pouvant servir tous les jours et briller en piste, la 911 Carrera est à classer dans une ligue à part. Le seul choix restant étant celui de la variante qui conviendra le mieux aux attentes de l'acheteur.

Gabriel Gélinas

Photos : Marc Bouchard

VÉHICULE D'ESSAI

Version :	Turbo
Prix de détail suggéré :	170 700 $
Emp/Lon/Lar/Haut(mm) :	2 350/4 450/1 852/1 300
Poids :	1 585 kg
Coffre/Réservoir :	105 litres/67 litres
Coussins de sécurité :	frontaux, latéraux (av.) et rideaux
Suspension avant :	indépendante, jambes de force
Suspension arrière :	indépendante, multibras
Freins av./arr. :	disque (ABS)
Antipatinage/Contrôle de stabilité :	oui/oui
Direction :	à crémaillère, assistance variable
Diamètre de braquage :	10,8 m
Pneus av./arr. :	P235/35ZR19 / P305/30ZR19
Capacité de remorquage :	non recommandé

MOTORISATION À L'ESSAI

Pneus d'origine MICHELIN

Moteur :	H6 de 3,6 litres 24s turbocompressé
Alésage et course :	100,0 mm x 76,4 mm
Puissance :	480 ch (358 kW) à 6 000 tr/min
Couple :	460 lb-pi (624 Nm) de 1 950 à 5 000 tr/min
Rapport poids/puissance :	3,3 kg/ch (4,49 kg/kW)
Système hybride :	aucun
Transmission :	propulsion, manuelle 6 rapports
Accélération 0-100 km/h :	3,9 s
Reprises 80-120 km/h :	3,5 s (estimé)
Freinage 100-0 km/h :	37,0 m (estimé)
Vitesse maximale :	293 km/h
Consommation (100 km) :	super, 13,6 litres
Autonomie (approximative) :	493 km
Émissions de CO2 :	5 280 kg/an

GAMME EN BREF

Échelle de prix :	104 300 $ à 170 700 $
Catégorie :	coupé/cabriolet
Historique du modèle :	7ème génération
Garanties :	4 ans/80 000 km, 4 ans/80 000 km
Assemblage :	Stuttgart, Allemagne
Autre(s) moteur(s) :	H6 3,6l 325ch/273lb-pi (13,0 l/100km) Carrera
	H6 3,6l 415ch/298lb-pi (0,0 l/100km) GT3
	H6 3,8l 355ch/295lb-pi (13,6 l/100km) Carrera S
Autre(s) rouage(s) :	intégrale
Autre(s) transmission(s) :	automatique 5 rapports

DANS LA MÊME CATÉGORIE

BMW Série 6 - Chevrolet Corvette - Dodge Viper - Jaguar XK8 - Mercedes-Benz CLK

DU NOUVEAU EN 2007

Pas de changement majeur, nouveaux modèles turbo et GT3

NOS IMPRESSIONS

Agrément de conduite :	🚗 🚗 🚗 🚗 ½
Fiabilité :	🚗 🚗 🚗 🚗
Sécurité :	🚗 🚗 🚗 🚗
Qualités hivernales :	🚗 🚗 🚗
Espace intérieur :	🚗 🚗 🚗
Confort :	🚗 🚗 🚗 ½

LE CHOIX DE L'ÉQUIPE

Boîte manuelle

ENCORE AMÉLIORÉE !

La Porsche Boxster n'est pas parfaite. Même si tous les pilotes et amateurs disent le contraire à chaque nouvelle génération, Porsche s'amuse à nous prouver que c'est le cas en améliorant sans cesse sa Boxster. L'arrivée de la Cayman, que plusieurs voyaient, à tort, comme une Boxster Coupe a sans doute obligé les ingénieurs de Porsche à retrousser leurs manches et à revoir certains petits détails agaçants comme le «manque» de puissance et le temps de réponse de la transmission automatique Tiptronic.

Porsche, marque mythique s'il en est une, a réussi à donner à sa célèbre et quadragénaire 911 des petites sœurs qui lui ressemblent beaucoup physiquement mais qui se comportent différemment. C'est peut-être à cause de l'âge… Quoi qu'il en soit, la Boxster reste inchangée cette année. On retrouve donc ses grands yeux de forme un peu plus ovoïde que ceux de la 911, ses larges trappes d'aération sous le pare-chocs avant, et son toit souple qui se met en place ou se replie en 12 secondes et qui altère passablement la visibilité lorsqu'il est relevé. L'habitacle demeure dans la tradition Porsche avec le volant à trois branches dont le centre triangulaire porte le sigle de l'entreprise, le cuir pâle omniprésent et des sièges au support irréprochable. Il faut toutefois déplorer que sur un véhicule dont le prix de base se situe au-dessus des 60 000 $, les sièges chauffants ne soient offerts qu'en option ! Bien entendu, le niveau de la finition fait honneur à la réputation des Allemands. Grande nouveauté pour 2007… Tout le monde sait qu'une Boxster possède un moteur mais bien peu l'ont vu ! En effet, le groupe motopropulseur n'est accessible que par-dessous. Pour l'entretien, on ne retrouve que deux bouchons, un pour le liquide de refroidissement et un autre pour le remplissage d'huile. Cette année, Porsche les a placés derrière un rabat pour donner aux propriétaires, semble-t-il, un meilleur accès et pour maximiser l'espace de rangement.

La position de conduite se trouve en un clin d'œil grâce au volant ajustable en hauteur et en profondeur. Le pommeau du levier de vitesse et le pédalier, disposé de façon à faciliter la technique du talon-pointe fréquemment utilisée en course automobile, sont des exemples d'ergonomie que plusieurs manufacturiers aux prétentions sportives devraient suivre…

ENCORE PLUS PUISSANTES

Encore cette année, la Boxster se décline en version de base (si on peut dire !) et S. Mais la puissance a été revue, à la hausse bien sûr ! Les deux modèles sont propulsés par un moteur en H (ou de type boxer, ou à cylindres à plat, choisissez votre terme) de six cylindres. La Boxster tout court a droit à un 2,7 litres de 245 chevaux et 201 livres-pied de couple. C'est cinq chevaux et deux livres-pied de plus que l'an dernier. Si cet apport vous semble négligeable, courez vous acheter une Buick Lucerne. La S, elle, connaît une augmentation de sa cylindrée. De 3,2 litres, elle passe à 3,4 et développe maintenant quinze chevaux supplémentaires pour un total de 295. Le couple, lui, passe de 236 livres-pied à 251. Si cet apport vous semble négligeable, courez vous acheter une… Et puis, non, laissez-faire. Ce supplément chevalin diminue le temps consacré au 0-100 de quelques dixièmes de secondes tandis que la vitesse maximale passe à

FEU VERT	FEU ROUGE
Performances sublimes (S)	Visibilité réduite (avec toit en place)
Transmission automatique améliorée	Prix de certaines options scandaleux
Équilibre parfait	Habitabilité restreinte
Direction épatante	Mécanique inaccessible
Valeur de revente assurée	Certains plastiques à revoir

482

260 km/h pour la Boxster et à 272 km/h pour la S. Je profite de l'occasion pour vous rappeler qu'un embrayage de Porsche peut pratiquement résister aux pires abus. Ce ne sont donc pas quelques petits 0-100 qui vont le faire souffrir!

Alors que les transmissions manuelles (cinq rapports pour la Boxster et six pour la S) ne se sont jamais attiré de commentaires négatifs, l'automatique avec passage manuel des rapports Tiptronic a connu sa part de détracteurs, surtout en raison de son temps de réponse. Pour 2007, les ingénieurs ont révisé l'hydraulique et l'électronique pour améliorer la rapidité des changements de rapports. Combiné à l'ensemble Sport Chrono optionnel, le changement des rapports en mode manuel ne peut se faire en deçà de 3 000 tours/minute et les rétrogradations sont plus rapides.

BONHEUR GARANTI

Conduite à des vitesses légales, la Boxster, et à plus forte raison la S, s'ennuie à mourir. Certes, le confort très acceptable malgré un habitacle assez restreint et la souplesse du moteur rendent toute promenade très agréable. Sur une belle route sinueuse dénuée de présence policière ou, mieux, sur une piste (à cet endroit les enfants sont plus rares…), la Boxster donne sa pleine mesure. Au châssis hyper rigide sont accrochées des suspensions qui contrent les transferts de poids inopinés et assurent à la voiture une stabilité parfaite. Le fait que le moteur soit placé très bas en position centrale contribue à baisser le centre de gravité, ce qui ajoute grandement à l'équilibre général. La direction s'avère d'une précision chirurgicale tandis que les freins sont les auteurs de décélérations qui vous mettent pratiquement en apnée. Par contre, l'an dernier, lors d'une confrontation Mercedes-Benz SLK55 AMG et Boxster S pour *Le Guide de l'auto 2006*, la Boxster n'a pas démontré sa supériorité à ce chapitre alors qu'elle s'était arrêtée à partir de 100 km/h en 40,7 mètres, ce qui est bien loin des 36,6 mètres que nous avions déjà réalisés. Ce paragraphe mettait davantage la S en vedette. Une Boxster sans S, sans se révéler aussi sportive, affiche aussi un tempérament de feu, juste un cran sous la S.

La Porsche Boxster, avec ou sans S, n'est pas qu'un jouet pour gens riches. C'est le plaisir de conduire pur et simple. Tous ceux qui, un jour, ont eu la chance de prendre le volant de cette voiture sont d'accord pour dire que les sensations ressenties à son volant ne se retrouvent nulle part ailleurs. Même pas sur une Ferrari de 350 000 $!

Alain Morin

Photos: Porsche

VÉHICULE D'ESSAI

Version:	S
Prix de détail suggéré:	77 300 $
Emp/Lon/Lar/Haut(mm):	2 413/4 328/1 803/1 295
Poids:	1 345 kg
Coffre/Réservoir:	260 litres/64 litres
Coussins de sécurité:	frontaux et latéraux (av.)
Suspension avant:	indépendante, jambes de force
Suspension arrière:	indépendante, jambes de force
Freins av./arr.:	disque (ABS)
Antipatinage/Contrôle de stabilité:	oui/oui
Direction:	à crémaillère, assistée
Diamètre de braquage:	11,0 m
Pneus av./arr.:	P235/40ZR18 / P265/40ZR18
Capacité de remorquage:	non recommandé

MOTORISATION À L'ESSAI

Pneus d'origine
MICHELIN

Moteur:	H6 de 3,4 litres 24s atmosphérique
Alésage et course:	93,0 mm x 78,0 mm
Puissance:	295 ch (220 kW) à 6 250 tr/min
Couple:	251 lb-pi (340 Nm) à 4 700 à 6 000 tr/min
Rapport poids/puissance:	4,56 kg/ch (6,2 kg/kW)
Système hybride:	aucun
Transmission:	propulsion, manuelle 6 rapports
Accélération 0-100 km/h:	5,0 s (estimé)
Reprises 80-120 km/h:	6,5 s (estimé)
Freinage 100-0 km/h:	36,6 m
Vitesse maximale:	272 km/h
Consommation (100 km):	super, 12,0 litres
Autonomie (approximative):	533 km
Émissions de CO2:	4 944 kg/an

GAMME EN BREF

Échelle de prix:	63 600 $ à 77 300 $
Catégorie:	roadster
Historique du modèle:	2ième génération
Garanties:	4 ans/80 000 km, 4 ans/80 000 km
Assemblage:	Suttgart, Allemagne
Autre(s) moteur(s):	H6 2,7l 245ch/201 lb-pi (11,8 l/100km)
Autre(s) rouage(s):	aucun
Autre(s) transmission(s):	automatique 5 rapports / manuelle 5 rapports

DANS LA MÊME CATÉGORIE

Audi TT - BMW Z4 - Chevrolet Corvette - Chrysler Crossfire - Mercedes-Benz SLK - Nissan 350Z

DU NOUVEAU EN 2007

Moteurs plus puissants, transmission Tiptronic améliorée, roues 19 pouces, coffre amélioré

NOS IMPRESSIONS

Agrément de conduite:	🚗🚗🚗🚗🚗
Fiabilité:	🚗🚗🚗
Sécurité:	🚗🚗🚗½
Qualités hivernales:	🚗🚗½
Espace intérieur:	🚗🚗½
Confort:	🚗🚗

LE CHOIX DE L'ÉQUIPE

S

DRAPEAU À DAMIERS

Le samedi 6 mai 2006 a marqué la fin d'une époque pour le constructeur de Stuttgart puisque c'est à cette date que le drapeau à damiers a salué la fin de la production de la Carrera GT à l'usine Porsche de Leipzig. Depuis ses débuts à la fin de 2003 jusqu'à cette date fatidique, 1270 exemplaires de la Carrera GT ont trouvé preneurs, dont 604 en Amérique du Nord. Comme le faisaient remarquer les dirigeants de la marque, ce chiffre représente plus de voitures que l'ensemble de la production conjuguée des McLaren F1, Ferrari Enzo et Pagani Zonda.

La surprise a été totale à l'occasion du dévoilement du véhicule concept Carrera GT qui a eu lieu à l'automne 2000 au Musée du Louvre en marge du Mondial de l'automobile de Paris. En effet, personne ne s'attendait à ce que Porsche présente une supervoiture sport conçue dans le plus grand secret comme une vitrine technologique faisant la démonstration de l'expertise technique de la marque. Le modèle de production qui a suivi trois ans plus tard marquait donc un jalon important dans l'histoire de la marque puisque la Carrera GT suivait les traces de la première supervoiture développée par Porsche, soit la mythique 959.

UN DEGRÉ TRÈS ÉLEVÉ DE SOPHISTICATION TECHNIQUE

Le moteur de la Carrera GT est un 10 cylindres à configuration en « V » de 68 degrés, plutôt qu'un moteur de type « boxer » à cylindres opposés, ce qui a permis de placer les échappements sous les rangées de cylindres. Ceci afin de placer le moteur le plus bas possible dans la voiture en vue d'abaisser le centre de gravité au maximum. Le vilebrequin du moteur est donc situé à seulement 3,9 pouces du sol, et le poids du moteur de 605 chevaux n'est que de 472 livres… Comme la Carrera GT est équipée d'une transmission manuelle traditionnelle à six rapports, plutôt que d'une boîte

séquentielle de type F1 (Ferrari, Maserati, BMW, Audi…), elle est également équipée d'un embrayage avec disques réalisés en composite de carbone dont la taille est réduite de 50 pour cent par rapport à un embrayage habituel. Ce qui représente à la fois un tour de force sur le plan technique et le principal point faible de la voiture. La manoeuvre de débrayage étant délicate au point où la meilleure technique pour la conduite sur route consiste à relâcher doucement et complètement la pédale avant d'accélérer, afin de ne pas caler le moteur. Sur la piste, je mettais 3500 tours au compteur avant de croiser rapidement les pédales, mais le bond en avant est tellement rapide qu'il vaut mieux s'assurer d'avoir beaucoup d'espace devant soi. La poussée de la Carrera GT est tout simplement ahurissant, la voiture s'arrache à la vitesse de l'éclair, et cette poussée n'arrête jamais, contrairement à certaines voitures sport où la poussée est très forte en première et en deuxième mais qui s'essouffle par la suite. De 0 à 100 kilomètres/heure en 3,9 secondes, de 0 à 200 kilomètres/heure en 9,9 secondes, et une vitesse maximale limitée à 330 kilomètres/heure. Cette poussée phénoménale se double d'une sonorité qui l'est tout autant, puisque le moteur de la Carrera GT « sonne » presque comme celui d'une Formule Un, bien que sa limite de révolutions soit fixée à 8 000 tours/minute.

FEU VERT
Tenue de route absolument phénoménale
Puissance moteur exceptionnelle
Usage de technologies développées en course
Freinage hyper puissant

FEU ROUGE
Prix astronomique
Embrayage difficilement modulable
Usage limité
Garde au sol négligeable

VÉHICULE D'ESSAI

Version :	version unique
Prix de détail suggéré :	440 000 $ (US)
Emp/Lon/Lar/Haut(mm) :	2 730/4 613/1 921/1 166
Poids :	1 380 kg
Coffre/Réservoir :	76 litres/92 litres
Coussins de sécurité :	frontaux et latéraux (av.)
Suspension avant :	indépendante, multibras
Suspension arrière :	indépendante, multibras
Freins av./arr. :	disque (ABS)
Antipatinage/Contrôle de stabilité :	oui/oui
Direction :	à crémaillère, assistée
Diamètre de braquage :	11,6 m
Pneus av./arr. :	P265/35ZR19 / P335/30ZR20
Capacité de remorquage :	non recommandé

MOTORISATION À L'ESSAI

Moteur :	V10 de 5,7 litres 40s atmosphérique
Alésage et course :	98,0 mm x 76,0 mm
Puissance :	605 ch (451 kW) à 8 000 tr/min
Couple :	435 lb-pi (590 Nm) à 5 750 tr/min
Rapport poids/puissance :	2,25 kg/ch (3,07 kg/kW)
Système hybride :	aucun
Transmission :	propulsion, manuelle 6 rapports
Accélération 0-100 km/h :	3,9 s
Reprises 80-120 km/h :	6,9 s
Freinage 100-0 km/h :	n.d.
Vitesse maximale :	330 km/h
Consommation (100 km) :	super, 17,0 litres
Autonomie (approximative) :	541 km
Émissions de CO2 :	8 976 kg/an

UNE BALADE SUR CIRCUIT

Sur le circuit très rapide de Mosport, tous les virages se négocient en troisième vitesse, sauf le virage 2 qui demande la quatrième… Sur la piste, la Carrera GT est une voiture très sensible à la moindre sollicitation, le châssis est parfaitement équilibré, mais la transition entre une voiture collée à la piste et une voiture en glissade se fait avec la rapidité presque instantanée propre à une voiture de course. Après deux tours, je me sentais assez à l'aise pour faire crier les pneus dans au moins trois virages du circuit, ce qui en dit long sur l'excellent comportement de la GT. La stabilité à très haute vitesse, 260 kilomètres/heure sur la ligne droite arrière à Mosport, est impressionnante. Le châssis en fibre de carbone, dérivé de la GT1 victorieuse aux 24 Heures du Mans en 1998 et qui ne pèse que 100 kilos, est équipé à la fois d'un aileron mobile qui se déploie à 120 kilomètres/heure, mais surtout d'un diffuseur situé à l'arrière de la voiture, qui fait le gros du travail à cet égard. Sur la route, la Carrera GT est très sensible à la qualité du revêtement et la moindre lézarde sera télégraphiée jusque dans le volant, mais le confort est carrément surprenant et seules les bosses importantes feront en sorte que le châssis entre en contact avec le sol, la garde au sol étant sérieusement limitée.

Voiture de course avec plaque d'immatriculation. Performances démentielles à couper le souffle. Démonstration des prouesses techniques de véritables génies de l'automobile. Jouet ultime pour millionnaires désoeuvrés en quête des émotions les plus fortes. Ces quelques phrases suffisent à décrire ce qu'est la Carrera GT, l'une des deux voitures de série les plus rapides au monde, l'autre étant la Ferrari Enzo. Le degré de sophistication technique de la voiture est très élevé et ses performances transcendent celles d'une voiture de série pour atteindre des sommets dont seules les véritables voitures de course de haut calibre sont capables. Pour ceux et celles désirant vivre l'expérience unique de conduire une Carrera GT, il faudra désormais se lier d'amitié avec l'un ou l'autre des 1270 propriétaires de cette voiture ou encore convaincre l'un d'entre eux de s'en départir pour une somme considérable, la rareté de l'engin étant gage d'une valeur de revente assez stable pour des années à venir…

Gabriel Gélinas

GAMME EN BREF

Échelle de prix :	440 000 $ (US)
Catégorie :	GT
Historique du modèle :	1ière génération
Garanties :	4 ans/80 000 km, 4 ans/80 000 km
Assemblage :	Leipzig, Allemagne
Autre(s) moteur(s) :	aucun
Autre(s) rouage(s) :	aucun
Autre(s) transmission(s) :	aucune

DANS LA MÊME CATÉGORIE

Ferrari Enzo - Lamborghini Murcielago - Mercedes-Benz SLR

DU NOUVEAU EN 2007

Pas de changement majeur, modèle abandonné

NOS IMPRESSIONS

Agrément de conduite :	🚗 🚗 🚗 🚗 🚗
Fiabilité :	données insuffisantes
Sécurité :	🚗 🚗 🚗 🚗
Qualités hivernales :	nulles
Espace intérieur :	🚗 🚗 🚗
Confort :	🚗 🚗 🚗

LE CHOIX DE L'ÉQUIPE

version unique

Photos : Porsche

UN VUS PARFAIT POUR ROBERT

VUS = Véhicule utilitaire sport. Véhicule = Ce qui sert à transmettre, à faire passer d'un lieu à un autre, selon Le Petit Robert. Donc, on s'entend, tous les modèles dont nous parlons dans *Le Guide de l'auto* sont des véhicules. Utilitaire = Qui vise à l'utile, toujours d'après Ti-Bob. Dans un certain sens, tout véhicule qui possède un coffre est utile. S'il possède en plus une transmission intégrale, il devient fort utile ! Sport = activité physique exercée dans le sens du jeu, de la lutte et de l'effort, et dont la pratique suppose un entraînement méthodique, le respect de certaines règles et disciplines. Sacré Robert !

Cette dernière définition, transposée dans le domaine automobile, donne de très belles réalisations. Ferrari, Lotus et les «M» de BMW sont des exemples probants. Rares, cependant, sont les véhicules pouvant réunir à la fois le côté utilitaire et sport comme le fait si bien le Porsche Cayenne. Certes, son style très particulier, surtout à l'avant, lui attire nombre de commentaires peu flatteurs. Mais cela ne semble pas déplaire aux acheteurs puisque, malgré un prix d'achat plutôt indécent, on voit bon nombre de Cayenne circuler sur nos routes.

2 300 KILOS DE DYNAMITE

Le Cayenne c'est, d'abord et avant tout, un moteur. Trois en fait. D'entrée de jeu, il y a ce V6 de 3,2 litres qui développe «à peine» 247 chevaux et 229 livres-pied de couple. De tous les moteurs proposés, il est le seul à pouvoir être associé à une transmission manuelle (six rapports). Même s'il s'avère suffisant dans la plupart des conditions, il lui manque un peu de jus lorsque vient le temps de tirer une remorque, par exemple. On retrouve, dans le Cayenne S, un V8 de 4,5 litres de 340 chevaux et 310 livres-pied de couple. Avec ça, aucune inquiétude, la célérité des accélérations et le coût exagéré des pleins d'essence sont au rendez-vous ! Mais, tant qu'à faire, pourquoi ne pas opter pour le

Cayenne Turbo avec ses 450 chevaux et 460 livres-pieds de couple ? Ou, mieux, la Turbo S dévoilée au Salon de l'auto de Los Angeles en janvier dernier. On parle ici de 530 chevaux et 510 livres-pied de couple… Ce monstre fait le 0-60 milles à l'heure (96 km/h) en 4,8 secondes et peut atteindre 270 km/h ! À un prix de près de 160 000 $, c'est la moindre des choses, remarquez…

Au courant de l'été dernier, une nouvelle Cayenne a fait son apparition sur les marchés américain et canadien. Il s'agit de la Cayenne S édition Titane qui regroupe les options les plus demandées sur la S ordinaire, si «ordinaire» s'applique dans le cas d'une Cayenne… (phares bixénon, PCM ou Porsche Communication Center et pneus de 19'') Aussi, on retrouve des insertions titane un peu partout sur la carrosserie et dans l'habitacle.

Il est toujours bon de montrer qu'on a les moyens de se payer un véhicule qui PEUT aller dans le bois et qui PEUT AUSSI aller sur une piste de course. De là à le faire, c'est une autre histoire… Mais qu'importe. Le rouage intégral du Cayenne envoie, lorsque la chaussée est parfaite, 62 % du couple aux roues arrière. Ce pourcentage varie en fonction des conditions routières. Nous avons testé notre (bon, pas

FEU VERT	FEU ROUGE
Moteurs très performants (sauf V6)	Prix insoutenables
Tenue de route époustouflante	Qualité de fabrication à la traîne
Freins épatants	Silhouette discutable
Aptitudes hors-route hallucinantes	Moteur V6
Capacité de remorquage étonnante	Consommation dramatique (V8)

VÉHICULE D'ESSAI

Version :	S
Prix de détail suggéré :	90 050 $
Emp/Lon/Lar/Haut (mm) :	2 855/4 782/1 928/1 699
Poids :	2 355 kg
Coffre/Réservoir :	540 à 1 770 litres/100 litres
Coussins de sécurité :	frontaux, latéraux (av.) et rideaux
Suspension avant :	indépendante, jambes de force
Suspension arrière :	indépendante, jambes de force
Freins av./arr. :	disque (ABS)
Antipatinage/Contrôle de stabilité :	oui/oui
Direction :	à crémaillère, assistée
Diamètre de braquage :	11,9 m
Pneus av./arr. :	P255/55R18
Capacité de remorquage :	3 500 kg

MOTORISATION À L'ESSAI

Pneus d'origine
MICHELIN

Moteur :	V8 de 4,5 litres 32s atmosphérique
Alésage et course :	93,0 mm x 83,0 mm
Puissance :	340 ch (254 kW) à 6 000 tr/min
Couple :	310 lb-pi (420 Nm) de 2 500 à 5 500 tr/min
Rapport poids/puissance :	6,93 kg/ch (9,42 kg/kW)
Système hybride :	aucun
Transmission :	intégrale, automatique 6 rapports
Accélération 0-100 km/h :	7,8 s
Reprises 80-120 km/h :	6,9 s
Freinage 100-0 km/h :	38,0 m
Vitesse maximale :	241 km/h
Consommation (100 km) :	super, 17,1 litres
Autonomie (approximative) :	585 km
Émissions de CO2 :	7 008 kg/an

vraiment le nôtre…) Cayenne S équipé du «Offroad Technology Package» dans un champ très boueux après des journées de pluie. La possibilité de verrouiller le différentiel central en manipulant une commande placée sur la console et la solidité du châssis lui confèrent des aptitudes hors route franchement surprenantes. En plus, le Cayenne, peu importe le moteur, peut remorquer jusqu'à 3 500 kilos !

UNE BRUTE AU CŒUR TENDRE

Le V6 peut être associé avec une transmission manuelle à six rapports. Il y a aussi la possibilité de lui accoler une automatique Tiptronic, comme sur toutes les autres versions. Cette appellation «Tiptronic» réfère au mode manuel, trop lent pour quiconque veut vraiment exploiter les limites du Cayenne. Après s'être habitué aux dimensions un peu gênantes du gros Porsche, on commence à bien s'amuser. Le 4,5 litres du S est tout simplement phénoménal de puissance et de souplesse, et sa sonorité invite le pied droit au péché routier… Même s'il est haut perché, le Cayenne ne penche pas démesurément dans les courbes prises avec un entrain primesautier et demeure extrêmement stable, même à des vitesses supralégales sur un chemin à la chaussée cahoteuse. La direction procure un excellent feedback et les sièges retiennent très bien conducteur et passager. Et si jamais l'irréparable devait se produire, il y a de fortes chances qu'un des nombreux systèmes électroniques le répare avant l'inévitable. Une version hybride pourrait voir le jour pour 2008. On vous tient au courant.

Si les aptitudes routières enchantent, on ne peut en dire autant de l'habitacle. Certes, le niveau de luxe et de raffinement pourrait faire rougir nombre de voitures dispendieuses mais on y retrouve quelques irritants. La qualité de certains plastiques est de facture General Motors (ce n'est pas un compliment) et plusieurs consommateurs se sont plaints de bruits de caisse. Personnellement, je n'ai pas aimé le compteur de vitesse, gradué par tranches de 30 km/h, et l'orangé des différents éléments du tableau de bord en conduire nocturne m'a laissé de glace.

À ses débuts, le Cayenne passait pour le bouffon du village. À force de le côtoyer, son allure nous rebute beaucoup moins et ses capacités hors route, et même sur piste, nous laissent pantois. Sa réputation est établie et on le prend désormais pour un «vrai» Porsche. Appelez-le Robert Porsche !

Alain Morin

GAMME EN BREF

Échelle de prix :	80 400 $ à 140 000 $ (2006)
Catégorie :	utilitaire sport intermédiaire
Historique du modèle :	1ère génération
Garanties :	4 ans/80 000 km, 4 ans/80 000 km
Assemblage :	Leipzig, Allemagne
Autre(s) moteur(s) :	V6 3,2l 247ch/229lb-pi (16,1 l/100km)
	V8 4,5l 450ch/460lb-pi (18,3l/100km) Turbo
	V8 4,5l biturbo 530ch/510lb-pi Turbo S
Autre(s) rouage(s) :	aucun
Autre(s) transmission(s) :	manuelle 6 rapports

DANS LA MÊME CATÉGORIE

BMW X5 - Cadillac SRX - Infiniti FX45 - Mercedes-Benz Classe M
Land Rover Range Rover - Volkswagen Touareg - Volvo XC90

DU NOUVEAU EN 2007

Version S Titane, version Turbo S

NOS IMPRESSIONS

Agrément de conduite :	🚗 🚗 🚗 🚗½
Fiabilité :	🚗 🚗 🚗½
Sécurité :	🚗 🚗 🚗 🚗
Qualités hivernales :	🚗 🚗 🚗 🚗
Espace intérieur :	🚗 🚗 🚗 🚗
Confort :	🚗 🚗 🚗 🚗

LE CHOIX DE L'ÉQUIPE

S

Photos : Porsche

LA NOUVELLE LIGNÉE

Avec la nouvelle série des Cayman et Cayman S, Porsche poursuit sur sa lancée et ajoute deux nouveaux modèles à sa gamme. Au premier contact, on serait tenté de croire que la Cayman et la Cayman S ne représentent qu'une version à toit fixe de la Boxster, mais la réalité est tout autre et les deux voitures ont des personnalités bien distinctes. Si, tout comme moi, vous êtes d'avis que la Boxster S est la référence en matière de roadsters, vous serez littéralement estomaqué par les performances en tenue de route de la Cayman S…

Sur le circuit très technique de Barber Motorsports Park, localisé près de Birmingham en Alabama, j'ai été tellement impressionné par l'agilité et la vitesse en virages de la Cayman S, que je me suis mis à penser que cette voiture à la tenue de route absolument phénoménale semblait manquer de puissance…

En fait, ce n'est pas la puissance du moteur de 3,4 litres de la génération précédente de la 911 Carrera qui est en cause, mais c'est le fait que la tenue de route de la Cayman S est à ce point impressionnante que l'on souhaiterait disposer de plus que les 295 chevaux au programme afin de connaître des sorties de virages encore plus explosives. Lorsque j'ai présenté ces premières impressions à Juergen Kapfer, directeur du programme de développement du moteur de la Cayman S, en lui demandant s'il était techniquement possible de greffer le moteur de 3,8 litres de l'actuelle 911 Carrera S dans une Cayman S, il m'a répondu que la chose était réalisable, mais que Porsche n'emprunterait pas cette voie afin de ne pas porter ombrage à la 911 Carrera, véritable figure emblématique de la marque. Kapfer a par ailleurs souligné que certains préparateurs indépendants allaient probablement se livrer à cet exercice…

Logé en position centrale, le moteur de la Cayman S est dérivé de celui de la Boxster S mais sa cylindrée a été portée à 3,4 litres, et surtout les culasses ainsi que le dispositif de calage variable des soupapes Variocam proviennent du moteur de la 911 Carrera, ce qui représente une première incursion pour cette nouvelle technologie pour un modèle autre que la 911 chez Porsche. Le sprint de 0 à 100 kilomètres/heure ne prend que 5,1 secondes et la vitesse maximale de la

Cayman S est de 275 kilomètres/heure. Par ailleurs, la boîte de vitesses a été empruntée à la Boxster S, mais les rapports de la première ainsi que de la deuxième vitesse sont plus courts et sont également dotés de synchronisateurs triples afin de permettre des passages de vitesses plus rapides.

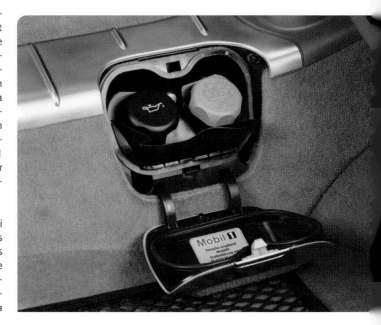

Sur le plan technique, le châssis de la Cayman S est deux fois plus rigide que celui de la Boxster S et cette rigidité est presque égale à celle du châssis de 911 Carrera, grâce non seulement au toit fixe mais aussi à un longeron fixé derrière les deux sièges et reliant les deux côtés de la voiture. D'autre part, je m'attendais à ce que la Cayman S soit beaucoup plus légère que la Boxster S, mais la différence entre ces deux voitures n'est que de 10 livres à l'avantage du coupé. À ce sujet, Jan Roth, directeur du développement de la Cayman S m'a informé que le toit de toile de la Boxster S ne pesait à peu près rien et que son mécanisme d'ouverture était composé de pièces réalisées en magnésium et donc très légères.

SUR LES CIRCUITS

Le rapport poids-puissance de la Cayman S est donc plus favorable que celui de la Boxster S, le coupé étant plus léger de 10 livres et son moteur livrant 15 chevaux et 15 livres-pied de couple de plus que celui du roadster. Voilà qui fera du coupé une voiture remarquablement agile et très rapide pour les propriétaires qui auront l'occasion de la faire évoluer en piste lors des événements organisés par le Club Porsche, où la Cayman S se frottera certainement à la 911 Carrera (mais pas à la Carrera S) sur certains circuits. La série de tours bouclés sur le superbe circuit de Barber Motorsports Park m'a permis d'apprécier au plus haut point les qualités dynamiques de la Cayman S qui s'inscrit parfaitement sur la trajectoire idéale, virage après virage, avec une précision remarquable. En fait, la conduite de la Cayman S est tellement inspirée que l'on en vient à se demander si une quelconque communication télépathique est établie entre la voiture et son conducteur. Cette étonnante symbiose est d'ailleurs le propre des voitures de la marque qui sont conçues pour être aussi à l'aise sur circuit que sur la route.

À l'intention de ceux et celles qui désirent s'en acheter une pour se livrer à la conduite sur circuit, je vous suggère de commander impérativement deux options figurant au catalogue, et peut-être une troisième... Parmi les incontournables, il y a la suspension PASM (Porsche Active Suspension Management) qui permet de régler les calibrations de la suspension afin qu'elles deviennent plus fermes sur

circuit et plus souples pour la route (2 790 dollars canadiens). L'autre must est l'ensemble Sport Chrono Package qui modifie les paramètres de la gestion électronique du moteur ainsi que ceux du système PASM de façon à retarder l'intervention des aides électroniques au pilotage, donnant ainsi plus de «liberté» au conducteur expérimenté sur circuit (1 290 dollars canadiens). La troisième option que l'on peut choisir est celle des freins en composite de céramique PCCB (Porsche Ceramic Composite Brakes) qui permettent de réduire le poids non suspendu, les disques de frein en composite de céramique étant deux fois plus légers que ceux en acier. Toutefois, le prix de cette option demeure prohibitif à 11 400 dollars canadiens...

L'HÉRITAGE DE LA COMPÉTITION

Côté style, La Cayman S se démarque des autres modèles de la marque en adoptant un style évoquant certaines voitures qui ont fait la

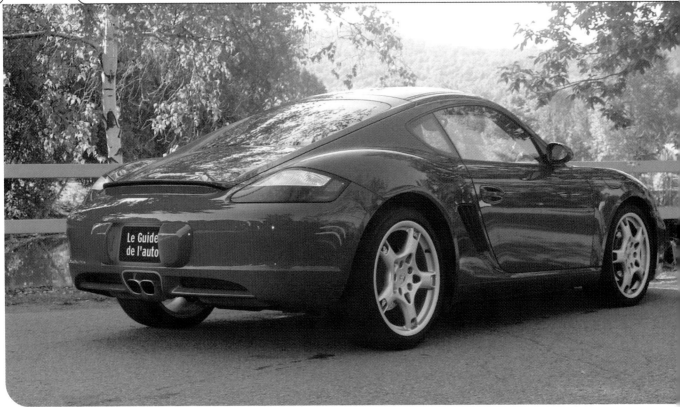

renommée de la marque à travers le monde. Ainsi, la Cayman S est directement inspirée de la 904 Carrera GTS de 1963, mais surtout de la première voiture de compétition sortie tout droit de l'usine du constructeur allemand, soit la mythique 550 Coupé de 1953. Le succès de la 550 ne s'est pas fait attendre puisqu'une version spécialement configurée en roadster remporta la première course à laquelle elle était inscrite sur le célèbre circuit du Nürburgring, rien de moins...Par la suite, la 550 Coupé triompha dans la catégorie des voitures de 1 500 cc aux 24 Heures du Mans, pour ensuite gagner à la fois une course de 1 000 kilomètres à Buenos Aires en Argentine, ainsi que la célèbre Carrera Panamericana reliant le Mexique du sud au nord, un périple de cinq jours et 3 000 kilomètres, lors de la même année.

Certains qualifieront le style de la Cayman S de «rétro», mais personnellement, je trouve que l'intégration des éléments de design empruntés à la mythique 550 ainsi intégrés au nouveau coupé est particulièrement réussie. À ce titre, le profil des ailes arrière est plutôt frappant puisque ces dernières sont surélevées d'un demi-pouce par rapport à celles de la Boxster S afin de mieux rejoindre la ligne de la lunette arrière. Par ailleurs, il est amusant de constater que les bas de caisse remontent vers l'arrière où la jonction avec les prises d'air ressemble à un étalage de bâtons de hockey... Les rétroviseurs latéraux ont été empruntés à la Carrera GT et l'aileron arrière se déploie automatiquement lorsque la voiture atteint les 120 kilomètres/heure pour se rétracter complètement à l'arrêt, histoire de ne pas gâcher le look de la Cayman S. Le coefficient aérodynamique de la Cayman S est également meilleur que celui de la Boxster S : 0,29 vs 0,30...

FEU VERT

Tenue de route phénoménale
Freinage performant
Puissance du moteur
Exclusivité assurée

FEU ROUGE

Voiture trois saisons
Coût des options
Pas de pneu de secours

Version :	S
Prix de détail suggéré :	83 900 $
Emp/Lon/Lar/Haut(mm) :	2 415/4 372/1 801/1 305
Poids :	1 340 kg
Coffre/Réservoir :	410 litres/64 litres
Coussins de sécurité :	frontaux, latéraux (av.) et rideaux
Suspension avant :	indépendante, jambes de force
Suspension arrière :	indépendante, multibras
Freins av./arr. :	disque (ABS)
Antipatinage/Contrôle de stabilité :	oui/oui
Direction :	à crémaillère, assistance variable
Diamètre de braquage :	n.d.
Pneus av./arr. :	P235/40ZR18 / P265/40ZR18
Capacité de remorquage :	non recommandé

Pneus d'origine
MICHELIN

MOTORISATION À L'ESSAI

Moteur :	H6 de 3,4 litres 24s atmosphérique
Alésage et course :	96,0 mm x 78,0 mm
Puissance :	295 ch (220 kW) à 6 250 tr/min
Couple :	251 lb-pi (346 Nm) de 4 400 à 6 000 tr/min
Rapport poids/puissance :	4,54 kg/ch (6,18 kg/kW)
Système hybride :	aucun
Transmission :	propulsion, manuelle 6 rapports
Accélération 0-100 km/h :	5,1 s
Reprises 80-120 km/h :	5,0 s
Freinage 100-0 km/h :	37,0 m (estimé)
Vitesse maximale :	275 km/h
Consommation (100 km) :	super, 12,0 litres
Autonomie (approximative) :	533 km
Émissions de CO2 :	4 944 kg/an

En montant à bord, on retrouve immédiatement cet environnement typique des autres modèles de la gamme, mais la Cayman S séduit aussi par son côté pratique puisque le volume de chargement est de 410 litres, si on tient compte de la capacité du coffre avant jumelée à celle du volume accessible juste derrière les sièges. Aux fins de comparaison, ce volume de chargement est égal à celui du coffre d'une Honda Accord, ce qui est un exploit remarquable compte tenu de la vocation sportive de la Cayman S ce qui ne manquera pas de séduire les gens qui en feront ainsi leur voiture de tous les jours…

LE « MODÈLE DE BASE »…

Règle générale, un constructeur automobile présente toujours la version la moins performante de son nouveau modèle en premier, pour ensuite lui adjoindre une version aux performances plus relevées. Ce n'est pas le cas chez Porsche qui a choisi de procéder à l'inverse puisque l'arrivée de la Cayman S est survenue plusieurs mois avant le début de la simple Cayman. Le «modèle de base» faisant appel à un moteur de 2,7 litres qui développe 245 chevaux, les performances ne sont évidemment pas aussi relevées, sans parler du fait que plusieurs options disponibles sur la Cayman S ne figurent pas au catalogue de la simple Cayman. Laquelle choisir ? Dans le cas de la Cayman, comme pour tous les autres modèles de la marque, je réponds sans hésitation que les modèles «S» sont toujours à privilégier. Après tout, lorsqu'on a fait le choix de s'offrir une voiture aussi exceptionnelle, autant opter pour la version la plus performante. «Go big, or stay on the farm», comme disent les Américains…

Gabriel Gélinas

GAMME EN BREF

Échelle de prix :	89 300
Catégorie :	coupé
Historique du modèle :	1ière génération
Garanties :	4 ans/80 000 km, 4 ans/80 000 km
Assemblage :	N.D.
Autre(s) moteur(s) :	H6 2,7l 245ch/199lb-pi
Autre(s) rouage(s) :	aucun
Autre(s) transmission(s) :	automatique 6 rapports

DANS LA MÊME CATÉGORIE
BMW Z4M coupe - Audi TT - Nissan 350Z

DU NOUVEAU EN 2007
nouveau modèle

NOS IMPRESSIONS

Agrément de conduite :	🚗🚗🚗🚗🚗
Fiabilité :	nouveau modèle
Sécurité :	🚗🚗🚗🚗
Qualités hivernales :	🚗🚗
Espace intérieur :	🚗🚗🚗🚗
Confort :	🚗🚗🚗

LE CHOIX DE L'ÉQUIPE
S

Photos : Marc Bouchard

PORSCHE CAYMAN / CAYMAN S

OÙ EST L'OPÉRA ?

Avant de prendre livraison de la Rolls-Royce Phantom à Montréal, j'ai pris quelques minutes pour revoir la facture du modèle d'essai qui était pourvu de certaines options. Prix de base : 470 000 dollars. Roues chromées en aluminium de 21 pouces : 8 525 dollars. Système de caméras vidéo à l'arrière comme à l'avant : 4 700 dollars. Commandes du système de chauffage/climatisation à l'arrière : 5 100 dollars. Logos R-R sur tous les appuie-têtes : 800 dollars. Tables articulées pour les places arrière : 2 600 dollars. Panneaux laqués : 1 600 dollars. Total de la facture : 502 325 dollars. L'excès : ça n'a pas de prix...

Le nom Rolls-Royce est synonyme de luxe et d'opulence depuis les débuts de la marque qui a toujours visé l'excellence. La Rolls-Royce, c'est aussi la voiture des vedettes, à partir de Charlie Chaplin qui en a eu plusieurs jusqu'à John Lennon des Beatles qui avait poussé l'audace de décorer la sienne de couleurs et de graffitis *Peace and Love*. Aujourd'hui, c'est la voiture des Shaquille O'Neal, Donald Trump, Elton John et de Ben Affleck qui en avait offerte une à Jennifer Lopez à l'époque de leurs fréquentations.

Construite depuis 2003 à la célèbre usine Rolls-Royce de Goodwood en Angleterre, la Phantom est à la fois britannique et allemande, en vertu du fait que la prestigieuse marque anglaise fait partie du portefeuille des marques du groupe BMW depuis 1998, et que la voiture hérite d'un moteur V12 de 6,8 litres et 453 chevaux développé par le constructeur bavarois. Forte de plus de deux tonnes et demie, la Phantom est tout de même capable d'atteindre 100 kilomètres/heure en 6 secondes avec une livrée de puissance que l'on peut caractériser d'onctueuse, tout en consommant une moyenne de 15,9 litres de carburant aux 100 kilomètres. Au premier contact, on est tout de suite frappé par les dimensions hors normes de la Phantom qui est plus longue que le véhicule sport utilitaire Ford Excursion, et dont le capot avant fait presque six

pieds en longueur. Heureusement, notre voiture d'essai était équipée du système de caméras vidéo qui est offert en option et qui comprend non seulement une caméra de recul, mais également deux autres caméras nichées à l'avant qui permettent de voir de chaque côté de la voiture afin de vérifier le flot de la circulation avant de s'engager sur la rue. Les images captées par ces caméras sont reproduites sur l'écran central qui sert aussi à contrôler le système iDrive de BMW intégré à la Phantom, et lorsque le conducteur n'interagit pas avec ce système de télématique, il lui suffit d'appuyer sur un bouton pour que l'écran pivote et qu'une montre analogique apparaisse alors au centre d'un panneau de bois laqué. L'effet produit est très James Bond...

Au volant de la Phantom, j'ai eu peine à croire que la voiture pèse plus de deux tonnes et demie parce qu'elle se conduit très facilement malgré son gabarit et son poids. Cependant, la position de conduite surélevée sert de rappel constant à cet égard parce que l'on a vraiment l'impression de dominer les autres voitures lorsque l'on est immobilisé à un feu rouge. Sur une route sinueuse enfilée à une vitesse plus élevée que la limite permise j'ai noté un roulis important en virage ce qui constitue l'un des points faibles de la voiture, mais je doute fort que l'acheteur typique d'une Phantom roule aussi vite avec sa nouvelle acquisition ou

FEU VERT
Moteur V12 bien adapté
Performances surprenantes
Confort et silence de roulement
Exclusivité assurée

FEU ROUGE
Style discutable
Prix exorbitant
Coût des options
Roulis important en virages

VÉHICULE D'ESSAI

Version :	version unique
Prix de détail suggéré :	502 325 $
Emp/Lon/Lar/Haut(mm) :	3 570/5 830/1 990/1 630
Poids :	2 485 kg
Coffre/Réservoir :	460 litres/100 litres
Coussins de sécurité :	front., latéraux (av./arr.) et rideaux
Suspension avant :	indépendante, bras inégaux
Suspension arrière :	indépendante, multibras
Freins av./arr. :	disque (ABS)
Antipatinage/Contrôle de stabilité :	oui/oui
Direction :	à crémaillère, assistance variable
Diamètre de braquage :	13,8 m
Pneus av./arr. :	P265/40R20
Capacité de remorquage :	non recommandé

MOTORISATION À L'ESSAI

Pneus d'origine MICHELIN

Moteur :	V12 de 6,8 litres 48s atmosphérique
Alésage et course :	92,0 mm x 84,6 mm
Puissance :	453 ch (338 kW) à 5 350 tr/min
Couple :	531 lb-pi (720 Nm) à 3 500 tr/min
Rapport poids/puissance :	5,49 kg/ch (7,46 kg/kW)
Système hybride :	aucun
Transmission :	propulsion, automatique 6 rapports
Accélération 0-100 km/h :	6,0 s
Reprises 80-120 km/h :	5,5 s
Freinage 100-0 km/h :	40,0 m
Vitesse maximale :	209 km/h (estimé)
Consommation (100 km) :	super, 15,9 litres
Autonomie (approximative) :	629 km
Émissions de CO2 :	7 344 kg/an

GAMME EN BREF

Échelle de prix :	470 000 $... et plus !
Catégorie :	berline de grand luxe
Historique du modèle :	7ième génération
Garanties :	4 ans/km illimité, 4 ans/km illimité
Assemblage :	Goodwood, Angleterre
Autre(s) moteur(s) :	aucun
Autre(s) rouage(s) :	aucun
Autre(s) transmission(s) :	aucune

DANS LA MÊME CATÉGORIE
Bentley Arnage - Maybach 57/62

DU NOUVEAU EN 2007
Version cabriolet à venir

NOS IMPRESSIONS

Agrément de conduite :	🚗 🚗 🚗
Fiabilité :	🚗 🚗 🚗 🚗 ½
Sécurité :	🚗 🚗 🚗 🚗
Qualités hivernales :	🚗 🚗 🚗
Espace intérieur :	🚗 🚗 🚗 🚗 ½
Confort :	🚗 🚗 🚗 🚗 ½

LE CHOIX DE L'ÉQUIPE
version unique

---

encore qu'un chauffeur malmène propriétaire et passagers de la sorte ! La puissance de freinage tient compte du gabarit de la Phantom et permet à la voiture de s'immobiliser en 40 mètres à partir d'une vitesse de 100 kilomètres/heure !

PASSEZ AU SALON

L'environnement feutré de l'habitacle s'apparente plus à celui d'un salon mondain et permet de se délecter de certaines excentricités de la Phantom, notamment le fait que les touches de réglage de la position des sièges avant soient cachées dans la console centrale ou encore que les portes arrière, qui sont articulées à contresens et qui sont toutes deux équipées d'un parapluie, se ferment automatiquement à la seule pression d'un bouton par le passager. Les places de choix sont donc celles à l'arrière où les passagers pourront apprécier la sérénité qui règne à bord, la Phantom étant plus silencieuse que la plus luxueuse des Lexus. Le style de la carrosserie peut sembler carrément excessif aux yeux de plusieurs, mais le manège d'apparition du Spirit of Ecstasy au déverrouillage des portières ou son retrait dans la calandre à l'arrêt produit toujours un effet chez les spectateurs, qui s'attendent tous à voir Madonna ou une autre vedette descendre de la voiture.

DANS LA BOULE DE CRISTAL

Et que nous réserve l'avenir de la prestigieuse marque britannique ? Au printemps 2007 devrait arriver le modèle cabriolet de la Phantom dont le prix devrait être supérieur à celui du modèle actuel, selon Ian Robertson, chef de la direction de Rolls-Royce Motor Cars. De plus, des rumeurs courent disant que dans un avenir plus lointain, la marque commercialiserait un nouveau modèle coupé qui serait inspiré de la voiture concept 101EX dévoilée au Salon de l'auto de Genève et qui devenait alors seulement la seconde voiture concept de l'histoire de la marque. Plus courte de vingt-cinq centimètres que la Phantom, la 101EX doit explorer une nouvelle dimension plus sportive pour Rolls-Royce afin de concurrencer directement la rivale Bentley. Une nouvelle berline devrait arriver pour l'année modèle 2009, et il y a fort à parier que cette nouvelle Rolls sera développée sur la plate-forme de la prochaine génération de la Série 7 de BMW, et qu'elle pourrait également hériter d'une version plus puissante du nouveau moteur V8 de 4,8 litres du constructeur bavarois. L'avenir à plus long terme laisse envisager la commercialisation de nouveaux modèles dont les dimensions seraient inférieures à celles de l'actuelle Phantom.

Gabriel Gélinas

Photos : Alain Morin

PAS JUSTE POUR LES « SAABISTES »

Oncle Sylvain, irréductible vieux garçon et conservateur jusqu'au bout de ses bas, ne s'approcherait pas à moins d'un mètre d'une Saab sauf s'il y était forcé. Et encore, je crois qu'il profiterait de ce moment pour faire une crise cardiaque. Une voiture dont la clé de contact se trouve sur la console ne mérite même pas un regard. De toute façon, jamais une automobile ne sera aussi belle et confortable que son Pontiac Bonneville 1989... Au moins, les gens de Saab savent que leurs véhicules s'adressent davantage à un public libéral, plus ouvert aux subtilités qu'aux Sylvain de ce monde...

Contrairement aux 9-2x et 9-7x, des véhicules à rouage intégral développés à partir de la Subaru Impreza (9-2x) et de la défunte Oldsmobile Bravada (9-7x), la 9-3 est une Saab à part entière. Comme le veut la logique, la Saab 9-3 vient s'insérer entre la 9-2x (de regrettée mémoire) et la 9-5, autant au chapitre des dimensions extérieures qu'à celui du prix ou de la puissance.

DRÔLES DE NOMS POUR UNE VOITURE SÉRIEUSE...

La 9-3 se décline en trois modèles. Outre la berline, on retrouve une pratique familiale, appelée SportCombi, un nom qui égratigne toujours mes fragiles tympans, et une décapotable, baptisée, de façon plus orthodoxe, Convertible. Les modèles abritant un V6 se nomment Aero (décidément...), tandis que ceux munis du quatre cylindres ne reçoivent aucune dénomination particulière. Et dire qu'auparavant, il y avait les Linear et Arc. L'an dernier, Saab a heureusement simplifié les choses.

La 9-3 propose deux moteurs. Il y a tout d'abord un quatre cylindres turbocompressé de 2,0 litres qui développe 210 chevaux et 221 livres-pied de couple. La puissance est là mais nous préférons le V6, beaucoup plus souple et doux. Ce moteur turbo de 2,8 litres

offre une belle écurie de 250 chevaux et 258 livres-pied de couple. Même avec toute cette cavalerie, la 9-3, une traction, ne présente pas trop d'effet de couple. C'est-à-dire que, lors de fortes accélérations, le volant n'a pas tendance à vouloir inopinément tirer à gauche ou à droite comme c'est souvent le cas avec les tractions puissantes. Par contre, nous déplorons le temps de réponse du turbo, trop long, surtout avec l'automatique et la sonorité quelquefois agaçante du V6 à vitesse constante, sur autoroute par exemple. Les Européens, les chanceux, ont droit à une version diesel et à une autre, très populaire en Suède, la BioPower qui fonctionne à l'éthanol. Si la demande est là, il se pourrait qu'un de ces moteurs, les deux espérons-le, trouve sa voie jusqu'en Amérique.

Les modèles à quatre cylindres reçoivent soit une transmission manuelle à 6 rapports, soit une automatique à cinq rapports. Les V6, eux, ont droit aussi à des transmissions manuelles ou automatiques à six rapports. Cette dernière transmission automatique fonctionne doucement et propose un mode manuel qui n'apporte rien de plus à la conduite même si le passage des rapports se fait rapidement. Quant à la manuelle, sa course est un peu longue et semble reliée à un élastique. Mais ce n'est rien de dramatique.

FEU VERT
Confort de première classe
V6 souple
Fiabilité toujours à la hausse
Cabriolet bien pensé
Comportement routier inspiré

FEU ROUGE
Triste valeur de revente
Certaines commandes pour génies seulement
Direction trop aseptisée
Prix des décapotables déprimant
Image de la marque à refaire

VÉHICULE D'ESSAI

OnStar® de GM Canada

Version :	Aero berline
Prix de détail suggéré :	43 400 $ (2006)
Emp/Lon/Lar/Haut (mm) :	2 675/4 636/1 753/1 433
Poids :	1 490 kg
Coffre/Réservoir :	425 litres/62 litres
Coussins de sécurité :	frontaux et latéraux (av.)
Suspension avant :	indépendante, jambes de force
Suspension arrière :	indépendante, multibras
Freins av./arr. :	disque (ABS)
Antipatinage/Contrôle de stabilité :	oui/oui
Direction :	à crémaillère, assistance variable
Diamètre de braquage :	10,8 m
Pneus av./arr. :	P235/45R17
Capacité de remorquage :	990 kg

La Saab 9-3 repose sur un châssis très rigide. Les suspensions indépendantes ont été magnifiquement réglées entre sport et confort, et le comportement de la voiture en virage inspire toujours confiance, peu importe la vitesse. En revanche, la direction se montre un peu trop légère quoiqu'assez précise. En situation d'urgence, les freins stoppent la bagnole sur une distance plutôt courte mais l'action de l'ABS se fait très bien sentir.

TROIS CHOIX

En toute logique, c'est la version berline qui recueille le plus de ventes. L'espace habitable est bon même si on a déjà vu mieux dans la catégorie. Les places arrière sont confortables si les occupants avant ont la délicatesse d'avancer leurs sièges. Les dossiers des sièges arrière s'abaissent de façon 60/40 pour agrandir l'espace de chargement (déjà bien nanti) mais ils ne forment pas un fond plat. Notre véhicule d'essai nous a accueillis avec de superbes sièges en cuir blanc, très confortables. Mais du blanc, ça ne demeure pas blanc longtemps…

Pour les gens à la recherche d'une voiture plus polyvalente, Saab propose la familiale SportCombi. En plus d'offrir beaucoup d'espace, la 9-3 possède de petits compartiments situés sous le plancher du coffre et destinés à recevoir de menus objets. Un gros caisson de graves niche dans le pneu de secours et emplit les oreilles d'une sonorité riche et profonde. Saab a pensé aux amateurs de plein air et de détente en concoctant la version décapotable. Lorsque le toit est ouvert, la ligne de la 9-3 est irrésistible. Le coffre par contre, voit sa capacité passer de 351 litres à 235, lui qui n'a déjà pas une ouverture très grande. Malheureusement, il pleut à l'occasion et il faudra vous faire mouiller pendant seulement 20 secondes avant que le toit électrique ne se referme (ou s'ouvre quand le soleil revient). Disponible en trois couleurs (noir, bleu ou crème), ce toit était source de bruits de vent sur notre exemplaire. Quelques autres journalistes, essayant d'autres 9-3 décapotables, n'ont pas eu ce problème. Quoi qu'il en soit, les places arrière sont réservées à de très jeunes enfants n'ayant pas encore compris la notion de confort.

Malgré certaines commandes tellement complexes à comprendre qu'on les croirait développées par IKEA, la Saab 9-3 demeure une des plus belles réalisations du constructeur de Trollhättan en Suède. Encore très typée, cette voiture n'a rien pour rebuter l'acheteur nord-américain traditionnel. Mais elle ne peut rien contre la mauvaise volonté…

Alain Morin

MOTORISATION À L'ESSAI

Moteur :	V6 de 2,8 litres 24s turbocompressé
Alésage et course :	89,0 mm x 74,8 mm
Puissance :	250 ch (186 kW) à 5 500 tr/min
Couple :	258 lb-pi (350 Nm) à 2 000 tr/min
Rapport poids/puissance :	5,96 kg/ch (8,1 kg/kW)
Système hybride :	aucun
Transmission :	traction, automatique 6 rapports
Accélération 0-100 km/h :	7,4 s
Reprises 80-120 km/h :	5,6 s
Freinage 100-0 km/h :	39,4 m
Vitesse maximale :	225 km/h
Consommation (100 km) :	super, 11,6 litres
Autonomie (approximative) :	534 km
Émissions de CO_2 :	4 359 kg/an

GAMME EN BREF

Échelle de prix :	34 900 $ à 59 000 $ (2006)
Catégorie :	berline sport/familiale/cabriolet
Historique du modèle :	1ière génération
Garanties :	4 ans/80 000 km, 4 ans/80 000 km
Assemblage :	Trolhättan, Suède et Graz, Autriche
Autre(s) moteur(s) :	4L 2,0l 210ch/221lb-pi (10,8 l/100km)
Autre(s) rouage(s) :	aucun
Autre(s) transmission(s) :	manuelle 6 rapports/ automatique 5 rapports

DANS LA MÊME CATÉGORIE

Audi A4 - BMW Série 3 - Volvo S60 - Jaguar X-Type - Mercedes-Benz Classe C - Cadillac CTS

DU NOUVEAU EN 2007

pas de changement majeur, retouches esthétiques intérieures

NOS IMPRESSIONS

Agrément de conduite :	🚗 🚗 🚗 🚗
Fiabilité :	🚗 🚗 🚗 🚗
Sécurité :	🚗 🚗 🚗 🚗 ½
Qualités hivernales :	🚗 🚗 🚗 🚗
Espace intérieur :	🚗 🚗 🚗 🚗 ½
Confort :	🚗 🚗 🚗 🚗 ½

LE CHOIX DE L'ÉQUIPE

SportCombi Aero

NOUVEAU ET AMÉLIORÉ !

Nouveau et amélioré sont les deux qualificatifs que l'on retrouve le plus souvent sur les étiquettes des produits de consommation. Cette formule est employée lorsque le département de marketing décide de mousser les ventes d'un produit sur le déclin. C'est un peu la recette que Saab a utilisée en parlant de la 9-5 dévoilée au printemps dernier. Selon les dirigeants de la firme suédoise maintenant sous le giron de General Motors, pas moins de 1 400 améliorations ont récemment été apportées à la Saab 9-5. Dire que les gens de marketing de Saab ont de l'imagination tient de l'euphémisme…

Pour célébrer les cinquante ans de la marque en Amérique, Saab a rajeuni sa 9-5. L'équipement de base a été bonifié et les prix diminués. Que voilà une bonne nouvelle! Ce rajeunissement survenu en milieu d'année dernière a fourni à la 9-5 2006 une nouvelle grille et de nouvelles ailes avant ainsi qu'une partie arrière retravaillée. Malgré les efforts, cette Saab ne se démarque pratiquement pas dans la circulation. Il faut être un « saabiste » émérite pour la reconnaître de loin. Le tableau de bord a été lui aussi subtilement revisité. C'est surtout au niveau des différentes dénominations que la 9-5 a changé. Offerte autrefois en versions Aero, Arc et Linear elle se décline désormais en livrée berline et familiale, appelée SportCombi. Un ensemble Aero est aussi disponible. Les changements s'avèrent discrets mais ils rendent la 9-5 plus moderne, elle qui date déjà de 1999, une éternité dans le monde de l'automobile.

COMPORTEMENT ROUTIER DE BON ALOI

Depuis la revitalisation du modèle, seul le quatre cylindres 2,3 litres turbocompressé est offert. Il développe 260 chevaux et 258 livres-pied de couple. Ses performances sont tout à fait acceptables, mais elles n'ont rien pour accabler les BMW série 5 ou Audi A6 puisque le 0-100 est couvert en 8,3 secondes et le 80-120 franchi en 6,3 secondes. De plus, le temps de réponse du turbo est tel que vous avez quasiment le temps d'aller faire l'épicerie entre le moment où l'accélérateur est écrasé et celui où le turbo se met en action. Par contre, même s'il s'agit d'une traction assez puissante (à haut régime, car à bas régime, les chevaux dorment), on ne ressent que très peu d'effet de couple. Deux transmissions sont proposées. D'entrée de jeu, on retrouve une manuelle à cinq rapports d'une désolante mollesse. Pire, la course du levier de vitesse est beaucoup trop longue. L'automatique, à cinq rapports aussi, se montre un choix plus judicieux même si, à l'occasion, le passage entre les rapports inférieurs se fait par à-coup.

Bien que la carrosserie de la 9-5 n'affiche aucune prétention sportive, elle se débrouille fort bien lorsque poussée un peu. Son comportement demeure neutre et les aides électroniques que sont les contrôles de traction et de stabilité latérale n'interviennent pas inutilement. La caisse n'affiche pas de roulis exagéré, grâce à des suspensions à la fois fermes mais confortables, deux réalités habituellement peu conciliables. Sans doute que les pneus Pirelli P6 17'' de notre voiture d'essai n'étaient pas étrangers à ce fait. Il y a même la possibilité d'opter pour l'ensemble Sport qui, entre autres, abaisse le châssis de 10 mm et raffermit les suspensions.

FEU VERT
Prix alléchants
Confort certifié
Habitacle invitant
Comportement routier agréable
Familiale polyvalente

FEU ROUGE
Changements esthétiques peu évidents
Réponse du turbo indécente
Manuelle déprimante
Places arrière très justes
Dépréciation éhontée

SAAB 9-5

Version :	Berline
Prix de détail suggéré :	44 500 $ (2006)
Emp/Lon/Lar/Haut(mm) :	2 703/4 836/1 792/1 454
Poids :	1 295 kg
Coffre/Réservoir :	450 litres/70 litres
Coussins de sécurité :	frontaux et latéraux (av.)
Suspension avant :	indépendante, jambes de force
Suspension arrière :	indépendante, multibras
Freins av./arr. :	disque (ABS)
Antipatinage/Contrôle de stabilité :	oui/oui
Direction :	à crémaillère, assistance variable
Diamètre de braquage :	11,3 m
Pneus av./arr. :	P235/45R17
Capacité de remorquage :	1 588 kg

UN HABITACLE TRÈS « SAABIEN »

Comme dans toute Saab qui se respecte, l'habitacle impressionne bien plus que la carrosserie. Les sièges, tout d'abord, imposent le respect. Leur confort n'a d'égale que leur beauté, et leur largeur permet aux gabarits plus… comment dire poliment… plus gros, c'est ça, d'être bien pris en charge… De plus, ils se couchent complètement. Le tableau de bord, typiquement Saab, fait toujours appel aux énormes buses de ventilation, très efficaces. Les plastiques affichent une belle qualité, tout comme les différents matériaux. La sonorité du système audio se démarque mais elle n'est pas encore en mesure de battre Lexus sur ce terrain. Les espaces de rangement pourraient être plus nombreux que personne ne s'en plaindrait, mais on a déjà vu pire. Puisque rien n'est jamais parfait, un bruit de type «gueling, guelang» provenait de la région des jauges. Sans doute que ce ne sont pas toutes les 9-5 qui en sont affligées. La visibilité ne cause généralement pas de problèmes, sauf que le pilier B, situé entre les portes avant et arrière est très large, ce qui complique un peu les manœuvres de stationnement. Les places arrière sont un peu justes et, dans une voiture que l'on veut au faîte de la sécurité, il est dommage de ne retrouver que deux appuie-têtes pour trois ceintures de sécurité… Les dossiers s'abaissent de façon 60/40 pour agrandir un coffre à bagages déjà fort bien nanti en litres. Malheureusement, le fond ainsi formé n'est pas plat et le cadre entourant le passage entre le coffre et l'habitacle réduit considérablement la grosseur des objets longs à transporter. La version familiale se démarque par ses capacités de chargement beaucoup plus élevées. Le seuil de chargement, situé au ras du pare-chocs facilite le chargement et on retrouve des espaces de rangement sous le plancher.

En plus de ses six coussins gonflables, la Saab 9-5 peut compter sur le système On Star pour relever le niveau de sécurité. En cours d'année, peut-être verrons-nous débarquer le moteur E-85 de la 9-5, fonctionnant à l'éthanol. Appelée BioPower, cette version, très populaire en Suède, est présentement testée aux États-Unis et si la demande est satisfaisante, Saab alimentera le marché nord-américain. Mais est-ce que l'Américain moyen, au volant de son F-150, est prêt pour une telle révolution ?

Alain Morin

MOTORISATION À L'ESSAI

Moteur :	4L de 2,3 litres 16s turbocompressé
Alésage et course :	90,0 mm x 90,0 mm
Puissance :	260 ch (164 kW) à 5 300 tr/min
Couple :	258 lb-pi (309 Nm) de 1 900 à 4 000 tr/min
Rapport poids/puissance :	5,89 kg/ch (7,99 kg/kW)
Système hybride :	aucun
Transmission :	traction, automatique 5 rapports
Accélération 0-100 km/h :	8,3 s
Reprises 80-120 km/h :	6,3 s
Freinage 100-0 km/h :	40,0 m
Vitesse maximale :	210 km/h
Consommation (100 km) :	super, 12,8 litres
Autonomie (approximative) :	547 km
Émissions de CO2 :	4 704 kg/an

GAMME EN BREF

Échelle de prix :	41 000 $ à 55 000 $ (2006)
Catégorie :	berline de luxe/familiale
Historique du modèle :	1ière génération
Garanties :	4 ans/80 000 km, 4 ans/80 000 km
Assemblage :	Trollahättan, Suède
Autre(s) moteur(s) :	aucun
Autre(s) rouage(s) :	aucun
Autre(s) transmission(s) :	manuelle 5 rapports

DANS LA MÊME CATÉGORIE

Acura TL - Audi A6 - BMW Série 5 - Mercedes-Benz Classe C - Volvo S80

DU NOUVEAU EN 2007

Plusieurs retouches esthétiques, gamme simplifiée, un seul moteur offert

NOS IMPRESSIONS

Agrément de conduite :	🚗🚗🚗½
Fiabilité :	🚗🚗🚗½
Sécurité :	🚗🚗🚗🚗½
Qualités hivernales :	🚗🚗🚗🚗
Espace intérieur :	🚗🚗🚗½
Confort :	🚗🚗🚗🚗

LE CHOIX DE L'ÉQUIPE

SportCombi avec ensemble sport

Photos : Alain Morin

MASSAGE SUÉDOIS

Il y a quelques années, alors même que les rondeurs du coffre arrière repoussaient la plupart des amateurs, j'étais un admirateur incontesté des voitures Saab. Leur silhouette distinctive, les habitacles différents et surtout la conduite toute raffinée que procurait une Saab 900 par exemple, me rendaient tout simplement heureux. À défaut d'avoir les moyens de me payer la voiture, j'avais toutes sortes d'objets de collection la représentant, y compris le porte-clés. Mais les temps ont passé, et les Saab ont perdu un peu de ce lustre et de cette personnalité unique.

J'avoue quand même que chaque fois que je me retrouve au volant de ces voitures suédoises, j'ai bon espoir de ressentir le petit quelque chose que j'éprouvais alors. Dans cet esprit, l'essai du Saab 9-7x, premier VUS et premier véritable V8 de la famille, ne pouvait que me réjouir.

IKEA VS MCDONALD

Dès l'entrée à bord, et malgré le soin apporté à certains détails, on a moins l'impression d'être au volant d'une Saab. C'est vrai, on a conservé la clé de démarrage entre les deux sièges histoire de respecter la tradition. Les buses de ventilation ont aussi conservé leur petit bâtonnet de direction, à l'image de toutes les voitures de la gamme. Mais du premier regard, on reconnaît les origines américaines de cette suédoise. Inspiré clairement du Envoy et du Trailblazer, en fait de l'ancien Bravada disparu l'année dernière, l'habitacle est de bon goût, bien pensé sur le plan ergonomique, et offre un vaste espace pour les passagers de tous les sièges. Mais ce n'est pas exactement un Saab.

Même la silhouette, pourtant bien réussie et d'une sobriété toute suédoise, n'a pas tout à fait réussi à faire oublier son inspiration. Il faut admettre cependant que la partie avant du véhicule est digne de mention. On a intégré la grille de calandre traditionnelle de la marque au design, conférant ainsi un air de famille indéniable. En revanche, toute la partie arrière est une copie quasi conforme de la gamme Envoy, et rappelle davantage l'appartenance à la grande tribu GM. Le mélange des genres n'est pas sans charme, mais n'a pas réussi à attirer l'attention autant que l'on pourrait le souhaiter. Un peu comme si on vous servait des boulettes suédoises chez McDonald's!

La finition intérieure est cependant tout ce qu'il y a de suédois. Les détails sont soignés (à l'exception de quelques plastiques de piètre qualité), et on a même installé de série un pédalier ajustable électriquement, ce qui rend la position de conduite encore plus facile à trouver pour les conducteurs de toute taille. Notons enfin le confort, ma foi assez étonnant, des sièges qui offrent de surcroît un support latéral surprenant.

Une liste d'équipements assez longue, incluant un excellent système audio, constitue l'apanage du 9-7x, liste à laquelle s'ajoutent cette année le système de navigation OnStar et des capteurs de pression des pneus. Ce sont d'ailleurs les seuls changements pour 2007. Et on ne peut oublier tous les aspects de sécurité, incluant des rideaux latéraux et un système anti-retournement, qui équipent l'utilitaire suédois.

FEU VERT	FEU ROUGE
Bon moteur V8	Personnalité Saab moins affirmée
Silhouette réussie	Roulis prononcé en virage
Espace intérieur vaste	Transfert de poids évident en freinage
Finition générale bien conçue	Matériaux à revoir
Liste d'équipements complète	

PLUS VUS QUE SAAB

Une fois au volant par contre, le 9-7x a des qualités que l'on ne peut négliger. La première, et non la moindre, c'est l'application du moteur 6 cylindres en ligne de 4,2 litres, dont les capacités sont bien connues. Modifié un peu l'année dernière, il développe désormais 291 chevaux avec une étonnante aisance, et est capable de propulser le véhicule sur les routes pour des accélérations sans hésitation, et des reprises ma foi assez dynamiques.

Inspiration américaine et concurrence obligent, le Saab 9-7x est aussi proposé avec un moteur V8 de 5,3 litres (ce sont d'ailleurs les deux seules déclinaisons possibles puisqu'aucun niveau de finition différent n'est au catalogue). Cette fois, c'est une cavalerie de 302 chevaux qui s'anime sous le capot, mais c'est surtout en matière de couple (330 livres-pied) qu'il fait sentir sa différence. En revanche, oubliez la finesse suédoise. La symphonie tout américaine qui s'échappe du moteur n'a rien du raffinement de la famille...

Autre détail non négligeable, le 9-7x n'a pas hérité du traditionnel système quatre roues motrices des autres modèles. On lui a plutôt implanté une traction intégrale plus sophistiquée qui répond mieux aux exigences urbaines du véhicule. En revanche, on ne peut en dire autant de la transmission automatique à quatre rapports, de série sur tous les modèles. On aurait souhaité, au minimum, un rapport supplémentaire, un peu à l'image de la concurrence que sont les Volvo XC90 et que défie clairement la 9-7x.

Les suspensions ont été abaissées et rendues légèrement plus fermes que les autres membres de la famille, inspirées par l'influence européenne. Le résultat sur une route de campagne se rapproche davantage d'un camion que d'une voiture, et provoque un roulis parfois prononcé lors de virages serrés. On ne ressent toutefois pas ce sentiment avec autant d'acuité lorsqu'on roule en zone urbaine, véritable terrain d'appartenance du 9-7x. Le freinage, sans être brusque, est efficace, mais entraîne un plongeon vers l'avant lors d'arrêts d'urgence.

Le 9-7x n'est pas aussi Saab que je l'aurais cru... ou souhaité. Un peu comme si l'Envoy avait reçu un massage suédois. Malgré tout, il a su conserver les caractéristiques que les vrais amateurs de la marque sauront apprécier.

Marc Bouchard

Photos : Saab

OnStar® de GM Canada

VÉHICULE D'ESSAI

Version:	V8 AWD
Prix de détail suggéré:	51 410$
Emp/Lon/Lar/Haut(mm):	2 870/4 907/1 915/1 740
Poids:	2 169 kg
Coffre/Réservoir:	1 127 à 2 268 litres/83 litres
Coussins de sécurité:	frontaux et rideaux
Suspension avant:	indépendante, bras inégaux
Suspension arrière:	essieu rigide, ressorts hélicoïdaux
Freins av./arr.:	disque (ABS)
Antipatinage/Contrôle de stabilité:	oui/oui
Direction:	à crémaillère, assistée
Diamètre de braquage:	12,5 m
Pneus av./arr.:	P255/55R18
Capacité de remorquage:	2 948 kg

MOTORISATION À L'ESSAI

Moteur:	V8 de 5,3 litres 16s atmosphérique
Alésage et course:	96,0 mm x 92,0 mm
Puissance:	302 ch (224 kW) à 5 200 tr/min
Couple:	330 lb-pi (447 Nm) à 4 000 tr/min
Rapport poids/puissance:	7,23 kg/ch (9,81 kg/kW)
Système hybride:	aucun
Transmission:	intégrale, automatique 4 rapports
Accélération 0-100 km/h:	8,9 s
Reprises 80-120 km/h:	7,7 s
Freinage 100-0 km/h:	41,0 m
Vitesse maximale:	190 km/h
Consommation (100 km):	ordinaire, 15,4 litres (constructeur)
Autonomie (approximative):	619 km
Émissions de CO2:	6240 kg/an

GAMME EN BREF

Échelle de prix:	48 900$ à 51 410$
Catégorie:	utilitaire sport intermédiaire
Historique du modèle:	1ière génération
Garanties:	4 ans/80 000 km, 4 ans/80 000 km
Assemblage:	Moraine, Ohio, É-U
Autre(s) moteur(s):	6L 4,2l 291 ch/277lb-pi (15,8 l/100km)
Autre(s) rouage(s):	aucun
Autre(s) transmission(s):	aucune

DANS LA MÊME CATÉGORIE

Acura MDX - Ford Explorer - Jeep Commander - Mercedes-Benz Classe M - Toyota 4Runner

DU NOUVEAU EN 2007

Nouvelles couleurs, système OnStar amélioré

NOS IMPRESSIONS

Agrément de conduite:	🚗 🚗 🚗 ½
Fiabilité:	🚗 🚗 🚗
Sécurité:	🚗 🚗 🚗 🚗 ½
Qualités hivernales:	🚗 🚗 🚗 🚗 ½
Espace intérieur:	🚗 🚗 🚗 🚗
Confort:	🚗 🚗 🚗 🚗

LE CHOIX DE L'ÉQUIPE

V8 AWD

UN MODÈLE CRUCIAL

Basée sur la voiture-concept du même nom dévoilée en 2004, l'Aura confirme le renouveau de cette marque que l'on tenait pour presque morte il y a quelques mois à peine. Coup sur coup, cette division de GM nous a présenté le roadster Sky, le VUS Outlook et finalement cette berline dont la silhouette a été applaudie par la quasi-majorité. Les gens se disaient tous : « Si Saturn commercialise cette voiture, elle fera un malheur sur le marché. » Et le concept est devenu réalité avec cette auto qui est commercialisée à l'automne.

Le plus fascinant à propos de cette nouvelle venue est le fait que sa mécanique n'est pas constituée d'éléments désuets que l'on a tenté de revigorer. Les modèles haut de gamme offrent une nouvelle transmission automatique à six vitesses, une première application chez GM pour une traction, combinée avec le V6 3,6 litres à double arbre à cames en tête. Plus tard en 2007, Saturn présentera l'Aura Green Line, une hybride Ecotec 2,4 litres qui utilisera un système de propulsion similaire à la Saturn Vue Green Line de 2007. Ce sera donc sa première application pour un véhicule de passagers chez ce constructeur.

LE RENOUVEAU DU DESIGN

Il faut savoir que la Aura remplace la LS, l'une des voitures les plus insipides en fait de design à avoir été produite depuis des années par GM. Si la mécanique et le comportement routier de ce modèle étaient dans la bonne moyenne, la tristesse de sa silhouette et de son habitacle a fait fuir les acheteurs. À tel point que GM a abandonné ce modèle avant l'arrivée de sa remplaçante. Heureusement pour Saturn, la stylique de l'Aura est exactement le contraire puisque plusieurs observateurs la décrivent comme l'une de plus élégantes intermédiaires à arriver sur le marché depuis des années.

Le cabriolet Sky a fait des conquêtes avec sa grille de calandre chromée et ses phares cristallins. Les stylistes ont utilisé la même approche sur la berline avec des phares avant à lentille claire et une barre de calandre chromée qui lui donnent vraiment un look d'enfer. Nous sommes très, très loin de la LS et de sa triste mine. Les phares halogènes avec leurs couverts transparents qui fuient vers le

haut et débordent sur les ailes confèrent une impression de mouvement au véhicule, même lorsqu'il est stationnaire. La partie arrière n'est pas en reste : la ligne est élégante et les feux dont la forme se marie bien à la silhouette sont cerclés de chrome. Encore là, c'est du beau travail. Ces feux arrière sont constitués de phares DEL ou à diodes

électroluminescentes. Ils éclairent plus rapidement que les lampes incandescentes ordinaires, ce qui permet aux conducteurs qui suivent l'Aura de réagir plus vite lorsqu'ils voient les feux de freinage.

Ce design renouvelé se manifeste aussi dans l'habitacle qui a toujours été un point faible chez Saturn. Quand ce n'était pas le style qui était en défaut, c'était la qualité des matériaux. Comme pour la carrosserie, l'habitacle de l'Aura marque également un très net progrès et nul doute que les futurs produits Saturn sauront s'en inspirer. Par exemple, les tissus sont de bonne qualité et leur genre ne semble pas provenir des années 70. Il y a bien des plastiques durs ici et là mais c'est acceptable, tandis que l'utilisation de garnitures de chrome ajoute du relief. Le tableau de bord abrite des instruments à affichage analogique analogues avec voyants DEL, rehaussés d'une lumière ambre d'un bel effet. Par contre, la présentation globale de la planche de bord aurait pu être plus inspirée, mais c'est tout de même bien. La lumière ambiante qui provient des lampes du plafond et des panneaux de porte utilise un éclairage avec lampes DEL.

Et l'Aura n'est pas chiche en fait d'équipement. Parmi les éléments offerts, mentionnons le contrôle automatique de la température, une console centrale avec rangement à deux casiers, le siège du conducteur avec ajustement automatique à huit positions, des fenêtres automatiques avec remontée et descente rapide pour le conducteur, des contrôles audio sur le volant et enfin un toit ouvrant panoramique à quatre panneaux. Le catalogue comprend plusieurs systèmes audio dont l'un comportant une radio AM/FM/CD/MP3 avec huit haut-parleurs, un amplificateur de 240 watts et des contrôles audio pour sièges arrière avec deux écouteurs sans fil. La radio satellite XM est disponible sur tous les modèles.

MÉCANIQUE MODERNE

Je me souviens encore de mon premier contact avec un modèle Saturn. Il s'agissait d'un modèle SL avec moteur quatre cylindres et boîte automatique. J'ai appuyé sur l'accélérateur et le moteur a émis un rugissement rauque tandis que la voiture avançait lentement.

C'était le groupe propulseur le plus bruyant que j'avais jamais essayé à l'époque. Mais comme pour le design de la carrosserie et la présentation intérieure, la mécanique a également progressé de façon significative. Plus de beuglement de moteurs et de performances amorphes. Les deux moteurs au catalogue ne sont pas à dédaigner et leur puissance est adéquate pour la catégorie. Les modèles XE sont équipés du moteur V6 3,5 litres avec réglage de distribution variable dont la puissance est de 224 chevaux et 220 lb-pi de couple. Il est livré avec une boîte automatique à quatre vitesses, contrôlée électroniquement. Il est intéressant de souligner que ce moteur est à soupapes en tête mais il possède quand même un système de calage variable des soupapes. Cette technologie a été initialement développée par les ingénieurs de GM sur les moteurs de camionnettes et de VUS récemment commercialisés. Si vous choisissez le modèle XR plus luxueux, vous

serez au volant d'une Aura équipée du moteur V6 3,6 litres à double arbre à cames en tête avec distribution à programme variable. Sa puissance est évaluée à 252 chevaux et 251 lb-pi de couple. Ce moteur est combiné avec la toute nouvelle transmission automatique six rapports Hydra-Matic 6T70. Cette boîte automatique est la première application d'une transmission automatique six vitesses de GM sur une traction. Celle-ci est dotée du Driver Shift Control (DSC), qui permet au conducteur de changer de vitesse manuellement avec sélecteur au volant.

Les communiqués de presse de Saturn sont discrets quant à la provenance de la plate-forme. On se contente d'écrire que «l'Aura est construite sur un châssis robuste et ferme qui sert de fondation pour une expérience de conduite des plus satisfaisantes.» C'est peu dire, mais il appert que l'Aura partage sa plate-forme avec la Pontiac G6, entre autres. Ce qui n'est pas vilain en soi.

La suspension avant est de type MacPherson avec bras de réglage en aluminium en L, tandis que la suspension arrière est dotée de quatre liens indépendants avec amortisseurs à gaz deux tubes et ressorts à boudin, alors que les modèles XR ont des amortisseurs monotubes. Il est également rassurant de constater que tous les modèles de cette Saturn sont livrés avec des freins à disque ABS aux quatre roues. Le modèle XR est également équipé du système d'amélioration de la stabilité Stabilitrak tandis que le XE doit se contenter de la traction asservie. Bref, cette fois, pas de rafistolage maison d'anciens éléments. Et compte tenu du prix de ces deux modèles, l'Aura est très compétitive.

FEU VERT

Silhouette d'enfer
Moteur V6 3,6 litres
Boîte auto 6 rapports
Plate-forme rigide
Freinage efficace

FEU ROUGE

Fiabilité inconnue
Toit panoramique complexe
Certains agencements de couleurs
Moteur V6 3,5 litres bruyant

COMPORTEMENT RASSURANT

Il est indéniable que cette plate-forme est très rigide, ce qui assure non seulement une bonne tenue de route, mais une bonne insonorisation. Ce qui est tant mieux puisque le moteur V5 3,5 litres n'est pas le plus silencieux sur le marché, surtout lorsqu'on accélère à fond. Mais avec le prix du carburant à la hausse, les gens conduisent avec plus de souplesse et cette caractéristique risque d'être moins prévalente.

Par contre, l'autre moteur V6 est, en plus d'être plus puissant, plus silencieux et sa boîte automatique à six rapports est une bonne nouvelle aussi bien en fait de passages des rapports en douceur que d'économie potentielle de carburant. Même si le V6 de 3,6 litres est plus puissant et plus performant, sa consommation est presque identique à celle du V6 3,5 litres.

La tenue en virage de cette nouvelle venue est très linéaire tandis que la direction est relativement précise. Sans doute le fait que les ingénieurs de Saturn ont préféré une direction à assistance hydraulique au lieu d'opter pour une assistance électrique comme le veut la tendance actuelle. Bref, cette nouvelle Saturn est non seulement élégante, mais bien équipée et dotée d'une mécanique correcte. Mieux encore, son prix est fort compétitif par rapport à la qualité obtenue. Pour une fois, la balle est dans le camp des acheteurs !

Denis Duquet

SATURN AURA

VÉHICULE D'ESSAI

Version :	XR
Prix de détail suggéré :	30 985 $
Emp/Lon/Lar/Haut(mm) :	2 852/4 851/1 786/1 464
Poids :	1 654 kg
Coffre/Réservoir :	445 litres/64 litres
Coussins de sécurité :	frontaux, latéraux (av.) et rideaux
Suspension avant :	indépendante, jambes de force
Suspension arrière :	indépendante, multibras
Freins av./arr. :	disque (ABS)
Antipatinage/Contrôle de stabilité :	oui/non
Direction :	à crémaillère, assistée
Diamètre de braquage :	12,3 m
Pneus av./arr. :	P225/50R18
Capacité de remorquage :	453 kg

MOTORISATION À L'ESSAI

Moteur :	V6 de 3,6 litres 24s atmosphérique
Alésage et course :	94,0 mm x 85,6 mm
Puissance :	252 ch (188 kW) à 6 300 tr/min
Couple :	251 lb-pi (340 Nm) à 3 200 tr/min
Rapport poids/puissance :	6,56 kg/ch (8,94 kg/kW)
Système hybride :	aucun
Transmission :	traction, auto. mode man. 6 rapports
Accélération 0-100 km/h :	7,5 s (estimé)
Reprises 80-120 km/h :	6,3 s
Freinage 100-0 km/h :	n.d.
Vitesse maximale :	n.d.
Consommation (100 km) :	ordinaire, 11,3 litres
Autonomie (approximative) :	566 km
Émissions de CO2 :	n.d.

GAMME EN BREF

Échelle de prix :	24 990 $ à 30 985 $
Catégorie :	berline intermédiaire
Historique du modèle :	1ière génération
Garanties :	3 ans/60 000 km, 5 ans/100 000 km
Assemblage :	Kansas City, Kansas, É-U
Autre(s) moteur(s) :	V6 3,5l 224ch/220lb-pi (9,6 l/100km)
Autre(s) rouage(s) :	aucun
Autre(s) transmission(s) :	automatique 4 rapports

DANS LA MÊME CATÉGORIE

Chevrolet Malibu - Chrysler Sebring - Ford Fusion - Honda Accord - Hyundai Sonata - Kia Magentis - Mazda 6 - Mitsubishi Galant - Nissan Altima - Subaru Legacy - Toyota Camry

DU NOUVEAU EN 2007

Nouveau modèle

NOS IMPRESSIONS

Agrément de conduite :	🚗 🚗 🚗 🚗
Fiabilité :	nouveau modèle
Sécurité :	🚗 🚗 🚗 🚗
Qualités hivernales :	🚗 🚗 🚗 ½
Espace intérieur :	🚗 🚗 🚗 🚗
Confort :	🚗 🚗 🚗 🚗

LE CHOIX DE L'ÉQUIPE

XR

Photos : Saturn

AU BAL DES MAL-AIMÉS

« Il y a de l'espoir caché dans les yeux des mal-aimés », chantait Gerry Boulet. Sans doute que si vous ouvrez le capot d'une Saturn Ion, ce n'est pas un moteur que vous y trouverez mais plutôt de l'espoir ! Cette voiture n'est certes pas la meilleure de sa catégorie mais elle réussit quand même à tirer son épingle du jeu dans un milieu aussi compétitif. Le fait de s'appeler Saturn peut aussi lui nuire. Voyons donc de plus près cette berline à qui la vie n'a pas toujours souri...

À sa naissance, la Saturn Ion était handicapée par le lourd passé de ses géniteurs. Elle n'avait pour elle que la réputation de la marque concernant le service à la clientèle et une carrosserie en polymère. Avouez que comme bagage génétique, on a déjà vu mieux ! Cette année, la Ion nous revient sans trop de changements. Trois versions sont proposées soit la berline, le coupé mieux connu sous le vocable Quad Coupe et la sportive Red Line. La berline représente la version la plus commune, tandis que le Quad Coupe se veut une intéressante solution technique. Il s'agit d'un coupé quatre portes. Les portes arrière, plus petites que les portes avant sont de type suicide, c'est-à-dire qu'elles s'ouvrent à contresens. Ce type de portes facilite grandement l'accès aux places arrière mais il affecte la solidité du châssis. Nous y reviendrons. Enfin, la Saturn Ion Red Line se prend pour une sportive avec son moteur turbo.

Trois moteurs sont disponibles. On retrouve d'abord un quatre cylindres 2,2 litres de 145 chevaux et 150 livres-pied de couple, standard pour tous les modèles. Accouplé à une transmission manuelle à cinq rapports ou, en option, à une automatique à quatre rapports, ce moteur, sans être un foudre de guerre, se montre honnête. Il est fiable et économique. La plupart des gens ne demandent que ça d'un moteur ! Pour ceux qui en

désirent un peu plus, Saturn offre, en option, le 2,4 litres. Ses 175 chevaux et 164 livres-pied de couple donnent un tout autre caractère à la Ion. Ce moteur mérite le surplus demandé (il faut alors choisir la Ion 3... Chez Saturn, les groupes d'option portent des noms compliqués comme 1, 2 ou 3) Tous ces moteurs, et celui de la Red Line que nous verrons plus loin, font partie de la famille Ecotec, devenue synonyme de réussite chez GM. Ça leur arrive tellement peu souvent... Mentionnons que cette année, les 2,2 et 2,4 ont connu une légère hausse de leur puissance et de leur couple.

DU SUCRE ET DU SEL

Si les moteurs et les transmissions sont réussis, on ne peut en dire autant des autres composantes. Le châssis se débrouille bien sous la berline mais la perte du pilier central de la Quad Coupe lui enlève une partie de sa rigidité. Il y a deux ou trois ans, j'aurais écrit « lui enlève toute rigidité ». Alors, il y a amélioration ! Les suspensions sont calibrées en fonction du confort plutôt que de la sportivité. À l'arrière, on retrouve une suspension semi-indépendante. Ce type de suspension autorise une bonne tenue de route tout en dégageant un bel espace dans le coffre à bagages. En virage, on ressent un généreux roulis mais la Ion s'accroche au bitume avec détermination. Un système de contrôle de la traction est

FEU VERT	FEU ROUGE
Prix intéressants	Direction déconnectée
Service après-vente vraiment serviable	Freins aberrants (sauf Red Line)
Grand coffre	Suspensions dures (Red Line)
Habitacle confortable	Qualité de la finition déplorable
Bons moteurs	Manque de raffinement général

disponible, en option ou en équipement standard selon la version. La direction, ayant sans doute abusé de substances illicites, est totalement déconnectée de la réalité. Soulignons le très faible rayon de braquage, parfait pour «virer sur un dix cennes». Les freins, par contre, font toujours preuve d'un laxisme éhonté. Au moins, il est désormais possible d'opter pour l'ABS. Auparavant, ce n'était même pas envisageable !

Jusqu'à présent, nous avons été relativement gentils avec la Ion. Pour continuer ainsi, il faudrait que nous passions notre tour sur l'habitacle. C'est très mal nous connaître… La position de conduite se trouve aisément, les sièges avant sont confortables et le tableau de bord fait preuve d'ergonomie, mais on ne peut passer sous silence la piètre finition de l'habitacle, sur notre voiture d'essai du moins. Les places arrière de la Quad Coupe se révèlent très peu confortables mais les dossiers s'abaissent pour agrandir un coffre déjà caverneux.

ET LA RED LINE ?

Avec son moteur de 2,0 litres surcompressé de 205 chevaux et 200 livres-pied de couple, avec *intercooler* associé à une transmission manuelle à cinq rapports, inutile de vous dire que les performances de cette voiture sont éblouissantes. Un peu trop même. Il s'agit de beaucoup de puissance pour une traction (roues avant motrices). Curieusement, alors que les versions les plus sages peuvent profiter d'un contrôle de la traction, la Red Line, qui en aurait tellement besoin, est livrée à elle-même. Les pneus avant larges et durs, les suspensions plus ou moins adaptées et l'absence de contrôle de traction amènent souvent une perte d'adhérence du train avant. Mais quiconque sait piloter le moindrement saura éviter ces travers. Les freins de la Red Line, à l'opposé de ceux des autres Ion, autorisent des distances d'arrêt très sûres. L'habitacle de la Red Line diffère un peu des autres. Les sièges Recaro sont tout simplement parfaits et les jauges, toujours situées au centre du tableau de bord, proposent un design différent. Mais les espaces de rangement sont tout aussi inexistants !

La Ion, peu importe la configuration des portières, risque de demeurer mal aimée toute sa vie. Les gens n'en ont que pour les Honda Civic, Hyundai Elantra et Mazda3, toutes infiniment plus raffinées qu'elle. Pourtant, elle a énormément à offrir. À commencer par un prix plus abordable que ses concurrentes. C'est déjà beaucoup.

Alain Morin

Photos : Saturn

VÉHICULE D'ESSAI

Version :	Red Line
Prix de détail suggéré :	22 995 $
Emp/Lon/Lar/Haut(mm) :	2 629/4 699/1 725/1 412
Poids :	1 336 kg
Coffre/Réservoir :	402 litres / 49 litres
Coussins de sécurité :	frontaux
Suspension avant :	indépendante, jambes de force
Suspension arrière :	demi-ind., poutre déformante
Freins av./arr. :	disque (ABS)
Antipatinage/Contrôle de stabilité :	non / non
Direction :	à crémaillère, assistance variable électrique
Diamètre de braquage :	10,8 m
Pneus av./arr. :	P215/45ZR17
Capacité de remorquage :	non recommandé

MOTORISATION À L'ESSAI

Moteur :	4L de 2,0 litres 16s surcompressé
Alésage et course :	86,0 mm x 86,0 mm
Puissance :	205 ch (153 kW) à 5 600 tr/min
Couple :	200 lb-pi (271 Nm) à 4 400 tr/min
Rapport poids/puissance :	6,52 kg/ch (8,85 kg/kW)
Système hybride :	aucun
Transmission :	traction, manuelle 5 rapports
Accélération 0-100 km/h :	8,6 s
Reprises 80-120 km/h :	8,4 s
Freinage 100-0 km/h :	36,8 m
Vitesse maximale :	195 km/h
Consommation (100 km) :	super, 11,3 litres
Autonomie (approximative) :	442 km
Émissions de CO2 :	4 031 kg/an

GAMME EN BREF

Échelle de prix :	13 995 $ à 26 270 $
Catégorie :	berline compacte/coupé
Historique du modèle :	1ère génération
Garanties :	3 ans/60 000 km, 5 ans/100 000 km
Assemblage :	Spring Hill, Tennessee, É-U
Autre(s) moteur(s) :	4L 2,2l 145ch/150lb-pi (9,5 l/100km)
	4L 2,4l 175ch/164lb-pi (9,4 l/100km)
Autre(s) rouage(s) :	aucun
Autre(s) transmission(s) :	automatique 4 rapports

DANS LA MÊME CATÉGORIE

Chevrolet Cobalt - Honda Civic - Ford Focus - Nissan Sentra - Mazda3 - Kia Spectra - Toyota Corolla

DU NOUVEAU EN 2007

Moteur 2,2 et 2,4 un peu plus puissants, version Red Line, Compétitive Coupé

NOS IMPRESSIONS

Agrément de conduite :	🚗 🚗 🚗 ½
Fiabilité :	🚗 🚗 🚗 🚗
Sécurité :	🚗 🚗 🚗 🚗
Qualités hivernales :	🚗 🚗 ½
Espace intérieur :	🚗 🚗 🚗 ½
Confort :	🚗 🚗 🚗 ½

LE CHOIX DE L'ÉQUIPE

Berline 3

505

LA SŒUR JUMELLE

La Saturn Sky est devenue la deuxième voiture élaborée sur la nouvelle plate-forme Kappa, développée en toute hâte par General Motors afin de créer la Pontiac Solstice l'an dernier. Et bien que l'on puisse les qualifier de jumelles, il est important de préciser que la Solstice et la Sky ne sont pas identiques puisque les deux voitures ont leur propre signature visuelle. Mentionnons également que la Sky sera commercialisée en Europe sous la bannière Opel et qu'elle recevra alors le nom très simple de GT.

À l'heure actuelle, les Solstice et Sky font partie des rares «bons problèmes» de General Motors, puisque la demande pour ces nouvelles voitures à vocation sportive dépasse la capacité de production. Ainsi, la production annuelle de la Sky pour l'année 2006 était déjà allouée peu après sa mise en marché, alors que la Solstice connaissait le même accueil enthousiaste. Il faut cependant spécifier que la production annuelle de ces voitures est plutôt limitée, Pontiac n'ayant produit que 20,000 exemplaires de la Solstice en 2006. Ce n'est donc pas avec ces deux voitures que l'on va redresser le bilan financier du géant américain, mais c'est tout de même bon pour le moral des troupes.

UN LOOK PLUS CHARGÉ

Au premier coup d'œil, certaines différences entre la Sky et la Solstice sont assez évidentes, mais d'autres passent totalement inaperçues, comme le fait que la Sky mesure environ 10 centimètres de plus en longueur. Ce qui est évident par contre, c'est que la Sky affiche des prises d'air factices, donc non fonctionnelles sur le capot, que sa calandre est ornée de chrome et que ses phares sont composés de plusieurs lentilles. Parmi les autres différences notables entre les deux voitures, notons le fait que la sonorité de l'échappement de la Sky est moins présente, que son toit est mieux isolé et que ses suspensions ont un débattement allongé. L'habitacle est cependant affligé des défauts déjà relevés sur la Solstice, notamment que la qualité des plastiques laisse à désirer, et que les rangements sont difficiles d'accès, surtout celui localisé entre les dossiers des sièges avant, qui oblige le conducteur et le passager à développer des talents de contorsionniste pour pouvoir l'atteindre...

Quant au coffre, on note le même défaut que sur la Solstice, soit le fait que le réservoir d'essence empiète sur le volume utilisable, créant littéralement une bosse dans le plancher du coffre. On pourrait pardonner cet impair si la Solstice et la Sky avaient été élaborées à partir de plates-formes existantes qui auraient nécessité certains compromis, mais ce n'est pas le cas puisqu'elles sont réalisées sur la toute nouvelle plate-forme Kappa qui a justement été conçue pour ces deux voitures. Comment a-t-on pu laisser passer cette erreur chez General Motors? Voilà qui relève du plus grand mystère... Ainsi, avec le toit en place, l'espace de chargement fait cinq pieds cubes, selon les concepteurs de General Motors, mais la forme irrégulière de cet espace compromet sa fonctionnalité. Et lorsqu'on choisit de replier le toit souple qui loge donc dans le coffre, l'espace déjà réduit ne permet plus que d'y insérer deux porte-documents.

FEU VERT
Style réussi
Châssis rigide
Direction précise
Bonne tenue de route

FEU ROUGE
Poids élevé
Qualité des plastiques intérieurs
Volume du coffre et espaces de rangement
Manque de soutien latéral des sièges

CONFORT AVANT SPORT

Tout comme la Solstice, la Sky est de conception similaire à la Corvette, dans la mesure où les procédés de fabrication sont semblables, les châssis de ces deux voitures faisant appel à des éléments hydroformés ainsi qu'à une «colonne vertébrale» centrale, mais les similitudes s'arrêtent là puisque la plate-forme Kappa ne partage aucun élément avec celle de la Corvette. Sur la route, on note immédiatement que ce châssis s'avère rigide, ce qui autorise d'assez bonnes performances en tenue de route, mais comme les suspensions ont calibrées avec des réglages plus souples que ceux qui ont été retenus pour la Solstice, on remarque que la Sky a tendance à plonger vers l'avant lors d'un freinage intense et de s'écraser vers l'arrière en accélération franche. Les pneus surdimensionnés aident à masquer ces lacunes concernant la tenue de route en virage, mais il faut plutôt considérer la Sky comme une voiture confortable ayant une belle allure, plutôt que comme une véritable voiture sport. De plus, son principal point faible est son poids excessif, ce qui a une incidence directe sur les performances en accélération. En effet, la Sky est plus lourde que la Mazda MX-5, la différence de poids entre les deux se chiffre à plus de 200 kilos. Le résultat, c'est que l'on doit toujours accélérer fortement pour compenser cet excès de poids. Tandis que le manque de couple à bas régime du moteur Ecotec de 2,4 litres nous force constamment à rétrograder lorsqu'on effectuer une manœuvre de dépassement. Bref, ça manque de moteur, tout comme la Pontiac Solstice d'ailleurs, et c'est en partie pour cette raison que je préfère la Mazda MX-5 à la Sky ou la Solstice.

L'envers de la médaille, c'est que la MX-5, et la Miata qui l'a précédée, sont des voitures que l'on voit souvent sur la route, alors que la Sky et la Solstice ont le mérite d'apporter un peu de nouveauté dans ce créneau du marché, ce qui ne manquera pas de plaire à une partie de la clientèle soucieuse de se démarquer.

Gabriel Gélinas

VÉHICULE D'ESSAI

Version:	Base
Prix de détail suggéré:	31 655$
Emp./Lon/Lar/Haut(mm):	2415/4091/1 813/1 273
Poids:	1 330 kg
Coffre/Réservoir:	57 à 153 litres/51,5 litres
Coussins de sécurité:	frontaux
Suspension avant:	indépendante, bras inégaux
Suspension arrière:	indépendante, bras inégaux
Freins av./arr.:	disque (ABS)
Antipatinage/Contrôle de stabilité:	non/non
Direction:	à crémaillère, assistée
Diamètre de braquage:	10,7 m
Pneus av./arr.:	P245/45R18
Capacité de remorquage:	non recommandé

MOTORISATION À L'ESSAI

Moteur:	4L de 2,4 litres 16s atmosphérique
Alésage et course:	88,0 mm x 98,0 mm
Puissance:	177 ch (132 kW) à 6 600 tr/min
Couple:	166 lb-pi (225 Nm) à 4 800 tr/min
Rapport poids/puissance:	7,51 kg/ch (10,23 kg/kW)
Système hybride:	aucun
Transmission:	propulsion, manuelle 5 rapports
Accélération 0-100 km/h:	7,8 s
Reprises 80-120 km/h:	7,0 s
Freinage 100-0 km/h:	41,0 m
Vitesse maximale:	198 km/h
Consommation (100 km):	ordinaire, 10,0 litres
Autonomie (approximative):	515 km
Émissions de CO2:	4 800 kg/an

GAMME EN BREF

Échelle de prix:	31 665$
Catégorie:	roadster
Historique du modèle:	1ère génération
Garanties:	3 ans/60 000 km, 5 ans/100 000 km
Assemblage:	0
Autre(s) moteur(s):	4L 2,0l turbo 260ch/260lb-pi (11,2 l/100km) Red Line
Autre(s) rouage(s):	aucun
Autre(s) transmission(s):	automatique 5 rapports

DANS LA MÊME CATÉGORIE

Chrysler Crossfire - Mazda MX-5 - Pontiac Solstice

DU NOUVEAU EN 2007

Nouveau modèle

NOS IMPRESSIONS

Agrément de conduite:	🚗🚗🚗
Fiabilité:	nouveau modèle
Sécurité:	🚗🚗🚗
Qualités hivernales:	🚗
Espace intérieur:	🚗🚗🚗
Confort:	🚗🚗🚗

LE CHOIX DE L'ÉQUIPE

Red Line

LA COQUELUCHE

Les Américains la boudent, les Européens l'ont quelque peu délaissée, mais les Canadiens craquent toujours pour cette microvoiture qui continue de renverser toutes les prévisions de ventes de Mercedes Canada. Le plus intéressant à propos de cette popularité sans cesse croissante, c'est que l'effet d'exotisme est maintenant passé. Ça fait trois ans que cette petite allemande fabriquée en France est parmi nous, et elle fait dorénavant partie du paysage urbain. Et il est certain que les fluctuations du prix du carburant la rendent encore plus attrayante.

Plus un véhicule est petit et léger, moins il a besoin d'un gros moteur pour le propulser. Et dans le cas de la SMART, cette règle est appliquée à la lettre car cette puce de de la route est dotée d'un moteur tricylindres d'une puissance de 40,2 chevaux. Pour être plus gentil, on peut parler d'un moteur de 800 cc! Ici, toute partie de cheval-vapeur doit être soulignée. Et il est bon d'ajouter que ce moteur est celui ayant la plus grosse cylindrée de la gamme puisque la SMART est vendue en Europe avec une version équipée d'un moteur trois cylindres de 696 cc. Mais attention! C'est un moteur à essence et non pas un diesel. Couplé à un turbocompresseur, il se décline en trois versions: 50, 60 et 75 chevaux. Dans ce dernier cas, il s'agit du modèle révisé par la maison de Tuning Brabus et il est alors possible de boucler le 0-100 km/h en un peu plus de 13,2 secondes.

Mais pour le Canada, les responsables de la commercialisation de la SMART ont décidé de jouer la carte de l'économie de carburant que procure la version diesel. D'ailleurs, lors de l'édition 2006 du *Guide*, la traversée du Canada au volant de ce véhicule a permis de maintenir une consommation moyenne de 4,0 litres aux 100 km, ce qui est digne de mention.

DESIGN! DESIGN!

Il y a eu bien des microvoitures par le passé, mais la plupart affichaient une silhouette d'épouvantail tandis que l'habitacle était terne et déprimant. Bref, tout le contraire de la Fortwo dont la silhouette si caractéristique fait encore tourner les têtes. Il s'agit en fait d'une demi-voiture alors que les concepteurs ont conservé la hauteur et la largeur d'un véhicule courant pour couper court presque derrière les sièges avant. Nous ne sommes pas loin de la cabine téléphonique sur roues! En plus de ses dimensions plus que modestes qui lui permettent de se garer pratiquement n'importe où, cette allure verticale la démarque automatiquement de tout ce qui circule sur nos routes. Par contre, ses dimensions lilliputiennes en inquiètent plusieurs en fait de sécurité passive. Comment un si petit véhicule peut-il protéger ses occupants en cas de collision frontale? Grâce à une conception fort ingénieuse utilisant la structure de base du véhicule pour absorber l'énergie générée par l'impact, les passagers sont bien protégés. En fait, des tests européens ont permis à la SMART de devancer toutes les autres voitures de la catégorie concernant la protection des occupants. Si vous regardez la photo de cette voiture, vous apercevez une structure de couleur contrastante qui est située derrière la portière et qui descend en pointe pour former le seuil de cette même portière. Cet élément en acier ultra rigide sert de

FEU VERT

Économique en carburant
Sièges confortables
Bonne habitabilité
Finition soignée
Tenue de route correcte

FEU ROUGE

Nouveau modèle en instance
Réservoir de carburant trop petit
Sensible au vent latéral
Prix relativement élevé
Faible puissance du moteur

structure à la voiture, mais a aussi pour effet d'absorber l'énergie. En plus, cette conception très pratique contribue grandement à donner une silhouette inédite à la voiture.

L'habitacle assure un bon dégagement pour les jambes, les coudes et la tête. Même si la voiture est vraiment petite, on peut y prendre ses aises. Et force est de souligner l'excellence du design de la planche de bord dont les éléments ont une apparence ludique tout en étant fort pratiques. Bien que la première impression soit d'être à bord d'un jouet surdimensionné, tous les éléments sont commodes et faciles d'opération. D'ailleurs, parlant de côté pratique, le coffre à bagages est d'une capacité surprenante. Il est possible de placer quatre sacs d'épicerie et, avec un peu d'ingéniosité, un objet relativement encombrant, pour autant que ses parois soient souples. Enfin, les sièges sont confortables et leur tissu de très bonne qualité.

PATIENCE !

Malgré la présence d'une boîte de vitesses séquentielle à six rapports comme sur certaines voitures de sport, les performances de notre super économique ne sont pas de nature à plaire aux personnes excitées. En effet, même en passant les vitesses en mode manuel, le 0-100 km/h se boucle juste en bas des 20 secondes et les reprises sont quasiment aussi lentes. Et plusieurs personnes se plaignent de la lenteur du passage des rapports. Après avoir essayé de nombreuses SMART, il semble qu'il y a plusieurs variantes à ce sujet. La meilleure solution est de passer les vitesses manuellement. Mais la patience est toujours de mise.

Cette voiture a été conçue pour être utilisée en ville et c'est dans cet environnement qu'elle est la plus gratifiante. La puissance de son moteur est suffisante pour suivre le flot de la circulation, tandis que ses dimensions en font un vrai véhicule passe-partout et un «stationne-partout» sans rival. Par contre, sur les autoroutes, cela demande un peu plus de doigté, entourés que nous sommes par de gros mastodontes. Malgré tout, il est possible de rouler sans trop de difficultés à plus de 100 km/h. Par contre, un fort vent de face rend la voiture sous-vireuse, mais ce n'est pas dramatique.

Économique en carburant, capable de rouler l'hiver avec de bons pneus à neige, relativement confortable en plus de vous assurer de devenir la vedette de votre entourage, voilà autant de raisons qui expliquent la popularité de la SMART.

Denis Duquet

Photos : Alain Morin

VÉHICULE D'ESSAI

Version :	Passion
Prix de détail suggéré :	20 295 $
Emp/Lon/Lar/Haut(mm) :	1 810/2 500/1 515/1 550
Poids :	730 kg
Coffre/Réservoir :	260 litres/22 litres
Coussins de sécurité :	frontaux et latéraux (av.)
Suspension avant :	indépendante, jambes de force
Suspension arrière :	indépendante, multibras
Freins av./arr. :	disque/tambour (ABS)
Antipatinage/Contrôle de stabilité :	oui/oui
Direction :	à crémaillère, assistance variable
Diamètre de braquage :	8,7 m
Pneus av./arr. :	P145/65R15 / P175/55R15
Capacité de remorquage :	non recommandé

MOTORISATION À L'ESSAI

Moteur :	3L de 0,8 litre 6s turbodiesel
Alésage et course :	65,5 mm x 79,0 mm
Puissance :	40,2 ch (30 kW) à 4 200 tr/min
Couple :	73,8 lb-pi (100 Nm) de 1 800 à 2 800 tr/min
Rapport poids/puissance :	18,16 kg/ch (24,33 kg/kW)
Système hybride :	aucun
Transmission :	propulsion, séquentielle 6 rapports
Accélération 0-100 km/h :	19,8 s
Reprises 80-120 km/h :	19,9 s
Freinage 100-0 km/h :	42,0 m
Vitesse maximale :	135 km/h
Consommation (100 km) :	diesel, 4,5 litres
Autonomie (approximative) :	489 km
Émissions de CO2 :	n.d.

GAMME EN BREF

Échelle de prix :	16 700 $ à 24 650 $
Catégorie :	sous-compacte
Historique du modèle :	1ière génération
Garanties :	4 ans/80 000 km, 4 ans/80 000 km
Assemblage :	Hambach, France
Autre(s) moteur(s) :	aucun
Autre(s) rouage(s) :	aucun
Autre(s) transmission(s) :	aucune

DANS LA MÊME CATÉGORIE

Chevrolet Aveo - Toyota Yaris

DU NOUVEAU EN 2007

Nouveau modèle prévu début 2007, dimensions plus importantes

NOS IMPRESSIONS

Agrément de conduite :	🚗 🚗 🚗 🚗
Fiabilité :	🚗 🚗 🚗 🚗
Sécurité :	🚗 🚗 🚗 🚗
Qualités hivernales :	🚗 🚗 ½
Espace intérieur :	🚗 🚗 🚗 ½
Confort :	🚗 🚗 🚗 ½

LE CHOIX DE L'ÉQUIPE

Pulse cabriolet

LA DISCRÉTION DANS LA POLYVALENCE

Les nouvelles Subaru ont beau nous offrir une calandre plus originale, elles demeurent presque toutes trop anonymes. Et si l'Impreza a connu une chirurgie esthétique relativement majeure l'an denier, la Forester s'est contenté de quelques retouches tout au plus. Et je ne suis pas certain si les propriétaires actuels et acheteurs éventuels souhaitent attirer l'attention. Compte tenu de la satisfaction des propriétaires de ce modèle, il semble que ce soit l'efficacité générale de ce véhicule, ses qualités routières et son comportement hors route qui comptent.

Même après deux révisions successives, la silhouette est toujours aussi anonyme. Il faut se souvenir que ce modèle avait été sérieusement révisé en 2005, avant de subir quelques autres modifications à la partie avant en 2006 afin d'uniformiser le look de la marque. Il faut avouer que l'arrivée de la Tribeca a obligé les stylistes à revoir les autres modèles de la gamme. Malgré tout, la Forester est sage comme une image. On a beau avoir redessiné les phares avant, la grille de calandre et retouché quelque peu la partie arrière, le résultat est encore le même : personne ne se retourne sur son passage.

Et il ne faut pas croire que l'habitacle soit plus songé. La sagesse visuelle et l'efficacité règnent en maître. Ici, tout est à sa place, la présentation est sobre et de bon goût tandis que les matériaux sont de première qualité et la finition toujours impeccable. De plus, rien à redire à propos des commandes qui sont simples d'opération et faciles à localiser. Par contre, le système audio pourrait être doté de haut-parleurs de meilleure qualité. On a même trouvé le moyen de placer un coffret de rangement sur le dessus de la planche de bord, en plein centre. Et avec une capacité de chargement de 838 litres avec sièges arrière relevés et de 1 775 litres une fois les dossiers 60/40 abaissés, cette Subaru est un véritable avale-tout. Il faut souligner au passage que le hayon en aluminium est léger tandis que le seuil de chargement est bas. Détail intéressant, Subaru refuse d'offrir un hayon doté d'une vitre arrière qui s'ouvre sous prétexte que cela viendrait nuire à la rigidité de la voiture. Enfin, les places arrière sont relativement spacieuses compte tenu des dimensions extérieures de ce VUS urbain.

MOTEURS, MOTEURS

Bien entendu, cette Subaru est dotée d'un moteur quatre cylindres à plat comme c'est la tradition chez ce constructeur. Et si vous avez des doutes quant à la pertinence de cette mécanique, allez demander à un représentant de Subaru pour avoir des explications. Vous ne vous en sortirez pas avant une demi-heure, minimum. En effet, ce moteur est quasiment vénéré comme un objet de culte par ces gens. Parmi ses qualités, il faut souligner son faible encombrement, son centre de gravité très bas et un bloc moteur très rigide. De plus, comme le vilebrequin est étonnamment court, les vibrations sont réduites. Par contre, il a toujours été plus difficile d'utiliser un système de soupapes en tête, ce que les ingénieurs de la compagnie ont tout de même réalisé avec brio. Toutefois, sa sonorité est quelque peu particulière tandis que le couple n'est pas toujours en harmonie avec la courbe de puissance. Il peut être couplé à une boîte manuelle à cinq rapports ou une transmission automatique à

FEU VERT
Transmission intégrale efficace
Finition soignée
Nombreux espaces de rangement
Bonne routière
Moteur turbo nerveux

FEU ROUGE
Moteur atmosphérique peu performant
Consommation du moteur turbo
Silhouette anonyme
Certaines commandes à revoir

quatre rapports. En passant, cette boîte fait le travail, mais il faudra bien ajouter un cinquième rapport bientôt si on veut pourvoir suivre la tendance du marché. Soulignons au passage que la boîte manuelle a gagné en précision au cours des dernières années. Cette année, deux moteurs sont encore au catalogue. Le moteur de série est le quatre cylindres de 2,5 litres d'une puissance de 173 chevaux, ce qui convient sans doute à la majorité des gens. Mais il ne faut pas oublier la version turbocompressée de ce même moteur qui produit 230 chevaux et un couple de 235 lb-pi. Il dope non seulement les performances, mais il permet de pouvoir compter sur des reprises et des accélérations plus sécuritaires lorsque le véhicule est chargé.

Ce moteur, grâce à son centre de gravité très bas puisque ses cylindres sont horizontaux convient à merveille à une transmission intégrale. En effet, il permet d'offrir une ligne horizontale presque parfaitement droite entre le moteur, la boîte de transfert et le différentiel arrière. Il en résulte une meilleure répartition des masses.

ABONNÉ À LA PREMIÈRE PLACE

Dans le cadre de l'édition 2006 du *Guide de l'auto,* nous avions organisé une confrontation de tous les VUS urbains et c'est le Forester qui a terminé en tête. Et elle s'était mérité le même rang lors d'un exercice similaire réalisé précédemment. C'est dire que cette Subaru est capable de réaliser toutes les tâches que ce soit sur une route secondaire, en ville, sur une autoroute ou encore dans un sentier quasiment impraticable. Comme le disait l'un des essayeurs de ce match : « On se croit au volant d'une automobile qui est capable de passer presque partout. » Il est vrai que l'embrayage de la transmission manuelle est parfois délicat à gérer en conduite hors route, que les freins arrière à tambour de la version de base ne sont pas trop efficaces, mais ce sont des peccadilles par rapport au comportement d'ensemble de ce véhicule.

Certes il ne possède pas la même robustesse qu'un vrai 4X4 à châssis autonome capable de franchir des passages qui lui sont interdits en raison de sa garde au sol plus limitée et de ses organes mécaniques non protégés, mais avec un peu de prudence et de doigté, c'est surprenant les obstacles que ce véhicule est capable de franchir. Et une fois revenu sur la route, il est alors possible d'apprécier son comportement routier, son confort et une consommation de carburant pour le moins raisonnable de moins de 10 litres au 100 km.

Denis Duquet

Photos : Subaru

VÉHICULE D'ESSAI

Version :	2,5 X
Prix de détail suggéré :	27 995 $ (2006)
Emp/Lon/Lar/Haut(mm) :	2 525/4 485/1 735/1 590
Poids :	1 880 kg
Coffre/Réservoir :	869 à 1 943 litres/60 litres
Coussins de sécurité :	frontaux et latéraux (av.)
Suspension avant :	indépendante, jambes de force
Suspension arrière :	indépendante, multibras
Freins av./arr. :	disque (ABS)
Antipatinage/Contrôle de stabilité :	non/non
Direction :	à crémaillère, assistance variable
Diamètre de braquage :	10,6 m
Pneus av./arr. :	P215/60R16
Capacité de remorquage :	990 kg

MOTORISATION À L'ESSAI

Moteur :	H4 de 2,5 litres 16s atmosphérique
Alésage et course :	99,5 mm x 79,0 mm
Puissance :	173 ch (129 kW) à 5 600 tr/min
Couple :	166 lb-pi (225 Nm) à 4 000 tr/min
Rapport poids/puissance :	10,87 kg/ch (14,8 kg/kW)
Système hybride :	aucun
Transmission :	intégrale, manuelle 5 rapports
Accélération 0-100 km/h :	10,5 s
Reprises 80-120 km/h :	9,1 s (4e)
Freinage 100-0 km/h :	40,0 m
Vitesse maximale :	210 km/h
Consommation (100 km) :	ordinaire, 9,8 litres
Autonomie (approximative) :	612 km
Émissions de CO2 :	4464 kg/an

GAMME EN BREF

Échelle de prix :	27 995 $ à 38 695 $ (2006)
Catégorie :	utilitaire sport compact
Historique du modèle :	1ère génération
Garanties :	3 ans/60 000 km, 5 ans/100 000 km
Assemblage :	Gunma, Japon
Autre(s) moteur(s) :	H4 2,5l turbo 230ch/235lb-pi
	(12,0 l/100km)
Autre(s) rouage(s) :	aucun
Autre(s) transmission(s) :	automatique 4 rapports

DANS LA MÊME CATÉGORIE

Dodge Nitro - Ford Escape - Honda CR-V - Hyundai Santa Fe - Jeep Liberty - Kia Sportage - Mitsubishi Outlander - Nissan X-Trail - Suzuki XL-7 - Toyota Rav4

DU NOUVEAU EN 2007

Pas de changement majeur

NOS IMPRESSIONS

Agrément de conduite :	🚗 🚗 🚗 ½
Fiabilité :	🚗 🚗 🚗 ½
Sécurité :	🚗 🚗 🚗 🚗
Qualités hivernales :	🚗 🚗 🚗 🚗 🚗
Espace intérieur :	🚗 🚗 🚗 ½
Confort :	🚗 🚗 🚗 ½

LE CHOIX DE L'ÉQUIPE

2,5 XT

VITE FAIT, BIEN FAIT!

Il est difficile d'imaginer une gamme plus complète que celle de la Subaru Impreza. On retrouve tout d'abord la placide Impreza, vendue en version berline ou familiale, la familiale Outback qui se permet d'aller jouer dans la boue, l'impétueuse Impreza WRX aussi offerte en configuration berline ou familiale et la démentielle Impreza WRX STi, proposée uniquement en livrée berline. Il y a tellement de différences entre les Impreza tout court et Outback et les modèles sport que sont les WRX et WRX Sti, que nous devons faire deux essais séparés!

Même si les modèles les plus excentriques avec leurs ailerons surdimensionnés et leurs performances à faire rêver les plus blasés drainent vers eux tous les regards, les versions moins spectaculaires ne sont pas à dédaigner pour autant. Regardons donc ce que nous présentent les Impreza et Outback, dépoussiérées l'an dernier. On a alors revu à la hausse la puissance des moteurs et amélioré l'équipement de base. Mais ce sont les modifications esthétiques qui sont les plus évidentes. La calandre n'est pas sans rappeler celle de la Tribeca mais en moins controversée. Selon moi, c'est plutôt réussi et, comme le disait un de mes anciens patrons, vous avez droit à mon opinion...

L'habitacle est plus traditionnel que la carrosserie. L'aménagement est sobre et de bon goût, les cadrans du tableau de bord se consultent facilement, mais c'est surtout au chapitre de l'espace habitable que l'on retrouve les notes discordantes. Si les places avant se révèlent tout juste correctes, les passagers montant à l'arrière risquent de trouver leur expérience un peu pénible. Et la personne devant se taper la place centrale maudira les quatre autres personnes à bord pour le reste de sa vie! Sur notre véhicule d'essai, une Impreza Sportwagon 2,5i, d'importants craquements semblaient provenir du siège arrière par temps froids. Ce

phénomène ne s'est pas manifesté lors d'essais effectués avec d'autres Impreza. Malheureusement, dans la berline, les dossiers ne s'abaissent pas mais on retrouve, au moins, une trappe à skis. Le coffre de la berline est assez grand, toutefois l'ouverture est trop petite. Bien sûr, ceci ne se répète pas sur la familiale SportWagon qui propose un espace de rangement beaucoup plus important.

PEUT-ÊTRE PAS DE TURBO MAIS...

La finition intérieure se veut très correcte mais on déplore le recouvrement du toit en carton *cheap* et la sonorité de la radio, très ordinaire. Ce système audio devrait être plus performant, compte tenu des vitres qui silent à l'occasion (les vitres ne sont pas entourées d'un cadre) et du moteur qui se montre d'une indiscrétion totale! Ledit moteur, un 2,5 litres de 173 chevaux et 166 livres-pieds de couple est très bruyant, même à vitesse constante, et on cherche toujours à passer à un rapport supérieur (avec la transmission manuelle, bien entendu!) Les performances de ce moteur atmosphérique sont très acceptables, mais il est loin d'être aussi agréable à pousser que le 2,5 litres turbo compressé de la WRX. À défaut de proposer un turbo, le 2,5 des Impreza de base fonctionne à l'essence sans plomb régulière et ne consomme que 8,7 litres aux cent kilomètres, et ce, en plein hiver. Ce moteur saura satisfaire les

FEU VERT
Moteur peu assoiffé
Comportement routier sain
Rouage intégral impressionnant
Version Outback bien pensée
Finition de qualité

FEU ROUGE
Habitabilité moyenne
Dossiers arrière ne s'abaissent pas (berline)
Moteur très bruyant
Pièces très dispendieuses
Style controversé

gens ne recherchant pas les performances à tout crin. Heureusement, l'embrayage de la transmission manuelle à cinq rapports est bien dosé et son maniement ne cause aucun souci. Si vous n'aimez pas changer vous-même les rapports, la transmission automatique est tout aussi indiquée. La direction fait preuve de précision même si son *feedback* pourrait être mieux dosé. Les freins des Impreza de base n'ont pas le mordant de ceux des WRX ou WRX Sti, mais ils s'accomplissent tout de même fort bien de leur tâche.

Notre 2,5i était chaussée de pneus d'hiver Blizzak, redoutables mangeurs de neige et de gadoue. La tenue de route se révèle fort efficace, gracieuseté d'un châssis très rigide et de suspensions bien ajustées, qui confèrent une agilité certaine à l'Impreza. Merci aussi au rouage intégral «Symmetrical AWD», extrêmement puissant lorsque la chaussée devient moins praticable, et amélioré lors de la refonte de 2006. Ce rouage est transparent pour le conducteur et transfère désormais la puissance plus rapidement aux roues possédant la meilleure motricité. Il ne faut pas penser que ce système intégral puisse permettre à cette petite Subaru de traverser un lac de boue, mais il améliore grandement la traction.

ET LA OUTBACK?

Même si nous n'en avons pas encore parlé, le modèle Outback mérite le détour. Son centre de gravité plus élevé de 10 mm et ses suspensions plus robustes n'en font pas un modèle de sportivité, mais le rouage intégral et une garde au sol plus généreuse lui permettent de passer à bien des endroits où une traction ordinaire s'enliserait. La différence de prix est certes notable, soit 4 400 $, mais l'Outback propose un équipement de base plus relevé que la simple 2,5. Puisque l'Outback est équipée pour aller jouer dans la bouette, Subaru lui a donné des accessoires conséquents (prise douze volts dans l'espace de chargement, recouvrement du coffre en caoutchouc et phares à brume, entre autres.) Curieusement, le poids d'une Outback n'est pas plus élevé que celui d'une 2,5.

Il est indéniable que les Impreza figurent maintenant parmi les voitures les mieux construites sur le marché. La qualité de leur finition approche quasiment celle de Lexus et leur comportement routier se montre très sérieux grâce, surtout, au rouage intégral, fort bien adapté à notre climat québécois. Heureusement, la fiabilité du moteur 2,5 semble s'être passablement améliorée, du moins on l'espère. Si seulement les pièces de rechange n'étaient pas si chères!

Alain Morin

Photos: Subaru

VÉHICULE D'ESSAI

Version:	2.5i SportWagon
Prix de détail suggéré:	23 495 $
Emp/Lon/Lar/Haut(mm):	2525/4465/2082/1 440
Poids:	1 368 kg
Coffre/Réservoir:	311 litres/60 litres
Coussins de sécurité:	frontaux
Suspension avant:	indépendante, jambes de force
Suspension arrière:	indépendante, jambes de force
Freins av./arr.:	disque (ABS)
Antipatinage/Contrôle de stabilité:	non/non
Direction:	à crémaillère, assistée
Diamètre de braquage:	10,8 m
Pneus av./arr.:	P205/55R16
Capacité de remorquage:	906 kg

MOTORISATION À L'ESSAI

Moteur:	H4 de 2,5 litres 16s atmosphérique
Alésage et course:	99,5 mm x 79,0 mm
Puissance:	173 ch (129 kW) à 6000 tr/min
Couple:	166 lb-pi (225 Nm) à 4400 tr/min
Rapport poids/puissance:	7,91 kg/ch (10,77 kg/kW)
Système hybride:	aucun
Transmission:	intégrale, manuelle 5 rapports
Accélération 0-100 km/h:	9,5 s
Reprises 80-120 km/h:	9,0 s
Freinage 100-0 km/h:	41,0 m
Vitesse maximale:	190 km/h
Consommation (100 km):	ordinaire, 8,7 litres
Autonomie (approximative):	690 km
Émissions de CO2:	4272 kg/an

GAMME EN BREF

Échelle de prix:	23 495 $ à 27 895 $
Catégorie:	berline compacte/familiale
Historique du modèle:	3ième génération
Garanties:	3 ans/60 000 km, 5 ans/100 000 km
Assemblage:	Gunma et Yajima, Japon
Autre(s) moteur(s):	aucun
Autre(s) rouage(s):	aucun
Autre(s) transmission(s):	automatique 4 rapports

DANS LA MÊME CATÉGORIE

Acura CSX - Chevrolet Cobalt - Ford Focus - Honda Civic - Hyundai Elantra - Kia Spectra - Mazda 3 - Toyota Corolla - Volkswagen Rabbit

DU NOUVEAU EN 2007

Pas de changement majeur

NOS IMPRESSIONS

Agrément de conduite:	🚗 🚗 🚗 🚗
Fiabilité:	🚗 🚗 🚗 ½
Sécurité:	🚗 🚗 🚗 🚗
Qualités hivernales:	🚗 🚗 🚗 🚗 ½
Espace intérieur:	🚗 🚗 🚗
Confort:	🚗 🚗 🚗 ½

LE CHOIX DE L'ÉQUIPE

2.5i SportWagon

LÉGENDE À QUATRE ROUES MOTRICES

La Subaru Impreza WRX et son dérivé diabolique, la STI, jouissent d'une excellente renommée chez les jeunes conducteurs, notamment en raison de leur présence marquée dans le monde du sport automobile ainsi que de leur apparition dans bon nombre de jeux vidéo. Ce sont d'ailleurs pratiquement les seuls modèles qui attirent une clientèle plus jeune dans les salles de démonstration de Subaru puisque les autres gammes de modèles, de par leurs caractéristiques, séduisent une clientèle plus âgée. Subaru a toujours su appliquer sa philosophie de sportivité à des gammes de véhicules à vocations différentes.

Qui n'a pas joué au jeu des comparaisons entre la WRX et les autres petites bombes, ou encore entre la STI et d'autres bolides? Depuis plusieurs années, ces deux modèles servent de référence en matière de performance abordable chez les petites berlines. Malgré une compétition de plus en plus féroce, il faut avouer que peu de voitures offrent des performances comparables à celles de la WRX et de la STI si l'on tient compte du prix.

LE SECRET RÉSIDE DANS LE GROUPE MOTOPROPULSEUR
Ayant subi une refonte majeure en 2006, les Subaru WRX et STI présentent peu de changements pour 2007 si ce n'est du retrait de la boîte automatique ainsi que de l'ajout d'un toit ouvrant de série. Il y a bien aussi quelques retouches esthétiques ici et là, mais rien de majeur. La berline et la familiale WRX proposent un moteur quatre cylindres de 2,5 litres suralimenté, incluant un refroidisseur d'air, qui développe 230 chevaux à 5 600 tr/min pour un couple de 235 lb-pi à 3 600 tr/min. Fait intéressant, ce moteur utilise une configuration à plat (les cylindres sont à l'horizontale et opposés), ce qui permet d'en réduire la taille et de le positionner plus près du sol. Cette motorisation est couplée de série à une boîte manuelle à cinq rapports, la seule proposée cette année.

Les performances grisantes de la WRX ne se limitent pas qu'à la puissance ou à la boîte de vitesse. Que la voiture soit poussée sur une piste sèche ou sur une route enneigée, vous pourrez obtenir des performances optimales grâce à son rouage intégral performant. La WRX hérite d'une traction intégrale symétrique à prise constante utilisant un différentiel à viscocoupleur qui répartit la puissance 50/50 aux roues avant et arrière. Ce système fera varier le couple envoyé à chaque roue en fonction de l'adhérence disponible. Bref, la météo ne sera plus un facteur inquiétant lorsque vous prendrez le volant!

DIABOLIQUEMENT
De son côté, la version STI reçoit un châssis comportant des configurations plus poussées afin d'en améliorer les performances générales. Son moteur de 2,5 litres turbocompressé développe dans cette livrée pas moins de 293 chevaux pour un couple pratiquement équivalent. Cette puissance est envoyée aux quatre roues par le biais d'une boîte manuelle à six rapports, la seule disponible. Disposant d'un rouage intégral tout aussi performant, ce modèle se distingue par son système DCCD. En termes simples, une commande située sur la console permet au conducteur de faire varier à sa guise, et selon les conditions routières, la répartition de la puissance entre les essieux avant et arrière. Voilà un atout exclusif

FEU VERT
Rouage intégral performant
Conduite inspirante
Direction précise
Habitacle soigné
Pratique en toute saison

FEU ROUGE
Grille avant controversée
Pneus d'origine moins performants
Espace intérieur limité
Suspension trop ferme (STI)

à Subaru. Au chapitre des éléments intéressants, il ne faut pas oublier également la petite commande située près du volant, qui d'une simple pression du doigt permet l'envoi d'un jet d'eau fraîche sur le refroidisseur d'air afin d'obtenir un regain de puissance instantané.

L'année 2006 aura procuré un remodelage à la gamme Impreza. Un an plus tard, la grille avant, inspirée de celle de la Subaru Tribeca, demeure toujours aussi controversée. Plusieurs ont de la difficulté à s'y faire. Quant à leur style général, sans être véritablement repoussantes, tant la WRX que la STI ne remporteront un prix de design. Après tout, les voitures de rallye n'ont pas été conçues pour être belles mais fonctionnelles, comme en fait foi l'immense aileron du modèle STI! Plus sobre, la WRX traditionnelle offre selon moi un meilleur compromis. Bref, dans cette gamme la technologie prime l'habillage.

L'intérieur poursuit dans la même veine. Tout est axé sur la conduite et la sportivité. Ne cherchez pas les gadgets ou les équipements de luxe, il y en a très peu. Les options sont également peu nombreuses. Voilà qui simplifie le magasinage! L'habitacle présente une finition soignée. Bon point pour les sièges sport qui demeurent confortables au cours de randonnées plus longues. La Subaru Impreza WRX pourra accueillir confortablement quatre adultes, cinq si l'intimité ne vous fait pas peur.

DEUX MODÈLES, DEUX COMPORTEMENTS
La Subaru WRX surprend par ses performances générales, peu importe les conditions. C'est en conduite plus sportive que l'on peut apprécier sa finesse et sa technologie. Voilà une voiture qui ne demande qu'à être pilotée. Sur piste sa direction répond promptement, vous permettant de diriger la voiture au millimètre près. Le couple plus généreux du moteur permet des reprises plus mordantes, sans délai. Prendre le volant de la STI se révèle toute une expérience. Sous ses airs relativement sages, cette berline quatre portes vous réserve des accélérations dignes de bolides beaucoup plus dispendieux. Difficile de ne pas esquisser un sourire lorsqu'on enfonce l'accélérateur et que le turbo se met à siffler. Si la STI dispose de nombreux éléments maximisant ses performances, elle s'avère moins civilisée en utilisation régulière, notamment avec sa suspension très rigide. À ce chapitre, la WRX ordinaire vous offrira un meilleur compromis en conduite quotidienne.

La gamme WRX présente des dont le prix élevé les rend difficilement accessibles si on regarde le budget moyen des acheteurs cibles.

Sylvain Raymond

VÉHICULE D'ESSAI

Version :	WRX
Prix de détail suggéré :	35 495 $ (2006)
Emp/Lon/Lar/Haut(mm) :	2 540/4 465/2 080/1 485
Poids :	1 399 kg
Coffre/Réservoir :	311 à 1 744 litres / 60 litres
Coussins de sécurité :	frontaux et latéraux (av./arr.)
Suspension avant :	indépendante, jambes de force
Suspension arrière :	indépendante, jambes de force
Freins av./arr. :	disque (ABS)
Antipatinage/Contrôle de stabilité :	non / non
Direction :	à crémaillère, assistance variable
Diamètre de braquage :	11,4 m
Pneus av./arr. :	P225/45R17
Capacité de remorquage :	906 kg

MOTORISATION À L'ESSAI

Moteur :	H4 de 2,5 litres 16s turbocompressé
Alésage et course :	99,5 mm x 79,0 mm
Puissance :	230 ch (172 kW) à 5 600 tr/min
Couple :	235 lb-pi (319 Nm) à 3 600 tr/min
Rapport poids/puissance :	6,08 kg/ch (8,28 kg/kW)
Système hybride :	aucun
Transmission :	intégrale, manuelle 5 rapports
Accélération 0-100 km/h :	6,5 s
Reprises 80-120 km/h :	4,5 s
Freinage 100-0 km/h :	41,0 m
Vitesse maximale :	240 km/h
Consommation (100 km) :	ordinaire, 10,9 litres
Autonomie (approximative) :	550 km
Émissions de CO2 :	4 944 kg/an

GAMME EN BREF

Échelle de prix :	35 495 $ à 48 995 $ (2006)
Catégorie :	berline sport
Historique du modèle :	2ème génération
Garanties :	3 ans/60 000 km, 5 ans/100 000 km
Assemblage :	Yajima, Japon
Autre(s) moteur(s) :	H4 2,5l turbo 300ch/300lb-pi (13,4 l/100km) STI
Autre(s) rouage(s) :	aucun
Autre(s) transmission(s) :	manuelle 6 rapports (STI)

DANS LA MÊME CATÉGORIE
Acura RSX - Audi A4 / S4 - Mazda RX-8 - BMW Série 3 - Nissan 350Z - Infiniti G35 / G35x

DU NOUVEAU EN 2007
Pas de changement majeur, boîte automatique rayée du catalogue

NOS IMPRESSIONS

Agrément de conduite :	🚗 🚗 🚗 🚗 ½
Fiabilité :	🚗 🚗 🚗 🚗
Sécurité :	🚗 🚗 🚗 ½
Qualités hivernales :	🚗 🚗 🚗 🚗
Espace intérieur :	🚗 🚗 🚗
Confort :	🚗 🚗 🚗

LE CHOIX DE L'ÉQUIPE
WRX

Photos : Subaru

DU NOUVEAU

Mine de rien, Subaru continue d'améliorer sa gamme de produits. Après la spectaculaire Tribeca, les Forester et Impreza ont connu plusieurs améliorations esthétiques et mécaniques. Cette année, c'est au tour des Legacy et Outback dont certains éléments mécaniques ont été améliorés afin de relever les performances et l'agrément de conduite. Comme c'est toujours le cas chez ce constructeur, les changements sont évolutifs une fois le modèle redessiné du tout au tout comme ce fut le cas pour ce duo qui a fait peau neuve en 2005.

L ors de cette refonte complète, l'Outback tout comme la Legacy ont bénéficié d'une plate-forme plus rigide et plus légère. La silhouette a été modernisée tandis que l'habitacle était moins tristounet. Ce n'était pas aussi flyé qu'une Saab, mais la présentation d'ensemble est moins triste que précédemment. Car si ce constructeur est réputé pour ses moteurs boxer et sa traction intégrale fort efficace, ses stylistes ont souvent été ultraconservateurs dans leur approche. L'arrivée du designer en chef Andreas Zapatinas a amélioré les choses, mais il faudra attendre dans le cas de la Legacy et la Outback. Et il ne faut pas exagérer non plus, car c'est tout de même très correct en fait de design, surtout la Outback. Mais revenons aux améliorations mécaniques qui permettent de profiter de nouveautés qui n'étaient offertes que sur un modèle de petite série.

UNE BOÎTE SIX RAPPORTS

L'an dernier, la possibilité de commander une Legacy avec une boîte manuelle avait été réservée au marché des États-Unis. Cette fois, le modèle est offert sur tout le continent et il est présenté comme un modèle régulier. Ce que les ingénieurs ont fait est bien simple, ils ont tout simplement fait appel à la transmission manuelle de la WRX. Il faut préciser que cette boîte est couplée au moteur quatre cylindres 2,5 litres

turbo dont la puissance est de 243 chevaux. Cela ne touche pas le moteur six cylindres également de type boxer. Comme il se doit, le rouage est intégral, mais cette version Spec B bénéficie en plus d'un différentiel Torsen à glissement limité afin d'assurer une meilleure motricité. En fait, les ingénieurs ont adapté plusieurs des éléments de la WRX sur le tandem Legacy et Outback qui se partage la même mécanique.

Mais ce n'est pas tout puisque ce groupe propulseur est doté du système SI-Drive (pour Subaru Intelligent Drive) qui permet de régler les performances du moteur en fonction de nos besoins et des circonstances. Ce système module les impulsions de la pédale d'accélérateur à commande par fil de même que l'alimentation en carburant et l'avance à l'allumage. Un bouton de réglage sur le tableau de bord permet de choisir parmi trois réglages. Le premier est le mode «Intelligent» qui réduit la puissance et le couple afin d'obtenir une meilleure consommation de carburant. Il est recommandé pour la conduite en ville et se rendre à son travail. Le second est le mode «Sport» qui permet des accélérations et des reprises nerveuses. Le moteur fonctionne comme prévu. Enfin, il y a le réglage «Sport S» qui permet d'accélérer plus rapidement et de compter sur de meilleures reprises. C'est le mode que l'on sélectionnera pour la conduite sportive sur une route sinueuse. Ce

système fonctionne également avec les modèles équipés de la transmission automatique et modifie les passages des rapports en fonction du mode sélectionné. Finalement, ces modèles spéciaux sont nantis d'un habitacle plus luxueux qui inclut entre autres un écran de navigation par satellite.

ET LES AUTRES ?

N'ayez crainte, la gamme Legacy et Outback ne comprend pas que ce modèle qui tout intéressant qu'il soit ne convient pas à tous les consommateurs. Mais il ne faut pas oublier que ces deux voitures sont solides, bien assemblées et dotées d'un équipement de base plus que convenable. Comme toujours, la finition et la qualité des matériaux sont supérieures à la moyenne. Certaines personnes reprochent à ce constructeur d'afficher un prix élevé pour les Legacy et Outback, mais c'est le prix à payer pour une caisse solide et fabriquée avec soin. Par contre, plusieurs lecteurs nous ont souligné avoir eu des ennuis avec leur moteur quatre cylindres, notamment des bruits inquiétants au démarrage par temps froid.

Les versions à moteur Turbo ou équipées du six cylindres à plat assurent des accélérations inférieures à huit secondes et des reprises dans le même registre, tandis que les modèles propulsés par le moteur quatre cylindres atmosphérique ont plus de difficulté à nous impressionner à ce chapitre. Leurs performances sont correctes, mais il faut planifier les dépassements plus longtemps d'avance et les temps d'accélération dépassent le cap des 10 secondes. Mais peu importe le moteur choisi, le comportement routier de ces deux véhicules est sain et la tenue en virage est neutre avec un léger soupçon de sous-virage. Et il ne faut jamais oublier que toute Subaru qui se respecte se moque des pires conditions que l'hiver peut nous apporter. Il suffit d'affronter une grosse tempête de neige au volant d'une intégrale pour se convaincre des vertus de la transmission aux quatre roues. Et il ne faut pas faire l'erreur de croire que les Legacy et Outback ne sont vendues qu'en version luxueuse, les versions de base offrent une bonne valeur.

Denis Duquet

VÉHICULE D'ESSAI

Version :	Berline 2,5
Prix de détail suggéré :	29 995 $ (2006)
Emp/Lon/Lar/Haut(mm) :	2 670/4 730/1 730/1 425
Poids :	1 473 kg
Coffre/Réservoir :	433 litres/64 litres
Coussins de sécurité :	frontaux, latéraux (av.) et rideaux
Suspension avant :	indépendante, jambes de force
Suspension arrière :	indépendante, multibras
Freins av./arr. :	disque (ABS)
Antipatinage/Contrôle de stabilité :	oui/oui
Direction :	à crémaillère, assistance variable
Diamètre de braquage :	10,8 m
Pneus av./arr. :	P205/50R17
Capacité de remorquage :	1 224 kg

MOTORISATION À L'ESSAI

Moteur :	H4 de 2,5 litres 16s atmosphérique
Alésage et course :	99,5 mm x 79,0 mm
Puissance :	175 ch (130 kW) à 6000 tr/min
Couple :	169 lb-pi (229 Nm) à 4400 tr/min
Rapport poids/puissance :	8,42 kg/ch (11,42 kg/kW)
Système hybride :	aucun
Transmission :	intégrale, manuelle 5 rapports
Accélération 0-100 km/h :	10,2 s
Reprises 80-120 km/h :	8,7 s
Freinage 100-0 km/h :	40,2 m
Vitesse maximale :	210 km/h
Consommation (100 km) :	super, 10,7 litres
Autonomie (approximative) :	598 km
Émissions de CO2 :	4464 kg/an

GAMME EN BREF

Échelle de prix :	28 495 $ à 41 795 $ (2006)
Catégorie :	berline intermédiaire/familiale
Historique du modèle :	3ième génération
Garanties :	3 ans/60 000 km, 5 ans/100 000 km
Assemblage :	Lafayette, Indiana, É-U
Autre(s) moteur(s) :	H4 2,5l turbo 243ch/250lb-pi (12,3l/100km)
	H6 3,0l turbo 243ch /219lb-pi (12,5l/100km)
Autre(s) rouage(s) :	aucun
Autre(s) transmission(s) :	automatique 4 rapports / automatique 5 rapports

DANS LA MÊME CATÉGORIE

Audi A4 Avant - BMW 325 Touring - Mazda 6 - Saab 9-5 - Volkswagen Passat - Volvo V70 / XC70

DU NOUVEAU EN 2007

Boîte manuelle 6 rapports, différentiel arrière Torsen, système SI-Drive

NOS IMPRESSIONS

Agrément de conduite :	🚗🚗🚗½
Fiabilité :	🚗🚗🚗
Sécurité :	🚗🚗🚗🚗½
Qualités hivernales :	🚗🚗🚗🚗🚗
Espace intérieur :	🚗🚗🚗🚗
Confort :	🚗🚗🚗🚗

LE CHOIX DE L'ÉQUIPE

Legacy 2,5 GT

Photos : Subaru

L'ORIGINALE

S'il est une chose dont la Subaru B9 Tribeca peut se vanter, c'est de n'avoir jamais réussi à faire l'unanimité. Cette étrange créature, mi-fourgonnette et mi-on-ne-sait-trop-quoi, profite certainement d'un design exceptionnel, tout en étant la première de sa lignée à avoir adopté les nouvelles formes Subaru. Bon nombre de mordus de Subaru ont été incapables de s'adapter à la nouvelle calandre et aux formes plus modernes. Avec comme conclusion que la Tribeca traîne un peu de la patte dans les ventes, même si elle a conservé les qualités mécaniques qui ont fait la renommée de la marque.

Réglons tout de suite une chose : on l'a déjà expliqué, mais il est toujours bon de se rappeler que le nom B9 Tribeca n'est pas le fruit d'une quelconque vision *world beat* des dirigeants de Subaru et de leur tribu (comme dans *tribe*...). En fait, il est d'une inspiration beaucoup plus urbaine que cela. Le B9 provient d'une tradition automobile japonaise très rationnelle, le B désignant le moteur Boxer propre à la marque, alors que le 9 étant simplement le numéro du châssis. Au pays du soleil levant, c'est comme cela qu'on désigne les modèles. La portion Tribeca de l'appellation est toute new-yorkaise, provenant en droite ligne du quartier new-yorkais très branché du même nom, un diminutif de *TRIangle BElow CAnal street*.

COMME PAS UN

En terme esthétique essentiellement, la Tribeca a un look comme pas un. Le simple design extérieur a de quoi faire tourner les têtes. Et on a beaucoup parlé de sa parenté avec les Alfa Romeo 150. Curieuse coïncidence d'ailleurs puisque Andreas Zapatinas, designer « subarien » depuis peu, est aussi un ancien designer de chez Alfa. Pour adoucir un peu la transition, la Tribeca arrive cette année avec une calandre noire, au lieu du chrome traditionnel, ce qui garantit au moins une plus grande discrétion.

Comme la Tribeca peut accommoder 5 ou 7 passagers, on retrouve davantage les dimensions d'une fourgonnette habituelle. Sans être très vaste, elle offre beaucoup de dégagement pour les passagers avant. Ceux de la deuxième rangée pourront aussi profiter d'une banquette mobile, ce qui leur laisse amplement d'espace pour les jambes. En revanche, ceux de la rangée arrière devront être petits, voire microscopiques pour être à l'aise. Sans compter que les bagages devront se limiter aux sacs à main de vos invités puisque l'espace de chargement arrière est lilliputien une fois la banquette relevée, comme c'est le cas dans la majorité des fourgonnettes.

L'intérieur a aussi profité de la touche Zapatinas, et le tableau de bord, futuriste, n'a plus rien de commun avec ceux des autres modèles Subaru, même si on a gardé pour la forme les trois gros boutons de climatisation dans la console centrale. Une console faite en forme de gros V en aluminium qui vient aboutir devant les deux passagers avant. Une fois à l'intérieur, on se croirait dans une coquille tellement la planche de bord est enveloppante. Mais ce n'est qu'un effet visuel car l'espace est plus que suffisant.

Mieux encore, toutes les commandes sont un charme à manipuler (ce qui n'a pas toujours été le cas chez Subaru). On a l'impression que cette fois, tout a été pensé pour que le conducteur soit seul maître à bord.

UNE ROUTIÈRE SANS ÂME

Sous le capot, c'est un moteur boxer à six cylindres à plat de 250 chevaux qui alimente la Tribeca. Un moteur éprouvé, qui a fait ses preuves notamment sur le Outback H6. Ses performances sont correctes et ses accélérations souples et agréables. Il est couplé à une transmission automatique à cinq rapports Shiftronic, dont le moins que l'on puisse dire, est qu'elle mériterait un peu plus d'attention de ses concepteurs. Car elle rend la promenade somme toute assez peu inspirée.

Cette transmission ne réussit que partiellement à passer les rapports sans trop de soubresauts et à basse vitesse, elle étire jusqu'à plus soif le régime moteur avant de daigner grimper d'un cran. Le mode semi-manuel devient donc indispensable, quoique son temps de réaction ne soit pas non plus à la hauteur.

Les ingénieurs ont profité de la deuxième année de la Tribeca pour faire une légère révision des suspensions avant et arrière. On a allongé un peu le débattement afin de permettre une meilleure absorption des hasards de la route. Du même souffle, on a installé de série un meilleur système de protection contre les retournements, faisant entre autres appel à la nouvelle configuration des suspensions.

Enfin, parce qu'il s'agit d'un véhicule à vocation familiale, on a beaucoup misé sur la sécurité en installant des coussins gonflables en rideau jusqu'à l'arrière, et en fournissant de série des systèmes dynamiques de contrôle, une caméra de recul sur les versions dotées d'un système de navigation, et, bien entendu, la traditionnelle traction intégrale qui a fait la renommée de Subaru.

Avec la Tribeca, Subaru propose donc un véritable véhicule familial. C'est vrai, son échelle de prix peut refroidir certaines ardeurs, et ses quelques défauts de conception seront suffisants pour ralentir ceux qui n'ont jamais cru en Subaru. Mais à force de légères améliorations, elle finira par trouver sa place dans le cœur de ceux qui recherchent ce genre de voiture multi-usage. Une place qui sera bien méritée.

Marc Bouchard

SUBARU TRIBECA B9

VÉHICULE D'ESSAI

Version :	Limited 7 passagers
Prix de détail suggéré :	47 995 $ (2006)
Emp/Lon/Lar/Haut(mm) :	2 749/4 822/1 878/1 686
Poids :	1 925 kg
Coffre/Réservoir :	235 à 2 106 litres/64 litres
Coussins de sécurité :	frontaux, latéraux (av.) et rideaux
Suspension avant :	indépendante, jambes de force
Suspension arrière :	indépendante, leviers triangulés
Freins av./arr. :	disque (ABS)
Antipatinage/Contrôle de stabilité :	oui/oui
Direction :	à crémaillère, assistance variable
Diamètre de braquage :	10,8 m
Pneus av./arr. :	P255/55R18
Capacité de remorquage :	906 kg

MOTORISATION À L'ESSAI

Moteur :	H6 de 3,5 litres 24s atmosphérique
Alésage et course :	89,2 mm x 80,0 mm
Puissance :	250 ch (186 kW) à 6 600 tr/min
Couple :	219 lb-pi (297 Nm) à 4 200 tr/min
Rapport poids/puissance :	7,7 kg/ch (10,46 kg/kW)
Système hybride :	aucun
Transmission :	intégrale, auto. mode man. 5 rapports
Accélération 0-100 km/h :	8,7 s
Reprises 80-120 km/h :	7,3 s
Freinage 100-0 km/h :	44,0 m
Vitesse maximale :	225 km/h
Consommation (100 km) :	super, 13,2 litres (constructeur)
Autonomie (approximative) :	485 km
Émissions de CO2 :	5 568 kg/an

GAMME EN BREF

Échelle de prix :	41 995 $ à 52 495 $ (2006)
Catégorie :	multisegment
Historique du modèle :	1ière génération
Garanties :	3 ans/60 000 km, 5 ans/100 000 km
Assemblage :	Lafayette, Indiana, É.-U
Autre(s) moteur(s) :	aucun
Autre(s) rouage(s) :	aucun
Autre(s) transmission(s) :	aucune

DANS LA MÊME CATÉGORIE

Chrysler Pacifica - Ford Freestyle - Mercedes-Benz Classe B - Nissan Murano - Volvo XC70

DU NOUVEAU EN 2007

Grille de calandre modifiée, suspensions révisées

NOS IMPRESSIONS

Agrément de conduite :	🚗🚗🚗½
Fiabilité :	🚗🚗🚗½
Sécurité :	🚗🚗🚗🚗½
Qualités hivernales :	🚗🚗🚗🚗🚗
Espace intérieur :	🚗🚗🚗🚗½
Confort :	🚗🚗🚗🚗

LE CHOIX DE L'ÉQUIPE

Limited 5 passagers

EN VOIE DE DISPARITION?

Il y a quelques années, quand Suzuki s'est lancé dans l'aventure des petites familiales compactes avec l'Aerio, tout le monde a applaudi. On y voyait l'occasion, à la lumière de ce que le fabricant avait la réputation de faire, de conduire une petite voiture dynamique, efficace et amusante. Le premier constat a été légèrement différent. Bien sûr, la silhouette y était, tout comme l'espace. Mais on avait oublié un peu le plaisir en limitant trop la puissance, et on avait négligé aussi l'apparence en installant, par exemple, un exécrable tableau de bord.

Dès la seconde année d'existence du modèle, les dessinateurs sont retournés à leur planche et ont réussi à améliorer leur petit bolide. D'une part, on a lancé la version à traction intégrale alors que d'autre part, on réussissait enfin à augmenter la puissance en implantant sous le capot un moteur que l'on a conservé jusqu'à aujourd'hui. On maintient donc cette année le moteur 2,3 litres de 155 chevaux, ainsi que le couple de 152 livres-pied, une statistique pas inintéressante pour cette voiture de ville dont la mission n'est évidemment pas de devenir un leader incontesté lors des courses de rue!

SUR LA ROUTE

Avec une telle latitude, la petite Aerio ne lésine pas trop, et son moteur permet un comportement plus compatible avec une conduite urbaine, tout en préservant la sécurité du conducteur. Dans les faits, un dépassement, ou un changement de trajectoire plutôt rapide sur un boulevard urbain achalandé se fera sans trop hésiter et sans véritable danger. Mais on aurait envie d'en avoir plus, et un ajout de puissance ne serait certes pas négligeable.

Et surtout, on apprécierait certainement une petite baisse du niveau sonore. Le petit moteur rugit comme une lionne en chaleur, mais ne livre malheureusement pas autant de puissance que de décibels. Lors d'une accélération trop vive, il faut donc accepter de faire une petite pause dans la conversation.

En matière de tenue de route, l'Aerio obtient de bonnes notes, notamment grâce à sa suspension indépendante aux quatre roues et à sa conduite directe, bien qu'un peu anonyme. La suspension est peut-être un peu ferme mais garantit une grande stabilité sur tous les types de route. En version traction, on n'a pas encore corrigé la tendance au sous-virage ressentie lorsque la trajectoire de courbe est un peu trop prononcée. Une caractéristique qui disparaissait avec l'ajout du rouage intégral qui était l'apanage de la familiale. Cette dernière configuration, qui permettait de transporter plusieurs bagages n'est plus offerte, conséquence de l'arrivée de la SX-4. De toutes façons, le rouage intégral de l'Aerio était toujours un peu lent à réagir et ne permettait pas d'affronter autre chose que la jungle urbaine. De plus, le bouclier avant était tellement bas que la voiture ne pouvait se permettre d'aller bien loin dans les bois.

Les dimensions réduites de la berline favorisent aussi un très court rayon de braquage, une qualité indispensable pour un usage en milieu urbain. Quoi de mieux en effet pour un stationnement parallèle que d'avoir une

FEU VERT
Rayon de braquage minuscule
Planche de bord ergonomique
Position de conduite unique
Finition en progrès

FEU ROUGE
Freinage allongée
Slhouette vieillissante
Abandon de la familiale
Insonorisation insuffisante

VÉHICULE D'ESSAI

Version:	berline
Prix de détail suggéré:	20 195 $
Emp/Lon/Lar/Haut(mm):	2 480/4 350/ 1 545/ 1 690
Poids:	1 207 kg
Coffre/Réservoir:	413 litres/50 litres
Coussins de sécurité:	frontaux
Suspension avant:	indépendante, jambes de force
Suspension arrière:	indépendante, jambes de force
Freins av./arr.:	disque/tambour (ABS)
Antipatinage/Contrôle de stabilité:	non/non
Direction:	à crémaillère, assistée
Diamètre de braquage:	10,7 m
Pneus av./arr.:	P195/55R15
Capacité de remorquage:	non recommandé

MOTORISATION À L'ESSAI

Moteur:	4L de 2,3 litres 16s atmosphérique
Alésage et course:	90,0 mm x 90,0 mm
Puissance:	155 ch (116 kW) à 5 400 tr/min
Couple:	152 lb-pi (206 Nm) à 3 000 tr/min
Rapport poids/puissance:	7,79 kg/ch (10,59 kg/kW)
Système hybride:	aucun
Transmission:	traction, manuelle 5 rapports
Accélération 0-100 km/h:	9,9 s
Reprises 80-120 km/h:	7,2 s
Freinage 100-0 km/h:	44,0 m
Vitesse maximale:	185 km/h
Consommation (100 km):	ordinaire, 8,3 litres
Autonomie (approximative):	602 km
Émissions de CO2:	4 184 kg/an

GAMME EN BREF

Échelle de prix:	18 995 $ à 20 195 $
Catégorie:	berline compacte
Historique du modèle:	1ère génération
Garanties:	3 ans/60 000 km, 5 ans/100 000 km
Assemblage:	Kosai, Japon
Autre(s) moteur(s):	aucun
Autre(s) rouage(s):	aucun
Autre(s) transmission(s):	automatique 4 rapports

DANS LA MÊME CATÉGORIE

Chevrolet Optra - Ford Focus - Honda Civic - Hyundai Elantra - Kia Spectra - Mazda 3 / 3 Sport - Mitsubishi Lancer - Pontiac Vibe - Toyota Matrix

DU NOUVEAU EN 2007

Pas de changement majeur, version familiale et rouage intégral abandonnés

NOS IMPRESSIONS

Agrément de conduite:	🚗 🚗 🚗
Fiabilité:	🚗 🚗 🚗 ½
Sécurité:	🚗 🚗 🚗 🚗
Qualités hivernales:	🚗 🚗 🚗 ½
Espace intérieur:	🚗 🚗 🚗 ½
Confort:	🚗 🚗 🚗

LE CHOIX DE L'ÉQUIPE

berline manuelle

---

voiture qui se tourne sur un dix sous? Ce n'est qu'au niveau du freinage (disques à l'avant mais tambours à l'arrière) que l'Aerio a une faiblesse. La réponse de freinage est un peu lente, ce qui allonge la distance nécessaire pour immobiliser le véhicule. Mais ce n'est là qu'une bien petite faiblesse que l'on ressentira fort peu dans l'usage quotidien.

DE LÉGÈRES AMÉLIORATIONS

Quant au reste de la voiture, il ne subit pas de véritables modifications. Il faut dire que la venue prochaine, annoncée et très attendue, du petit SX4 devrait faire la vie dure à l'Aerio, et Suzuki a déjà annoncé sa disparition à la fin de l'année-modèle 2007. La valeur de revente, déjà pas très haute, va en prendre pour son rhume...

Le tableau de bord continue d'être efficace certes, mais j'irais peut-être jusqu'à le qualifier de réussite esthétique en plus d'atteindre tout à fait la cible sur le plan de l'ergonomie. Les sièges sont confortables, sans plus. La position de conduite, droite et particulièrement élevée, étonne d'abord le conducteur. Mais rapidement, on en apprécie les avantages : confort, espace pour les jambes et surtout, meilleure visibilité à l'avant comme sur les côtés. Les passagers arrière doivent se contenter d'une banquette dont la fermeté toute relative rend son utilisation plus ou moins agréable. En revanche, pour une si petite voiture, l'espace disponible est plutôt étonnant.

Difficile de parler de l'Aerio, sans insister sur l'espace de chargement du coffre arrière. On a fait disparaître la version familiale, mais la berline conserve tout de même un espace plus que raisonnable, compte tenu des dimensions réduites du véhicule évidement. Les sièges arrière peuvent aussi s'incliner dans une proportion de 60/40 pour dégager encore plus d'espace. Pas question de loger de grosses valises pour la famille, mais en usage urbain, pour les randonnées avec peu de personnes à bord ou même pour conduire fiston au soccer, l'Aerio joue bien son rôle.

Malgré ces petits défauts, cette Suzuki continue d'être une entrée de gamme à considérer. Et nul doute que les concessionnaires seront prêt à la sacrifier à bon prix !

Marc Bouchard

Photos : Denis Duquet

UNE ÉVOLUTION RÉUSSIE

Établi au Canada depuis plusieurs années et reconnu surtout pour ses motos et VTT, Suzuki n'a pas encore réussi à se démarquer sur notre marché. Pourtant, Suzuki est une immense entreprise, très populaire en Asie et en Europe. Ses voitures et petits 4x4 n'ont, malheureusement, pas toujours connu le succès qui leur était dû. Avec le Grand Vitara, entièrement transformé l'année dernière, cela risque moins de se produire. Enfin, Suzuki peut compter sur un véhicule sérieux, joli et bien adapté aux conditions nord-américaines.

Le Grand Vitara s'est donc sérieusement raffiné. Pour lui apporter les qualités routières qui lui manquaient, les ingénieurs de Suzuki ont utilisé, comme c'est la tendance présentement, un châssis monocoque. Et pour préserver ses qualités hors route, ils ont conservé la structure à longeron (à la manière des camionnettes) sur laquelle ils ont fixé le châssis monocoque. Cet ensemble inusité contribue à réduire le poids, donc la consommation d'essence, et le bruit. L'unique moteur est un V6 de 2,7 litres de 185 chevaux et 184 livres-pied de couple.

LENTEMENT MAIS SÛREMENT

Deux transmissions sont disponibles pour le Grand Vitara. La transmission de base est une manuelle à cinq rapports. L'embrayage est progressif mais ne semble pas plus résistant qu'il ne le faut : après seulement quelques départs canon, question de chronométrer l'habituel 0-100 km/h, l'embrayage sentait le chauffé. J'en profite pour mentionner que nous n'avons pu faire stopper le chronomètre en bas de 12,0 secondes (mais nous étions en décembre, un mois qui n'est pas réputé pour rendre les chaussées très adhérentes ou apporter l'air le plus approprié aux performances). La plupart des acheteurs se procureront cependant l'automatique à cinq rapports, bien étagée et très transparente. Du

côté des suspensions, Suzuki surprend encore en dotant le Grand Vitara d'un train arrière indépendant. C'est peut-être moins efficace en conduite hors route mais c'est infiniment plus confortable sur la route. Parlant de conduite hors route, le Grand Vitara propose deux systèmes différents. Le modèle de base est muni d'un mécanisme 4x4 à prise constante 4H, ce qui signifie qu'il est transparent au conducteur. Le véhicule est donc toujours en mode quatre roues motrices. On aimerait un mode 2RM qui n'entraînerait que les roues arrière sur les routes pavées et sèches. Cela sauverait de l'essence et diminuerait le niveau sonore dans l'habitacle. Pour aller jouer plus loin dans la montagne, les modèles JX et JLX présentent un vrai rouage 4x4 à quatre modes (4H, 4H lock, 4L lock et point mort) avec différentiel central autobloquant. Il faut souligner le très court rayon de braquage, qui est fort utile lorsque vient le temps de virer « s'un dix cennes », autant sur un sentier que dans une ruelle du centre-ville.

Le Grand Vitara fait désormais partie des véhicules agréables à vivre au quotidien. Certes, il n'est pas encore parfait mais l'amélioration, par rapport au modèle précédent, est notable. La position de conduite se trouve facilement, la visibilité ne cause pas de problèmes, le tableau de bord est réussi, la qualité des plastiques est correcte (cet adjectif vaut moins

FEU VERT
Esthétique moderne
Confort amélioré
Impressionnant en hors route (JLX-cuir)
Habitacle réussi
Comportement routier sain

FEU ROUGE
Moteur peu puissant et bruyant
Valeur de revente basse
Embrayage semble fragile
Poignée du hayon toujours sale en hiver

VÉHICULE D'ESSAI

Version :	JA
Prix de détail suggéré :	25 495 $ (2006)
Emp/Lon/Lar/Haut(mm) :	2 640/4 470/1 810/1 695
Poids :	1 680 kg
Coffre/Réservoir :	758 litres / 66 litres
Coussins de sécurité :	frontaux, latéraux (av.) et rideaux
Suspension avant :	indépendante, jambes de force
Suspension arrière :	indépendante, multibras
Freins av./arr. :	disque/tambour (ABS)
Antipatinage/Contrôle de stabilité :	oui / oui
Direction :	à crémaillère, assistée
Diamètre de braquage :	11,2 m
Pneus av./arr. :	P225/65R17
Capacité de remorquage :	1 361 kg

MOTORISATION À L'ESSAI

Moteur :	V6 de 2,7 litres 24s atmosphérique
Alésage et course :	88,0 mm x 75,0 mm
Puissance :	185 ch (138 kW) à 6 000 tr/min
Couple :	184 lb-pi (250 Nm) à 4 500 tr/min
Rapport poids/puissance :	9,08 kg/ch (12,35 kg/kW)
Système hybride :	aucun
Transmission :	4RM, manuelle 5 rapports
Accélération 0-100 km/h :	11,5 s
Reprises 80-120 km/h :	12,2 s
Freinage 100-0 km/h :	42,0 m
Vitesse maximale :	182 km/h
Consommation (100 km) :	ordinaire, 12,9 litres
Autonomie (approximative) :	512 km
Émissions de CO2 :	5 472 kg/an

GAMME EN BREF

Échelle de prix :	24 495 $ à 29 995 $ (2006)
Catégorie :	utilitaire sport compact
Historique du modèle :	1ère génération
Garanties :	3 ans/60 000 km, 5 ans/100 000 km
Assemblage :	Ingersoll, Ontario, Canada
Autre(s) moteur(s) :	aucun
Autre(s) rouage(s) :	intégrale
Autre(s) transmission(s) :	automatique 5 rapports

DANS LA MÊME CATÉGORIE

Ford Escape - Honda CR-V - Hyundai Tucson - Jeep Liberty - Kia Sportage - Toyota Rav4

DU NOUVEAU EN 2007

Pas de changement majeur, 4RM offert sur JX et JLX, climatiseur de série dans tous les modèles

NOS IMPRESSIONS

Agrément de conduite :	🚗🚗🚗🚗
Fiabilité :	🚗🚗🚗🚗
Sécurité :	🚗🚗🚗½
Qualités hivernales :	🚗🚗🚗🚗
Espace intérieur :	🚗🚗🚗½
Confort :	🚗🚗🚗🚗

LE CHOIX DE L'ÉQUIPE

JLX

que «très bien» mais plus que «pas parfait»...) et l'habitacle fait preuve d'hospitalité. L'espace pour les occupants ne manque pas, même à l'arrière, à moins que les sièges avant soient reculés au maximum. La banquette arrière, un peu dure avouons-le, se replie de façon 60/40 pour agrandir l'espace de chargement. Cet espace est accessible par une porte dont les pentures sont situées à droite, c'est-à-dire sur le mauvais côté. Ce hayon supporte le pneu de secours mais ce dernier n'entame que peu la visibilité arrière. La grandeur de l'ouverture et le seuil de chargement bas encouragent le transport d'objets lourds et encombrants, augmentant ainsi le nombre d'amis au début de l'été, mais vous aurez tôt fait de découvrir qu'il n'y a pas tant d'espace que ça. Une bande de caoutchouc placée sur le dessus du pare-chocs arrière lui épargnerait plusieurs égratignures. Sous le plancher du coffre, on a aménagé des compartiments pour ranger de menus objets. Avant de clore ce paragraphe, il faut souligner le fait que l'on doive attacher les sièges arrière aux dossiers des sièges avant par des courroies lorsqu'on les replie. Ça fait bricolé, tout comme le cache-bagages.

SUR LA ROUTE...

Sur la route, le Grand Vitara se débrouille étonnamment bien. Les accélérations sont certes peu enthousiastes et se font entendre. Les reprises, particulièrement avec l'automatique, demandent une certaine patience, principalement avec quatre adultes à bord. En ville, par contre, ces déficiences sont moins marquées. Le confort est surprenant et il faut créditer les suspensions indépendantes aux quatre roues. Elles demeurent toujours un peu fermes, surtout avec les roues de 16 pouces, mais il ne faut jamais oublier que le Grand Vitara est aussi fait pour la conduite hors route. La tenue de route s'avère fort relevée même si la caisse penche passablement en courbes. À noter que les freins ABS, le contrôle de stabilité latérale et le système antipatinage de même que les coussins gonflables frontaux, latéraux et rideaux arrivent de série, même sur la version JA, de base.

Le Grand Vitara n'est assurément pas parfait. Mais il s'agit d'un véhicule honnête vendu à un prix fort compétitif. Il manque certainement de raffinement, comparativement aux Honda CRV ou Toyota RAV4 mais ses capacités en conduite hors route compensent même s'il n'est pas encore «Trail rated» comme les Jeep. Reste juste au public d'accepter le nom Suzuki et de cesser d'appeler le Grand Vitara, Viagra...

Alain Morin

Photos : Alain Morin

ENFIN !

La compagnie Suzuki ne connaît pas les succès escomptés sur notre marché. Arrivée au Canada presque en même temps que les marques coréennes, la compagnie japonaise ne semble jamais avoir la combinaison gagnante. Parfois la voiture est sans attrait ou elle n'est carrément pas adaptée à notre marché. Ou encore le véhicule est trop petit, trop cher ou mal conçu. Mais les choses risquent de changer avec la SX-4. Cet élégant *hatchback* cinq portes a tous les éléments nécessaires pour s'imposer partout au pays, mais surtout au Québec.

Il est difficile de départager qui a fait quoi sur cette voiture puisqu'il s'agit d'un développement conjoint entre Fiat et Suzuki. Et si vous êtes d'accord avec moi pour souligner l'élégance de ce petit *hatchback* cinq portes, c'est que sa silhouette a été dessinée chez Italdesign, toute une référence. La SX-4 qui est importée en Amérique du Nord est fabriquée au Japon tandis que le modèle commercialisé en Europe est assemblé en Hongrie. Par ailleurs, si vous lisez quelque part que cette nouvelle venue est dérivée de la Swift, ne faites pas l'erreur de l'associer avec le modèle actuellement vendu sur notre marché. Il s'agit de la version européenne qui n'a pas grand-chose de similaire avec son homonyme nord-américain. Et pour vous en convaincre, sachez que cette euro Swift a remporté le titre de voiture de l'année décerné par la revue automobile *CAR* de Grande-Bretagne et qu'elle a devancé des modèles forts prestigieux. Laissez donc vos préjugés au vestiaire! En passant, voici ce que l'identification SX-4 représente : S pour Sport, la lettre X qui est un diminutif du verbe anglais *cross*, qui signifie traverser tandis que le chiffre 4 identifie les quatre saisons. Bref, un véhicule sport quatre saisons ! Songé non ?

BELLE FINITION !

La voiture est élégante, mais en plus, l'habitacle est spacieux et la finition

excellente. La documentation de Suzuki mentionne que cette voiture est une cinq places, mais il serait plus exact d'écrire qu'il s'agit d'un véhicule doté de cinq ceintures de sécurité et pouvant accueillir quatre adultes... Les occupants des places bénéficient d'un confort supérieur à la catégorie. Non seulement les sièges sont confortables, mais leur assise est haute, ce qui assure une bonne visibilité en raison d'une fenestration généreuse. La banquette arrière est correcte, mais les personnes de grande taille la trouveront un peu basse. Le dossier est du type 60/40, ce qui ajoute à la versatilité, et se replie à plat afin de faciliter le transport d'objets encombrants. En configuration normale, la capacité du coffre est de 269 litres et de 622 litres une fois le dossier rabattu. Par contre, le seuil de chargement est assez haut.

La compagnie Suzuki n'a jamais été reconnue pour l'élégance de ses tableaux de bord et celui de l'Aerio de première génération demeure toujours un triste souvenir. Cette fois, je ne sais pas si c'est quelqu'un chez Italdesign, Fiat ou Suzuki qui a dessiné la planche de bord - entre nous, je vous gage un dix que c'est Italdesign – mais c'est fort réussi et on n'a nullement l'impression d'être dans une voiture de prix abordable. Et la voiture inspectée offrait une bonne qualité de finition pour un modèle de préproduction.

FEU VERT

Silhouette élégante
Bonne habitabilité
Moteur bien adapté
Modèle offert en 4X2
Rapport qualité/prix

FEU ROUGE

Fiabilité inconnue
Moteur bruyant
Valeur de revente à déterminer
Pneumatiques moyens

UNE VERSION CANADIENNE

Aux États-Unis, la SX-4 ne sera vendue qu'avec une transmission intégrale permettant de rouler en mode deux roues motrices, intégral et même de verrouiller le transfert du couple du moteur aux roues avant et arrière. Lorsque le mode *Lock* est choisi, la répartition est égale à l'avant comme à l'arrière. Une fois que la vitesse de 58 km/h est atteinte, ce mécanisme est désactivé et le rouage intégral normal est à nouveau fonctionnel. Ce mécanisme est efficace et permet donc d'affronter les conditions les plus diverses. Par contre, afin de pouvoir offrir un modèle plus économique à l'achat, les dirigeants de Suzuki Canada ont décidé de faire comme leurs vis-à-vis Européens et d'offrir une version deux roues motrices en plus de la version intégrale, alors que nos voisins du Sud ne peuvent que rouler en AWD. De l'avis de plusieurs, c'est ce modèle qui sera le plus populaire auprès des acheteurs du Québec. La voiture ne perd nullement de son élégance et de ses capacités, mais son rouage simplifié permet de réduire le prix et de l'alléger. Toujours au chapitre des économies, cette traction consomme moins de carburant.

Dans les deux cas, la SX-4 est propulsée par un moteur quatre cylindres 2,0 litres d'une puissance de 127 chevaux et de 136 lb-pi de couple. La boîte de vitesses standard est une transmission manuelle à cinq rapports tandis que l'automatique à quatre vitesses est optionnelle. Ce moteur est donc relativement puissant par rapport à ses concurrents de la même catégorie. L'essai d'une version européenne de la SX-4 m'a permis de constater que la voiture est équilibrée et que les performances sont correctes avec un temps de 10,6 secondes pour boucler le 0-100 km/h avec une boîte manuelle. Bref, l'avenir de cette nouvelle Suzuki semble prometteur pour un marché toujours ouvert à ces voitures compactes multisegment capables d'affronter toutes les situations ou presque. Et cela, sans devoir payer le gros prix! Cette fois, Suzuki a touché la cible d'aplomb. Ce qui devrait permettre à cette marque de connaître un regain de popularité sur notre marché.

Denis Duquet

Photos : Suzuki

VÉHICULE D'ESSAI

Version :	Base
Prix de détail suggéré :	18 995 $ (estimé)
Emp/Lon/Lar/Haut(mm) :	2 499/4 140/1 755/1 620
Poids :	1 270 kg
Coffre/Réservoir :	270 à 625 litres/50 litres
Coussins de sécurité :	frontaux et latéraux (av./arr.)
Suspension avant :	indépendante, jambes de force
Suspension arrière :	demi-ind., poutre déformante
Freins av./arr. :	disque (ABS)
Antipatinage/Contrôle de stabilité :	oui/opt.
Direction :	à crémaillère, assistée
Diamètre de braquage :	11,0 m
Pneus av./arr. :	P205/60R16
Capacité de remorquage :	400 kg

MOTORISATION À L'ESSAI

Moteur :	4L de 2,0 litres 16s atmosphérique
Alésage et course :	84,0 mm x 90,0 mm
Puissance :	143 ch (107 kW) à 5 800 tr/min
Couple :	136 lb-pi (184 Nm) à 3 500 tr/min
Rapport poids/puissance :	8,88 kg/ch (12,1 kg/kW)
Système hybride :	aucun
Transmission :	traction, manuelle 5 rapports
Accélération 0-100 km/h :	10,6 s
Reprises 80-120 km/h :	9,3 s (estimé)
Freinage 100-0 km/h :	n.d.
Vitesse maximale :	180 km/h
Consommation (100 km) :	ordinaire, 8,5 litres
Autonomie (approximative) :	588 km
Émissions de CO2 :	3 480 kg/an

GAMME EN BREF

Échelle de prix :	n.d.
Catégorie :	multisegment
Historique du modèle :	1ière génération
Garanties :	3 ans/60 000 km, 5 ans/100 000 km
Assemblage :	Magyar, Esztergom, Hongrie
Autre(s) moteur(s) :	aucun
Autre(s) rouage(s) :	intégrale
Autre(s) transmission(s) :	automatique 4 rapports

DANS LA MÊME CATÉGORIE

Dodge Caliber - Ford Edge - Honda Element - Jeep Compass - Pontiac Vibe

DU NOUVEAU EN 2007

Nouveau modèle, moteur 2,0 litres de 127 chevaux, intégrale optionnelle

NOS IMPRESSIONS

Agrément de conduite :	🚗 🚗 🚗 🚗
Fiabilité :	nouveau modèle
Sécurité :	🚗 🚗 🚗 ½
Qualités hivernales :	🚗 🚗 🚗 🚗
Espace intérieur :	🚗 🚗 🚗 🚗
Confort :	🚗 🚗 🚗 ½

LE CHOIX DE L'ÉQUIPE

Version AWD

SUZUKI SX-4

525

DONNEZ-LUI LA PASSION

Lorsque la panne d'inspiration envahit un journaliste automobile, il y a deux raisons possibles. Il « n'est pas dedans », ce qui arrive (!) ou la voiture ne l'inspire pas. Ce qui arrive aussi. Alors, le journaliste, toujours à la recherche de la facilité, va fouiller dans la discographie de la prolifique Lynda Lemay, assuré de trouver un titre qui conviendra à la personnalité de la voiture essayée. Le duo Suzuki Verona/Chevrolet Epica sera complètement changé durant l'année 2007. S.V.P., concepteurs, donnez-lui la passion qu'il mérite...

E t, surtout, n'allez pas voir Lexus pour avoir des conseils au chapitre de la passion, serais-je tenté d'ajouter si j'étais méchant. En fait, le principal problème de l'Epica, c'est d'avoir pratiquement les mêmes dimensions que la Malibu, connue depuis longtemps et plus populaire. De plus, les deux voitures naviguent dans la même fourchette de prix. Le problème ne se pose pas pour Suzuki qui possède en la Verona sa seule berline intermédiaire. Les deux voitures proviennent des restes de Daewoo que General Motors a rachetée il y a maintenant quelques années. Tel que mentionné dans l'introduction, ce duo connaîtra une deuxième génération durant 2007, sans doute en tant que modèle 2008. Mais, consciencieux comme personne (ou parce qu'il était trop tard pour modifier la grille du *Guide* 2007...), nous avons quand même fait l'essai d'une Verona pour vous.

BEAUTÉ DISCRÈTE

Même si le design provient des ateliers ItalDesign, une référence dans le domaine, on ne peut pas dire que la Verona (et l'Epica bien sûr) nous jette par terre. Elle est cependant loin d'être laide et l'équilibre général de ses lignes saura vieillir en beauté. Il faut par contre éviter de regarder de trop près la peinture très « pelure d'orange » ou « cellulite », c'est selon... Avez-vous remarqué que la partie arrière ressemble à celle de la

Ford Five-Hundred ? Dans l'habitacle, le tableau de bord présente des plastiques généralement de belle qualité et un design pratique à défaut d'être épatant. On aurait toutefois pu trouver une façon plus esthétique d'insérer le couvercle du coussin gonflable du passager... On retrouve quelques espaces de rangement bien placés. Bien entendu, les boiseries ne sont qu'imitations, assez fidèles tout de même, et le cuir des sièges s'apparente plus à de la *cuirette*. L'espace habitable ne fait pas défaut autant à l'avant qu'à l'arrière où même les jambes les plus longues ne trouveront pas à redire. Les dossiers s'abaissent de façon 60/40 pour agrandir un coffre déjà très grand. Si justement vous êtes grand, vous risquez de vous cogner la tête sur le mécanisme de fermeture du coffre lorsque ce dernier est relevé.

Question, sans doute, de s'assurer de ne pas trop vendre d'unités, on a affublé les Verona et Epica d'un moteur six cylindres en ligne qui paraît toujours essoufflé. Ce moteur de 2,5 litres développe 155 chevaux et 177 livres-pied de couple. Même si la Verona n'est pas très lourde (un peu plus de 1500 kilos), cette écurie semble constituée de vieilles picouilles finies. Heureusement, l'insonorisation de l'habitacle est réussie et on ne les entend pas trop se plaindre! Si le moteur semble toujours dépassé, attendez d'essayer la transmission! Peut-être notre

FEU VERT	FEU ROUGE
Lignes simples et efficaces	Moteur dépassé
Habitabilité surprenante	Transmission incertaine
Consommation retenue	Comportement peu sportif
Équipement complet (GLX et Epica LTZ)	Valeur de revente à la baisse
Habitacle silencieux	Pneus d'origine moyens

VÉHICULE D'ESSAI

Version:	GLX
Prix de détail suggéré:	26 495 $ (estimé)
Emp/Lon/Lar/Haut(mm):	2 700/4 770/1 815/1 450
Poids:	1 533 kg
Coffre/Réservoir:	380 litres/65 litres
Coussins de sécurité:	frontaux
Suspension avant:	indépendante, jambes de force
Suspension arrière:	indépendante, multibras
Freins av./arr.:	disque (ABS)
Antipatinage/Contrôle de stabilité:	oui/non
Direction:	à crémaillère, assistance variable
Diamètre de braquage:	10,4 m
Pneus av./arr.:	P205/60R16
Capacité de remorquage:	non recommandé

MOTORISATION À L'ESSAI

Moteur:	6L de 2,5 litres 24s atmosphérique
Alésage et course:	77,0 mm x 89,2 mm
Puissance:	155 ch (116 kW) à 5800 tr/min
Couple:	177 lb-pi (240 Nm) à 4000 tr/min
Rapport poids/puissance:	9,89 kg/ch (13,45 kg/kW)
Système hybride:	aucun
Transmission:	traction, automatique 4 rapports
Accélération 0-100 km/h:	12,4 s
Reprises 80-120 km/h:	10,0 s
Freinage 100-0 km/h:	42,7 m
Vitesse maximale:	180 km/h
Consommation (100 km):	ordinaire, 10,1 litres
Autonomie (approximative):	644 km
Émissions de CO_2:	4560 kg/an

GAMME EN BREF

Échelle de prix:	22 995 $ à 26 495 $
Catégorie:	berline intermédiaire
Historique du modèle:	1ière génération
Garanties:	3 ans/60 000 km, 5 ans/100 000 km
Assemblage:	Bupyong, Corée du Sud
Autre(s) moteur(s):	aucun
Autre(s) rouage(s):	aucun
Autre(s) transmission(s):	aucune

modèle d'essai était-il souffrant mais le passage des quatre rapports était beaucoup trop long. De plus, après avoir reculé puis être passés en mode «D», nous ressentions souvent un coup qui semblait provenir de la transmission, un peu comme sur mon ancien Impala '73 dont l'arbre de transmission (qui fait le lien entre le moteur et les roues arrière) était défectueux. Sauf que la Verona est une traction… Tout ça pour dire que nous n'avons pu effectuer un 0-100 en moins de 12 secondes.

COMME UNE CADILLAC 1985 !

Les gens qui s'intéressent à la Verona ou à l'Epica sont sans doute plus attirés par la douceur de roulement et le confort que par les départs canon. Et à ce chapitre, ils seront servis! Les amortisseurs ne garantissent peut-être pas une tenue de route sportive mais ils assurent un excellent confort. La direction, peu précise, n'offre pas tellement de *feed-back* de la route. Soulignons, par contre, le rayon de braquage très court. Les freins, dont la pédale est spongieuse, ne peuvent résister à une utilisation le moindrement abusive. Au moins, ils comptent sur l'ABS en équipement standard sur la GLX. Remarquez que ces limites apparaissent lorsqu'on roule au-dessus des vitesses légales. En conduite normale, il n'y a rien à redire… ou presque!

Au niveau de l'équipement de base, autant la Verona que l'Epica sont livrées sans options. En fait, la Verona se présente en deux niveaux d'équipement, soit GL et GLX. L'Epica LTZ, puisque c'est son nom complet, équivaut à la GLX. La GL reçoit les accessoires les plus communs à cette catégorie (vitres et serrures électriques, essuie-glace intermittents, radio AM/FM/CD, sièges en tissu, etc.). La GLX peut compter, en plus, sur un toit ouvrant électrique, un volant gainé de cuir, de sièges recouverts de cuir et de l'ABS associé à un système de contrôle de traction. Dans la série des omissions, nous aurions aimé que le volant soit ajustable en profondeur (il ne l'est qu'en hauteur) et que l'ABS soit disponible sur la GL.

Malgré plusieurs réserves sur le comportement routier de la Verona et de l'Epica, les personnes à la recherche d'une voiture confortable, silencieuse, logeable et pas trop gourmande en essence seront pleinement satisfaites de cette voiture. Il faut cependant noter que puisqu'il s'agit d'un modèle en fin de carrière, la valeur de revente, déjà pas très forte, risque de diminuer davantage. Souhaitons la meilleure des chances à la prochaine génération.

Alain Morin

DANS LA MÊME CATÉGORIE

Chevrolet Epica - Chrysler Sebring - Honda Accord - Kia Magentis - Mazda 6 - Mitsubishi Galant

DU NOUVEAU EN 2007

Pas de changement majeur, nouvelle génération au cours de l'année

NOS IMPRESSIONS

Agrément de conduite:	🚗 🚗 🚗 ½
Fiabilité:	🚗 🚗 🚗 ½
Sécurité:	🚗 🚗 🚗 ½
Qualités hivernales:	🚗 🚗 🚗 ½
Espace intérieur:	🚗 🚗 🚗 ½
Confort:	🚗 🚗 🚗 ½

LE CHOIX DE L'ÉQUIPE

GLX

Photos : Alain Morin

SUZUKI VERONA / CHEVROLET EPICA

UN VRAI MODÈLE GLOBAL

La première génération du XL-7 était dérivée du Grand Vitara, ce qui expliquait son étroitesse par rapport à sa longueur. Cette petite japonaise tout usage s'était taillée une clientèle peu nombreuse mais fidèle qui appréciait ses possibilités en hors route et ses capacités de remorquage en raison de son châssis autonome de type échelle. Sa remplaçante est non seulement plus élégante, mais ses origines sont globales. Son moteur de conception américaine est fabriqué sous licence au Japon, tandis que la plate-forme provient de chez GM et le véhicule est assemblé au Canada.

I l faut se rappeler que General Motors et Suzuki ont été partenaires pendant des années avant que le géant américain décide de se départir de ses intérêts dans la compagnie nippone afin de pouvoir consolider sa situation financière. Ce qui explique pourquoi l'une des plus récentes Suzuki est construite à partir de plusieurs composantes qui ont été conçues à Detroit. Et il serait malhonnête de chercher noise à ces origines quelque peu globales et surtout de vilipender l'utilisation de composantes provenant de chez le géant américain. Si les gens pouvaient de débarrasser de leurs préjugés de temps à autre, ils reconnaîtraient que bien des véhicules fabriqués par GM sont parfois supérieurs à la concurrence, plus fiables et surtout plus économiques. Je sais, vous aller m'inonder d'exemples de produits simplistes et carrément mauvais provenant de chez GM. Mais il y en a plusieurs qui sont adéquats et ceux utilisés sur cette Suzuki font partie de cette catégorie. Bon, assez argumenté à ce sujet.

ÉLÉMENTS CONNUS

Plus large, plus longue et plus moderne que la version précédente, cette nouvelle génération de la XL 7 abandonne son châssis à échelle pour une plate-forme monocoque qui permet d'améliorer le confort et la tenue de route. Et celle-ci n'est ni plus ni moins empruntée aux Chevrolet Equinox et Pontiac Torrent. Comme ces dernières, elle est dotée d'une suspension avant avec jambes de force et leviers triangulés, tandis que la suspension arrière est de type à bras multiples avec leviers longitudinaux et transversaux. Mais si les VUS américains comptent sur des freins arrière à tambour, la Suzuki arbore quatre freins à disque et un système ABS de série. Elle offre également un système de stabilité latérale de série. Il ne faut donc pas conclure que

la XL-7 est une copie conforme de ses cousines d'Amérique. Elle propose en plus une 3e rangée de sièges, ce qui explique un empattement plus long et de nombreuses modifications à la plate-forme de cette dernière. Ils auraient sans doute pu améliorer l'insonorisation qui n'est pas le point fort de cette nouvelle Suzuki. Ce n'est pas catastrophique,

mais on aurait pu atténuer les bruits éoliens et surtout le niveau sonore du moteur.

Les ingénieurs nippons sont en effet capables de concevoir des véhicules de beaucoup améliorés par rapport à la version d'origine. Un détail en passant, si l'ancien modèle avait une capacité de remorquage de 1 588 kg, l'édition 2007 permet de tracter une charge similaire malgré un gain de puissance de 65 chevaux. Ce qui nous aurait permis d'espérer davantage, mais l'absence du châssis à échelle limite les possibilités à ce chapitre. Quoi qu'il en soit, on ne perd rien au change puisque a capacité de remorquage est identique tandis qu'on gagne en confort et en tenue de route. Enfin, contrairement à la tendance actuelle d'utiliser une direction à assistance électrique, celle du XL-7 est plus traditionnelle puisque cette assistance est hydraulique. Somme toute, une configuration mécanique moderne, mais sans excentricité. Et je suis persuadé que le fait d'avoir opté pour une direction assistée conventionnelle sera apprécié par la majorité puisque le nouveau type de direction à assistance électrique est loin de faire l'unanimité. Plusieurs lui reprochent de manquer de *feedback*.

Le moteur est un V6 de 3,6 litres de conception General Motors d'une puissance de 250 chevaux. C'est le tout dernier des moteurs du général et il est fabriqué sous licence dans une usine de Suzuki au Japon. Il ne craint pas les régimes élevés et la bande de puissance est passablement linéaire. Il est couplé à une boîte automatique à cinq rapports de type manumatique. Ce moteur nous fera rapidement oublier l'anémique moteur V6 de 2,7 litres qui avait parfois de la difficulté à se hisser à la hauteur de la tâche. Bref, sur le plan mécanique, cette nouvelle venue a gagné en raffinement et en performances. Il faut d'ailleurs souligner que cette motorisation est l'une des plus intéressantes sur le marché autant en fait de performances que de rendement tandis que la consommation s'est avérée plus que raisonnable avec une moyenne de 11,7 litres.

BON ÉQUILIBRE
Malgré tous les bons efforts des stylistes de Suzuki, la version précédente a toujours offert une silhouette quelque peu bizarre en raison de

la largeur par rapport à la longueur. Comme on avait utilisé la plateforme d'un Grand Vitara pour concocter ce modèle sept places, le véhicule apparaissait anormalement étroit. Et le reste était à l'avenant avec cette portière du coffre à battant qui étaient non seulement lourde, mais dont les charnières étaient du mauvais côté. Cette fois, la présentation extérieure est plus habituelle et l'utilisation de phares de route plongeant vers l'avant et débordant sur les côtés fait même paraître cette nouvelle Suzuki plus large qu'elle ne l'est en réalité. Impression accentuée par une grille de calandre dotée de trois barres transversales. Et l'utilisation de glaces latérales aux lignes fuyantes équilibre fort bien le tout. La partie arrière est fortement arrondie tandis que de larges feux de freinage délimitent bien les dimensions de ce VUS urbain. À souligner également les échappements doubles et un bouclier protecteur à l'arrière, comme si ce véhicule était capable d'aller en découdre au fin fond des bois. Il suffit de stationner la nouvelle

génération de la XL-7 à côté de l'ancienne pour réaliser à quel point des progrès ont été réalisés à ce chapitre.

Pourtant, si la première génération du XL-7 ne se débrouillait pas trop mal en conduite hors route et possédait même une démultipliée, celle-ci est dotée d'un rouage intégral totalement automatique. Ce sera sans doute correct pour la neige et la glace sur les routes, mais pas pour la piste du Rubicon ou tout autre sentier accidenté. Mais comme la grande majorité des propriétaires utilise leur véhicule pour leurs besoins familiaux, cela ne pénalise pas cette nouvelle venue. Il faut d'ailleurs souligner que le tableau de bord est sobre et élégant avec des commandes simples à utiliser et bien placées. Par contre, sa partie supérieure est anormalement plane et recouverte d'un plastique qui ne semble pas trop épais. Toujours au chapitre des reproches, les cadrans indicateurs se consultent aisément, mais l'indicateur de positionnement du rapport de boîte n'est pas tellement facile à déchiffrer. Et je me demande encore à quoi sert cette petite mollette horizontale placée juste en dessous de la commande des rétroviseurs extérieurs. En passant, ceux-ci sont de grande dimension.

La position de conduite est bonne et le repose-pied confortable. Un bémol quant aux sièges avant, leur dossier est un peu trop plat pour assurer un support latéral optimal, surtout la version avec sièges en cuir. Et toujours au chapitre des sièges, l'espace réservé aux occupants de la troisième rangée est assez minimaliste, comme sur tous les autres véhicules de ce genre. Par contre, la banquette médiane est confortable bien que le dossier soit un peu trop plat. Et notre modèle d'essai

<table>
<tr><td>FEU VERT</td><td>FEU ROUGE</td></tr>
<tr><td>Silhouette élégante</td><td>Certains plastiques durs</td></tr>
<tr><td>Moteur nerveux</td><td>3e rangée symbolique</td></tr>
<tr><td>Boîte bien adaptée</td><td>Support latéral des sièges</td></tr>
<tr><td>Habitacle confortable</td><td>Volant non réglable en profondeur</td></tr>
<tr><td>Tenue de route sans surprise</td><td>AWD peu efficace en hors-route</td></tr>
</table>

possédait des commandes arrière pour permettre aux occupants de ces places de gérer leur niveau de confort. Il y a même des buses de ventilation placées dans le pavillon.

Côté performances, les accélérations du moteur V6 sont nerveuses. Comme il s'agit d'un moteur à arbres à cames en tête, il faut appuyer franchement sur l'accélérateur pour que le moteur monte en régime et que le véhicule prenne rapidement de la vélocité. En virage, il est relativement neutre et ses freins sont à la hauteur de la tâche. Même si le centre de gravité plus élevée qu'une automobile doit toujours nous inciter à la prudence, le comportement de cette Suzuki s'apparente assez bien à celui d'une automobile. Les suspensions avant et arrière sont confortables tandis que les prestations du moteur nous permettent de se débrouiller aussi bine dans la circulation dense que sur une route parsemée de virages serrés.

Somme toute, ce nouveau XL-7 nous fera vite oublier l'ancien et devrait permettre à Suzuki d'améliorer ses ventes dans cette catégorie. Il est toujours possible de lui reprocher une finition intérieure un peu juste, mais la liste des qualités est nettement plus longue.

Denis Duquet

SUZUKI XL-7

VÉHICULE D'ESSAI

Version :	AWD
Prix de détail suggéré :	37 995 $ (2006)
Emp/Lon/Lar/Haut(mm) :	2 857/5 008/1 835/1 750
Poids :	1 837 kg
Coffre/Réservoir :	972 litres/70,3 litres
Coussins de sécurité :	frontaux
Suspension avant :	indépendante, jambes de force
Suspension arrière :	indépendante, multibras
Freins av./arr. :	disque (ABS)
Antipatinage/Contrôle de stabilité :	oui/oui
Direction :	à crémaillère, assistée
Diamètre de braquage :	12,7 m
Pneus av./arr. :	P235/60R17
Capacité de remorquage :	1 587 kg

MOTORISATION À L'ESSAI

Moteur :	V6 de 3,6 litres 24s atmosphérique
Alésage et course :	94,0 mm x 85,6 mm
Puissance :	250 ch (186 kW) à 6500 tr/min
Couple :	243 lb-pi (330 Nm) à 2300 tr/min
Rapport poids/puissance :	7,35 kg/ch (9,98 kg/kW)
Système hybride :	aucun
Transmission :	4X4, automatique 5 rapports
Accélération 0-100 km/h :	8,9 s
Reprises 80-120 km/h :	7,1 s
Freinage 100-0 km/h :	40,5 m
Vitesse maximale :	185 km/h
Consommation (100 km) :	ordinaire, 11,7 litres
Autonomie (approximative) :	601 km
Émissions de CO2 :	5712 kg/an

GAMME EN BREF

Échelle de prix :	29 495 $ à 33 495 $ (2006)
Catégorie :	utilitaire sport compact
Historique du modèle :	2ième génération
Garanties :	3 ans/60 000 km, 5 ans/100 000 km
Assemblage :	Ingersoll, Ontario, Canada
Autre(s) moteur(s) :	aucun
Autre(s) rouage(s) :	traction
Autre(s) transmission(s) :	aucune

DANS LA MÊME CATÉGORIE

Dodge Nitro - Ford Escape - Honda CR-V - Hyundai Santa Fe - Jeep Liberty - Mazda Tribute - Mitsubishi Outlander - Nissan X-Trail - Subaru Forester - Toyota Rav4

DU NOUVEAU EN 2007

Nouveau modèle

NOS IMPRESSIONS

Agrément de conduite :	🚗 🚗 🚗 🚗
Fiabilité :	nouveau modèle
Sécurité :	🚗 🚗 🚗 🚗 🚗
Qualités hivernales :	🚗 🚗 🚗 🚗 🚗
Espace intérieur :	🚗 🚗 🚗 🚗 🚗
Confort :	🚗 🚗 🚗 🚗

LE CHOIX DE L'ÉQUIPE

Version intégrale 5 places

531

ENTRE DEUX

Lorsque la direction de Toyota a décidé de s'impliquer dans la catégorie des camionnettes, VUS et véhicule utilitaire de tout acabit, elle l'a fait presque d'un seul coup avec l'arrivée de plusieurs nouveaux modèles. Le 4Runner était déjà au catalogue et il a bénéficié à ce moment de plusieurs améliorations aussi bien esthétiques que techniques. Et au lieu d'être le seul et unique 4X4 de la famille, il se retrouve maintenant dans une situation de compromis entre le Sequoia et le RAV4 qui a pris du galon depuis l'an dernier en gagnant en longueur et en puissance.

C e modèle risque de vous intéresser si vos besoins exigent quelque chose de plus costaud qu'un RAV4, mais sans aller dans les tailles du Sequoia. Et la possibilité de commander le 4Runner avec un moteur V8 permettra sans aucun doute de faciliter le choix à quelques occasions.

UNE SILHOUETTE PARTAGÉE

Ce Toyota aux épaules carrées n'a jamais remporté de prix pour son style et jusqu'à son renouvellement en 2003, le 4Runner ressemblait plus à un fourgon mortuaire qu'à toute autre chose. La situation s'est améliorée depuis et il est devenu difficile de faire la différence entre ce modèle et le Sequoia. En effet, à part une différence dans leur grosseur respective, il y beaucoup de similitudes, surtout entre la partie avant et les parois latérales. C'est correct, mais nettement moins esthétique et fonctionnel que plusieurs autres VUS, même si l'an dernier le véhicule a été l'objet d'une révision de la partie avant et arrière. Comme c'est souvent le cas chez Toyota, il me semble que le tableau de bord est plus audacieux en fait de style que la carrosserie.

Le truc des stylistes est d'utiliser des bandes décoratives de couleur titane pour délimiter le bloc central de commande et les cadrans

indicateurs. Un détail m'agace cependant, le fonctionnement des commandes de la climatisation exige toujours une certaine implication de notre part avant de déterminer la marche à suivre et cela devient agaçant. Pour continuer au chapitre des irritants, la course crantée du levier de vitesse en zigzag n'est pas tellement appréciée lorsque nous sommes pressés. Les sièges sont confortables mais leur support latéral est moyen. Enfin, la soute à bagages est d'une bonne dimension et comprend une tablette amovible qui permet de répartir les objets sur deux niveaux de chargement. Et finalement, une fois de plus, (nous nous répétons d'année en année!), la finition est impeccable et les matériaux de première qualité .

TRACTION ET CONSOMMATION

L'arrivée du moteur V8 4,7 litres utilisé sur plusieurs autres véhicules, le Tundra notamment, a permis au 4Runner de s'attirer une nouvelle clientèle à la recherche d'un véhicule capable de tracter des remorques de plus de 2 000 kg sans devoir se tourner vers des modèles ultragros. Ce moteur V8 de 4,7 litres de 260 chevaux est doté du calage des soupapes continuellement variable avec intelligence et est associé à une transmission automatique à cinq rapports. Ce moteur s'est révélé doux, fiable et silencieux. De plus, le passage des rapports est assez rapide, une

FEU VERT	FEU ROUGE
Châssis costaud	Marchepied inutile
Moteur V8	Esthétique conservatrice
Rouage intégral performant	Consommation élevée (V8)
Finition de qualité	Suspension pneumatique énigmatique
Toujours fiable	Hayon lourd

532

caractéristique qui n'est pas forcément l'apanage des boîtes automatiques de Toyota. Par contre, si son rendement est supérieur à la moyenne, il en est de même pour sa consommation de carburant qui a parfois flirté avec une moyenne de 20 litres aux 100 km, surtout par temps froid. Lorsqu'on fait la moyenne « normale », elle est d'environ 15 litres aux 100 km.

Il y a toujours la possibilité de se tourner vers le moteur V6 4,0 litres de 236 chevaux si vous voulez économiser du carburant. Ce faisant, vous sauverez un peu plus d'un litre aux 100 kilomètres. Ce moteur est livré avec un rouage 4X4 à temps partiel, avis aux intéressés qui ne peuvent pas sentir les systèmes de rouage intégral à commande électronique! Le 4Runner en propose un, mais il n'est associé qu'au moteur V8. Ici pas de levier mais un seul bouton au tableau de bord. Ce système à commande électronique est dérivé de celui du Sequoia et est vraiment efficace.

La suspension pneumatique offerte sur la version Limited à moteur V8 est un élément digne d'intérêt surtout l'hiver alors qu'il faut rouler sur des routes enneigées sans risque de s'enliser. Par contre, les commandes de fonctionnement de ce système ne sont pas très claires. Soulignons l'étroitesse du marchepied qui s'est avéré plus décoratif que pratique. Sur une note plus positive, les rétroviseurs extérieurs assurent une excellente visibilité.

Si le Sequoia perd des points au chapitre du comportement routier, le 4Runner s'en tire beaucoup mieux. Il y a moins de roulis en virage, la direction est moins engourdie tandis que sur la route, ce gros 4X4 n'a pas l'agilité d'une Camry, mais son comportement routier est prévisible. La version dotée de la transmission intégrale quant à elle permet de rouler en toute sécurité peu importe l'état de la chaussée.

Et il faut ajouter que les aides électroniques à la conduite sont nombreux, mentionnons le système de stabilité latérale, la commande d'assistance de démarrage en pente, le régulateur de traction actif et la commande d'assistance en descente. Que dire de plus !

Denis Duquet

VÉHICULE D'ESSAI

Version :	SR5 V6
Prix de détail suggéré :	44 995 $
Emp/Lon/Lar/Haut(mm) :	2 790/4 805/1 910/1 800
Poids :	1 950 kg
Coffre/Réservoir :	1 189 à 2 124 litres/87 litres
Coussins de sécurité :	frontaux et latéraux (av.)
Suspension avant :	indépendante, leviers triangulés
Suspension arrière :	essieu rigide, ressorts elliptiques
Freins av./arr. :	disque (ABS)
Antipatinage/Contrôle de stabilité :	oui/oui
Direction :	à crémaillère, assistance variable
Diamètre de braquage :	11,7 m
Pneus av./arr. :	P265/70R16
Capacité de remorquage :	2 268 kg

MOTORISATION À L'ESSAI

Pneus d'origine
MICHELIN

Moteur :	V6 de 4,0 litres 24s atmosphérique
Alésage et course :	95,0 mm x 95,0 mm
Puissance :	236 ch (176 kW) à 5 200 tr/min
Couple :	266 lb-pi (361 Nm) à 4 000 tr/min
Rapport poids/puissance :	8,26 kg/ch (11,21 kg/kW)
Système hybride :	aucun
Transmission :	4X4, automatique 5 rapports
Accélération 0-100 km/h :	9,6 s
Reprises 80-120 km/h :	7,9 s
Freinage 100-0 km/h :	42,0 m
Vitesse maximale :	190 km/h
Consommation (100 km) :	ordinaire, 13,5 litres
Autonomie (approximative) :	644 km
Émissions de CO2 :	5 808 kg/an

GAMME EN BREF

Échelle de prix :	39 960 $ à 52 585 $
Catégorie :	utilitaire sport intermédiaire
Historique du modèle :	4ième génération
Garanties :	3 ans/60 000 km, 5 ans/100 000 km
Assemblage :	Toyota City, Japon
Autre(s) moteur(s) :	V8 4,7l 260ch/306lb-pi (14,6 l/100km)
Autre(s) rouage(s) :	intégrale
Autre(s) transmission(s) :	aucune

DANS LA MÊME CATÉGORIE

Chevrolet Trailblazer - Ford Explorer - Honda Pilot - Hummer H3 - Jeep Grand Cherokee - Mitsubishi Endeavor - Nissan Pathfinder - Saab 9-7x

DU NOUVEAU EN 2007
Pas de changement majeur

NOS IMPRESSIONS

Agrément de conduite :	🚗🚗🚗🚗
Fiabilité :	🚗🚗🚗🚗🚗
Sécurité :	🚗🚗🚗🚗½
Qualités hivernales :	🚗🚗🚗🚗🚗
Espace intérieur :	🚗🚗🚗🚗½
Confort :	🚗🚗🚗🚗

LE CHOIX DE L'ÉQUIPE
SR5 V6

Photos : Toyota

UNE PIERRE ANGULAIRE

Il ne faut pas le cacher, jusqu'à l'arrivée de cette génération, la Toyota Avalon n'était rien d'autre qu'une Camry modifiée afin de permettre à ce constructeur d'aller grappiller quelques ventes aux grosses berlines nord-américaines. D'ailleurs, l'une de ses caractéristiques était la possibilité de la commander avec une banquette avant pouvant accommoder six occupants. Inutile de souligner que l'agrément de conduite était aussi nul que la mécanique pouvait être fiable. Mais le monde a basculé avec l'arrivée de la nouvelle version en 2005 en tant que modèle 2006.

Non seulement cette nouvelle venue nous a immédiatement fait oublier la silhouette de sa devancière mais, pour la première fois, l'Avalon n'était plus à la remorque de la Camry, elle était la première de la lignée à arriver sur le marché. Cette tactique peut s'expliquer de deux façons. D'abord, la direction aurait voulu relever son prestige en la lançant en premier. D'autant plus que sa silhouette et sa mécanique étaient vraiment de première. Ensuite, on aurait voulu hausser les ventes de l'Avalon plus rapidement tandis que la Camry, renouvelée cette année, avait encore la cote. Quoi qu'il en soit, aussi bien la nouvelle Camry que la Lexus ES350 sont des descendantes de cette grosse berline, la plus opulente de la famille Toyota.

MOTEUR MUSCLÉ

Les confortables et luxueuses berlines sont achetées par des gens qui ne privilégient pas nécessairement les accélérations sportives. Ceux-ci devront donc s'accommoder d'un groupe propulseur qui impressionne par ses prestations. Heureusement pour ces personnes, sa douceur est tout aussi remarquable. Comme tout moteur Toyota qui se respecte, ce V6 de 3,5 litres tourne comme une turbine tant il est silencieux et doux. Alors que plusieurs constructeurs n'ont pas encore réussi à rendre leur moteur V6 ultradoux, les ingénieurs de Toyota semblent avoir trouvé la

recette magique. Aussi bien les bruits d'entrée d'air et les vibrations à l'accélération que ceux provenant du jeu de soupapes ont été gommés. Mais ce qui est encore plus remarquable, c'est que ce moteur V6 produit 280 chevaux en plus d'afficher une consommation raisonnable de 10,5 litres aux 100 km. Cette dernière donne s'explique en grande partie par l'efficacité du système de calage variable des soupapes. D'ailleurs, toutes les personnes qui sont montées à bord de cette voiture ne pouvaient s'empêcher de souligner: «Wow! Ça marche ce char-là!»

Et les prestations seraient encore plus impressionnantes si la boîte automatique à cinq rapports ne s'était pas parfois montrée quelque peu paresseuse lors du passage de certains rapports, notamment de la troisième à la quatrième vitesse. Il est possible de passer les rapports manuellement et c'est plus efficace, même si un certain à-coup a été observé de temps à autre. Quoi qu'il en soit, il faut un peu plus de sept secondes pour boucler le 0-100 km/h, des chiffres étonnants compte tenu du gabarit de cette auto.

En plus de sa nouvelle plate-forme acquise en 2005, l'Avalon propose tout ce à quoi on s'attend d'une voiture de ce prix: suspensions indépendante avant/arrière, freins à disque aux quatre roues et freins

---

FEU VERT
Allure moderne
Moteur performant
Finition soignée
Habitacle spatieux
Fiabilité

FEU ROUGE
Agrément de conduite mitigé
Suspension trop souple
Direction engourdie
Passage des rapports lents
Freinage à revoir

ABS avec distribution électronique de la force de freinage. Malheureusement, il faut investir davantage si on veut se procurer le système antipatinage et de stabilité latérale. D'ailleurs, il faut toujours se méfier des groupes d'options proposés par Toyota qui permettent d'ajouter au contenu de la voiture et de combler quelques caprices, car la facture risque de vous surprendre...

SI LE CONFORT VOUS INTÉRESSE

L'Avalon a donc progressé en fait de stylisme et de performance. La carrosserie anonyme de jadis a été remplacée par une silhouette qui, à défaut d'être controversée, est tout au moins équilibrée. La partie arrière est l'élément visuel qui la caractérise le plus. En outre, l'habitacle a été «Lexurisé» car on y retrouve une finition, une présentation et un luxe qui s'apparentent à ce que les voitures Lexus nous proposent. Et comme il se doit, l'insonorisation est l'égale de bien des berlines coûtant beaucoup plus cher. Cela ne signifie pas pour autant que le tableau de bord soit un modèle de design, mais c'est équilibré, élégant et sobre. Des appliques en bois viennent donner du relief aux panneaux de couleur titane qui sont utilisés à profusion sur la planche de bord. Soulignons au passage que les commandes audio placées sur le volant auraient intérêt à être redessinées. Pour votre information, notre voiture d'essai était équipée d'un système audio premium de JBL dont la sonorité était impressionnante. D'ailleurs, à ce chapitre, les basses sont agressives, ce qui ne doit pas toujours convenir aux goûts musicaux des acheteurs éventuels.

La position de conduite est bonne, le pied gauche bénéficie d'un repose-pied géant et le volant dont le boudin est partiellement en bois se prend bien en main. Toutefois, vous devrez vous contenter d'apprécier le rendement du moteur V6 sur ligne droite seulement. En virage serré abordé à grande vitesse, la direction engourdie et la souplesse des amortisseurs vous font regretter d'avoir voulu jouer les Arno Trulli au volant d'une berline dotée d'une suspension en guimauve. Mieux vaut se borner à rouler plus sagement et à profiter de tout le confort que procure cette Avalon, tout en nous laissant guider par le système de navigation par voix, optionnel bien entendu.

Denis Duquet

TOYOTA AVALON

Photos : Toyota

VÉHICULE D'ESSAI

Version :	XLS
Prix de détail suggéré :	44 725 $
Emp/Lon/Lar/Haut(mm) :	2 820/5 010/1 850/1 485
Poids :	1 583 kg
Coffre/Réservoir :	408 litres/70 litres
Coussins de sécurité :	front., latéraux, rideaux et genoux
Suspension avant :	indépendante, jambes de force
Suspension arrière :	indépendante, jambes de force
Freins av./arr. :	disque (ABS)
Antipatinage/Contrôle de stabilité :	opt./opt.
Direction :	à crémaillère, assistance variable
Diamètre de braquage :	11,5 m
Pneus av./arr. :	P215/55R17
Capacité de remorquage :	454 kg

MOTORISATION À L'ESSAI

Pneus d'origine MICHELIN

Moteur :	V6 de 3,5 litres 24s atmosphérique
Alésage et course :	87,4 mm x 83,1 mm
Puissance :	280 ch (209 kW) à 6 200 tr/min
Couple :	260 lb-pi (353 Nm) à 4 700 tr/min
Rapport poids/puissance :	5,65 kg/ch (7,68 kg/kW)
Système hybride :	aucun
Transmission :	traction, automatique 5 rapports
Accélération 0-100 km/h :	7,4 s
Reprises 80-120 km/h :	5,3 s
Freinage 100-0 km/h :	40,0 m
Vitesse maximale :	220 km/h
Consommation (100 km) :	ordinaire, 10,5 litres
Autonomie (approximative) :	680 km
Émissions de CO2 :	4 416 kg/an

GAMME EN BREF

Échelle de prix :	41 135 $ à 47 170 $
Catégorie :	berline grand format
Historique du modèle :	2ième génération
Garanties :	3 ans/60 000 km, 5 ans/100 000 km
Assemblage :	Georgetown, Kentucky, É-U
Autre(s) moteur(s) :	aucun
Autre(s) rouage(s) :	aucun
Autre(s) transmission(s) :	aucune

DANS LA MÊME CATÉGORIE

Buick Allure - Ford 500 - Kia Amanti - Mercury Grand Marquis

DU NOUVEAU EN 2007

Pas de changement majeur

NOS IMPRESSIONS

Agrément de conduite :	🚗 🚗 🚗
Fiabilité :	🚗 🚗 🚗 🚗
Sécurité :	🚗 🚗 🚗 🚗 ½
Qualités hivernales :	🚗 🚗 🚗
Espace intérieur :	🚗 🚗 🚗 🚗 ½
Confort :	🚗 🚗 🚗 🚗 ½

LE CHOIX DE L'ÉQUIPE

Touring

CHANGEMENT DE GARDE

Je sais que ce qui suit fait très cliché… Il est extrêmement difficile, voire périlleux, pour un constructeur automobile de changer complètement une voiture qui se vend très bien et qui fait référence dans son créneau. Toyota a donc réussi à transformer sa Camry du tout au tout… sans trop la changer! Le style est différent, plus moderne, le châssis tout nouveau et l'habitacle modifié. Mais il reste une indéniable filiation avec le modèle précédent. Même constat pour les impressions de conduite.

Les lignes de la Camry représentent la synthèse de la philosophie « Clarté Vibrante » si chère à Toyota depuis deux ans. La Yaris et l'Avalon ont été les premières à en bénéficier. La Lexus ES350, la sœur luxueuse de la Camry, jouit de la philosophie « L-Design ». La philosophie et moi ayant des rapports très tendus depuis de nombreuses années, je n'émettrai donc aucun commentaire. Juste un mot, cependant, pour noter que la Camry nouvelle ressemble à une vulgaire Yaris berline. La philosophie peut donner de belles choses, de belles lignes dans ce cas-ci, mais elle a ses limites… Ces lignes ont au moins le mérite d'être modernes et de donner un peu de caractère à la Camry, une qualité que la génération précédente ne possédait absolument pas.

UN ICEBERG NE NOUS LAISSE PAS DE GLACE

Les changements apportés à l'habitacle sont évidemment très importants. La Camry a toujours été reconnue pour offrir beaucoup d'espace intérieur et, avec un accroissement sensible de l'empattement, cela est plus vrai que jamais. On retrouve des sièges avant confortables et suffisamment larges pour accueillir toutes sortes de physiques. Il est par contre un peu décevant de constater que la version LE (de base) ne propose pas, même en option, de sièges chauffants. À ce chapitre, la ES350 ressort gagnante puisqu'en plus de ses trois niveaux de chauffage, elle offre autant de niveaux de climatisation!

Le tableau de bord se montre fonctionnel et fort esthétique. Les jauges, rétroéclairées, se consultent facilement grâce aux chiffres noirs et aiguilles rouges sur fond bleuté. La partie centrale du tableau de bord reprend des éléments de l'Avalon avec ses panneaux rétroéclairés en bleu iceberg, de toute beauté. La Lexus ES350 se fait beaucoup plus

conservatrice à ce niveau même si l'ensemble fait preuve de bon goût. Dans les deux cas, les plastiques sont de qualité et les espaces de rangement se révèlent fort nombreux. L'équipement de série se montre très complet, même sur les versions de base. Le système audio d'entrée de gamme produit une sonorité très ordinaire. Pour plus de jouissance

auditive, il faut impérativement opter pour le système optionnel. La ES350 n'éprouve pas ce problème. De plus, cette voiture de luxe possède un habitacle des plus silencieux, une qualité partagée avec la Camry.

APPELEZ LA SÉCURITÉ !

Au chapitre de la sécurité, Toyota n'a pas lésiné. De la plus prolétaire des Camry à la ES350, toutes ont des coussins gonflables avant, des coussins latéraux placés dans les sièges avant, des coussins de type rideau pour passagers avant et arrière et des coussins pour les genoux du conducteur. Ces attributs interviennent après un impact. Mais c'est encore mieux quand on peut éviter celui-ci. Les Camry et ES350 comptent donc sur des freins ABS avec répartiteur électronique de force de freinage (EDB) et assistance au freinage (BA). Les versions SEV6 et SLEV6 ainsi que la ES350 comptent aussi sur un système de contrôle de stabilité du véhicule (VSC) associé à un régulateur de traction (TRAC).

Les sièges avant WIL sont conçus pour réduire le coup de lapin causé par une collision arrière. De plus, la grille avant, le capot et les ailes avant ont été dessinés de façon à mieux protéger les piétons en cas d'impact. En journaliste consciencieux, j'ai bien tenté de prouver cette dernière assertion mais personne dans mon entourage n'a été très coopératif...

Les places arrière sont faciles d'accès. On y retrouve beaucoup d'espace pour les jambes mais les grandes personnes risquent de trouver le plafond un peu bas. Sur la Camry XLE V6, les dossiers s'inclinent, encore un emprunt à l'Avalon. Si les deux places habituelles sont confortables, on ne peut en dire autant de la place centrale dont le dossier s'avère un peu trop dur. De plus, un passager assis au centre bloque considérablement la vue du conducteur. Malgré un seuil de chargement élevé, le coffre est très grand. Il y a même la possibilité d'abaisser les dossiers des sièges arrière sur certains modèles seulement. Les SE et XLE possèdent des renforts structurels qui empêchent ces dossiers de s'abaisser. On retrouve alors seulement une trappe à skis. Bizarre.

La livrée XLE V6 offre un écran pare-soleil rétractable pour la lunette arrière. La ES350 aussi, mais il faut opter pour le Groupe Premium pour obtenir un tel écran mais à assistance électrique. Tant qu'à parler du Groupe Premium, mentionnons qu'il ajoute 3 600 $ à la ES350. Moyennant la bagatelle de 7 800 $ supplémentaires, on obtient le Groupe Premium avec Navigation qui propose, entre autres et en plus du système de navigation, un système audio Mark Levinson d'une qualité sonore à vous en faire fondre la cire des oreilles.

TROIS MOTEURS, QUATRE PUISSANCES DIFFÉRENTES

Comme mentionné plus haut, le châssis, tout nouveau, permet un empattement accru de 5,5 cm qui ajoute à l'espace intérieur, certes, mais qui influe directement et positivement sur la tenue de route et le confort. La Camry propose deux moteurs. Tout d'abord un quatre cylindres de 2,4 litres de 158 chevaux et 161 livres-pied de couple. Bien

qu'un peu faiblard à bas régime, ce moteur offre des performances très correctes. Avec la manuelle, dont le levier est placé un peu loin du conducteur et à la course trop longue pour prétendre à une certaine sportivité, nous avons réussi de bons temps d'accélération. Pour les reprises, il faut jouer du levier. Cette transmission, qui de toute façon ne devrait pas représenter un très gros pourcentage des ventes, n'est pas étagée pour la conduite sportive. L'automatique à cinq rapports, cependant, se montre d'une douceur exemplaire et est mieux adaptée au caractère placide de la Camry.

La Camry, tout comme la ES350, peut aussi être mue par un V6 de 3,5 litres. Les 268 chevaux et 248 livres-pied de couple de la Camry sont de nature à encourager la collection de contraventions. Sur le 0-100, on retranche au moins 2,5 secondes mais, concernant la consommation, on perd environ deux litres aux cent kilomètres. La transmission automatique à six rapports effectue un boulot exceptionnel. Il est intéressant de noter qu'aucune inscription V6 ne se trouve sur la carrosserie. La ES350, compte tenu de son prestige un peu plus rehaussé, a droit à 272 chevaux et 254 livres-pied de couple.

Une Camry Hybride est aussi offerte. Son moteur de 2,4 litres développe 187 chevaux, l'équivalent d'un V6 selon Toyota. Le couple, par contre, n'a pas été dévoilé. Le système HSD (Hybrid Synergy Drive) compte sur un moteur électrique de 105 KW et un ensemble de batteries Nickel de 244 volts. Toyota parle d'une consommation combinée de 5,7 litres aux cent kilomètres et d'un taux d'émissions nocives parmi les plus bas de l'industrie. La transmission est à variation constante (CVT).

FEU VERT
Carrosserie plus dynamique
Moteur V6 performant
Prix de l'hybride intéressant
Niveau de sécurité élevé
Automatique cinq rapports exemplaire

FEU ROUGE
Agrément de conduite toujours mitigé
Hybride pas encore parfaite
Direction engourdie
V6 un peu gourmand
Version de base dépouillée (Camry)

VÉHICULE D'ESSAI

Version :	XLE V6
Prix de détail suggéré :	37 425 $
Emp/Lon/Lar/Haut(mm) :	2 775/4 805/1 820/1 460
Poids :	1 595 kg
Coffre/Réservoir :	425 litres/70 litres
Coussins de sécurité :	front., latéraux, rideaux et genoux
Suspension avant :	indépendante, jambes de force
Suspension arrière :	indépendante, multibras
Freins av./arr. :	disque (ABS)
Antipatinage/Contrôle de stabilité :	opt./opt.
Direction :	à crémaillère, assistance variable
Diamètre de braquage :	11,5 m
Pneus av./arr. :	P215/60R16
Capacité de remorquage :	n.d.

MOTORISATION À L'ESSAI

Pneus d'origine MICHELIN

Moteur :	V6 de 3,5 litres 24s atmosphérique
Alésage et course :	87,4 mm x 83,1 mm
Puissance :	268 ch (200 kW) à 6 200 tr/min
Couple :	248 lb-pi (336 Nm) à 4 700 tr/min
Rapport poids/puissance :	5,95 kg/ch (8,1 kg/kW)
Système hybride :	voir autres moteurs
Transmission :	traction, automatique 6 rapports
Accélération 0-100 km/h :	7,4 s
Reprises 80-120 km/h :	5,3 s
Freinage 100-0 km/h :	40,0 m
Vitesse maximale :	220 km/h
Consommation (100 km) :	ordinaire, 10,3 litres
Autonomie (approximative) :	680 km
Émissions de CO2 :	4 416 kg/an

GAMME EN BREF

Échelle de prix :	25 800 $ à 42 900 $
Catégorie :	berline intermédiaire
Historique du modèle :	6ième génération
Garanties :	3 ans/60 000 km, 5 ans/100 000 km
Assemblage :	Georgetown, Kentucky, É-U
Autre(s) moteur(s) :	4L 2,4l 187ch/138lb-pi (5,7 l/100km)
	Camry hybride
	V6 3,5l 272ch/254lb-pi (9,3 l/100km) Lexus ES350
	4L 2,4l 158ch/161lb-pi (8,3 l/100km) Camry LE, SE
Autre(s) rouage(s) :	aucun
Autre(s) transmission(s) :	automatique 5 rapports

DANS LA MÊME CATÉGORIE
Buick Allure - Ford 500 - Kia Amanti -
Mercury Grand Marquis

DU NOUVEAU EN 2007
Nouveau modèle

NOS IMPRESSIONS

Agrément de conduite :	🚗 🚗 🚗 ½
Fiabilité :	nouveau modèle
Sécurité :	🚗 🚗 🚗 🚗
Qualités hivernales :	🚗 🚗 🚗 🚗
Espace intérieur :	🚗 🚗 🚗 ½
Confort :	🚗 🚗 🚗 🚗

LE CHOIX DE L'ÉQUIPE
LE V6

Un essai rapide sur une piste d'un petit aéroport de Toronto a permis de constater que cette technologie n'est pas encore parfaitement au point. Certes, lors d'une compétition amicale de drag entre une Camry Hybrid et une Camry quatre cylindres normale, l'Hybrid finissait toujours en première position. Ce n'est assurément pas grâce à sa transmission dont le temps de réponse est aussi long que celui de mes enfants lorsque je leur demande de faire le ménage de leur chambre...

Après quelques départs canon, le niveau de la batterie descend très bas et, à ce moment, on ne peut compter que sur le moteur à essence. De plus, les freins demandent une certaine période d'acclimatation. Les premières fois, attendez-vous à tester la ceinture de sécurité ! En lieu et place d'un compte-tours, on trouve une jauge de consommation instantanée, agréable à consulter les quinze premières minutes. Heureusement, le prix d'achat a diminué considérablement et la Hybride de base coûte un peu moins cher qu'une Camry SEV6. Or, l'équipement varie et il faut bien calculer le contenu avant de signer le contrat.

Peu importe le type de moteur, les suspensions, indépendantes aux quatre roues, sont assurément réglées pour le confort ce qui n'empêche pas la Camry et la ES350 de tenir leur bout dans une partie sinueuse... jusqu'à un certain point. Les pneus Michelin Energy sont plus criards qu'utiles en tel cas et ne font pas grand-chose pour contrer le sous-virage. Les freins s'avèrent efficaces et l'ABS est dosé correctement même si la pédale de notre véhicule à quatre cylindres était très spongieuse. La direction, toujours un peu trop assistée, manque de précision, sauf sur la ES350. Le feedback, sans grande surprise, est invariablement aussi pauvre.

Les récentes Camry et Lexus ES350 demeurent des valeurs sûres, capables d'affronter une compétition de plus en plus féroce. Bien que Toyota connaisse, cette année, plusieurs rappels importants, nous avons toutes les raisons de croire que ces nouvelles venues passeront le test haut la main.

Alain Morin

Photos : Alain Morin

« FIABLEMENT » VÔTRE

Ne cherchez pas ce terme dans le dictionnaire, il n'y est pas! D'ailleurs, s'il existait, ce serait un adverbe. Pourtant, il décrit à merveille ce qu'est la Corolla et par la même occasion ce qu'elle n'est pas. Succès de vente de tous les temps, voiture familiale par excellence, la Corolla se vend surtout pour sa grande fiabilité. À preuve, les multiples pyramides d'or du CAA qu'elle a cumulées au fil des années.

Mais qui dit CAA, dit généralement ennui en fait d'automobile. Ce club automobile, c'est connu, a tendance à privilégier la fiabilité au-dessus de tout. Et les voitures les plus fiables ne sont pas forcément les plus excitantes sur le marché. Ajoutons au passage qu'il est normal que ce club automobile soit entiché des voitures qui démarrent toujours et qui ne tombent jamais en panne, cela donne du répit à son service routier d'urgence!

Loin de moi l'idée de ridiculiser cette philosophie de la conception automobile alors que le côté pratique, la sécurité et la fiabilité ont préséance. Pour les automobilistes devant respecter un budget serré et qui ne veulent pas être hantés par tous les ennuis d'une voiture à la mécanique fragile, ce genre d'auto est une bénédiction.

Cela signifie que le modèle est évolutif. Ici, pas de refonte spectaculaire, pas de dérogation au stylisme conservateur qui préside à la conception de leur silhouette. Les gens souhaitent une valeur sûre sur le plan de la mécanique et une voiture qui conservera sa valeur de revente en raison d'un stylisme qui se prolonge d'un modèle à l'autre. Il y a deux ans, la Corolla a été l'objet d'une révision mécanique et d'un rafraîchissement esthétique. Mais il fallait avoir l'œil exercé pour voir la différence entre l'ancien et le nouveau. Par contre, ces multiples petites touches et retouches permettraient à cette berline de toujours être dans le coup malgré une concurrence plus vive et plus grande.

BONNE OU MAUVAISE NOUVELLE

Avant de passer aux éléments positifs de cette auto, mieux vaut annoncer la mauvaise nouvelle. Si vous rêvez de piloter une Corolla sportive en optant pour la version XRS et son moteur de 170 chevaux, mieux vaut changer d'avis. La raison en est bien simple, ce modèle est abandonné en 2007. Et c'est aussi une bonne nouvelle puisque la XRS était attrayante en théorie seulement. Il suffisait de conduire cette Corolla musclée pour en être terriblement déçu. Il est vrai que sa suspension sport et ses pneus de 16 pouces permettaient de rouler plus rapidement sur un tracé sinueux. De plus, le roulis était moins prononcé en raison d'une suspension abaissée et raffermie. Et il est certain que les 170 chevaux de cette berline donnaient l'occasion de boucler le 0-100 km/h en 7,5 secondes. Il faut ajouter que le différentiel était doté d'un rapport plus agressif, la boîte manuelle avait six rapports et les éléments de caisse étaient plus sportifs. Bref, on avait fait ses devoirs chez Toyota. À une exception près cependant. Le moteur de 1,8 litre était archi pointu et sa bande de puissance très restreinte. Il fallait toujours

FEU VERT

Comportement routier neutre
Finition impeccable
Bonne valeur de revente
Habitabilité
Moteur durable

FEU ROUGE

Moteur rugueux
Silhouette anonyme
Agrément de conduite mitigé
Roulis en virage

que le régime moteur soit supérieur à 4 500 tr/min. Ce qui n'est pas facile à réaliser quand l'embrayage est délicat et le guidage du levier de vitesse imprécis. Bref, une horreur qui a été également éliminée de la famille Matrix d'autant plus que cette version était vendue à fort prix.

L'arrivée de la Mazda 3 Speed a peut-être incité la direction de Toyota d'éliminer l'embarrassante XRS avant de se faire «passer au cash» par cette concurrente.

LES CHOSES SÉRIEUSES

Somme toute, le seul choix logique est de commander un modèle CE, LE ou Sport livré avec le robuste moteur 1,8 litre de 126 chevaux dont le rendement est correct et dont la fiabilité permet de dormir en paix pendant des années. Et la même remarque s'applique à la boîte automatique à quatre rapports ou la manuelle à cinq vitesses. Ces éléments mécaniques ont été raffinés et fiabilisés au fil des années. Ils sont donc en mesure d'assurer des performances adéquates, de bonnes reprises et une consommation de carburant qui permet à la Corolla de figurer sur la liste des petites voitures économiques.

Il ne faut pas conclure pour autant que les seules qualités de cette Toyota se limitent à sa fiabilité et sa durabilité. La silhouette est sobre sans être rétro tandis que l'habitacle est spacieux à défaut de nous exciter par le design de son tableau de bord. Un peu plus d'originalité ne serait pas de trop. Par contre, la qualité de l'assemblage est impeccable, les sièges confortables et l'insonorisation dans la bonne moyenne.

Le comportement routier permet de rouler sans stress en toutes circonstances et le moteur, bien que de petite cylindrée, est en mesure de maintenir des moyennes respectables sans trop consommer de carburant. Le prix à payer est un régime moteur un peu plus élevé que la moyenne. Ce qui ne semble pas affecter pour autant la longévité de la mécanique.

Voiture sans faiblesse réelle mais également sans charisme, la Corolla est un choix sensé pour les personnes considérant les qualités de raison dans une automobile et qui sont prêts à se priver d'un peu plus d'agrément de conduite.

Denis Duquet

VÉHICULE D'ESSAI	
Version :	Sport
Prix de détail suggéré :	21 295 $
Emp/Lon/Lar/Haut(mm) :	2 600/4 530/1 700/1 480
Poids :	1 185 kg
Coffre/Réservoir :	385 litres/50 litres
Coussins de sécurité :	frontaux et latéraux (av.)
Suspension avant :	indépendante, jambes de force
Suspension arrière :	demi-ind., poutre déformante
Freins av./arr. :	disque/tambour (ABS)
Antipatinage/Contrôle de stabilité :	non/non
Direction :	à crémaillère, assistée
Diamètre de braquage :	10,7 m
Pneus av./arr. :	P195/65R15
Capacité de remorquage :	680 kg

MOTORISATION À L'ESSAI

Pneus d'origine

MOTORISATION À L'ESSAI	
Moteur :	4L de 1,8 litre 16s atmosphérique
Alésage et course :	79,0 mm x 81,5 mm
Puissance :	126 ch (97 kW) à 6 000 tr/min
Couple :	122 lb-pi (170 Nm) à 4 200 tr/min
Rapport poids/puissance :	9,12 kg/ch (12,34 kg/kW)
Système hybride :	aucun
Transmission :	traction, manuelle 5 rapports
Accélération 0-100 km/h :	8,1 s
Reprises 80-120 km/h :	7,3 s
Freinage 100-0 km/h :	41,4 m
Vitesse maximale :	190 km/h
Consommation (100 km) :	ordinaire, 7,1 litres
Autonomie (approximative) :	704 km
Émissions de CO2 :	2 969 kg/an

GAMME EN BREF

GAMME EN BREF	
Échelle de prix :	15 715 $ à 24 945 $
Catégorie :	berline compacte
Historique du modèle :	10ème génération
Garanties :	3 ans/60 000 km, 5 ans/100 000 km
Assemblage :	Cambridge, Ontario, Canada
Autre(s) moteur(s) :	aucun
Autre(s) rouage(s) :	aucun
Autre(s) transmission(s) :	automatique 4 rapports

DANS LA MÊME CATÉGORIE

Chevrolet Cobalt - Ford Focus - Honda Civic - Hyundai Elantra - Kia Spectra - Mazda 3

DU NOUVEAU EN 2007

Version XRS éliminé

NOS IMPRESSIONS

Agrément de conduite :	🚗🚗🚗½
Fiabilité :	🚗🚗🚗🚗½
Sécurité :	🚗🚗🚗🚗½
Qualités hivernales :	🚗🚗🚗½
Espace intérieur :	🚗🚗🚗½
Confort :	🚗🚗🚗½

LE CHOIX DE L'ÉQUIPE

Sport

Photos : Toyota

TONKA GRAND FORMAT

Je n'ai jamais fait de secret à ce sujet, j'adore les véhicules ayant un style particulier. Les mauvaises langues diront même que cela m'a poussé au manque de goût, faisant référence à un certain véhicule de marque Pontiac que je possédais. Il est alors facile de comprendre pourquoi je suis littéralement tombé amoureux du tout nouveau Toyota FJ Cruiser, le nouveau tout-terrain du constructeur japonais.

En fait, ses lignes sont si uniques qu'elles évoquent sans hésitation les petits camions Tonka avec lesquels je passais des heures à m'amuser durant ma tendre enfance. Comme les Tonka, le FJ Cruiser possède une silhouette presque caricaturale. Tout semble avoir été volontairement exagéré pour rendre le camion tout à fait distinctif. Les dimensions du véhicule ne sont pas identiques, mais la silhouette rappelle un peu les massifs et très machos Hummer.

LA CLARTÉ VIBRANTE
Pour créer ce style, les designers Toyota ont utilisé leur nouvelle philosophie baptisée «clarté vibrante», un principe compris des seuls initiés de Toyota ou de ceux qui ont fumé des matières illicites. Mais dans l'ensemble, le look est une réussite presque totale.

Il y a bien quelques commentaires négatifs concernant l'arrière, trop arrondi et aux feux proéminents, mais il n'y a aucun doute que le véhicule fera tourner les têtes. On lui a même insufflé un petit air rétro, histoire de rappeler l'héritage Toyota en matière d'utilitaire et de remémorer les célèbres FJ 40 et Land Cruiser, des véhicules qui ont fait leur marque et dont certains modèles sont toujours en utilisation dans des secteurs aussi exigeants que les mines. La seule référence directe à ces modèles cependant, outre le nom, ce sont les phares avant arrondis copiés intégralement.

Évidemment, difficile d'être discret quand on possède autant de traits physiques distinctifs. Et pour rendre le tout encore plus évident, le FJ Cruiser est offert dans une gamme de couleur allant du sobre argenté au flamboyant bleu vif ou jaune éblouissant. Sans oublier le toit, blanc sur toutes les versions peu importe la teinte. Il faudra toutefois faire une croix

dans la liste des options pour obtenir une galerie de toit qui, à mes yeux, vient compléter le petit look sportif. Évidemment, la facture gonflera d'autant.

Bref, avec le FJ Cruiser, la silhouette elle-même est une affirmation de la personnalité.

On a poussé cette distinction à l'intérieur en créant une planche de bord aux allures modernes, alliant une ergonomie simple, mais efficace, à un esthétisme recherché. Ainsi, outre les cadrans à fond blancs faciles à lire, on retrouve une console centrale colorée, reprenant la teinte de la carrosserie.

Et pour confirmer la véritable vocation d'utilitaire du véhicule, tout dans l'habitacle a été pensé pour le rendre fonctionnel. Les sièges par exemple sont recouverts de tissus imperméables et lavables, capables de recevoir le popotin des aventuriers boueux autant que celui de la jeune aventurière urbaine. L'espace de chargement, accessible grâce à un seuil suffisamment bas pour être pratique, est couvert de plastique et un peu en pente tout comme l'ensemble des planchers. Il suffit alors d'un peu d'eau pour assurer un nettoyage rapide.

L'espace intérieur est vaste, offrant un dégagement intéressant à l'avant comme à l'arrière, en plus de pouvoir amener deux vélos à l'intérieur même du véhicule. Sans compter les sièges rabattables qui fournissent encore plus d'espace pour les véritables aventuriers.

Pour l'instant, la qualité de finition intérieure est à l'image de Toyota : sans reproche, et sans défaut apparent. Il faudra probablement se méfier cependant, puisque tout cet intérieur plastique pourrait bien devenir source de craquements sans fin après quelques années d'utilisation. D'autant plus que la configuration même du FJ Cruiser et l'utilisation de portes suicides à l'arrière (éliminant du même coup le pilier central) risquent de rendre l'ensemble moins rigide, et de faciliter le déplacement des plastiques. Mais ce n'est, bien entendu, qu'une simple supposition…

Notons enfin qu'en version haut de gamme, le FJ Cruiser propose un bloc d'instrumentation logé au haut de la planche de bord, et destiné spécifiquement aux aventuriers sans peur. Au programme, une boussole (classique, direz-vous), un thermomètre (encore plus classique), mais aussi un indicateur d'angle qui vous permet de franchir les obstacles les plus pentus en toute sécurité.

BAIN DE BOUE

Toutefois, la véritable mission du FJ Cruiser, c'est la randonnée hors route. Car, avouons-le, son moteur 4,0 litres 6 cylindres de 239 chevaux - le même que dans la camionnette Tacoma qui a aussi servi de base au FJ - est efficace en dehors des sentiers battus, mais rugueux et bruyant sur la route.

Même chose au niveau de la tenue de route. C'est vrai que dans la boue, le FJ ne cède sa place à personne. Mais sur la chaussée, il a une nette tendance au fort rebondissement, et la direction anodine (même si elle est à assistance variable en fonction de la vitesse) ne permet pas de maîtriser efficacement les trajectoires. Malgré tout, il est plus civilisé que les Jeep Wrangler auxquels il s'attaque directement, mais ce n'est pas encore le véhicule de maman.

Dans les sentiers par contre, il est imbattable. Lors de notre essai, j'ai eu l'occasion de le tester dans des conditions, disons-le, extrêmes. Je me suis donc attaqué à un petit sentier plat et boueux. En enclenchant le système à quatre roues motrices (en fait, il est permanent avec la transmission automatique, mais à temps partiel avec la transmission manuelle 6 vitesses), le véhicule abordait sans hésitation les moindres trous et bosses, et se glissait – littéralement, puisque la chaussée n'était qu'une vaste surface de boue - dans la bonne trajectoire. Même dans un sentier plus rocailleux, le FJ n'a eu la moindre hésitation malgré le dénivelé important et la grosseur des obstacles. Il a franchi tout cela avec aisance et assurance, tandis que je le faisais avec beaucoup plus de réticences.

Le FJ peut compter sur un contrôle de stabilité, un régulateur de traction et, dans le cas de la traction intégrale (avec la transmission automatique), sur une commande de verrouillage du différentiel arrière qui lui permet de franchir presque n'importe quel obstacle. Avec la transmission manuelle, le FJ misera plutôt sur un boîtier de transfert à deux rapports (HI et LO), qui nécessite cependant l'intervention du conducteur.

BIG FOOT

En termes de dimensions aussi, le FJ passe partout. Sa garde au sol de 245 millimètres (9,6 pouces) lui permet de franchir les sentiers accidentés, alors que ses angles d'attaque de 34 degrés à l'avant, et de 31 degrés à l'arrière facilitent le passage dans les portions les plus escarpées.

Il est cependant assez imposant physiquement, avec une longueur hors tout de 4670 millimètres, pour une largeur de 1905 mm et une

FEU VERT
Capacité hos-route étonnantes
Design exclusif
Finition bien pensée
Rouage 4x4 efficace

FEU ROUGE
Direction anodine
Suspension bondissante
Consommation élevée
Moteur rugueux

hauteur de 1830. On est loin du profil effilé des voitures sport, mais ces dimensions favorisent la stabilité du véhicule, même dans des conditions plus difficiles.

Pour absorber sans effort tous les obstacles rencontrés, le FJ est solidement installé sur une suspension inspirée des versions existantes, mais rendue encore plus robuste. Les suspensions avant sont à double triangulation et à amortisseurs à gaz, alors qu'à l'arrière on a installé quatre bras et des tiges latérales. Cette configuration particulière permet, expérience à l'appui, aux roues d'absorber les plus importants cahots de randonnées extrêmes tout en conservant la stabilité du véhicule. En revanche, ces suspensions sont un peu moins confortables sur une simple route asphaltée.

Il faut dire aussi que l'utilisation des pneus de 17 pouces confirme l'impression de rebond du véhicule sur la route, un peu comme si le caoutchouc des pneus entraînait un sursaut à chaque nid-de-poule. Une sensation que l'on ne perçoit évidemment pas dans les sentiers mais qui revêt une grande importance sur la route.

Trois versions du FJ Cruiser sont mises en vente. La version de base, dont le prix de départ inférieur à 30 000 $ a probablement fait sursauter la concurrence et les amateurs, ne devait cependant pas occuper le haut du pavé puisque l'on prévoit qu'elle accaparera moins de 25 % des ventes. Les versions plus luxueuses devraient quant à elles se partager les 75 % restants.

Reste aussi la consommation d'essence. Avec de telles dimensions, un poids de 1 946 kilos, une capacité de remorquage de 2 268 kilos (5 000 livres) et un moteur de 4 litres, on ne parle évidemment pas de modèle économique. Le fabricant a beau annoncer une consommation combinée de 12,5 litres aux 100 kilomètres, il faudrait conduire un peu trop sagement pour l'atteindre. Nos tests parlent plutôt de 14 litres aux 100 kilomètres en moyenne ce qui est loin d'être négligeable.

Marc Bouchard

Photos : Alain Morin

VÉHICULE D'ESSAI

Version :	Base Groupe B
Prix de détail suggéré :	30 990 $
Emp/Lon/Lar/Haut(mm) :	2 690/4 670/1 905/1 830
Poids :	1 948 kg
Coffre/Réservoir :	781 à 1 870 litres/72 litres
Coussins de sécurité :	frontaux, latéraux (av.) et rideaux
Suspension avant :	indépendante, bras inégaux
Suspension arrière :	indépendante, multibras
Freins av./arr. :	disque (ABS)
Antipatinage/Contrôle de stabilité :	oui/oui
Direction :	à crémaillère, assistance variable
Diamètre de braquage :	12,7 m
Pneus av./arr. :	P265/70R17
Capacité de remorquage :	2 268 kg

MOTORISATION À L'ESSAI

Moteur :	V6 de 4,0 litres 24s atmosphérique
Alésage et course :	94,0 mm x 95,0 mm
Puissance :	239 ch (178 kW) à 5 200 tr/min
Couple :	278 lb-pi (377 Nm) à 3 700 tr/min
Rapport poids/puissance :	8,15 kg/ch (11,07 kg/kW)
Système hybride :	aucun
Transmission :	4RM, automatique 5 rapports
Accélération 0-100 km/h :	8,9 s
Reprises 80-120 km/h :	9,1 s
Freinage 100-0 km/h :	44,0 m
Vitesse maximale :	175 km/h
Consommation (100 km) :	ordinaire, 12,0 litres
Autonomie (approximative) :	600 km
Émissions de CO2 :	5 664 kg/an

GAMME EN BREF

Échelle de prix :	29 990 $ à 37 080 $
Catégorie :	utilitaire sport intermédiaire
Historique du modèle :	1ère génération
Garanties :	3 ans/60 000 km, 5 ans/100 000 km
Assemblage :	Hamura, Tokyo
Autre(s) moteur(s) :	aucun
Autre(s) rouage(s) :	aucun
Autre(s) transmission(s) :	manuelle 6 rapports

DANS LA MÊME CATÉGORIE

Chevrolet Trailblazer - Ford Explorer - Honda Pilot - Hummer H3 - Jeep Grand Cherokee - Mitsubishi Endeavor - Nissan Pathfinder

DU NOUVEAU EN 2007

Nouveau modèle

NOS IMPRESSIONS

Agrément de conduite :	🚗 🚗 🚗 🚗
Fiabilité :	nouveau modèle
Sécurité :	🚗 🚗 🚗 🚗
Qualités hivernales :	🚗 🚗 🚗 🚗 ½
Espace intérieur :	🚗 🚗 🚗 🚗
Confort :	🚗 🚗 🚗

LE CHOIX DE L'ÉQUIPE

Base Groupe B

SANS DÉFAUT, SANS PASSION

Un dicton affirme que les gens heureux sont sans histoire. Il serait également possible d'écrire que les propriétaires de voitures heureux n'ont rien à dire. Et je suis persuadé que si l'on demandait aux propriétaires de Toyota Highlander de nous parler de leur véhicule, les réponses seraient brèves car ce sont des gens heureux. Et j'exagère à peine, car j'attends toujours de trouver une personne qui a quelque chose à redire à propos de ces gros VUS urbains qui font le bonheur de bien des familles, et ce, peu importe les routes et les conditions météorologiques.

Pourtant, c'est en quelque sorte un bonheur sans passion puisque cette Toyota tout usage fait tout bien, mais sans panache et sans impliquer le conducteur dans la réalisation de cette quasi-perfection.

HISTOIRE DE GOÛTS

Si vous ne vous souvenez pas d'avoir croisé un Highlander récemment sur nos routes, vous allez devoir vous creuser la mémoire! Et si vos souvenirs sont nébuleux, ce n'est pas parce que ce modèle est absent de notre marché ou se vend très peu, c'est que sa silhouette le fait passer inaperçu ou presque. En effet, comme c'est souvent le cas avec plusieurs des modèles de cette marque, le style est correct mais très réservé. Pourtant, tout est approprié avec des passages de roue légèrement bombés, un pare-chocs avant avec une partie centrale bombée abritant une belle prise d'air, tandis que la grille de calandre est traversée sur sa largeur par deux barres chromées. Rien à dire de négatif sur les phares de routes horizontaux de forme rectangulaire et sur la partie arrière sobre mais élégante. Bref, rien de majeur à reprocher mais le résultat final n'est vraiment pas excitant.

Il est important de souligner que les personnes affectées à l'habitacle ont été mieux inspirées. Le tableau de bord est moderne et d'un style passablement exclusif. Le centre de la planche de bord abrite la console où sont logées les commandes de la climatisation et du système audio. C'est comme sur bien d'autres VUS, mais la différence est ce cercle de couleur titane qui inclut aussi les deux buses de ventilation qui exigent un élargissement de ce cercle. Le tout est relié à la droite à une bande titane qui traverse la planche de bord de part en part. Il faut également accorder de bonnes notes à l'agencement des cadrans indicateurs. L'indicateur de vitesse est le plus gros des trois et placé en position centrale. Toutes ces composantes sont simples à consulter tandis que les gros boutons de commande de la climatisation sont faciles à manipuler même avec des moufles, en hiver bien entendu! Comme toute Toyota qui se respecte, les matériaux sont de première qualité et l'assemblage impeccable.

CHOIX MULTIPLES

Comme c'est généralement le cas chez ce constructeur, il est possible de choisir entre de nombreux groupes propulseurs, groupes d'options et versions différentes. Procédons du plus simple au plus sophistiqué. Jusqu'à l'an dernier, on pouvait commander un Highlander avec un moteur quatre cylindres 2,4 litres de 160 chevaux. Ce n'était pas un vilain choix, mais la demande était trop faible. Avec l'arrivée de la

FEU VERT	FEU ROUGE
Mécanique fiable	Direction engourdie
Bon comportement routier	Roulis en virage
Moteur hybride	Certaines versions très onéreuses
Finition impeccable	3e rangée de sièges symbolique
Caisse solide	Silhouette anonyme

version à moteur hybride, le «quatre à pris l'bord». Je ne crois pas que quiconque regrettera son absence.

Le moteur V6 3,3 litres de 215 chevaux est couplé à une boîte automatique à cinq rapports. Comme toutes les transmissions automatiques proposées par Toyota, celle-ci est d'une grande douceur, mais les passages des rapports sont parfois paresseux, bien qu'imperceptibles. Toyota entend proposer une version hybride dans chacun des créneaux du marché et le Highlander remplit la mission dans celui des utilitaires sport. Cet hybride est doté d'un moteur V6 3,3 litres à essence travaillant de concert avec un moteur électrique couplé à l'essieu avant de 167 chevaux et d'un autre moins puissant d'une puissance de 67 chevaux contribuant à actionner l'essieu arrière. Ce qui permet d'obtenir un véhicule à transmission intégrale plus efficace que la moyenne. Tout cela permet de compter sur une puissance totale de 268 chevaux.

La publicité de Toyota affirme que ce VUS file comme l'éclair et consomme comme une sous-compacte avec une moyenne de moins de 7,8 litres aux 100 km. Ces chiffres sont fort impressionnants, mais la consommation serait encore moindre si on n'avait pas misé sur les performances et le fait que le 0-100 km/h soit bouclé en moins de huit secondes. Ce qui incite surtout les gens à utiliser à outrance les possibilités de performance de ce moteur hybride sans égard à la consommation.

Malgré tous ces éléments mécaniques fort sophistiqués, il n'en demeure pas moins que la conduite du Highlander est assez soporifique. Ce véhicule est silencieux, d'une stabilité exemplaire sur la route tandis que la suspension absorbe avec efficacité les imperfections de la route. Ajoutez à cela une direction engourdie et un *feedback* très mitigé de la route pour vous retrouver au volant d'un véhicule d'une grande efficacité, mais qui n'inspire pas les élans de passion. Et si vous croyez que le Higlander est presque parfait, il faut tout de même insister sur le fait que la troisième rangée de sièges sur la version sept passagers est très inconfortable. Tant qu'à y être, en terminant, sachez qu'il faut aussi se méfier des groupes d'options proposés par Toyota qui font gonfler la facture...

Denis Duquet

Photos: Toyota

VÉHICULE D'ESSAI

Version :	V6 7 places
Prix de détail suggéré :	38 995 $
Emp/Lon/Lar/Haut(mm) :	2 715/4 689/1 826/1 735
Poids :	2 431 kg
Coffre/Réservoir :	294 à 2 257 litres/72,5 litres
Coussins de sécurité :	frontaux, latéraux (av.) et rideaux
Suspension avant :	indépendante, jambes de force
Suspension arrière :	indépendante, jambes de force
Freins av./arr. :	disque (ABS)
Antipatinage/Contrôle de stabilité :	oui/oui
Direction :	à crémaillère, assistance variable
Diamètre de braquage :	11,4 m
Pneus av./arr. :	P225/70R16
Capacité de remorquage :	1 587 kg

Pneus d'origine
MICHELIN

MOTORISATION À L'ESSAI

Moteur :	V6 de 3,3 litres 24s atmosphérique
Alésage et course :	91,9 mm x 83,1 mm
Puissance :	215 ch (160 kW) à 5 600 tr/min
Couple :	222 lb-pi (301 Nm) à 3 600 tr/min
Rapport poids/puissance :	11,31 kg/ch (15,39 kg/kW)
Système hybride :	voir autres moteurs
Transmission :	intégrale, automatique 5 rapports
Accélération 0-100 km/h :	8,6 s
Reprises 80-120 km/h :	7,9 s
Freinage 100-0 km/h :	40,3 m
Vitesse maximale :	180 km/h
Consommation (100 km) :	ordinaire, 9,8 litres
Autonomie (approximative) :	740 km
Émissions de CO_2 :	5 328 kg/an

GAMME EN BREF

Échelle de prix :	37 855 $ à 53 145 $
Catégorie :	utilitaire sport intermédiaire
Historique du modèle :	1ière génération
Garanties :	3 ans/60 000 km, 5 ans/100 000 km
Assemblage :	Georgetown, Kentucky, É-U
Autre(s) moteur(s) :	V6 3,3l hybride 268ch/343lb-pi (7,5 l/100km)
Autre(s) rouage(s) :	4RM
Autre(s) transmission(s) :	CVT

DANS LA MÊME CATÉGORIE

Buick Rainier - Chevrolet Trailblazer - Ford Escape - Jeep Grand Cherokee - Mitsubishi Endeavor

DU NOUVEAU EN 2007

Pas de changement majeur

NOS IMPRESSIONS

Agrément de conduite :	🚗 🚗 🚗 ½
Fiabilité :	🚗 🚗 🚗 🚗 ½
Sécurité :	🚗 🚗 🚗 ½
Qualités hivernales :	🚗 🚗 🚗 🚗
Espace intérieur :	🚗 🚗 🚗 🚗
Confort :	🚗 🚗 🚗 🚗

LE CHOIX DE L'ÉQUIPE

V6 5 places

Voiture économique

LES DEUX FONT LA PAIRE

Bien des journalistes automobiles ne donnaient pas cher du duo Toyota Matrix/Pontiac Vibe lors de son arrivée sur le marché en 2003. Pourtant, ces deux voitures sont encore là même si elles ont perdu quelques déclinaisons cette année. Un peu plus petites qu'une Mazda5 ou qu'un Chevrolet HHR mais plus imposantes qu'une Ford Focus familiale, les Matrix et Vibe proposent des lignes pas piquées des vers. Voyons de plus près ce que ces jumelles, issues d'une étrange union, ont à nous proposer.

À l'époque (2003 dans le domaine de l'automobile, c'est très loin!), jadis, donc, ce duo avait surpris tout le monde en offrant le rouage intégral. Mais l'impossibilité de greffer à ce mécanisme un moteur performant et un prix d'achat beaucoup plus élevé ont eu raison de cette transmission intégrale en 2007. Désormais, on ne retrouve que les versions à traction (roues avant motrices). On a aussi profité de la nouvelle année pour faire le ménage dans les moteurs et envoyer aux oubliettes les versions XRS de la Matrix et GT de la Vibe. Leur moteur de 164 chevaux et la transmission manuelle à six rapports étaient totalement inadaptés à leur caractère plutôt placide. En effet, le moteur ne se réveillait qu'aux alentours de 6000 tours/minute et il fallait constamment le faire hurler pour en tirer le moindrement de performance. Le seul moteur offert cette année est le quatre cylindres 1,8 litre de 126 chevaux et 122 livres-pied de couple. Ce n'est pas une catapulte mais comme il s'avère peu glouton et fiable, les consommateurs sont prêts à lui pardonner son manque de vigueur et son grondement en accélération. Dans les côtes de Charlevoix, avec seulement deux adultes et un enfant à bord, on sent qu'une vingtaine de chevaux supplémentaires ne seraient pas de refus. Parlez-en à mon vieux copain Martin qui, avec sa Matrix 2006, a souvent dû emprunter la voie réservée aux camions lors d'un récent voyage dans ce merveilleux coin de pays! Deux transmissions sont au catalogue.

On retrouve une manuelle à cinq rapports facile à manipuler ou, en option, une automatique à quatre rapports au fonctionnement doux.

ET SUR LA ROUTE ?

S'il y a une qualité que possédaient les versions intégrales et qui manque aux modèles à traction, c'est la suspension arrière indépendante. Les livrées à traction ne peuvent compter que sur une suspension arrière à poutre déformante qui est moins confortable sur mauvaise chaussée que la suspension indépendante. Mais ne dramatisons pas et avouons que la voiture tient bien la route malgré un centre de gravité plus élevé que la moyenne qui engendre un certain roulis. Les seuls moments où ce duo se montre moins agréable à conduire, c'est lors de forts vents latéraux. La Pontiac propose, en option, le StabiliTrak qui s'avère être un contrôle de la stabilité et de la traction. Malheureusement, il n'est disponible qu'avec la transmission automatique. La direction ne démontre pas de don particulier pour le feedback mais elle fait preuve d'une belle précision. Quant aux freins, à tambour à l'arrière, ils font ce qu'ils peuvent, d'autant plus que l'ABS n'est pas offert sur la version de base de la Matrix, tandis qu'il est optionnel sur la XR et sur la Pontiac Vibe. La Matrix peut aussi se parer du groupe TRD (Toyota Racing Development). Contrairement à ce que cette appellation peut laisser croire, il ne s'agit

---

FEU VERT

Jolie frimousse
Format intéressant
Moteur économique et fiable
Habitacle polyvalent
Bon niveau d'équipement

FEU ROUGE

Sportivité un peu en retrait
Moteur manque de punch
Suspension arrière sèche
Sensibilité aux vents latéraux
Groupe TRD de la Matrix peu intéressant

VÉHICULE D'ESSAI

Version :	Pontiac Vibe de base
Prix de détail suggéré :	22 885 $
Emp/Lon/Lar/Haut(mm) :	2 600/4 365/1 775/1 580
Poids :	1 260 kg
Coffre/Réservoir :	547 à 1 532 litres/50 litres
Coussins de sécurité :	frontaux
Suspension avant :	indépendante, jambes de force
Suspension arrière :	demi-ind., poutre déformante
Freins av./arr. :	disque/tambour (ABS opt.)
Antipatinage/Contrôle de stabilité :	opt./opt.
Direction :	à crémaillère, assistée
Diamètre de braquage :	11,2 m
Pneus av./arr. :	P205/55R16
Capacité de remorquage :	680 kg

que de transformations esthétiques et d'améliorations au niveau du confort sauf pour les roues de 17 pouces alors que les versions ordinaires roulent sur des 16 pouces.

DIFFÉRENTES MAIS PAREILLES

Si la carrosserie des deux voitures diffère un peu (plusieurs préfèrent le style un peu plus branché de la Pontiac), l'habitacle est strictement le même, excepté pour le logo au centre du volant et de quelques accessoires. Pour une voiture aux allures sportives, il est toujours un peu surprenant de s'asseoir sur des sièges à l'assise haute. C'est le cas dans le duo Vibe/Matrix mais cela ne nuit pas à la conduite, au contraire, puisque la visibilité est irréprochable, sauf vers l'arrière. Les sièges arrière, à défaut d'être des parangons de confort, proposent beaucoup d'espace. Les dossiers s'abaissent pour agrandir un espace de chargement déjà bien nanti et bien pensé. Comme la vitre s'ouvre séparément du hayon (une rareté chez les familiales, en admettant que les Vibe et Matrix soient des familiales) et que le dossier du siège avant droit se replie vers l'avant, il est possible de transporter des objets très longs. Le plancher de la soute à bagages est recouvert de plastique, ce qui lui permet d'être aisément nettoyé. Le mauvais côté de ce type de plancher, c'est qu'il s'égratigne facilement et que tout ce qu'on y dépose se promène royalement au moindre mouvement du véhicule. Il faut donc toujours traîner de bonnes attaches dans le véhicule. Pour 2007, un recouvrement protecteur est offert en option.

Curieusement, même s'il s'agit de deux véhicules identiques, ou presque, ils ne sont pas assemblés au même endroit. La Toyota se veut un produit canadien puisqu'elle prend forme à l'usine de Cambridge en Ontario alors que la Pontiac est assemblée à l'usine NUMI de Californie. Le nom Pontiac ayant moins bonne réputation que celui de Toyota, plusieurs personnes croient que la Vibe est moins bien finie que la Toyota, ce qui n'a pas encore été prouvé scientifiquement. Ce que l'on sait, cependant, c'est que l'équipement de base de la Vibe est plus relevé que celui de la Matrix, ce qui entraîne obligatoirement une augmentation du prix de vente. Aussi, il faut déplorer que le seul nom de Pontiac fasse baisser la valeur de revente plus que celui de Toyota...

Pour plusieurs personnes, les Matrix et Vibe possèdent des dimensions parfaites. Pas vraiment familial, mais d'un format plus sensé qu'une fourgonnette, ce duo s'adresse aux petites familles qui ne désirent pas sacrifier le look au profit de l'habitabilité.

Alain Morin

MOTORISATION À L'ESSAI

Moteur :	4L de 1,8 litre 16s atmosphérique
Alésage et course :	79,0 mm x 91,5 mm
Puissance :	126 ch (94 kW) à 6 000 tr/min
Couple :	122 lb-pi (165 Nm) à 4 200 tr/min
Rapport poids/puissance :	10 kg/ch (13,55 kg/kW)
Système hybride :	aucun
Transmission :	traction, automatique 4 rapports
Accélération 0-100 km/h :	10,1 s
Reprises 80-120 km/h :	9,4 s
Freinage 100-0 km/h :	42,3 m
Vitesse maximale :	165 km/h
Consommation (100 km) :	ordinaire, 7,5 litres
Autonomie (approximative) :	667 km
Émissions de CO2 :	3 504 kg/an

GAMME EN BREF

Échelle de prix :	17 200 $ à 26 895 $
Catégorie :	familiale
Historique du modèle :	1ère génération
Garanties :	3 ans/60 000 km, 3 ans/60 000 km
Assemblage :	Fremont, Californie, É-U
Autre(s) moteur(s) :	aucun
Autre(s) rouage(s) :	aucun
Autre(s) transmission(s) :	manuelle 5 rapports

DANS LA MÊME CATÉGORIE

Chevrolet HHR - Chevrolet Optra - Chrysler PTCruiser - Ford Focus - Kia Spectra - Mazda3/3Sport - Suzuki Aerio

DU NOUVEAU EN 2007

Vibe GT et AWD abandonnées, nouvelles couleurs, Matrix AWD et XRS cancellées

NOS IMPRESSIONS

Agrément de conduite :	🚗🚗🚗½
Fiabilité :	🚗🚗🚗🚗
Sécurité :	🚗🚗🚗½
Qualités hivernales :	🚗🚗🚗🚗
Espace intérieur :	🚗🚗🚗½
Confort :	🚗🚗🚗½

LE CHOIX DE L'ÉQUIPE

Matrix XR

Photos : Toyota

TOYOTA PRIUS

PRÉJUGÉ FAVORABLE

J'ai beau essayer, je suis parfaitement incapable de détester complètement une voiture hybride. C'est probablement ma conscience environnementale qui me parle, aussi légère soit-elle, mais je ressens toujours une petite obligation d'être positif, ou à tout le moins plus conciliant, à l'égard d'une voiture à rouage hybride. Pourtant, certains modèles hybrides, et la Toyota Prius est du nombre, ont beaucoup de choses à se faire pardonner pour répondre à la définition d'une voiture de grande réputation.

Précisons tout de suite que l'usage d'un véhicule hybride réduit effectivement considérablement la consommation d'essence (j'y reviendrai d'ailleurs), mais a surtout un rôle important dans la préservation de l'environnement. Du moins a priori…

Car la fabrication du véhicule, de toutes ses composantes, et le recyclage des batteries usagées, sont des considérations qui font frémir les environnementalistes. Et les plus réalistes du lot ne sont pas sans rappeler le prix excessif demandé pour des véhicules du genre. Un aspect qui frappe particulièrement la Prius de Toyota dont le prix de base excède 31 000 $.

UNE SOUCOUPE VOLANTE

Je l'ai déjà dit et je le répète, la Prius est d'abord l'expression ultime de l'affirmation environnementaliste de son acheteur. Concrètement, quand on s'achète une Prius, c'est pour dire haut et fort que l'on est prêt à prendre tous les moyens pour préserver la nature, même si cela exige certains efforts. C'est pour soutenir cette ferme affirmation que la Prius a une silhouette aussi unique.

Bien entendu, les ingénieurs vous expliqueront le coefficient aérodynamique (inférieur à 0,27), et tout le tralala. Mais la réalité est simple : les gens l'achètent aussi pour son aspect de soucoupe volante, qui permet de la distinguer du premier coup d'œil. Et parce que la refonte du modèle est prévue pour 2008, les changements sont rares, voire absents pour 2007. L'an passé, on avait effectué quelques retouches esthétiques, que l'on a conservées cette année. Pour le reste, notamment en matière de design et de mécanique, il faudra attendre quelques mois avant de constater de réelles modifications.

Dans l'habitacle, la Prius offre tout l'espace d'une berline de taille moyenne, et même un peu plus. L'espace pour la tête et les jambes est plus que suffisant pour moi, et a su plaire à des passagers aux dimensions nettement plus exagérées que les miennes. À l'arrière, le dégagement est étonnant, dans la mesure où l'on n'essaie même pas d'y insérer trois passagers. Deux seront beaucoup plus confortables. Notons que la banquette arrière est entièrement rabattable, ce qui permet l'utilisation d'un vaste espace de chargement.

Premier bémol, les sièges sont carrément trop fermes et n'offrent aucun support latéral. Il suffit d'aborder une courbe avec un peu trop d'enthousiasme et vlan, vous voilà littéralement déplacé vers la portière.

FEU VERT
Rouage hybride efficace
Bon espace de chargement
Économie d'essence réelle
Comportement routier sans surprise

FEU ROUGE
Sièges trop fermes
Design de soucoupe volante
Système de freinage intrusif
Facture d'achat salée

VÉHICULE D'ESSAI

Version :	version unique
Prix de détail suggéré :	31 280$
Emp/Lon/Lar/Haut(mm) :	2 700/4 445/1 725/1 475
Poids :	1 335 kg
Coffre/Réservoir :	451 litres/45 litres
Coussins de sécurité :	frontaux, latéraux (av.) et rideaux
Suspension avant :	indépendante, jambes de force
Suspension arrière :	demi-ind., poutre déformante
Freins av./arr. :	disque (ABS)
Antipatinage/Contrôle de stabilité :	oui/opt.
Direction :	à crémaillère, assistance variable
Diamètre de braquage :	10,2 m
Pneus av./arr. :	P185/65R15
Capacité de remorquage :	non recommandé

MOTORISATION À L'ESSAI

Moteur :	4L de 1,5 litre 16s hybride
Alésage et course :	75,0 mm x 84,7 mm
Puissance :	76 ch (57 kW) à 5 000 tr/min
Couple :	82 lb-pi (111 Nm) à 1 200 tr/min
Rapport poids/puissance :	17,57 kg/ch (23,84 kg/kW)
Système hybride :	en parallèle, 67ch et 295 lb-pi
Transmission :	traction, CVT
Accélération 0-100 km/h :	10,9 s
Reprises 80-120 km/h :	8,1 s
Freinage 100-0 km/h :	44,4 m
Vitesse maximale :	170 km/h
Consommation (100 km) :	essence/élect., 5,7 litres
Autonomie (approximative) :	789 km
Émissions de CO_2 :	1 968 kg/an

GAMME EN BREF

Échelle de prix :	31 280$ à 38 710$
Catégorie :	berline compacte
Historique du modèle :	2ième génération
Garanties :	3 ans/60 000 km, 5 ans/100 000 km
Assemblage :	Toyota City, Japon
Autre(s) moteur(s) :	aucun
Autre(s) rouage(s) :	aucun
Autre(s) transmission(s) :	aucune

DANS LA MÊME CATÉGORIE
Honda Civic hybride

DU NOUVEAU EN 2007
Pas de changement majeur

NOS IMPRESSIONS

Agrément de conduite :	🚗 🚗 🚗 ½
Fiabilité :	🚗 🚗 🚗 🚗 ½
Sécurité :	🚗 🚗 🚗 🚗
Qualités hivernales :	🚗 🚗 🚗
Espace intérieur :	🚗 🚗 🚗 🚗
Confort :	🚗 🚗 🚗 ½

LE CHOIX DE L'ÉQUIPE
Version unique

Second bémol, la Prius a importé dans l'habitacle et dans sa méthode de conduite sa personnalité de soucoupe volante : les cadrans sont sans surprise, mais les commandes ne sont pas si simples à comprendre ! La radio par exemple (la climatisation aussi), peut être activée à la fois à l'aide de l'écran tactile qui trône au centre de la planche de bord, directement par les boutons du tableau de bord, ou à l'aide de l'une des commandes montées sur le volant, ouf !

Quant à l'écran tactile du centre, il donne de multiples informations, incluant la circulation de l'énergie entre le moteur électrique et le moteur à essence, et la consommation.

CONDUIRE ÉLECTRIQUE
Le grand avantage du système Hybrid Synergy Drive de Toyota, c'est qu'il permet le démarrage uniquement en mode électrique, ce qui procure une meilleure économie d'essence, surtout en zone urbaine. Il perd toutefois un peu de cet avantage sur l'autoroute.

En ville, il est donc amusant d'essayer de quitter le coin de la rue sans faire démarrer le moteur à essence. Évidemment, il faut y aller avec ménagement, mais le résultat en vaut la peine ; dans une zone urbaine, j'ai réussi à maintenir une moyenne inférieure à 6,5 litres aux 100 km. Sur la grand-route cependant, j'ai dû augmenter ma moyenne jusqu'à 7 litres aux 100 km.

Avouons tout de même que ce n'est pas si mal puisque la Prius compte sur un moteur 1,5 litre qui, en combinant les moteurs électrique et à essence, développe 110 chevaux. Rien pour effectuer des départs foudroyants (ce qui n'est évidemment pas la mission d'une voiture hybride), mais bien assez pour se déplacer sans trop faire de compromis.

Dernier bémol cependant, la Prius, comme toutes les voitures hybrides actuellement sur le marché, utilise l'énergie du freinage pour recharger sa batterie. On ressent toutefois avec beaucoup d'insistance la pression de ce système dès que l'on appuie sur la pédale de frein, aussi faut-il prendre le temps de se familiariser avec le principe pour maximiser les distances de freinage… et pour en apprécier la conduite qui, une fois apprivoisée, se rapproche de la berline plus traditionnelle.

Marc Bouchard

Photos : Toyota

OUI, LA GROSSEUR EST IMPORTANTE

Au cours de l'hiver dernier, Toyota lançait la toute dernière génération de son populaire utilitaire sport, le RAV4. Comme le veut la tendance, et malgré les Yaris-et-Prius-qui-donnent-bonne-conscience, Toyota n'a pu résister à la tentation d'en faire un véhicule plus long, plus large, plus haut, plus tout en fait! Le RAV4 joue peut-être encore dans la cour des petits Honda CR-V, mais il affiche maintenant le comportement du *kid* de 15 qui a commencé à fumer, lui! Les autres ne sont que des enfants. Mais est-ce vraiment le cas?

L e RAV4 en est rendu à sa troisième génération. Apparu initialement en 1997, le petit VUS de Toyota changeait de style en 2001 et prenait du gallon. En effet, à ce moment, l'empattement, la longueur et la hauteur ont tous connu une augmentation de quelques centimètres. Puis est arrivé le modèle 2006, dévoilé à la presse en décembre 2005. Alors là, pour apprécier les nouvelles dimensions du RAV4, sortez vos rubans à mesurer! Le nouveau RAV4 s'allonge sur 460 cm tandis que son empattement représente 266 cm.

AMENEZ-MOI DU CHEVAL, GARÇON!

Par conséquent, la puissance des moteurs a fait, elle aussi, un sérieux bond. Du quatre cylindres 2,0 litres de 120 chevaux des débuts on est passé, cette année, à un quatre cylindres 2,4 litres de 166 chevaux et 165 livres-pied de couple. On serait porté, en faisant une comparaison sommaire, à croire que le RAV4 de nouvelle génération se montre passablement plus dégourdi que l'ancien, d'autant plus qu'il hérite de tous les bienfaits de la technologie (distribution à calage variable intelligent VVT-i et injection électronique multipoint séquentielle). Mais qui dit dimensions plus généreuses, dit aussi poids plus généreux même si, de ce côté, les ingénieurs de Toyota ont bien fait leurs devoirs. Les accélérations se révèlent donc plus vives que par le passé, mais on ne parle toujours pas de performances à mettre le feu à l'asphalte! Le 0-100 s'effectue en 11,4 secondes, ce qui n'est pas mal même si Toyota dit avoir été capable de le faire en 10,0 secondes pile. Les reprises sont plus vives puisque le 80-120 se réalise en 8,0 secondes. Il faut savoir cependant que ce moteur tourne à un certain régime pour pouvoir en exploiter tous les chevaux. À bas régime, la puissance n'est tout simplement pas là. Lorsque sollicité au maximum, on sent

qu'il peine à traîner les 2 000 kilos du véhicule. Et, faute d'insonorisation, il semble se lamenter plus que de raison. En conduite placide, ce moteur consomme de l'essence ordinaire à raison de 10,8 litres aux cent kilomètres.

Cette année, Toyota offre un V6 de 3,5 litres, utilisé à toutes les sauces chez Toyota et Lexus. Ce moteur fait 269 chevaux et 246 livres-pied de couple. Les accélérations et reprises sont énergiques, c'est le moins qu'on puisse dire! Le 0-100 est abattu sans difficulté en 8,0 secondes tandis que le 80-120 est l'affaire de 6,3 secondes. Dans le cas du V6, croyez-moi, on ne sent pas le poids du RAV4! Et, surprise, la consommation n'est pas si élevée que prévu. Sans plus de délicatesse qu'à l'accoutumée, j'ai obtenu 11,4 litres aux cent kilomètres, ce qui est digne de mention. On est par contre en droit de se demander s'il n'existerait pas un compromis entre le 2,4 litres, un peu serré et le 3,5 endiablé. Un moteur de 200 chevaux me semblerait juste correct.

Aucune transmission manuelle n'est disponible avec le RAV4. Le 2,4 litres a droit à une automatique à quatre rapports qui ne nous est pas apparue parfaitement adaptée puisqu'en situation de rétrocontact, elle ne savait plus sur quel rapport danser... Le V6 est marié à une automatique à cinq rapports qui a la particularité de se faire oublier.

Si nos voisins Américains peuvent se procurer un RAV4 à rouage intégral ou traction (roues avant motrices), il en va autrement au Canada. Ici, seul le rouage intégral est proposé. Toyota parle davantage d'un quatre roues motrices puisqu'il est possible de verrouiller le différentiel arrière sur tous les modèles. Les modèles V6 ont aussi droit, de série, à un dispositif d'assistance au démarrage en pente (HAC) et d'assistance en descente (DAC).

Lors d'une virée dans un champ enneigé de Woodstock en Ontario, là où Toyota est en train de construire la nouvelle usine qui fabriquera les RAV4 (ils sont présentement produits au Japon), nous avons pu tester ces systèmes. Ils s'avèrent fort efficaces, d'autant plus que nos véhicules étaient chaussés de pneus quatre saisons. Sans pouvoir suivre un Jeep Wrangler Rubicon jusqu'au sommet de l'Himalaya, le RAV4 peut quand même tirer son épingle du jeu dans le sentier boueux qui mène au chalet dans le Nord ou sur les routes enneigées, à plus forte raison s'il est muni de quatre bons pneus à neige. Au chapitre des capacités de remorquage, le RAV4 soutient la comparaison avec ses compétiteurs. Avec le 2,4 litres, il peut tirer jusqu'à 1 500 livres (680 kg)

et avec le 3,6 2 000 livres (907 kilos). Cette version peut aussi recevoir l'ensemble remorquage qui peut alors tirer 3 500 livres (1 588 kilos).

SEXE

Les plus pervers d'entre vous seront ravis d'apprendre ce qu'un examen des dessous du RAV4 nous révèle… Tout d'abord, les joints des arbres de transmissions ne se changent pas séparément. Lorsque viendra le temps, il faudra donc changer les arbres au complet, ce qui devrait coûter plusieurs $$$. On retrouve très peu d'antirouille d'usine. Les concessionnaires seront heureux de vous conseiller à ce sujet…

Puisque le RAV4 se veut un véhicule à quatre roues motrices, le dessous est bien protégé par le châssis, même si le carter d'huile est un peu bas. Avec le moteur V6, plus lourd que le quatre cylindres, il faudra penser à permuter les pneus plus souvent, à cause d'une usure plus rapide.

Sur la route, le RAV4 fait preuve d'encore plus de raffinement que la génération précédente. En conduite normale, l'empattement allongé et les suspensions judicieusement calibrées proposent un confort très sain qui se rapproche de celui procuré par une berline. Une courbe négociée un peu trop rapidement a cependant tôt fait de déplaire au RAV4. Même si la caisse penche peu, on dénote un certain sous-virage (l'avant veut continuer tout droit) contré par un contrôle de traction et de stabilité latérale autoritaires qui ont la mauvaise manie de déclencher un avertisseur sonore au moment le moins opportun. Lors d'un changement de voie de type panique, pour éviter un déficient de la conduite automobile, par exemple, la direction, assez précise quoique peu communicative, ne se durcit pas au centre, gracieuseté d'une direction électrique. Les freins sont corrects dans la mesure où on demeure sage. Soulignons que le rayon de braquage se révèle très court.

PLUS, C'EST MIEUX

Les prix du RAV4 se sont considérablement gonflés avec l'arrivée de cette nouvelle génération. Pour faire mieux passer la pilule, Toyota ne lésine donc pas sur la liste des équipements standard. Bien entendu, plus vous déliez les cordons de votre bourse, plus Toyota se montre généreux!

L'habitacle est très réussi. Les jauges du tableau de bord s'illuminent dès qu'on tourne le contact. Les commandes se trouvent toutes à portée de la main sauf le levier servant à ouvrir la trappe d'essence, difficile à atteindre lorsque la portière est fermée. Les sièges ne gagneront sans doute jamais le concours annuel du Refuge des fesses. Ils ne m'ont jamais impressionné même après avoir fait l'essai de trois ou quatre

FEU VERT
Rouage intégral solide
Confort assuré
V6 très performant
Moteurs économiques
Valeur de revente élevée

FEU ROUGE
Moteurs plus ou moins bien adaptés
Version traction non disponible au Canada
Prix à la hausse
Peu généreux de son antirouille
Quatre cylindres un peu juste

VÉHICULE D'ESSAI

Version :	Sport
Prix de détail suggéré :	32 990 $
Emp/Lon/Lar/Haut(mm) :	2 660/4 600/1 855/1 745
Poids :	2 140 kg
Coffre/Réservoir :	678 à 1 909 litres/60 litres
Coussins de sécurité :	frontaux, latéraux (av.) et rideaux
Suspension avant :	indépendante, jambes de force
Suspension arrière :	indépendante, multibras
Freins av./arr. :	disque (ABS)
Antipatinage/Contrôle de stabilité :	non/non
Direction :	à crémaillère, assistance variable électrique
Diamètre de braquage :	12,0 m
Pneus av./arr. :	P235/55R18
Capacité de remorquage :	1 587 kg

MOTORISATION À L'ESSAI

Moteur :	V6 de 3,5 litres 24s atmosphérique
Alésage et course :	94,0 mm x 83,0 mm
Puissance :	269 ch (201 kW) à 6 200 tr/min
Couple :	246 lb-pi (334 Nm) à 4 700 tr/min
Rapport poids/puissance :	7,96 kg/ch (10,81 kg/kW)
Système hybride :	aucun
Transmission :	intégrale, automatique 5 rapports
Accélération 0-100 km/h :	8,0 s
Reprises 80-120 km/h :	6,3 s
Freinage 100-0 km/h :	41,0 m
Vitesse maximale :	185 km/h
Consommation (100 km) :	ordinaire, 11,4 litres
Autonomie (approximative) :	526 km
Émissions de CO2 :	4 498 kg/an

GAMME EN BREF

Échelle de prix :	24 735 $ à 33 580 $
Catégorie :	utilitaire sport compact
Historique du modèle :	3ième génération
Garanties :	3 ans/60 000 km, 5 ans/100 000 km
Assemblage :	Toyota City, Japon
Autre(s) moteur(s) :	4L 2,4l 166ch/165lb-pi (10,1 l/100km)
Autre(s) rouage(s) :	aucun
Autre(s) transmission(s) :	automatique 4 rapports

RAV4. Il est toutefois possible de faire un lit de fortune avec les sièges avant, puisqu'ils se couchent. Ceux de la deuxième rangée sont durs et, malgré la possibilité d'incliner le dossier, demeurent inconfortables. Heureusement, l'espace pour les jambes est plus qu'adéquat à cause de l'empattement plus long. Ces sièges ont aussi la particularité de s'avancer ou se reculer sur plus de 10 pouces. Les dossiers se rabattent de façon 60/40 en actionnant un levier placé dans la partie arrière, une bénédiction !

L'espace de chargement est suffisamment grand et le seuil de chargement se trouve très bas et à égalité avec le plancher. J'aurais cependant souhaité une bande de caoutchouc sur le pare-chocs arrière pour éviter de l'égratigner. La version Limited V6 a droit à une troisième banquette dont le seul mérite est de permettre aux journalistes automobiles d'écrire une ligne supplémentaire dans leur texte sans trop se forcer… La visibilité ne cause pas de problème, sauf peut-être vers l'arrière puisque le pneu de secours est placé sur la porte. Porte qui, selon la tradition japonaise, s'ouvre sur des pentures situées à droite. Quand une voiture est stationnée à quelques pouces de votre pare-chocs arrière, ce type de porte devient générateur de gros mots. Notre essai d'un RAV4 2,4 litres s'est déroulé au début du mois d'avril alors que les températures bien que confortables étaient loin d'être caniculaires. Or, le climatiseur nous semblait déjà juste… Un autre essai, d'un V6, effectué à la mi-juin, n'a pas relevé ce problème.

Le nouveau RAV4 marque un net progrès sur la version précédente, qui n'était quand même pas si mal ! Ce faisant, ce VUS se rapproche davantage des Subaru Tribeca (dont la partie arrière lui ressemble un peu, non ?), Chevrolet Trailblazer et Kia Sorento. Le prix a aussi fait un bond. Un RAV4 très de base vaut plus de 28 000 $ alors qu'un V6 Limited « foule équipe » (notre correctrice n'aime pas *full equiped*) se transige près de 40 000 $. On est loin du RAV4 timide de 1997 !

Alain Morin

DANS LA MÊME CATÉGORIE

Chevrolet Equinox - Ford Escape - Honda CR-V - Hyundai Santa Fe - Kia Sorento - Land Rover Freelander - Mazda Tribute - Mitsubishi Outlander - Pontiac Torrent - Saturn VUE - Suzuki Grand Vitara

DU NOUVEAU EN 2007
Nouveau modèle

NOS IMPRESSIONS

Agrément de conduite :	🚗 🚗 🚗 ½
Fiabilité :	données insuffisantes
Sécurité :	🚗 🚗 🚗 🚗
Qualités hivernales :	🚗 🚗 🚗 🚗
Espace intérieur :	🚗 🚗 🚗 🚗
Confort :	🚗 🚗 🚗 🚗

LE CHOIX DE L'ÉQUIPE
V6 Sport

Photos : Alain Morin

L'AUTRE VISAGE DE TOYOTA

La compagnie Toyota a amplement mérité son titre de championne des véhicules à propulsion hybride et personne ne va s'opposer à la volonté du numéro un japonais de vouloir offrir un moteur hybride sur tous ses modèles d'ici quelques années. Par contre, ce constructeur veut aussi accéder au premier rang mondial des compagnies automobiles et se doit donc d'être présent dans toutes les catégories, notamment celles des grosses camionnettes et les gros VUS. De par leur usage anticipé, ces véhicules doivent être propulsés par de puissants moteurs V8 et cela signifie une consommation élevée...

Aussi, en plus d'être une compagnie exemplaire en raison de ses véhicules à propulsion hybride elle fabrique également des colosses comme le Sequoia dont le moteur consomme même plus que certains autres gros V8. Toujours à propos des dimensions, ce modèle est le plus gros véhicule offert par Toyota au Canada puisque l'énorme Land Cruiser n'est pas vendu au pays de la feuille d'érable.

Curieusement, ce dernier est proposé dans la gamme de modèles Lexus en tant que LX470. Concernant ses origines, le Sequoia n'est ni plus ni moins qu'une camionnette Tundra de la première génération transformée en VUS, ce qui explique pourquoi il est relativement étroit et cela lui confère les allures d'un frigo sur quatre roues.

DESIGN CORPORATIF

Les communiqués de Toyota ne cessent de faire mention de leur nouvelle philosophie de design qu'est la «clarté vibrante», une expression pour le moins saugrenue qui est censée inspirer les stylistes maison pour créer des véhicules plus originaux et plus élégants. Il suffit de jeter un coup d'œil au Sequoia pour constater qu'il a été dessiné avant l'élaboration de la nouvelle philosophie de design. Plus haute que large, sa silhouette respecte l'ancienne approche de Toyota avec une lourde

calandre avant, des passages de roue prononcés et une partie arrière comptant sur les imposants feux de freinage et de position pour se démarquer. Disons que ça commence à être archaïque. Cela dit, je suis prêt à parier que l'arrivée de la nouvelle camionnette Tundra aura des effets positifs pour le Sequoia qui sera sans doute transformé quelques mois après l'arrivée de la camionnette. Il est permis d'affirmer que la présentation de l'habitacle est mieux réussie que la carrosserie comme c'est souvent le cas chez ce constructeur. Le tableau de bord se distingue surtout par un module de forme ovoïde monté au centre de la console de la planche de bord et qui regroupe les commandes de climatisation et du système audio. Cette présentation bien à part est pratique alors que les différentes commandes tombent sous la main et sont faciles à comprendre ou à actionner. Il faut ajouter que les cadrans indicateurs et les jauges se consultent facilement. Bien entendu, la qualité de la finition et de l'assemblage est dans la plus pure tradition Toyota.

UNE BÊTE DE SOMME

Un gros véhicule pour effectuer de gros travaux a besoin d'un moteur puissant. Depuis 2005, cette tâche a été confiée à un moteur V8 de 4,7 litres produisant 282 chevaux et un couple de 325 livres pied. La transmission automatique est à cinq rapports et d'une douceur exemplaire.

FEU VERT	FEU ROUGE
Finition impeccable	Moteur assoiffé
Bonne capacité de remorquage	Gabarit encombrant
Moteur V8 éprouvé	Troisième rangée de sièges peu confortable
Habitabilité assurée	Prix corsés
Rouage intégral efficace	Roulis en virage

Ce groupe propulseur est de conception technique raffinée et son rendement et ses performances assurent des accélérations musclées. Le prix à payer est une consommation de carburant qui est d'un peu plus de 14,5 litres si on pilote avec la plus grande des délicatesses. Conduisez comme 90 pour cent des conducteurs et cette cote peu aller chatouiller les 20 litres aux 100 km sans aucun problème. Ce qui n'est pas surprenant lorsqu'on se rend compte que ce gros VUS pèse 2 400 kilos. Imaginez ce que ce sera quand vous aurez attaché une remorque de 2 812 kilos (6 200 livres), la capacité de remorquage maximale du Sequoia.

Heureusement que ce gros costaud est doué pour la conduite hors route. Cette propulsion peut être transformée en quatre roues motrices au toucher d'une commande tandis qu'il est possible de choisir les modes 4hi et 4lo selon les difficultés du terrain. Une garde au sol de 21,6 cm facilite beaucoup les excursions en forêt. Et lorsque la situation se corse vraiment, on peut verrouiller le différentiel central, alors que des systèmes d'assistance électronique à la conduite entrent en jeu. Ceux-ci s'ont d'une grande efficacité.

Impressionnant en conduite tout terrain, le Sequoia n'a pas la même aisance sur la route. Son poids imposant, un centre de gravité élevé et une suspension plus conçue pour le remorquage et la conduite tout-terrain risquent de s'associer pour faire une frayeur à un pilote trop agressif.

Et il est facile d'y aller trop fort puisque la souplesse de son moteur, la solidité du châssis et le silence de l'habitacle gomment la perception de vitesse jusqu'à ce qu'on arrive dans un virage à une vitesse trop élevé et c'est la chaleur dont parlent les pilotes de course. D'autant plus que les freins peuvent arriver rapidement à la limite si on s'excite trop. Sur une note plus positive, la présence d'une suspension arrière indépendante est un atout en fait de confort, particulièrement sur nos routes tiers-mondistes.

Cette grosse Toyota tout usage n'est pas pour tout le monde et surtout pas pour les pilotes sportifs ou vigoureux. Mais ses qualités d'ensemble lui permettent de faire le travail attendu d'un tout terrain, mais à un prix quand même élevé.

Denis Duquet

TOYOTA SEQUOIA

VÉHICULE D'ESSAI

Version :	Limited
Prix de détail suggéré :	66 895 $
Emp/Lon/Lar/Haut(mm) :	3 000/5 180/2 005/1 925
Poids :	2 413 kg
Coffre/Réservoir :	787 à 2 084 litres/100 litres
Coussins de sécurité :	frontaux, latéraux (av.) et rideaux
Suspension avant :	indépendante, bras inégaux
Suspension arrière :	indépendante, multibras
Freins av./arr. :	disque (ABS)
Antipatinage/Contrôle de stabilité :	oui/oui
Direction :	à crémaillère, assistance variable
Diamètre de braquage :	12,9 m
Pneus av./arr. :	P265/70R16
Capacité de remorquage :	2 812 kg

MOTORISATION À L'ESSAI

Pneus d'origine **MICHELIN**

Moteur :	V8 de 4,7 litres 32s atmosphérique
Alésage et course :	94,0 mm x 84,0 mm
Puissance :	273 ch (210 kW) à 5 400 tr/min
Couple :	314 lb-pi (441 Nm) à 3 400 tr/min
Rapport poids/puissance :	8,56 kg/ch (11,6 kg/kW)
Système hybride :	aucun
Transmission :	4X4, automatique 5 rapports
Accélération 0-100 km/h :	7,6 s
Reprises 80-120 km/h :	7,1 s
Freinage 100-0 km/h :	43,0 m
Vitesse maximale :	195 km/h
Consommation (100 km) :	ordinaire, 16,5 litres
Autonomie (approximative) :	606 km
Émissions de CO2 :	6 912 kg/an

GAMME EN BREF

Échelle de prix :	58 210 $ à 70 100 $
Catégorie :	utilitaire sport grand format
Historique du modèle :	1ère génération
Garanties :	3 ans/60 000 km, 5 ans/100 000 km
Assemblage :	Princeton, Indiana, É-U
Autre(s) moteur(s) :	aucun
Autre(s) rouage(s) :	aucun
Autre(s) transmission(s) :	aucune

DANS LA MÊME CATÉGORIE

Chevrolet Tahoe - Chrysler Aspen - Dodge Durango - Ford Expedition - Hummer H2 - Lincoln Navigator - Nissan Armada

DU NOUVEAU EN 2007

Pas de changement majeur, modèle SR5 éliminé

NOS IMPRESSIONS

Agrément de conduite :	🚗🚗🚗
Fiabilité :	🚗🚗🚗🚗
Sécurité :	🚗🚗🚗🚗
Qualités hivernales :	🚗🚗🚗🚗
Espace intérieur :	🚗🚗🚗🚗🚗
Confort :	🚗🚗🚗🚗

LE CHOIX DE L'ÉQUIPE

Limited

Photos : Denis Duquet

L'ENNUI DE LA PERFECTION

Aussi bien vous l'avouer, j'ai toujours eu de la difficulté à écrire sur cette Toyota ultrafamiliale. Elle fait partie de ces véhicules qui sont tellement bien équilibrés qu'il est difficile de les critiquer. Et cette excellence sous bien des rapports fait que les pages du calepin sont presque vierges ! Cette fourgonnette ne soulève aucune passion, mais également aucune critique, sauf celle de ne pas en soulever. Cela dit, je vais tenter de mon mieux de vous donner un compte-rendu le plus honnête possible de mes contacts, et ils ont été nombreux, avec cette nippone conçue sous le signe de l'efficacité.

I l faut en premier lieu rendre hommage aux stylistes qui ont accompli un bon travail en réussissant à dessiner une fourgonnette qui n'a pas l'air d'un véhicule funéraire ou qui est totalement dépouillée de personnalité, comme la Ford Freestar par exemple. Mais il faut également ajouter que cette excellence du dessin est plutôt subtile. Il m'a d'ailleurs fallu quelques mois pour réaliser la subtilité de la silhouette avec sa partie arrière qui s'affine en hauteur. La prochaine fois que vous croiserez une Sienna, surtout si elle est blanche, vous serez en mesure de faire cette constatation. Il faut également souligner que cette catégorie plafonne depuis quelques années au chapitre des ventes et personne n'investit beaucoup dans les nouveaux modèles. Il faudra l'arrivée des nouvelles fourgonnettes de Chrysler pour que ça bouge de nouveau. En attendant, cette Sienna devrait bien vieillir sur le plan visuel. Par contre, une petite flèche en passant, ce style est tellement épuré que ça manque de punch.

UNE BELLE DIVERSITÉ

Qu'est-ce qui ressemble le plus à une fourgonnette qu'une autre fourgonnette en fait de présentation et d'aménagement ? Pour les départager les unes des autres, il faut compter le nombre de porte-verres, la possibilité de transformer l'habitacle en cinéma-maison et les multiples configurations des sièges. Et comme toutes proposent un équipement presque similaire, il faut se tourner vers la planche de bord et la qualité de la fabrication. La Sienna est dotée d'une planche de bord élégante et pratique en plus de pouvoir offrir un levier de vitesse qui n'est pas accroché sur la colonne de direction ou sur le plancher. Comme c'est la tendance en Europe, ce levier est ancré au bas du tableau de bord, sur une petite excroissance qui est le prolongement de la console verticale. Cela permet ainsi d'avoir un espace pour circuler entre les deux sièges avant. La disposition des commandes a été jugée très bonne par les personnes de grande taille, mais critiquée par les autres pour ses boutons difficiles à rejoindre. Mais personne ne se plaindra des cadrans indicateurs électroluminescents qui sont de consultation facile. La position de conduite est bonne en raison du volant télescopique et inclinable, tandis que le siège du conducteur est confortable mais son support latéral pourrait être meilleur.

Tout près d'une dizaine de modèles tous plus équipés les uns que les autres sont au catalogue. Je vous fais grâce de toute la nomenclature pour vous souligner qu'il est toutefois possible de commander un modèle à traction intégrale sans devoir se résigner à acheter le modèle le plus cher de la gamme Le modèle de base , le CE, peut être commandé

FEU VERT	**FEU ROUGE**
Confortable	Direction engourdie
Mécanique fiable	Pneus "Run Flat"
Bonne valeur de revente	Roulis en virage
Traction intégrale	Options onéreuses
Habitacle polyvalent	

avec une intégrale. Ce n'est pas donné à environ 37 000 $, mais c'est toujours mieux que de devoir acheter le modèle haut de gamme avec un intérieur en cuir vendu à plus de 50 000 $.

SANS HISTOIRE

La fiche technique de cette grosse fourgonnette est ce qu'il y a de plus simple. Il y a un seul moteur, qui est nouveau pour 2007. Il s'agit du V6 3,5 litres d'une puissance de 260 chevaux qui est couplé à une boîte automatique à cinq rapports. Autant le moteur par son silence et la transmission par sa douceur font oublier leur présence. Et ils sont bien adaptés à la personnalité de la Sienna qui est de tout bien faire sans effort. Tandis que le conducteur tente de ne pas s'endormir au volant, les occupants prennent la vie du bon côté en étant assis sur des sièges confortables mais qui manquent quelque peu de support. À propos des sièges, la rangée du centre peut être constituée d'une banquette trois places ou de deux sièges capitaines. Ceux-ci sont amovibles, mais les enlever ou les remettre tient de la séance de musculation. Un détail en passant, les glaces des portes coulissantes peuvent s'abaisser, mais pas jusqu'en bas. Et si vous voulez offrir le système DVD aux occupants des places arrière, vous devrez débourser pas mal puisque seulement les modèles plus cossus le proposent en option.

Comme mentionné plus haut, la conduite d'une Sienna est sans histoire, particulièrement sur la grand-route. Les kilomètres filent sans que rien ne vienne troubler le confort de l'habitacle. L'insonorisation poussée, la souplesse de la suspension et la direction engourdie vous donnent l'impression de piloter un nuage ou presque. Du moins, jusqu'à la première courbe raide alors que vous vous rendez compte que votre nuage affiche un roulis prononcé et un sous-virage marqué. Et la version intégrale ou la traction se comportent de la même manière, sauf que l'intégrale est un peu plus neutre en virage.

Bref, cette fourgonnette n'est pas dépourvue de qualités. Et il le faut étant donné que son prix peut atteindre des sommets élevés. Il y des concurrentes plus sportives comme la Odyssey, mais aucune autre ne peut offrir une traction intégrale et un tel niveau de polyvalence.

Denis Duquet

Photos : Toyota

VÉHICULE D'ESSAI

Version :	CE AWD
Prix de détail suggéré :	38 495 $
Emp/Lon/Lar/Haut(mm) :	3030/5 105/1 962/1 750
Poids :	1 955 kg
Coffre/Réservoir :	1 221 à 4 170 litres/79 litres
Coussins de sécurité :	frontaux, latéraux (av.) et rideaux
Suspension avant :	indépendante, bras inégaux
Suspension arrière :	demi-ind., poutre déformante
Freins av./arr. :	disque (ABS)
Antipatinage/Contrôle de stabilité :	oui/oui
Direction :	à crémaillère, assistée
Diamètre de braquage :	11,2 m
Pneus av./arr. :	P225/60R17
Capacité de remorquage :	1 587 kg

MOTORISATION À L'ESSAI

Pneus d'origine **MICHELIN**

Moteur :	V6 de 3,5 litres 24s atmosphérique
Alésage et course :	91,9 mm x 83,1 mm
Puissance :	260 ch (160 kW) à 5 600 tr/min
Couple :	251 lb-pi (301 Nm) à 3 600 tr/min
Rapport poids/puissance :	9,09 kg/ch (12,37 kg/kW)
Système hybride :	aucun
Transmission :	intégrale, automatique 5 rapports
Accélération 0-100 km/h :	9,0 s (estimé)
Reprises 80-120 km/h :	7,8 s (estimé)
Freinage 100-0 km/h :	43,7 m
Vitesse maximale :	200 km/h
Consommation (100 km) :	ordinaire, 13,5 litres (estimé)
Autonomie (approximative) :	612 km
Émissions de CO2 :	5 616 kg/an

GAMME EN BREF

Échelle de prix :	30 800 $ à 50 875 $
Catégorie :	fourgonnette
Historique du modèle :	2ème génération
Garanties :	3 ans/60 000 km, 5 ans/100 000 km
Assemblage :	Georgetown, Kentucky, É-U
Autre(s) moteur(s) :	aucun
Autre(s) rouage(s) :	traction
Autre(s) transmission(s) :	aucune

DANS LA MÊME CATÉGORIE

Buick Terraza - Chrysler Town&Country - Ford Freestar - Honda Odyssey - Nissan Quest

DU NOUVEAU EN 2007

Nouveau moteur

NOS IMPRESSIONS

Agrément de conduite :	🚗🚗🚗🚗
Fiabilité :	🚗🚗🚗🚗½
Sécurité :	🚗🚗🚗🚗
Qualités hivernales :	🚗🚗🚗🚗
Espace intérieur :	🚗🚗🚗🚗
Confort :	🚗🚗🚗🚗

LE CHOIX DE L'ÉQUIPE

CE AWD

TOYOTA SIENNA

L'EXCENTRIQUE DE LA FAMILLE

Vous connaissez sans doute des personnes qui détonnent par rapport à leur environnement, qui se démarquent des autres membres de leur famille. Vous savez, l'artiste issu d'une famille pauvre ou le col bleu provenant d'une famille aisée. La Solara est de ce même acabit, alors que la plupart des autres modèles de cette catégorie chez ce constructeur sont dotés d'une silhouette relativement sage, celle-ci se pique de jouer les originales avec ses longs phares avant chevauchant l'aile et sa partie arrière très profilée, dont les feux semblent empruntés à la Lexus SC430, rien de moins.

D'ailleurs, cette Toyota était en avance sur les Camry et Avalon en fait de stylisme. Il aura fallu que ces deux modèles soient transformés du tout au tout récemment pour que ce gros coupé/cabriolet affiche un air de famille. Et il est facile de prédire que la prochaine mouture aura certainement un look plus futuriste que les autres Toyota et deviendra à nouveau le porte-étendard de la «clarté vibrante». N'ayez crainte, je ne parle pas d'une secte religieuse, mais tout simplement du credo de design chez Toyota! Entre-temps, la version 2007 connaît plusieurs retouches esthétiques, notamment de nouveaux pare-chocs et des phares redessinés.

DISPROPORTION?

Puisque ce modèle se vend relativement peu sur notre marché, il se peut que vous n'ayez pas croisé une Solara sur la route. Et vous vous demandez bien pourquoi tant de chroniqueurs automobiles consacrent autant de mots à son design... C'est vrai qu'en photo, ce coupé se tire passablement bien d'affaire. Mais lorsqu'on l'a devant nous, ses proportions semblent mauvaises. La carrosserie est trop grosse pour ce genre de design et on a l'impression de contempler un jouet dont la taille aurait été considérablement augmentée.

Et encore, le coupé s'en tire assez bien! C'est le cabriolet qui souffre le plus du coup de crayon maladroit des stylistes. J'admets que ce n'est pas trop mal avec la capote baissée puisque la longue carrosserie sied bien à cette décapitation occasionnelle. Mais une fois le toit souple en place, c'est quasiment désastreux. Mais comme les goûts ne se discutent absolument pas, il est fort possible que ce cabriolet vous plaise. Tant mieux pour vous et profitez-en! Et si ces arguments ne sont pas de taille, peut-être que d'apprendre que le toit souple s'abaisse ou s'élève en moins de 15 secondes vous fera craquer pour cette voiture. Il faut de plus souligner que le tableau de bord avec sa console centrale de couleur titane, ses trois petits cadrans indicateurs isolés, recouverts de petits pare-soleil individuels et ses trois gros cadrans indicateurs à fond blanc a également joué le rôle de précurseur. La Solara a été l'une des premières Toyota à abandonner le tristounet plastique gris par des éléments de couleur argent ou titane.

Comme toute voiture de cette marque qui se respecte, la finition est impeccable, la qualité des matériaux correcte et l'insonorisation digne de mention. Par contre, comme tous les coupés/cabriolets issus de la même plate-forme, les places arrière ne sont pas très confortables.

FEU VERT	FEU ROUGE
Bons moteurs	Silhouette rébarbative (cabriolet)
Finition impeccable	Direction engourdie
Sièges confortables	Roulis en virage
Insonorisation (coupé)	Plate-forme trop flexible (cabriolet)
	Passages des rapports lents

LE MONDE DE
L'AUTO MC

Le magazine N° 1 au Québec depuis 23 ans!

Super Spécial

Abonnez-vous et économisez 76%
du prix en kiosque

LE MONDE DE
L'AUTO MC
Le magazine N° 1 au Québec depuis 23 ans!

ABONNEZ-VOUS MAINTENANT !
COMPLÉTEZ LE COUPON ET FAITES LE PARVENIR

BOULEVARDIÈRE AVANT TOUT

Peu importe le groupe propulseur choisi, la nature de cette voiture demeure la même. Elle dorlote ses occupants et sa suspension est réglée en fonction du confort. Elle cible une clientèle qui aime se retrouver au volant d'un véhicule dont le design est différent et dont la diffusion est relativement faible. Pour ces gens, la liste des options de confort est plus importante que les temps d'accélération et la vitesse de pointe. Et s'ils achètent cette voiture pour ces raisons, ils seront satisfaits.

Il est certain que le modèle propulsé par le moteur quatre cylindres de 2,4 litres de 155 chevaux ne brûle pas l'asphalte. D'autant plus que la seule boîte automatique offerte s'occupe des passages de rapports sans trop d'empressement. Incontestablement, le choix du moteur V6 de 3,3 litres permet d'obtenir plus de vélocité grâce à ses 210 chevaux, et le 0-100 km/h devient une affaire de moins de neuf secondes. Et puisque la Solara est à la remorque des Camry, les nouveaux groupes propulseurs de cette dernière devraient être offerts un peu plus tard alors qu'une nouvelle génération utilisera la plate-forme et les moteurs de la Camry 2007. Ce surplus de puissance donnerait un peu plus de punch aux performances. Et toujours au sujet des groupes propulseurs, il ne faudrait être surpris si la Solara était commercialisée d'ici peu avec un moteur hybride.

Mais il faudrait que la suspension soit raffermie car ce serait alors peine perdue. En effet, cette nippone semble être équipée d'amortisseurs remplis de guimauve. Ce qui procure beaucoup de confort sur les mauvaises routes, mais qui explique le roulis important en virage. Mieux vaut alors profiter de l'insonorisation de la voiture et écouter sa musique en se contentant de suivre le flot de la circulation... Et si vous avez jeté votre dévolu sur le cabriolet, vous savez déjà que la visibilité arrière est assez précaire, vous obligeant ainsi à redoubler d'attention en conduite urbaine. Par contre, une fois la capote baissée, par une belle soirée de canicule, c'est génial. On ne se sent pas pressé de rouler vite, juste de prendre le temps de jouir du moment présent. Et pour compléter le portrait, la direction est engourdie à souhait, comme sur les grosses américaines des années cinquante.

Denis Duquet

VÉHICULE D'ESSAI

Version :	Sport V6
Prix de détail suggéré :	35 495 $
Emp/Lon/Lar/Haut (mm) :	2 720/4 890/1 815/1 425
Poids :	1 550 kg
Coffre/Réservoir :	390 litres / 70 litres
Coussins de sécurité :	frontaux et latéraux (av.)
Suspension avant :	indépendante, jambes de force
Suspension arrière :	indépendante, multibras
Freins av./arr. :	disque (ABS)
Antipatinage/Contrôle de stabilité :	oui / oui
Direction :	à crémaillère, assistance variable
Diamètre de braquage :	11,1 m
Pneus av./arr. :	P215/55R17
Capacité de remorquage :	non recommandé

MOTORISATION À L'ESSAI

Pneus d'origine MICHELIN

Moteur :	V6 de 3,3 litres 24s atmosphérique
Alésage et course :	88,4 mm x 96,0 mm
Puissance :	210 ch (168 kW) à 5 600 tr/min
Couple :	220 lb-pi (325 Nm) à 3 600 tr/min
Rapport poids/puissance :	6,89 kg/ch (9,34 kg/kW)
Système hybride :	aucun
Transmission :	traction, automatique 5 rapports
Accélération 0-100 km/h :	8,3 s
Reprises 80-120 km/h :	6,4 s
Freinage 100-0 km/h :	41,4 m
Vitesse maximale :	220 km/h
Consommation (100 km) :	ordinaire, 11,5 litres
Autonomie (approximative) :	609 km
Émissions de CO_2 :	4 609 kg/an

GAMME EN BREF

Échelle de prix :	29 200 $ à 39 900 $
Catégorie :	coupé/cabriolet
Historique du modèle :	2ème génération
Garanties :	3 ans/60 000 km, 5 ans/100 000 km
Assemblage :	Georgetown, Kentucky, É-U
Autre(s) moteur(s) :	4L 2,4l 155ch/158lb-pi (10,0 l/100km)
Autre(s) rouage(s) :	aucun
Autre(s) transmission(s) :	aucune

DANS LA MÊME CATÉGORIE

Chevrolet Monte-Carlo - Chrysler Sebring - Honda Accord - Mitsubishi Eclipse

DU NOUVEAU EN 2007

Pare chocs avant/arrière redessinés, nouveau volant, nouveaux feux arrière, prise audio auxilliaire

NOS IMPRESSIONS

Agrément de conduite :	🚗🚗🚗
Fiabilité :	🚗🚗🚗🚗🚗
Sécurité :	🚗🚗🚗🚗
Qualités hivernales :	🚗🚗🚗
Espace intérieur :	🚗🚗🚗½
Confort :	🚗🚗🚗½

LE CHOIX DE L'ÉQUIPE

Sport V6

Photos : Toyota

561

Voiture économique

DYNAMITE SUR ROUES

Toyota est à un cheveu de devenir le constructeur de voitures numéro un mondial. Et peut-être même qu'au moment où vous lisez ces lignes, c'est déjà fait! Pour ainsi s'établir à l'échelle planétaire, Toyota n'a pas attendu que le géant General Motors se plante lui-même (même si c'est ce qu'il a fait!). Pour ne laisser que des miettes aux concurrents, Toyota frappe sur tout ce qui bouge dans le domaine de l'automobile. Il frappe fort et rate rarement sa cible. La Yaris est l'exemple le plus frappant de l'arme destruction massive, façon Toyota. L'immense Tundra aussi mais ça, c'est une autre histoire!

L'an dernier, la Yaris *hatchback* faisait son apparition sur notre marché, éclipsant aussitôt la Echo de même configuration. Cette année, c'est au tour de la Echo berline de prendre sa retraite puisque la Yaris «quatre-portes-avec-une-valise» fait son entrée. Mentionnons tout d'abord que la Yaris *hatchback* est offerte en versions trois et cinq portes et que la berline, comme vous venez tout juste de le lire, en version quatre portes.

Tous les modèles sont mus par le même moteur, soit un quatre cylindres de 1,5 litre de 106 chevaux et 103 livres-pied de couple. Ce n'est certes pas la mer à boire mais ce moteur, résolument moderne avec ses seize soupapes, son double arbre à cames en tête, son calage variable des soupapes et sa certification ULEV (véhicule à émissions ultrafaibles), ce moteur, donc, est parfaitement bien adapté à la Yaris, une voiture conçue principalement pour rouler en milieu urbain. Les accélérations, tout comme les reprises, sont loin d'être foudroyantes mais on n'achète pas une Yaris pour «baucher» contre une Viper! De plus, la consommation d'essence (celle de la Yaris, pas celle de la Viper!) a de quoi faire enrager les pétrolières, ce qui n'est pas sans déplaire. Il faut apporter un bémol ici: transportant quatre adultes à bord, la Yaris montre son côté «noir». Les accélérations et reprises deviennent alors plus pénibles et la

consommation d'essence augmente de façon substantielle. Et comme la Yaris s'adresse à un jeune public débordant d'amis, elle risque de décevoir quelquefois à ce chapitre. Et les amis ne devraient pas, non plus, être enchantés par la sonorité de la radio, assez ordinaire, merci!

PLUS URBAINE QU'INTERURBAINE...

Sans doute dans le but de respecter la condition urbaine de la Yaris, la transmission manuelle (celle qui devrait être la plus populaire auprès des acheteurs) n'est pas particulièrement bien adaptée à une conduite sur grande route. À 100 km/h, sur le cinquième rapport, le moteur tourne à 2 750 tours/minute, ce qui est beaucoup pour une voiture à la vocation économique. Lorsque vient le temps de dépasser un véhicule plus lent, il faut savoir jouer du levier de vitesse! Quant à l'automatique, son fonctionnement ne s'attire aucun commentaire négatif.

Bien peu sportive, la Yaris *hatchback* ne se montre cependant pas avare de sensations. La tenue de route est prévisible et les roues avant ne décrochent pas brutalement, à moins de le faire exprès. Conduite pendant une des rares tempêtes de neige de l'hiver passé, la Yaris *hatchback* a fait preuve d'un très bel équilibre même si aucun contrôle de traction ne fait partie de la liste des équipements standards. Le châssis est solide

FEU VERT	FEU ROUGE
Livrée berline pratique	Performances ordinaires
Véhicule urbain par excellence	Consommation parfois décevante
Comportement routier sûr	Pas de jauge de température du moteur
Confort surprenant	Tableau de bord critiqué (hatchback)
Coffre très logeable (berline)	N'aime pas les vents latéraux

et les suspensions, indépendantes à l'avant et à poutre de torsion à l'arrière, sont garantes d'un confort surprenant, compte tenu des dimensions du véhicule. La version berline, grâce à son empattement plus long, affiche une tenue de route plus affirmée tout en proposant un confort plus relevé. Même si son poids est plus élevé que celui de la *hatchback* (environ 40 kilos supplémentaires), les performances n'en souffrent pas vraiment. Dans les deux cas, nous n'avons pu faire mieux que 10,5 secondes pour le 0-100. Les freins reçoivent l'assistance de l'ABS dans les versions les plus huppées.

DIFFÉRENCES NOTABLES

Si la Toyota Echo se distinguait par son habitacle ingénieux, la Yaris *hatchback* en fait autant. Les espaces de rangement sont nombreux, la visibilité ne cause absolument aucun problème et les plastiques ne sont pas du toc. L'instrumentation centrale déconcerte un peu au début mais, avec un peu de bonne volonté, on s'y fait. On déplore cependant l'absence de jauge de température, peu importe le modèle. Curieusement, le tableau de bord de la berline diffère de celui de la *hatchback*. On y retrouve moins d'espaces de rangement et les boutons de la climatisation sont ici disposés en V, éliminant ainsi une des critiques les plus souvent adressées au *hatchback* où elles sont placées à la verticale. Bien entendu, les places arrière sont plus généreuses dans la berline. Remarquez que celles de la *hatchback* ne sont pas mal non plus, pour un véhicule de ce type, s'entend. Par contre, l'accès à la banquette arrière est franchement pénible dans la trois portes. Lorsque les dossiers des sièges arrière sont repliés, cette petite voiture étonne par son volume de chargement. Mais ce n'est rien comparé au coffre de la berline, carrément impressionnant malgré sa petite ouverture.

La Yaris *hatchback* se veut une voiture éminemment pratique et sérieuse, et semble, jusqu'à présent, jouir de la réputation de fiabilité de Toyota. Laissons l'avenir parler. Essayée durant plusieurs semaines dans le cadre d'un essai à long terme, la Yaris n'a jamais demandé à retourner chez le concessionnaire, sauf pour l'entretien normal. La Yaris berline n'est peut-être pas une aubaine au même titre que la *hatchback* mais ses qualités dynamiques compensent largement. Il y a même fort à parier que la Corolla, qui sera revue sous peu, prenne du gallon, question de se démarquer davantage de la Yaris berline qui commence à jouer dans ses plates-bandes.

Alain Morin

Photos : Denis Duquet

TOYOTA YARIS

VÉHICULE D'ESSAI

Version :	Hatchback LE
Prix de détail suggéré :	15 280 $
Emp/Lon/Lar/Haut(mm) :	2 460/3 825/1 695/1 525
Poids :	950 kg
Coffre/Réservoir :	205 à 950 litres/45 litres
Coussins de sécurité :	frontaux et latéraux (av.)
Suspension avant :	indépendante, jambes de force
Suspension arrière :	demi-ind., poutre déformante
Freins av./arr. :	disque (ABS opt.)
Antipatinage/Contrôle de stabilité :	non/non
Direction :	à crémaillère, assistée
Diamètre de braquage :	9,5 m
Pneus av./arr. :	P175/65R14
Capacité de remorquage :	non recommandé

MOTORISATION À L'ESSAI

Moteur :	4L de 1,5 litre 16s atmosphérique
Alésage et course :	75,0 mm x 84,7 mm
Puissance :	106 ch (79 kW) à 6 000 tr/min
Couple :	103 lb-pi (144 Nm) à 4 200 tr/min
Rapport poids/puissance :	8,96 kg/ch (12,18 kg/kW)
Système hybride :	aucun
Transmission :	traction, manuelle 5 rapports
Accélération 0-100 km/h :	11,5 s
Reprises 80-120 km/h :	11,7 s
Freinage 100-0 km/h :	41,0 m
Vitesse maximale :	180 km/h
Consommation (100 km) :	ordinaire, 7,6 litres
Autonomie (approximative) :	592 km
Émissions de CO2 :	3 024 kg/an

GAMME EN BREF

Échelle de prix :	15 280 $ à 19 500 $
Catégorie :	berline compacte/hatchback
Historique du modèle :	1ère génération
Garanties :	3 ans/60 000 km, 5 ans/100 000 km
Assemblage :	Nagakusa, Japon
Autre(s) moteur(s) :	aucun
Autre(s) rouage(s) :	aucun
Autre(s) transmission(s) :	automatique 4 rapports

DANS LA MÊME CATÉGORIE

Chevrolet Aveo - Hyundai Accent - Kia Rio - Pontiac Wave - Suzuki Swift+

DU NOUVEAU EN 2007

Pas de changement majeur

NOS IMPRESSIONS

Agrément de conduite :	🚗 🚗 🚗 ½
Fiabilité :	🚗 🚗 🚗 🚗 ½
Sécurité :	🚗 🚗 🚗
Qualités hivernales :	🚗 🚗 🚗 ½
Espace intérieur :	🚗 🚗 🚗 ½
Confort :	🚗 🚗 🚗

LE CHOIX DE L'ÉQUIPE

Base

AUDACE OU INCONSCIENCE ?

Avant que vous poursuiviez la lecture ce texte, je tiens à vous informer que l'auteur de ces lignes a de sérieux doutes quant à la valeur de ce projet : Volkswagen, qui a toutes les misères du monde à nous offrir des voitures ayant une fiabilité tout au moins moyenne, vient nous proposer un tout nouveau cabriolet doté d'un toit rigide rétractable. Vous avouerez avec moi qu'il y a de quoi s'inquiéter... Cela ne date pas d'hier, la fiabilité des systèmes électriques de voitures VW a toujours été angoissante, et voilà qu'on nous présente quelque chose de beaucoup plus sophistiqué !

En effet, un toit rigide amovible nécessite un système hydraulique élaboré, plusieurs moteurs électriques et une escouade de commutateurs. Et cela, de la part d'une compagnie qui a été souvent incapable par le passé de trouver une solution à un simple et unique commutateur électrique, défectueux à répétition sur plusieurs de ses modèles. Si j'étais propriétaire d'une EOS, je m'achèterais une bâche que je traînerais toujours dans le coffre, au cas où... Bref, vous connaissez au moins ma position sur cette voiture qui n'est pas pour autant un mauvais produit. De plus, le temps nous dira si mes craintes sont fondées. Mais vous admettrez que si le passé est garant de l'avenir, ça regarde mal.

CURIEUSE STRATÉGIE

Les gens et les chroniqueurs automobiles le répètent souvent, ce constructeur ne fait jamais les choses comme les autres. Et l'EOS en est la preuve. Lors de son dévoilement, les responsables du projet ont annoncé que cette voiture venait substituer la Golf Cabrio qui est devenue par la suite la Rabbit sur notre continent. C'est déjà quelque chose de différent. Mais ce qui me fascine encore plus, c'est que cette nouvelle venue emprunte sa plate-forme non à la Golf dont elle est censée remplacer le cabriolet, mais à la Passat, une intermédiaire ! Si la logique n'est

pas toujours respectée chez ce constructeur, il faut admettre que la voiture nous est offerte avec tout un équipement de série. Avec celui de base, viennent la climatisation, un programme de stabilité latérale à commandes électroniques, des coussins de sécurité latéraux protégeant à la fois la tête et le thorax, ainsi que des glaces à commandes électriques, des phares antibrouillard de même qu'un régulateur de croisière.

La mécanique de base est elle aussi tout aussi impressionnante. Le moteur de série est un moteur quatre cylindres 2,0 litres turbocompressé d'une puissance de 200 chevaux, couplé à une boîte manuelle à six rapports. Ce moteur est utilisé sur la nouvelle Audi TT, entre autres, et il est l'un des meilleurs de sa cylindrée. Grâce à l'utilisation d'un nouveau turbo, la répartition du couple est encore meilleure et le rendement de ce moteur est nettement supérieur à la moyenne. Il est possible de commander en option une boîte automatique à six rapports à double embrayage similaire au système DSG de Audi ou S-Tronic maintenant. Comme avec cette dernière transmission, les passages de rapports se font à la vitesse de l'éclair.

Il est également possible de commander un moteur V6 3,2 litres de 250 chevaux dont la dotation est encore plus élaborée. Cette version est

FEU VERT
Toit pratique
Moteurs bien adaptés
Tenue de route
Modèle original
Prix compétitif

FEU ROUGE
Fiabilité inconnue
Places arrière très moyennes
Coffre peu pratique
Option onéreuses

dotée de roues de 17 pouces en équipement de série et de roues de 18 pouces en option. Parmi les autres options, soulignons une chaîne audio avec des haut-parleurs Dynaudio d'excellente qualité, des phares de type bi-Xenon et un système de navigation par satellite. Comme vous pouvez le constater, nous sommes loin d'une remplaçante de la Golf cabriolet. Il s'agit davantage d'une Passat cabriolet compte tenu de l'équipement de série et des options.

SOUHAITONS QUE...

Bref, cette nouvelle Volkswagen a tout ce qu'il faut pour attirer la clientèle, d'autant plus que son prix est plus que compétitif. Souhaitons encore une fois que ce coupé/cabriolet possède tout au moins la même fiabilité que les nouvelles Jetta et Passat lancées au cours des deux dernières années et dont la fiche en fait de fiabilité mécanique est très positive. Ce qui est de bon augure puisque cette nouvelle venue est en mesure de se tailler une place au soleil. Il faut en effet souligner que ses dimensions sont tout de même de beaucoup supérieures à l'ancien cabriolet et elle est aussi plus large. Ce qui explique son incroyable stabilité. Et malgré ces dimensions plus imposantes, la voiture est très agile et se conduit facilement. Les ingénieurs ont accompli du bon boulot pour répartir le poids de cette voiture judicieusement afin de ne pas handicaper ses qualités dynamiques.

Comme c'est presque toujours le cas lorsque ce moteur 2,0 litres turbo est utilisé, il fait la vie dure au moteur V6 de 3,2 litres. Ce dernier est plus puissant de 50 chevaux, mais son poids plus important et un certain manque de pep à certains régimes font que le quatre cylindres s'avère un choix plus intéressant et aussi plus économique. Et si cette voiture est agréable à conduire et son comportement routier tout aussi bon que celui des autres Volkswagen, la complexité de son toit rigide qui permet de la transformer en coupé ou en cabriolet doit absolument être à toute épreuve. Quelques ratés au tout début et il sera alors très difficile à la EOS de s'imposer. Par contre, quelques mois de « sans faute » et elle deviendra sans doute la référence de la catégorie. Et en terminant, ajoutons qu'il est possible de commander un toit panoramique en option, même s'il s'agit d'une décapotable !

Denis Duquet

Photos : Volkswagen

VÉHICULE D'ESSAI

Version :	2,0L turbo
Prix de détail suggéré :	n.d.
Emp/Lon/Lar/Haut(mm) :	2 578/4 410/1 791/1 443
Poids :	1 542 kg
Coffre/Réservoir :	205 à 380 litres/55 litres
Coussins de sécurité :	frontaux et latéraux (av.)
Suspension avant :	indépendante, jambes de force
Suspension arrière :	indépendante, multibras
Freins av./arr. :	disque (ABS)
Antipatinage/Contrôle de stabilité :	oui/oui
Direction :	à crémaillère, assistance variable
Diamètre de braquage :	10,9 m
Pneus av./arr. :	P235/45R17
Capacité de remorquage :	non recommandé

MOTORISATION À L'ESSAI

Moteur :	4L de 2,0 litres 16s turbocompressé
Alésage et course :	82,5 mm x 92,8 mm
Puissance :	200 ch (149 kW) à 5 100 tr/min
Couple :	207 lb-pi (281 Nm) à 1 800 tr/min
Rapport poids/puissance :	7,71 kg/ch (10,49 kg/kW)
Système hybride :	aucun
Transmission :	traction, auto. mode man. 6 rapports
Accélération 0-100 km/h :	7,5 s (estimé)
Reprises 80-120 km/h :	6,8 s (estimé)
Freinage 100-0 km/h :	36,0 m
Vitesse maximale :	232 km/h
Consommation (100 km) :	super, 11,6 litres
Autonomie (approximative) :	474 km
Émissions de CO2 :	3 980 kg/an

GAMME EN BREF

Échelle de prix :	36 900 $
Catégorie :	cabriolet
Historique du modèle :	1ière génération
Garanties :	4 ans/80 000 km, 4 ans/80 000 km
Assemblage :	Setubal, Portugal
Autre(s) moteur(s) :	V6 3,2l 250ch/236lb-pi (12,3 l/100km)
Autre(s) rouage(s) :	aucun
Autre(s) transmission(s) :	manuelle 6 rapports

DANS LA MÊME CATÉGORIE

Chrysler Sebring - Ford Mustang - Mini Cooper - Mitsubishi Eclipse / Spyder - Toyota Solara - Volvo C70

DU NOUVEAU EN 2007

Nouveau modèle

NOS IMPRESSIONS

Agrément de conduite :	données insuffisantes
Fiabilité :	nouveau modèle
Sécurité :	🚗 🚗 🚗 🚗
Qualités hivernales :	🚗 🚗 🚗 ½
Espace intérieur :	🚗 🚗 🚗 ½
Confort :	données insuffisantes

LE CHOIX DE L'ÉQUIPE

2,0L

LE RETOUR DU LAPIN

C'est pour convaincre nos voisins du Sud de s'intéresser à ce modèle que la direction nord-américaine de Volkswagen a décidé de renommer la Golf et de lui redonner le nom de Rabbit, dans un pur coup de marketing. En effet, aux États-Unis, la Golf ne réussissait pas à rejoindre les acheteurs, les ventes de ce modèle n'atteignant que dix pour cent des ventes réalisées par la Jetta. Comme nous sommes encore et toujours à la remorque du géant américain, la Golf de cinquième génération nous arrive aujourd'hui avec un petit lapin chromé figurant sur le hayon !

Le fait que le nom de la Golf ait acquis une certaine notoriété et que la voiture soit populaire au Québec depuis des années n'a pas pesé bien lourd dans la balance. Ainsi va la vie chez Volkswagen qui nous présente donc comme une grande nouveauté une voiture qui sillonne déjà les routes de l'Europe depuis 2004. La Rabbit est maintenant appelée à livrer une concurrence directe à certaines des voitures les plus populaires au Québec, notamment les Honda Civic et Mazda 3.

ÉQUIPEMENT PLUS COMPLET

Déclinée en modèles à trois et cinq portes et désormais assemblée en Allemagne plutôt qu'au Mexique, la Rabbit présente une allure familière et paraît même plus petite que le modèle précédent, alors que ses dimensions sont en fait légèrement supérieures. La dotation de série est très étoffée puisqu'on y retrouve la climatisation, le régulateur de vitesse, six coussins gonflables, l'antipatinage, les freins ABS, un volant qui est à la fois télescopique et inclinable, de même qu'un groupe électrique complet ainsi qu'un système audio à dix haut-parleurs. La motorisation a également été revue, le vétuste 4 cylindres de 110 chevaux faisant maintenant place au cinq cylindres de 2,5 litres et 150 chevaux que l'on retrouvait déjà sous le capot de la Jetta. Fort d'un couple de 170 livres-pied, ce moteur est très bien adapté à la

Rabbit qui est remarquablement à l'aise en ville ou sur l'autoroute. Il faut toutefois composer avec les vibrations caractéristiques d'un moteur qui compte un nombre impair de cylindres. Vibrations qui m'ont semblé plus présentes au volant de la Rabbit que de la Jetta. Malgré l'accroissement de la puissance, on ne note pas d'améliorations importantes en ce qui a trait aux performances, le nouveau modèle ayant gagné près de 100 kilos par rapport à la devancière. Par ailleurs, les adeptes de la motorisation TDI qui a fait le bonheur de ceux qui dévorent les kilomètres seront déçus d'apprendre que le moteur turbodiesel n'est plus au programme pour la Rabbit, puisqu'il n'est pas conforme aux nouvelles normes concernant les émissions polluantes émises par le gouvernement fédéral. Le comportement routier est exemplaire, car la Rabbit est dotée à la fois d'un châssis très rigide et de suspensions indépendantes particulièrement bien calibrées. L'agrément de conduite est donc au rendez-vous spécialement lorsque l'on opte pour les jantes en alliage de 16 pouces.

LE RETOUR DE LA GTI

S'il y a une voiture qui a réussi à déchaîner les passions chez les amateurs de performances qui n'étaient pas assez fortunés pour s'offrir une authentique sportive, c'est bien la GTI qui s'est attiré des légions

FEU VERT	FEU ROUGE
Équipement complet	Fiabilité à démontrer
Moteur bien adapté	Prix élevé (GTI)
Prix intéressant	Consommation élevée
Bon comportement routier	Abandon de la motorisation diesel
Modèle GTI très performant	

d'amis depuis l'arrivée de ce modèle en Europe en 1976 et en Amérique du Nord au début des années 80. Le modèle actuel reprend le concept de la voiture originale tout en l'adaptant à la technologie moderne. Ainsi, le moteur de la GTI actuelle dispose à la fois de l'injection directe de carburant et de la turbocompression, ce qui lui permet de livrer 200 chevaux et surtout 207 livres-pied de couple dès les 1 800 tours/minute. Les accélérations sont donc linéaires, la GTI ne souffrant aucunement d'un délai de réponse à l'accélérateur qui a souvent été le propre des moteurs turbocompressés dans le passé. Au volant de la GTI, on a carrément l'impression de disposer d'un V6 plutôt que d'un 4 cylindres turbo. La boîte DSG (Direct Shift Gearbox) développée par Audi est optionnelle sur la GTI et permet de retrancher quelques dixièmes au chrono enregistré pour le sprint de 0 à 100 kilomètres/heure, pour ceux qui préfèrent qu'un ordinateur fasse le travail à leur place. Le châssis étant particulièrement rigide, les calibrations des suspensions permettent de conjuguer facilement tenue de route et confort, ce qui en fait une voiture très agréable à conduire tous les jours, que l'on soit tenté de la pousser un peu sur une route sinueuse ou de se rendre tranquillement à la maison après une journée de travail. La GTI fait donc partie de ces voitures qui s'adaptent parfaitement au tempérament de leurs conducteurs et qui sont capables de livrer la marchandise en tout temps. En montant à bord, on note immédiatement que les sièges sont très bien moulés et que le volant sport rappelle celui de la Ferrari F430 puisqu'il n'est pas complètement circulaire, sa base étant horizontale. Il faut cependant apprendre à vivre avec une ceinture de caisse élevée lorsqu'on ajuste le siège au plus bas afin de mieux sentir les réactions de la voiture en conduite sportive. Parmi les bémols, relevons son prix élevé et le coût des primes d'assurances qui l'est tout autant, sans parler de la fiabilité à long terme qui reste à démontrer.

Un peu plus tard dans l'année, VW lancera une version plus dépouillée dérivée de la même Rabbit et qui pourra intéresser des acheteurs qui ne peuvent se payer une voiture de 20 000 $. L'équipement de base sera moins élaboré alors que la liste d'équipement de base sera plus courte. Par contre, elle devrait offrir le même agrément de conduite. Et là encore, la fiabilité éventuelle jouera un rôle crucial.

Gabriel Gélinas

Photos : Volkswagen

VOLKSWAGEN GTI / RABBIT

VÉHICULE D'ESSAI

Version :	5 portes
Prix de détail suggéré :	21 880 $
Emp/Lon/Lar/Haut(mm) :	2 578/4 210/1 759/1 479
Poids :	1 393 kg
Coffre/Réservoir :	420 litres/55 litres
Coussins de sécurité :	frontaux et latéraux (av.)
Suspension avant :	indépendante, jambes de force
Suspension arrière :	indépendante, multibras
Freins av./arr. :	disque (ABS)
Antipatinage/Contrôle de stabilité :	opt./opt.
Direction :	à crémaillère, assistance variable
Diamètre de braquage :	10,9 m
Pneus av./arr. :	P195/65R15
Capacité de remorquage :	454 kg

MOTORISATION À L'ESSAI

Moteur :	5L de 2,5 litres 20s atmosphérique
Alésage et course :	82,5 mm x 92,8 mm
Puissance :	150 ch (112 kW) à 5 000 tr/min
Couple :	170 lb-pi (231 Nm) à 3 750 tr/min
Rapport poids/puissance :	9,29 kg/ch (12,66 kg/kW)
Système hybride :	aucun
Transmission :	traction, manuelle 5 rapports
Accélération 0-100 km/h :	9,8 s
Reprises 80-120 km/h :	8,0 s (estimé)
Freinage 100-0 km/h :	40 m (estimé)
Vitesse maximale :	190 km/h
Consommation (100 km) :	ordinaire, 10,4 litres
Autonomie (approximative) :	529 km
Émissions de CO2 :	4 080 kg/an

GAMME EN BREF

Échelle de prix :	19 990 $ à 29 375 $
Catégorie :	coupé/berline sport/hatchback
Historique du modèle :	5ième génération
Garanties :	4 ans/80 000 km, 4 ans/80 000 km
Assemblage :	Wolfsburg, Allemagne
Autre(s) moteur(s) :	4L 2,0l turbo 200ch/207lb-pi GTI
Autre(s) rouage(s) :	aucun
Autre(s) transmission(s) :	automatique 5 rapports / manuelle 6 rapports / automatique 6 rapports

DANS LA MÊME CATÉGORIE

Chevrolet Cobalt - Ford Focus - Honda Civic - Hyundai Elantra - Mazda 3 Sport - Mitsubishi Lancer - Nissan Sentra - Pontiac G5 - Toyota Corolla

DU NOUVEAU EN 2007
Nouveau modèle, version économique à venir

NOS IMPRESSIONS

Agrément de conduite :	🚗 🚗 🚗 🚗
Fiabilité :	nouveau modèle
Sécurité :	🚗 🚗 🚗 🚗
Qualités hivernales :	🚗 🚗 🚗 🚗
Espace intérieur :	🚗 🚗 🚗 🚗
Confort :	🚗 🚗 🚗 ½

LE CHOIX DE L'ÉQUIPE
Boîte manuelle

567

UNE EXCELLENTE COROLLA!

L'an dernier, après plusieurs années de bons services, la Jetta subissait une refonte complète. Les ventes du groupe Volkswagen n'étaient pas fameuses et le marché américain demeurait de glace devant les Golf et Jetta. Il n'y a pratiquement qu'au Québec, terre distincte s'il en est une, que les produits Volkswagen, la Jetta entre autres, continuaient à bien se vendre malgré une fiabilité quelquefois décourageante. Avec cette nouvelle génération, les gens de Volks ne voulaient surtout pas choquer les acheteurs potentiels.

C'est ainsi que la Jetta a passablement perdu de sa superbe. La partie avant, avec son grand V chromé, reprend les éléments stylistiques des récentes Audi. Ce n'est pas vilain mais plusieurs personnes n'y sont pas encore habituées. C'est principalement la partie arrière qui se veut trop terne. En fait, elle ressemble à celle d'une Toyota Corolla, au demeurant une excellente voiture mais d'un ennui mortel à regarder. L'une de nos deux voitures d'essai présentait une finition extérieure peu reluisante tandis que l'autre n'affichait aucun défaut détectable visuellement. La constance ne semble pas être de mise à ce niveau et nous vous recommandons de bien vérifier votre nouvelle voiture avant de quitter le concessionnaire...

Dans l'habitacle, le design provient de Volkswagen, personne ne peut en douter! Le tableau de bord, par exemple, est toujours aussi austère mais toutes les commandes tombent sous la main. Les jauges se consultent aisément, surtout la nuit alors qu'elles se parent d'un beau bleu. Peu importe la voiture d'essai, la finition intérieure répondait aux critères les plus élevés. Les sièges avant sont toujours aussi fermes mais, curieusement, ils font preuve d'un excellent confort, notamment sur de longues randonnées. L'habitacle, grâce à un empattement plus long, est encore plus spacieux et plusieurs centimètres supplémentaires se retrouvent à l'arrière. L'espace réservé aux jambes est adéquat sauf si la personne assise devant n'a pas le sens de l'empathie, tandis que les grandes personnes trouveront le dégagement pour la tête tout juste correct. Les dossiers de la banquette arrière s'abaissent pour agrandir davantage un coffre déjà caverneux. Il y a même un espace dédié au bidon de lave-glace! Cela compense le seuil de chargement un tantinet élevé et un couvercle de coffre un peu difficile à refermer.

UN MODÈLE DE MOINS

Puisque Volkswagen a décidé de ne pas importer de moteurs diesel (appelés TDI) pour l'année modèle 2007, il ne reste donc que deux moteurs au catalogue. On retrouve d'abord un cinq cylindres de 2,5 litres qui, depuis l'année dernière, remplace l'horrible 2,0 litres des générations précédentes. Ce moteur moderne de 150 chevaux et 170 livres-pied de couple est assez souple mais ses performances demeurent un peu en retrait. Le 2,5 litres est toutefois éclipsé par les qualités du quatre cylindres 2,0 litres turbo à injection directe qui développe 200 chevaux et 207 livres-pied de couple. Ce moteur ne présente aucun temps de réponse de son turbo et se montre à la fois souple et performant. Son seul défaut serait de ne consommer que de l'essence super. Trois transmissions sont au catalogue pour relayer la puissance aux roues avant. Le 2,5 litres

FEU VERT

Châssis hyper solide
Finition intérieur de haut niveau
Bons moteurs
Coffre immense
Habitacle spacieux

FEU ROUGE

Agrément de conduite un peu moindre
Abandon du moteur diesel pour 2007
Pneus d'origine très moyens
Fiabilité reste à prouver
Version familiale en 2008 seulement

s'acoquine à une manuelle à cinq rapports ou à une automatique à six rapports, tandis que le 2,0 litres turbo se donne à une manuelle à six rapports ou à l'automatique six rapports. Dans le cas des manuelles, l'embrayage se montre très progressif et le levier présente une sensation très «mécanique» qui n'est pas sans déplaire. L'automatique fonctionne généralement avec douceur sauf que le passage de certains rapports est quelquefois saccadé, autant lorsqu'ils sont montés que descendus, surtout sur la version 2,5 litres. Puisqu'il n'y a pas de moteur diesel en 2007 et que la version familiale n'était mue que par le TDI, il faudra donc attendre 2008 avant de retrouver une telle Jetta.

PEU DE COMPROMIS

S'il est un domaine où la Jetta a sans cesse excellé, c'est dans celui du châssis. Et la génération actuelle ne fait pas ombrage à cette réputation. L'absence de bruits de caisse dans l'habitacle vient confirmer ce fait. Les Allemands semblent avoir trouvé une recette magique qui leur permet de concevoir des suspensions à la fois sportives et confortables, sans trop de compromis. La tenue de route s'avère toujours prévisible. Dans une courbe prise trop rapidement, l'avant a tendance à continuer tout droit (les très ordinaires Michelin y sont peut-être pour beaucoup) alors que la caisse penche un peu. À ce moment, on peut compter sur un système antipatinage bien dosé, de série sur toutes les Jetta. Elles proposent aussi des freins à disque aux quatre roues qui bénéficient de l'ABS, du système de régulation de pression (EBD) et du système d'aide au freinage hydraulique (HBA). Ce dernier élément, toutefois, est optionnel sur la 2,5. Quoi qu'il en soit, les distances de freinage sont courtes et c'est, finalement, tout ce qui importe, malgré une pédale un peu spongieuse. La direction, qui autrefois faisait l'envie de l'ensemble des manufacturiers, a perdu un peu de son excellent feedback depuis l'avènement de la présente génération. La précision aussi semble avoir régressé un brin. Mais qu'est-ce qu'un manufacturier ne ferait pas pour le marché américain? Au niveau de la sécurité passive, la Jetta n'est pas en reste. L'habitacle compte sur quatre coussins gonflables pour les gens assis à l'avant. En option, il est possible de recevoir des rideaux et des coussins latéraux arrière.

La Jetta, même si son physique et sa conduite se distinguent moins qu'auparavant, n'en demeure pas moins une excellente routière, sûre, confortable et spacieuse. Reste qu'elle est encore fabriquée au Mexique, ce qui n'a pas toujours été un gage de fiabilité…

Alain Morin

Photos : Marc Bouchard

VÉHICULE D'ESSAI

Version :	2.0T
Prix de détail suggéré :	27 700 $
Emp/Lon/Lar/Haut (mm) :	2 578/4 554/1 760/1 461
Poids :	1 465 kg
Coffre/Réservoir :	460 litres/55 litres
Coussins de sécurité :	frontaux et latéraux (av.)
Suspension avant :	indépendante, jambes de force
Suspension arrière :	indépendante, multibras
Freins av./arr. :	disque (ABS)
Antipatinage/Contrôle de stabilité :	opt./opt.
Direction :	à crémaillère, assistance variable électrique
Diamètre de braquage :	10,9 m
Pneus av./arr. :	P205/55R16
Capacité de remorquage :	n.d.

MOTORISATION À L'ESSAI

Pneus d'origine
MICHELIN

Moteur :	4L de 2,0 litres 16s turbocompressé
Alésage et course :	81,0 mm x 94,0 mm
Puissance :	200 ch (149 kW) à 5 500 tr/min
Couple :	207 lb-pi (281 Nm) de 1 800 à 4 700 tr/min
Rapport poids/puissance :	7,33 kg/ch (9,97 kg/kW)
Système hybride :	aucun
Transmission :	traction, manuelle 6 rapports
Accélération 0-100 km/h :	8,3 s
Reprises 80-120 km/h :	6,5 s
Freinage 100-0 km/h :	38,5 m
Vitesse maximale :	190 km/h
Consommation (100 km) :	ordinaire, 10,0 litres
Autonomie (approximative) :	550 km
Émissions de CO2 :	4 128 kg/an

GAMME EN BREF

Échelle de prix :	24 975 $ à 28 800 $
Catégorie :	berline compacte
Historique du modèle :	5ème génération
Garanties :	4 ans/80 000 km, 5 ans/100 000 km
Assemblage :	Puebla, Mexique
Autre(s) moteur(s) :	5L 2,5l 150ch/170lb-pi (10,8 l/100km)
Autre(s) rouage(s) :	aucun
Autre(s) transmission(s) :	semi-auto. 6 rapports

DANS LA MÊME CATÉGORIE

Acura CSX - Ford Focus - Honda Civic - Mazda 3 - Mitsubishi Lancer - Nissan Sentra - Pontiac G6 - Subaru Impreza - Toyota Corolla

DU NOUVEAU EN 2007

Abandon du moteur TDI et de la familiale

NOS IMPRESSIONS

Agrément de conduite :	🚗🚗🚗🚗
Fiabilité :	🚗🚗🚗½
Sécurité :	🚗🚗🚗🚗
Qualités hivernales :	🚗🚗🚗🚗
Espace intérieur :	🚗🚗🚗🚗
Confort :	🚗🚗🚗½

LE CHOIX DE L'ÉQUIPE

2.0T

AMOUR DU PASSÉ

Ferdinand Piech était carrément contre la New Beetle. Pour lui, cet élégant coupé aux lignes rétro inspirées de l'ancienne Beetle ne serait qu'un feu de paille et presque exclusivement en Amérique du Nord. Pour le reste, il n'y voyait aucun avenir et ne cessait de répéter que cette aventure allait se terminer sans suite. Pourquoi l'omnipuissant professeur Piech a-t-il cédé à la pression populaire et donné le OK pour la mise en marché de cette voiture? Probablement pour prouver qu'il avait raison et que la New Beetle n'avait aucun avenir à long terme!

Tandis que l'Eos sera présentée en tant que modèle 2007 et que la Rabbit vient remplacer la Golf, rien ne porte à croire que la New Beetle aura un successeur. En attendant, pour que ce modèle puisse être davantage dans le coup, elle a bénéficié de quelques retouches l'an dernier, mais c'est sans doute pour permettre aux mordus de ce modèle de trouver une excuse pour remplacer leur adorée. Et il faut souligner au passage que cette voiture est particulièrement appréciée par une clientèle presque exclusivement féminine. Une autre raison qui explique son déclin progressif au chapitre des ventes. Ignorée pratiquement par la moitié des clients potentiels, c'est plus difficile de survivre. D'autant plus que cette marque nous propose la Rabbit en version trois et cinq portes et que l'Eos est un choix alternatif pour les personnes à la recherche d'une Volkswagen décapotable. Bref, l'avenir ne s'annonce pas très rose pour cette allemande assemblée au Mexique. Mais il ne faut pas perdre de vue le modèle toujours en place qui ne manque pas de qualités, même si le roman d'amour de la New Beetle avec sa clientèle cible est en train de se terminer.

DICTATURE DES FORMES

La New Beetle doit son succès à sa silhouette géniale unique en son genre qui lui a d'ailleurs permis de séduire tant de personnes lors de son dévoilement au Salon de Detroit au milieu des années 90. Mais toutes géniales soient-elles, ces formes dictées par le passé handicapent quand même cette voiture, originalement conçue avec un moteur arrière et qui est devenue une traction afin de respecter un marché plus moderne. Ce qui signifie, entre autres, que le coffre arrière est d'une capacité plus que moyenne. Et les places arrière sont également exiguës. En fait, seuls deux enfants de moins de dix ans peuvent se trouver à l'aise sur cette banquette dont les coussins sont nettement trop durs pour des personnes normalement constituées. Heureusement, les places avant sont plus accueillantes, et pilote comme passager peuvent y prendre leurs aises ou presque. Par contre, le conducteur se retrouve quasiment au milieu de la voiture, affrontant un tableau de bord très profond ce qui permet au pare-brise d'épouser la courbe du toit. Et pas moyen d'y échapper puisque la silhouette est dictée par le passé. Les gens ont beaucoup d'espace pour les pieds, les coudes et les jambes, mais il se perd quand même beaucoup d'espace et ce sont les occupants des places arrière qui trinquent. Et la version cabriolet n'est pas plus avantageuse à ce chapitre. Une fois la capote baissée, celle-ci est partiellement remisée sur le rebord de la carrosserie arrière, obstruant la vision du conducteur. Mais que le toit soit abaissé ou en place, la visibilité arrière est toujours mauvaise. Et je tiens à attirer votre attention sur la housse qui recouvre

la capote une fois celle-ci repliée. Sa mise en place vous fera sacrer, c'est garanti. En revanche, le toit souple est bien isolé et la lunette arrière est en verre et chauffante.

Toujours au chapitre du style, le tableau de bord est sobre, trop sobre aux yeux de certains. Par contre, toutes les commandes sont très design en plus d'être à la portée de la main tandis que leur utilisation est très simple. Bien entendu, le porte-vase à fleurs est encore de la partie. Cela aurait été un crime capital de la part de Volkswagen de l'enlever puisque cette New Beetle s'adresse essentiellement aux nostalgiques du Flower Power et des années soixante.

BONNE ROUTIÈRE

Si cette voiture doit sa popularité, ou du moins ce qu'il en reste, à son allure, il ne faut pas oublier que sa plate-forme est celle d'une Golf et même s'il s'agit maintenant de celle de l'avant-dernière génération, c'est tout de même une référence en la matière. Depuis 2006, elle est dorénavant équipée d'un nouveau moteur, un moteur cinq cylindres 2,5 litres de 150 chevaux, le même qui équipe la Jetta et la nouvelle Rabbit. Ce moteur est fort adéquat et n'a rien à voir avec le misérable moteur 2,0 litres de jadis dont la seule qualité était d'être économe à fabriquer. Les 150 chevaux de ce nouveau moteur ne le transforment pas en bolide de course, mais permettent tout au moins d'améliorer les performances. Dorénavant, le 0-100 km/h est bouclé en moins de neuf secondes. Et si la boîte manuelle est correcte, la boîte automatique à six rapports permet à ce moteur d'en donner davantage sans pour autant consommer plus. Toujours au chapitre des groupes propulseurs, le moteur diesel 1,9 TDi n'est plus au catalogue *because* les nouvelles règles en fait de normes d'émissions des moteurs diesel.

En dépit de la position de conduite pratiquement centrale et d'une visibilité trois quarts arrière assez pénible, c'est encore pire sur le cabriolet, cette voiture tient fort bien la route, sa direction est précise tandis que son assistance est bien dosée. Elle est donc agréable à conduire. Mais la Rabbit offre encore un meilleur agrément de conduite, son équipement est quasi complet tout en se vendant moins cher. Comme c'est le cas depuis une couple d'années, la New Beetle ne semble intéresser qu'une clientèle qui veut se démarquer ou qui tente de renouer avec le passé ou presque. Ça augure mal pour le futur.

Denis Duquet

VÉHICULE D'ESSAI

Version :	Coupé 2,5L
Prix de détail suggéré :	28 995 $
Emp/Lon/Lar/Haut(mm) :	2 508/4 091/1 724/1 498
Poids :	1 308 kg
Coffre/Réservoir :	201 litres/55 litres
Coussins de sécurité :	frontaux et latéraux (av.)
Suspension avant :	indépendante, jambes de force
Suspension arrière :	demi-ind., poutre déformante
Freins av./arr. :	disque (ABS)
Antipatinage/Contrôle de stabilité :	oui/opt.
Direction :	à crémaillère, assistée
Diamètre de braquage :	10,9 m
Pneus av./arr. :	P205/55R16
Capacité de remorquage :	350 kg

Pneus d'origine
MICHELIN

MOTORISATION À L'ESSAI

Moteur :	5L de 2,5 litres 20s atmosphérique
Alésage et course :	82,5 mm x 92,8 mm
Puissance :	150 ch (112 kW) à 5 000 tr/min
Couple :	170 lb-pi (231 Nm) à 3 750 tr/min
Rapport poids/puissance :	8,72 kg/ch (11,89 kg/kW)
Système hybride :	aucun
Transmission :	traction, manuelle 5 rapports
Accélération 0-100 km/h :	8,9 s
Reprises 80-120 km/h :	7,2 s
Freinage 100-0 km/h :	39,0 m
Vitesse maximale :	190 km/h
Consommation (100 km) :	ordinaire, 9,1 litres
Autonomie (approximative) :	604 km
Émissions de CO2 :	4 080 kg/an

GAMME EN BREF

Échelle de prix :	24 495 $ à 38 872 $
Catégorie :	coupé/cabriolet
Historique du modèle :	2ième génération
Garanties :	4 ans/80 000 km, 4 ans/80 000 km
Assemblage :	Puebla, Mexique
Autre(s) moteur(s) :	aucun
Autre(s) rouage(s) :	aucun
Autre(s) transmission(s) :	auto. mode man. 6 rapports

DANS LA MÊME CATÉGORIE

Chrysler PTCruiser - Mini Cooper - Mitsubishi Eclipse / Spyder

DU NOUVEAU EN 2007

Abandon du moteur TDI, changements mineurs

NOS IMPRESSIONS

Agrément de conduite :	🚗 🚗 🚗½
Fiabilité :	🚗 🚗 🚗
Sécurité :	🚗 🚗 🚗
Qualités hivernales :	🚗 🚗 🚗½
Espace intérieur :	🚗 🚗
Confort :	🚗 🚗 🚗½

LE CHOIX DE L'ÉQUIPE

Coupé

Photos : Alain Morin

LE MEILLEUR DES DEUX MONDES

Quelle ne fut pas ma surprise quand j'ai fait l'essai de cette voiture de constater à quel point son moteur a de la puissance à revendre! En fait, on peut pratiquement dire que le 6 cylindres est un des plus souples à exploiter de l'industrie et en plus, il s'agit d'une traction intégrale qui transformera n'importe quel parent en délinquant quand il se retrouvera seul à bord. Bref, avec la Passat Wagon, on a entre les mains une voiture à double personnalité. Une qui peut faire grimper l'adrénaline, ou bien une autre qui est plus sage et docile.

Avec un moteur assis transversalement et déployant 280 chevaux ainsi qu'un rapport volumétrique de 12:01, on ne manque jamais de puissance. Quand il faut effectuer un dépassement, le moteur à double arbre à cames en tête réagit vivement sans qu'il y ait aucune hésitation, et le tout se fait avec une rapidité qui pourrait en étonner plus d'un. Au moyen de poussoirs de soupapes hydrauliques, le régime moteur grimpe rapidement vers les hauts régimes et il permet au moteur de s'exécuter avec beaucoup d'autorité. Le 6 cylindres est marié à une transmission automatique avec système Tiptronic. Durant un essai sur piste, cette boîte automatique s'est avérée efficace et les passages de rapports s'effectuaient avec douceur. Grâce au dispositif Tiptronic, vous pouvez effectuer les changements de rapports manuellement, donc utile si vous tirez une remorque. De cette manière, vous pourrez gérer le couple plus efficacement en rétrogradant à l'entrée d'une courbe pour aider la voiture à ralentir s'il y a du poids derrière.

Pour ce qui est de la Passat 2,0T on retrouve sous le capot un moteur à 4 cylindres avec DACT et 16 soupapes turbocompressé qui développe 200 ch entre 5,100 et 6 000 tr/min ainsi qu'un couple maximal de 207 lb-pi. Plus économique, il offre une performance très adéquate pour une utilisation quotidienne.

Pour revenir à notre intégrale, elle est pourvue du système 4Motion très efficace comme nous avons pu le constater sur une piste de course. À la négociation d'une épingle, la Passat reste rivée au sol et bien qu'il s'agisse d'une familiale, son comportement demeurait très sain. Ce système a évolué en 2006, mais ce n'est pas depuis hier que Volkswagen peaufine ce système. En fait, il faut retourner en 1984 quand la Passat fut équipée du système Synchro. Depuis, plus de 256 000 unités à 4 roues motrices ont été vendues.

ROUAGE INTÉGRAL

Le dispositif 4Motion fut développé conjointement avec la compagnie suédoise Haldex qui a mis au point un différentiel arrière relié à une boîte de transfert centrale. Comme il s'agit d'un boîtier comportant de multiples disques baignant dans l'huile et qu'il est assisté électroniquement, sa réponse est rapide et il travaille de pair avec les freins ABS ainsi que le contrôle de traction. Dès que le système détecte une différence de rotation entre l'essieu avant et arrière, 2 petites pompes s'activent et créent de la pression dans le boîtier qui, à son tour, reliera les 2 essieux. Le couple est donc réparti variablement entre les essieux arrière et avant. D'ailleurs, le couple peut être transféré infiniment et dans certaines conditions, il sera acheminé à 100 % à l'arrière. Si vous roulez en ligne droite à une vitesse constante, le

FEU VERT

Moteur puissant
Espace intérieur
Ligne distinctive
Très bon confort

FEU ROUGE

Fiabilité inconnue
Prix élevé
Direction «suit» la chaussée

VÉHICULE D'ESSAI

Version :	Familiale 3.6L 4Motion
Prix de détail suggéré :	47 015 $ (2006)
Emp/Lon/Lar/Haut(mm) :	2 709/4 780/1 820/1 472
Poids :	1 573 kg
Coffre/Réservoir :	1 010 litres/70 litres
Coussins de sécurité :	frontaux, latéraux (av.) et rideaux
Suspension avant :	indépendante, jambes de force
Suspension arrière :	indépendante, multibras
Freins av./arr. :	disque (ABS)
Antipatinage/Contrôle de stabilité :	oui/opt.
Direction :	à crémaillère, assistance variable
Diamètre de braquage :	10,9 m
Pneus av./arr. :	P235/45R17
Capacité de remorquage :	454 kg

MOTORISATION À L'ESSAI

Pneus d'origine
MICHELIN

Moteur :	V6 de 3,6 litres 24s atmosphérique
Alésage et course :	89,0 mm x 96,4 mm
Puissance :	280 ch (209 kW) à 6 200 tr/min
Couple :	265 lb-pi (359 Nm) à 2 750 tr/min
Rapport poids/puissance :	5,62 kg/ch (7,64 kg/kW)
Système hybride :	aucun
Transmission :	intégrale, automatique 6 rapports
Accélération 0-100 km/h :	7,9 s
Reprises 80-120 km/h :	7,0 s
Freinage 100-0 km/h :	41,0 m
Vitesse maximale :	230 km/h (estimé)
Consommation (100 km) :	super, 15,7 litres
Autonomie (approximative) :	446 km
Émissions de CO_2 :	5 088 kg/an

ratio de couple acheminé sera de 90 % à l'avant et de seulement 10 % à l'essieu arrière. Autre avantage du système 4Motion est qu'il permet de tracter un poids pouvant aller jusqu'à 2 200 kg, donc cela ajoute à la polyvalence de cette familiale.

À l'intérieur de l'habitacle, on retrouve un environnement sobre, mais tout de même avant-gardiste. La console centrale est agréable à regarder, tout comme les cadrans qui se consultent avec aisance. Pour ce qui est de l'espace intérieur, il y a beaucoup de dégagement et qu'on soit assis à l'avant ou à l'arrière, on a droit à un très bon niveau de confort. Côté rangement, l'intérieur comporte plusieurs casiers de rangement et quand on rabat les sièges arrière, on a devant soi une caverne où une grande quantité de sacs d'épicerie, l'habituel pousse-pousse ainsi que la traditionnelle chaise de bébé peuvent être logés sans nuire à qui que ce soit.

Concernant son allure, parmi toutes les familiales sur le marché, la Passat fait très bonne figure. La calandre avant chromée la démarque et on la reconnaît sans peine de très loin. Sa ligne est à la fois moderne, sobre et agréable pour l'œil. La finition intérieure et extérieure est de qualité et typique d'une allemande.

ROUTIÈRE IMPRESSIONNANTE
Au chapitre de la conduite, je peux la qualifier de très solide, mais quand je roulais sur des craquelures dans le bitume, le véhicule avait parfois tendance à vouloir les suivre, ce qui demandait une petite correction de trajectoire. On sent bien la route et la suspension n'est pas trop sèche, et dans les virages, l'intégrale s'est montrée précise et à la hauteur en demeurant bien stable sans trop d'effet de roulis. En pleine accélération, on ne ressent pas trop d'effet de couple dans le volant et la conduite restait neutre et prévisible. Le freinage est puissant et l'ABS n'a pas trop tendance à chatouiller le pied quand on effectue un freinage brutal, donc on se sent immédiatement en confiance.

Bien que son dossier de fiabilité n'ait pas toujours été reluisant, la nouvelle génération est plus prometteuse à ce chapitre. Étant assemblée en Allemagne, l'attention aux détails est meilleure et la fiabilité en général lui permet d'être supérieure à la Jetta et à la Rabbit. La Passat impressionne par sa conduite précise et typique d'une allemande, tout en ayant une grande capacité de chargement.

Robert Jetté

GAMME EN BREF

Échelle de prix :	29 950 $ à 44 990 $ (2006)
Catégorie :	berline intermédiaire/familiale
Historique du modèle :	5ième génération
Garanties :	4 ans/80 000 km, 5 ans/100 000 km
Assemblage :	Emden, Allemagne
Autre(s) moteur(s) :	4L 2,0l 200ch/207lb-pi (10,8 l/100km) 2,0T
Autre(s) rouage(s) :	traction
Autre(s) transmission(s) :	manuelle 6 rapports

DANS LA MÊME CATÉGORIE
Audi A4 - BMW Série 3 - Chevrolet Malibu/Maax - Dodge Magnum - Honda Accord - Jaguar X-Type - Mazda 6 - Nissan Altima - Saab 9-3 - Toyota Camry - Volvo S40 / V50

DU NOUVEAU EN 2007
Pas de changement majeur

NOS IMPRESSIONS

Agrément de conduite :	🚗 🚗 🚗 🚗
Fiabilité :	🚗 🚗 🚗½
Sécurité :	🚗 🚗 🚗 🚗
Qualités hivernales :	🚗 🚗 🚗 🚗½
Espace intérieur :	🚗 🚗 🚗 🚗½
Confort :	🚗 🚗 🚗 🚗

LE CHOIX DE L'ÉQUIPE
3.6L 4Motion

Photos : Volkswagen

MOTORISATION RÉVISÉE

Le constructeur Volkswagen a eu son lot de problèmes au cours des dernières années. Non seulement ses produits ont affiché une fiabilité décevante, mais plusieurs clients se sont butés à des concessionnaires peu compatissants. De plus, le Touareg a été lancé au moment où Volkswagen vivait une crise d'identité, présentant nombre de modèles chers et délaissant en quelque sorte la voiture du peuple. Voilà certainement quelques éléments ayant entraîné le faible niveau de ventes du Touareg. Pourtant, la gamme Touareg possède à la base plusieurs atouts pour réussir.

Véritable VUS de luxe, le Touareg partage sa plate-forme avec son cousin germanique, le Porsche Cayenne, vendu cependant à un prix largement supérieur. Volkswagen a apporté plusieurs changements à la motorisation du Touareg au fil des ans. Cette année, on a retenu un tout nouveau moteur V6 à injection directe FSI de 280 chevaux développant 266 lb-pied de couple. C'est une augmentation de 36 chevaux par rapport au V6 de 3,2 litres précédent et de 60 chevaux par rapport au V6 qui peinait sous le capot lors de son introduction en 2004. Avec une masse d'un peu plus de 2 300 kilos, voilà qui n'est pas de trop et qui comble un manque du modèle antérieur. Pour plus de puissance, vous pourrez vous tourner vers le moteur V8 de 4,2 litres qui reçoit également la technologie d'injection directe FSI pour 2007, ce qui porte sa puissance à 350 chevaux comparativement à 310 chevaux l'an passé. Ces deux moteurs sont combinés avec une boîte automatique à six rapports Tiptronic, la seule proposée.

ET LE DIESEL ?

Si le V10 TDI est toujours sur le marché en Europe et aux États-Unis, Volkswagen n'a pas l'intention de le ramener au catalogue canadien pour 2007. On se souviendra que ce moteur nous a été offert pendant quelques mois l'an passé, mais il semble que notre marché ne justifie pas sa vente ici. Dommage, car même si le prix de ce modèle le rendait pratiquement hors d'atteinte pour la majeure partie des gens, le V10 TDI plaçait le Touareg dans une classe à part. Qui a dit que puissance et diesel n'allaient pas ensemble ? Au Canada, il faudra patienter jusqu'à la fin de 2007 pour voir l'arrivée d'un modèle V6 TDI pour l'année modèle 2008. Voilà possiblement un modèle TDI qui conviendra un peu mieux à nos besoins et surtout à notre portefeuille…

À l'extérieur, le Touareg présente un style riche et discret. Ses lignes l'identifient rapidement à la marque. Pour s'en assurer, on retrouve un large emblème Volkswagen tant à l'avant qu'à l'arrière. Bref, plusieurs le trouvent mieux réussi que son cousin, le Porsche Cayenne. C'est d'ailleurs mon avis. Outre son moteur diesel, le modèle 2008 nous arrivera avec un léger *facelift*. Une petite exclusivité sur le sujet, les phares seront entièrement redessinés, alors que la grille de calandre changera de forme et sera grise sur tous les modèles. L'intérieur demeurera somme toute assez identique. Signe des temps cependant, la largeur des sièges a été augmentée pour accommoder une clientèle plus… nord-américaine. Bref, le remodelage prévu pour 2008 n'aura rien pour vous faire regretter votre achat cette année.

FEU VERT
Bon choix de moteurs
Aménagement intérieur
Bonne capacités hors route
Habitacle spacieux

FEU ROUGE
Prix élevé
Fiabilité à prouver
Consommation élevée
Poids important

Le Touareg présente un habitacle luxueux et très ergonomique. On y perçoit ici l'influence de Audi qui se transpose aussi dans l'instrumentation.

Digne de son prix, le Touareg possède une généreuse liste d'équipements de série dont plusieurs sont destinés à assurer la sécurité des occupants. On note des coussins gonflables avant latéraux pour le thorax et des rideaux latéraux gonflables, des freins à disque aux quatre roues avec ABS ainsi qu'un dispositif antipatinage ASR. Outre sa puissance accrue, le modèle V8 dispose, en plus, de sièges en cuir dont les réglages peuvent être mémorisés, d'un volant, de sièges arrière chauffants et de phares au xénon. Un système de navigation relativement facile à utiliser est optionnel pour tous les modèles. Riche, spacieux et bien aménagé, l'habitacle du Touareg n'a rien à envier aux autres VUS de luxe.

TEL UN NOMADE

Le Touareg tire son nom d'une tribu nomade du Sahara. Pas étonnant qu'il offre des capacités hors route plus qu'intéressantes. En fait, si vous faites abstraction de tout ce qui rend le hors route un peu moins captivant, avec un véhicule de plus de 50 000 $, vous découvrirez que le Touareg dispose de capacités hors route supérieures à bien des rivaux, notamment le BMW X5. À la base, son rouage 4Motion répartit également la puissance entre les deux essieux, alors qu'une commande située sur le tableau de bord vous permettra d'engager le mode gamme basse. Combinez le tout avec un différentiel avant et arrière pouvant être verrouillé, un système de contrôle en descente, un système antirecul et un autre de la répartition du freinage, et vous obtenez un véhicule capable de franchir n'importe quel obstacle, ou presque.

Sur la route, le Touareg V6 propose un comportement amélioré. Cette puissance supplémentaire est bienvenue, surtout en manœuvre de dépassement. Avec le prix actuel de l'essence, voilà un aspect qui rend le modèle V6 encore plus attrayant. Il faut à mon avis un réel besoin pour justifier l'achat du V8. Le modèle TDI qui sera offert un peu plus tard s'avère également très intéressant. Son couple généreux rend ce costaud beaucoup plus vif, tout en améliorant sa consommation. Le Touareg doit encore faire ses preuves. Dommage qu'il soit victime d'une image ternie, car il a beaucoup à offrir, notamment en raison d'un bon choix de moteurs. Lueur d'espoir, il bénéficie d'une fiabilité améliorée depuis deux ans.

Sylvain Raymond

Photos : Sylvain Raymond

VÉHICULE D'ESSAI

Version :	3.6 V6
Prix de détail suggéré :	51 525 $
Emp/Lon/Lar/Haut(mm) :	2 855/4 754/1 928/1 726
Poids :	2 307 kg
Coffre/Réservoir :	900 à 2 000 litres/100 litres
Coussins de sécurité :	frontaux, latéraux (av.) et rideaux
Suspension avant :	indépendante, leviers triangulés
Suspension arrière :	indépendante, multibras
Freins av./arr. :	disque (ABS opt.)
Antipatinage/Contrôle de stabilité :	oui/oui
Direction :	à crémaillère, assistée
Diamètre de braquage :	11,6 m
Pneus av./arr. :	P225/60R17
Capacité de remorquage :	3 500 kg

MOTORISATION À L'ESSAI

Pneus d'origine MICHELIN

Moteur :	V6 de 3,6 litres 24s atmosphérique
Alésage et course :	89,0 mm x 96,4 mm
Puissance :	280 ch (209 kW) à 6 200 tr/min
Couple :	265 lb-pi (359 Nm) à 3 200 tr/min
Rapport poids/puissance :	8,24 kg/ch (11,2 kg/kW)
Système hybride :	aucun
Transmission :	intégrale, auto. mode man. 6 rapports
Accélération 0-100 km/h :	7,0 s (estimé)
Reprises 80-120 km/h :	6,0 s (estimé)
Freinage 100-0 km/h :	37,0 m (estimé)
Vitesse maximale :	210 km/h
Consommation (100 km) :	super, 12,5 litres (constructeur)
Autonomie (approximative) :	800 km
Émissions de CO2 :	7 104 kg/an

GAMME EN BREF

Échelle de prix :	51 525 $
Catégorie :	utilitaire sport intermédiaire
Historique du modèle :	1ière génération
Garanties :	4 ans/80 000 km, 5 ans/100 000 km
Assemblage :	Bratislava, Slovaquie
Autre(s) moteur(s) :	V8 4,2l 350ch/n.d.lb-pi (17,2 l/100km)
Autre(s) rouage(s) :	aucun
Autre(s) transmission(s) :	aucune

DANS LA MÊME CATÉGORIE

Acura MDX - BMW X5 - Land Rover LR3 -
Lexus RX 350 - Mercedes-Benz Classe M

DU NOUVEAU EN 2007

Nouveau V6 3,6 litres, V6 TDI disponible plus tard en tant que modèle 2008

NOS IMPRESSIONS

Agrément de conduite :	🚗 🚗 🚗 🚗
Fiabilité :	🚗 🚗 🚗
Sécurité :	🚗 🚗 🚗 🚗
Qualités hivernales :	🚗 🚗 🚗 🚗 ½
Espace intérieur :	🚗 🚗 🚗 🚗 ½
Confort :	🚗 🚗 🚗 🚗

LE CHOIX DE L'ÉQUIPE

3.6 V6

DESIGNER QUÉBECOIS

Les voitures de marque Volvo ont toujours été populaires auprès des automobilistes québécois qui en apprécient les qualités techniques et la sécurité de même que leur caractère éminemment pratique. Cette nouvelle venue dans la famille Volvo sera sans doute plus populaire que les autres car elle sera la plus économique de la gamme. Mais aussi parce que son designer est Simon Lamarre, un Québécois qui est devenu l'un des principaux stylistes de ce constructeur de Gotheberg.

Et sans vouloir entrer dans la vie privée des gens, il est intéressant de savoir que c'est l'amour qui a poussé Simon à prendre racine en Suède. Un beau jour, il a rencontré une belle Suédoise qui l'a attiré dans son pays natal. Jeune designer fraîchement sorti de l'université, il devait se trouver du travail et il a présenté son CV à Volvo qui l'a engagé, et on connaît la suite. Avant de se voir confier la responsabilité du design de la C30, il avait été responsable de l'habitacle de la S80 de la première génération, ce qui est tout de même digne de mention puisque cette berline a innové avec un tableau de bord aussi ergonomique que stylisé.

PREMIÈRE VOITURE

Décidément, les designers québécois sont en train de se tailler toute une réputation ! Il y a en premier l'incontournable Paul Deutchman qui fait carrière au Québec et dont le cahier de réalisations est assez bien garni. Puis il y a Dany Garand chez Audi qui vient juste de compléter le lancement de la Q7 dont il était le designer en chef. Et voilà qu'un autre s'illustre chez Volvo ! Il est certain que c'est tout une émotion pour un créateur de présenter ce qui est ni plus ni moins « sa voiture » au monde entier.

Dévoilée en tant que véhicule-concept au Salon de l'auto de Detroit en janvier 2006, la C30 a été l'une des vedettes de cet événement avant de connaître sa première européenne au Salon de Genève. Et le troisième volet de ce dévoilement a lieu à Paris en septembre dans le cadre du Mondial de l'automobile. Malheureusement, la C30 n'était pas disponible pour être conduite avant la date de tombée du *Guide*, mais en voici quand même les caractéristiques principales. Visuellement, ce *hatchback* trois portes s'inspire ouvertement de plusieurs éléments du Volvo Safety Concept Car ou SCC révélé l'an dernier. Mais au lieu de ressembler à quelque chose de purement sécuritaire, l'équipe responsable de sa conception a doté cette voiture d'une silhouette inspirant les performances. La partie avant est caractérisée par ses feux angulaires et sa grille de calandre large et basse. Le caractère de performance de cette voiture est davantage marqué par les passages de roue bien accentués. Selon Simon Lamarre : « la ligne de pente du toit donne à la voiture une silhouette dont la forme rappelle un bateau de course. Cette impression est encore renforcée par la partie vitrée ».

Ce design vraiment réussi n'est pas sans nous faire songer à la légendaire Volvo P1800 ES des années 70, un classique, et à la voiture-concept SCC

<table>
<tr><td>

FEU VERT
Silhouette accrocheuse
Moteur puissant
Dimensions compactes
Potentiel sportif
Hatchback pratique

</td><td>

FEU ROUGE
Fiabilité inconnue
Places arrière difficiles d'accès
Tableau de bord trop semblable à la S40
Prix inconnu

</td></tr>
</table>

dessinée l'an dernier. Sa silhouette est tellement typée que ce modèle sera immédiatement reconnaissable.

PLUS COURTE QUE LA S 40

Pour vous donner une idée des dimensions de cette nouvelle venue, il faut savoir qu'elle mesure 23 centimètres de moins que la S40 qui n'est pas très longue elle non plus. Mais ce *hatchback* trois portes permet tout de même à quatre occupants de bénéficier d'une bonne habitabilité et de sièges confortables. En passant, le tableau de bord ressemble d'assez près à celui de la S40. Et, détail intéressant, étant donné que les acheteurs visés dont des jeunes friands de musique, ces derniers seront heureux d'apprendre que la C30 est équipée d'un système audio avec ampli numérique ICE 5 x 130 W d'Alpine®, Dolby® Pro Logic II Surround et 10 haut-parleurs de chez Dynaudio®, une marque danoise reconnue et appréciée des audiophiles.

Il ne faut pas négliger la mécanique pour autant. Cette sportive sera propulsée par un moteur turbo optionnel cinq cylindres en ligne de 2,5 litres d'une puissance de 218 chevaux. Ce moteur est doté d'une boîte manuelle à six vitesses et cette combinaison permettra de boucler le 0 à 100 km/h en 6 secondes tandis que sa vitesse maximale est limitée électroniquement à 250 km/h.

La voiture-concept est équipée de roues en aluminium de 19 pouces et de pneus Pirelli Corsa 225/35 R19. Des freins Brembo à quatre pistons avec étriers de frein en aluminium et disques de frein ventilés de 330 millimètres à l'avant et à l'arrière ont été choisis pour la C30 Concept. Il est certain que des éléments mécaniques plus sages et moins onéreux seront sélectionnés pour la version de série qui promet beaucoup.

Denis Duquet

Photos : Volvo

VÉHICULE D'ESSAI

Version :	version unique
Prix de détail suggéré :	n.d.
Emp/Lon/Lar/Haut(mm) :	2 700/4 250/1 780/1 811
Poids :	2 046 kg
Coffre/Réservoir :	1 500 litres/77 litres
Coussins de sécurité :	front., latéraux (av./arr.) et rideaux
Suspension avant :	indépendante, bras inégaux
Suspension arrière :	indépendante, multibras
Freins av./arr. :	disque (ABS)
Antipatinage/Contrôle de stabilité :	oui/oui
Direction :	à crémaillère, assistance variable
Diamètre de braquage :	11,6 m
Pneus av./arr. :	P225/35R19
Capacité de remorquage :	1 587 kg

MOTORISATION À L'ESSAI

Moteur :	5L de 2,5 litres 24s turbocompressé
Alésage et course :	89,0 mm x 93,0 mm
Puissance :	218 ch (194 kW) à 5 500 tr/min
Couple :	268 lb-pi (363 Nm) de 2 100 à 5 000 tr/min
Rapport poids/puissance :	7,87 kg/ch (10,71 kg/kW)
Système hybride :	aucun
Transmission :	intégrale, manuelle 6 rapports
Accélération 0-100 km/h :	6,0 s (constructeur)
Reprises 80-120 km/h :	5,4 s (estimé)
Freinage 100-0 km/h :	37,0 m
Vitesse maximale :	250 km/h
Consommation (100 km) :	super, 11,4 litres (estimé)
Autonomie (approximative) :	675 km
Émissions de CO2 :	n.d.

GAMME EN BREF

Échelle de prix :	n.d.
Catégorie :	coupé
Historique du modèle :	1ère génération
Garanties :	4 ans/80 000 km, 4 ans/80 000 km
Assemblage :	Torslanda, Suède
Autre(s) moteur(s) :	5L 2,4l 168ch
Autre(s) rouage(s) :	aucun
Autre(s) transmission(s) :	manuelle cinq rapports
	automatique cinq rapports

DANS LA MÊME CATÉGORIE
Audi A3

DU NOUVEAU EN 2007
Nouveau modèle

NOS IMPRESSIONS

Agrément de conduite :	données insuffisantes.
Fiabilité :	nouveau modèle
Sécurité :	🚗 🚗 🚗 🚗 ½
Qualités hivernales :	🚗 🚗 🚗 🚗
Espace intérieur :	données insuffisantes
Confort :	données insuffisantes

LE CHOIX DE L'ÉQUIPE
Version unique

LA SUÉDOISE À CIEL OUVERT

Pour la deuxième génération de la C70, les concepteurs de Volvo ont délaissé le toit souple à la faveur d'un toit rigide rétractable, concurrençant ainsi la Mercedes-Benz SLK qui faisait figure de pionnière en ce domaine en 1996. Depuis la SLK, bon nombre de constructeurs ont choisi d'emprunter cette voie permettant d'offrir à la clientèle deux voitures en une seule. De ce fait, la C70 n'est pas la première du genre et elle ne sera pas la dernière, BMW adoptant également le concept d'un toit rigide rétractable pour la prochaine génération du cabriolet de Série 3.

Comme elle est élaborée à partir de la plate-forme servant aux Volvo S40 et V50, la nouvelle C70 est donc plus courte, plus basse et plus rigide que le modèle de génération précédente, tout en étant mieux réussie sur le plan du style. Le secret de l'élégance de la C70 réside dans le fait que cette voiture a d'abord été conçue comme un coupé, les ingénieurs trouvant par la suite une solution aussi fonctionnelle qu'élégante permettant de replier son toit rigide.

La signature visuelle de la C70 prend la forme de la calandre typique de la marque, et vous remarquerez la présence des lignes d'épaules de la voiture qui trouvent leurs origines de part et d'autre de cette calandre pour aboutir aux feux arrière. Stylisée par Peter Horbury, qui pilote aujourd'hui le design de Ford en Amérique du Nord, la C70 est assemblée à l'usine d'Uddevalla en Suède en coentreprise avec le carrossier Pininfarina qui a aussi développé le toit rigide rétractable avec l'aide du spécialiste Webasto. Ce toit se distingue par le fait qu'il est composé de trois sections qui se replient dans le coffre en s'empilant l'une sur l'autre dans un véritable ballet mécanique d'une durée de trente secondes, commandé par la seule pression d'un bouton par le conducteur. Le coffre autorise alors un chargement de bagages limité à 170 litres, chargement qui demeure toutefois accessible une fois le toit replié, puisqu'un bouton de commande électrique permet justement de soulever légèrement les panneaux du toit afin d'accéder au contenu du coffre.

Sur le plan technique, le toit de la C70 est une très belle réalisation et seul le toit rigide rétractable de la récente Volkswagen EOS compte plus de pièces. Il faut cependant tenir compte du fait que le volume

du coffre est sérieusement limité avec le toit replié, et que le volume complet du coffre avec le toit en place est de 362 litres, donc à peu près égal à celui d'une Toyota Corolla. Prière de faire le choix de voyager léger en mode cabriolet ou de partir avec armes et bagages en mode coupé !

LA SÉCURITÉ À L'AVANT-PLAN

Comme il s'agit d'une Volvo, la sécurité fait partie des priorités de l'équipe des concepteurs qui ont conservé les arceaux de sécurité que l'on retrouvait sur le modèle précédent. Ces derniers sont localisés derrière les appuie-têtes des places arrière et leur déploiement est prévu en cas de capotage ou d'impact à l'arrière.

De plus, la C70 fait un usage exhaustif d'acier renforcé pour rehausser la protection accordée en cas d'impact, et le nouveau coupé cabriolet se distingue en adoptant un coussin latéral qui se déploie vers le haut à partir des portières afin de protéger la tête des occupants. Généralement, ce type de coussin se déploie à partir du toit, mais la C70 étant à la fois un coupé et un cabriolet, les ingénieurs ont dû adapter ce dispositif afin que les coussins se déploient à partir des portières, ce qui représente une première dans l'industrie automobile pour un coupé cabriolet.

TURBO, MAIS PAS TROP…

La C70 fait appel à un moteur 5 cylindres à 20 soupapes et double arbres à cames en tête d'une cylindrée de 2,5 litres et recevant l'aide d'un turbocompresseur ainsi que d'un échangeur de chaleur afin de porter la puissance à 218 chevaux à 5 000 tours/minute. Quant au couple maximal, il est de 236 livres-pied entre 1 500 et 4 800 tours/minute. Autant vous prévenir tout de suite, la présence d'un turbo n'est pas gage d'accélérations à l'emporte-pièce ou de reprises fulgurantes, la C70 affichant un excédent de poids de près de 240 kilos par rapport à la berline S40. Bref, on ne va pas aux courses avec la C70, même dans le cas d'un modèle équipé de la boîte manuelle à six vitesses, il faut plutôt la considérer comme une voiture plus adaptée à la conduite décontractée qu'à la conduite sportive.

J'ai également noté que le comportement routier de la C70 variait selon que le toit est en place ou qu'il soit replié dans le coffre, le poids de toute cette quincaillerie ayant une incidence directe sur la répartition des masses selon sa localisation. La tenue de route n'est pas mauvaise, mais elle n'est pas impressionnante, même avec l'ajout

de la suspension sport avec roues en alliage de 18 pouces, et pour ce qui est du confort précisons que l'ajout de cette option l'affecte inversement lorsqu'il est question de rouler sur les routes dégradées du Québec.

Le châssis m'a cependant paru assez rigide pour un cabriolet, sauf à la croisée de nids-de-poule où l'on pouvait percevoir ces vibrations caractéristiques d'une voiture à toit découvert.

FIABILITÉ INCERTAINE

La fiabilité incertaine des Volvo s'est manifestée une fois de plus sur la C70 mise à notre disposition au Québec, les glaces latérales refusant parfois de descendre un peu à l'ouverture des portières afin de dégager la moulure du toit, ou refusant de remonter à leur position une fois les portières refermées… Par ailleurs, la commande qui

permet de descendre ou de remonter l'ensemble des glaces latérales fonctionnait une fois sur deux, et j'ai rapidement développé le réflexe de claquer fortement les portières en les fermant, ce qui semblait faire comprendre à la voiture qui était le véritable maître à bord puisque la commande des glaces fonctionnait alors sans problèmes ! Bref, ce n'est pas glorieux, particulièrement lorsqu'on considère le prix de la C70 et surtout le fait que ce problème n'est dû qu'à une programmation déficiente de l'électronique.

De plus, ayant eu l'occasion de rouler lors de certaines journées pluvieuses, j'ai noté que l'étanchéité du toit laissait à désirer car l'eau de pluie tombait au goutte-à-goutte sur ma cuisse gauche toutes les trente secondes, avec la précision d'un métronome. Avec le toit en place, le bruit de vent demeurait assez présent à vitesse d'autoroute, mais la voiture s'est toutefois avérée confortable dans ces mêmes conditions avec le toit replié et le dispositif permettant de contrôler le refoulement de l'air dans l'habitacle en place. Il faut néanmoins noter que l'installation de ce déflecteur ne permet plus d'occuper les places arrière comme c'est d'ailleurs le cas sur certains modèles concurrents.

Les sièges des véhicules Volvo sont parmi les plus confortables de l'industrie automobile et ceux des places avant ont été à la hauteur des attentes à cet égard, en plus d'être dotés du système de sécurité WHIPS conçu afin de réduire le risque de blessures graves à la nuque en cas d'impact à l'arrière. Quant aux places arrière, précisons que les dossiers enveloppent bien le corps mais que le dégagement pour les jambes demeure limité pour deux adultes.

FEU VERT
Style réussi
Voiture toutes saisons
Sièges avant confortables
Systèmes de sécurité avancés

FEU ROUGE
Poids élevé
Fiabilité incertaine
Agrément de conduite mitigé
Coût des options

Côté style, l'habitacle de la C70 ressemble en tous points à ceux des S40 et V50, et l'on y retrouve donc la console centrale ultramince qui est inspirée d'un téléphone cellulaire ou d'une télécommande. Le catalogue des options permet de sélectionner le système audio Dynaudio qui compte douze haut-parleurs, de même qu'un haut-parleur d'ultra-graves (subwoofer) et des amplificateurs très puissants.

Il faudra également prévoir un déboursé supplémentaire pour l'ajout du système électronique de contrôle de la stabilité appelé DSTC chez Volvo, ainsi que pour le système de navigation assisté par satellite ou les phares au xénon, entre autres.

La C70 a donc de la gueule et le côté pratique d'une voiture que l'on peut conduire en toutes saisons, deux éléments qui faisaient défaut sur sa devancière, mais l'agrément de conduite laissera encore et toujours l'amateur de performances sur sa faim. Quant aux problèmes rencontrés lors de l'essai de la C70, espérons pour Volvo qu'il ne s'agissait que d'anomalies affectant un seul véhicule, mais soyez assuré que nous continuerons de suivre l'évolution de la C70 sur notre marché pour vous renseigner sur sa fiabilité à long terme au cours des parutions subséquentes du *Guide de l'auto*.

Gabriel Gélinas

VÉHICULE D'ESSAI

Version :	T5
Prix de détail suggéré :	55 995 $
Emp/Lon/Lar/Haut(mm) :	2 640/4 582/1 820/1 400
Poids :	1 711 kg
Coffre/Réservoir :	170 à 362 litres/62 litres
Coussins de sécurité :	front., latéraux, rideaux et genoux
Suspension avant :	indépendante, jambes de force
Suspension arrière :	essieu rigide, ressorts hélicoïdaux
Freins av./arr. :	disque (ABS)
Antipatinage/Contrôle de stabilité :	oui/oui
Direction :	à crémaillère, assistée
Diamètre de braquage :	12,7 m
Pneus av./arr. :	P235/45R17
Capacité de remorquage :	900 kg

MOTORISATION À L'ESSAI

Moteur :	5L de 2,5 litres 20s turbocompressé
Alésage et course :	83,0 mm x 93,2 mm
Puissance :	218 ch (163 kW) à 5 000 tr/min
Couple :	236 lb-pi (320 Nm) de 1 500 à 4 800 tr/min
Rapport poids/puissance :	7,85 kg/ch (10,69 kg/kW)
Système hybride :	aucun
Transmission :	traction, manuelle 6 rapports
Accélération 0-100 km/h :	8,0 s
Reprises 80-120 km/h :	7,2 s
Freinage 100-0 km/h :	40,0 m
Vitesse maximale :	195 km/h
Consommation (100 km) :	super, 12,5 litres
Autonomie (approximative) :	496 km
Émissions de CO2 :	5 253 kg/an

GAMME EN BREF

Échelle de prix :	55 995 $
Catégorie :	cabriolet
Historique du modèle :	2ière génération
Garanties :	4 ans/80 000 km, 4 ans/80 000 km
Assemblage :	Uddevala, Suède
Autre(s) moteur(s) :	aucun
Autre(s) rouage(s) :	aucun
Autre(s) transmission(s) :	automatique 5 rapports

DANS LA MÊME CATÉGORIE

Audi A4 Cabriolet - BMW Série 3 - Infiniti G35 Coupé - Lexus SC 430 - Mercedes-Benz CLK - Nissan 350Z - Porsche Boxster - Saab 9-3 Cabriolet - Toyota Solara

DU NOUVEAU EN 2007

Nouveau modèle

NOS IMPRESSIONS

Agrément de conduite :	🚗 🚗 🚗 ½
Fiabilité :	nouveau modèle
Sécurité :	🚗 🚗 🚗 🚗 ½
Qualités hivernales v :	🚗 🚗 🚗 🚗
Espace intérieur :	🚗 🚗 🚗 🚗
Confort :	🚗 🚗 🚗

LE CHOIX DE L'ÉQUIPE

T5 boîte manuelle

Photos : Denis Duquet

MARGINALES... MAIS PAS TROP !

Ce qui fait qu'une Volvo est une Volvo, ce sont les ailes arrière proéminentes, le sigle Volvo dans la grille avant traversée par une barre, la sécurité légendaire et un sentiment de conduite particulier. L'acheteur traditionnel de Volvo n'a que faire des voitures américaines, italiennes, japonaises ou allemandes. Tout au plus consentira-t-il à regarder une Saab provenant, curieusement, du même pays, soit la Suède. Ce « volvoiste » voue un culte à la sécurité, au *feeling* et au confort. Les performances sont secondaires.

Celui-ci sera heureux d'apprendre que si la Volvo S40 de première génération n'a pas livré la marchandise, la plus récente génération, lancée en 2005, elle, n'a pas raté la cible. Cette Volvo S40 connaît le succès qu'elle mérite, certes, mais il faut avouer que son nom seul lui assure certainement plusieurs ventes par année. Son *look* séduisant aussi ! Lors de notre match comparatif des intégrales, en début de *Guide*, la S40 AWD s'est d'ailleurs distinguée à ce chapitre.

La Volvo S40 est construite sur la plate-forme de la Mazda3, ce qui est loin d'être un péché. La motorisation, par contre, est inédite. On retrouve deux cinq cylindres, une configuration dédaignée (pourquoi ?) par plusieurs constructeurs. Le premier de ces moteurs est un 2,4 litres de 168 chevaux et 170 livres-pied de couple. Il est associé à une transmission manuelle à cinq rapports ou à une automatique à cinq rapports. Le deuxième moteur se montre un peu moins chiche de son écurie grâce à la magie du turbo. Il s'agit d'un 2,5 litres de 218 chevaux et 236 livres-pied de couple atteints à bas régime. Les modèles équipés de ce moteur sont facilement identifiables par le sigle T5 apposé sur le coffre et la transmission manuelle à six rapports. En option, l'automatique, à cinq rapports.

À la lecture de la fiche technique, le 2,4 peut sembler le parent pauvre de la famille. Il est vrai que ses performances sont un peu en retrait du 2,5 turbo mais il fait tout de même preuve d'accélérations et de reprises adéquates. Il semble, par contre, mieux s'entendre avec la manuelle qu'avec l'automatique. Bien entendu, le 2,5 turbo s'avère beaucoup plus en verve, surtout lorsqu'arrimé à la manuelle. Pour les amateurs d'accélérations, il est possible d'effectuer le 0-100 sans enclencher le troisième rapport… (quoique l'acheteur typique de Volvo doit aller faire du *drag* avec sa voiture aussi souvent que Sœur Angèle fait la page centrale du magazine *Penthouse*…). Malgré la présence du turbo, on ne ressent pratiquement aucun temps de réaction lors d'accélérations.

Comme ci-haut mentionné, la Volvo S40 peut aussi recevoir un rouage intégral. Cette traction intégrale ajoute à peu près 70 kilos à la version courante et environ un litre aux cent kilomètres. Même si la S40 AWD a eu de la difficulté à tenir son bout face à des adversaires coriaces (voir notre match comparatif au début de ce *Guide*), il n'en demeure pas moins que son système se révèle fort efficace sur surfaces enneigées. Mais pour faire du rallye, on repassera… La S40 ne peut prétendre à la sportivité. Ses moteurs ont peut-être le souffle nécessaire, mais la

FEU VERT
Design moderne
Moteurs bien adaptés
Haut niveau de sécurité
Sièges très confortables
V50 pratique

FEU ROUGE
Sportivité décevante
Fiabilité semble s'étioler
Direction peu bavarde
Visibilité arrière déficiente
Petite ouverture du coffre (S40)

direction se montre peu communicative et les aides électroniques stoppent avec autorité toute tentative de plaisir.

EXÉCUTION 10/10

Les Volvo présentent, en général, une carrosserie typique qui les fait ressortir de la masse tout en leur garantissant une certaine exclusivité. La S40 est du même moule. La finition extérieure ne cause habituellement aucun souci. On souhaiterait, par contre, que l'ouverture du coffre soit plus grande. Le coffre a beau être assez grand, on ne peut y insérer une boîte le moindrement grosse... Les portières avant, qui pourraient ouvrir plus grand, donnent sur un habitacle pas nécessairement très vaste mais ô combien douillet. Les sièges avant, toujours reconnus pour leur support et leur confort, font honneur à leur réputation. Même la roulette servant à manipuler le support lombaire se tourne aisément sans qu'on soit obligé de se déboîter l'épaule chaque fois comme sur trop de véhicules. Les places arrière sont moins bien nanties puisque l'espace pour les jambes est restreint. Heureusement, le confort est intact. Malheureusement, les fenêtres ne s'ouvrent qu'aux trois quarts. Mais, bon, de nos jours, avec des climatiseurs efficaces, bien des gens ne songent jamais à baisser ces fenêtres! Parmi les autres petites bibittes, mentionnons que l'espace de rangement, situé derrière la console flottante (au demeurant d'un chic fou) est difficilement atteignable en conduite et que l'écran numérique de la radio devient illisible si un rayon de soleil pénètre l'habitacle.

ET LA V50?

Chez Volvo, les modèles portent le préfixe «S» (sedan ou berline), «V» (versatile... comme une familiale!), «C» (*cabriolet*) ou «XC» (Cross-Country ou VUS). La V50 est donc une familiale, construite sur le châssis de la S40. Puisque les deux voitures possèdent le même équipement et la même motorisation, les impressions de conduite demeurent les mêmes. La V50 justifie ses 1 500 $ supplémentaires par une capacité de chargement drôlement accrue et, surtout, bien étudiée. De plus, même si les lignes de la carrosserie de la berline se montrent fort agréables, plusieurs personnes trouvent que celles de la familiale sont encore plus dynamiques.

Nul doute, le duo S40/V50 fait preuve d'un comportement routier équilibré et d'un sérieux de construction évident. Même si les produits Volvo rejoignent désormais un peu plus la masse, ils n'ont pas perdu ce qui faisait leur charme. Et c'est tant mieux!

Alain Morin

Photos Marc Bouchard

VÉHICULE D'ESSAI

Version :	V50 T5
Prix de détail suggéré :	34 745 $
Emp/Lon/Lar/Haut (mm) :	2 640/4 514/1 770/1 452
Poids :	1 387 kg
Coffre/Réservoir :	776 à 1 772 litres/62 litres
Coussins de sécurité :	frontaux, latéraux (av.) et rideaux
Suspension avant :	indépendante, jambes de force
Suspension arrière :	indépendante, multibras
Freins av./arr. :	disque (ABS)
Antipatinage/Contrôle de stabilité :	opt./opt.
Direction :	à crémaillère, assistance variable
Diamètre de braquage :	10,6 m
Pneus av./arr. :	P205/55R16
Capacité de remorquage :	900 kg

MOTORISATION À L'ESSAI

Pneus d'origine MICHELIN

Moteur :	5L de 2,5 litres 20s turbocompressé
Alésage et course :	83,0 mm x 93,2 mm
Puissance :	218 ch (163 kW) à 5 000 tr/min
Couple :	236 lb-pi (320 Nm) de 1 500 à 4 500 tr/min
Rapport poids/puissance :	6,36 kg/ch (8,67 kg/kW)
Système hybride :	aucun
Transmission :	intégrale, manuelle 6 rapports
Accélération 0-100 km/h :	7,5 s
Reprises 80-120 km/h :	5,8 s
Freinage 100-0 km/h :	38,0 m
Vitesse maximale :	210 km/h
Consommation (100 km) :	super, 12,3 litres
Autonomie (approximative) :	504 km
Émissions de CO2 :	4 992 kg/an

GAMME EN BREF

Échelle de prix :	31 495 $ à 41 495 $
Catégorie :	berline sport/familiale
Historique du modèle :	2ème génération
Garanties :	4 ans/80 000 km, 4 ans/80 000 km
Assemblage :	Gand, Belgique
Autre(s) moteur(s) :	5L 2,4l 168ch/170lb-pi (10,9 l/100km)
Autre(s) rouage(s) :	traction
Autre(s) transmission(s) :	manuelle 5 rapports / automatique 5 rapports

DANS LA MÊME CATÉGORIE

Acura TL - Audi A4 - BMW Série 3 - Mercedes-Benz Classe B - Saab 9-3 - Volkswagen Passat

DU NOUVEAU EN 2007

Nouvelles roues

NOS IMPRESSIONS

Agrément de conduite :	🚗🚗🚗🚗
Fiabilité :	🚗🚗🚗½
Sécurité :	🚗🚗🚗🚗½
Qualités hivernales :	🚗🚗🚗🚗
Espace intérieur :	🚗🚗🚗🚗
Confort :	🚗🚗🚗🚗

LE CHOIX DE L'ÉQUIPE

V50 T5

PERSONNALITÉS MULTIPLES

Je ne sais pas si vous êtes comme moi, mais quand j'ai la chance de m'asseoir dans une Volvo, j'ai tout juste envie de glisser mon CD préféré de grands classiques de la musique («La Traviata» par exemple ou plus prosaïquement Cold Play, pour faire plaisir à mon vénérable rédacteur en chef), et de l'écouter bien sagement, tout en sillonnant les routes. Parce que les Volvo, ce sont des modèles de confort et d'esthétisme intérieur, qui conjuguent aussi sécurité et plaisir de conduite.

Bon, soyons francs, les modèles de Volvo n'ont pas toujours été des réussites d'esthétisme. À moins d'être un véritable adepte, il faut aimer les voitures aux formes, disons, plutôt simples, pour apprécier le design de Volvo. La tendance s'est cependant corrigée depuis quelques années avec des arrières beaucoup plus profilés, et des capots avant aux lignes plus douces. On a su conserver le style unique de la Volvo tout en lui insufflant une nouvelle personnalité, et c'est tant mieux.

La S60 n'échappe pas à la règle. Son profil continue d'être incomparable, quasi royal, mais il est beaucoup plus agréable que ne l'étaient les anciennes versions. Les quelques modifications apportées à la cuvée 2007 sont d'ailleurs de nature à lui permettre d'afficher une personnalité mieux affirmée. On a par exemple refait le becquet avant pour le rendre plus protubérant, on a aussi ajouté une calandre avec un emblème Volvo plus évident, et offert, en option, un petit aileron arrière. Tout cela dans l'espoir de confirmer à la S60 sa personnalité de sportive suédoise.

BELLE EN DEDANS

Mais une Volvo, c'est à l'intérieur qu'on l'apprécie le plus. Le tableau de bord de la S60 est certainement un des mieux réussis de toutes les

voitures, toutes gammes confondues. Dénudé sans être vide, somptueux sans tomber dans le kitsch, c'est, du moins à mes yeux, une véritable référence dans le domaine. Même les quelques appliques d'aluminium ajoutées cette année pour, selon les responsables, donner du relief ne sont pas suffisantes pour dénaturer le calme de la planche de bord.

Tout l'habitacle de la Volvo est d'ailleurs un modèle du genre. Les sièges de cuir de grande qualité offrent un support unique, et sont ajustables dans toutes les directions que votre imagination peut concevoir pour ainsi obtenir la position de conduite idéale. Un système de climatisation à double zone garantit la bonne température à tous les passagers.

Notons cependant que les passagers arrière devront être compréhensifs puisque la S60, en bonne sportive qu'elle est, ne leur réserve qu'un espace restreint. Évidemment, ils profiteront du confort des sièges, à condition de pouvoir le faire avec les genoux repliés!

MÉCANIQUE SANS FAILLE

Réputées pour leur sécurité, les voitures Volvo sont souvent citées en exemple. Avec la S60 à traction intégrale, on pousse encore plus loin cette notion puisque le système de traction intégrale géré électroniquement

---

FEU VERT
Sièges grand luxe
Moteur turbo efficace
Boîte automatique sans reproche
Tableau de bord classique

FEU ROUGE
Silhouette peu recherchée
Places arrière étriquées
Traction intégrale lourde en conduite
Direction trop assistée

assure une tenue de route et une adhérence rassurantes. Testée dans des conditions routières idéales, la traction intégrale est imperceptible. Utilisé en conditions hivernales, et grâce à ses 17 capteurs différents, le système Haldex permet une conduite sécuritaire maximale, peu importe la chaussée. L'an dernier (le système n'a pas changé depuis), j'ai pu effectuer quelques tentatives de glissade sur un lac gelé, tentatives qui ont été beaucoup plus faciles à maîtriser grâce à ce système. Notons que la S60 est aussi proposée en traction seulement, mais équipée du système DSTC (Dynamic Stability and Traction Control) qui offre un excellent rendement.

Sous le capot de la version intégrale, S60 AWD, un moteur turbocompressé de 2,5 litres génère 208 chevaux, couplé à une impeccable transmission automatique Geartronic à 5 rapports. Mais on peut aussi équiper la douce suédoise d'un moteur plus étonnant, moins tranquille, à cinq cylindres turbo capable de lancer cette fois quelque 257 chevaux au galop. Mais le summum de la gamme, c'est la version R, munie d'un moteur de 300 chevaux, d'une suspension sport réglable à volonté et d'un intérieur plus sportif. Suffisant pour mettre «la Traviata» au rancart et changer de classique pour le célèbre «Born to be wild».

Signalons tout de même que même les versions plus sages ont reçu un traitement aux vitamines cette année puisqu'on a rigidifié les amortisseurs, augmenté le diamètre des barres stabilisatrices, pour une amélioration de 20 % à la résistance en torsion. Bien sûr, aucune voiture n'étant parfaite, la S60 a sa part de défauts. La conduite de la S60 à traction intégrale par exemple, bien qu'intéressante, n'est pas aussi sportive que le laisse présager la gamme. Elle est en fait un peu lourde, surtout en courbe serrée, tandis que les freinages sont un peu longuets. La R compte sur des freins de performances Brembo, fort efficaces.

Mais Volvo a de nouveau misé juste. Les amateurs de la marque suédoise sont d'abord des férus de sécurité et de confort, et à ce chapitre, malgré une personnalité plus sportive que jamais, la S60 ne tourne pas le dos à son héritage. Et bien qu'un peu vieillissante, la S60 est vraiment à la hauteur.

Marc Bouchard

Photos: Volvo

VÉHICULE D'ESSAI

Version :	S60 2.5T AWD
Prix de détail suggéré :	49 225 $
Emp/Lon/Lar/Haut(mm) :	2 715/4 603/1 813/1 428
Poids :	1 531 kg
Coffre/Réservoir :	394 litres/68 litres
Coussins de sécurité :	front., latéraux (av./arr.) et rideaux
Suspension avant :	indépendante, jambes de force
Suspension arrière :	indépendante, multibras
Freins av./arr. :	disque (ABS)
Antipatinage/Contrôle de stabilité :	oui/oui
Direction :	à crémaillère, assistance variable
Diamètre de braquage :	11,8 m
Pneus av./arr. :	P205/55R16
Capacité de remorquage :	1 500 kg

MOTORISATION À L'ESSAI

Moteur :	5L de 2,5 litres 20s turbocompressé
Alésage et course :	83,0 mm x 93,3 mm
Puissance :	208 ch (155 kW) à 5 000 tr/min
Couple :	236 lb-pi (320 Nm) de 1 500 à 4 500 tr/min
Rapport poids/puissance :	7,36 kg/ch (10,01 kg/kW)
Système hybride :	aucun
Transmission :	intégrale, auto. mode man. 5 rapports
Accélération 0-100 km/h :	7,2 s
Reprises 80-120 km/h :	7,6 s
Freinage 100-0 km/h :	40,5 m
Vitesse maximale :	250 km/h
Consommation (100 km) :	super, 11,7 litres
Autonomie (approximative) :	581 km
Émissions de CO2 :	4 848 kg/an

GAMME EN BREF

Échelle de prix :	40 995 $ à 62 495 $
Catégorie :	berline de luxe
Historique du modèle :	1ière génération
Garanties :	4 ans/80 000 km, 4 ans/80 000 km
Assemblage :	Gand, Belgique
Autre(s) moteur(s) :	5L 2,4l turbo 257ch/258lb-pi (11,0 l/100km)
	5L 2,4l turbo 300ch/295lb-pi (13,3 l/100km) S60R
Autre(s) rouage(s) :	traction
Autre(s) transmission(s) :	manuelle 6 rapports /
	auto. mode man. 6 rapports

DANS LA MÊME CATÉGORIE

Acura TL - Audi A4 - BMW Série 3 - Infiniti M45 - Jaguar X-Type - Lexus IS - Mercedes-Benz Classe C - Saab 9-5

DU NOUVEAU EN 2007

Nouvelle couleur rouge, nouveaux éléments esthétiques

NOS IMPRESSIONS

Agrément de conduite :	🚗 🚗 🚗 🚗
Fiabilité :	🚗 🚗 🚗
Sécurité :	🚗 🚗 🚗 🚗 ½
Qualités hivernales :	🚗 🚗 🚗 🚗
Espace intérieur :	🚗 🚗 🚗 ½
Confort :	🚗 🚗 🚗 🚗

LE CHOIX DE L'ÉQUIPE

2.5T AWD

SÉDUISANTE SUÉDOISE

Le vaisseau amiral de la flotte suédoise Volvo, la spacieuce S80, était bien mûr pour la retraite. Design dépassé, motorisation anémique et antique, intérieur sans intérêt, bref, une voiture qui vieillissait mal. On a donc littéralement pris le taureau par les cornes, et décidé de tout rebâtir de A à Z. La nouvelle S80, très attendue, avait donc de belles ambitions, et avait créé de grandes attentes. Mais on n'a malheureusement que partiellement répondu à ces attentes, malgré une pléthore d'innovations technologiques.

C e renouveau de Volvo n'est cependant pas trop radical. On a continué de miser sur la continuité, et on a voulu conserver les lignes héritées des nombreuses générations de voitures précédentes. On a raffiné la silhouette, mais la S80 demeure sans conteste une véritable Volvo.

Elle est de la même longueur que la première génération (il ne s'agit que de la deuxième), soit 4 850 mm, mais est légèrement plus large (27 mm) et plus haute (34 mm). L'empattement a aussi été allongé (45 mm), et la voie élargie (de 6 mm à l'avant, 25 mm à l'arrière), ce qui se voit au premier coup d'œil.

LUXE À LA SCANDINAVE

Premier constat, le porte-étendard suédois a conservé son habitacle luxueux, intégrant au passage la console centrale flottante développée pour la S40 et la V50. Ce look plus moderne se fond à merveille au design contemporain sage (appelé luxe scandinave par les dirigeants) de la cabine de la S80. Comme d'habitude chez Volvo, l'effet est sans reproche, les commandes simples à souhait, et les sièges (chauffés et ventilés, bien sûr) sont toujours parmi les plus confortables de l'industrie.

Pour ceux que la chose inquiète, sachez que ce confort se remarque aussi sur la banquette arrière, où les passagers disposent à la fois de la douceur des sièges et d'un espace impressionnant pour la tête et les jambes. Même l'espace de chargement dans le coffre arrière est de bonnes dimensions, et nous permet de loger autant de sacs de golf que la voiture peut contenir de passagers!

Question d'assurer le confort de tout ce beau monde, et de fournir une conduite un peu plus dynamique, on a doté la S80 du système Four C, pour le contrôle continu du châssis. En mots simples, disons tout simplement que ce dispositif permet d'adapter les suspensions au type de conduite, en minimisant ou augmentant le débattement, et en modifiant le temps de réponse des suspensions. Ces suspensions actives sont automatiques, c'est-à-dire qu'elles contrôlent elles-mêmes leurs réactions lorsque la situation l'exige. On peut cependant utiliser un ou l'autre des modes prédéterminés par le constructeur pour raffiner un peu le tout. Trois modes sont disponibles, allant du plus confortable au plus sportif. Et que ceux qui ont des doutes se rassurent : passager durant plusieurs kilomètres sur le siège arrière, je pouvais ressentir au quart de seconde près l'instant où le conducteur modifiait les réglages uniquement par la réaction de la voiture.

FEU VERT
Plate-forme Four C efficace
Mode de pilotage programmable
Nouveau moteur V8
Sièges de grand confort

FEU ROUGE
Moteur six cylindres peu enthousiaste
Design ayant peu évolué
Technologie parfois complexe
Agrément de conduite mitigé

VÉHICULE D'ESSAI

Version :	V8
Prix de détail suggéré :	n.d.
Emp/Lon/Lar/Haut(mm) :	2 836/4 850/1 854/1 488
Poids :	1 741 kg
Coffre/Réservoir :	476 litres/70 litres
Coussins de sécurité :	front., latéraux (av./arr.) et rideaux
Suspension avant :	indépendante, jambes de force
Suspension arrière :	indépendante, ressorts hélicoïdaux
Freins av./arr. :	disque (ABS)
Antipatinage/Contrôle de stabilité :	oui/oui
Direction :	à crémaillère, assistée
Diamètre de braquage :	11,0 m
Pneus av./arr. :	P225/50R17
Capacité de remorquage :	2 000 kg

MOTORISATION À L'ESSAI

Moteur :	V8 de 4,4 litres 32s atmosphérique
Alésage et course :	94,0 mm x 79,5 mm
Puissance :	311 ch (232 kW) à 5 950 tr/min
Couple :	325 lb-pi (441 Nm) à 3 950 tr/min
Rapport poids/puissance :	5,6 kg/ch (7,6 kg/kW)
Système hybride :	aucun
Transmission :	intégrale, auto. mode man. 6 rapports
Accélération 0-100 km/h :	6,5 s (constructeur)
Reprises 80-120 km/h :	6,1 s (estimé)
Freinage 100-0 km/h :	38,0 m (estimé)
Vitesse maximale :	209 km/h
Consommation (100 km) :	super, 11,9 litres (constructeur)
Autonomie (approximative) :	588 km
Émissions de CO2 :	6 480 kg/an

GAMME EN BREF

Échelle de prix :	54 995 $ (2006)
Catégorie :	berline de luxe
Historique du modèle :	2ième génération
Garanties :	4 ans/80 000 km, 4 ans/80 000 km
Assemblage :	Torslanda, Suède
Autre(s) moteur(s) : 6L 3,2l 235ch/236lb-pi (12,0 l/100km)
Autre(s) rouage(s) :	traction
Autre(s) transmission(s) :	aucune

DANS LA MÊME CATÉGORIE

Audi A6 - BMW Série 5 - Buick Lucerne - Cadillac STS - Infiniti M45 - Jaguar S-Type - Lexus GS - Lincoln MKZ - Saab 9-5

DU NOUVEAU EN 2007

Nouveau modèle

NOS IMPRESSIONS

Agrément de conduite :	🚗 🚗 🚗 🚗
Fiabilité :	nouveau modèle
Sécurité :	🚗 🚗 🚗 🚗 ½
Qualités hivernales :	🚗 🚗 🚗 🚗
Espace intérieur :	🚗 🚗 🚗 🚗
Confort :	🚗 🚗 🚗 🚗 ½

LE CHOIX DE L'ÉQUIPE

V8

Sous le capot, deux moteurs forts différents. La version la plus abordable est munie d'un 6 cylindres en ligne partagé avec le XC90. Malgré toutes les recherches, et l'excellent travail de design effectué pour le rendre aussi compact que possible, on a un peu négligé le plaisir de conduite. Le moteur manifeste peu d'enthousiasme et encore moins de reprises. Il est certes honnête, mais parfois trop rugueux pour être agréable, et surtout assez morne en réaction en dépit de ses 235 chevaux.

Heureusement, on peut aussi compter sur le premier V8 de série sur une voiture Volvo. Lui aussi inspiré du moteur du XC90, monté transversalement, ce V8 de 4,4 litres développe 311 chevaux avec une sonorité tout américaine. Sur la route, il s'enflamme rapidement, agissant avec souplesse et enthousiasme pour fournir des accélérations endiablées, et des reprises sans la moindre trace d'hésitation. On ne peut malheureusement en dire autant de la direction qui, bien qu'ayant une assistance électrique variable et adaptative, ne réussit pas à transmettre efficacement les messages de la route.

SÉCURITÉ D'ABORD

Chez Volvo, la sécurité c'est plus qu'un principe, c'est une véritable culture d'entreprise. On a donc misé à fond sur la technologie pour doter la S80 de toutes les découvertes les plus récentes. Du nombre, le système BLIS, utilise des caméras localisées sous les rétroviseurs latéraux pour évaluer la proximité d'un véhicule dans l'angle mort. En cas de présence dans un angle pouvant être mal vu par le conducteur, le système déclenchera une alarme visuelle par le biais de petites lumières dans le pilier A. Le Collision Warning System, qui agit en relation avec le régulateur de vitesse adaptatif, est aussi du nombre des avancées sécuritaires notables. Un radar sous le capot lit la distance du véhicule qui vous précède et ajuste automatiquement votre vitesse à celle de votre voisin d'en avant. Ce même radar sert aussi au Collision Warning System, qui vous avise avec une alarme sonore et visuelle de l'arrivée imminente d'un impact.

Une fois tous ces constats terminés, il faut se rendre à l'évidence, la nouvelle S80 est une réussite. Ni trop sportive pour déplaire à une clientèle vieillissante, ni trop pépère pour les amateurs de luxe dynamique, la S80 représente certainement un compromis haut de gamme.

Marc Bouchard

DÉMÉNAGER AVEC CLASSE

Il fut un temps où Volvo n'en menait pas large. Ses voitures avaient beau se vautrer dans la classe, n'empêche que les lignes carrées de tous les modèles nuisaient sérieusement aux ventes. Désormais, Volvo, faisant partie de l'empire Ford (un empire qui empire, mais ça, c'est une autre histoire…), Volvo, donc, peut se permettre de présenter une gamme plus étoffée. Prenez, par exemple, la gamme 70 qui se veut des plus éclectiques. Il y a la V70, la V70R, la XC70 et la C70. Cette dernière fait l'objet d'un texte séparé puisqu'il s'agit d'un coupé/cabriolet. Revenons à nos familiales V70 et XC70.

Chez Volvo, V signifie Versatile. Dans le sens de polyvalent. Les familiales ayant la bonne habitude de se montrer versatiles, on leur a accolé le préfixe V. Certaines V70 portent le suffixe R. R pour Racing. Ou pour «Ressaye-toi autant que tu veux mon p'tit jeune, tu passeras pas en avant». Le préfixe XC représente Cross-Country, et est apposé sur des véhicules plus hauts, capable d'en prendre si on quitte la route. Dans la gamme 70, le XC est un peu l'équivalent du Outback chez Subaru. Il s'agit d'une V70 pour amateurs de off-road.

CINQ CYLINDRES, QUATRE MOTEURS

L'acheteur d'une V70 a le choix entre pas moins de quatre moteurs, tous de même cylindrée. On retrouve d'abord un cinq cylindres de 2,4 litres, pas très dégourdi avec ses 168 chevaux et 166 livres-pied de couple. On lui a réservé, de série, une transmission manuelle à cinq rapports. Une automatique à cinq rapports est aussi disponible. Ceux qui désirent s'amuser un peu feraient mieux d'opter pour le 2,5 litres turbo de 208 chevaux et 236 livres-pied de couple. Une seule transmission au rendez-vous, soit une automatique à cinq rapports avec mode manuel. Ce mode manuel ne m'a jamais impressionné. Un autre 2,4, turbo celui-là, se présentait dans la T5 où il développait pas moins de 257 chevaux. J'en parle au passé puisqu'il n'est plus proposé en 2007. Et arrive la V70R avec

un 2,5 litres turbo de 300 chevaux. Accouplé à une transmission manuelle à six rapports plus courts, il fait de la V70 une familiale sport, capable d'en découdre avec des concurrentes de renom. Les Américains appellent ce type de voiture à la carrosserie ordinaire mais au moteur très puissant, un "sleeper". Quant à la XC70, elle a droit au moteur 2,5 litres de 208 chevaux et à la transmission automatique à cinq rapports, point à la ligne.

La V70 2,5T peut recevoir la traction intégrale tandis que la XC70, vu sa propension à aller jouer dans la nature, l'offre d'entrée de jeu. Si la V70 ne peut affronter que la neige et assurer, grâce à son rouage intégral, une meilleure tenue de route, il en va autrement avec la XC70. L'an dernier, des journalistes, dont notre rédacteur en chef Denis Duquet, ont été invités à tester ce véhicule sur la péninsule Baja California. Avec des XC70 de production, ou presque, ils ont pu franchir des routes (quand c'était des routes!) épouvantables à des vitesses hallucinantes sans que les véhicules s'en portent plus mal. Leurs XC70 étaient équipées de la suspension Four-C qui travaille en collaboration avec le rouage intégral et le contrôle de stabilité latérale pour garder la voiture dans la bonne voie. Ce système, aussi sophistiqué qu'efficace, est standard sur les modèles R. Bien que ces derniers modèles très sportifs n'aient aucune envie de jouer dans la boue, leur rouage intégral permet de les coller à la route

FEU VERT	FEU ROUGE
Confort assuré	Certaines commandes complexes
Châssis hyper rigide	Sportivité en retrait (sauf V70R)
Niveau de sécurité élevé	Fiabilité un peu à la traîne
Prestige relevé	Moteur anémique (2,4 litres)
Moteur épatant (V70R)	Coûts d'entretien étouffants

VÉHICULE D'ESSAI

Version :	XC70 Ocean Race 2.5T
Prix de détail suggéré :	57 495 $
Emp/Lon/Lar/Haut(mm) :	2 763/4 733/1 860/1 562
Poids :	1 634 kg
Coffre/Réservoir :	1 016 à 2 022 litres/80 litres
Coussins de sécurité :	front., latéraux (av./arr.) et rideaux
Suspension avant :	indépendante, jambes de force
Suspension arrière :	indépendante, multibras
Freins av./arr. :	disque (ABS)
Antipatinage/Contrôle de stabilité :	oui/opt.
Direction :	à crémaillère, assistance variable
Diamètre de braquage :	13,2 m
Pneus av./arr. :	P235/45ZR17
Capacité de remorquage :	1 500 kg

MOTORISATION À L'ESSAI

Moteur :	5L de 2,5 litres 20s turbocompressé
Alésage et course :	83,0 mm x 93,2 mm
Puissance :	208 ch (155 kW) à 5 000 tr/min
Couple :	236 lb-pi (320 Nm) de 1 500 à 4 500 tr/min
Rapport poids/puissance :	7,86 kg/ch (10,68 kg/kW)
Système hybride :	aucun
Transmission :	intégrale, automatique 5 rapports
Accélération 0-100 km/h :	9,7 s
Reprises 80-120 km/h :	7,3 s
Freinage 100-0 km/h :	39,6 m
Vitesse maximale :	200 km/h
Consommation (100 km) :	super, 11,5 litres
Autonomie (approximative) :	696 km
Émissions de CO2 :	5 088 kg/an

comme des patates oubliées sur le feu. Il est possible de désactiver le DSTC, soit le contrôle de stabilité latérale et le contrôle de traction. Plusieurs modes de suspension sont proposés (confort, sport, avancé) mais le meilleur compromis se trouve en activant le bouton sport et en désactivant celui du DSTC, trop intrusif aux yeux des amateurs de pilotage.

SÉCURITÉ

Qui dit Volvo, dit sécurité. Encore une fois, la marque suédoise ne déçoit pas. La plus prolétaire des V70 est dotée de coussins gonflables latéraux et de rideaux. Les sièges avant profitent du système WHIPS qui prévient le coup de lapin lors d'une collision par l'arrière et du contrôle conjoint de la stabilité et de la traction STC (qui se révèle toutefois moins évolué que le DSTC). Naturellement, elle a aussi droit aux freins à disque aux quatre roues avec ABS et distribution de la force de freinage. Si le rayon de braquage est considéré comme un élément sécuritaire parce qu'il permet de dégager rapidement le chemin alors là, c'est raté !

Les sièges fabriqués par Volvo sont réputés comme étant parmi les meilleurs au monde. La position de conduite se trouve en moins de temps qu'il en faut pour l'écrire et leur confort est sensationnel. Cependant, le cuir qui les recouvre a un aspect de similicuir et la roulette servant à ajuster le support lombaire demande des aptitudes que seul un contorsionniste masochiste piqué à la cortisone peut posséder. Les places arrière se révèlent très confortables même si l'espace pour les jambes est un peu compté. Il faut souligner le fait que la banquette comprend un siège d'enfant intégré. Les dossiers s'abaissent pour former un fond plat avec l'espace de chargement qui peut alors engloutir plus de 2 000 litres. Le tableau de bord fait preuve de sobriété, mais il faut détenir un quotient intellectuel très supérieur pour comprendre certaines commandes du premier coup. Et il ne faut pas trop se fier au manuel du propriétaire, guère plus simple…

La gamme 70 de Volvo est, sans aucun doute, la plus étoffée de la marque et la mieux réussie. Élaborées sur un châssis des plus rigides, ces Volvo offrent, de série, un confort relevé, un haut niveau de sécurité et une belle versatilité. Malheureusement, certains petits accrocs à la fiabilité, principalement des versions intégrales, viennent ternir un tableau autrement fort impressionnant.

Alain Morin

GAMME EN BREF

Échelle de prix :	39 495 $ à 62 495 $
Catégorie :	familiale
Historique du modèle :	1ière génération
Garanties :	4 ans/80 000 km, 4 ans/80 000 km
Assemblage :	Uddevalla, Suède
Autre(s) moteur(s) :	5L 2,5l turbo 300ch/295lb-pi (12,0 l/100km)
	5L 2,4l 168ch/166lb-pi (11,2 l/100km)
	5L 2,5l 257ch/258lb-pi (13,3 l/100km)
Autre(s) rouage(s) :	traction
Autre(s) transmission(s) :	manuelle 5 rapports /
	manuelle 6 rapports

DANS LA MÊME CATÉGORIE

Audi A4 Avant - BMW 325 Touring - Dodge Magnum - Jaguar X-Type - Saab 9-5 - Subaru Outback

DU NOUVEAU EN 2007

Pas de changement majeur, abandon du T5, système anti-patinage de série (XC70)

NOS IMPRESSIONS

Agrément de conduite :	🚗🚗🚗🚗
Fiabilité :	🚗🚗🚗
Sécurité :	🚗🚗🚗🚗½
Qualités hivernales :	🚗🚗🚗🚗½
Espace intérieur :	🚗🚗🚗🚗½
Confort :	🚗🚗🚗🚗

LE CHOIX DE L'ÉQUIPE   V70 AWD 2.5T

Photos: Volvo

LE VIEILLISSANT SUÉDOIS

C'est vrai, la Volvo XC 90 n'a jamais été réputée pour son style dynamique, et sa conduite ultrasportive. On lui a plutôt affublé le titre de véhicule utilitaire le plus sécuritaire (pas mal quand même pour un VUS!), ce qui prouve bien dans quelle direction le constructeur suédois voulait viser. Mais on semble assister à un changement de cap chez Volvo. Non pas que l'on néglige la sécurité, qui fait partie de la mission de l'entreprise depuis sa fondation, mais disons que l'on joue davantage la carte de la puissance, même dans le cas du plus gros utilitaire de la gamme.

La XC90 livre donc une chaude bataille à ses principaux rivaux que sont la Mercedes Classe M et le BMW X5. Mais alors que la M vient tout juste d'être refaite, et que le X5 sera vendu au début de 2007 en version remodelée, on peut certes se demander si, malgré toutes ses qualités, la XC90 fera le poids, surtout que les changements apportés en 2007 sont infimes...

D'ABORD, UN MOTEUR

Sous le capot de la XC90, on retrouve depuis l'année dernière un V8 assez solide avec ses 4,4 l de cylindrée et ses 311 chevaux de puissance. Pour rendre le moteur efficace, on a mis à la disposition du conducteur plus de 70 % du couple dès l'atteinte des 3 000 tours. Aussitôt que l'on sollicite l'accélérateur, la XC90 bondit littéralement en avant avec une sonorité, ma foi assez étonnante pour ce genre d'utilitaire.

Mais la nouveauté vient cette année du petit frère, qui a abandonné son cinq cylindres en ligne pour grossir un tantinet en cylindrée et en puissance. Ce six cylindres en ligne 3,2 litres produit 235 chevaux. Utilisé aussi sur la toute nouvelle S80, ce moteur profite d'une technologie unique et surtout d'un mode d'assemblage sophistiqué. On a réussi à éliminer une partie des courroies de transmission, et par conséquent, des

rouages d'entraînement qui s'y rattachaient. On dispose alors d'un bloc moteur très restreint, beaucoup moins lourd, qui même en ajoutant un cylindre n'additionne même pas un millimètre d'espace supplémentaire.

Notons cependant que le moteur un peu plus petit ne bénéficie pas d'autant de souplesse que le V8. Les accélérations sont moins vives, évidemment, mais on a aussi l'impression qu'il s'essouffle plus rapidement.

Tant le V8 que le 6 cylindres sont accouplés à une nouvelle boîte automatique à six rapports et à un système un peu plus perfectionné de transmission intégrale que sur les autres XC90: le «Instant AWD» censé être encore plus réactif dans la répartition de la puissance aux quatre roues grâce à une précharge du couple dans le coupleur Haldex. Il peut même reporter 50 % plus de couple sur le train arrière.

Certaines limites s'imposent cependant d'elles-mêmes au gros utilitaire de la gamme. Le châssis, conçu d'abord pour la sécurité, n'est pas tout à fait à la hauteur des performances plus sportives du moteur V8 (qui réussit tout de même un 0-100 en moins de 7,5 secondes). Les suspensions, calibrées avant tout pour le confort des passagers, absorbent avec aisance le moindre soubresaut de la route, mais ne permettent pas

---

FEU VERT

Sécurité au-delà de la moyenne
Moteur V8 puissant
Technologie BLIS
Sièges grand luxe

FEU ROUGE

Banquette arrière minuscule
Ensemble vieillissant
V6 peu agréable
Châssis mal adapté

d'apprécier autant qu'on le souhaiterait les qualités de la direction. Concrètement, en virage, la XC roule un peu sur elle-même, pas au point d'affecter le contrôle de trajectoire, mais suffisamment pour donner davantage une impression de voiture de luxe que d'utilitaire de performance.

SUÉDOIS DANS L'ÂME

En matière de confort cependant, la XC90 est indéniablement suédoise dans l'âme. Comme c'est l'habitude chez Volvo, on nous gratifie de sièges moulants jusque ce qu'il faut, apportant le support exactement selon les besoins et le poids du conducteur. Volvo réussit une fois de plus à fournir les sièges parmi les meilleurs de l'industrie.

Longue de plus de 4,8 mètres, soit quelques centimètres de plus que ses rivaux, la XC90 est proposée en déclinaisons 5 ou 7 passagers. Ses grandes mesures autorisent une habitabilité record, y compris en version 7 places même si, ici comme ailleurs, l'accès à la banquette arrière relève davantage de la contorsion que du simple geste. Et bien entendu, les dimensions des passagers devront être à l'avenant, c'est-à-dire réduites, s'ils veulent bénéficier d'un minimum de confort. Les deux sièges arrière d'appoint se replient aisément et viennent se glisser sous le plancher du coffre, dégageant ainsi un espace pour les bagages. Le dossier de la banquette arrière bascule aussi, offrant alors un volume imposant.

On ne peut parler de la XC90 sans parler de sécurité et dans cette optique, l'innovation la plus intéressante s'appelle le BLIS (système d'information sur les angles morts). À l'aide de caméras intégrées aux rétroviseurs latéraux, ce système détermine si un véhicule est dans les angles morts de la XC90. Si c'est le cas, un voyant s'allume dans le rétroviseur concerné afin d'alerter le conducteur. Le mécanisme s'est avéré d'une grande efficacité sur l'autoroute, mais n'a pu répondre avec autant d'acuité en zone urbaine. Il faut dire qu'il ne réagit qu'à des objets de la taille d'un véhicule, ce qui élimine toute détection d'un piéton, d'un cycliste ou même d'une moto...

Sécuritaire et spacieuse, la XC90 est toujours au sommet de sa forme. Mais une bonne révision pourrait lui redonner un peu du lustre qu'elle risque de perdre au détriment de ses nouveaux compétiteurs.

Marc Bouchard

Photos: Volvo

VÉHICULE D'ESSAI

Version :	V8 5 passagers
Prix de détail suggéré :	65 695 $
Emp/Lon/Lar/Haut(mm) :	2 857/4 807/1 898/1 784
Poids :	2 036 kg
Coffre/Réservoir :	1 178 à 2 403 litres/80 litres
Coussins de sécurité :	front., latéraux (av./arr.) et rideaux
Suspension avant :	indépendante, jambes de force
Suspension arrière :	indépendante, multibras
Freins av./arr. :	disque (ABS)
Antipatinage/Contrôle de stabilité :	oui/oui
Direction :	à crémaillère, assistance variable
Diamètre de braquage :	12,5 m
Pneus av./arr. :	P235/65R17
Capacité de remorquage :	2 250 kg

MOTORISATION À L'ESSAI

Pneus d'origine
MICHELIN

Moteur :	V8 de 4,4 litres 32s atmosphérique
Alésage et course :	94,0 mm x 79,5 mm
Puissance :	311 ch (232 kW) à 5 850 tr/min
Couple :	325 lb-pi (441 Nm) à 3 900 tr/min
Rapport poids/puissance :	6,55 kg/ch (8,89 kg/kW)
Système hybride :	aucun
Transmission :	intégrale, automatique 6 rapports
Accélération 0-100 km/h :	8,7 s
Reprises 80-120 km/h :	7,2 s
Freinage 100-0 km/h :	42,9 m
Vitesse maximale :	200 km/h
Consommation (100 km) :	super, 14,9 litres
Autonomie (approximative) :	537 km
Émissions de CO_2 :	6 480 kg/an

GAMME EN BREF

Échelle de prix :	50 995 $ à 67 995 $
Catégorie :	multisegment
Historique du modèle :	1ière génération
Garanties :	4 ans/80 000 km, 4 ans/80 000 km
Assemblage :	Torslanda, Suède
Autre(s) moteur(s) : 6L 3,2l 235ch/236lb-pi (14,6 l/100km)	
Autre(s) rouage(s) :	aucun
Autre(s) transmission(s) :	aucune

DANS LA MÊME CATÉGORIE

Cadillac SRX - Infiniti FX35/45 - Mercedes-Benz Classe R - Subaru Tribeca

DU NOUVEAU EN 2007

Moteur V6 refait, calandre chromée, nouvelles couleurs

NOS IMPRESSIONS

Agrément de conduite :	🚗 🚗 🚗 🚗
Fiabilité :	🚗 🚗 🚗 ½
Sécurité :	🚗 🚗 🚗 🚗 🚗
Qualités hivernales :	🚗 🚗 🚗 🚗 🚗
Espace intérieur :	🚗 🚗 🚗 ½
Confort :	🚗 🚗 🚗 🚗 ½

LE CHOIX DE L'ÉQUIPE

V8 5 passagers

CHEVROLET AVALANCHE

UNE BELLE ÉVOLUTION

L'une des plus intéressantes innovations depuis des lunes dans le créneau des camionnettes a été le Chevrolet Avalanche avec son habitacle doté d'une partie arrière escamotable permettant d'allonger la caisse de chargement. Et ce concept a été brillamment exécuté par GM, ce qui explique les succès de ce Chevrolet qui a été qualifié par plusieurs comme étant le couteau suisse des véhicules automobiles. Trop souvent, GM a proposé des solutions intéressantes pour voir celles-ci ignorées par le public en raison d'une réalisation boiteuse. Ce qui n'a pas été le cas avec l'Avalanche.

Tant et si bien que cette camionnette multiusage s'est taillé une place de choix sur le marché des utilitaires. Il est vrai que ses dimensions encombrantes ne conviennent pas nécessairement à notre marché et que les gros moteurs V8 qui la propulsent ont une consommation supérieure à celle d'une sous-compacte, mais le fait est que ce Chevrolet demeure toujours un véhicule d'exception et qui devient encore plus attrayant avec une révision complète pour 2007.

APPROCHE ÉVOLUTIVE

Cette année, les grosses camionnettes Silverado, Tahoe et Suburban sont toutes nouvelles. Nouveau châssis, nouvelle carrosserie et des groupes propulseurs améliorés et plus économiques en carburant. Ce qui est bien dans ces améliorations, c'est l'approche utilisé par les responsables de ces différents véhicules. Ceux-ci ont été l'objet d'améliorations évolutives et non d'un chambardement total. Un peu comme le font les grandes marques allemandes. C'est ainsi que le châssis a gagné en rigidité en raison de l'utilisation de poutres fermées pour toute la structure. Ceci assure non seulement une meilleure tenue de route, mais aussi une insonorisation plus poussée. D'ailleurs, la carrosserie est dotée de plusieurs couches de produits insonores afin d'améliorer cet aspect du confort. Également nouvelle est la suspension

avant avec le positionnement du ressort hélicoïdal au-dessus de l'amortisseur tandis que la direction est à crémaillère, une autre innovation sur ce modèle. À l'arrière, comme sur la première génération, des ressorts à boudin assurent un meilleur confort. Enfin, la suspension Autoride, de série sur le modèle LTZ, est un système semi-actif à deux réglages qui permet de mieux adapter la rigidité de la suspension aux conditions du moment.

Pour déplacer l'Avalanche, deux moteurs sont au programme. La version de base est dotée d'une variante de l'incontournable moteur V8 5,3 litres. En fait, ce moteur est offert en deux versions. La première est avec bloc en fonte et sa puissance est de 320 chevaux. Si vous optez pour la version à transmission intégrale, elle sera équipée d'un moteur V8 5,3 litres à bloc en aluminium dont la puissance est de 310 chevaux. Il est également possible d'opter pour un nouveau moteur V8 6,0 litres avec bloc et culasse en aluminium dont la puissance est de 366 chevaux. Ce gros V8 est doté du calage des soupapes variables en plus de la désactivation des cylindres. Tous ces moteurs sont couplés à une boîte automatique à quatre rapports. Selon le moteur choisi, il y a une boîte spécifique pour le V8 5,3 litres et une autre pour le moteur 6,0 litres en raison de son couple plus élevé. Enfin, la qualité de l'assemblage est

FEU VERT
Concept ultra pratique
Châssis plus rigide
Moteurs plus économiques
Suspension confortable
Bonne tenue de route

FEU ROUGE
Dimensions encombrantes
Consommation importante
Visibilité 3/4 arrière
Prix élevé

Version:	LT 4RM
Prix de détail suggéré:	54 995$
Emp/Lon/Lar/Haut(mm):	3 302/5 621/2 010/1 945
Longueur de caisse/Poids:	1 609 mm/2 560 kg
Coffre/Réservoir:	n.d./119 litres
Coussins de sécurité:	frontaux et rideaux
Suspension avant:	indépendante, barres de torsion
Suspension arrière:	essieu rigide, ressorts hélicoïdaux
Freins av./arr.:	disque (ABS)
Antipatinage/Contrôle de stabilité:	non/non
Direction:	à crémaillère, assistée
Diamètre de braquage:	13,2 m
Pneus av./arr.:	P265/70R17
Capacité de remorquage:	3 538 kg

CHEVROLET AVALANCHE

nettement supérieure à la version précédente. Les interstices entre les panneaux de caisse sont plus petits et la qualité des matériaux dans l'habitacle est améliorée. Les ingénieurs ont également raffiné les qualités aérodynamiques de l'Avalanche pour réduire la résistance à l'air et par conséquent la consommation.

BARRIÈRE MAGIQUE

Mais ce qui différencie l'Avalanche des autres camionnettes est sa cabine double qui peut se transformer en extension de la caisse. Appelé Magic Gate ou Barrière magique si vous acceptez cette traduction élémentaire, ce mécanisme voit la paroi arrière de la cabine s'escamoter à l'intérieur de celle-ci afin de pouvoir transporter des objets longs dans la boîte de chargement relativement courte. Bien entendu, vous perdez les places arrière dans la transformation, mais cette solution est tout de même pratique. En plus, les parois de la caisse de chargement, réalisée en résine synthétique, sont constituées de caissons de chargement. Ceux-ci sont également dotés de trous de drainage dans le but d'utiliser de la glace pour les breuvages ou tout autre produit que l'on veut tenir au frais.

Il est vrai que les dimensions de l'Avalanche sont encombrantes en ville, mais le fait demeure que cette excentrique camionnette a un comportement routier surprenant pour un tel colosse. Sur l'autoroute, il faut avoir l'indicateur de vitesse à l'œil, car il est facile de dépasser les limites tant la suspension est confortable et le moteur silencieux! En outre, l'habitacle est nettement plus convivial que précédemment. Non seulement le tableau de bord est plus moderne, mais l'ergonomie des commandes s'est grandement améliorée. Tout comme les matériaux de la cabine, et ceci inclut les tissus des sièges et le matériau utilisé pour le pavillon. Et l'ajustement des différentes pièces était meilleur sur notre modèle d'essai que sur les modèles des années antérieures.

Il est certain que le prix de l'essence fera réfléchir les acheteurs potentiels. Mais si vous devez remorquer une roulotte de 8 500 lbs – 3 855 kg – et transporter des objets longs dans la caisse, l'Avalanche mérite votre considération. En plus, ce véhicule est confortable tout en offrant un comportement routier convenable.

Denis Duquet

MOTORISATION À L'ESSAI

Moteur:	V8 de 5,3 litres 16s atmosphérique
Alésage et course:	96,0 mm x 92,0 mm
Puissance:	310 ch (231 kW) à 5 200 tr/min
Couple:	335 lb-pi (454 Nm) à 4 000 tr/min
Rapport poids/puissance:	8,26 kg/ch (11,23 kg/kW)
Système hybride:	aucun
Transmission:	4X4, automatique 4 rapports
Accélération 0-100 km/h:	9,9 s
Reprises 80-120 km/h:	8,8 s
Freinage 100-0 km/h:	46,4 m
Vitesse maximale:	180 km/h
Consommation (100 km):	essence/éthanol, 15,1 litres
Autonomie (approximative):	788 km
Émissions de CO_2:	3 817 kg/an

GAMME EN BREF

Échelle de prix:	38 750$ à 53 575$
Catégorie:	camionnette grand format
Historique du modèle:	2ième génération
Garanties:	3 ans/60 000 km, 3 ans/60 000 km
Assemblage:	Silao, Mexique
Autre(s) moteur(s):	V8 5,3l 320ch/340lb-pi (16,2 l/100km)
	V8 6,0l 355 ch/361lb-pi (17,0/100km)
Autre(s) rouage(s):	propulsion
Autre(s) transmission(s):	aucune

DANS LA MÊME CATÉGORIE

Cadillac Escalade EXT - Dodge Ram - Ford F-150

DU NOUVEAU EN 2007

Nouvelle plate-forme, nouveaux moteurs, possibilité du carburant E85

NOS IMPRESSIONS

Agrément de conduite:	🚗 🚗 🚗 🚗
Fiabilité:	nouveau modèle
Sécurité:	🚗 🚗 🚗 🚗
Qualités hivernales:	🚗 🚗 🚗 🚗
Espace intérieur:	🚗 🚗 🚗 🚗
Confort:	🚗 🚗 🚗 🚗

LE CHOIX DE L'ÉQUIPE

LS 4RM

Photos : Denis Duquet

595

INTÉRESSANTE ALTERNATIVE

Curieusement, les chiffres de ventes des camionnettes compactes ne semblent pas progresser malgré les hausses successives du prix de l'essence. D'ailleurs, face aux gros camions de la classe 1500 et plus, les petits pick-up comme le Colorado ne jouissent pas d'une grande popularité. Du reste, si ce n'était de maintenir une bonne moyenne corporative de consommation de carburant, le fameux CAFE, ils ne seraient sans doute plus sur le marché… Pourtant, cette catégorie a tout ce qu'il faut pour satisfaire les besoins de bien des gens.

Il est vrai qu'un Chevrolet Colorado ou un GMC Canyon avec une capacité de remorquage de 1 814 kg (4 000 lb) ne peut supplanter un Silverado ou un Sierra lorsque vient le temps de tracter une grosse remorque ou encore être chargé à bloc de billes de bois ou autre chargement lourd. Par contre, si vous faites partie des gens qui ont une résidence secondaire, qui font du bricolage et qui ont besoin d'un véhicule avec une boîte de chargement, un modèle compact fera certainement l'affaire : en plus d'être pratique, sa consommation de carburant est tout de même raisonnable. D'ailleurs, GM a renouvelé les offres de cette catégorie il y a deux ans, et cette fois pas de rafistolage. On ne nous a offert que des solutions contemporaines !

DU SOLIDE

Si jamais GM avait eu l'audace de nous proposer une version revue et corrigée de ses vieilles S-10 et Sonoma, il y aurait eu des émeutes chez les concessionnaires. Heureusement, la direction de la compagnie a eu la clairvoyance de dessiner un tout nouveau châssis de type échelle, dont plusieurs des éléments sont inspirés de ceux des Silverado/Sierra. L'utilisation de pièces formées par pression hydraulique permet d'obtenir un châssis plus rigide, plus léger et possédant des points de flexion à des endroits clés afin d'optimiser le confort et la tenue de route.

Comme toutes camionnettes compactes qui se respectent, notre duo propose un moteur quatre cylindres en ligne. Et il ne s'agit pas d'une version plus solide de l'Ecotec utilisée sur les voitures. Les ingénieurs ont préféré développer un moteur conçu pour une utilisation plus spécialisée, et ont tout simplement enlevé deux cylindres au moteur six cylindres en ligne de 4,2 litres initialement installé sur le capot du Trailblazer. Ce quatre cylindres de 2,9 litres produit 185 chevaux, ce qui équivaut quasiment à la puissance offerte par le vieux moteur V6 du S10. Il fallait également offrir un moteur plus puissant. La solution a été encore une fois très simple. On s'est contenté d'amputer un cylindre au même moteur six cylindres en ligne de 4,2 litres. Cette fois, ce cinq cylindres de 3,7 litres affiche une puissance de 242 chevaux. Malheureusement, il ne peut être livré avec une boîte manuelle et seule la transmission automatique à quatre rapports lui est dévolue. Par contre, le moteur quatre cylindres peut être couplé à une boîte manuelle à cinq rapports ou à l'automatique. Le rouage 4X4 se commande à l'aide d'un commutateur placé sur une bande délimitant les buses de ventilation et la radio. Cette commande est à portée de la main et permet de passer de deux roues motrices à quatre ou d'engager la démultipliée. Grâce à une garde au sol de 21,6 cm sous le carter du moteur, cette camionnette ne se débrouille pas trop mal hors sentier.

FEU VERT
Dimensions songées
Moteurs plus puissants
Châssis robuste
Cabine bien aménagée
Prix compétitif

FEU ROUGE
Direction engourdie
Suspension arrière rétive
Prix élevé version cabine 4 portes
Faible diffusion

D'autant plus que le couple des deux moteurs est plus élevé ou égal à la puissance, un atout en conduite hors route.

SOBRE ET BIEN ÉLEVÉ

Les stylistes ont adopté une politique de sagesse aussi bien pour la silhouette que pour l'habitacle. En fait, ils ont repris ni plus ni moins les thèmes visuels des grosses pointures des marques respectives. S'il faut se fier aux commentaires des gens rencontrés lors de notre essai, cette décision est positive. La même remarque s'applique au tableau de bord qui est fonctionnel avant tout. Les commandes de la climatisation sont de bonne dimension et simples d'opération, tandis que tous les cadrans indicateurs sont de consultation facile. Et l'utilisation depuis l'an dernier de tissus de meilleure qualité pour la banquette arrière de la version multiplace est à souligner. En passant, le Colorado ou le Canyon peuvent être commandés en version cabine régulière, allongée ou multiplace. Et si vous aimez le genre, il est aussi possible d'opter pour le modèle Xtreme doté d'une suspension surbaissée, de cadrans indicateurs à fond blanc et d'un système audio à faire saigner les oreilles.

La version équipée du moteur quatre cylindres s'adresse davantage aux personnes devant transporter des objets plus encombrants que lourds. Avec sa boîte de vitesses manuelle, sa consommation peut être inférieure à dix litres aux 100 kilomètres. Par contre, si vous prévoyez remorquer quelque charge que ce soit, le moteur cinq cylindres est un choix logique, d'autant plus que sa consommation est assez correcte avec une moyenne d'un peu plus de 11 litres aux 100 km. Plus nerveux, assurant de meilleures reprises, il se fera apprécier même s'il faut débourser davantage pour le prix de la transmission automatique, la seule disponible.

Las tenue de route est sans histoire tandis que la direction est assez précise pour un véhicule de cette catégorie. Par contre, la suspension arrière a tendance à faire gambader le train arrière sur mauvaise route et il faut alors contrôler ses élans. Heureusement, sur les autoroutes et autres artères principales, cette camionnette nous surprend par son confort et sa stabilité directionnelle. Dommage que sa caisse soit trop courte pour accepter un VTT ou une moto. Ce serait alors le compromis idéal.

Denis Duquet

Photos : GMC

VÉHICULE D'ESSAI

Version :	LS Cabine allongée 4RM
Prix de détail suggéré :	27 895 $
Emp/Lon/Lar/Haut(mm) :	3 198/5 260/1 472/1 640
Longueur de caisse/Poids :	1 550 mm / 1 780 kg
Coffre/Réservoir :	n.d. / 74 litres
Coussins de sécurité :	frontaux et rideaux
Suspension avant :	indépendante, barres de torsion
Suspension arrière :	essieu rigide, ressorts elliptiques
Freins av./arr. :	disque (ABS)
Antipatinage/Contrôle de stabilité :	non / non
Direction :	à crémaillère, assistée
Diamètre de braquage :	13,5 m
Pneus av./arr. :	P235/75R15
Capacité de remorquage :	1 542 kg

MOTORISATION À L'ESSAI

Moteur :	5L de 3,5 litres 20s atmosphérique
Alésage et course :	93,0 mm x 102,0 mm
Puissance :	242 ch (164 kW) à 5 600 tr/min
Couple :	242 lb-pi (305 Nm) à 2 800 tr/min
Rapport poids/puissance :	8,45 kg/ch (11,48 kg/kW)
Système hybride :	aucun
Transmission :	4X4, manuelle 5 rapports
Accélération 0-100 km/h :	8,2 s
Reprises 80-120 km/h :	7,0 s
Freinage 100-0 km/h :	41,0 m
Vitesse maximale :	185 km/h
Consommation (100 km) :	ordinaire, 11,9 litres
Autonomie (approximative) :	622 km
Émissions de CO_2 :	5 522 kg/an

GAMME EN BREF

Échelle de prix :	19 320 $ à 30 545 $
Catégorie :	camionnette intermédiaire
Historique du modèle :	1ière génération
Garanties :	3 ans/60 000 km, 3 ans/60 000 km
Assemblage :	Shreveport, Louisiane, É-U
Autre(s) moteur(s) :	4L 2,9l 185ch/195lb-pi (14,3 l/100km)
Autre(s) rouage(s) :	propulsion
Autre(s) transmission(s) :	automatique 4 rapports

DANS LA MÊME CATÉGORIE

Dodge Dakota - Ford Ranger - Mazda Série B - Nissan Frontier - Toyota Tacoma

DU NOUVEAU EN 2007

Moteurs plus puissants, indicateur de la pression des pneus, transmission révisée

NOS IMPRESSIONS

Agrément de conduite :	🚗 🚗 🚗 🚗
Fiabilité :	🚗 🚗 🚗 🚗
Sécurité :	🚗 🚗 🚗 🚗
Qualités hivernales :	🚗 🚗 🚗
Espace intérieur :	🚗 🚗 🚗
Confort :	🚗 🚗 🚗 🚗

LE CHOIX DE L'ÉQUIPE

LS Cabine allongée 4RM

CHEVROLET COLORADO / GMC CANYON

L'ANCIEN ET LE NOUVEAU

Après avoir transformé tous ses gros VUS qui partagent leur plate-forme et leur mécanique avec les Chevrolet Silverado et GMC Sierra, il était donc normal que ces deux outils de travail soient transformés à leur tour. Et une fois de plus, la direction a opté pour un processus évolutif en améliorant les éléments mécaniques, en raffinant les silhouettes et en y apportant quelques innovations techniques qui s'imposaient. Il faut souligner au passage que ces deux modèles confondus sont les plus vendus sur le marché, dépassant l'incontournable Ford F-150.

C elles et ceux qui s'attendaient à des camionnettes dont les carrosseries seraient entièrement transformées seront déçus. Par contre, les formes se sont raffinées, les calandres modifiées de manière à rendre la présentation plus moderne et plus élégante. Mais la grande transformation se situe au chapitre de la cabine alors que les tableaux de bord son entièrement transformés. Ils sont non seulement plus ergonomiques mais plus pratiques. L'un d'entre eux est similaire à ce qui est proposé sur les Chevrolet Tahoe et GMC Yukon, tandis qu'un autre est spécifique aux camionnettes et convient mieux à ce type de véhicule. Il faut de plus souligner que la qualité de la finition et des matériaux est bien meilleure qu'auparavant.

Sur le plan de la mécanique, la plate-forme a gagné en rigidité avec l'utilisation de poutres refermées. Les communiqués parlent d'une rigidité en torsion améliorée de 234 pour cent et en flexion de 62 pour cent. La suspension avant est dorénavant avec amortisseur intégré dans le ressort hélicoïdal tandis que la géométrie de la suspension arrière a été révisée. Et une amélioration qui devrait faire progresser l'agrément de conduite est l'utilisation d'une direction à crémaillère.

Comme c'était le cas avec les modèles classiques, trois types de cabines sont mis en marché tandis que cinq suspensions différentes sont au catalogue. Si les cylindrées des moteurs sont les mêmes, tous ont été modifiés afin d'offrir plus de puissance et de moins consommer. Vous avez les choix entre un moteur V6 4,3 litres de 195 chevaux, un V8 de 4,8 litres de 295 chevaux et l'incontournable V8 de 5,3 litres de 315 chevaux. Enfin, un moteur V8 6,0 litres de 375 chevaux est aussi offert. Tous ces moteurs sont couplés à la transmission Hydra-Matic à quatre rapports.

Nous n'avons pas eu l'opportunité de prendre le volant de ces nouvelles camionnettes avant d'aller sous presse. Mais s'il faut se fier aux Chevrolet Tahoe et GMC Yukon qui partagent les mêmes organes mécaniques et une plate-forme similaire, c'est prometteur. Mais puisque les modèles 2006 seront commercialisés en 2007 en tant que modèles Classiques, en voici notre évaluation.

FORT COMME UN BOEUF
La plus belle qualité du Sierra est de pouvoir tout faire et de bien le faire. Il est costaud et robuste. En plus, il est capable d'en prendre. Et la même remarque s'applique au Chevrolet Silverado. Peu

FEU VERT (2006)
Plate-forme rigide
Modèle bien équipé
Bonne insonorisation
Moteur du SS puissant

FEU ROUGE (2006)
Consommation élevée
Modèle en fin de carrière
Habitacle trop sobre
Trop d'éléments en plastique

importe qu'il s'agisse d'un chemin boueux ou enneigé, on a droit à une traction exemplaire et ce n'est pas la puissance qui manque, du moins si on roule à bord d'un modèle pourvu du moteur V8 de 5,3 litres. Les cylindrées inférieures, comme le V8 de 4,3 litres et le V8 de 4,6 litres, nous offrent des accélérations nettement plus anémiques et il en est de même pour les reprises. Pour ce qui est du moteur 6 cylindres, je le trouve mal adapté et vraiment pas puissant. À long terme, il est plus pratique et aussi plus économique de choisir un V8, sinon vous trouverez le temps long. Et si vous faites partie du club des gens pour qui le moteur n'est jamais assez puissant, allez-y avec le Silverado SS qui est équipé du Vortec MAX V8 qui loge 345 équidés sous le capot. Vous aurez alors droit à des accélérations très dynamiques ainsi qu'un son tout simplement mélodique.

COMPORTEMENT RASSURANT

J'ai été agréablement surpris de sa très bonne tenue de route, autant sur les voies secondaires en gravier que sur le bitume. Dans les courbes, le véhicule est stable et l'on peut y aller d'une bonne cadence de conduite. L'insonorisation est également à souligner. Tout se passe en silence, même lorsqu'il vente fort. La caisse arrière de 6 pieds ne fait pas tressauter le véhicule lorsqu'on passe sur des bosses, comme d'autres camionnettes.

Comme toute camionnette ayant une capacité de 1/2 tonne et plus, les amortisseurs sont calibrés de façon à pouvoir bien réagir avec un poids dans la caisse. Par contre, lorsque la boîte est vide et qu'on passe sur une bosse, on a l'impression de se retrouver sur une mer agitée. Les amortisseurs rebondissent très rapidement, car ils sont peu chargés et on a alors droit à une ruade du train arrière qui nous pousse à relâcher l'accélérateur. Il arrive aussi parfois que le train arrière chasse d'un côté ou de l'autre si on y va avec trop d'insistance sur une route accidentée. Pour ceux qui transportent des motos ou des VTT, la boîte de 6 pieds offre assez de place, par contre si vous installez des rampes pour monter votre VTT, le degré d'inclinaison des rampes de 6 pieds rend la manœuvre plus périlleuse. Je vous recommande donc une caisse de 8 pieds qui pourra accepter des rampes plus longues.

Ce véhicule n'est jamais pris au dépourvu quand vient le moment d'effectuer des travaux d'envergure, tout en permettant de rouler avec confort et assurance. La conduite est sans histoire hiver comme été.

Robert Jetté

Photos : GMC

VÉHICULE D'ESSAI
DONNÉES 2006

OnStar® de GM Canada

Version :	1500 SLE cabine régulière, boîte longue
Prix de détail suggéré :	33 635 $ (2006)
Emp/Lon/Lar/Haut(mm) :	3 378/5 636/1 994/1 872
Longueur de caisse/Poids :	2 479 mm/2 102 kg
Coffre/Réservoir :	n.d./129 litres
Coussins de sécurité :	frontaux et latéraux (av.)
Suspension avant :	indépendante, barres de torsion
Suspension arrière :	essieu rigide, ressorts elliptiques
Freins av./arr. :	disque/tambour (ABS)
Antipatinage/Contrôle de stabilité :	oui/non
Direction :	à crémaillère, assistée
Diamètre de braquage :	14,4 m
Pneus av./arr. :	P265/70R17
Capacité de remorquage :	2 500 kg

MOTORISATION À L'ESSAI

Moteur :	V8 de 4,8 litres 16s atmosphérique
Alésage et course :	96,0 mm x 83,0 mm
Puissance :	285 ch (213 kW) à 5 200 tr/min
Couple :	295 lb-pi (400 Nm) à 4 000 tr/min
Rapport poids/puissance :	7,38 kg/ch (10,01 kg/kW)
Système hybride :	aucun
Transmission :	4X4, automatique 4 rapports
Accélération 0-100 km/h :	9,0 s
Reprises 80-120 km/h :	6,6 s
Freinage 100-0 km/h :	40,7 m
Vitesse maximale :	175 km/h
Consommation (100 km) :	ordinaire, 11,3 litres
Autonomie (approximative) :	1 142 km
Émissions de CO2 :	6 754 kg/an

GAMME EN BREF

Échelle de prix :	19 150 $ à 55 265 $ (2006)
Catégorie :	camionnette grand format
Historique du modèle :	1ière génération
Garanties :	3 ans/60 000 km, 3 ans/60 000 km
Assemblage :	Oshawa, Ontario, Canada
Autre(s) moteur(s) :	V8 5,3l 295ch/335lb-pi (16,3 l/100km)
	V6 4,3l 195ch/260lb-pi
	V8 6l 300ch/360lb-pi
	V8 6l 345ch/380lb-pi (0,0 l/100km) Denali et Silverado SS
Autre(s) rouage(s) :	propulsion
Autre(s) transmission(s) :	manuelle 5 rapports

DANS LA MÊME CATÉGORIE
Dodge Ram - Ford F-150 - Nissan Titan - Toyota Tundra

DU NOUVEAU EN 2007
Pas de changement majeur,
Nouveau modèle commercialisé en cours d'année

NOS IMPRESSIONS

Agrément de conduite :	🚗 🚗 🚗
Fiabilité :	🚗 🚗 🚗 🚗
Sécurité :	🚗 🚗 🚗 🚗
Qualités hivernales :	🚗 🚗 🚗 ½
Espace intérieur :	🚗 🚗 🚗 🚗
Confort :	🚗 🚗 🚗 ½

LE CHOIX DE L'ÉQUIPE
Base

599

UNE ANNÉE DE CONSOLIDATION

La direction de la division Dodge ne se gêne pas pour souligner que le Dakota est la plus grosse camionnette de la catégorie. Il est presque embarrassant d'affirmer une telle chose étant donné que les gens sont plus sensibles de nos jours à la consommation de carburant et qu'une grosse camionnette consomme nécessairement plus qu'une plus petite. Mais par contre, puisque le Dakota intéresse une clientèle commerciale, celle-ci peut également considérer qu'une camionnette de cette catégorie peut souvent remplacer un pick-up de la catégorie 1500.

E t c'est sans doute cette approche qui prévaut. Il faut expliquer ce raisonnement par le fait que le marché principal pour ces produits se situe aux États-Unis où les camionnettes compactes sont surtout utilisées par les jeunes ou pour un usage familial. Lorsque vient le temps de travailler, un format au moins aussi gros que celui du Dakota est considéré comme un atout. Non seulement en raison de la capacité de chargement de la caisse, mais aussi pour le confort de la cabine puisque le Dakota est également utilisé comme substitut du Ram par certaines familles.

DEUX MOTEURS V8
Compte tenu de la clientèle visée, il est plus que normal de constater que cette intermédiaire possède deux moteurs V8. Pour être plus précis, il s'agit du même moteur V8 de 4,7 litres, mais offert en version ordinaire ou "HO" à haut rendement. Tandis que le premier produit 230 chevaux et 290 lb-pi de couple, le second propose 30 chevaux de plus et son couple est également plus important. Ce qui permet d'avoir une capacité de remorquage de 7 150 lb (3 250 kg), le rendant ainsi le plus puissant de sa catégorie. Et en plus, l'espace entre les deux passages de roue dans la boîte est plus large de 5 pouces par rapport à la concurrence. Et il ne faut pas

ignorer cette innovation pour 2007 : le panneau de fermeture de la boîte peut être réglé en deux positions.

Donc, si vous aimez les grands formats ou si vos besoins l'exigent, le caractère «plus, plus» de cette camionnette vous séduira. Il faut également souligner que ce moteur V8 est dorénavant en mesure d'accepter le carburant E-85 sur les modèles 2007 spécialement modifiés pour brûler ce carburant 85 pour cent Éthanol - 15 pour cent essence

Par contre, si vous appréciez la silhouette ou le choix de cabines, mais que vous n'avez pas besoin d'un moteur V8, il est possible de choisir le moteur V6 3,7 litres d'une puissance de 210 chevaux. Il peut même être couplé à une boîte de vitesses manuelle à six rapports. Celle-ci permet de réduire la facture de carburant, mais les rapports sont espacés et la course du levier quelque peu saccadée. Il faut ajouter que ce moteur est maintenant doté d'un accélérateur à commande électronique et son système antipollution est plus efficace. En outre, un démarreur à distance fait son apparition au catalogue des options. Et si plusieurs spécialistes dénoncent cet accessoire, la division Dodge le présente comme un accessoire de sécurité au même titre que les rideaux de sécurité latéraux.

FEU VERT
Suspension confortable
Moteur V8 disponible
Cabine quatre portes
Multiples modèles
Finition correcte

FEU ROUGE
Version cabine allongée moins confortable
Direction engourdie
Pneumatiques moyens
Silhouette à revoir

CHANGEMENTS MINEURS

Si la mécanique n'a guère changé, il en est de même pour la silhouette, la présentation de la cabine et le comportement routier. Comme toute camionnette qui se respecte, le Dakota est offert dans une multitude de configurations mécaniques et de cabines. Il faut se souvenir que c'est Dodge qui a été la première marque à proposer le Quad Cab dans cette catégorie. Avec ses quatre vraies portières, cette camionnette était une alternative on ne peut plus intéressante aux mastodontes quatre portes des versions des catégories 2500/3500.

Puisque les dimensions du Dakota ont augmenté lors de sa refonte il y a deux ans, l'habitacle du Quad Cab en a profité. De plus, l'angle du dossier arrière a été révisé afin d'améliorer le confort des occupants. Et soulignons au passage que le tissu des sièges YES Essentials est antitache, antistatique et sans odeur. Il est de série sur le modèle SLT et optionnel sur le ST. Comme le veut la tendance, le système audio comprend une fiche permettant d'y brancher un lecteur MP3 ou tout autre accessoire du genre. Il faut par ailleurs mentionner que les places arrière du Club Cab sont beaucoup moins confortables et relativement difficiles d'accès. Elles servent à dépanner sans plus.

Malgré son châssis utilisant des pièces formées par pression hydraulique qui permettent de mieux agencer la rigidité de celles-ci aux points importants, la tenue de route est toujours tributaire de cet essieu arrière rigide maintenu sur la route par des ressorts elliptiques. Une configuration qui permet de charger beaucoup et de tracter une remorque sans trop de louvoiement. Par contre, lorsque la caisse n'est pas chargée et que la route est bosselée, le train arrière est parfois rétif, comme sur la plupart des camionnettes. Pour le reste, la tenue de route est dans la bonne moyenne, tout comme le freinage. Soulignons en terminant que la finition est toujours en progrès et que le tableau de bord est sobre mais ne manque pas d'élégance.

Denis Duquet

Photos : Denis Duquet

VÉHICULE D'ESSAI

Version :	ST Club cab 4X2
Prix de détail suggéré :	29 995 $
Emp/Lon/Lar/Haut (mm) :	3 335/5 558/1 887/1 742
Longueur de caisse/Poids :	1 625 mm/1 933 kg
Coffre/Réservoir :	n.d. / 83 litres
Coussins de sécurité :	frontaux, latéraux (av.) et rideaux
Suspension avant :	indépendante, bras inégaux
Suspension arrière :	demi-ind., poutre déformante
Freins av./arr. :	disque/tambour (ABS)
Antipatinage/Contrôle de stabilité :	non/non
Direction :	à crémaillère, assistée
Diamètre de braquage :	13,4 m
Pneus av./arr. :	P265/70R16
Capacité de remorquage :	1 497 kg

MOTORISATION À L'ESSAI

Moteur :	V6 de 3,7 litres 16s atmosphérique
Alésage et course :	93,0 mm x 90,8 mm
Puissance :	210 ch (157 kW) à 5 200 tr/min
Couple :	235 lb-pi (319 Nm) à 3 600 tr/min
Rapport poids/puissance :	9,69 kg/ch (13,13 kg/kW)
Système hybride :	aucun
Transmission :	propulsion, manuelle 6 rapports
Accélération 0-100 km/h :	10,3 s
Reprises 80-120 km/h :	9,4 s (4e)
Freinage 100-0 km/h :	42,9 m
Vitesse maximale :	190 km/h
Consommation (100 km) :	ordinaire, 11,9 litres
Autonomie (approximative) :	697 km
Émissions de CO2 :	5 760 kg/an

GAMME EN BREF

Échelle de prix :	23 510 $ à 39 995 $
Catégorie :	camionnette intermédiaire
Historique du modèle :	2ième génération
Garanties :	3 ans/60 000 km, 7 ans/115 000 km
Assemblage :	Warren, Michigan, É-U
Autre(s) moteur(s) :	V8 4,7l 230ch/290lb-pi (13,9 l/100km)
	V8 4,7l 260ch/310lb-pi (16,0 l/100km)
Autre(s) rouage(s) :	4X4
Autre(s) transmission(s) :	automatique 4 rapports /
	automatique 5 rapports

DANS LA MÊME CATÉGORIE

Ford Explorer Sport Trac - Nissan Frontier - Toyota Tacoma

DU NOUVEAU EN 2007

Nouveau battant arrière, démarreur à distance optionnel, nouveau tissus des sièges

NOS IMPRESSIONS

Agrément de conduite :	🚗🚗🚗🚗
Fiabilité :	🚗🚗🚗🚗
Sécurité :	🚗🚗🚗🚗
Qualités hivernales :	🚗🚗🚗
Espace intérieur :	🚗🚗🚗🚗
Confort :	🚗🚗🚗🚗

LE CHOIX DE L'ÉQUIPE

R/T

L'EMBARRAS DU CHOIX

La gamme du Dodge Ram permet de combler tous les besoins des consommateurs, que ce soit en fait de puissance de moteurs, de grandeur de cabine ou encore de vitesse de pointe. En effet, avant de l'oublier, il faut souligner qu'il n'est plus possible de commander le modèle SRT-10. Avec son moteur V10 de 8,3 litres, cette camionnette etait la plus rapide sur le marché. Pour compenser, Dodge se pique de nous proposer le plus gros camion sur le marché avec son modèle Mega Cab dont la cabine est encore plus longue que celle du Quad Cab.

En restant dans le domaine des grosses pointures, le réputé moteur turbodiesel Cummins de 5,9 litres sera éventuellement remplacé par un moteur plus gros et plus puissant. En effet, à partir de janvier 2007, il fera place à un nouveau moteur turbodiesel d'une cylindrée de 6,7 litres. Sa puissance est de 350 chevaux tandis que son couple est de 610 lb-pi de couple, de quoi tracter ce qui se fait de plus gros comme roulotte. Ce nouveau groupe propulseur est couplé à une boîte de vitesses automatique à six rapports. Je suis certain que la combinaison du Mega Cab avec ce gros moteur diesel représente la solution idéale pour plusieurs propriétaires de remorque.

LA NORMALE ?

Délaissons, si vous voulez bien, ces mastodontes appelés à répondre à des besoins relativement spécifiques pour nous concentrer sur la catégorie 1500, la plus populaire et la mieux équilibrée du lot. Contrairement aux versions 2500 et 3500 essentiellement conçues pour les travaux lourds, la catégorie 1500 permet de concilier famille et travail. D'ailleurs, plusieurs bricoleurs en ont fait leur véhicule de base soit pour transporter des pièces de bois, des produits de jardinage ou encore des matériaux de construction pour l'érection d'une résidence secondaire. Il faut ajouter à cette liste les

propriétaires de motoneige, de VTT ou de motocyclette qui utilisent la caisse pour déplacer leur véhicule récréatif.

Ce qui explique également le fait que l'intérieur de la cabine ressemble davantage à celui d'une auto. Si par le passé l'habitacle d'une camionnette Ram était austère par rapport à la concurrence, les choses ont changé depuis l'an dernier. Le tableau de bord est devenu nettement plus élégant avec des appliques en bois, une révision des commandes, et l'utilisation d'un plastique de meilleure qualité. Les sièges sont aussi plus confortables depuis 2006, tandis que l'accoudoir central demeure toujours aussi polyvalent. Les occupants des places arrière bénéficient également d'un confort accru en raison d'une banquette mieux rembourrée et de l'inclinaison du dossier. Comme sur le Dakota, les sièges sont en tissu « Yes Essentials » : antitache, antistatique et sans odeur. Ces deux camionnettes sont aussi pourvues d'un système qui permet d'utiliser les accessoires, notamment la radio, même lorsque le moteur a été coupé. Et elles proposent aussi le démarrage à distance.

MOTEUR À LA CARTE !

Le catalogue de commandes d'une camionnette est toujours très volumineux en raison du nombre de moteurs offerts ainsi que les

---

FEU VERT
Choix de modèles
Moteur HEMI modulaire
Sièges confortables
Cabine multiplace
Suspension arrière confortable

FEU ROUGE
Moteurs V8 gourmands
Version Mega Cab
Conduite urbaine déconseillée
V6 d'utilisation limitée

VÉHICULE D'ESSAI

Version :	1500 SLT Cabine régulière 4X2
Prix de détail suggéré :	35 995 $
Emp/Lon/Lar/Haut (mm) :	3 569/5 784/2 019/1 880
Longueur de caisse/Poids :	1 905 mm/2 142 kg
Coffre/Réservoir :	n.d./132 litres
Coussins de sécurité :	frontaux et rideaux
Suspension avant :	indépendante, bras inégaux
Suspension arrière :	essieu rigide, ressorts elliptiques
Freins av./arr. :	disque (ABS)
Antipatinage/Contrôle de stabilité :	non/non
Direction :	à crémaillère, assistée
Diamètre de braquage :	13,9 m
Pneus av./arr. :	P245/70R17
Capacité de remorquage :	3 016 kg

transmissions, les rapports de pont, les longueurs de caisse et j'en passe. Pour simplifier les choses, sachez que le moteur le plus utilisé est le V8 de 4,7 litres d'une puissance de 235 chevaux. Cette année, ce moteur est proposé en version E-85 lui permettant d'utiliser le carburant du même nom constitué de 85 pour cent d'éthanol et de 15 pour cent d'essence. Un autre choix intéressant est le moteur V6 3,7 litres produisant 215 chevaux. C'est presque l'équivalent de la puissance du V8, mais son couple est inférieur et se prête donc moins aux gros travaux.

Pour ceux-ci, il y a l'incontournable moteur HEMI. Ce V8 de 5,7 litres de 345 chevaux est capable d'en prendre tout en assurant des performances intéressantes. De plus, il possède un mécanisme de désactivation des cylindres qui permet de rouler avec un moteur quatre cylindres quand la charge du moteur est plus faible, comme sur l'autoroute par exemple. Mais peu importe le moteur, le comportement routier demeure sensiblement le même. En premier, il faut souligner que les dimensions plus que généreuses du Ram rendent sa conduite en ville plutôt délicate, surtout lorsque vient le temps de trouver un stationnement. D'autre part, la consommation élevée des gros moteurs V8 dans la circulation fait réfléchir. Malgré tout, la tenue de route de ces camions est relativement bonne pour autant qu'on en respecte les limites de leur conception. Leur empattement long, une suspension arrière moins sautillante que la moyenne et une direction d'une surprenante précision pour la catégorie permettent de ne pas trop s'ennuyer à son volant. Et même si ce choix n'est sans doute pas politiquement correct, le moteur HEMI en a sous la pédale avec des réactions instantanées ou presque. Heureusement qu'un système de stabilité latérale est dorénavant au catalogue !

Robuste outil de travail, confortable camionnette pour remorque, véhicule secondaire pour la famille, le Dodge Ram est capable d'accomplir ces tâches sans problème. Et si vos besoins sont hors-norme, il y a toujours le Mega Cab et son nouveau moteur Cummins Turbo diesel capable de déplacer les montagnes si besoin est.

Denis Duquet

MOTORISATION À L'ESSAI

Moteur :	V8 de 4,7 litres 16s atmosphérique
Alésage et course :	93,0 mm x 86,5 mm
Puissance :	235 ch (175 kW) à 4 800 tr/min
Couple :	300 lb-pi (407 Nm) à 3 200 tr/min
Rapport poids/puissance :	9,4 kg/ch (12,77 kg/kW)
Système hybride :	aucun
Transmission :	propulsion, automatique 5 rapports
Accélération 0-100 km/h :	9,0 s
Reprises 80-120 km/h :	6,8 s
Freinage 100-0 km/h :	42,4 m
Vitesse maximale :	180 km/h
Consommation (100 km) :	ordinaire, 13,4 litres
Autonomie (approximative) :	985 km
Émissions de CO2 :	7 075 kg/an

GAMME EN BREF

Échelle de prix :	24 395 $ à 43 045 $
Catégorie :	camionnette grand format
Historique du modèle :	2ième génération
Garanties :	3 ans/60 000 km, 7 ans/115 000 km
Assemblage :	Mexique, St-Louis MO et Warren MI,
Autre(s) moteur(s) :	V6 3,7l 215ch/235lb-pi
	V8 5,7l 345ch/375lb-pi (16,0 l/100km) HEMI
	V8 4,7l 235ch/295lb-pi (26,7 l/100km) E-85
Autre(s) rouage(s) :	4X4
Autre(s) transmission(s) :	CVT / manuelle 6 rapports

DANS LA MÊME CATÉGORIE

Chevrolet Silverado - Ford F-150 - GMC Sierra - Nissan Titan - Toyota Tundra

DU NOUVEAU EN 2007

Nouveau tissus des sièges, moteur V8 4,7 litres compatible E-85, démarreur à distance optionnel

NOS IMPRESSIONS

Agrément de conduite :	🚗🚗🚗🚗
Fiabilité :	🚗🚗🚗🚗
Sécurité :	🚗🚗🚗½
Qualités hivernales :	🚗🚗🚗
Espace intérieur :	🚗🚗🚗½
Confort :	🚗🚗🚗🚗

LE CHOIX DE L'ÉQUIPE

1500 SLT Quad Cab 4X4 HEMI

Photos : Denis Duquet

SENS PRATIQUE

Il faut souligner le fait que la compagnie Ford a été l'une des premières sur notre marché à proposer une camionnette double usage capable de remplir les fonctions de camion et de VUS tout en offrant un confort acceptable à ses occupants. Mais le temps d'une réforme était venu puisque ce véhicule avait été développé à partir de l'ancien Ford Explorer deux portes, ce qui n'était pas une référence. Mais contrairement aux attentes, le résultat est plus pratique qu'excitant.

Il faut savoir que les stylistes de Ford nous avaient mis l'eau à la bouche en dévoilant l'Adrenalin, un véhicule concept sexy à mort qui était fort prometteur. D'autant plus que les gens des relations publiques venaient nous voir avec un sourire en coin et nous glissaient à l'oreille : « C'est le prochain Sport Trac ! ». Je ne m'attendais pas à voir cette version arriver sur notre marché sous cette forme, mais j'aurais au moins aimé quelques changements plus intéressants que d'avoir repris la grille de calandre de l'Explorer et le tableau de bord. En fait, toute la partie avant du véhicule, et cela inclut les portières avant, est empruntée à l'Explorer. Mais compte tenu des difficultés financières que connaissait Ford pendant le développement du Sport Trac, il est facile d'expliquer la situation.

DE BONNES NOUVELLES QUAND MÊME

Ce n'est pas parce que le style n'a pas trop changé qu'un véhicule n'a pas évolué. En fait, dans le cas du Sport Trac, c'est tout le contraire puisque la mécanique a complètement changé. Le châssis est entièrement nouveau et il est adapté de celui du camion F-150, et les poutres transversales de ce cadre sont censées avoir amélioré la rigidité latérale de 444 pour cent. Je dois avouer que ce chiffre m'intrigue… Cela veut pratiquement dire que la version précédente avait la même rigidité

qu'une nouille. Ces chiffres sont d'autant plus remarquables que l'empattement a été allongé de 42,6 cm par rapport à l'ancien Explorer. Aussi, l'essieu rigide a été remplacé par une suspension arrière indépendante. Des amortisseurs monotubes ont été spécialement développés afin d'améliorer le niveau de confort et d'assurer un meilleur comportement routier.

En plus, le Sport Trac peut être commandé avec un nouveau moteur V8 de 4,6 litres doté de trois soupapes par cylindres et produisant 292 chevaux. Je suis persuadé que certains d'entre vous ont déjà haussé les épaules en songeant à la consommation de carburant de ce moteur V8. Pourtant, cette fois, la consommation de carburant est apparue plus que raisonnable compte tenu de la catégorie. La consommation observée lors de notre essai a été de 14,6 litres aux 100 km. Il est certain que la présence d'une boîte automatique à six rapports doit contribuer à ces cotes de consommation quand même intéressantes pour une camionnette 4X4 à moteur V8.

Bien entendu, ce modèle est de nouveau offert avec un moteur V6. Couplé à une boîte automatique à cinq rapports, ce moteur V6 de 4,0 litres pollue moins que précédemment tout en ayant la même

FEU VERT
Plate-forme rigide
Moteur V8
Habitacle moderne
Places arrière correctes
Caisse polyvalente

FEU ROUGE
Silhouette trop semblable à la version précédente
Suspension arrière ferme
Couvercle de caisse lourd
Agrément de conduite mitigé

consommation, même si ce véhicule est maintenant plus long de 10 cm et plus large de 2 cm. Enfin, des freins à disque aux quatre roues viennent compléter une fiche technique tout de même assez moderne.

TOUJOURS UN CAMION

Si ces nouveaux éléments techniques passablement sophistiqués et la silhouette plutôt réussie permettent d'espérer que le qualificatif «Sport» s'applique vraiment, je suis déçu de vous apprendre que ce véhicule demeure une camionnette. C'est mieux que précédemment, mais il suffit de tenter de s'éclater sur une route quelque peu sinueuse pour se rendre compte qu'il s'agit d'un véhicule plus utilitaire que sportif. D'ailleurs, la caisse arrière en composite n'est pas de nature décorative, elle est pratique et convient parfaitement à la vocation première de ce Ford. Il faut préciser au passage que cette boîte a été révisée et comprend trois coffres intégrés permettant de ranger les objets sur deux niveaux. Il est possible de commander en option un couvercle divisé en deux parties afin de protéger le contenu des intempéries. À mon avis, ce choix n'est pas une option mais une nécessité même si, comme précédemment, ces panneaux sont lourds et difficiles à manipuler.

L'habitacle est de bonne facture même si les plastiques sont archidurs. Le tableau de bord est similaire ça celui du F-150 et il est difficile de trouver à redire. Le levier de vitesse est le même que celui de la grosse camionnette et son pommeau cylindrique plaira à la majorité. Enfin, les sièges avant offrent un bon support tandis que la banquette arrière avec dossier rabattable 70/30 est moyennement confortable. Précisons que notre modèle d'essai était équipé d'un marchepied pas tellement pratique, mais qui réussit à salir vos jambes ou votre pantalon chaque fois que vous descendez du véhicule.

Le moteur V8 est silencieux et performant et la boîte automatique à six rapports est bien étagée et efficace. À souligner, la capacité de remorquage de 3 085 kg avec le moteur V8 et de 2 408 avec les versions à moteur V6. Sur la route, le comportement routier est correct et la rigidité accrue de la caisse contribue au confort. Malgré tout, ce véhicule est doté d'une suspension relativement ferme en raison de son utilisation anticipée, soit avec une caisse chargée. Le Sport Trac n'a pas cet agrément de conduite que procure le Honda Ridgeline, mais c'est le jour et la nuit par rapport à la génération précédente.

Denis Duquet

VÉHICULE D'ESSAI

Version :	Limited V8 4x4
Prix de détail suggéré :	39 895 $
Emp/Lon/Lar/Haut(mm) :	3 315/5 339/1 872/1 841
Longueur de caisse/Poids :	1 260 mm/2 174 kg
Coffre/Réservoir :	n.d./n.d.
Coussins de sécurité :	frontaux, latéraux et rideaux
Suspension avant :	indépendante, bras inégaux
Suspension arrière :	essieu rigide, ressorts elliptiques
Freins av./arr. :	disque (ABS)
Antipatinage/Contrôle de stabilité :	non/oui
Direction :	à crémaillère, assistée
Diamètre de braquage :	12,5 m
Pneus av./arr. :	P235/70R16
Capacité de remorquage :	3 011 kg

MOTORISATION À L'ESSAI

Pneus d'origine
MICHELIN

Moteur :	V8 de 4,6 litres 24s atmosphérique
Alésage et course :	90,2 mm x 90,0 mm
Puissance :	292 ch (218 kW) à 5 750 tr/min
Couple :	300 lb-pi (407 Nm) à 3 950 tr/min
Rapport poids/puissance :	7,45 kg/ch (10,11 kg/kW)
Système hybride :	aucun
Transmission :	4X4, automatique 6 rapports
Accélération 0-100 km/h :	7,8 s
Reprises 80-120 km/h :	6,6 s
Freinage 100-0 km/h :	40,2 m
Vitesse maximale :	190 km/h
Consommation (100 km) :	ordinaire, 15,6 litres
Autonomie (approximative) :	n.d.
Émissions de CO2 :	6 360 kg/an

GAMME EN BREF

Échelle de prix :	30 599 $ à 39 599 $
Catégorie :	camionnette intermédiaire
Historique du modèle :	2ième génération
Garanties :	3 ans/60 000 km, 5 ans/100 000 km
Assemblage :	Louisville, KY et St-Louis, MI, É-U
Autre(s) moteur(s) :	V6 4l 210ch/254lb-pi (13,6 l/100km)
Autre(s) rouage(s) :	aucun
Autre(s) transmission(s) :	aucune

DANS LA MÊME CATÉGORIE

Dodge Dakota - Nissan Frontier - Toyota Tacoma - Chevrolet Colorado

DU NOUVEAU EN 2007

Nouveau modèle

NOS IMPRESSIONS

Agrément de conduite :	🚗 🚗 🚗
Fiabilité :	nouveau modèle
Sécurité :	🚗 🚗 🚗 🚗
Qualités hivernales :	🚗 🚗 🚗 🚗 ½
Espace intérieur :	🚗 🚗 🚗 🚗
Confort :	🚗 🚗 🚗 ½

LE CHOIX DE L'ÉQUIPE

XLT 4,6 4X4

UN MACHO QUI S'ASSUME

Ces temps-ci, on ne peut pas dire que General Motors et Ford ont de quoi pavoiser. Chez Ford, par exemple, on peut dire sans trop se tromper que si les Mustang et F-150 n'avaient pas été là, l'entreprise à l'ovale bleu aurait sombré depuis longtemps. Au moins, chez Ford, on s'y connaît en pick-up. On peut même dire qu'on est les meilleurs ! Ce n'est donc pas pour rien que le F-150 et sa contrepartie luxueuse le Lincoln Mark LT, affichent toujours de si bons chiffres de vente. Et pour une fois, Ford se maintient au-devant de Dodge et Chevrolet, les ennemis jurés.

Si vous prévoyez choisir un F-150 chez un concessionnaire, allouez-vous quelques heures juste pour éplucher le catalogue des options et, surtout, des différentes versions sur le marché. Sur le site de Ford, j'ai compté, très rapidement, pas moins de 54 versions différentes (cabine ordinaire, cabine allongée, cabine double, côtés arrière de type Styleside ou Flareside, empattement allongé ou ordinaire, propulsion ou 4x4... Sans oublier les six longueurs différentes de boîte, pas nécessairement disponibles avec tous les styles de cabine ! Ouf...)

Trois moteurs sont proposés. On retrouve d'abord un V6 de 4,2 litres de 202 chevaux et 260 livres-pied de couple. Pour un peu plus de pep sous le pied droit ou pour des travaux plus virils, le V8 de 4,6 litres de 231 chevaux et 293 livres-pied de couple est tout indiqué. Et pour les gros travaux ou les lourdes charges à remorquer, il y a un deuxième V8, de 5,4 litres cette fois, qui développe pas moins de 300 chevaux et 365 livres-pied de couple. Lorsqu'équipé en conséquence, ce moteur peut tirer une remorque de 8 700 livres (3 946 kg), ce qui n'est pas rien ! Et si ça vous en prend plus, Ford commercialise aussi des F-250, 350, 450 et 550. Mais rendu à ce stade, vous ne vous servirez plus de votre véhicule pour une petite soirée romantique au centre-ville...

HABITACLE IMPRESSIONNANT

Car, voyez-vous, la majorité des gens qui se procure une camionnette grand format désire surtout faire de l'épate et déménager les copains quelques fois par année ou ressentir cette impression de sécurité propre aux mastodontes. Malgré ses dimensions généreuses (pour être poli), le F-150 ne donne pas l'impression d'être aussi imposant sur la route. Certes, il faut lever la patte assez haut pour monter à bord, mais les marchepieds chromés, une option de 205 $, garantissent un accès plus facile. Une fois perché dans l'habitacle, on comprend pourquoi le F-150 demeure le leader de sa catégorie. Le tableau de bord est esthétique et pratique et toutes les commandes tombent sous la main, sauf, peut-être celles placées à droite de la radio (à la sonorité très satisfaisante) et à droite du module de chauffage et le rétroviseur intérieur qui demande une perche de douze pieds au bout du bras droit pour être manipulé. Les sièges avant se révèlent confortables mais leur assise gagnerait à être plus longue. Ceux situés à l'arrière de la cabine double laissent un très bel espace pour les jambes. Le dégagement pour la tête est correct mais les grands 6' risquent de le trouver un peu juste. Notre véhicule d'essai était doté de l'ensemble King Ranch qui fait fureur dans le sud des États-Unis mais qui m'a laissé un peu froid. On ne peut passer sous silence le silence de l'habitacle, même lors de vives accélérations.

FEU VERT
Valeur de revente exceptionnelle
Moteurs bien adaptés
Gamme très complète
Habitacle impressionnant

FEU ROUGE
Aucun antirouille d'usine
Consommation du 5,4 litres désolante
Aucunement sportif
Rayon de braquage immense
Dimensions intimidantes

L'habitacle c'est bien beau, mais ce qui fait qu'un pick-up est un pick-up, c'est la boîte de chargement. Celle du F-150 peut mesurer 126'', 133'', 139'', 145'', 150'' ou 163'' selon le modèle de cabine et la motorisation choisis. Comme c'est devenu la mode, le fond et les côtés de cette boîte sont recouverts d'un PVC résistant. Des crochets d'arrimage sont prévus dans les côtés et il n'est pas besoin de s'égratigner les doigts pour y accéder. La porte à benne, grâce à une barre de torsion, s'ouvre et se ferme assez facilement et peut être verrouillée.

Pour ce qui est du moteur, le V6 offert depuis l'année dernière vient combler une lacune dans la gamme. Ce moteur possède suffisamment de couple et il est possible de le marier à une transmission manuelle à cinq rapports. La plupart des gens préféreront le V8 de 4,6 litres, un compromis idéal entre performances, capacités de travail et consommation. Le 5,4 litres ne se montre vraiment utile que pour les personnes désirant tirer une lourde remorque ou désireux de dépenser leur argent aux pompes à essence... Entre les branches, la rumeur dit qu'un 6,2 litres de 350 chevaux serait en préparation.

Ce qui fait la popularité des camionnettes actuelles, c'est qu'elles se conduisent comme des automobiles et le F-150 ne fait pas exception. Il faut cependant nuancer. Quand on dit automobile, on ne veut pas dire Corvette... Lorsqu'on pousse un peu la machine, on se rend compte que la sportivité est à peu près nulle. Les sièges n'offrent pas un soutien latéral suffisant et le volant de notre véhicule d'essai était recouvert d'un cuir glissant. Quant à la direction, elle se montre plutôt floue. La suspension arrière, dont les amortisseurs ont été installés le plus loin possible du centre, ne sautille pas trop sur mauvaises routes.

POUR TIRER SA *FIFTH WHEEL* AVEC CLASSE

Le Lincoln Mark LT est, en fait, un F-150 plus luxueux. Désormais vendu en version 4x4 seulement, il compte sur le 5,4 litres pour se déplacer. Encore plus silencieux et prestigieux que son «petit» frère, il a le même rayon de braquage, digne d'une locomotive tirant vingt-deux wagons.

Le F-150 et le Mark LT ne sont pas prêts de laisser leur trône. Si Ford semble toujours un peu perdu dans le domaine de l'automobile, n'ayez crainte, ils connaissent ça, les *trucks*!

Alain Morin

Photos : Allain Morin

FORD F-150 / LINCOLN MARK LT

VÉHICULE D'ESSAI

Version :	King Ranch Lariat 4X4
Prix de détail suggéré :	53 744 $
Emp/Lon/Lar/Haut(mm) :	3 670/5 837/2 004/1 920
Longueur de caisse/Poids :	2 007 mm / 2 482 kg
Coffre/Réservoir :	n.d. / 102 litres
Coussins de sécurité :	frontaux
Suspension avant :	indépendante, bras inégaux
Suspension arrière :	essieu rigide, ressorts elliptiques
Freins av./arr. :	disque (ABS)
Antipatinage/Contrôle de stabilité :	non / non
Direction :	à crémaillère, assistée
Diamètre de braquage :	14,1 m
Pneus av./arr. :	P235/70R17
Capacité de remorquage :	3 946 kg
	Pneus d'origine
	MICHELIN

MOTORISATION À L'ESSAI

Moteur :	V8 de 5,4 litres 16s atmosphérique
Alésage et course :	90,1 mm x 105,6 mm
Puissance :	300 ch (224 kW) à 5 000 tr/min
Couple :	365 lb-pi (495 Nm) à 3 750 tr/min
Rapport poids/puissance :	7,81 kg/ch (10,61 kg/kW)
Système hybride :	aucun
Transmission :	4X4, automatique 4 rapports
Accélération 0-100 km/h :	11,0 s
Reprises 80-120 km/h :	9,4 s
Freinage 100-0 km/h :	43,4 m
Vitesse maximale :	190 km/h
Consommation (100 km) :	ordinaire, 18,0 litres
Autonomie (approximative) :	567 km
Émissions de CO2 :	7 152 kg/an

GAMME EN BREF

Échelle de prix :	22 499 $ à 53 899 $
Catégorie :	camionnette grand format
Historique du modèle :	7ième génération
Garanties :	3 ans/60 000 km, 5 ans/100 000 km
Assemblage :	Oakville, Ontario, Canada
Autre(s) moteur(s) :	V6 4,2l 202ch/260lb-pi (15,1 l/100km)
	V8 4,6l 231ch/293lb-pi (16,7 l/100km)
Autre(s) rouage(s) :	propulsion
Autre(s) transmission(s) :	manuelle 5 rapports

DANS LA MÊME CATÉGORIE

Chevrolet Silverado - Dodge Ram - GMC Sierra - Nissan Titan - Toyota Tundra

DU NOUVEAU EN 2007

Moteur 5,4 litres à carburant mixte, nouvelles options

NOS IMPRESSIONS

Agrément de conduite :	🚗 🚗 🚗 🚗
Fiabilité :	🚗 🚗 🚗 🚗
Sécurité :	🚗 🚗 🚗 🚗
Qualités hivernales :	🚗 🚗 🚗 ½
Espace intérieur :	🚗 🚗 🚗 🚗 🚗
Confort :	🚗 🚗 🚗 🚗

LE CHOIX DE L'ÉQUIPE

XL Super cab 4X2

LA VALEUR DES ANNÉES

Le secteur des camionnettes compactes est sans doute celui qui est le plus stable sur le marché puisque les nouveaux produits se font rares. Les lancements de modèles sont espacés et une fois en place, ces camionnettes sont commercialisées pendant des années sans subir de changements majeurs. Les Ford Ranger et Mazda Série B sont des piliers de stabilité alors qu'ils entreprennent l'année 2007 sans modifications importantes. Il faut souligner que la camionnette Mazda est étroitement dérivée du Ford Ranger qui est le modèle le plus populaire de sa catégorie.

Pour faciliter les choses, nous allons surtout nous consacrer aux camionnettes Mazda qui sont moins connues que le Ranger et qui proposent sensiblement les mêmes caractéristiques. Que vous optiez pour Ford ou Mazda, vous aurez le choix parmi les mêmes groupes propulseurs et les mêmes variations d'équipement. Par contre, des sondages effectués par Mazda ont permis d'apprendre que de nombreux acheteurs, déjà propriétaires d'un véhicule de marque japonaise, n'avaient aucunement envie de négocier avec un constructeur nord-américain, d'où la justification de la Série B sur notre marché. Il faut de plus ajouter que les camionnettes Mazda sont assemblées dans une usine Ford aux États-Unis.

TROIS MOTEURS

Même si les camionnettes sont de plus en plus luxueuses et peuvent être dotées de nombreuses options visant à améliorer le confort, il ne faut jamais perdre de vue que ce sont avant tout des instruments de travail et que la motorisation joue un rôle de première importance. Chez Mazda, c'est élémentaire comme choix. Par exemple, si vous optez pour un modèle à cabine simple, le seul moteur offert est le quatre cylindres de 2,3 litres d'une puissance de 143 chevaux qui peut être couplé à une boîte manuelle cinq vitesses, tandis que l'automatique à cinq rapports

est optionnelle. En fait, peu importe le moteur choisi, ces deux transmissions sont au catalogue. Ce moteur quatre cylindres est tout ce qu'il y a de plus moderne en fait de mécanique avec une culasse dotée de quatre soupapes par cylindres et l'injection multipoint séquentielle. Il ne faut certainement pas l'ignorer.

Curieusement, le moteur V6 3,0 litres de la version Dual Sport à cabine allongée ne produit que cinq chevaux de plus que le moteur quatre cylindres et son jeu de soupapes est tout ce qu'il y a de plus ordinaire. Et puisque sa consommation est plus élevée que le 2,3 litres, nous sommes en droit de nous interroger sur sa pertinence. C'est en découvrant que son couple est de 180 lb-pi, soit 26 lb-pi de plus que le quatre cylindres, que l'on comprend le pourquoi de sa présence. Mais il est facile de renverser cet argument par un autre moteur V6. Ce dernier est un moteur 4,0 litres de 207 chevaux et de 238 lb-pi de couple, soit beaucoup plus que le vétuste 3,0 litres. Et comme leur consommation de carburant est presque semblable, le moteur V6 de choix est le 4,0 litres. Mais il n'équipe que le modèle le plus cossu de la Série B qu'il s'agisse de la version 4X2 ou 4X4. Soulignons au passage que la transmission intégrale de cette camionnette est de type à temps partiel, et actionnée par un commutateur monté sur la console centrale du tableau de bord.

FEU VERT

Mécanique éprouvée
Châssis solide
Choix multiples
Bonne capacité de remorquage
Finition en progrès

FEU ROUGE

Suspension arrière rétive
Silhouette à revoir
Moteur v6 3,0 litres
Places arrière peu pratiques

TOUJOURS UNE CAMIONNETTE

Il est facile de se laisser enjôler par leur silhouette raffinée et leur cabine qui ressemble à celle d'une automobile. Nous sommes loin des camionnettes à vocation purement utilitaire vendues dans les années cinquante. La Série B et le Ford Ranger possèdent tous deux un tableau de bord sobre, pratique et d'un design à mi-chemin entre l'utilitaire et l'automobile. D'ailleurs, le système audio est dorénavant muni d'une entrée auxiliaire permettant d'y brancher votre lecteur MP3 tandis que le lecteur de CD permet d'utiliser des fichiers MP3. Toujours au chapitre du confort, Mazda propose en option le «Groupe électrique» comprenant une foule d'accessoires à commande électrique, alors que le «Groupe SE Plus» ajoute un autre niveau d'accessoires destinés à améliorer le niveau de confort. Par contre, pour 2007, les changements à la mécanique sont nuls, et presque inexistants quant à l'apparence extérieure sauf quelques modifications dans le choix des couleurs.

Mais peu importe le plumage de ces outils de travail et le nombre d'accessoires dont ils sont dotés, il ne faut jamais perdre de vue que leur conception mécanique avec essieu arrière rigide et ressorts elliptiques n'en fait pas des bolides de course. Sur bonne route, cet agencement mécanique est d'un confort surprenant, et le pilote peut jouir d'un certain agrément de conduite en jouant du levier de vitesse avec la boîte mécanique et se surprendre de la précision de la direction, du moins pour une camionnette. Par contre, dès que le revêtement devient bosselé, et encore plus avec les modèles 4X4, le train arrière nous fait sentir sa présence. De plus, tout virage pris à haute vitesse sur mauvaise route aura pour effet de voir l'arrière se dérober, une bonne excuse pour avoir recours à la technique du contre-braquage. Ce comportement s'atténue de façon directement proportionnelle au poids placé dans la caisse.

Que vous optiez pour la Série B ou le Ranger, vous serez au volant d'un véhicule peaufiné au fil des années, capable d'effectuer des travaux relativement lourds pour la catégorie.

Denis Duquet

Photos : Ford

VÉHICULE D'ESSAI

Version :	Mazda B4000 Cab Plus
Prix de détail suggéré :	28 995 $ (2006)
Emp/Lon/Lar/Haut (mm) :	3 195/5 154/1 786/1 715
Longueur de caisse/Poids :	1 824 mm/1 670 kg
Coffre/Réservoir :	n.d./77 litres
Coussins de sécurité :	frontaux
Suspension avant :	indépendante, barres de torsion
Suspension arrière :	essieu rigide, ressorts elliptiques
Freins av./arr. :	disque (ABS)
Antipatinage/Contrôle de stabilité :	non/non
Direction :	à crémaillère, assistée
Diamètre de braquage :	13,2 m
Pneus av./arr. :	P225/70R16
Capacité de remorquage :	1 406 kg

MOTORISATION À L'ESSAI

Moteur :	V6 de 4,0 litres 12s atmosphérique
Alésage et course :	100,3 mm x 84,3 mm
Puissance :	207 ch (154 kW) à 5250 tr/min
Couple :	238 lb-pi (323 Nm) à 3 000 tr/min
Rapport poids/puissance :	8,07 kg/ch (10,99 kg/kW)
Système hybride :	aucun
Transmission :	4X4, automatique 5 rapports
Accélération 0-100 km/h :	9,2 s
Reprises 80-120 km/h :	8,4 s
Freinage 100-0 km/h :	44,0 m
Vitesse maximale :	175 km/h
Consommation (100 km) :	ordinaire, 13,5 litres
Autonomie (approximative) :	570 km
Émissions de CO2 :	6 336 kg/an

GAMME EN BREF

Échelle de prix :	18 010 $ à 29 420 $ (2006)
Catégorie :	camionnette intermédiaire
Historique du modèle :	2ième génération
Garanties :	3 ans/60 000 km, 5 ans/100 000 km
Assemblage :	Edison NJ, St-Paul MN, Twin Cities MN et Louisville KY, É-U
Autre(s) moteur(s) :	V6 3,0l 148ch/180lb-pi (13,9 l/100km)
	4L 2,3l 143ch/154lb-pi (11,1 l/100km)
Autre(s) rouage(s) :	propulsion
Autre(s) transmission(s) :	manuelle 5 rapports

DANS LA MÊME CATÉGORIE

Chevrolet Colorado - Dodge Dakota - GMC Canyon - Nissan Frontier - Toyota Tacoma

DU NOUVEAU EN 2007

Pas de changement majeur

NOS IMPRESSIONS

Agrément de conduite :	🚗 🚗 🚗
Fiabilité :	🚗 🚗 🚗 🚗
Sécurité :	🚗 🚗 🚗
Qualités hivernales :	🚗 🚗 🚗 ½
Espace intérieur :	🚗 🚗 🚗
Confort :	🚗 🚗 🚗

LE CHOIX DE L'ÉQUIPE

Cab Plus Dual Sport 4,0

COMME LES RUSSES EN 72

Lorsque les Japonais sont débarqués en Amérique du Nord dans les années 60 avec leurs voitures qui allaient totalement à l'encontre de notre marché et, surtout, de nos attentes, personne ne donnait cher de leur avenir chez nous. Mais c'était sans compter sur les différentes crises du pétrole et, avant tout, sur l'incroyable capacité d'apprendre des Asiatiques. Quarante et quelques années plus tard, non seulement ils n'ont pas quitté notre continent mais ils y construisent plus de voitures que les Américains !

Et en plus, les Japonais attaquent maintenant le dernier bastion qu'il restait à GM et Ford, celui des camionnettes. Et tant qu'à débarquer dans ce créneau, aussi bien le réinventer, se sont dit les dirigeants de Honda. C'est ainsi qu'apparaissait, l'an dernier, une camionnette nouveau genre, le Ridgeline. Extérieurement, les différences entre ledit Ridgeline et une camionnette traditionnelle, genre Ford F150 par exemple, sautent aux yeux. La caisse de chargement, habituellement séparée de la cabine fait ici partie intégrale du corps du véhicule. Cette boîte a d'ailleurs été particulièrement bien étudiée. La porte arrière (la *tailgate*, en bon français) ne se verrouille peut-être pas mais, en plus de s'ouvrir ordinairement, c'est-à-dire vers le bas, elle peut aussi s'ouvrir latéralement grâce à des pentures placées à gauche. Cependant, après avoir transporté de la «garnotte 3/4», j'ai dû passer un bon moment à déloger des petites pierres qui bloquaient les pentures de gauche. Sous le plancher de la boîte, on retrouve un énorme espace de rangement qui, lui, peut être barré. Et c'est lorsqu'on veut rejoindre le fond de cet espace de rangement que l'on apprécie le fait que la porte s'ouvre latéralement. Toujours sous le plancher de la boîte, on trouve aussi le pneu de secours, bien caché des intempéries. Parmi les autres particularités de cette caisse de chargement, notons qu'il est possible, en laissant la porte baissée, d'y faire entrer un VTT ou deux motos, Honda de préférence…

IL ASSUME SA DIFFÉRENCE

Pour pouvoir créer un gigantesque espace de rangement sous le plancher, les ingénieurs ont dû revoir la suspension arrière. Contrairement à la pratique habituelle qui demande une suspension rigide, on a doté le Ridgeline d'éléments suspenseurs arrière indépendants, ce qui ne manque pas de choquer au plus haut point les vrais «gars et filles de trucks». Mais au chapitre du comportement routier, cette suspension fait des merveilles. Mettons les choses au clair tout de suite : bien peu de gens achètent une camionnette pour effectuer de gros travaux. Honda l'a compris et a fait en sorte que son Ridgeline soit plus *lifestyle* que camion. Ce qui ne l'empêche pas de tirer son épingle du jeu, une épingle qui peut peser jusqu'à 5 000 livres ! Mais le Ridgeline n'est pas fait pour les très gros travaux. Son rouage intégral VTM-4 ne peut suivre un véritable 4x4 dans des conditions difficiles. En temps normal, le Ridgeline est une traction, encore une aberration pour les purs et durs. Le système VTM-4 transmet la puissance de façon indépendante aux roues arrière et agit avec une transparence inégalée.

Le châssis autonome du Ridgeline reprend des éléments de la construction monocoque. Ceci lui assure une solidité exceptionnelle et un comportement routier qui se rapproche de celui d'une automobile. Pour

FEU VERT

Style exclusif
Plaisant à conduire
Boîte de chargement astucieuse
Performances relevées
Rouage intégral

FEU ROUGE

Boîte de chargement peu logeable
Consommation assez élevée
Capacités de travail ordinaires
Transmission automatique seulement
Pas le style macho des Ram ou F-150

610

VÉHICULE D'ESSAI

Version :	EX-L
Prix de détail suggéré :	39 700 $ (2006)
Emp/Lon/Lar/Haut(mm) :	3 100/5 253/2 217/1 808
Longueur de caisse/Poids :	1 524 mm / 2 045 kg
Coffre/Réservoir :	241 litres / 83 litres
Coussins de sécurité :	frontaux, latéraux (av.) et rideaux
Suspension avant :	indépendante, jambes de force
Suspension arrière :	indépendante, multibras
Freins av./arr. :	disque (ABS)
Antipatinage/Contrôle de stabilité :	oui / oui
Direction :	à crémaillère, assistance variable
Diamètre de braquage :	12,9 m
Pneus av./arr. :	P245/65R17
Capacité de remorquage :	2 268 kg

MOTORISATION À L'ESSAI

Pneus d'origine
MICHELIN

Moteur :	V6 de 3,5 litres 24s
Alésage et course :	89,0 mm x 93,0 mm
Puissance :	255 ch (190 kW) à 5 750 tr/min
Couple :	252 lb-pi (342 Nm) à 4 500 tr/min
Rapport poids/puissance :	8,02 kg/ch (10,88 kg/kW)
Système hybride :	aucun
Transmission :	intégrale, automatique 5 rapports
Accélération 0-100 km/h :	9,4 s
Reprises 80-120 km/h :	8,4 s
Freinage 100-0 km/h :	42,0 m
Vitesse maximale :	193 km/h
Consommation (100 km) :	ordinaire, 13,8 litres
Autonomie (approximative) :	601 km
Émissions de CO2 :	6 000 kg/an

GAMME EN BREF

Échelle de prix :	35 600 $ à 45 000 $ (2006)
Catégorie :	camionnette intermédiaire
Historique du modèle :	1ère génération
Garanties :	3 ans/60 000 km, 5 ans/100 000 km
Assemblage :	Alliston, Ontario, Canada
Autre(s) moteur(s) :	aucun
Autre(s) rouage(s) :	aucun
Autre(s) transmission(s) :	aucune

lui permettre de se déplacer, le Ridgeline compte sur un V6 de 3,5 litres très moderne avec calage variable des soupapes et une foule d'innovations servant autant les performances que les faibles émanations. Ce moteur délivre pas moins de 255 chevaux et 252 livres-pied de couple. C'est un peu moins que les Nissan Frontier et Toyota Tacoma, ses rivaux naturels, mais sa souplesse compense largement la puissance. Au niveau de la consommation d'essence, notre Ridgeline essayé engloutissait 13,8 litres tous les cent kilomètres, ce qui se situe dans la moyenne pour ce type de camionnette. La seule transmission disponible est une automatique à cinq rapports au fonctionnement irréprochable. Cependant, une transmission manuelle traditionnelle aiderait à économiser de l'essence. Quant aux freins, à disque aux quatre roues, ils effectuent leur boulot avec sérieux.

UNE NOUVELLE CATÉGORIE : CAMIONNETTE SPORT

Au chapitre de la conduite, le Ridgeline, nous l'avons déjà mentionné, se rapproche davantage de la voiture que de la camionnette. Certes, les suspensions sont toujours un peu sèches, le volant se montre assez précis mais semble déconnecté des roues avant. Il est tout de même possible de conduire ce gros véhicule (le plus imposant jamais fabriqué par Honda) sportivement. On se doute bien que ce n'est pas encore une S2000 mais, en terme de pick-up, il s'agit sans aucun doute du plus déluré. Et si vous dépassez les limites du bon sens, le système de contrôle de stabilité vous ramènera à vos responsabilités avec autorité. Aussi, au cours de changements de voies rapides, le volant se durcit beaucoup au centre. Lors des manœuvres de stationnement, il faut apprendre à bien jauger les dimensions puisque la visibilité arrière n'est pas terrible et le très large pilier C (entre la cabine et la boîte) obstrue la vision. La version la plus huppée du Ridgeline, EX-L Navi, en plus d'offrir un système de navigation par GPS propose aussi une caméra de recul fort appréciée.

Même si Ford, Chevrolet, Dodge ou même Toyota et Nissan ne l'admettront pas, il y a fort à parier que plusieurs innovations du Ridgeline se retrouveront sur les prochaines générations de camionnettes de ces manufacturiers. Pour juste un peu plus de 35 000 $, le Ridgeline se présente avec un équipement fort relevé et un comportement routier plus qu'honnête tout en ne sacrifiant que peu au niveau des capacités de travail. Mais il n'a pas encore l'air macho d'un F150.

Alain Morin

DANS LA MÊME CATÉGORIE

Chevrolet Colorado - Dodge Dakota - Ford F-150 - Nissan Frontier - Toyota Tacoma

DU NOUVEAU EN 2007

pas de changement majeur

NOS IMPRESSIONS

Agrément de conduite :	🚗🚗🚗🚗
Fiabilité :	🚗🚗🚗🚗
Sécurité :	🚗🚗🚗🚗½
Qualités hivernales :	🚗🚗🚗🚗½
Espace intérieur :	🚗🚗🚗🚗½
Confort :	🚗🚗🚗🚗

LE CHOIX DE L'ÉQUIPE

EX-L

Photos: Alain Morin

PAPA EST FIER DE TOI

Les propriétaires de camionnettes Nissan ont toujours démontré une incroyable fidélité à la marque. Il est vrai que la fiabilité et la polyvalence des camionnettes sont en grande partie responsables du succès de Nissan, mais il ne faut pas négliger le fait que le constructeur nippon présente des modèles pratiquement indémodables. Et la donne ne change pas pour 2007 alors que Nissan propose de nouveau son efficace Frontier. Renouvelée en 2005, la camionnette vit depuis une jeunesse épanouie aux côtés de papa Titan avec lequel il partage son ADN.

L'année modèle 2007 ne voit aucun changement majeur apporté à cette camionnette, la refonte de 2005 ayant été très profitable, il ne faut surtout pas changer une recette gagnante. Le rejeton a maintenant atteint l'adolescence et papa peut être fier de son gars, jusqu'à présent !

L'HABIT NE FAIT PAS LE MOINE

Illumination d'entrée, sièges en cuir à réglages électriques et volant inclinable, tout a été pensé pour nous faire oublier qu'il s'agit en fait d'une camionnette. Mentionnons d'abord que la position de conduite est excellente et la visibilité parfaite, les piliers de toit étant moins volumineux qu'ils ne l'étaient à une certaine époque. L'aménagement intérieur est très harmonieux, les couleurs sont bien agencées et les boutons de commandes bien disposés. Il est même possible, avec de gros gants, d'utiliser aisément les commandes de la climatisation en hiver, contrairement à plusieurs autres modèles de la catégorie. Ajoutons à tout ceci un système audio de 380 watts à 10 haut-parleurs, un toit ouvrant vitré ainsi que six coussins gonflables, et vous oublierez sûrement la nature première de ce type de véhicule ! Évidemment, les rangements sont nombreux et, sur le modèle à cabine allongée, l'espace derrière les bancs est judicieusement conçu afin de pouvoir profiter d'un volume maximal alors que la banquette arrière se relève pour laisser un plancher quasiment plat. Inutile de mentionner que sur le modèle à quatre portes, l'espace est généreux et les occupants arrière n'auront aucunement l'impression de monter à bord d'une camionnette.

MIGNON COMME TOUT

Ceux qui magasinent ce type de véhicule remarqueront que le choix est limité et que le look est souvent bien accessoire dans cette catégorie. Heureusement, le Frontier propose de nombreux éléments extérieurs lui donnant une allure originale, robuste et athlétique. À commencer par les immenses passages de roue, accentués d'ailes aux dimensions exagérées qui abritent de gigantesques pneus. De plus, les suspensions élevées lui confèrent un look agressif et propice aux conditions hors route. La partie avant n'est pas sans impressionner. La grande calandre chromée avec ses deux travers en V et son haut capot viennent ajouter un caractère très robuste à l'ensemble. Les phares avant sont de bonnes dimensions et puissants, et la surface vitrée est très généreuse. Légère déception cependant au niveau des dimensions de la caisse, alors que le modèle à quatre places n'offre que 5 pieds en longueur. Par contre, elle mesure 6 pieds sur la version à cabine allongée.

FEU VERT
Confort impressionnant
Sentiment de solidité
Habitacle spatieux
Douceur du moteur
Look agréable

FEU ROUGE
Consommation élevée
Caisse courte
Bruits de caisse
Design intérieur vieillot

VÉHICULE D'ESSAI

Version :	SE cabine double 4x4
Prix de détail suggéré :	34 500 $
Emp/Lon/Lar/Haut(mm) :	3 200/5 220/1 850/1 780
Longueur de caisse/Poids :	1 511 mm/1 969 kg
Coffre/Réservoir :	n.d. / 80 litres
Coussins de sécurité :	frontaux
Suspension avant :	indépendante, multibras
Suspension arrière :	essieu rigide, ressorts elliptiques
Freins av./arr. :	disque (ABS)
Antipatinage/Contrôle de stabilité :	oui / non
Direction :	à crémaillère, assistance variable
Diamètre de braquage :	12,4 m
Pneus av./arr. :	P265/75R16
Capacité de remorquage :	2 767 kg

MOTORISATION À L'ESSAI

Moteur :	V6 de 4,0 litres 24s atmosphérique
Alésage et course :	95,5 mm x 92,0 mm
Puissance :	261 ch (198 kW) à 5 600 tr/min
Couple :	281 lb-pi (385 Nm) à 4 400 tr/min
Rapport poids/puissance :	7,6 kg/ch (10,32 kg/kW)
Système hybride :	aucun
Transmission :	4X4, automatique 5 rapports
Accélération 0-100 km/h :	9,0 s
Reprises 80-120 km/h :	7,4 s
Freinage 100-0 km/h :	41,0 m
Vitesse maximale :	195 km/h
Consommation (100 km) :	ordinaire, 14,3 litres
Autonomie (approximative) :	559 km
Émissions de CO2 :	6096 kg/an

JE PEUX ALLER JOUER ?

Même si l'intérieur arbore un certain luxe, il n'en reste pas moins que c'est avant tout une camionnette et qu'évidemment, « Junior » est quelque peu sous-vireur, lourd et gourmand. On doit en revanche accepter quelques compromis car, après tout, il est de la lignée des « costauds qui travaillent fort ». Il se démarque d'ailleurs de la concurrence à plusieurs niveaux. Tout d'abord en proposant une garde au sol imposante de 257 mm et des pneus bien adaptés. Son moteur 6 cylindres procure de bonnes performances compte tenu de sa cylindrée de 4,0 litres. Le dégagement de la suspension est amplement suffisant pour affronter les pires obstacles et les angles d'approche et de départ, respectivement de 32,6 degrés et de 23,3 degrés, sont parmi les meilleurs de la catégorie. La capacité de remorquage est également impressionnante avec une limite de 2 767 kg. Remorquer une charge moyenne n'aura donc aucun impact sur la conduite, à moins bien sûr de voyager avec 4 passagers costauds et de transporter 600 kg de matériel.

Le système de traction intégral s'active comme un charme alors qu'un cadran permet la sélection des modes 4Hi et 4Lo. Il est ainsi possible de passer de 2 roues motrices à 4 roues motrices par la simple rotation d'un bouton. Un commutateur permet d'engager le blocage du différentiel arrière. En plus d'emprunter le châssis de type échelle au Titan, le Frontier lui a aussi emprunté un système antipatinage aux quatre roues et un dispositif de contrôle dynamique du véhicule. Pour les plus aventureux, un dispositif d'assistance au démarrage en côte et un contrôle de l'adhérence en descente seront deux éléments extrêmement utiles, voire même nécessaires.

Malgré une refonte datant de 2005, ce modèle est toujours dans le coup et parmi les trois meilleurs achats de la catégorie. La cabine est d'un confort impressionnant et le design est très plaisant à l'œil. Le châssis en échelle utilisé est amplement rigide et permet d'affronter les pires éléments. Le choix de moteur est honnête et les transmissions sont très bien dosées. Dans l'ensemble, le véhicule mérite une très bonne note. D'autant plus que la renommée et la fiabilité des camions Nissan ne sont plus à faire.

Guy Desjardins

GAMME EN BREF

Échelle de prix :	24 448 $ à 38 348 $ (2006)
Catégorie :	camionnette intermédiaire
Historique du modèle :	3ième génération
Garanties :	3 ans/60 000 km, 5 ans/100 000 km
Assemblage :	Smyrna, Tenessee, É-U
Autre(s) moteur(s) :	aucun
Autre(s) rouage(s) :	propulsion
Autre(s) transmission(s) :	manuelle 6 rapports

DANS LA MÊME CATÉGORIE

Chevrolet Colorado - Dodge Dakota - Ford Ranger - GMC Canyon - Mazda Série B - Toyota Tacoma

DU NOUVEAU EN 2007

Pas de changement majeur, abandon du 4 cylindres

NOS IMPRESSIONS

Agrément de conduite :	🚗🚗🚗🚗
Fiabilité :	🚗🚗🚗½
Sécurité :	🚗🚗🚗🚗
Qualités hivernales :	🚗🚗🚗½
Espace intérieur :	🚗🚗🚗🚗
Confort :	🚗🚗🚗🚗½

LE CHOIX DE L'ÉQUIPE

SE cabine double

Photos : Nissan

DU CARACTÈRE

Si votre but est d'avoir des bras aussi gros que Hulk pour vous faire remarquer et qu'en fait vous avez des bras aussi petits que les miens, alors je vous recommande le Titan de Nissan. Avec cette grosse camionnette, vous attirerez le même regard, ce qui flattera votre ego. On ne passe vraiment pas inaperçu avec ce monstre, autant à cause de sa stature imposante que par le grondement qu'il fait entendre. C'est encore plu évident s'il est rouge feu comme celui que j'avais lors mon essai!

J'ai rarement vu un camion qui attise autant les passions. Des copains à moi qui possèdent de grosses camionnettes américaines ne pouvaient tout simplement pas s'y faire. Comme si on demandait à un propriétaire d'une grosse Harley de la changer pour une japonaise! Bref, on aime ou on n'aime pas. Pour ma part, ce camion m'a impressionné par son agilité, la puissance de son moteur et surtout par son caractère.

Le gros V8 de 5,6 litres à 32 soupapes et DACT de 305 chevaux est vraiment plaisant à exploiter. En fait, un peu trop car on peut se mettre facilement dans la mire d'un gentil policier! Dès qu'on appuie sur l'accélérateur, ce moteur émet un grondement très musclé et invite carrément à la délinquance. Les accélérations sont assez enivrantes, mais il faut faire face à une vibration qui fait sentir sa présence dans les premiers 50 mètres et que l'on ressent dans tout le rouage d'entraînement. Elle est même transmise au volant. Le tout se résorbe ensuite, mais j'ai tout de même trouvé ça un peu agaçant. Mis à part ce détail, la douceur de conduite est exemplaire. Par contre, j'ai un petit bémol au sujet du grondement du V8 qui exaspère à la longue et nuit à la tranquillité à l'intérieur de l'habitacle. Au début, on trouve cela plaisant, mais sur la longue route, ce manque d'insonorisation déforme presque le son de la radio, à moins

de faire grimper de volume, et oblige de crier à votre passager au lieu de lui parler. Si vous aimez ce type de bruit, vous serez charmé, mais si vous aimez la tranquillité, vous déchanterez rapidement…

Ce moteur est couplé à une transmission automatique à 5 rapports dont les changements se font généralement avec douceur. Par contre, en certaines occasions, elle semblait manquer de synchronisme et se plaçait parfois sur le mauvais rapport, ce qui en fin de compte crée des changements saccadés.

Bien qu'imposant, ce mastodonte est tout simplement adorable à conduire, car comparativement à plusieurs de ses compétiteurs, il offre une maniabilité étonnante, et cela, même dans les endroits restreints. Conduire un tel camion dans un stationnement de centre d'achat peut s'avérer un cauchemar pour certains, car la longueur totale agrandit le rayon de braquage, mais le Titan fait preuve d'héroïsme dans ce domaine. On le gare aisément entre 2 voitures, mais attention à la hauteur dans les stationnements souterrains et repliez vos miroirs extérieurs dans les lave-autos. Ce n'est pas comme stationner une Mini! Sur la grand-route, la conduite est caractérisée par une grande douceur, mais il faut y aller mollo sur les bosses. Cela provoque le talonnage du train arrière qui peut même

FEU VERT

Il a fière allure!
Moteur nerveux
Intérieur moderne
Belle agilité
Confort surprenant

FEU ROUGE

Vibrations dans le rouage d'entraînement
Caisse courte seulement
Pas de marche-pieds
Moteur gourmand
Insonorisation moyenne

surprendre le conducteur puisque le véhicule dévie parfois de sa trajectoire. Pour ce qui est de la conduite dans les courbes, je fus étonné de ses bonnes manières et de ses généreuses reprises à la sortie. Les dépassements sont également réglés en un rien de temps.

Pour ce qui est de l'habitacle, vous serez immédiatement charmé par l'abondance d'espace pour la tête et les jambes. Cinq adultes peuvent s'installer confortablement pour un long trajet sans qu'ils aient l'impression de se sentir à l'étroit. Concernant le conducteur et son passager, les sièges avant offrent un très bon soutien, toutes les commandes sont à la portée de la main et les cadrans facilement lisibles. J'aurais aimé que Nissan propose des marchepieds en équipement de série, car les personnes de petite taille ont de la difficulté à grimper à l'intérieur tant le véhicule est haut. Un des petits détails que nous avons apprécié est le fait que, sur la version King Cab, les portières arrière peuvent se rabattre jusqu'à un angle de 168 degrés. L'avantage est que lorsqu'on est garé entre deux voitures et qu'on veut entrer les sacs d'épicerie, l'opération est plus facile. En outre, la surface intérieure de la caisse est recouverte d'un enduit protecteur nommé Durabed qui est grandement supérieur à une doublure en plastique. La rouille ne s'installera jamais et vous pourrez y mettre n'importe quel produit ou matériau sans créer de dommage. Situé à la gauche du pare-chocs arrière se trouve un petit coffre pratique où peut loger une barre de remorquage et des sangles d'attaches.

Au chapitre de son apparence, les opinions divergent. Certaines personnes considèrent l'avant caricatural, tandis que d'autres tombent immédiatement en pâmoison avec son allure imposante et ses gros phares avant. Il a réellement un look très distinctif que je qualifierais de moderne. Si vous optez pour l'ensemble hors route, vous aurez droit à un différentiel arrière à commande de blocage électronique, des amortisseurs plus volumineux et des plaques de protection ventrale situées sous la boîte de transfert. Cette version est aussi chaussée de gros pneus BFGoodrich de 17 pouces avec semelles au dessin plus agressif.

Les ingénieurs de Nissan ont fait un travail colossal quand ils ont lancé ce véhicule, car la concurrence est vive dans ce segment surtout contrôlé par les 3 grands constructeurs américains. Les propriétaires de camionnette sont très loyaux envers la marque qu'ils ont choisie et il est très difficile de leur en faire changer. Mais vous devriez tout au moins considérer le Titan lorsque viendra le moment de changer votre véhicule.

Robert Jetté

Photos: Nissan

VÉHICULE D'ESSAI

Version :	SE King Cab 4x4
Prix de détail suggéré :	39 898 $(2006)
Emp/Lon/Lar/Haut(mm) :	3 550/5 695/2 001/1 905
Longueur de caisse/Poids :	2 005 mm / 2 352 kg
Coffre/Réservoir :	n.d. / 106 litres
Coussins de sécurité :	frontaux, latéraux (av.) et rideaux
Suspension avant :	indépendante, jambes de force
Suspension arrière :	essieu rigide, ressorts elliptiques
Freins av./arr. :	disque (ABS)
Antipatinage/Contrôle de stabilité :	non / non
Direction :	à crémaillère, assistance variable
Diamètre de braquage :	14,0 m
Pneus av./arr. :	P265/70R18
Capacité de remorquage :	4 264 kg

MOTORISATION À L'ESSAI

Moteur :	V8 de 5,6 litres 32s atmosphérique
Alésage et course :	98,0 mm x 92,0 mm
Puissance :	317 ch (227 kW) à 5 200 tr/min
Couple :	385 lb-pi (514 Nm) à 3 400 tr/min
Rapport poids/puissance :	7,38 kg/ch (10,05 kg/kW)
Système hybride :	aucun
Transmission :	4X4, automatique 5 rapports
Accélération 0-100 km/h :	7,8 s
Reprises 80-120 km/h :	6,2 s
Freinage 100-0 km/h :	44,2 m
Vitesse maximale :	185 km/h
Consommation (100 km) :	ordinaire, 16,8 litres
Autonomie (approximative) :	631 km
Émissions de CO_2 :	7 019 kg/an

GAMME EN BREF

Échelle de prix :	32 598 $ à 49 598 $(2006)
Catégorie :	camionnette grand format
Historique du modèle :	1ière génération
Garanties :	3 ans/60 000 km, 5 ans/100 000 km
Assemblage :	Canton, Mississippi, É-U
Autre(s) moteur(s) :	aucun
Autre(s) rouage(s) :	propulsion
Autre(s) transmission(s) :	aucune

DANS LA MÊME CATÉGORIE

Chevrolet Silverado - Dodge Ram - Ford F-150 - Toyota Tundra

DU NOUVEAU EN 2007

Pas de changement majeur, moteur plus puissant

NOS IMPRESSIONS

Agrément de conduite :	🚗 🚗 🚗 🚗
Fiabilité :	🚗 🚗 🚗 ½
Sécurité :	🚗 🚗 🚗 🚗
Qualités hivernales :	🚗 🚗 🚗 ½
Espace intérieur :	🚗 🚗 🚗 🚗 ½
Confort :	🚗 🚗 🚗 🚗

LE CHOIX DE L'ÉQUIPE

Base

LES VERTUS DE LA PATIENCE

Les compagnies japonaises ne lâchent jamais le morceau. Même si un modèle ne réussit pas à enflammer l'imagination des acheteurs à sa première présence sur le marché, les correctifs apportés au fil des années et la sélection de modèles plus appropriés ont pour effet de remédier à la situation. Le Tacoma n'a jamais vraiment été très populaire sur notre marché. Par contre, il suffit d'aller visiter la côte ouest des États-Unis pour constater à quel point cette camionnette intermédiaire répond aux besoins des gens de cette région.

A u Québec, cette Toyota continue d'être considérée comme une camionnette de prix élevé. Pourtant, le modèle de base qu'est la version 4x2 avec cabine-accès se vend pour moins de 25 000 $, ce qui est plus que compétitif avec la plupart des autres camionnettes de cette catégorie. Toutefois, les gens ne retiennent que les modèles les plus onéreux. Et il faut bien admettre que pendant des années, la silhouette du Tacoma n'était pas tellement dans les goûts des Québécois tandis que la motorisation était déficiente sur certains modèles.

DEUX MOTEURS

Toyota a cessé de s'entêter depuis quelques années à vouloir nous proposer un tristounet moteur quatre cylindres de 2,4 litres qui était assez mal adapté à une telle utilisation. Il semble que sa seule justification était de faire mieux paraître les cotes de consommation générales du Tacoma. Quoi qu'il en soit, les deux moteurs proposés sont dorénavant suffisamment puissants pour faire le travail demandé. Le seul quatre cylindres offert est un moteur de 2,7 litres d'une puissance de 159 chevaux qui est livré de série avec une boîte manuelle à cinq rapports ou une automatique à quatre rapports en option. Et si ce groupe propulseur vous intéresse, vous

n'aurez pas à vous casser la tête pour faire un choix car il n'est présent que sur la version 4X2 avec cabine-accès. Vous aurez facilement compris qu'il s'agit du Tacoma le plus économique.

Le reste de la gamme est livré avec un moteur V6 4,0 litres de 245 chevaux et relié à une boîte manuelle à six rapports rapprochés sur le X-Runner 4X2 avec cabine-accès. En fait, cette transmission est exclusive à ce modèle. Si vous préférez les avantages des transmissions automatiques, vous pouvez cocher l'option boîte automatique sur le modèle 4X4 avec cabine-accès tandis qu'elle est de série sur les modèles PreRunner et à cabine double. Ouf! Et il se peut que Toyota change son offre en cours d'année. Il est certain par ailleurs que vous avez l'embarras du choix.

Toujours au chapitre de la mécanique, le tandem disques avant et tambours arrière est de série sur tous les modèles tout comme le système ABS. La suspension avant est indépendante et comprend des bras triangulés et des ressorts hélicoïdaux tandis que l'essieu arrière rigide est contrôlé par des ressorts elliptiques et des amortisseurs à gaz. Les modèles 4X4 sont équipés d'un système à temps partiel commandé par un bouton monté sur le tableau de bord.

FEU VERT
Fiabilité traditionnelle
Modèle X-Runner intéressant
Insonorisation efficace
Finition exemplaire

FEU ROUGE
Certaines options onéreuses
Faible diffusion
Sautillement du train arrière
Absence de rouage intégral à temps plein

UN MODÈLE POINTU

Avec la popularité des sports extrêmes et des jeux du même nom, les goûts des acheteurs ont évolué. Il n'y a pas si longtemps, les modèles les plus branchés étaient les camionnettes 4X2 offrant les mêmes caractéristiques qu'une version 4X4, mais sans transmission intégrale.

Chez Toyota, le PreRunner dispose des mêmes éléments que la version 4X4 avec la même garde au sol, les plaques de protection, les crochets d'arrimage, tout sauf les quatre roues motrices. Le PreRunner est proposé avec le modèle à cabine multiplace et le moteur V6. Mais pour suivre les tendances, ce manufacturier a lancé le X-Runner. C'est la Tacoma sport avec son moteur V6 et une boîte manuelle à six vitesses dont les rapports sont plus rapprochés. Ce qui permet de boucler le 0-100 km/h en 7,3 secondes. Avec sa prise d'air sur le capot, ses jupes de bas de caisse et d'autres accessoires de carrosserie de la même couleur que la carrosserie et ses roues de 18 pouces, cette camionnette fait tourner les têtes.

Pour les personnes dont les goûts sont plus conservateurs et à la recherche de plus de confort, il y a la version à cabine double avec moteur V6 et rouage intégral 4X4. Dernier détail, toutes les caisses sont de la même longueur, soit 1866 mm à l'exception du modèle à cabine double et boîte manuelle. Dans ce cas, il faut compter 335 mm de moins. D'autre part, la tenue de route de ces camionnettes est correcte, mais le train arrière ne fait pas toujours bon ménage avec les routes bosselées, à moins d'avoir du poids dans la caisse qui est en matière composite. Soulignons en terminant que le volant réglable en inclinaison et en profondeur contribue à trouver une bonne position de conduite. Bref, le Tacoma est beaucoup plus attrayant qu'auparavant.

Denis Duquet

VÉHICULE D'ESSAI

Version :	X-Runner Access Cab 4X2
Prix de détail suggéré :	33 995 $
Emp/Lon/Lar/Haut(mm) :	3 246/5 286/1 835/1 670
Longueur de caisse/Poids :	1 866 mm / 1 567 kg
Coffre/Réservoir :	n.d. / 80 litres
Coussins de sécurité :	frontaux
Suspension avant :	indépendante, multibras
Suspension arrière :	essieu rigide, ressorts elliptiques
Freins av./arr. :	disque/tambour (ABS)
Antipatinage/Contrôle de stabilité :	non / non
Direction :	à crémaillère, assistée
Diamètre de braquage :	14,2 m
Pneus av./arr. :	P255/45R18
Capacité de remorquage :	1 587 kg

MOTORISATION À L'ESSAI

Moteur :	V6 de 4,0 litres 24s atmosphérique
Alésage et course :	95,0 mm x 95,0 mm
Puissance :	236 ch (176 kW) à 5 200 tr/min
Couple :	266 lb-pi (361 Nm) à 4 000 tr/min
Rapport poids/puissance :	6,64 kg/ch (9,01 kg/kW)
Système hybride :	aucun
Transmission :	propulsion, manuelle 6 rapports
Accélération 0-100 km/h :	7,3 s
Reprises 80-120 km/h :	6,2 s
Freinage 100-0 km/h :	40,3 m
Vitesse maximale :	175 km/h
Consommation (100 km) :	ordinaire, 13,4 litres
Autonomie (approximative) :	597 km
Émissions de CO_2 :	6 096 kg/an

GAMME EN BREF

Échelle de prix :	22 635 $ à 38 955 $
Catégorie :	camionnette intermédiaire
Historique du modèle :	3ième génération
Garanties :	3 ans/60 000 km, 5 ans/100 000 km
Assemblage :	Georgetown KY et Fremont CA, É-U
Autre(s) moteur(s) :	4L 2,7l 159ch/180lb-pi (11,5 l/100km)
Autre(s) rouage(s) :	4RM
Autre(s) transmission(s) :	automatique 4 rapports / automatique 5 rapports manuelle 5 rapports

DANS LA MÊME CATÉGORIE

Chevrolet Colorado - Dodge Dakota - Honda Ridgeline - Nissan Frontier

DU NOUVEAU EN 2007
Améliorations de détails

NOS IMPRESSIONS

Agrément de conduite :	🚗🚗🚗🚗
Fiabilité :	🚗🚗🚗🚗½
Sécurité :	🚗🚗🚗🚗
Qualités hivernales :	🚗🚗🚗
Espace intérieur :	🚗🚗🚗🚗
Confort :	🚗🚗🚗🚗

LE CHOIX DE L'ÉQUIPE
4X4 Cabine double

Photos : Toyota

DE PLUS EN PLUS GROS

Le Tundra est à la croisée des chemins, du moins en ce qui concerne *Le Guide 2007*. Nous attendons le nouveau modèle tandis que l'ancien est toujours commercialisé. Nous devons donc vous parler du futur tout en rappelant les qualités et les défauts de la version 2006 qui nous quitte. Comme plusieurs exemplaires de ce modèle sont encore chez les concessionnaires, une petite révision ne fera pas de mal. Quant à la prochaine génération du Tundra, c'est au Salon de l'auto de Chicago qu'elle a été dévoilée en février 2006.

Et cette fois, Toyota n'a pas raté le coche. Certains d'entre vous doivent s'en souvenir parfaitement, l'arrivée de la première camionnette Toyota sur le marché des gros *trucks* avait été une oeuvre de compromis. Comme si ce constructeur japonais n'avait pas voulu offusquer les compagnies de Detroit qui dominaient et qui dominent toujours le marché des camionnettes de type 1 500/2 500/3 500. La T100 était trop petite, trop peu puissante et trop chère pour vraiment ébranler la concurrence, et les acheteurs étaient surtout des fidèles à la marque pour qui changer de clan aurait été une véritable trahison. Pour faire oublier la T100, le Tundra a été dévoilé en 2000 et était presque aussi gros que les modèles de la concurrence nord-américaine. Cette fois Toyota ne faisait pas figure de parent pauvre. Mais il semble qu'il est très difficile de venir rouler sur les terres de Chevrolet/GMC, Dodge et Ford. Cette camionnette n'est pas dépourvue de qualités, mais elle manque toujours de caractère. Il faudra l'arrivée du Nissan Titan dont les dimensions et la motorisation surpassent celles du Tundra pour pousser Toyota à réagir et cette fois, les ingénieurs ont vu grand.

DE NOUVELLES NORMES

Même si ce constructeur joue la carte de la compagnie verte avec ses véhicules à moteur hybride, sa direction sait pertinemment bien que, pour aller jouer dans la cour des grands, il faut prendre les moyens nécessaires. C'est pourquoi le nouveau Tundra a pris du coffre. Non seulement son empattement a été allongé, mais la longueur hors tout a progressé de 25 centimètres, tandis que la largeur s'est accrue de 10 centimètres et la hauteur de 12. Ce qui le place parmi les meneurs de la catégorie au chapitre des mensurations. Il faut également ajouter que le châssis est tout nouveau et doit sa rigidité à l'utilisation d'acier de meilleure qualité dont la force est supérieure à la moyenne.

Mais si les dimensions sont importantes dans cette catégorie de camionnettes, la motorisation l'est davantage. Donc, pour déplacer ce gros costaud, les ingénieurs ont développé un nouveau moteur V8 de 5,7 litres dont la puissance excède facilement les 300 chevaux. Ce V8 est à calage des soupapes infiniment variable et il est couplé à une boîte automatique à six rapports dont la robustesse permettra de tracter un poids de 10 000 lb (4 536 kg). Pour être conséquents avec eux-mêmes, les ingénieurs ont doté le Tundra de la nouvelle génération de freins à disque plus puissants et plus gros bénéficiant également d'une meilleure ventilation. De plus, le système de refroidissement du moteur est à grand débit afin de pouvoir circuler par temps de canicule.

FEU VERT
Finition impeccable
Moteurs souples
Cabine confortable
Nombreux choix de modèles

FEU ROUGE
Modèle en sursis
Consommation élevée
Prix des options élevé
Apparence générique

Deux autres moteurs sont au catalogue. Il s'agit des groupes propulseurs actuellement disponibles sur la version 2006, soit un moteur V8 de 4,7 litres et le V6 4,0 litres. Enfin, comme le modèle 2006, trois cabines seront offertes : simple, allongée et à quatre portières.

EN ATTENDANT

Bref, cette nouvelle camionnette a l'intention de venir jouer « Jos les Gros Bras » dans la cour des américaines. Par contre, il ne faut pas croire que le modèle qu'elle remplace soit une mini. Par exemple, sa capacité de remorquage est d'environ 6000 livres. C'est bien, mais le modèle 2007 survitaminé est capable de remorquer presque le double. En tout cas...

En 2006, la famille Tundra se déclinait par un modèle plus citadin et plus familial dont le moteur V6 de 4,0 litres avec ses 236 chevaux s'avérait bien correct. De plus, grâce à une transmission automatique à cinq rapports, la consommation de carburant est bonne. Malheureusement, la seule version offerte est à deux roues motrices.

Pour les gros travaux et le remorquage d'une grosse roulotte, le moteur V8 de 271 chevaux est la seule alternative. Comme le V6, il est jumelé à une transmission automatique à 5 rapports à commande électronique, développée spécifiquement pour le Tundra, et qui ne s'attire aucune critique. C'est le seul moteur qui équipe les modèles 4X4, et ce mécanisme peut être actionné à la volée.

Parmi les autres qualités du « petit » Tundra, il faut souligner une finition exemplaire, une cabine bien insonorisée dont les sièges sont confortables, ainsi qu'un confort de roulement qui s'apparente pratiquement à celui d'une automobile. La suspension arrière se révèle particulièrement habile à avaler les imperfections de la chaussée tandis que le comportement routier est sans reproches ou presque. En fait, cette camionnette fait tellement tout bien qu'elle manque de personnalité ! C'est pourquoi la nouvelle version semble davantage en mesure de nous impressionner, même si ce n'était qu'au chapitre de ses dimensions et de la puissance de son gros moteur V8.

Denis Duquet

Photos : Toyota

Véhicule d'essai
Données 2006

Version :	Cabine double 4X4
Prix de détail suggéré :	40 380 $ (2006)
Emp/Lon/Lar/Haut(mm) :	3 570/5 845/2 015/1 900
Longueur de caisse/Poids :	1 890 mm/2 258 kg
Coffre/Réservoir :	n.d./100 litres
Coussins de sécurité :	frontaux
Suspension avant :	indépendante, bras inégaux
Suspension arrière :	essieu rigide, ressorts elliptiques
Freins av./arr. :	disque/tambour (ABS)
Antipatinage/Contrôle de stabilité :	non/non
Direction :	à crémaillère, assistée
Diamètre de braquage :	13,4 m
Pneus av./arr. :	P265/70R16
Capacité de remorquage :	3 039 kg

MOTORISATION À L'ESSAI

Pneus d'origine
MICHELIN

Moteur :	V8 de 4,7 litres 32s atmosphérique
Alésage et course :	94,0 mm x 84,0 mm
Puissance :	271 ch (202 kW) à 5 400 tr/min
Couple :	313 lb-pi (424 Nm) à 3 400 tr/min
Rapport poids/puissance :	11,04 kg/ch (15,04 kg/kW)
Système hybride :	aucun
Transmission :	4X4, automatique 5 rapports
Accélération 0-100 km/h :	8,1 s
Reprises 80-120 km/h :	7,0 s
Freinage 100-0 km/h :	40,2 m
Vitesse maximale :	190 km/h
Consommation (100 km) :	ordinaire, 15,7 litres
Autonomie (approximative) :	637 km
Émissions de CO2 :	6816 kg/an

GAMME EN BREF

Échelle de prix :	26 010 $ à 48 015 $(2006)
Catégorie :	camionnette grand format
Historique du modèle :	3ème génération
Garanties :	3 ans/60 000 km, 5 ans/100 000 km
Assemblage :	Princeton IN et San Antonio TX, É-U
Autre(s) moteur(s) :	V6 4,0l 236ch/266lb-pi (12,7 l/100km)
Autre(s) rouage(s) :	propulsion
Autre(s) transmission(s) :	aucune

DANS LA MÊME CATÉGORIE

Chevrolet Silverado - Dodge Ram - Ford F-150 - GMC Sierra - Nissan Titan

DU NOUVEAU EN 2007

Nouveau modèle en cours d'année

NOS IMPRESSIONS

Agrément de conduite :	🚗🚗🚗🚗
Fiabilité :	🚗🚗🚗🚗
Sécurité :	🚗🚗🚗🚗
Qualités hivernales :	🚗🚗🚗🚗
Espace intérieur :	🚗🚗🚗🚗
Confort :	🚗🚗🚗

LE CHOIX DE L'ÉQUIPE

4X4 V8(2006)

CONTINENTAL GTC

BENTLEY

La direction de Bentley, dorénavant une filiale à part entière du groupe Volkswagen-Audi ag, a connu beaucoup de succès avec la Continental GT, un coupé fort élégant. Elle a ensuite enchaîné avec la Continental Flying Spur, une grosse berline. Cette fois, la famille s'étoffe d'un élégant cabriolet 2 + 2, la GTC. Cette nouvelle venue adopte la grille de calandre de la Continental et son moteur W12 dont les 552 chevaux assurent une vitesse de pointe excédant les 300 km/h tandis que le 0-100 km/h est l'affaire de 5,1 secondes. Comme il se doit, l'habitacle est garni des cuirs les plus fins et l'équipement de série est fort complet. Tant qu'au prix, mieux attendre de gagner à la loto avant de le savoir!

Photo : Bentley

CHEVROLET

CAMARO

Après avoir vu la compagnie Ford réaliser des ventes record avec la nouvelle génération de la Mustang, la direction de GM a décidé de répliquer en ressuscitant la Chevrolet Camaro, après avoir juré haut et fort que ce modèle était enterré à tout jamais. Sa présentation au Salon de l'auto de Détroit en janvier 2006 a quasiment causé une émeute et convaincu Chevrolet que ce modèle méritait une autre chance. Cette propulsion aux lignes agressives sera équipée d'un moteur V8 6,0 litres en aluminium d'une puissance de 400 chevaux. Une boîte de vitesses à six rapports devrait être la transmission de base. Il est vrai que ce coupé ne sera pas commercialisé avant une couple d'années, mais nous ne pouvions pas passer l'événement sous silence!

Photo : Chevrolet

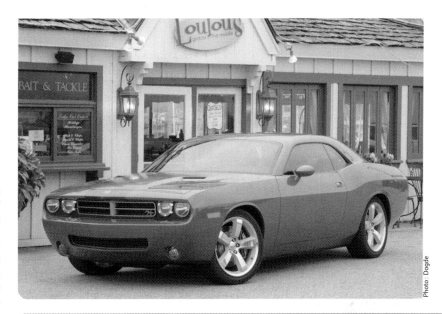

Photo : Dodge

C'est Dodge qui a mis le feu aux poudres en dévoilant le Challenger le premier au Salon de l'auto de Detroit. Puis Chevrolet a répliqué le lendemain avec la Camaro pour confirmer quelques mois plus tard qu'elle allait être produite en série. La balle était alors dans le camp de Dodge qui a annoncé à son tour que le Challenger sera commercialisé en tant que modèle 2008 au cours de cette année calendrier. Pour Dodge, la tâche a été relativement facile, si l'on peut dire, car on a modifié un Charger en enlevant les deux portes arrière, en rétrécissant l'empattement et en conservant le moteur Hemi de 425 chevaux.

CHALLENGER

DODGE

Photo : Dodge

Plusieurs sont prêts à parier gros que cette Dodge de la Classe B sera mise sur le marché d'ici quelques mois. Tout simplement parce que Chrysler est absent de cette catégorie et que cette dernière est en pleine expansion. Si l'appellation Hornet vous intrigue, il faut se souvenir que Chrysler a acheté AMC-Jeep-Renault il y a quelques années et qu'il peut utiliser la désignation Hornet sans problème. Même si la voiture concept est de formes audacieuses, elle devrait être plus dépouillée de ses ailerons une fois en production. Et tout porte à croire que le moteur quatre cylindres 1,8 litre du Caliber pourrait être utilisé sur notre continent.

HORNET

GMC

ACADIA

L'Acadia sera le premier VUS hybride à ne jamais avoir été commercialisé par cette division de camions. Avec son châssis monocoque, ses suspensions indépendantes aux quatre roues et un habitacle s'inspirant de celui des automobiles, ce véhicule multisegment devrait permettre à GMC de se tailler un part du marché de ce créneau de plus en plus populaire. Il est doté d'une transmission intégrale, d'un moteur V6 3,6 litres à double arbres à cames en tête couplé à une boîte automatique à six rapports. Ce moteur développe 267 chevaux et sa conception mécanique est moderne avec une culasse à double arbre à cames en tête. Ce GMC est un modèle huit places doté d'un ingénieux système de bascule des sièges du centre afin de prendre place à l'arrière.

Photo : GMC

LAND ROVER
LR2

Ce modèle est appelé à remplacer le Freelander de triste mémoire. Sa silhouette est inspirée de celle du LR3 et comme ce dernier, il utilise une appellation alphanumérique pour notre marché alors qu'il continue de s'appeler Freelander sur d'autres marchés. Dévoilé au Salon de Londres à l'été 2006, il est propulsé par un moteur six cylindres en ligne de 3,2 litres d'une puissance de 232 chevaux. Il est couplé à une boîte automatique à six rapports. Un moteur diesel sera également offert sur plusieurs autres marchés que le notre. Comme tout Land Rover qui se respecte, le système de traction intégrale est efficace et calqué sur celui du LR3.

Photo : Land Rover

Photo : Mazda

Mazda a été le premier constructeur japonais à parler de commercialiser une voiture sous-compacte en Amérique. Mais tandis que la Mazda2 est toujours à l'était de projet, Toyota, Nissan et Honda sont présents dans la catégorie. Pourtant, la Mazda2 ne ferait pas mauvaise figure loin de là. Sa silhouette s'apparente à celle de la très populaire Mazda3. En Europe, la 2 peut être commandée avec plusieurs moteurs, mais le quatre cylindres de 1,6 litre d'une puissance de 100 chevaux serait le plus approprié pour notre marché. Et l'une des aspects positifs de cette voiture est le confort de son habitacle et une tenue de route carrément sportive.

MAZDA2

MAZDA

Photo : Saturn

Chez General Motors, aucune division ne conserve l'exclusivité d'un modèle. Le nouvel Outlook de Saturn est plus ou moins similaire au GMC Acadia. Sa plate-forme est identique de même que son moteur V6 de 3,6 litres. La puissance de ce moteur est donc de 267 chevaux, comme sur l'Acadia. Par contre, les versions plus économiques sont dotées d'un seul tuyau d'échappement et la puissance de ce même moteur est alors de 263 chevaux. Ce modèle est offert en version à traction avant ou avec une transmission intégrale. Il permet ainsi à la division Saturn d'augmenter le nombre de modèles à con catalogue.

SATURN

OUTLOOK

Achevé d'imprimer au Canada
sur les presses de l'imprimerie Québécor World St-Jean Inc. en août 2006.